P9-DWO-274

Harry Potter
y
la Orden del Fénix

J.K. ROWLING

Harry Potter y la Orden del Fénix

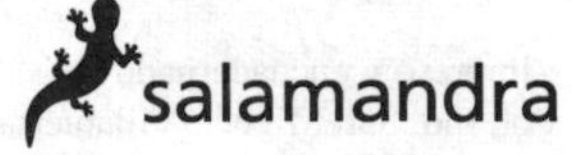

Título original: *Harry Potter and the Order of the Phoenix*

Traducción: Gemma Rovira Ortega

Ilustración: Dolores Avendaño

Publicaciones y Ediciones Salamandra, S.A.
Mallorca, 237 - 08008 Barcelona - Tel. 93 215 11 99

ISBN: 84-7888-744-X
Depósito legal: NA-3.288-2003

1ª edición, febrero de 2004
Printed in Spain

Impreso y encuadernado en:
RODESA - Pol. Ind. San Miguel. Villatuerta (Navarra)

para Neil, Jessica y David,
que vuelven mágico mi mundo

1

Dudley, dementado

El día más caluroso en lo que iba de verano llegaba a su fin, y un silencio amodorrante se extendía sobre las grandes y cuadradas casas de Privet Drive. Los coches, normalmente relucientes, que había estacionados en las entradas de las casas estaban cubiertos de polvo, y las extensiones de césped, que solían ser de un verde esmeralda, estaban resecas y amarillentas porque se había prohibido el uso de mangueras debido a la sequía. Privados de las habituales actividades de lavar el coche y de cortar el césped, los vecinos de Privet Drive se habían refugiado en el fresco interior de las casas, con las ventanas abiertas de par en par, en un vano intento de atraer una inexistente brisa. El único que se había quedado fuera era un muchacho que estaba tumbado boca arriba en un arriate de flores, frente al número 4.

Era un chico delgado, con el pelo negro y con gafas, que tenía el aspecto enclenque y ligeramente enfermizo de quien ha crecido mucho en poco tiempo. Llevaba unos pantalones vaqueros rotos y sucios, una camiseta ancha y desteñida, y las suelas de sus zapatillas de deporte estaban desprendiéndose por la parte superior. El aspecto de Harry Potter no le granjeaba el cariño de sus vecinos, quienes eran de esa clase de gente que cree que el desaliño debería estar castigado por la ley; pero como el chico se había escondido detrás de una enorme mata de hortensias, esa noche los transeúntes no podían verlo. De hecho, sólo habrían podido descubrirlo su tío Vernon o su tía Petunia, si hubieran asomado la cabeza por la ventana de la sala y hubieran mirado hacia el arriate que había debajo.

En general, Harry creía que debía felicitarse por haber tenido la idea de esconderse allí. Quizá no estuviera muy cómodo tumbado sobre la dura y ardiente tierra, pero al menos en aquel lugar nadie le lanzaba miradas desafiantes ni hacía rechinar los dientes hasta tal punto que no podía oír las noticias, ni lo acribillaba a desagradables preguntas, como había ocurrido cada vez que había intentado sentarse en la sala para ver la televisión con sus tíos.

De pronto, como si aquel pensamiento hubiera entrado revoloteando por la ventana abierta, se oyó la voz de Vernon Dursley, el tío de Harry.

—Me alegro de comprobar que el chico ha dejado de intentar meterse donde no lo llaman. Pero ¿dónde andará?

—No lo sé —contestó tía Petunia con indiferencia—. En casa no está.

Tío Vernon soltó un gruñido.

—«Ver las noticias»... —dijo en tono mordaz—. Me gustaría saber qué es lo que se trae entre manos. Como si a los chicos normales les importara lo que dicen en el telediario. Dudley no tiene ni idea de lo que pasa en el mundo, ¡dudo que sepa siquiera cómo se llama el Primer Ministro! Además, ni que fueran a decir algo sobre su gente en nuestras noticias...

—¡Vernon! ¡Chissst! —le advirtió tía Petunia—. ¡La ventana está abierta!

—¡Ah, sí!... Lo siento, querida.

Los Dursley se quedaron callados. Harry oyó la cancioncilla publicitaria que anunciaba los cereales Fruit 'n' Bran mientras observaba a la señora Figg, una anciana chiflada amante de los gatos que vivía en el cercano paseo Glicinia y que en ese momento caminaba sin ninguna prisa por la acera. Iba con el entrecejo fruncido y refunfuñaba para sí, y Harry se alegró de estar escondido detrás de las hortensias, pues últimamente a la señora Figg le había dado por invitarlo a tomar el té cada vez que se lo encontraba en la calle. Ya había doblado la esquina y se había perdido de vista cuando la voz de tío Vernon volvió a salir flotando por la ventana.

—¿Y Dudders? ¿Ha ido a tomar el té?

—Sí, a casa de los Polkiss —respondió tía Petunia con ingenuidad—. Tiene tantos amiguitos, es tan popular...

Harry hizo un esfuerzo y contuvo un bufido. Los Dursley eran extraordinariamente necios respecto a su hijo Dudley. Se habían tragado todas esas absurdas mentiras de que durante las vacaciones de verano cada tarde iba a tomar el té con diferentes miembros de su pandilla. Harry sabía muy bien que Dudley no había ido a tomar el té a ninguna parte: cada noche él y sus amigos se dedicaban a destrozar el parque, fumaban en las esquinas y lanzaban piedras a los coches en marcha y a los niños que pasaban por la calle. Harry los había visto en acción durante sus paseos nocturnos por Little Whinging, pues había pasado la mayor parte de las vacaciones deambulando por las calles y hurgando en los cubos de basura en busca de periódicos.

Las primeras notas de la sintonía que anunciaba el telediario de las siete llegaron a los oídos de Harry, y se le contrajo el estómago. Quizá esa noche, por fin, tras un mes de espera...

—Un número récord de turistas en apuros llena los aeropuertos, ya que la huelga de los empleados españoles del servicio de equipajes alcanza su segunda semana...

—Ponerlos a dormir la siesta el resto de su vida, eso es lo que haría yo con ellos —gruñó tío Vernon cuando el locutor todavía no había terminado la frase, pero daba igual lo que dijera: fuera, en el arriate, Harry se relajó. Si hubiera pasado algo, era evidente que lo habrían contado al inicio del telediario; la muerte y la destrucción son más importantes que los turistas en apuros.

Harry suspiró lenta y profundamente y miró hacia el cielo, de un azul intenso. Aquel verano había experimentado lo mismo todos los días: la tensión, las expectativas, el alivio pasajero, y luego otra vez la tensión... Y siempre, cada vez más insistente, la pregunta de por qué no había pasado nada todavía.

Siguió escuchando por si descubría alguna pequeña pista que pudiera haber pasado inadvertida a los muggles: una desaparición sin resolver, quizá, o algún accidente extraño... Pero después de la noticia de la huelga de empleados del servicio de equipajes, dieron otra sobre la sequía que asolaba el sudeste del país («¡Espero que el vecino de al lado esté escuchando! —bramó tío Vernon—. ¡Ya sé que hace funcionar los aspersores a las tres de la madrugada!»); luego, otra de un helicóptero que había estado a punto de estrellarse en un campo de Surrey; y, a continuación, la del divorcio de una actriz famosa de su famoso marido («Como si nos interesaran sus sórdidos asuntos privados», comentó con desdén tía Petunia, que había seguido el caso obsesivamente en todas las revistas del corazón a las que había podido echar mano).

Harry cerró los ojos para no ver el intenso y resplandeciente azul del anochecer y oyó que el locutor decía:

—Y por último, el periquito *Bungy* ha descubierto una novedosa manera de refrescarse este verano. ¡*Bungy*, que vive en el Cinco Plumas de Barnsley, ha aprendido a hacer esquí acuático! Mary Dorkins se ha desplazado hasta allí para darnos más detalles...

Harry abrió los ojos. Si habían llegado a la noticia de los periquitos que practicaban esquí acuático, no podía haber nada más que valiera la pena escuchar. Rodó con cuidado hasta quedar boca abajo y se puso a cuatro patas, preparado para salir gateando de su refugio bajo la ventana.

Se había movido unos cuantos centímetros cuando varias cosas ocurrieron en un abrir y cerrar de ojos.

Una fuerte detonación, parecida al ruido de un disparo, rompió el perezoso silencio; un gato salió disparado de debajo de un coche estacionado y desapareció; de la sala de los Dursley llegaron un chillido, un juramento y el ruido de porcelana rota, y como si ésa fuera la señal que Harry hubiera estado esperando, se puso en pie de un brinco al mismo tiempo que sacaba de la cintura de sus pantalones vaqueros una delgada varita mágica de madera, como si desenvainara una espada; pero antes de que pudiera enderezarse del todo, su coronilla chocó contra la ventana abierta de los Dursley. El ruido de la colisión hizo que tía Petunia gritara aún más fuerte.

Harry tuvo la impresión de que su cabeza se había partido por la mitad. Se tambaleó, con los ojos bañados en lágrimas, e intentó enfocar la calle para localizar el origen de la detonación, pero cuando apenas había conseguido recobrar el equilibrio, dos grandes manos moradas salieron por la ventana abierta y se cerraron con fuerza alrededor de su cuello.

—¡Guarda eso! —le gruñó tío Vernon al oído—. ¡Inmediatamente! ¡Antes de que alguien lo vea!

—¡Suél-ta-me! —exclamó Harry con voz entrecortada.

Forcejearon durante unos segundos; Harry tiraba de los dedos como salchichas de su tío con la mano izquierda, mientras con la derecha mantenía con firmeza su varita mágica en alto; entonces, al mismo tiempo que el dolor que Harry notaba en la coronilla le producía una punzada muy desagradable, tío Vernon dio un grito y lo soltó, como si hubiera recibido una descarga eléctrica. Al parecer una fuerza invisible había invadido a su sobrino y le había impedido sujetarlo.

Jadeando, Harry cayó hacia delante sobre la mata de hortensias, se enderezó y miró alrededor. No había ni rastro de lo que había causado la detonación, pero en cambio unas cuantas caras miraban desde varias ventanas cercanas. Harry se guardó apresuradamente la varita en los pantalones vaqueros e intentó adoptar una expresión inocente.

—¡Qué noche tan agradable! —gritó tío Vernon, saludando con la mano a la señora Número Siete, la vecina de enfrente, que lo fulminaba con la mirada desde detrás de sus visillos—. ¿Ha oído la detonación que hizo ese coche? ¡Petunia y yo nos hemos dado un susto de muerte!

Siguió manteniendo su espantosa sonrisa de maníaco hasta que los vecinos curiosos hubieron desaparecido de sus respectivas ventanas; entonces la sonrisa de tío Vernon se convirtió en una mueca de ira y le hizo señas a Harry para que se acercara.

Harry dio unos pasos hacia donde estaba su tío, procurando detenerse fuera del alcance de sus manos para que no pudiera seguir estrangulándolo.

—Pero ¿qué demonios te propones con eso, chico? —preguntó tío Vernon con una voz ronca que temblaba de rabia.

—¿Qué me propongo con qué? —replicó fríamente Harry, que no paraba de mirar a uno y otro lado de la calle con la esperanza de descubrir a la persona que había producido aquel estruendo.

—Haciendo ese ruido; parecía el pistoletazo de salida de una carrera debajo de nuestra...

—No he sido yo —dijo Harry con firmeza.

El delgado y caballuno rostro de tía Petunia apareció junto a la cara, redonda y morada, de tío Vernon. Tía Petunia estaba pálida.

—¿Qué hacías acechando debajo de nuestra ventana?

—Sí, eso es... ¡Bien dicho, Petunia! ¿Qué hacías debajo de nuestra ventana, chico?

—Escuchar las noticias —contestó Harry con tono resignado.

Su tío y su tía se miraron indignados.

—¡Escuchar las noticias! ¿Otra vez?

—Bueno, es que cada día son diferentes, ¿sabes? —dijo Harry.

—¡No te hagas el listo conmigo, chico! ¡Quiero saber qué es lo que tramas en realidad, y no vuelvas a venirme con el cuento ése de que estabas «escuchando las noticias»! Sabes perfectamente que tu gente...

—¡Cuidado, Vernon! —susurró tía Petunia, y el hombre bajó la voz hasta que Harry apenas pudo oírlo.

—¡... que tu gente no sale en nuestras noticias!

—Eso es lo único que sabes —repuso Harry.

Los Dursley lo miraron con los ojos desorbitados unos segundos; entonces tía Petunia dijo:

—Eres un pequeño embustero. ¿Qué hacen todas esas... —ella también bajó la voz, de modo que Harry tuvo que leerle los labios para entender la siguiente palabra— lechuzas, sino traerte noticias?

—¡Ajá! —exclamó tío Vernon con un susurro triunfante—. ¿Nos tomas por tontos, chico? ¡Como si no supiéramos que son esos pestilentes pajarracos los que te traen las noticias!

Harry vaciló un instante. Esa vez le costaba trabajo decir la verdad, aunque era imposible que sus tíos supieran lo mucho que le dolía admitirlo.

—Las lechuzas... no me traen noticias —dijo con voz monótona.

—No te creo —le espetó tía Petunia al instante.

—Yo tampoco —agregó tío Vernon con ímpetu.

—Sabemos que estás tramando algo raro —continuó tía Petunia.

—No somos idiotas —dijo tío Vernon.

—Bueno, eso sí que es una noticia para mí —afirmó Harry, cada vez más enojado, y antes de que los Dursley pudieran ordenarle que regresara, había girado sobre sus talones, cruzado el jardín delantero, saltado la valla y empezado a alejarse por la calle dando grandes zancadas.

Había metido la pata, y lo sabía. Más tarde tendría que enfrentarse a sus tíos y pagar por su grosería, pero en ese momento eso no le importaba demasiado: tenía asuntos mucho más urgentes en la cabeza.

Harry estaba convencido de que aquella detonación la había causado alguien al aparecerse o desaparecerse. Era el mismo ruido que Dobby, el elfo doméstico, hacía cuando se esfumaba. ¿Y si Dobby estuviera allí, en Privet Drive? ¿Y si Dobby lo estuviera siguiendo en ese mismo instante? En cuanto se le ocurrió esa idea, Harry se dio la vuelta y se quedó mirando la calle, pero ésta parecía completamente desierta, y Harry estaba seguro de que Dobby no sabía cómo hacerse invisible.

Siguió andando, sin fijarse apenas por dónde iba, porque paseaba tan a menudo por aquellas calles que sus pies lo llevaban automáticamente a sus sitios preferidos. Miraba hacia atrás con frecuencia. Algún ser mágico había estado cerca de él mientras se encontraba tumbado entre las marchitas begonias del arriate de tía Petunia, de eso no tenía ninguna duda, pero ¿por qué no le había hablado, por qué no se había manifestado, por qué se escondía?

Y entonces, cuando su sentimiento de frustración alcanzó el punto máximo, su certeza se desvaneció.

Al fin y al cabo quizá no hubiera sido un ruido mágico. Quizá estuviera tan ansioso por detectar la más mínima señal de contacto con el mundo al que él pertenecía que reaccionaba de forma exagerada ante ruidos normales. ¿Estaba seguro de que no se trataba del ruido de algo que se había roto en la casa de algún vecino?

Harry notó un vacío en el estómago, y casi sin darse cuenta volvió a invadirlo la sensación de desesperanza que lo había atormentado todo el verano.

Al día siguiente por la mañana el despertador sonaría a las cinco en punto para que Harry pudiera pagar a la lechuza que le entregaba *El Profeta*; pero ¿tenía sentido que siguiera recibiéndolo? Últimamente Harry se limitaba a echarle un vistazo a la primera plana antes de dejarlo tirado en cualquier sitio; cuando los idiotas que dirigían el periódico se dieran cuenta por fin de que Voldemort había regresado, ésa sería la noticia de primera plana en grandes titulares, y ésa era la única que a Harry le importaba.

Si tenía suerte, a la mañana siguiente también llegarían lechuzas con cartas de sus mejores amigos, Ron y Hermione, aunque ya se habían agotado sus esperanzas de que sus cartas le llevaran noticias.

«Como comprenderás, no podemos hablar mucho de ya-sabes-qué... Nos han pedido que no digamos nada importante por si nuestras cartas se pierden... Estamos muy ocupados, pero ahora no puedo darte detalles... Están pasando muchas cosas, ya te lo contaremos todo cuando te veamos...»

Pero ¿cuándo irían a verlo? A nadie parecía importarle que no hubiera una fecha exacta. Hermione había escrito en su tarjeta de felicitación de cumpleaños: «Creo que te veremos pronto», pero ¿qué quería decir «pronto»? Por lo que Harry había podido deducir de las vagas pistas que contenían sus cartas, Hermione y Ron estaban en el mismo sitio, seguramente en casa de los padres de Ron. Harry no soportaba imaginárselos divirtiéndose en La Madriguera cuando él estaba atrapado en Privet Drive. De hecho, estaba tan enfadado con ellos que había tirado, sin abrirlas, las dos cajas de chocolates de Honeydukes que le habían enviado por su cumpleaños. Después, cuando vio la mustia ensalada que tía Petunia puso en la mesa a la hora de cenar, se arrepintió de haberlo hecho.

¿Y qué era eso que tenía tan ocupados a Ron y a Hermione? ¿Por qué no estaba él ocupado? ¿Acaso no había demostrado que era capaz de llevar a cabo cosas mucho más importantes que las que hacían ellos? ¿Había olvidado todo el mundo su proeza? ¿Acaso no había sido él quien había entrado en aquel cementerio y había visto cómo asesinaban a Cedric, y al que habían atado a aquella lápida y casi habían matado?

«No pienses en eso», se dijo Harry, severo, por enésima vez a lo largo del verano. Ya era bastante desagradable que el cementerio apareciera continuamente en sus pesadillas para que también pensara en él durante el día.

Dobló una esquina y continuó andando por la calle Magnolia; un poco más allá, pasó por delante del estrecho callejón que discurría junto a la pared de una cochera donde había visto por primera vez a su padrino. Al menos Sirius parecía entender cómo se sentía Harry. Había que reconocer que sus cartas contenían tan pocas noticias de verdad como las de Ron y Hermione, pero por lo menos incluían palabras de precaución y de consuelo en lugar de tentadoras insinuaciones: «Ya sé que esto debe de ser frustrante para ti... No te metas en líos y todo saldrá bien... Ten cuidado y no hagas nada precipitadamente...»

Bueno, pensó Harry mientras cruzaba la calle Magnolia, torcía por la avenida Magnolia y se dirigía hacia el parque, él había seguido, en general, los consejos de Sirius. Al menos había dominado el impulso de atar su baúl al palo de su escoba e ir por su cuenta a La Madriguera. De hecho, Harry creía que su comportamiento había sido muy bueno, teniendo en cuenta lo decepcionado y molesto que estaba por llevar tanto tiempo confinado en Privet Drive, sin poder hacer otra cosa que esconderse en los arriates con la esperanza de oír algo que indicara qué estaba haciendo lord Voldemort. Con todo, era muy mortificante que el que te aconsejaba que no hicieras nada precipitadamente fuera un hombre que había cumplido doce años de condena en Azkaban, la prisión de magos, que se había fugado de ella, había intentado cometer el asesinato por el que lo habían condenado y luego había desaparecido con un hipogrifo robado.

Harry saltó la verja del parque, que estaba cerrado, y echó a andar por la hierba reseca. El parque estaba tan vacío como las calles de los alrededores. Cuando llegó a los columpios se sentó en el único que Dudley y sus amigos todavía no habían conseguido romper, pasó un brazo alrededor de la cadena y se quedó mirando el suelo con aire taciturno. Ya no podría volver a esconderse en el arriate de los Dursley. Tendría que pensar otra manera de escuchar las noticias del día siguiente. Entre tanto no tenía más perspectiva que la de pasar otra noche intranquila y agitada, porque incluso cuando se salvaba de las pesadillas sobre Cedric, tenía sueños inquietantes en los que aparecían largos y oscuros pasillos que terminaban en muros y puertas cerradas con llave, y que él suponía que tenían algo que ver con la sensación de estar prisionero que lo acosaba cuando estaba despierto. Sentía a menudo unos desagradables pinchazos en la vieja cicatriz de la frente, pero sabía que eso ya no les interesaría mucho ni a Ron, ni a Hermione, ni a Sirius. En el pasado, el dolor en su cicatriz era una señal de que Voldemort estaba volviendo a cobrar fuerza, aunque, ahora que Voldemort había regresado, seguramente sus amigos le recordarían que aquella sensación crónica era de esperar..., pero no significaba nada por lo que tuviera que preocuparse... Nada nuevo.

La injusticia de aquella situación iba minándolo poco a poco y le daban ganas de gritar de rabia. ¡De no haber sido por él, nadie sabría siquiera que Voldemort había regresado! ¡Y su recompensa era quedarse atrapado en Little Whinging durante cuatro semanas enteras, incomunicado con el mundo mágico, sin poder hacer otra cosa que agazaparse en medio de las marchitas begonias para poder oír la noticia de que un periquito practicaba esquí acuático! ¿Cómo podía ser que Dumbledore se hubiera olvidado de él con tanta facilidad? ¿Y por qué Ron y Hermione no lo habían invitado a reunirse con ellos? ¿Durante cuánto tiempo tendría que seguir soportando que Sirius le dijera que se portara bien y fuera un buen chico; o resistir la tentación de escribir a esos ineptos de *El Profeta* y explicarles que Voldemort había vuelto? Aquel torbellino de ideas daba vueltas en la cabeza de Harry, y las tripas se le retorcían de rabia, mientras una noche aterciopelada y sofocante iba cerrándose sobre él; el aire olía a hierba seca y recalentada, y lo único que se oía era el débil murmullo del tráfico de la calle, más allá de la valla del parque.

No sabía cuánto tiempo llevaba sentado en el columpio cuando unas voces lo sacaron de su ensimismamiento y levantó la cabeza. Las farolas de las calles de los alrededores proyectaban un resplandor neblinoso lo bastante intenso para distinguir la silueta de un grupo de personas que avanzaban por el parque. Una de ellas cantaba a voz en cuello una canción muy ordinaria. Las otras reían. Al poco rato empezó a oírse también el débil ruidito de varias bicicletas de carreras caras, que aquellas personas llevaban agarradas por el manillar.

Harry sabía de quiénes se trataba. La figura que iba delante era, sin lugar a dudas, su primo Dudley Dursley, que regresaba a casa acompañado de su leal pandilla.

Dudley estaba más enorme que nunca, pero un año de riguroso régimen y el descubrimiento de un nuevo talento del muchacho habían operado un cambio considerable en su físico. Como tío Vernon explicaba encantado a todo el que estuviera dispuesto a escucharlo, desde hacía poco Dudley ostentaba el título de Campeón de los Pesos Pesados de la Liga de Boxeo Interescolar Juvenil del Sudeste. El «noble deporte», como lo llamaba tío Vernon, había conseguido que Dudley fuera todavía más imponente de lo que a Harry le parecía en los tiempos de la escuela primaria, cuando Dudley lo utilizaba a él de punching ball. Harry ya no temía a su primo, pero aun así no creía que el hecho de que Dudley hubiera aprendido a golpear más fuerte y con mayor puntería fuera motivo de celebración. Los niños del vecindario le tenían pánico, más pánico incluso que el que le tenían a «ese Potter» que, según les habían contado, era un granuja empedernido e iba al Centro de Seguridad San Bruto para Delincuentes Juveniles Incurables.

Harry vio cómo las oscuras figuras cruzaban el césped y se preguntó a quién habrían estado pegando aquella noche. «Miren alrededor —pensó Harry sin proponérselo mientras los observaba—. Vamos... Miren alrededor... Estoy aquí sentado, solo... Vengan y atrévanse...»

Si los amigos de Dudley lo veían allí sentado, seguro que se iban derechitos hacia él, ¿y qué haría entonces Dudley? No querría quedar mal delante de la pandilla, pero le daba pánico provocar a Harry... Sería muy divertido plantearle ese dilema a Dudley, hostigarlo, mirarlo con atención, sin que él pudiera reaccionar... Y si alguno de los demás tenía la intención de pegar a Harry, él estaba preparado: llevaba su varita. Que lo intentaran... Harry estaría encantado de descargar parte de su frustración sobre los chicos que en otros tiempos habían hecho de su vida un infierno.

Pero no se dieron la vuelta, así que no vieron a Harry, y ya estaban llegando a la valla. Harry dominó el impulso de llamarlos..., pero provocar una pelea no habría estado bien... No debía emplear la magia..., volvería a exponerse a la expulsión.

Las voces de la pandilla de Dudley fueron apagándose; iban hacia la avenida Magnolia, y Harry ya no los distinguía.

«Ya lo ves, Sirius —pensó Harry con desánimo—. No hago nada con precipitación. No me meto en líos. Exactamente lo contrario de lo que hiciste tú.»

Se puso en pie y se desperezó. Por lo visto tía Petunia y tío Vernon consideraban que la hora a la que Dudley aparecía en casa era la hora correcta de llegar, pero el tiempo que sobrepasara a esa hora ya era demasiado tarde. Tío Vernon había amenazado con encerrar a Harry en el cobertizo si volvía a llegar después que Dudley, así que, conteniendo un bostezo y todavía con el entrecejo fruncido, Harry echó a andar hacia la verja del parque.

La avenida Magnolia, al igual que Privet Drive, estaba llena de grandes y cuadradas casas con jardines perfectamente cuidados, cuyos propietarios eran también grandes y cuadrados y conducían coches muy limpios parecidos al de tío Vernon. Harry prefería Little Whinging por la noche, cuando las ventanas, con las cortinas corridas, dibujaban formas de relucientes colores en la oscuridad, y él no corría el peligro de oír murmullos desaprobadores sobre su aspecto de «delincuente» cuando se cruzaba con los dueños de las casas. Caminaba deprisa, pero cuando ya se encontraban hacia la mitad de la avenida Magnolia, la pandilla de Dudley volvió a aparecer ante él: estaban despidiéndose en la esquina de la calle Magnolia. Harry se detuvo a la sombra de un gran lilo y esperó.

—... chillaba como un cerdo, ¿verdad? —decía Malcolm entre las risotadas de los demás.

—Buen gancho de derecha, Big D —dijo Piers.

—¿Mañana a la misma hora? —preguntó Dudley.

—En mi casa. Mis padres no estarán —respondió Gordon.

—Hasta mañana entonces —se despidió Dudley.

—¡Adiós, Dud!

—¡Hasta luego, Big D!

Harry esperó a que el resto de la pandilla se pusiera en marcha antes de seguir andando. Cuando sus voces se hubieron apagado de nuevo, dobló la esquina de la calle Magnolia y, acelerando el paso, no tardó en situarse a escasa distancia de Dudley, que caminaba tan campante, tarareando de forma poco melodiosa.

—¡Eh, Big D!

Dudley se dio la vuelta.

—¡Ah! —gruñó—. Eres tú.

—¿Desde cuándo te llaman «Big D»? —preguntó Harry.

—Cállate —le espetó Dudley, y giró la cabeza.

—Qué nombre tan pedante —dijo Harry, sonriendo y situándose junto a su primo—. Aunque para mí siempre serás «Cachorrito».

—¡He dicho que te calles! —gritó Dudley, que había cerrado aquellas manos suyas que parecían jamones.

—¿No saben tus amigos que así es como te llama tu madre?

—Cierra el pico.

—A ella nunca le dices que cierre el pico. ¿Qué me dices de «Trompito» y «Muñequito precioso»? ¿Puedo usarlos?

Dudley no replicó. El esfuerzo que tenía que hacer para no golpear a Harry parecía exigir todo su autocontrol.

—¿A quién le estuvieron pegando esta noche? —preguntó Harry, y la sonrisa se borró de sus labios—. ¿A otro niño de diez años? Ya sé que hace un par de noches le diste una paliza a Mark Evans.

—Se la buscó —gruñó Dudley.

—¿Ah, sí?

—Me contestó mal.

—¿En serio? ¿Qué te dijo? ¿Que pareces un cerdo al que han enseñado a caminar sobre las patas traseras? Porque eso no es contestar mal, Dud, eso es decir la verdad.

Un músculo palpitaba en la mandíbula de Dudley. A Harry le produjo gran satisfacción comprobar lo furioso que estaba poniendo a su primo; sentía que estaba desviando toda su frustración hacia Dudley; era la única válvula de escape que tenía.

Torcieron a la derecha por el estrecho callejón donde Harry había visto por primera vez a Sirius y que formaba un atajo entre la calle Magnolia y el paseo Glicinia. Estaba vacío y mucho más oscuro que las calles que unía porque allí no había farolas. El ruido de sus pasos quedaba amortiguado entre las paredes de la cochera que había a un lado y una alta valla que había al otro.

—Te crees más grande porque llevas esa cosa, ¿verdad? —dijo Dudley pasados unos segundos.

—¿Qué cosa?

—Eso... Esa cosa que llevas escondida.

Harry volvió a sonreír.

—No eres tan tonto como pareces, ¿verdad, Dud? Claro, supongo que si lo fueras no serías capaz de andar y hablar al mismo tiempo.

Harry sacó su varita mágica. Vio que Dudley la miraba de reojo.

—Lo tienes prohibido —se apresuró a decir Dudley—. Sé que lo tienes prohibido. Te expulsarían de esa escuela para bichos raros a la que vas.

—¿Cómo sabes que no han cambiado las normas, Big D?

—No las han cambiado —aseguró Dudley, aunque no parecía del todo convencido. Harry soltó una risita—. No tienes agallas para enfrentarte a mí sin esa cosa, ¿verdad que no? —gruñó Dudley.

—Y tú necesitas tener a cuatro amigos detrás para pegar a un niño de diez años. ¿Te acuerdas de ese título de boxeo del que tanto alardeas? ¿Cuántos años tenía tu oponente? ¿Siete? ¿Ocho?

—Tenía dieciséis, para que lo sepas —protestó Dudley—, y cuando terminé con él estuvo veinte minutos sin conocimiento, y pesaba el doble que tú. Ya verás cuando le cuente a papá que has sacado esa cosa...

—¿Vas a ir con papi? ¿Le da miedo a su campeoncito de boxeo la horrible varita de Harry?

—Por la noche no eres tan valiente, ¿verdad? —replicó Dudley con sorna.

—Ahora es de noche, Cachorrito. Se llama así cuando el cielo se pone oscuro.

—¡Me refiero a cuando estás en la cama! —le espetó Dudley, que se había parado.

Harry se detuvo también y miró fijamente a su primo. Pese a que no veía muy bien la enorme cara de Dudley, distinguió en ella una extraña mirada de triunfo.

—¿Qué quieres decir con eso de que cuando estoy en la cama no soy tan valiente? —preguntó Harry desconcertado—. ¿De qué quieres que tenga miedo? ¿De las almohadas?

—Anoche te oí —replicó Dudley entrecortadamente—. Hablabas en sueños. ¡Gemías!

—¿Qué quieres decir? —insistió Harry, pero sentía algo frío y pesado en el estómago. La noche pasada había vuelto a ver en sueños el cementerio.

Dudley soltó una fuerte carcajada y luego puso una vocecilla aguda y quejumbrosa:

—«¡No mates a Cedric! ¡No mates a Cedric!» ¿Quién es Cedric? ¿Tu novio?

—Mientes —dijo Harry como un autómata, pero se le había quedado la boca seca. Sabía que Dudley no mentía; si no, ¿cómo podía saber algo de Cedric?

—«¡Papá! ¡Ayúdame, papá! ¡Me va a matar, papá! ¡Buuaaah!»

—Cállate —le dijo Harry en voz baja—. ¡Cállate, Dudley! ¡Te lo advierto!

—«¡Ven a ayudarme, papá! ¡Mamá, ven a ayudarme! ¡Ha matado a Cedric! ¡Ayúdame, papá! Va a...» ¡No me apuntes con esa cosa!

Dudley retrocedió hacia la pared del callejón. Harry apuntaba directamente con la varita hacia el corazón de su primo. Sentía latir en sus venas los catorce años de odio hacia él. Habría dado cualquier cosa por atacarlo en aquel momento, por lanzarle un conjuro tan fuerte que tuviera que volver a su casa arrastrándose como un insecto, mudo, con antenas...

—No vuelvas a hablar de eso —lo amenazó Harry—. ¿Me has entendido?

—¡Apunta hacia otro lado!

—Te he preguntado si me has entendido.

—¡Apunta hacia otro lado!

—¿ME HAS ENTENDIDO?

—¡APARTA ESA COSA DE...!

Dudley soltó un extraño y estremecedor grito ahogado, como si le hubieran echado encima un cubo de agua helada.

Algo le había pasado a la noche. El cielo, de color añil salpicado de estrellas, se quedó de pronto completamente negro, sin una sola luz: las estrellas, la luna y el resplandor de las farolas que había en ambos extremos del callejón habían desaparecido. El ruido sordo de los coches y el susurro de los árboles también habían cesado. Un frío glacial se había apoderado de la noche, hasta entonces templada y agradable. Estaban rodeados de una oscuridad total, impenetrable y silenciosa, como si una mano gigante hubiera cubierto el callejón con un grueso y frío manto, dejándolos ciegos.

Al principio Harry creyó que había hecho magia sin darse cuenta, pese a que se había estado conteniendo con todas sus fuerzas; pero entonces cayó en la cuenta de que él no tenía el poder de apagar las estrellas. Giró la cabeza hacia uno y otro lado, intentando ver algo, pero la oscuridad se le pegaba a los ojos como un ingrávido velo.

La voz aterrorizada de Dudley sonó en los oídos de Harry.

—¿Q-qué ha-haces? ¡Para!

—¡No hago nada! ¡Cállate y no te muevas!

—¡N-no veo nada! ¡M-me he quedado ciego!

—¡He dicho que te calles!

Harry permaneció allí plantado, inmóvil, dirigiendo los ojos a derecha e izquierda sin ver nada. El frío era tan intenso que temblaba de pies a cabeza; se le puso la carne de gallina en los brazos y se le erizó el vello de la nuca. Abrió los ojos al máximo, mirando alrededor, pero no pudo ver nada.

Era imposible... No podía ser que estuvieran allí..., en Little Whinging... Aguzó el oído... Los oiría antes de verlos...

—¡S-se lo diré a papá! —gimoteó Dudley—. ¿D-dónde estás? ¿Q-qué haces?

—¿Quieres callarte de una vez? —susurró Harry—. Estoy intentando escu...

Pero se quedó callado. Acababa de oír justo lo que temía.

Había algo en el callejón además de ellos dos, algo que respiraba, produciendo un ruido ronco y vibrante. Harry seguía de pie, temblando de frío, y experimentó una fuerte sacudida de terror.

—¡B-basta! ¡Para ya! ¡Te voy a pe-pegar un puñetazo! ¡Te juro que te voy a pegar!

—Cállate, Dudley...

¡ZAS!

Un puño chocó contra un lado de la cabeza de Harry y lo levantó del suelo. Ante sus ojos aparecieron unas lucecitas blancas. Por segunda vez en una hora, tuvo la impresión de que la cabeza se le había partido por la mitad, y un momento después aterrizó en el duro suelo y su varita salió volando.

—¡Eres un imbécil, Dudley! —gritó Harry, y el dolor hizo que se le llenaran los ojos de lágrimas.

Se puso a cuatro patas y empezó a tantear con desesperación a su alrededor, en la oscuridad. Oyó a Dudley, que se alejaba dando tumbos, chocando contra la valla del callejón, tambaleándose.

—¡VUELVE, DUDLEY! ¡VAS DIRECTO HACIA ÉL!

Se oyó un chillido espantoso y entonces cesó el ruido de los pasos de Dudley. Al mismo tiempo, Harry sintió un frío espeluznante detrás de él que sólo podía significar una cosa: había más de uno.

—¡DUDLEY, MANTÉN LA BOCA CERRADA! ¡HAGAS LO QUE HAGAS, MANTÉN LA BOCA CERRADA! ¡Varita! —farfulló Harry desesperado, agitando las manos por la superficie del suelo como si fueran arañas—. ¿Dónde está? Varita..., vamos... *¡Lumos!*

Pronunció el conjuro automáticamente, pues necesitaba con urgencia luz para encontrar la varita; con gran alivio, y casi sin poder creerlo, vio aparecer un resplandor a pocos centímetros de su mano derecha. La punta de la varita se había encendido. Harry la agarró, se puso en pie y se dio la vuelta.

Se le revolvió el estómago.

Una figura altísima y encapuchada se deslizaba con suavidad hacia él, suspendida encima del suelo; no se le veían los pies ni la cara, tapados por la túnica, y a medida que se acercaba se iba tragando la noche.

Harry retrocedió, tambaleándose, y levantó la varita.

—*¡Expecto patronum!*

Una voluta de vapor plateada salió de la punta de la varita mágica y el dementor aminoró el paso, pero el conjuro no había funcionado bien; Harry, tropezando de nuevo, retrocedió un poco más al mismo tiempo que el dementor se le echaba encima. El pánico le nublaba la mente...

«Concéntrate...»

Un par de manos grises, viscosas y cubiertas de costras salieron de debajo de la túnica del dementor y se dirigieron hacia Harry, mientras un ruido de avidez le penetró en los oídos.

—*¡Expecto patronum!*

Su voz sonó débil y distante. Otra voluta de humo plateado, más débil que la anterior, salió de la varita: ya no podía hacerlo, ya no podía lograr que el conjuro funcionara.

Oyó una risa dentro de su cabeza, una risa aguda y estridente... Percibió el olor del aliento putrefacto, de un frío mortal, del dementor, que le llenaba los pulmones y lo ahogaba...

«Piensa... algo alegre...»

Pero no había alegría dentro de él... Los helados dedos del dementor se acercaban a su cuello, la aguda risa cada vez era más fuerte, y sonó una voz dentro de su cabeza:

«Inclínate ante la muerte, Harry... Quizá ni siquiera sea dolorosa... Yo no puedo saberlo... Yo no he muerto nunca...»

Jamás volvería a ver ni a Ron ni a Hermione...

Y sus caras aparecieron dibujadas con claridad en su mente mientras luchaba por respirar.

—*¡EXPECTO PATRONUM!*

Un ciervo, enorme y plateado, salió de la punta de la varita de Harry y con la cornamenta golpeó al dementor donde éste habría tenido el corazón. El dementor se echó hacia atrás, ingrávido como la oscuridad, y cuando el ciervo lo embistió, se alejó revoloteando como un murciélago, derrotado.

—¡Por aquí! —le gritó Harry al ciervo. Luego giró sobre los talones y echó a correr a toda velocidad por el callejón, manteniendo en alto la varita encendida—. ¡Dudley! ¡Dudley!

Apenas había dado una docena de pasos cuando los alcanzó: Dudley estaba acurrucado en el suelo, tapándose la cara con los brazos. El segundo dementor estaba inclinado sobre él, sujetándole las muñecas con sus pegajosas manos, tirando de ellas poco a poco, separándolas casi con ternura, y bajaba la encapuchada cabeza hacia la cara de Dudley como si fuera a besarlo.

—¡Ve por él! —bramó Harry, y con un fuerte estrépito el ciervo que había hecho aparecer pasó al galope por su lado.

El rostro sin ojos del dementor estaba apenas a dos centímetros del de Dudley cuando los cuernos plateados lo golpearon; el dementor salió despedido por los aires y, al igual que su compañero, se alejó volando y quedó absorbido por la oscuridad; después el ciervo fue a medio galope hasta el final del callejón y se disolvió en una neblina plateada.

La luna, las estrellas y las farolas volvieron a cobrar vida. Una tibia brisa recorrió el callejón. En los jardines del vecindario, los árboles susurraban, y volvió a escucharse el prosaico murmullo de los coches que circulaban por la calle Magnolia. Harry se quedó de pie, quieto, con todos los sentidos en tensión, intentando asimilar el brusco regreso a la normalidad. Pasados unos instantes se dio cuenta de que tenía la camiseta pegada al cuerpo: estaba empapado en sudor.

No podía creer lo que acababa de pasar: dementores allí, en Little Whinging.

Dudley seguía acurrucado en el suelo, gimoteando y tembloroso. Harry se agachó para comprobar si estaba en condiciones de levantarse, pero entonces oyó unos fuertes pasos que corrían detrás de él. Volvió a levantar la varita mágica instintivamente y giró sobre los talones para enfrentarse al recién llegado.

La señora Figg, la vecina vieja y chiflada, apareció jadeando. El canoso cabello se le había salido de la redecilla, y llevaba una cesta para compras, que hacía un ruido metálico, colgada de la muñeca y los pies medio fuera de las zapatillas de gruesa tela de cuadros escoceses. Harry se apresuró a esconder su varita mágica, pero...

—¡No guardes eso, necio! —le gritó la señora Figg—. ¿Y si hay alguno más suelto por aquí? ¡Oh, voy a matar a Mundungus Fletcher!

2

Una bandada de lechuzas

—¿Qué? —preguntó Harry sin comprender.

—¡Se ha marchado! —dijo la señora Figg, retorciéndose las manos—. ¡Ha ido a ver a no sé quién por un asunto de un lote de calderos robados! ¡Ya le dije que iba a desollarlo vivo si se marchaba, y mira! ¡Dementores! ¡Suerte que informé del caso al *señor Tibbles*! Pero ¡no hay tiempo que perder! ¡Corre, tienes que volver a tu casa! ¡Oh, los problemas que va a causar esto! ¡Voy a matarlo!

—Pero... —La revelación de que su chiflada vecina, obsesionada con los gatos, sabía qué eran los dementores supuso para Harry una conmoción casi tan grande como encontrarse a dos de ellos en el callejón—. ¿Usted es...? ¿Usted es bruja?

—Soy una squib, como Mundungus sabe muy bien, así que ¿cómo demonios iba a ayudarte para que te defendieras de unos dementores? Te ha dejado completamente desprotegido, cuando yo le advertí...

—¿Ese tal Mundungus ha estado siguiéndome? Un momento..., ¡era él! ¡Él se desapareció delante de mi casa!

—Sí, sí, sí, pero por fortuna yo había apostado al *señor Tibbles* debajo de un coche, por si acaso, y el *señor Tibbles* vino a avisarme, pero cuando llegué a tu casa ya no estabas, y ahora... ¡Oh! ¿Qué dirá Dumbledore? ¡Eh, tú! —le gritó a Dudley, que estaba tumbado en el suelo del callejón en posición supina—. ¡Levanta tu gordo trasero del suelo, rápido!

—¿Usted conoce a Dumbledore? —preguntó Harry, mirando fijamente a la señora Figg.

—Pues claro que conozco a Dumbledore. ¿Quién no conoce a Dumbledore? Pero vámonos ya porque no voy a poder ayudarte si vuelven; nunca he transformado ni siquiera una bolsita de té.

La señora Figg se inclinó, agarró uno de los inmensos brazos de Dudley con sus apergaminadas manos y tiró de él.

—¡Levántate, zoquete! ¡Levántate!

Pero Dudley o no podía o no quería moverse, así que permaneció en el suelo, tembloroso y pálido como la cera, con los labios muy apretados.

—Ya me encargo yo —dijo Harry, que tomó a Dudley por el brazo y dio un tirón.

Haciendo un gran esfuerzo consiguió ponerlo de pie. Parecía que su primo estaba a punto de desmayarse. Sus diminutos ojos giraban en sus órbitas y tenía la cara cubierta de sudor; en cuanto Harry lo soltó, Dudley se tambaleó peligrosamente.

—¡Deprisa! —insistió la señora Figg histérica.

Harry se colocó uno de los enormes brazos de Dudley sobre los hombros y lo arrastró hacia la calle, encorvándose un poco bajo su peso. La señora Figg iba dando tumbos delante de ellos, y al llegar a la esquina asomó la cabeza, nerviosa, y miró hacia la calle.

—Ten la varita preparada —le dijo a Harry cuando entraron en el paseo Glicinia—. Ahora no importa el Estatuto del Secreto; de todos modos lo vamos a pagar caro, tanto da que nos cuelguen por un dragón o por un huevo de dragón. ¡Ay, el Decreto para la moderada limitación de la brujería en menores de edad!... Esto es ni más ni menos lo que temía Dumbledore. ¿Qué es eso que hay al final de la calle? Ah, es sólo el señor Prentice... No escondas la varita, muchacho, ¿no te he dicho que yo no te serviría de nada?

Pero no resultaba fácil sujetar con firmeza una varita mágica y al mismo tiempo arrastrar a Dudley. Harry, impaciente, le dio un codazo en las costillas a su primo, pero éste parecía haber perdido todo interés en moverse por sí mismo. Dejaba caer todo su peso sobre los hombros de Harry y arrastraba sus grandes pies por el suelo.

—¿Por qué no me dijo que era una squib, señora Figg? —preguntó Harry, jadeando por el esfuerzo que tenía que hacer para seguir andando—. Con la de veces que he ido a su casa... ¿Por qué no me dijo nada?

—Órdenes de Dumbledore. Tenía que vigilarte, pero sin revelar mi identidad porque eres demasiado joven. Perdona que te haya hecho pasarlo tan mal, Harry, pero los Dursley no te habrían dejado ir a mi casa si hubieran creído que conmigo podías pasarla bien. No fue fácil, te lo aseguro... Pero ¡oh, cielos! —exclamó trágicamente, y empezó a retorcerse las manos otra vez—. Cuando Dumbledore se entere de esto... ¿Cómo ha podido marcharse Mundungus? Se suponía que estaba de guardia hasta medianoche. ¿Dónde se habrá metido? ¿Cómo voy a explicarle a Dumbledore lo que ha sucedido? Yo no puedo aparecerme.

—Tengo una lechuza; si quiere, puedo prestársela —se ofreció Harry, quien luego emitió un gruñido y se preguntó si su columna vertebral acabaría partiéndose bajo el peso de Dudley.

—¡No lo entiendes, Harry! Dumbledore tendrá que actuar cuanto antes porque los del Ministerio tienen sus formas de detectar la magia hecha por menores de edad; ya deben de saberlo, te lo digo yo.

—Pero si estaba defendiéndome de unos dementores..., tenía que usar la magia. Seguro que les preocupará más saber qué hacían unos dementores flotando por el paseo Glicinia, ¿no cree?

—¡Ay de mí, ojalá fuera así! Pero me temo que... ¡MUNDUNGUS FLETCHER, VOY A MATARTE!

Se oyó un fuerte estampido, y un fuerte olor a licor mezclado con el de tabaco rancio llenó el aire al mismo tiempo que un individuo achaparrado y sin afeitar, con un abrigo harapiento, se materializaba justo delante de ellos. Tenía las piernas cortas y arqueadas, el cabello, de color rojo anaranjado, largo y desgreñado, y unos ojos con bolsas que le daban el aire compungido de un basset. En las manos llevaba un bulto plateado que Harry reconoció al instante: era una capa invisible.

—¡Cállate, Figgy! —exclamó el individuo mirando a la señora Figg y luego a Harry y a Dudley—. ¿No teníamos que operar en secreto?

—¡Ya te daré yo secreto! —gritó la señora Figg—. ¡Dementores! ¡Inútil, ladrón, holgazán!

—¿Dementores? —repitió Mundungus horrorizado—. ¿Dementores, aquí?

—¡Sí, aquí mismo, saco de cagarrutas de murciélago, aquí! —chilló la señora Figg—. ¡Los dementores han atacado al muchacho durante tu guardia!

—¡Caramba! —dijo Mundungus atemorizado; observó a Harry y luego volvió a mirar a la señora Figg—. Caramba, yo...

—¡Y tú por ahí, comprando calderos robados! ¿No te dije que no te marcharas? ¿No te avisé?

—Yo..., bueno..., yo... —Mundungus estaba muy abochornado—. Es que..., es que era una buenísima ocasión...

La señora Figg levantó el brazo del que colgaba la cesta para compras y dio un porrazo con él en la cara y en el cuello de Mundungus; a juzgar por el ruido metálico que hizo la cesta, debía de estar llena de latas de comida para gatos.

—¡Ay! ¡Uy! ¡Vieja loca! ¡Alguien va a tener que contarle lo ocurrido a Dumbledore!

—¡Sí!... ¡Ya lo creo!... —gritó la señora Figg sin parar de golpear con la cesta a Mundungus—. ¡Y... será... mejor... que lo hagas... tú... y le cuentes... por qué... no estabas... aquí... para ayudar!

—¡Se te va a caer la redecilla! —dijo Mundungus, encogiéndose y protegiéndose la cabeza con los brazos—. ¡Ya me voy! ¡Ya me voy!

Sonó otro fuerte estampido y Mundungus desapareció.

—¡Ojalá Dumbledore lo mate! —exclamó la señora Figg furiosa—. Y ahora, ¡vamos, Harry! ¿Qué esperas?

Harry decidió no gastar el poco aliento que le quedaba indicando que apenas podía caminar bajo el peso de Dudley, así que le dio un tirón a su primo, que seguía medio inconsciente, y echó a andar.

—Te acompañaré hasta la puerta —dijo la señora Figg cuando llegaron a Privet Drive—. Por si hay alguno más por aquí... ¡Oh, cielos, qué catástrofe! Y has tenido que defenderte de ellos tú solo... Y Dumbledore nos advirtió que teníamos que evitar a toda costa que hicieras magia... Bueno, supongo que no sirve de nada llorar cuando la poción ya se ha derramado... Pero ahora el mal ya está hecho.

—Entonces... —comentó Harry entrecortadamente—, ¿Dumbledore... me ha puesto... vigilancia?

—Por supuesto —respondió la señora Figg con impaciencia—. ¿Qué esperabas? ¿Que te dejara pasear por ahí solo después de lo que pasó en junio? ¡Vamos, muchacho, me habían dicho que eras inteligente! Bueno, entra y no salgas —le dijo cuando llegaron al número 4—. Supongo que alguien se pondrá en contacto contigo pronto.

—¿Qué va a hacer usted? —se apresuró a preguntar Harry.

—Me voy derechita a casa —contestó la señora Figg; echó un vistazo a la oscura calle y se estremeció—. Tendré que esperar a que me envíen más instrucciones. Tú quédate en casa. Buenas noches.

—¡Espere un momento! ¡No se marche todavía! Quiero saber...

Pero la señora Figg ya había echado a andar a buen paso, con las zapatillas de cuadros escoceses como chancletas, mientras la cesta para compras continuaba produciendo aquel curioso ruido metálico.

—¡Espere! —le gritó Harry.

Tenía un millón de preguntas que hacerle a cualquiera que estuviera en contacto con Dumbledore; pero, pasados unos segundos, la oscuridad se tragó a la señora Figg. Con el entrecejo fruncido, Harry se colocó bien a Dudley sobre los hombros y se dirigió lenta y dolorosamente hacia el sendero del jardín del número 4.

La luz del vestíbulo estaba encendida. Harry se guardó la varita en la cintura de los pantalones vaqueros, tocó el timbre y vio cómo la silueta de tía Petunia se hacía más y más grande, distorsionada por el cristal esmerilado de la puerta de la calle.

—¡Diddy! Ya era hora, estaba poniéndome un poco..., un poco... ¡Diddy! ¿Qué te pasa?

Harry miró de reojo a Dudley y se escabulló de debajo de su brazo justo a tiempo. Su primo se quedó de pie un momento, oscilando, con la cara de un verde pálido... De pronto, abrió la boca y vomitó en la alfombrilla de la entrada.

—¡Diddy! ¿Qué te pasa, Diddy? ¡Vernon! ¡Vernon!

El tío de Harry caminó desde la sala, moviéndose con la gracia de un elefante y meneando el bigote de morsa de aquí para allá, como hacía siempre que se ponía nervioso. Corrió a ayudar a tía Petunia para conseguir que Dudley, que no se sostenía en pie, cruzara el umbral, mientras él evitaba pisar el charco de vómito.

—¡Está enfermo, Vernon!

—¿Qué tienes, hijo? ¿Qué ha pasado? ¿Te ha dado la señora Polkiss algo raro con el té?

—¿Cómo es que vienes manchado de tierra, cariño? ¿Te has tumbado en el suelo?

—Un momento... No te habrán atracado, ¿verdad, hijo?

Tía Petunia soltó un grito desgarrador.

—¡Llama a la policía, Vernon! ¡Llama a la policía! ¡Diddy, tesoro, dile algo a mami! ¿Qué te han hecho?

Con todo el alboroto, nadie se había fijado todavía en Harry, lo cual fue una suerte para él. Consiguió colarse dentro justo antes de que tío Vernon cerrara la puerta, y mientras los Dursley seguían avanzando ruidosamente por el vestíbulo a la cocina, Harry se dirigió con cautela y sin hacer ruido hacia la escalera.

—¿Quién ha sido, hijo? Danos nombres. Los atraparemos, no te preocupes.

—¡Chissst! ¡Está intentando decirnos algo, Vernon! ¿Qué es, Diddy? ¡Cuéntaselo a mami!

Harry tenía un pie en el primer escalón cuando Dudley recuperó la voz.

—Él.

Harry se quedó inmóvil, con una mueca en la cara, preparado para el estallido.

—¡Chico! ¡Ven aquí!

Con una mezcla de miedo y rabia, Harry levantó con lentitud el pie del escalón y se dio la vuelta para seguir a los Dursley.

La cocina, impecable, tenía un brillo casi irreal en contraste con la oscuridad del exterior. Tía Petunia hizo sentar a Dudley en una silla; el chico todavía estaba muy verde y sudoroso. Tío Vernon se hallaba de pie delante del escurreplatos, fulminando a Harry con sus diminutos y entrecerrados ojos.

—¿Qué le has hecho a mi hijo? —preguntó con un rugido amenazador.

—Nada —contestó Harry pese a saber que tío Vernon no iba a creérselo.

—¿Qué te ha hecho, Diddy? —dijo tía Petunia con voz insegura mientras con una esponja le limpiaba el vómito a su hijo de la chaqueta de cuero—. ¿Ha sido... con lo que tú ya sabes, tesoro? ¿Ha utilizado... esa cosa?

Dudley, tembloroso, asintió muy despacio.

—¡No es verdad! —saltó Harry; tía Petunia soltó un gemido y tío Vernon levantó los puños—. No le he hecho nada, no he sido yo, ha sido...

En ese preciso instante una lechuza entró como una flecha por la ventana, cruzó volando la cocina y rozó la coronilla de tío Vernon; a continuación, dejó a los pies de Harry el gran sobre de pergamino que llevaba en el pico, se dio la vuelta con agilidad, tocando ligeramente con las puntas de las alas la parte superior del refrigerador, salió por donde había entrado y cruzó el jardín.

—¡Lechuzas! —bramó tío Vernon, y mientras cerraba de golpe la ventana de la cocina, la maltrecha vena de su sien empezó a latir con furia—. ¡Otra vez lechuzas! ¡No quiero ver más lechuzas en mi casa!

Pero Harry ya había empezado a abrir el sobre y sacó la carta que había dentro. Notaba los latidos del corazón en la garganta, a la altura de la nuez.

Querido señor Potter:

Nos han informado de que ha realizado usted el encantamiento *patronus* a las 21.23 horas de esta noche en una zona habitada por muggles y en presencia de un muggle.

La gravedad de esta infracción del Decreto para la moderada limitación de la brujería en menores de edad ha ocasionado su expulsión del Colegio Hogwarts de Magia y Hechicería. En breve, representantes del Ministerio se desplazarán hasta su lugar de residencia para destruir su varita.

Dado que usted ya recibió una advertencia oficial por una infracción anterior de la Sección Decimotercera de la Confederación Internacional del Estatuto del Secreto de los Brujos, lamentamos comunicarle que se requiere su presencia en una vista disciplinar en el Ministerio de Magia el día 12 de agosto a las 09.00 horas.

Con mis mejores deseos.

Atentamente,

Mafalda Hopkirk
Oficina Contra el Uso Indebido de la Magia
Ministerio de Magia

Harry leyó la carta dos veces de arriba abajo. Aunque oía hablar a tío Vernon y a tía Petunia, no los escuchaba. Se quedó con la mente en blanco, pero un hecho había penetrado en su conciencia como un dardo paralizador: lo habían expulsado de Hogwarts. Todo había terminado. Ya no podría volver allí.

Levantó la cabeza y miró a los Dursley. Tío Vernon estaba lívido de ira y gritaba con los puños en alto; tía Petunia tenía los brazos alrededor de Dudley, que volvía a vomitar.

El cerebro de Harry, aturdido durante unos instantes, se puso de nuevo en funcionamiento. «En breve, representantes del Ministerio se desplazarán hasta su lugar de residencia para destruir su varita.» Sólo podía hacer una cosa: tenía que echar a correr, en ese mismo momento. Harry no sabía adónde iría, pero de una cosa estaba seguro: tanto dentro como fuera de Hogwarts, necesitaba su varita mágica. Como si estuviera soñando, sacó su varita y se dio la vuelta dispuesto a salir de la cocina.

—¿Adónde te has creído que vas? —le gritó tío Vernon. Al ver que Harry no contestaba, cruzó la cocina a grandes zancadas para cerrarle el paso—. ¡Todavía no he acabado contigo, chico!

—Apártate —dijo Harry con voz queda.

—Vas a quedarte aquí y explicarme por qué mi hijo...

—Si no te apartas de la puerta, voy a echarte un maleficio —afirmó Harry, levantando su varita.

—¡A mí no vas a amenazarme con eso! —gruñó tío Vernon—. ¡Sé que no estás autorizado a utilizarla fuera de esa casa de locos que llamas colegio!

—La casa de locos me ha expulsado —respondió Harry—. Ahora puedo hacer lo que me dé la gana. Te doy tres segundos. Uno, dos...

Un fuerte estruendo resonó en la cocina. Tía Petunia se puso a chillar, tío Vernon pegó un grito y se agachó, pero por tercera vez aquella noche Harry buscó el origen de un alboroto que no había provocado él. Esa vez lo descubrió de inmediato: había una lechuza, aturdida y con las plumas alborotadas, posada en el alféizar. Acababa de chocar contra la ventana cerrada. Ignorando el angustiado grito de «¡Lechuzas!» de tío Vernon, Harry cruzó la habitación corriendo y abrió la ventana de golpe. La lechuza estiró una pata en la que llevaba atado un pequeño rollo de pergamino, sacudió las plumas y emprendió el vuelo en cuanto Harry hubo tomado la carta. Con manos temblorosas, el chico desenrolló el segundo mensaje, que estaba apresuradamente escrito con tinta negra y emborronado.

Harry:

Dumbledore acaba de llegar al Ministerio y está intentando arreglarlo todo. NO SALGAS DE LA CASA DE TUS TÍOS. NO HAGAS MÁS MAGIA. NO ENTREGUES TU VARITA.

Arthur Weasley

Dumbledore estaba intentando arreglarlo todo... ¿Qué significaba eso? ¿Acaso Dumbledore tenía suficiente poder para invalidar las decisiones del Ministerio de Magia? ¿Había entonces alguna posibilidad de que le permitieran volver a Hogwarts? Un pequeño brote de esperanza floreció en el pecho de Harry, pero enseguida el miedo volvió a atenazarlo: ¿cómo iba a negarse a entregar su varita sin hacer magia? Tendría que batirse en duelo con los representantes del Ministerio, y si lo hacía podría considerarse afortunado si no acababa en Azkaban, por no hablar de la expulsión.

Su cerebro trabajaba a toda velocidad... Podía huir y arriesgarse a que el Ministerio lo capturara, o quedarse donde estaba y esperar a que fueran a buscarlo allí. La primera opción lo tentaba mucho más, pero sabía que el señor Weasley quería lo mejor para él... Y después de todo, Dumbledore había arreglado situaciones mucho peores otras veces.

—Correcto —dijo Harry—. He cambiado de idea. Me quedo.

Se dejó caer en una de las sillas de la cocina, frente a Dudley y a tía Petunia. Los Dursley parecían sorprendidos por el brusco cambio de opinión de Harry. Tía Petunia miró con desesperación a tío Vernon. La vena de la morada sien de tío Vernon palpitaba con más violencia que nunca.

—¿Quién te envía esas malditas lechuzas? —le preguntó, rabioso, su tío.

—La primera me la ha enviado el Ministerio de Magia para comunicarme mi expulsión —respondió Harry con calma. Mientras hablaba, aguzaba el oído para captar cualquier ruido procedente del exterior, por si llegaban los representantes del Ministerio; además, era más fácil y menos enervante contestar a las preguntas de tío Vernon que enfrentarse a sus bramidos—. La segunda era del padre de mi amigo Ron, que trabaja en el Ministerio.

—¿El Ministerio de Magia? —gritó tío Vernon—. ¿Estás diciéndome que hay gente como tú en el gobierno? Claro, eso lo explica todo, todo; no me extraña que el país se esté viniendo abajo. —Como Harry no dijo nada, tío Vernon lo fulminó con la mirada y le espetó—: ¿Y por qué te han expulsado?

—Porque he hecho magia.

—¡Ajá! —rugió tío Vernon, y dio un puñetazo en la parte superior del refrigerador, cuya puerta se abrió; unos cuantos tentempiés de bajo contenido graso, que consumía Dudley, salieron despedidos y cayeron al suelo—. ¡Así que lo reconoces! ¿Qué le has hecho a tu primo?

—Nada —contestó Harry, ya no tan calmado—. Eso no lo he hecho yo...

—Sí lo ha hecho —masculló inesperadamente Dudley.

De inmediato, tío Vernon y tía Petunia se pusieron a agitar las manos para hacer callar a Harry mientras se inclinaban sobre Dudley.

—Sigue, hijo —dijo tío Vernon—, ¿qué te ha hecho?

—Cuéntanoslo, querido —susurró tía Petunia.

—Me ha apuntado con la varita —farfulló Dudley.

—Sí, es verdad, pero no he utilizado... —se defendió Harry, enojado, aunque...

—¡Cállate! —gritaron tío Vernon y tía Petunia al unísono.

—Sigue, hijo —repitió tío Vernon con los pelos del bigote agitadísimos.

—Se ha quedado todo oscuro —dijo Dudley con voz ronca, estremeciéndose—. Muy oscuro. Y entonces he o-oído... cosas. Dentro de mi cabeza.

Tío Vernon y tía Petunia se miraron horrorizados. Una de las cosas que más aborrecían en el mundo era la magia (seguida muy de cerca por los vecinos que hacían más trampas que ellos respecto a la prohibición del uso de mangueras); pero la gente que oía voces estaba también en esa lista. Era evidente que creían que Dudley se había vuelto loco.

—¿Qué cosas has oído, Trompito? —preguntó tía Petunia con un hilo de voz. Se había quedado muy pálida y tenía lágrimas en los ojos.

Pero Dudley parecía incapaz de explicarse. Volvió a estremecerse y sacudió su enorme y rubia cabeza; pese a la sensación de pavor que se había apoderado de Harry desde la llegada de la primera lechuza, sintió cierta curiosidad. Los dementores hacían que la gente reviviera los peores momentos de su vida. ¿Qué se habría visto obligado a oír su malcriado, mimado y bravucón primo?

—¿Cómo te has caído, hijo? —preguntó tío Vernon con una voz artificialmente tranquila, el tipo de voz que habría adoptado junto a la cama de una persona gravemente enferma.

—He tro-tropezado —contestó Dudley con voz temblorosa—. Y entonces...

Se señaló el enorme pecho. Harry lo comprendió. Dudley estaba recordando aquel frío húmedo que te llenaba los pulmones, cuando los dementores te sorbían la esperanza y la alegría.

—Horrible —graznó Dudley—. Frío. Mucho frío.

—Ya —dijo tío Vernon con serenidad forzada mientras tía Petunia, nerviosa, le ponía una mano en la frente a su hijo para comprobar si tenía fiebre—. ¿Qué ha pasado luego, Dudders?

—He sentido... sentido... como... como si... como si...

—Como si nunca más fueras a ser feliz —aportó Harry con un tono muy débil.

—Sí —susurró Dudley, que no paraba de temblar.

—¡Ya veo! —exclamó tío Vernon, cuya voz había recuperado su volumen habitual, y se enderezó—. Le has hecho un maleficio a mi hijo para que oiga voces y crea que está condenado... a la desgracia o algo así, ¿no?

—¿Cuántas veces tengo que decírtelo? —respondió Harry subiendo el tono de voz, pues se le estaba agotando la paciencia—. ¡No he sido yo! ¡Han sido dos dementores!

—¿Dos qué? ¿Qué son esas sandeces?

—De-men-to-res —repitió Harry, pronunciando con lentitud y claridad—. Dos.

—¿Y qué demonios son los dementores, si puede saberse?

—Vigilan la prisión de los magos, Azkaban —terció tía Petunia.

Tras aquellas palabras, hubo dos segundos de silencio absoluto; luego tía Petunia se tapó la boca con una mano, como si acabara de pronunciar una espantosa palabrota. Tío Vernon la miraba con los ojos abiertos como platos. El cerebro de Harry era un mar de confusión. La señora Figg era una cosa, pero... ¿tía Petunia?

—¿Cómo sabes eso? —le preguntó, perplejo, su marido.

Tía Petunia estaba horrorizada de sí misma. Miró a tío Vernon, cohibida, como pidiéndole disculpas; después bajó un poco la mano, dejando al descubierto sus dientes de caballo.

—Hace muchos años... oí a aquel... infeliz... que se lo contaba a ella... —dijo con voz entrecortada.

—Si te refieres a mi padre y a mi madre, ¿por qué no los llamas por sus nombres? —dijo Harry en voz alta, pero tía Petunia no le hizo caso. Parecía terriblemente aturullada.

Harry estaba atónito. Con excepción de un arrebato ocurrido años atrás, durante el cual tía Petunia había gritado que la madre de Harry era un monstruo, él nunca la había oído mencionar a su hermana. Le sorprendió que su tía hubiera recordado aquella información sobre el mundo mágico durante tanto tiempo, cuando lo normal era que empleara toda su energía en fingir que ese mundo no existía.

Tío Vernon abrió la boca, la cerró, la abrió una vez más, la cerró de nuevo y luego, como si le costara trabajo recordar lo que había que hacer para hablar, la abrió por tercera vez y dijo con voz ronca:

—Entonces... Entonces... ¿existen de verdad, existen esos... demencomosellamen?

Tía Petunia asintió.

Tío Vernon miró primero a tía Petunia, luego a Dudley y por último a Harry, esperando que en cualquier momento alguien gritara: «¡Inocente!» Como nadie lo hizo, abrió la boca una vez más, pero no tuvo que esforzarse en encontrar más palabras porque, en ese preciso instante, llegó la tercera lechuza de la noche. Entró a toda velocidad por la ventana, que seguía abierta, como una bala de cañón con plumas, y aterrizó con estrépito sobre la mesa de la cocina, haciendo que los tres Dursley pegaran un salto, asustados. Harry tomó el segundo sobre, que parecía oficial, del pico de la lechuza y lo abrió, mientras el animal se marchaba por donde había llegado y se perdía en la noche.

—¡Estoy harto de esas condenadas lechuzas! —masculló tío Vernon, como un loco; fue hacia la ventana y volvió a cerrarla de golpe.

Querido señor Potter:

Con relación a nuestra carta de hace unos veinte minutos, el Ministerio de Magia ha revisado su decisión de destruir de inmediato su varita mágica. Puede conservar usted su varita hasta la vista disciplinar del 12 de agosto, momento en el que se tomará una decisión oficial.

Tras entrevistarse con el director del Colegio Hogwarts de Magia y Hechicería, el Ministerio ha acordado que el asunto de su expulsión también se decidirá en esa vista. Por lo tanto, considérese excusado del colegio hasta posteriores investigaciones.

Con mis mejores deseos.

Atentamente,

Mafalda Hopkirk
Oficina Contra el Uso Indebido de la Magia
Ministerio de Magia

Harry leyó la carta con rapidez tres veces seguidas. Aquel angustioso nudo que se le había formado en el pecho se aflojó un tanto con el alivio de saber que todavía no lo habían expulsado definitivamente, aunque sus temores no habían desaparecido, ni mucho menos. Todo parecía depender de la vista del 12 de agosto.

—¿Y bien? —preguntó tío Vernon, devolviendo a Harry a la realidad—. ¿Qué pasa ahora? ¿Te han condenado a algo? ¿Existe la pena de muerte entre tu gente? —añadió, esperanzado, como si se le acabara de ocurrir esa idea.

—Tengo que ir a una vista —explicó Harry.

—¿Y allí te condenarán?

—Supongo que sí.

—Entonces no perderé la esperanza —aseguró tío Vernon con crueldad.

—Bueno, si eso es todo... —dijo Harry poniéndose en pie. Estaba deseando quedarse a solas para pensar y quizá para enviarle una carta a Ron, a Hermione o a Sirius.

—¡No, claro que no es todo! —bramó tío Vernon—. ¡Siéntate inmediatamente!

—¿Y ahora qué pasa? —preguntó Harry con impaciencia.

—¡Dudley! —gritó tío Vernon—. ¡Quiero saber exactamente qué le ha ocurrido a mi hijo!

—¡Muy bien! —chilló Harry, y la rabia que sentía hizo que de la punta de su varita, que todavía tenía en la mano, saltaran chispas rojas y doradas. Los tres Dursley, acobardados, se encogieron—. Dudley y yo estábamos en el callejón que conecta la calle Magnolia y el paseo Glicinia —explicó Harry; hablaba deprisa, intentando no perder los estribos—. Dudley estaba provocándome y yo saqué mi varita, pero no la utilicé. Entonces aparecieron dos dementores...

—Pero ¿qué son los dementoides? —preguntó tío Vernon furioso—. ¿Qué hacen?

—Ya te lo he dicho: te quitan toda la alegría que tienes dentro —respondió Harry—, y si tienen ocasión te besan y...

—¿Que te besan? —lo interrumpió tío Vernon con los ojos fuera de las órbitas—. ¿Que te besan?

—Así llaman al hecho de que te saquen el alma por la boca.

Tía Petunia soltó un débil grito.

—¿El alma? No le habrán quitado... Él todavía tiene su...

Agarró a Dudley por los hombros y lo sacudió, como si pretendiera oír el alma de su hijo repiqueteando en el interior del cuerpo del chico.

—Claro que no le han quitado el alma. Si lo hubieran hecho ya se habrían dado cuenta —respondió Harry exasperado.

—Tú los ahuyentaste, ¿verdad, hijo? —inquirió tío Vernon con ímpetu, como quien se esfuerza por devolver la conversación a un plano que domina—. Les diste su merecido, ¿verdad?

—A los dementores no puedes darles su merecido —sentenció Harry entre dientes.

—Entonces, ¿cómo es que está bien? —rugió tío Vernon—. ¿Por qué no está vacío?

—Porque utilicé el encantamiento *patronus*...

¡ZUUUM! Con un fragor, un aleteo y una pequeña nube de polvo, una cuarta lechuza salió a toda velocidad de la chimenea de la cocina.

—¡Por todos los demonios! —gritó tío Vernon, arrancándose los pelos del bigote, algo que no se había visto obligado a hacer durante mucho tiempo—. ¡No quiero ver más lechuzas en mi casa, no pienso tolerarlo, te lo advierto!

Pero Harry ya había tomado el pergamino que la lechuza llevaba atado a una pata. Estaba tan seguro de que aquella carta tenía que ser de Dumbledore y de que en ella lo explicaba todo (los dementores, la señora Figg, lo que tramaba el Ministerio, y cómo él, Dumbledore, pensaba solucionar la situación) que, por primera vez en su vida, se llevó una desilusión al ver la caligrafía de Sirius. Sin prestar atención a la perorata que tío Vernon estaba soltando sobre las lechuzas, y entrecerrando los ojos para protegerse de otra nube de polvo que la última había provocado al colarse por la chimenea, Harry leyó el mensaje de Sirius:

Arthur acaba de contarnos lo que ha sucedido. No vuelvas a salir de la casa, pase lo que pase.

El contenido de la carta le pareció a Harry una reacción tan inapropiada ante lo ocurrido aquella noche que le dio la vuelta al pergamino buscando el resto del texto, pero no encontró ni una sola palabra más.

Y notaba que estaba volviendo a perder la calma. ¿Acaso nadie pensaba felicitarlo por haber derrotado él solo a dos dementores? Tanto el señor Weasley como Sirius estaban actuando como si Harry se hubiera portado mal y como si estuvieran reservándose la reprimenda hasta que pudieran determinar el alcance de los daños ocasionados.

—... una bananada, quiero decir, una bandada de lechuzas entrando y saliendo de mi casa. No pienso tolerarlo, chico, no voy a...

—No puedo impedir que vengan lechuzas —le espetó Harry al mismo tiempo que arrugaba la carta de Sirius con la mano.

—¡Quiero saber la verdad de lo que ha pasado esta noche! —bramó tío Vernon—. Si han sido los demendadores los que le han hecho daño a Dudley, ¿por qué te han expulsado? ¡Has hecho eso que tú ya sabes, lo has admitido!

Harry respiró hondo para tranquilizarse. Empezaba a dolerle otra vez la cabeza. Lo que más deseaba era salir de la cocina y perder de vista a los Dursley.

—Hice el encantamiento *patronus* para librarme de los dementores —explicó, obligándose a conservar la calma—. Es lo único que funciona con ellos.

—Pero ¿qué hacían esos dementoides en Little Whinging? —preguntó tío Vernon con indignación.

—Eso no puedo decírtelo —respondió Harry cansinamente—. No tengo ni idea.

Las punzadas que sentía en la cabeza eran cada vez más fuertes, y le molestaba mucho la intensa luz de los fluorescentes de la cocina. Su enfado iba disminuyendo poco a poco. Estaba agotado, exhausto. Los Dursley lo miraban fijamente.

—Es por tu culpa —afirmó tío Vernon con energía—. Tiene algo que ver contigo, chico, estoy seguro. Si no, ¿por qué iban a venir aquí? ¿Qué iban a estar haciendo en ese callejón? Es evidente que eres el único..., el único... —Al parecer no lograba pronunciar la palabra «mago»—. El único ya sabes qué en varios kilómetros a la redonda.

—No sé a qué han venido.

Pero tras las palabras de tío Vernon, el agotado cerebro de Harry se había puesto de nuevo en funcionamiento. ¿Por qué habían ido los dementores a Little Whinging? ¿Cómo iba a ser una casualidad que hubieran aparecido en el callejón donde estaba Harry? ¿Los había enviado alguien? ¿Había perdido el Ministerio de Magia el control de los dementores? ¿Habían abandonado Azkaban y se habían unido a Voldemort, como Dumbledore había vaticinado?

—¿Esos desmembradores vigilan una prisión de bichos raros? —preguntó tío Vernon siguiendo trabajosamente el hilo de las ideas del muchacho.

—Sí —confirmó Harry.

Si al menos dejara de dolerle la cabeza, si al menos pudiera salir de la cocina y subir a su oscuro dormitorio y pensar...

—¡Ajá! ¡Venían a detenerte! —exclamó tío Vernon con el aire triunfante de quien ha llegado a una conclusión irrefutable—. Seguro que es eso, ¿verdad, chico? ¡Estás huyendo de la justicia!

—Claro que no —dijo Harry moviendo la cabeza como si ahuyentara una mosca; su mente iba a toda velocidad.

—Entonces, ¿por qué...?

—Debe de haberlos enviado él —sugirió Harry con un hilo de voz, más para sí que para tío Vernon.

—¿Cómo dices? ¿Que debe de haberlos enviado quién?

—Lord Voldemort —dijo Harry.

Reparó en lo extraño que resultaba que los Dursley, que se encogían, hacían muecas y chillaban cada vez que escuchaban palabras como «mago», «magia» o «varita», pudieran oír el nombre del mago más malvado de todos los tiempos sin alterarse lo más mínimo.

—Lord... Espera un momento —dijo tío Vernon, con la cara contraída, al mismo tiempo que en sus ojos de cerdito brillaba una chispa de comprensión—. No es la primera vez que oigo ese nombre... Ése fue el que...

—Asesinó a mis padres, sí —confirmó Harry.

—Pero desapareció —objetó tío Vernon con impaciencia, sin detenerse a pensar que el asesinato de los padres de Harry pudiera ser un tema delicado—. Aquel tipo gigantesco lo dijo. Desapareció.

—Ha vuelto —sentenció Harry con rotundidad.

Era rarísimo estar allí de pie, en la aséptica cocina de tía Petunia, entre el refrigerador último modelo y el televisor de pantalla plana, hablando como si tal cosa de lord Voldemort con tío Vernon. Parecía que la llegada de los dementores a Little Whinging había abierto una brecha en el enorme aunque invisible muro que separaba el mundo implacablemente no mágico de Privet Drive y el que había al otro lado. En cierto modo, las dos vidas de Harry se habían fusionado y todo había quedado patas arriba; los Dursley estaban pidiéndole detalles sobre el mundo mágico, y la señora Figg conocía a Albus Dumbledore; los dementores se cernían sobre Little Whinging, y quizá Harry no regresara a Hogwarts. El dolor de cabeza del muchacho iba en aumento.

—¿Que ha vuelto? —susurró tía Petunia.

Miraba a Harry como nunca lo había hecho. Y de pronto, por primera vez en su vida, Harry se dio plena cuenta de que tía Petunia era la hermana de su madre. No habría sabido explicar por qué esa idea lo sacudió tan fuerte en aquel preciso instante. Lo único que sabía era que él no era la única persona de las que había en la cocina que intuía lo que podía significar que lord Voldemort hubiera regresado. Tía Petunia jamás lo había mirado de aquella manera y en ese momento no tenía entrecerrados los grandes ojos claros (completamente distintos de los de su hermana), con una expresión de asco o de enojo, sino muy abiertos y asustados. La ficción que tía Petunia había mantenido durante toda la vida de Harry (que la magia no existía y que no había otro mundo más que el que ella habitaba con tío Vernon) parecía haberse derrumbado.

—Sí —confirmó Harry, dirigiéndose a tía Petunia—. Volvió hace un mes. Yo lo vi.

Las manos de tía Petunia se posaron sobre los anchos hombros de Dudley, cubiertos con su ropa de cuero, y los apretaron.

—Espera un momento —intervino tío Vernon, mirando a su esposa, luego a Harry y luego otra vez a tía Petunia, aparentemente atónito y desconcertado por el entendimiento que parecía haber surgido entre tía y sobrino—. Un momento. ¿Dices que ese lord Voldcomosellame ha vuelto?

—Sí.

—El que mató a tus padres.

—Sí.

—¿Y ahora ha empezado a enviarte desmembradores?

—Eso parece —respondió Harry.

—Entiendo —dijo tío Vernon. Miró a su esposa, que estaba tremendamente pálida, y luego a Harry, al mismo tiempo que se subía la cintura de los pantalones. Harry tuvo la impresión de que su tío se inflaba y de que su enorme rostro morado se dilataba ante sus ojos—. Bueno, ya no me cabe duda —aseguró, y siguió inflándose, mientras la camisa se le tensaba más y más—. ¡Ya puedes largarte de esta casa, chico!

—¿Qué? —dijo Harry.

—Ya me has oído. ¡FUERA! —gritó tío Vernon, tan fuerte que hasta tía Petunia y Dudley dieron un brinco—. ¡FUERA! ¡FUERA! ¡Debí hacer esto hace muchos años! ¡Lechuzas que se pasean por aquí como si tal cosa, pudines que explotan, media sala destrozada, la cola de Dudley, Marge flotando por el techo y ese Ford Anglia volador! ¡FUERA! ¡LARGO! ¡Se acabó! ¡Has pasado a la Historia! No vas a quedarte aquí si hay un loco que te persigue, ni vas a poner en peligro la vida de mi esposa y de mi hijo, ni vas a causarnos más problemas. ¡Si piensas seguir los pasos de tus padres, es asunto tuyo! ¡LARGO DE AQUÍ!

Harry se quedó clavado donde estaba. Tenía las cartas del Ministerio, del señor Weasley y de Sirius arrugadas en la mano izquierda. «No vuelvas a salir de la casa, pase lo que pase. NO SALGAS DE LA CASA DE TUS TÍOS.»

—¡Ya me has oído! —insistió tío Vernon, y se inclinó hacia delante hasta que su cara enorme y morada quedó tan cerca de la de Harry que éste notó las salpicaduras de saliva en el rostro—. ¡Andando! ¡Hace media hora estabas deseando marcharte! ¡Pues adelante! ¡Lárgate de aquí y no vuelvas a pisar nuestra casa jamás! No sé por qué te acogimos en su día; Marge tenía razón, debimos enviarte al orfanato. Fuimos demasiado blandos contigo, creímos que podríamos rehabilitarte, creímos que podríamos convertirte en una persona normal, pero estabas podrido desde el principio, y ya estoy harto. ¡Lechuzas!

La quinta lechuza salió disparada de la chimenea, tan deprisa que chocó contra el suelo antes de volver a emprender el vuelo con un fuerte aullido. Harry levantó las manos para tomar la carta, que iba en un sobre de color escarlata, pero el pájaro pasó volando por encima de su cabeza y se dirigió hacia tía Petunia, que soltó un chillido y se agazapó, tapándose la cara con los brazos. La lechuza dejó caer el sobre rojo sobre la cabeza de tía Petunia, dio media vuelta y volvió a colarse por la chimenea.

Harry se abalanzó sobre su tía para arrebatarle la carta, pero tía Petunia se le adelantó.

—Puedes abrirla si quieres —dijo Harry—, pero de todos modos oiré lo que viene escrito. Es un vociferador.

—¡Suelta eso, Petunia! —rugió tío Vernon—. ¡No lo toques, podría ser peligroso!

—Está dirigida a mí —se excusó tía Petunia con voz trémula—. ¡Está dirigida a mí, Vernon, mira! Señora Petunia Dursley, La Cocina, Privet Drive Número Cuatro...

Contuvo la respiración, horrorizada. El sobre rojo había empezado a echar humo.

—¡Ábrelo! —le pidió Harry—. ¡Ábrelo ya! De todos modos ocurrirá.

—No.

A tía Petunia le temblaba la mano. Miró frenéticamente alrededor, como si buscara una ruta de huida, pero era demasiado tarde: el sobre empezó a arder. Tía Petunia gritó y lo soltó con rapidez.

Se oyó una voz imponente que resonaba en el reducido espacio de la cocina; salía de la carta en llamas, que había quedado sobre la mesa.

—«Recuerda mi última... Petunia.»

Tía Petunia estaba a punto de desmayarse. Se sentó en la silla, junto a Dudley, y se tapó la cara con las manos. Los restos del sobre fueron quedando reducidos a cenizas en medio de un profundo silencio.

—¿Qué es eso? —preguntó tío Vernon con voz ronca—. ¿Qué...? No... ¡Petunia!

Tía Petunia no dijo nada. Dudley miraba a su madre, estupefacto y con la boca abierta, mientras el silencio lo envolvía todo en una espiral horrenda. Harry observaba a su tía completamente perplejo y sentía que la cabeza le palpitaba como si estuviera a punto de estallar.

—Petunia, querida —empezó tío Vernon con timidez—. Pe-Petunia...

Ella levantó la cabeza. Todavía temblaba. Tragó saliva y dijo con un hilo de voz:

—El chico... El chico tendrá que quedarse aquí, Vernon.

—¿Cómo dices?

—Que se queda —repitió ella sin mirar a Harry, y se puso de nuevo en pie.

—Pero si... Petunia...

—Si lo echamos, los vecinos hablarán —añadió tía Petunia. Estaba recuperando su tono enérgico e irascible, aunque seguía muy pálida—. Nos harán preguntas incómodas, querrán saber adónde ha ido. Tendremos que quedárnoslo.

Tío Vernon estaba desinflándose como un neumático pinchado.

—Pero Petunia, querida...

Tía Petunia no le hizo caso. Se volvió hacia Harry y le ordenó:

—Vas a quedarte en tu habitación. No salgas de la casa. Y ahora vete a la cama.

Harry no se movió de donde estaba.

—¿Quién te ha enviado ese vociferador?

—No hagas preguntas —le espetó tía Petunia.

—¿Estás en contacto con algún mago?

—¡Te he dicho que te vayas a la cama!

—¿Qué significaba? ¿Recuerda mi última qué?

—¡A la cama!

—¿Cómo es que...?

—¡Ya has oído a tu tía! ¡Sube a acostarte!

3

La avanzadilla

«Me han atacado unos dementores y es posible que me expulsen de Hogwarts. Quiero saber qué está pasando y cuándo voy a poder salir de aquí.»

Harry copió esas palabras en tres hojas de pergamino diferentes en cuanto llegó al escritorio de su oscura habitación. Dirigió la primera a Sirius, la segunda a Ron y la tercera a Hermione. *Hedwig*, su lechuza, había salido a cazar; su jaula estaba vacía sobre el escritorio. Harry se puso a dar vueltas por su dormitorio, esperando que regresara; sentía la cabeza a punto de estallar y tenía tantas cosas en que pensar que no creía que pudiera dormir, aunque le escocían los ojos de cansancio. También le dolía la espalda de llevar a rastras a Dudley hasta la casa, y los dos chichones que tenía en la cabeza (el que se había hecho al chocar contra la ventana y el del puñetazo que le había pegado su primo) le producían un punzante dolor.

No paraba de dar vueltas por el cuarto, consumido de ira y frustración, rechinando los dientes y con los puños apretados; y cada vez que pasaba por delante de la ventana, lanzaba enfurecidas miradas al cielo salpicado de estrellas. Alguien había enviado a los dementores para que lo capturaran, la señora Figg y Mundungus Fletcher lo seguían en secreto, había sido expulsado de Hogwarts, estaba pendiente una vista en el Ministerio de Magia... Y pese a todo nadie le decía qué estaba ocurriendo.

¿Y qué demonios significaba aquel vociferador? ¿De quién era aquella voz tan horrible y amenazadora que había resonado en la cocina?

¿Por qué continuaba atrapado allí sin información? ¿Por qué todos lo trataban como si fuera un niño travieso? «No hagas más magia, quédate en casa...»

Al pasar por delante del baúl del colegio le pegó una patada, pero en lugar de aliviar con ello la rabia que sentía, se encontró aún peor porque ahora tenía que sumar el fuerte dolor del dedo gordo del pie al del resto del cuerpo.

Justo cuando pasaba cojeando por delante de la ventana, *Hedwig* entró volando con un débil batir de alas, como un pequeño fantasma.

—¡Ya era hora! —gruñó Harry cuando el pájaro se posó con suavidad encima de su jaula—. ¡Ya puedes soltar eso, tengo trabajo para ti!

Los grandes, redondos y ambarinos ojos de *Hedwig* lo miraron llenos de reproche por encima de la rana muerta que sujetaba con el pico.

—Ven aquí —le ordenó Harry. Tomó los tres pequeños rollos de pergamino y se los ató a la escamosa pata con una correa de cuero—. Lleva esto a Sirius, a Ron y a Hermione y no vuelvas aquí sin unas buenas respuestas. Si es necesario, picotéalos hasta que hayan escrito unos mensajes decentemente largos. ¿Entendido?

Hedwig emitió un amortiguado ululato sin soltar la rana.

—En marcha, pues —dijo Harry.

Hedwig echó a volar de inmediato. En cuanto la lechuza hubo salido por la ventana, Harry se tumbó en la cama sin desvestirse y se quedó mirando el oscuro techo. Por si fuera poco con los deprimentes sentimientos que experimentaba, encima se sentía culpable por haber sido antipático con *Hedwig*; la lechuza era la única amiga que tenía en el número 4 de Privet Drive. Pero ya haría las paces con ella, cuando llegara con las respuestas de Sirius, Ron y Hermione.

Seguro que le contestarían enseguida; no podrían hacer caso omiso de un ataque de dementores. Probablemente al día siguiente, al despertar, encontraría tres gruesas cartas llenas de muestras de solidaridad y de planes para su inmediato traslado a La Madriguera. Y con esa reconfortante idea, el sueño se apoderó de él sofocando cualquier otro pensamiento.

Pero *Hedwig* no regresó a la mañana siguiente. Harry pasó el día entero en su habitación y sólo salió para ir al cuarto de baño. En tres ocasiones, tía Petunia le introdujo comida en el dormitorio a través de la gatera que tío Vernon había instalado tres veranos atrás. Cada vez que Harry la oía acercarse, intentaba interrogarla sobre el vociferador, pero si hubiera interrogado al pomo de la puerta habría obtenido las mismas respuestas. Por lo demás, los Dursley ni se acercaron a su habitación. Harry comprendió que no valía la pena forzarlos a soportar su compañía; con otra pelea no conseguiría nada, salvo quizá enfadarse tanto que acabaría haciendo más magia ilegal.

Así pasaron tres días. Harry tenía altibajos: unas veces se sentía lleno de una impaciente energía que le impedía concentrarse en nada, y entonces recorría el dormitorio, furioso con todos por permitir que sufriera en medio de tanta confusión; otras veces lo dominaba un letargo tan absoluto que podía estar una hora seguida tumbado en la cama con la mirada perdida y muerto de miedo ante la perspectiva de una vista en el Ministerio.

¿Y si fallaban en su contra? ¿Y si lo expulsaban del colegio y le partían la varita por la mitad? ¿Qué haría entonces, adónde iría? No podía volver a vivir siempre con los Dursley, y menos ahora que conocía aquel otro mundo, el mundo al que pertenecía en realidad. ¿Podría irse a vivir con Sirius, como su padrino había sugerido un año atrás, antes de que se viera obligado a huir de las autoridades? ¿Permitirían a Harry vivir allí solo, dado que todavía era menor de edad? ¿Había sido su infracción del Estatuto Internacional del Secreto lo bastante grave para que lo encerraran en una celda en Azkaban? Cada vez que ese pensamiento volvía a aparecer en su mente, Harry se levantaba de la cama y se ponía a pasear otra vez por la habitación.

La cuarta noche después de la partida de *Hedwig*, Harry estaba tendido en la cama, en una de sus fases de apatía, contemplando el techo. Tenía la mente exhausta casi en blanco cuando su tío entró en la habitación. Harry giró despacio la cabeza y lo miró. Tío Vernon llevaba puesto su mejor traje y la expresión de su rostro era de inmensa suficiencia.

—Vamos a salir —anunció.

—¿Cómo dices?

—Que nosotros, es decir, tu tía, Dudley y yo, vamos a salir.

—Muy bien —respondió Harry sin ánimo, y volvió a mirar el techo.

—Prohibido abandonar esta habitación hasta que volvamos.

—Entendido.

—Prohibido tocar el televisor, el equipo de música o cualquier otra cosa.

—De acuerdo.

—Prohibido robar comida del refrigerador.

—Ajá.

—Voy a cerrar tu puerta con llave.

—Como quieras.

Tío Vernon lanzó a Harry una mirada de odio, desconfiando de la actitud resignada de su sobrino; salió de la habitación pisando fuerte y cerró la puerta tras él. Harry oyó que la llave giraba en la cerradura y los pesados pasos de tío Vernon, que bajaba la escalera. Transcurridos unos minutos, oyó cómo se cerraban las puertas de un coche, el rugido de un motor y el inconfundible sonido del coche saliendo de la entrada de la casa.

A Harry no le importaba que los Dursley se hubieran marchado. Para él tanto daba que estuvieran en la casa como que no. Ni siquiera pudo reunir la energía suficiente para levantarse y encender la luz de su dormitorio. La habitación fue quedándose a oscuras mientras él seguía tumbado escuchando los sonidos nocturnos que entraban por la ventana, que Harry tenía todo el rato abierta a la espera del dichoso momento en que regresara *Hedwig*.

La casa, en ese instante vacía, crujía a su alrededor. Las cañerías gorgoteaban. Harry seguía tumbado, sumido en la indiferencia, sin pensar en nada, invadido por la tristeza.

De pronto oyó claramente un estrépito en la cocina.

Se incorporó con brusquedad y aguzó el oído. Los Dursley no podían haber regresado todavía, era demasiado pronto, y además Harry no había oído su coche.

Hubo silencio durante unos segundos, y entonces se oyeron voces.

«Ladrones», pensó Harry, y se levantó de la cama; pero enseguida se le ocurrió que los ladrones habrían hablado en voz baja, y quienquiera que fuese el que estaba en la cocina no se molestaba en bajar la voz.

Se apresuró a tomar la varita mágica de la mesilla de noche y se plantó delante de la puerta de su dormitorio escuchando con atención. De repente dio un respingo, pues la cerradura pegó un fuerte chasquido y la puerta se abrió de par en par.

Harry se quedó inmóvil, mirando a través del umbral hacia el oscuro rellano del piso de arriba; aguzó el oído por si se producían más ruidos, pero no captó nada. Vaciló un momento y luego salió de su habitación, deprisa y en silencio, y se colocó al final de la escalera.

El corazón se le subió a la garganta. Abajo, en el oscuro vestíbulo, había gente; sus siluetas se destacaban contra el resplandor de las farolas que entraba por la puerta de cristal de la calle. Eran ocho o nueve, y todos, si no se equivocaba, estaban mirándolo.

—Baja la varita, muchacho; a ver si le vas a sacar un ojo a alguien —dijo una voz queda y gruñona.

El corazón de Harry latía con violencia. Conocía aquella voz, pero no bajó la varita.

—¿Profesor Moody? —preguntó con tono inseguro.

—No sé si debes llamarme «profesor» —gruñó la voz—; nunca llegué a enseñar gran cosa, ¿no? Baja, queremos verte bien.

Harry bajó un poco la varita, pero sin dejar de asirla con fuerza, y no se movió. Tenía motivos de sobra para desconfiar. Hacía poco que había convivido durante nueve meses con quien él creía que era *Ojoloco* Moody, para luego enterarse de que no era Moody, sino un impostor; un impostor que, además, previamente a que lo desenmascararan, había intentado matar a Harry. Pero antes de que el muchacho pudiera tomar una decisión sobre qué debía hacer, otra voz, un poco ronca, subió flotando por la escalera.

—No pasa nada, Harry. Hemos venido a buscarte.

A Harry le dio un vuelco el corazón. También conocía esa voz, aunque hacía un año entero que no la oía.

—¿P-Profesor Lupin? —dijo con incredulidad—. ¿Es usted?

—¿Por qué estamos aquí a oscuras? —preguntó una tercera voz, esta vez desconocida, de mujer—. *¡Lumos!*

La punta de una varita se encendió e iluminó el vestíbulo con una luz mágica. Harry parpadeó. Las personas que había abajo estaban apiñadas alrededor del pie de la escalera, con la mirada fija en él; algunas estiraban el cuello para verlo mejor.

Remus Lupin era quien estaba más cerca de Harry. Aunque todavía era muy joven, Lupin parecía cansado y muy enfermo; tenía más canas que la última vez que lo había visto, y llevaba la túnica más remendada y raída que nunca. Con todo, sonreía abiertamente a Harry, quien intentó devolverle la sonrisa pese a la conmoción.

—¡Oh! Es como me lo imaginaba —dijo la bruja que mantenía la varita iluminada en alto. Parecía la más joven del grupo; tenía el rostro pálido en forma de corazón, ojos oscuros y centelleantes, y el cabello corto, de punta y de color violeta intenso—. ¿Qué hay, Harry?

—Sí, entiendo lo que quieres decir, Remus —terció un mago negro y calvo que estaba al fondo; tenía una voz grave y pausada y llevaba un arete de oro en la oreja—. Es parecidísimo a James.

—Salvo por los ojos —aportó otro mago de cabello plateado que hablaba con voz jadeante—. Los ojos son de Lily.

Ojoloco Moody, que tenía el cabello largo y entrecano y al que le faltaba un trozo de nariz, miraba con recelo a Harry, entrecerrando sus ojos desiguales. Un ojo era pequeño, oscuro y brillante como un abalorio; el otro era grande, redondo y de color azul eléctrico: el ojo mágico que podía ver a través de las paredes, de las puertas y lo que hubiera detrás del mismo Moody.

—¿Estás seguro de que es él, Lupin? —masculló—. Menudo problema vamos a tener si llevamos a un mortífago que se hace pasar por él. Tendríamos que preguntarle algo que sólo pueda saber el verdadero Potter. A menos que alguien haya traído Veritaserum.

—Harry, ¿qué forma adopta tu *patronus*? —preguntó Lupin.

—La de un ciervo —contestó Harry nervioso.

—Es él, Ojoloco —dijo Lupin.

Consciente de que todos seguían mirándolo, Harry bajó la escalera guardando la varita en un bolsillo trasero de los pantalones vaqueros.

—¡No te pongas la varita ahí, muchacho! —bramó Moody—. ¿Y si se enciende? ¿No sabías que magos mucho mejores que tú han perdido una nalga?

—¿A quién conoces tú que haya perdido una nalga? —le preguntó con interés la mujer de cabello de color violeta.

—¡Eso ahora no importa, pero sácate la varita del bolsillo de atrás! —gruñó Ojoloco—. Es una norma elemental de seguridad de las que ya a nadie le importan. —Fue pisando fuerte hacia la cocina—. Y lo he visto con mis propios ojos —añadió de mal talante mientras la mujer de cabello violeta miraba al techo.

Lupin extendió un brazo y le estrechó la mano a Harry.

—¿Cómo estás? —le preguntó, mirándolo a los ojos.

—Bi-bien...

Harry no podía creer que aquello fuera real. Cuatro semanas sin ninguna noticia, ni la más pequeña insinuación de un plan para rescatarlo de Privet Drive, y de pronto había un montón de magos plantados con total naturalidad en el vestíbulo, como si hubieran concertado aquella visita hacía mucho tiempo. Miró a la gente que rodeaba a Lupin, que seguía contemplándolo con avidez. De pronto recordó que llevaba cuatro días sin peinarse.

—Yo... Tienen mucha suerte de que los Dursley hayan salido... —farfulló.

—¿Suerte? ¡Ja! —dijo la mujer de cabello de color violeta—. He sido yo quien los ha quitado de en medio. Les he enviado una carta por correo muggle diciéndoles que habían sido preseleccionados para el Concurso de Jardines Suburbanos Mejor Cuidados de Inglaterra. Ahora van hacia la ceremonia de entrega de premios... O eso creen ellos.

Harry se imaginó por un momento la cara de tío Vernon cuando se diera cuenta de que no había ningún Concurso de Jardines Suburbanos Mejor Cuidados de Inglaterra.

—Bueno, nos vamos, ¿no? —preguntó Harry—. ¿Ya?

—Sí, enseguida —dijo Lupin—. Sólo estamos esperando a que nos den luz verde.

—¿Adónde vamos? ¿A La Madriguera? —inquirió Harry esperanzado.

—No, no vamos a La Madriguera —contestó Lupin, y le hizo señas al muchacho para que entrara en la cocina. El grupito de magos los siguieron; todavía miraban a Harry con curiosidad—. Eso sería demasiado arriesgado. Hemos montado el cuartel general en un lugar indetectable. Nos ha costado bastante tiempo...

En ese instante *Ojoloco* Moody estaba sentado a la mesa de la cocina, bebiendo de una botella de bolsillo; su ojo mágico giraba en todas direcciones, deteniéndose en cada uno de los electrodomésticos de los Dursley.

—Éste es Alastor Moody, Harry —prosiguió Lupin, señalando a Moody.

—Sí, ya lo sé —dijo Harry incómodo, pues le resultó extraño que le presentaran a alguien a quien durante un año había creído conocer.

—Y ésta es Nymphadora...

—No me llames Nymphadora, Remus —protestó la joven bruja, estremeciéndose—. Me llamo Tonks.

—Nymphadora Tonks, que prefiere que la llamen por su apellido —terminó Lupin.

—Tú también lo preferirías si la necia de tu madre te hubiera puesto «Nymphadora» —farfulló Tonks.

—Y éste es Kingsley Shacklebolt. —Señaló al mago alto y negro, que inclinó la cabeza—. Elphias Doge. —El mago de la voz jadeante asintió—. Dedalus Diggle...

—Ya nos conocemos —gritó el nervioso Diggle, quitándose el sombrero de copa de color violeta.

—Emmeline Vance. —Una bruja de porte majestuoso, que llevaba un chal verde esmeralda, inclinó la cabeza—. Sturgis Podmore. —Un mago con la mandíbula cuadrada y cabello grueso de color paja le guiñó un ojo—. Y Hestia Jones. —Una bruja de mejillas sonrosadas y cabello negro lo saludó con una mano desde el rincón de la tostadora.

Harry inclinó la cabeza torpemente ante cada uno de ellos a medida que se los presentaban. Le habría gustado que no lo miraran; le parecía que, de pronto, lo habían subido a un escenario. También se preguntaba por qué había tantos magos.

—Una sorprendente cantidad de personas se ofrecieron voluntarias para venir a buscarte —explicó Lupin como si le hubiera leído el pensamiento; las comisuras de su boca temblaron ligeramente.

—Sí... Bueno, cuantos más, mejor —agregó Moody en tono misterioso—. Somos tu guardia, Potter.

—Sólo estamos esperando que nos den la señal de que podemos marcharnos sin peligro —dijo Lupin, y miró por la ventana de la cocina—. Nos quedan unos quince minutos.

—Estos muggles son muy limpios, ¿verdad? —comentó la bruja que se llamaba Tonks, que observaba a su alrededor examinando la cocina con gran interés—. Mi padre es muggle y es un sucio. Supongo que habrá de todo, como ocurre con los magos.

—Pues... sí —contestó Harry—. Oiga —añadió, volviéndose hacia Lupin—, ¿qué está pasando? No he tenido noticias de nadie. ¿Qué hace Vo...?

Varios magos y brujas hicieron extraños ruidos silbantes; Dedalus Diggle volvió a quitarse el sombrero y Moody gruñó:

—¡Silencio!

—¿Qué pasa? —preguntó Harry.

—Aquí no podemos hablar de eso, es demasiado arriesgado —dijo Moody, dirigiendo su ojo normal hacia Harry. El mágico seguía clavado en el techo—. Maldita sea —añadió con enojo, y se llevó una mano al ojo mágico—. Se atasca continuamente desde que lo usó aquel canalla.

Y dicho eso se quitó el ojo, que produjo un desagradable ruido de succión, como el de un desatascador en un fregadero.

—Ojoloco, ya sabes que eso que estás haciendo es asqueroso, ¿verdad? —comentó Tonks con desparpajo.

—¿Me das un vaso de agua, Harry? —pidió Moody.

Harry fue hacia el lavaplatos, sacó un vaso limpio y lo llenó de agua en el fregadero, sin dejar de sentirse atentamente observado por el grupo de magos. Sus insistentes miradas empezaban a fastidiarlo.

—Salud —dijo Moody cuando Harry le entregó el vaso. Metió el ojo mágico en el agua y lo empujó varias veces con un dedo; el ojo cabeceó mirando a los presentes uno por uno—. Necesito una visibilidad de trescientos sesenta grados para el viaje de regreso.

—¿Cómo vamos a ir... a donde sea que vayamos? —preguntó Harry.

—En las escobas —contestó Lupin—. Es la única forma. Eres demasiado joven para aparecerte, deben de estar vigilando la Red Flu y no vamos a jugárnosla montando un traslador no autorizado.

—Remus dice que vuelas muy bien —comentó Kingsley Shacklebolt con su voz grave.

—Vuela de maravilla —afirmó Lupin, que estaba mirando su reloj—. Bueno, será mejor que subas a hacer el equipaje, Harry. Tenemos que estar preparados cuando llegue la señal.

—Voy a ayudarte —dijo Tonks alegremente.

Siguió a Harry hasta el vestíbulo y subió con él la escalera, mirando alrededor con gran curiosidad e interés.

—Qué sitio tan raro —comentó—. Está demasiado limpio, no sé si me entiendes. Es poco natural. Ah, esto está mejor —añadió cuando entraron en la habitación de Harry y él encendió la luz.

Su habitación, en efecto, estaba mucho más desordenada que el resto de la casa. Confinado allí durante cuatro días y de muy mal humor, Harry no se había molestado en recoger nada. Casi todos los libros que tenía estaban esparcidos por el suelo, donde había intentado distraerse con cada uno de ellos, pero luego los había ido dejando tirados; tampoco había limpiado la jaula de *Hedwig*, que empezaba a oler mal; y su baúl estaba abierto, dejando ver un revoltijo de prendas muggle y túnicas de mago desparramadas a su alrededor por el suelo.

Harry empezó a recoger libros y los metió muy deprisa en su baúl. Tonks se detuvo frente al armario abierto de Harry para mirar con ojo crítico la imagen que le devolvía el espejo de la cara interna de la puerta.

—Creo que el color violeta no es el que más me favorece —comentó con aire pensativo, tirando de un puntiagudo mechón de cabello—. ¿No crees que me da un aire un poco paliducho?

—Pues... —dijo Harry mirándola por encima de la cubierta de *Equipos de quidditch de Gran Bretaña e Irlanda.*

—Sí, no cabe duda —afirmó Tonks de manera contundente. A continuación cerró con fuerza los ojos dibujando una expresión crispada, como si intentara recordar algo. Un segundo más tarde, su cabello se había vuelto de un tono rosa chicle.

—¿Cómo lo has hecho? —preguntó Harry, mirándola de hito en hito, cuando Tonks abrió los ojos.

—Soy una metamorfomaga —contestó ella, y volvió a mirarse en el espejo, girando la cabeza para verla desde todos los ángulos—. Quiere decir que puedo cambiar mi aspecto a mi antojo —añadió al ver en el espejo la expresión de perplejidad de Harry, que se hallaba detrás de ella—. Nací así. Obtuve un sobresaliente en Ocultación y Disfraces en el curso de auror sin estudiar ni gota. Fue genial.

—¿Eres una auror? —preguntó Harry impresionado. La carrera de cazador de magos tenebrosos era la única que él se había planteado hacer cuando terminara los estudios en Hogwarts.

—Sí —respondió Tonks con orgullo—. Kingsley también lo es, aunque él tiene un rango superior. Yo sólo hace un año que terminé la carrera. Estuve a punto de reprobar Sigilo y Rastreo. Soy tremendamente torpe; ¿no me oíste romper un plato cuando llegamos?

—¿Se puede aprender a ser metamorfomago? —preguntó Harry, incorporándose, sin acordarse en absoluto de que tenía que hacer el equipaje.

Tonks chasqueó la lengua.

—Seguro que a veces te gustaría ocultar esa cicatriz, ¿verdad?

Sus ojos buscaron la cicatriz con forma de rayo que Harry tenía en la frente.

—Sí, claro —murmuró Harry, y se dio la vuelta. No le gustaba que la gente le mirara la cicatriz.

—Bueno, me temo que tendrás que aprender de la forma más dura —dijo Tonks—. Hay muy pocos metamorfomagos, y no se hacen, sino que nacen. Casi todos los magos han de usar una varita mágica, o pociones, para alterar su aspecto. Pero debemos movernos, Harry; se supone que estamos haciendo el equipaje —añadió con aire culpable, mirando el desorden que había alrededor.

—Sí, sí —coincidió él, y recogió unos cuantos libros más.

—No seas tonto, iremos mucho más rápido si me encargo yo. *¡Bauleo!* —gritó Tonks, agitando su varita con un amplio movimiento sobre el suelo. Libros, ropa, telescopio y balanza se levantaron y volaron en tropel hacia el baúl—. No ha quedado muy ordenado —observó Tonks al acercarse al baúl y echar un vistazo al enmarañado interior—. Mi madre tiene una habilidad especial para hacer que las cosas se coloquen en orden ellas solas, y hasta consigue que los calcetines se doblen correctamente; pero yo nunca he sabido cómo lo hace. Hay que dar una especie de coletazo... —Agitó la varita, esperanzada.

Uno de los calcetines de Harry dio una débil sacudida y volvió a caer sobre el desorden del baúl.

—Bueno —dijo Tonks cerrando de golpe la tapa—, por lo menos está todo dentro. A esa jaula tampoco le vendría mal un repaso. —Apuntó con la varita a la jaula de *Hedwig*—. *¡Fregotego!* —Desaparecieron unas cuantas plumas y los excrementos—. Eso está un poco mejor. Nunca he acabado de agarrarle la onda a estos conjuros de las tareas domésticas. Bueno, ¿lo tienes todo? ¿El caldero? ¿La escoba? ¡Caramba! ¿Tienes una Saeta de Fuego?

Tonks abrió los ojos desmesuradamente al ver la escoba que Harry sujetaba con la mano derecha. Aquella escoba era su orgullo y su alegría, un regalo de Sirius, una escoba de patrón internacional.

—Y yo todavía llevo una Cometa 260 —murmuró Tonks con envidia—. Vaya, vaya... ¿Todavía guardas la varita en los pantalones vaqueros? ¿Conservas las nalgas? Bien, nos vamos. *¡Baúl locomotor!*

El baúl de Harry se elevó unos centímetros sobre el suelo. Sosteniendo la varita como si fuera una batuta de director de orquesta, Tonks hizo que el baúl cruzara volando la habitación y saliera por la puerta por delante de ellos; la bruja sostenía la jaula de *Hedwig* con la mano izquierda. Harry, que llevaba su escoba, la siguió por la escalera.

Entraron en la cocina y vieron que Moody ya había vuelto a ponerse el ojo, que después de la limpieza giraba tan rápido que Harry se mareó con sólo mirarlo. Kingsley Shacklebolt y Sturgis Podmore estaban examinando el microondas, y Hestia Jones se reía del pelapapas que había descubierto mientras hurgaba en los cajones. Lupin estaba sellando una carta dirigida a los Dursley.

—Excelente —dijo Lupin, levantando la cabeza al ver entrar a Tonks y a Harry—. Creo que nos queda un minuto. Tendríamos que salir al jardín para estar preparados. Harry, he dejado una carta a tus tíos diciéndoles que no se preocupen...

—No se preocuparán —aseguró Harry.

—... que estás a salvo...

—Eso sólo los deprimirá.

—... y que los verás el verano que viene.

—¿Es inevitable?

Lupin sonrió, pero no contestó a su pregunta.

—Ven aquí, muchacho —dijo Moody con brusquedad, haciéndole señas a Harry con la varita para que se acercara—. Tengo que desilusionarte.

—¿Que tiene que hacerme qué? —preguntó Harry nervioso.

—Un encantamiento desilusionador —explicó Moody mientras levantaba su varita—. Lupin dice que tienes una capa invisible, pero no te serviría mientras volamos; esto te disfrazará mejor. Allá vamos...

Le dio unos fuertes golpes en la coronilla, y Harry tuvo una extraña sensación, como si Moody le hubiera aplastado un huevo en la cabeza; a continuación, notó que unos hilos fríos recorrían su cuerpo desde el punto donde le había golpeado la varita.

—Muy bien, Ojoloco —celebró Tonks con admiración, contemplando la cintura de Harry.

Harry bajó la cabeza y se miró el cuerpo, o, mejor dicho, lo que había sido su cuerpo, pues ya no se parecía en nada a lo que era antes. No se había vuelto invisible, sino que había adoptado el color y la textura exactos de la cocina que tenía detrás. Por lo visto se había convertido en un camaleón humano.

—Vámonos —urgió Moody, y abrió la puerta trasera con la varita para que todos salieran al jardín perfectamente cuidado de tío Vernon—. Una noche despejada —gruñó Moody, recorriendo el cielo con su ojo mágico—. Habría preferido que estuviera un poco nublado. Bueno, tú —le gritó a Harry—, vamos a volar en formación cerrada. Tonks irá delante de ti, así que no te separes de su cola. Lupin te cubrirá desde abajo. Yo iré detrás de ti. Los demás nos rodearán. No hemos de romper filas bajo ningún concepto, ¿entendido? Si alguno de nosotros muere...

—¿Puede pasar? —preguntó Harry con aprensión, pero Moody no le hizo caso.

—... los otros que sigan volando, sin parar y sin romper filas. Si nos liquidan a todos nosotros y tú sobrevives, Harry, la retaguardia estará en estado de alerta para entrar en acción; sigue volando hacia el este y ellos se reunirán contigo.

—No seas tan alentador, Ojoloco, o el muchacho creerá que no estamos tomándonos esto en serio —intervino Tonks mientras ataba el baúl de Harry y la jaula de *Hedwig* a un arnés que colgaba de su escoba.

—Sólo le explico el plan al muchacho —gruñó Moody—. Nuestra misión consiste en entregarlo sano y salvo en el cuartel general, y si morimos en el intento...

—No va a morir nadie —terció Kingsley Shacklebolt con su voz grave y tranquilizadora.

—¡Monten en las escobas, ésa es la primera señal! —dijo Lupin, de repente, señalando el cielo.

Por encima de ellos, a lo lejos, una lluvia de brillantes chispas rojas había estallado entre las estrellas. Harry las reconoció al instante: eran chispas de varita. Pasó la pierna derecha por encima de su Saeta de Fuego, sujetó el mango con fuerza y notó que la escoba vibraba un poco, como si estuviera deseando tanto como él emprender el vuelo una vez más.

—¡Segunda señal, vámonos! —gritó Lupin cuando de nuevo estallaron chispas, esta vez verdes, por encima de sus cabezas.

Harry despegó con fuerza del suelo. El fresco aire nocturno le echó el pelo hacia atrás y los pulcros y cuidados jardines de Privet Drive empezaron a alejarse, encogiéndose rápidamente hasta formar un mosaico de cuadraditos verdes y negros, y la posible vista en el Ministerio desapareció de su mente, como si aquella ráfaga de aire la hubiera hecho salir de su cabeza. Tenía la sensación de que el corazón iba a explotarle de placer; volvía a volar, se alejaba volando de Privet Drive, como había soñado todo el verano, regresaba a casa... Durante unos maravillosos momentos, todos sus problemas quedaron reducidos a nada, se volvieron insignificantes en el inmenso y estrellado cielo.

—¡Todo a la izquierda, todo a la izquierda, hay un muggle mirando hacia arriba! —gritó de pronto Moody desde atrás. Tonks viró con brusquedad y Harry la siguió; vio cómo su baúl oscilaba peligrosamente detrás de la escoba de la bruja—. ¡Necesitamos más altitud! ¡Asciendan cuatrocientos metros más!

El frío hizo que a Harry empezaran a llorarle los ojos a medida que seguían subiendo; en ese momento, debajo ya no veía nada más que las motitas de luz de las farolas y los faros de los coches. Quizá dos de aquellos minúsculos puntos de luz fueran los faros del coche de tío Vernon... Los Dursley debían de ir de vuelta a su casa, vacía ahora, rabiosos por el inexistente Concurso de Jardines... Aquella idea hizo reír a Harry, aunque su risa quedó apagada por el aleteo de las túnicas de los otros, los chasquidos del arnés que sujetaba su baúl y la jaula, y el rugido del viento en sus oídos, mientras volaban a toda velocidad. Hacía un mes que no se sentía tan vivo, tan feliz.

—¡Virando a la izquierda! —gritó Ojoloco—. ¡Pueblo al frente! —Giraron hacia la izquierda para evitar pasar por encima de la telaraña de luces que tenían a sus pies—. ¡Viren al sudeste y sigan subiendo; más allá hay unas nubes bajas en las que podemos perdernos de vista! —gritó Moody.

—¡No nos hagas pasar entre nubes! —repuso Tonks enojada—. ¡Vamos a quedar empapados, Ojoloco!

Harry sintió alivio al oír decir eso, pues tenía las manos engarrotadas alrededor del mango de la Saeta de Fuego. Lamentó no haberse puesto una chaqueta; estaba empezando a temblar.

De vez en cuando rectificaban la trayectoria según las indicaciones de Ojoloco. Harry entornaba al máximo los ojos frente a aquella corriente de viento helado que empezaba a producirle dolor de oídos; sólo recordaba haber pasado tanto frío encima de una escoba en una ocasión, durante un partido de quidditch contra Hufflepuff, en su tercer año de colegio, cuando jugaron en medio de una tormenta. La guardia de magos lo rodeaba continuamente como aves de presa gigantes. Harry perdió la noción del tiempo: ya no sabía cuánto rato llevaban volando, pero calculaba que por lo menos hacía una hora.

—¡Viren al sudoeste! —gritó Moody—. ¡Tenemos que evitar la autopista!

Harry estaba tan helado que pensó con nostalgia en los secos y calentitos interiores de los coches que circulaban por debajo; y luego, con más nostalgia aún, en cómo habría sido un viaje con polvos flu. Quizá resultara incómodo girar en las chimeneas, pero al menos con las llamas no pasabas frío... Kingsley Shacklebolt describió un círculo alrededor de Harry, mientras la calva y el pendiente destellaban un poco bajo la luz de la luna... En ese momento Emmeline Vance iba a su derecha, con la varita en la mano, girando la cabeza a derecha e izquierda... Entonces ella también pasó volando por encima de Harry y la sustituyó Sturgis Podmore...

—¡Deberíamos volver un instante sobre nuestros pasos, sólo para asegurarnos de que no nos siguen! —gritó Moody.

—¿Te has vuelto loco, Ojoloco? —gritó Tonks desde delante—. ¡Estamos todos congelados al palo de nuestras escobas! ¡Si seguimos desviándonos de nuestro camino no llegaremos ni la semana que viene! ¡Además, ya falta poco!

—¡Ha llegado el momento de iniciar el descenso! —anunció la voz de Lupin—. ¡Tonks, Harry, síganme!

Harry siguió a Tonks en una caída en picada. Se dirigían hacia el grupo de luces más grande que había visto hasta entonces, un enorme y extenso entramado de líneas relucientes con trozos negros intercalados. Siguieron bajando hasta que Harry empezó a distinguir faros y farolas, chimeneas y antenas de televisión. Estaba deseando llegar al suelo, aunque tenía la impresión de que deberían descongelarlo para separarlo de su escoba.

—¡Allá vamos! —gritó Tonks, y unos segundos más tarde había aterrizado.

Harry tomó tierra justo detrás de ella y desmontó en una parcela de hierba sin cortar, en medio de una pequeña plaza. Tonks ya había empezado a desabrochar el arnés que sujetaba el baúl de Harry. El chico, tembloroso, miró a su alrededor. Las sucias fachadas de los edificios no parecían muy acogedoras; algunas tenían los cristales de las ventanas rotos, y éstos brillaban débilmente reflejando la luz de las farolas; la pintura de muchas puertas estaba desconchada, y junto a varios portales se acumulaba la basura.

—¿Dónde estamos? —preguntó Harry, pero Lupin, en voz baja, dijo:

—Espera un minuto.

Moody hurgaba en su capa con las nudosas manos entumecidas por el frío.

—Ya lo tengo —masculló; a continuación, levantó algo que parecía un encendedor de plata y lo accionó.

La farola más cercana hizo «pum» y se apagó. Volvió a accionar el artilugio, y se apagó la siguiente; siguió accionándolo hasta que todas las farolas de la plaza se hubieron apagado y la única luz que quedó fue la que procedía de unas ventanas con las cortinas corridas y la de la luna en cuarto creciente.

—Me lo prestó Dumbledore —dijo Moody, guardándose el Apagador en el bolsillo—. Por si algún muggle asoma la cabeza por la ventana, ¿sabes? Y ahora en marcha, deprisa.

Tomó a Harry por un brazo y lo guió por la parcela cubierta de hierba; cruzaron la calle y subieron a la acera. Lupin y Tonks los siguieron; transportaban el baúl de Harry entre los dos e iban flanqueados por el resto de la guardia, que llevaba las varitas en la mano.

De una de las ventanas del piso de arriba de la casa más cercana, salía música amortiguada. Un intenso olor a basura podrida se expandía desde el montón de bolsas de desperdicios que había al otro lado de una verja destrozada.

—Es aquí —murmuró Moody; le puso a Harry un trozo de pergamino en la desilusionada mano y acercó el extremo iluminado de su varita para que pudiera ver el texto—. Léelo rápido y memorízalo.

Harry miró el trozo de pergamino. La letra, de trazos estrechos, le resultaba vagamente familiar. El texto rezaba:

El cuartel general de la Orden del Fénix está ubicado en el número 12 de Grimmauld Place, en Londres.

4

El número 12 de Grimmauld Place

—¿Qué es la Orden del...? —preguntó Harry.

—¡Aquí no, muchacho! —gruñó Moody—. ¡Espera a que estemos dentro!

Moody le arrebató a Harry el trozo de pergamino y le prendió fuego con la punta de la varita. Mientras las llamas devoraban el mensaje, que cayó flotando al suelo, Harry volvió a mirar las casas que había a su alrededor. Estaban delante del número 11; miró a la izquierda y vio el número 10; a la derecha, sin embargo, estaba el número 13.

—Pero ¿dónde está...?

—Piensa en lo que acabas de memorizar —le recordó Lupin con serenidad.

Harry lo pensó, y en cuanto llegó a las palabras «número 12 de Grimmauld Place», una maltrecha puerta salió de la nada entre los números 11 y 13, y de inmediato aparecieron unas paredes sucias y unas mugrientas ventanas. Era como si, de pronto, se hubiera inflado una casa más, empujando a las que tenía a ambos lados y apartándolas de su camino. Harry se quedó mirándola, boquiabierto. El aparato de música del número once seguía sonando. Por lo visto los muggles que había dentro no habían notado nada.

—Vamos, deprisa —gruñó Moody, empujando a Harry por la espalda.

El chico subió los desgastados escalones de piedra sin apartar los ojos de la puerta que acababa de materializarse. La pintura negra estaba vieja y arañada, y la aldaba de plata tenía forma de serpiente enroscada. No había cerradura ni buzón.

Lupin sacó su varita y dio un golpe con ella en la puerta. Harry oyó unos fuertes ruidos metálicos y algo que sonaba como una cadena. La puerta se abrió con un chirrido.

—Entra, Harry, rápido —le susurró Lupin—, pero no te alejes demasiado y no toques nada.

Harry cruzó el umbral y se sumergió en la casi total oscuridad del vestíbulo. Olía a humedad, a polvo y a algo podrido y dulzón; la casa tenía toda la pinta de ser un edificio abandonado. Miró hacia atrás y vio a los otros, que iban en fila detrás de él; Lupin y Tonks llevaban su baúl y la jaula de *Hedwig*. Moody estaba de pie en el último escalón soltando las esferas de luz que el Apagador había robado de las farolas: volvieron volando a sus bombillas y la plaza se iluminó, momentáneamente, con una luz naranja; entonces Moody entró renqueando en la casa y cerró la puerta, y la oscuridad del vestíbulo volvió a ser total.

—Por aquí...

Le dio unos golpecitos en la cabeza a Harry con la varita; esta vez el muchacho sintió que algo caliente le goteaba por la espalda y comprendió que el encantamiento desilusionador había terminado.

—Ahora quédense todos quietos mientras pongo un poco de luz aquí dentro —susurró Moody.

Los murmullos de los demás le producían a Harry una extraña aprensión; era como si acabaran de entrar en la casa de alguien que estaba a punto de morir. Oyó un débil silbido, y entonces unas anticuadas lámparas de gas se encendieron en las paredes y proyectaron una luz, débil y parpadeante, sobre el despegado papel pintado y sobre la raída alfombra de un largo y lúgubre vestíbulo, de cuyo techo colgaba una lámpara de cristal cubierta de telarañas y en cuyas paredes lucían retratos ennegrecidos por el tiempo que estaban torcidos. Harry oyó algo que correteaba detrás del zócalo. Tanto la lámpara como el candelabro, que había encima de una desvencijada mesa, tenían forma de serpiente.

Oyeron unos rápidos pasos y la madre de Ron, la señora Weasley, entró por una puerta que había al fondo del vestíbulo. Corrió a recibirlos con una sonrisa radiante, aunque

Harry se fijó en que estaba mucho más pálida y delgada que la última vez que la había visto.

—¡Oh, Harry, cuánto me alegro de verte! —susurró, y lo estrujó con un fuerte abrazo; luego se separó un poco de él y lo examinó con ojo crítico—. Estás paliducho; necesitas engordar un poco, pero me temo que tendrás que esperar hasta la hora de la cena. —Luego, dirigiéndose al grupo de magos que Harry tenía detrás, la señora Weasley volvió a susurrar con tono apremiante—: Acaba de llegar. La reunión ya ha comenzado.

Los magos emitieron ruiditos de interés y de expectación y empezaron a desfilar hacia la puerta por la que la señora Weasley acababa de aparecer. Harry se puso también en marcha, siguiendo a Lupin, pero la señora Weasley lo retuvo.

—No, Harry, la reunión es sólo para miembros de la Orden. Ron y Hermione están arriba; puedes esperar con ellos hasta que se acabe. Luego cenaremos. Y habla en voz baja en el vestíbulo —añadió con un susurro apremiante.

—¿Por qué?

—No quiero que se despierte nada.

—¿Qué es lo que...?

—Ya te lo explicaré más tarde, ahora debo darme prisa. Tengo que asistir a la reunión, pero antes te enseñaré dónde vas a dormir.

Se llevó un dedo a los labios y lo precedió de puntillas; pasaron por delante de un par de largas y apolilladas cortinas, detrás de las cuales Harry supuso que debía de haber otra puerta, y tras esquivar un gran paragüero que parecía hecho con la pierna cortada de un trol, empezaron a subir la oscura escalera y pasaron junto a una hilera de cabezas reducidas montadas en placas, colgadas en la pared. Harry las miró de cerca y vio que las cabezas eran de elfos domésticos. Todos tenían la misma nariz en forma de hocico.

La perplejidad de Harry iba en aumento a cada paso que daba. ¿Qué demonios hacían en una casa que parecía la del más tenebroso de los magos?

—Señora Weasley, ¿por qué...?

—Ron y Hermione te lo explicarán todo, querido. Lo siento, pero tengo mucha prisa —le susurró la señora Weasley sin prestarle mucha atención—. Mira —dijo cuando llegaron al segundo rellano—, tu puerta es la de la derecha. Ya te avisaré cuando termine la reunión.

Y dicho eso, bajó apresuradamente la escalera.

Harry cruzó el lúgubre rellano, giró el pomo de la puerta, que tenía forma de cabeza de serpiente, y abrió la puerta.

Vislumbró una habitación sombría con el techo alto y dos camas gemelas; entonces oyó un fuerte parloteo, seguido de un chillido aún más fuerte, y su visión quedó por completo oscurecida por una melena muy tupida. Hermione se había abalanzado sobre él para darle un abrazo que casi lo derribó, mientras que la pequeña lechuza de Ron, *Pigwidgeon*, volaba describiendo círculos, muy agitada, por encima de sus cabezas.

—¡Harry! ¡Ron, ha venido Harry! ¡No te hemos oído llegar! ¿Cómo estás? ¿Estás bien? ¿Estás enfadado con nosotros? Seguro que sí, ya sé que en nuestras cartas no te contábamos nada, pero es que no podíamos, Dumbledore nos hizo jurar que no te diríamos nada, oh, tengo tantas cosas que contarte, y tú también... ¡Los dementores! Cuando nos enteramos, y lo de la vista del Ministerio... es indignante. He estado buscando información y no pueden expulsarte, no pueden hacerlo, lo estipula el Decreto para la moderada limitación de la brujería en menores de edad en situaciones de amenaza para la vida...

—Déjalo respirar, Hermione —dijo Ron, sonriendo, al mismo tiempo que cerraba la puerta detrás de Harry. Había crecido varios centímetros durante el mes que habían pasado separados, y ahora parecía más larguirucho y desgarbado que nunca, aunque la larga nariz, el reluciente cabello pelirrojo y las pecas no habían cambiado.

Hermione, todavía radiante, soltó a Harry, y antes de que pudiera decir nada más se oyó un suave zumbido y una cosa blanca salió volando de lo alto de un oscuro armario y se posó con suavidad en el hombro de Harry.

—*¡Hedwig!*

La lechuza, blanca como la nieve, hizo un ruidito seco con el pico y le dio unos cariñosos golpecitos con él en la oreja, mientras Harry le acariciaba las plumas.

—Estaba muy enfadada —explicó Ron—. Casi nos mató a picotazos cuando nos trajo tus últimas cartas, mira esto...

Le enseñó a Harry el dedo índice de la mano derecha, donde tenía un corte ya casi curado pero profundo.

—¡Oh, vaya! —exclamó Harry—. Lo siento, pero quería respuestas...

—Y nosotros queríamos dártelas, Harry —replicó Ron—. Hermione estaba volviéndose loca, no paraba de decir que harías alguna tontería si seguías aislado y solo sin noticias, pero Dumbledore nos hizo...

—... jurar que no me contarían nada —acabó Harry—. Sí, Hermione ya me lo ha dicho.

Una cosa fría que salía del fondo de su estómago apagó el cálido sentimiento que había prendido en su interior al ver a sus dos mejores amigos. De pronto, pese a que llevaba un mes deseando verlos, sintió que habría preferido que Ron y Hermione lo dejaran en paz.

Se produjo un tenso silencio durante el cual Harry siguió acariciando a *Hedwig* mecánicamente, sin mirar a los otros.

—Por lo visto, Dumbledore creía que eso era lo mejor —aclaró Hermione con ansiedad.

—Ya —dijo Harry. Se fijó en que las manos de Hermione también tenían las marcas del pico de *Hedwig*, pero no lo lamentó.

—Creo que pensaba que donde estabas más seguro era con los muggles... —empezó a decir Ron.

—¿Ah, sí? —se extrañó Harry, arqueando las cejas—. ¿Los han atacado unos dementores a alguno de ustedes este verano?

—Pues no, pero por eso ordenó que fueras vigilado todo el tiempo por miembros de la Orden del Fénix...

Harry notó un gran vacío en el estómago, como si bajara por una escalera y se hubiera saltado un escalón. De modo que todo el mundo sabía que estaban vigilándolo, menos él.

—Pues no ha funcionado muy bien, ¿no crees? —dijo Harry, haciendo todo lo posible para no alterar la voz—. Al fin y al cabo he tenido que cuidarme yo solito, ¿no?

—Dumbledore estaba furioso —comentó Hermione con una voz casi atemorizada—. Nosotros lo vimos. Cuando se enteró de que Mundungus había abandonado su puesto antes de que terminara su turno... Daba miedo verlo.

—Pues mira, me alegro de que se marchara —replicó Harry con frialdad—. Si se hubiera quedado, yo no habría hecho magia y seguramente Dumbledore me habría dejado en Privet Drive todo el verano.

—¿No estás..., no estás preocupado por la vista del Ministerio de Magia? —preguntó Hermione con voz queda.

—No —mintió Harry desafiante.

Se apartó de ellos, mirando alrededor, con *Hedwig* acurrucada en su hombro, pero aquella habitación no era lo más apropiado para subirle la moral. Era húmeda y oscura. Un lienzo en blanco con un marco decorado era lo único que alegraba la desnudez de las desconchadas paredes, y cuando Harry pasó por delante de él le pareció oír a alguien que, escondido, reía por lo bajo.

—¿Y se puede saber por qué Dumbledore tenía tanto interés en mantenerme escondido? —preguntó Harry, que seguía intentando controlar su voz y adoptar un tono despreocupado—. ¿Se molestaron en preguntárselo, por casualidad?

Levantó la cabeza justo a tiempo para ver cómo sus amigos intercambiaban una mirada que significaba que estaba comportándose como ellos habían imaginado. Eso no ayudó a mejorar su estado de ánimo.

—Le dijimos a Dumbledore que queríamos contarte lo que estaba pasando —contestó Ron—. Se lo dijimos, Harry. Pero ahora Dumbledore está muy ocupado, sólo lo hemos visto dos veces desde que vinimos aquí, y no tenía mucho tiempo para nosotros; nos hizo jurar que no te contaríamos nada importante cuando te escribiéramos. Dijo que las lechuzas podían ser interceptadas.

—De todos modos habría podido mantenerme informado si se lo hubiera propuesto —replicó Harry de manera cortante—. No irás a decirme que no conoce formas de enviar mensajes sin lechuzas, ¿no?

Hermione miró a Ron y dijo:

—Yo también lo pensé. Pero él no quería que supieras nada.

—Quizá piense que no se puede confiar en mí —dijo Harry, observando con atención sus expresiones.

—No seas idiota —contestó Ron, que parecía muy desconcertado.

—O que no sé cuidar de mí mismo.

—¡Claro que no piensa nada de eso! —exclamó Hermione agitada.

—¿Entonces por qué tenía que quedarme en casa de los Dursley mientras ustedes dos participaban en todo lo que estaba pasando aquí? —preguntó Harry; las palabras salieron atropelladamente de su boca, y a medida que las pronunciaba, el volumen de su voz iba aumentando—. ¿Por qué ustedes dos están al corriente de lo que está ocurriendo?

—¡Eso no es cierto! —lo interrumpió Ron—. Mamá no nos deja acercarnos a las reuniones; dice que somos demasiado pequeños...

Pero sin poder contenerse más, Harry se puso a gritar.

—¡AH, YA!, NO HAN ESTADO EN LAS REUNIONES, ¡QUÉ BIEN! PERO HAN ESTADO AQUÍ, ¿VERDAD? ¡HAN ESTADO JUNTOS! ¡YO, EN CAMBIO, LLEVO UN MES ATRAPADO EN CASA DE LOS DURSLEY! ¡Y YO HE HECHO COSAS MUCHO MÁS IMPORTANTES QUE USTEDES DOS, Y DUMBLEDORE LO SABE! ¿QUIÉN SALVÓ LA PIEDRA FILOSOFAL? ¿QUIÉN SE DESHIZO DE RYDDLE? ¿QUIÉN LES SALVÓ LA VIDA CUANDO LOS ATACARON LOS DEMENTORES?

Harry soltó todos y cada uno de los amargos y resentidos pensamientos que había tenido durante el último mes: su frustración ante la ausencia de noticias, la ofensa que le producía saber que todos habían estado juntos sin él, la rabia que experimentaba porque habían estado vigilándolo y nadie se lo había dicho... Todos los sentimientos de los que se avergonzaba a medias se desbordaron por fin. *Hedwig* se asustó con el ruido y voló hasta lo alto del armario; *Pigwidgeon*, alarmada, gorjeó y empezó a volar aún más deprisa por encima de sus cabezas.

—¿QUIÉN TUVO QUE PASAR POR DELANTE DE DRAGONES Y ESFINGES Y DE TODO TIPO DE BICHOS REPUGNANTES EL AÑO PASADO? ¿QUIÉN VIO QUE ÉL HABÍA REGRESADO? ¿QUIÉN TUVO QUE HUIR DE ÉL? ¡YO! —Ron estaba allí plantado con la boca abierta, atónito y sin saber qué decir, mientras que Hermione parecía a punto de llorar—. PERO ¿POR QUÉ TENÍA QUE SABER YO LO QUE ESTABA PASANDO? ¿POR QUÉ IBA A MOLESTARSE ALGUIEN EN CONTARME LO QUE SUCEDÍA?

—Harry, nosotros queríamos contártelo, de verdad... —empezó Hermione.

—NO CREO QUE ESO LES PREOCUPARA MUCHO, PORQUE SI NO ME HABRÍAN ENVIADO UNA LECHUZA, PERO CLARO, DUMBLEDORE LES HIZO JURAR...

—Es verdad, Harry, nos...

—HE PASADO CUATRO SEMANAS CONFINADO EN PRIVET DRIVE, ROBANDO PERIÓDICOS DE LOS CUBOS DE BASURA PARA VER SI ME ENTERABA DE LO QUE ESTABA PASANDO...

—Nosotros queríamos...

—SUPONGO QUE SE HABRÁN REÍDO DE LO LINDO, ¿VERDAD?, AQUÍ ESCONDIDOS, JUNTITOS...

—No, Harry, en serio...

—¡Lo sentimos mucho, Harry! —dijo Hermione desesperada; tenía los ojos bañados en lágrimas—. Tienes toda la razón. ¡Yo también estaría furiosa si me hubiera pasado a mí!

Harry la fulminó con la mirada, respirando entrecortadamente; luego volvió a apartarse de ellos y se puso a dar vueltas por la habitación. *Hedwig* ululó con tristeza desde lo alto del armario. Hubo una larga pausa, sólo interrumpida por el lastimero crujido de las tablas de madera bajo los pies de Harry.

—A ver, ¿qué lugar es éste? —preguntó.

—El cuartel general de la Orden del Fénix —contestó Ron de inmediato.

—¿Y piensa alguien decirme qué demonios es la Orden del Fénix?

—Es una sociedad secreta —se apresuró a responder Hermione—. La dirige Dumbledore; él fue quien la fundó. La forman los que lucharon contra Quien-tú-sabes la última vez.

—¿Quiénes? —inquirió Harry, y se detuvo con las manos metidas en los bolsillos.

—Bastante gente...

—Nosotros hemos conocido a unos veinte —le contó Ron—, pero creemos que son más.

—¿Y bien? —preguntó Harry, mirándolos con atención.

—Este... —dijo Ron—. ¿Qué?

—¡Voldemort! —exclamó Harry enfurecido, y Ron y Hermione hicieron una mueca de dolor—. ¿Qué pasa? ¿Qué está tramando? ¿Dónde está? ¿Qué vamos a hacer para detenerlo?

—Ya te lo hemos dicho, la Orden no nos deja participar en sus reuniones —comentó Hermione, nerviosa—. Así que no tenemos muchos detalles; pero sí una idea general —se apresuró a añadir al fijarse en la expresión de los ojos de Harry.

—Verás, Fred y George han inventado unas orejas extensibles —explicó Ron—. Son muy útiles.

—¿Orejas...?

—Extensibles, sí. Pero últimamente hemos tenido que dejar de usarlas porque mamá nos descubrió y se puso hecha una fiera. Fred y George tuvieron que esconderlas todas para que mamá no las tirara a la basura. Pero las usamos bastante antes de que mamá se diera cuenta de lo que estábamos haciendo. Ahora sabemos que algunos miembros de la Orden están siguiendo a unos conocidos mortífagos, están vigilándolos...

—Otros se dedican a reclutar a más gente para la Orden... —intervino Hermione.

—Y otros montan guardia no sé dónde —concluyó Ron—. Siempre están hablando de las guardias.

—No será que me vigilan a mí, ¿verdad? —dijo Harry con sarcasmo.

—¡Ah, claro! —aseguró Ron como si acabara de comprenderlo.

Harry soltó un bufido. Se puso a pasear de nuevo por la habitación, mirando a cualquier sitio menos a Ron y a Hermione.

—Entonces, ¿qué han estado haciendo ustedes dos, si no los dejaban entrar en las reuniones? —preguntó—. Decían que estaban muy ocupados.

—Y lo estábamos —contestó Hermione con rapidez—. Hemos descontaminado esta casa; llevaba muchos años vacía y se había criado de todo. Hemos conseguido limpiar a fondo la cocina, casi todos los dormitorios y creo que mañana nos toca el sa... ¡Aaaaah!

Con dos fuertes estampidos, Fred y George, los hermanos gemelos de Ron, se habían materializado de la nada en medio de la habitación. *Pigwidgeon* gorjeó, más alterada que las otras veces, y echó a volar para reunirse con *Hedwig* en lo alto del armario.

—¡Paren de hacer eso! —ordenó Hermione a los gemelos, que tenían el mismo cabello pelirrojo que Ron, aunque más tupido y ligeramente más corto.

—¡Hola, Harry! —lo saludó George con una radiante sonrisa—. Nos pareció oír tu dulce voz.

—No reprimas tu rabia, Harry, suéltalo todo —le aconsejó Fred, también sonriente—. Quizá haya una o dos personas a ochenta kilómetros de aquí que no te han oído.

—Veo que han aprobado los exámenes de Aparición —comentó Harry malhumorado.

—Con muy buenas calificaciones —confirmó Fred, que tenía en la mano una cosa que parecía un trozo de cuerda muy largo de color carne.

—Habrían tardado unos treinta segundos más si hubieran bajado por la escalera —dijo Ron.

—El tiempo es galeones, hermanito —repuso Fred—. Bueno, Harry, estás dificultando la recepción. Éstas son las orejas extensibles —añadió ante la expresión de desconcierto de Harry, y le mostró la cuerda que tenía en la mano y que, según vio Harry, empezó a arrastrarse hasta el rellano—. Estamos intentando oír lo que pasa abajo.

—Tengan mucho cuidado —les recomendó Ron mirando la oreja—; si mamá vuelve a encontrar una de ésas...

—Vale la pena correr el riesgo; la reunión de hoy es importante —dijo Fred.

Entonces se abrió la puerta y por ella entró una larga cabellera pelirroja.

—¡Hola, Harry! —saludó alegremente la hermana pequeña de Ron, Ginny—. Me pareció oír tu voz. —Miró a Fred y a George, y añadió—: No van a conseguir nada con las orejas extensibles. Mamá le ha hecho un encantamiento de impasibilidad a la puerta de la cocina.

—¿Cómo lo sabes? —preguntó George alicaído.

—Tonks me ha explicado cómo descubrirlo —le contó Ginny—. Sólo tienes que lanzar algo contra la puerta, y si no logra hacer contacto quiere decir que la han impasibilizado. He estado lanzándole bombas fétidas desde lo alto de la escalera, pero salían despedidas antes de tocarla, de modo que no hay forma de que las orejas extensibles puedan pasar por debajo.

Fred exhaló un hondo suspiro.

—¡Qué lástima! Estaba deseando averiguar qué ha estado haciendo Snape.

—¡Snape! —saltó Harry—. ¿Está aquí?

—Sí —contestó George, que cerró la puerta con cuidado y se sentó en una de las camas; Fred y Ginny lo siguieron—. Ha venido a dar parte. Es confidencial.

—¡Imbécil! —exclamó Fred sin darse cuenta.

—Ahora está en nuestro bando —le recordó Hermione en tono reprobatorio.

—Eso no significa que no sea un imbécil. Basta con ver cómo nos mira —opinó Ron, soltando un bufido.

—A Bill tampoco le cae bien —intervino Ginny, como si eso zanjara el asunto.

Harry todavía no estaba seguro de que se le hubiera pasado el enfado, pero su sed de información estaba venciendo el impulso de seguir gritando. Se dejó caer en una cama, enfrente de los demás.

—¿Bill también está aquí? —preguntó—. ¿No estaba trabajando en Egipto?

—Solicitó un trabajo de oficinista para poder volver a casa y colaborar con la Orden —aclaró Fred—. Dice que echa de menos las tumbas, pero —esbozó una sonrisita de suficiencia— esto tiene sus compensaciones.

—¿Qué quieres decir?

—¿Te acuerdas de Fleur Delacour? —dijo George—. Ha aceptado un empleo en Gringotts para «pegfeccionag» su inglés...

—Y Bill le ha dado un montón de clases particulares —añadió Fred con tono burlón.

—Charlie también ha entrado en la Orden —prosiguió George—, pero todavía está en Rumania. Dumbledore quiere que entren en la Orden todos los magos extranjeros que sea posible, y Charlie intenta incorporarlos en sus días libres.

—¿Eso no podíra hacerlo Percy? —preguntó Harry. La última noticia que tenía del tercero de los hermanos Weasley era que trabajaba en el Departamento de Cooperación Mágica Internacional del Ministerio de Magia.

Al oír las palabras de Harry, los Weasley y Hermione intercambiaron miradas cómplices y llenas de misterio.

—Pase lo que pase, no menciones a Percy delante de mis padres —advirtió Ron a Harry con voz tensa.

—¿Por qué no?

—Porque cada vez que alguien nombra a Percy, papá rompe lo que tenga en las manos y mamá se pone a llorar —contestó Fred.

—Ha sido espantoso —añadió Ginny con tristeza.

—Me parece que nos hemos librado de él —dijo George con una expresión muy desagradable en la cara.

—¿Qué ha pasado? —preguntó Harry.

—Percy y papá discutieron —comenzó Fred—. Nunca había visto a papá discutir así con nadie. Normalmente es mamá la que grita.

—Fue la primera semana después de terminar el curso —continuó Ron—. Estábamos a punto de venir a reunirnos con los de la Orden. Percy llegó a casa y nos dijo que lo habían ascendido.

—¿Bromeas? —dijo Harry.

Aunque sabía que Percy era una persona muy ambiciosa, tenía la impresión de que el hermano de Ron no había logrado mucho éxito con su primer empleo en el Ministerio de Magia. Percy había cometido el grave descuido de no darse cuenta de que su jefe estaba en manos de lord Voldemort (pese a que en el Ministerio nadie lo habría creído, pues todos pensaban que el señor Crouch se había vuelto loco).

—Sí, a todos nos sorprendió —afirmó George—, porque Percy se metió en un buen lío por lo de Crouch, y hubo una investigación y todo. Dijeron que Percy debería haberse dado cuenta de que Crouch estaba chiflado y que habría tenido que informar a algún superior. Pero ya conoces a Percy: Crouch lo había dejado al mando, y él no iba a protestar.

—Entonces, ¿cómo es que lo han ascendido?

—Eso fue exactamente lo que nos preguntamos nosotros —respondió Ron, que parecía encantado de poder mantener una conversación normal ya que Harry había parado de gritar—. Llegó a casa muy satisfecho de sí mismo, más satisfecho incluso de lo habitual, no sé si podrás imaginártelo; y le dijo a papá que le habían ofrecido un cargo en la oficina del propio Fudge. Un cargo muy importante para tratarse de alguien que sólo hacía un año que había salido de Hogwarts: asistente junior del ministro. Creo que esperaba que papá se quedara muy impresionado.

—Pero papá no se quedó nada impresionado —comentó Fred con gravedad.

—¿Por qué no? —preguntó Harry.

—Verás, por lo visto Fudge se pasea hecho una furia por el Ministerio vigilando que nadie tenga ningún contacto con Dumbledore —explicó George.

—Es que últimamente Dumbledore no está muy bien visto en el Ministerio —agregó Fred—. Todos creen que sólo causa problemas al decir que Quien-tú-sabes ha regresado.

—Papá dice que Fudge ha dejado muy claro que todo el que tenga algo que ver con Dumbledore ya puede ir vaciando su escritorio —dijo George.

—El problema es que Fudge sospecha de papá, pues sabe que se lleva bien con Dumbledore, y siempre ha creído que papá es un poco raro por su obsesión con los muggles.

—Pero ¿eso qué tiene que ver con Percy? —preguntó Harry confundido.

—A eso quería llegar. Papá cree que Fudge sólo quiere tener a Percy en su oficina porque pretende utilizarlo para espiar a nuestra familia y a Dumbledore.

Harry emitió un débil silbido.

—Me imagino que eso a Percy le encantó.

Ron soltó una risa un tanto sarcástica.

—Se puso hecho una fiera. Dijo... Bueno, dijo un montón de cosas terribles. Dijo que había tenido que luchar contra la mala reputación de papá desde que entró a trabajar en el Ministerio, y que papá no tiene ambición y que por eso siempre hemos sido... Bueno, ya sabes, que por eso nunca hemos tenido mucho dinero...

—¿Qué? —se extrañó Harry, incrédulo, mientras Ginny hacía un ruido de gato enojado.

—Ya, ya —musitó Ron con un hilo de voz—. Y eso no es todo. Dijo que papá era un idiota por relacionarse con Dumbledore, que Dumbledore iba a tener graves problemas y papá se iba a hundir con él, y que él, Percy, sabía dónde estaba su lealtad: con el Ministerio. Y que si papá y mamá iban a convertirse en traidores al Ministerio, él pensaba asegurarse de que todo el mundo supiera que ya no pertenecía a nuestra familia. Hizo su equipaje aquella misma noche y se marchó. Ahora vive aquí, en Londres.

Harry maldijo por lo bajo. Percy siempre había sido el que menos le gustaba de todos los hermanos de Ron, pero jamás habría imaginado que pudiera decirle semejantes cosas al señor Weasley.

—Mamá lo ha pasado muy mal —prosiguió Ron descorazonado—. Ya te imaginas, llorando y eso. Vino a Londres para intentar hablar con Percy, pero él le cerró la puerta en las narices. No sé qué hace Percy cuando se encuentra a papá en el trabajo, supongo que ignorarlo.

—Pero Percy tiene que saber que Voldemort ha regresado —opinó Harry—. No es idiota, tiene que saber que sus padres no se expondrían a perderlo todo si no tuvieran pruebas.

—Sí, bueno, tu nombre también salió en la discusión —siguió explicando Ron, y le lanzó a Harry una mirada furtiva—. Percy dijo que la única prueba que tenían era tu palabra, y..., no sé..., no creía que eso fuera suficiente.

—Percy se toma muy en serio todo lo que dice *El Profeta* —añadió Hermione con aspereza, y los demás asintieron.

—¿De qué estás hablando? —quiso saber Harry, mirando alrededor. Todos lo observaban con recelo.

—¿No..., no recibías *El Profeta*? —preguntó Hermione, nerviosa.

—¡Sí, claro! —respondió Harry.

—¿Lo has... leído bien? —insistió ella, aún más nerviosa.

—No de cabo a rabo —confesó Harry, poniéndose a la defensiva—. Si tenían que informar de algo relacionado con Voldemort, lo harían en la primera plana, ¿no?

Los otros hicieron una mueca de dolor al oír aquel nombre. Hermione prosiguió:

—Bueno, tendrías que haberlo leído de cabo a rabo para descubrirlo, pero... Bueno, el caso es que te mencionan un par de veces por semana.

—Pero yo lo habría visto...

—Si sólo leías la primera plana no —repuso Hermione, moviendo negativamente la cabeza—. No estoy hablando de grandes artículos. Sólo te incluían de pasada, como si fueras un personaje de chiste.

—¿Qué demonios...?

—Es muy desagradable, la verdad —prosiguió Hermione con una voz que denotaba una calma forzada—. Están siguiendo los pasos de Rita.

—Pero ella ya no escribe para el periódico, ¿verdad?

—Oh, no, Rita ha cumplido su promesa. Porque no tiene alternativa, claro —añadió Hermione con satisfacción—. Pero ella sentó las bases de lo que ellos intentan hacer ahora.

—¿Y se puede saber qué intentan hacer? —preguntó Harry, impaciente.

—Bueno, ya sabes que en sus artículos decía que te habías derrumbado por completo y que ibas por ahí diciendo que te dolía la cicatriz y todo eso, ¿no?

—Sí —dijo Harry, que recordaba a la perfección las historias que Rita Skeeter había contado de él.

—Pues ahora te describen como un pobre iluso que sólo quiere llamar la atención y que se cree un gran héroe trágico o algo así —explicó Hermione, muy deprisa, como si de esa forma sus palabras fueran a dolerle menos a su amigo—. No paran de incluir comentarios insidiosos sobre ti. Si aparece alguna historia exagerada o rocambolesca, dicen algo como: «Una historia digna de Harry Potter», y si alguien sufre un accidente divertido, escriben: «Esperemos que no le quede una cicatriz en la frente, o luego tendremos que idolatrarlo como a...»

—Yo no quiero que me idolatren... —saltó Harry acalorado.

—Ya lo sé —lo interrumpió Hermione, asustada—. Ya lo sé, Harry. Pero ¿no ves lo que están haciendo? Quieren minar tu credibilidad. Apuesto cualquier cosa a que Fudge está detrás de todo esto. Quieren hacer creer a los magos de a pie que no eres más que un niño estúpido, un poco ridículo, que va por ahí contando cuentos chinos porque le gusta ser famoso y quiere que se hable de él.

—Yo nunca he buscado... Yo no quería... ¡Voldemort mató a mis padres! —farfulló Harry—. ¡Me hice famoso porque él mató a mi familia y porque no consiguió matarme a mí! ¿Quién va a querer ser famoso por algo así? ¿No se dan cuenta de que preferiría no haber...?

—Ya lo sabemos, Harry —dijo Ginny de todo corazón.

—Y como es lógico no han mencionado ni una sola palabra del ataque de los dementores —añadió Hermione—. Alguien se lo ha prohibido. Y eso sí habría sido una historia sonada: dementores sueltos... Ni siquiera han informado de que violaste el Estatuto Internacional del Secreto. Creíamos que lo harían, porque eso encaja perfectamente con esa imagen de ti, de fanfarrón estúpido. Creemos que están aguardando el momento de tu expulsión; entonces se van a poner las botas... Si te expulsan, claro —especificó—. Pero no deberían echarte; si se atienen a sus propias normas no pueden hacerlo, no tienen argumentos.

Había vuelto a salir el tema de la vista, y Harry no quería pensar en eso. Intentó hablar de otra cosa, pero no hizo falta que buscara nuevos temas de conversación porque en ese instante se oyeron pasos que subían por la escalera.

—¡Oh!

Fred le dio un fuerte tirón a la oreja extensible; se oyó otro estampido, y él y George se desaparecieron. Pasados unos segundos, la señora Weasley entró por la puerta del dormitorio.

—La reunión ha terminado, ya pueden bajar a cenar. Todos se mueren de ganas de verte, Harry. Por cierto, ¿quién ha dejado esas bombas fétidas frente a la puerta de la cocina?

—*Crookshanks* —respondió Ginny descaradamente—. Le encanta jugar con ellas.

—¡Ah! —dijo la señora Weasley—. Creía que quizá hubiera sido Kreacher; siempre está haciendo cosas raras. Bueno, no olviden bajar la voz cuando pasen por el vestíbulo. Ginny, tienes las manos sucias, ¿qué has estado haciendo? Ve y lávatelas antes de cenar, por favor.

Ginny sonrió a los otros y salió con su madre de la habitación, dejando solos a Harry, Ron y Hermione. Ron y Hermione se quedaron mirando a Harry con aprensión, como si temieran que empezara a gritar de nuevo ahora que se habían ido los demás. Al verlos tan nerviosos, Harry se sintió un poco avergonzado.

—Miren... —masculló, pero Ron negó con la cabeza, y Hermione dijo en voz baja:

—Ya sabíamos que te enfadarías, Harry, no te culpamos de nada, de verdad, pero tienes que entenderlo, nosotros intentamos persuadir a Dumbledore...

—Sí, ya lo sé —dijo Harry de manera cortante.

Buscó un tema de conversación que no estuviera relacionado con el director del colegio, porque cada vez que pensaba en Dumbledore le hervía la sangre.

—¿Quién es Kreacher? —preguntó.

—El elfo doméstico que vive aquí —contestó Ron—. Un auténtico chiflado.

Hermione miró a Ron frunciendo el entrecejo.

—No es ningún chiflado, Ron.

—Su única ambición es que le corten la cabeza y la coloquen en una placa, como hicieron con su madre —repuso Ron con enojo—. ¿Te parece eso normal, Hermione?

—Bueno, mira, si es un poco raro, él no tiene la culpa.

Ron miró al techo y luego a Harry.

—Hermione todavía está relacionada con el PEDDO.

—¡No lo llames así! —protestó Hermione con indignación—. Es la pe, e, de, de, o, Plataforma Élfica de Defensa de los Derechos Obreros. Y no soy sólo yo, Dumbledore también dice que hemos de ser amables con Kreacher.

—Sí, sí —admitió Ron—. Vamos, estoy muerto de hambre.

Salió seguido de sus amigos y fueron hasta el rellano, pero antes de que empezaran a bajar la escalera...

—¡Un momento! —dijo Ron por lo bajo, y extendió un brazo para impedir que Harry y Hermione siguieran caminando—. Todavía están en el vestíbulo, quizá oigamos algo.

Se asomaron con cautela por encima del pasamanos. El lúgubre vestíbulo que había debajo estaba abarrotado de magos y de brujas, entre ellos la guardia de Harry. Susurraban con emoción. En el centro del grupo, Harry vio la oscura y grasienta cabeza y la prominente nariz del profesor de Hogwarts que menos le gustaba: el profesor Snape. Harry se inclinó un poco más sobre el pasamanos. Le interesaba mucho saber qué hacía Snape en la Orden del Fénix...

En ese instante un delgado trozo de cuerda de color carne descendió ante los ojos de Harry. Miró hacia arriba y vio a Fred y a George en el rellano superior, bajando con cuidado la oreja extensible hacia el oscuro grupo de gente que había abajo. Pero, al cabo de un momento, todos empezaron a desfilar hacia la puerta de la calle y se perdieron de vista.

—¡Maldita sea! —oyó Harry susurrar a Fred mientras recogía de nuevo la oreja extensible.

Oyeron también cómo se abría la puerta de la calle, y luego cómo se cerraba.

—Snape nunca come aquí —le dijo Ron a Harry en voz baja—. Por suerte. ¡Vamos!

—Y no olvides hablar en voz baja en el vestíbulo, Harry —le susurró Hermione.

Cuando pasaban por delante de la hilera de cabezas de elfos domésticos colgadas en la pared, vieron a Lupin, a la señora Weasley y a Tonks junto a la puerta de la calle, cerrando mediante magia los numerosos cerrojos y cerraduras en cuanto los restantes magos hubieron salido.

—Comeremos en la cocina —susurró la señora Weasley al reunirse con ellos al pie de la escalera—. Harry, querido, si quieres cruzar el vestíbulo de puntillas, es esa puerta de ahí...

¡PATAPUM!

—¡Tonks! —gritó la señora Weasley, exasperada, y se dio la vuelta para mirar a la bruja.

—¡Lo siento! —gimoteó Tonks, que estaba tumbada en el suelo—. Es ese ridículo paragüero, es la segunda vez que tropiezo con...

Pero sus últimas palabras quedaron sofocadas por un espantoso, ensordecedor y espeluznante alarido.

Las apolilladas cortinas de terciopelo en que Harry se había fijado al llegar a la casa se habían separado, pero no había ninguna puerta detrás de ellas. Durante una fracción de segundo, Harry creyó que estaba mirando por una ventana, una ventana detrás de la cual una anciana con una gorra negra gritaba sin parar, como si estuvieran torturándola; pero entonces cayó en la cuenta de que no era más que un retrato de tamaño natural, aunque el más realista y desagradable que había visto en su vida.

La anciana echaba espuma por la boca, sus ojos giraban descontrolados y tenía la amarillenta piel de la cara tensa y tirante; los otros retratos que había en el vestíbulo detrás de ellos despertaron y empezaron a chillar también, hasta tal punto que Harry cerró con fuerza los ojos y se tapó las orejas con las manos para protegerse del ruido.

Lupin y la señora Weasley fueron corriendo hacia el retrato e intentaron cerrar las cortinas y tapar a la anciana, pero no podían con ellas y la anciana cada vez gritaba más fuerte y movía sus manos como garras; parecía que intentaba arañarles la cara.

—¡Cerdos! ¡Canallas! ¡Subproductos de la inmundicia y de la cochambre! ¡Mestizos, mutantes, monstruos, fuera de esta casa! ¿Cómo se atreven a contaminar la casa de mis padres?

Tonks seguía disculpándose por su torpeza mientras levantaba la enorme y pesada pierna de trol del suelo; la señora Weasley desistió de su intento de cerrar las cortinas y echó a correr por el vestíbulo, haciéndoles hechizos aturdidores a los otros retratos con su varita; y un hombre de largo cabello negro salió disparado por una puerta que Harry tenía enfrente.

—¡Cállate, vieja arpía! ¡Cállate! —bramó, y agarró la cortina que la señora Weasley acababa de soltar.

La anciana palideció de golpe.

—¡Tú! —rugió, mirando con los ojos como platos a aquel hombre—. ¡Traidor, engendro, vergüenza de mi estirpe!

—¡Te digo que te calles! —le gritó el hombre, y haciendo un esfuerzo descomunal, Lupin y él consiguieron cerrar las cortinas.

Cesaron los gritos de la anciana, y aunque todavía resonaba su eco, el silencio fue apoderándose del vestíbulo.

Jadeando ligeramente y apartándose el largo y negro cabello de la cara, Sirius, el padrino de Harry, se dio la vuelta.

—Hola, Harry —lo saludó con gravedad—. Veo que ya has conocido a mi madre.

5

La Orden del Fénix

—¿Tu...?

—Sí, mi querida y anciana madre —afirmó Sirius—. Llevamos un mes intentando bajarla, pero creemos que ha hecho un encantamiento de presencia permanente en la parte de atrás del lienzo. Rápido, vamos abajo antes de que despierten todos otra vez.

—Pero ¿qué hace aquí un retrato de tu madre? —preguntó Harry, desconcertado, mientras salían por una puerta del vestíbulo y bajaban un tramo de estrechos escalones de piedra seguidos de los demás.

—¿No te lo ha dicho nadie? Ésta era la casa de mis padres —respondió Sirius—. Pero yo soy el único Black que queda, de modo que ahora es mía. Se la ofrecí a Dumbledore como cuartel general; es lo único medianamente útil que he podido hacer.

Harry, que esperaba un recibimiento más caluroso, se fijó en lo dura y amarga que sonaba la voz de Sirius. Siguió a su padrino hasta el final de la escalera y por una puerta que conducía a la cocina del sótano.

La cocina, una estancia grande y tenebrosa con bastas paredes de piedra, no era menos sombría que el vestíbulo. La poca luz que había procedía casi toda de un gran fuego prendido al fondo de la habitación. Se vislumbraba una nube de humo de pipa suspendida en el aire, como si allí se hubiera librado una batalla, y a través de ella se distinguían las amenazadoras formas de unos pesados cacharros que colgaban del oscuro techo.

Habían llevado muchas sillas a la cocina con motivo de la reunión, y estaban colocadas alrededor de una larga mesa de madera cubierta de rollos de pergamino, copas, botellas de vino vacías y un montón de algo que parecían trapos. La señora Weasley y su hijo mayor, Bill, hablaban en voz baja, con las cabezas juntas, en un extremo de la mesa.

La señora Weasley carraspeó. Su marido, un hombre delgado y pelirrojo que estaba quedándose calvo, con gafas con montura de carey, miró alrededor y se puso en pie de un brinco.

—¡Harry! —exclamó el señor Weasley; fue hacia él para recibirlo y le estrechó la mano con energía—. ¡Cuánto me alegro de verte!

Detrás del señor Weasley, Harry vio a Bill, que todavía llevaba el largo cabello recogido en una coleta, enrollando con precipitación los rollos de pergamino que quedaban encima de la mesa.

—¿Has tenido buen viaje, Harry? —le preguntó Bill mientras intentaba recoger doce rollos a la vez—. ¿Así que Ojoloco no te ha hecho venir por Groenlandia?

—Lo intentó —intervino Tonks; fue hacia Bill con aire resuelto para ayudarlo a recoger, y de inmediato tiró una vela sobre el último trozo de pergamino—. ¡Oh, no! Lo siento...

—Dame, querida —dijo la señora Weasley con exasperación, y reparó el pergamino con una sacudida de su varita. Gracias al destello luminoso que causó el encantamiento de la señora Weasley, Harry alcanzó a distinguir brevemente lo que parecía el plano de un edificio.

La señora Weasley vio cómo Harry miraba el pergamino, agarró el plano de la mesa y se lo puso en los brazos a Bill, que ya iba muy cargado.

—Estas cosas hay que recogerlas enseguida al final de las reuniones —le espetó, y luego fue hacia un viejo aparador del que empezó a sacar platos.

Bill sacó su varita, murmuró: *«¡Evanesco!»* y los pergaminos desaparecieron.

—Siéntate, Harry —dijo Sirius—. Ya conoces a Mundungus, ¿verdad?

Aquella cosa que Harry había tomado por un montón de trapos emitió un prolongado y profundo ronquido y despertó con un respingo.

—¿Alguien ha pronunciado mi nombre? —masculló Mundungus, adormilado—. Estoy de acuerdo con Sirius... —Levantó una mano sumamente mugrienta, como si estuviera emitiendo un voto, y miró a su alrededor con los enrojecidos ojos desenfocados.

Ginny soltó una risita.

—La reunión ya ha terminado, Dung —le explicó Sirius mientras todos se sentaban a la mesa—. Ha llegado Harry.

—¿Cómo dices? —inquirió Mundungus, mirando con expresión fiera a Harry a través de su enmarañado cabello rojo anaranjado—. Caramba, es verdad. ¿Estás bien, Harry?

—Sí —contestó él.

Mundungus, nervioso, hurgó en sus bolsillos sin dejar de mirar a Harry, y sacó una pipa negra, también mugrienta. Se la llevó a la boca, la prendió con el extremo de su varita y dio una honda calada. Unas grandes nubes de humo verdoso lo ocultaron en cuestión de segundos.

—Te debo una disculpa —gruñó una voz desde las profundidades de aquella apestosa nube.

—Te lo digo por última vez, Mundungus —le advirtió la señora Weasley—, ¿quieres hacer el favor de no fumar esa porquería en la cocina, sobre todo cuando estamos a punto de cenar?

—¡Ay! —exclamó Mundungus—. Tienes razón. Lo siento, Molly.

La nube de humo se esfumó en cuanto Mundungus se guardó la pipa en el bolsillo, pero el acre olor a calcetines quemados permaneció en el ambiente.

—Y si pretenden cenar antes de medianoche voy a necesitar ayuda —añadió la señora Weasley sin dirigirse a nadie en particular—. No, tú puedes quedarte donde estás, Harry, querido. Has hecho un largo viaje.

—¿Qué quieres que haga, Molly? —preguntó Tonks con entusiasmo dando un salto.

La señora Weasley vaciló, un tanto preocupada.

—Pues..., no, Tonks, gracias, tú descansa también, ya has hecho bastante por hoy.

—¡Nada de eso! ¡Quiero ayudarte! —insistió la bruja de muy buen humor, y derribó una silla cuando corría hacia el aparador, de donde Ginny estaba sacando los cubiertos.

Al poco rato, varios cuchillos enormes cortaban carne y verduras por su cuenta, supervisados por el señor Weasley, mientras su mujer removía un caldero colgado sobre el fuego y los demás sacaban platos, más copas y comida de la despensa. Harry se quedó en la mesa con Sirius y Mundungus, que todavía lo miraba parpadeando con aire lastimero.

—¿Has vuelto a ver a la vieja Figgy? —le preguntó Mundungus.

—No —contestó Harry—. No he visto a nadie.

—Mira, yo no me habría marchado —se disculpó Mundungus, inclinándose hacia delante con un dejo suplicante en la voz—, pero se me presentó una gran oportunidad...

Harry notó que algo le rozaba la rodilla y se sobresaltó, pero sólo era *Crookshanks*, el gato patizambo de pelo rojizo de Hermione, que se enroscó alrededor de las piernas de Harry, ronroneando, y luego saltó al regazo de Sirius, donde se acurrucó. Sirius le rascó distraídamente detrás de las orejas al mismo tiempo que giraba la cabeza, todavía con gesto torvo, hacia Harry.

—¿Has pasado un buen verano hasta ahora?

—No, ha sido horrible —contestó el muchacho.

Por primera vez, algo parecido a una sonrisa cruzó de manera fugaz por la cara de Sirius.

—No sé de qué te quejas, la verdad.

—¿Cómo dices? —saltó Harry sin poder dar crédito a lo que acababa de oír.

—A mí, personalmente, no me habría importado que me atacaran unos dementores. Una pelea a muerte para salvar mi alma me habría venido de perlas para romper la monotonía. Tú dices que lo has pasado mal, pero al menos has podido salir y pasearte por ahí, estirar las piernas, meterte en alguna pelea... Yo, en cambio, llevo un mes entero encerrado aquí dentro.

—¿Cómo es eso? —preguntó Harry con el entrecejo fruncido.

—Porque el Ministerio de Magia sigue buscándome, y a estas alturas Voldemort ya debe de saber que soy un animago; Colagusano se lo habrá contado, de modo que mi enorme disfraz no sirve de nada. No puedo hacer gran cosa para ayudar a la Orden del Fénix..., o eso cree Dumbledore.

El tono un tanto monótono con que Sirius pronunció el nombre de Dumbledore hizo comprender a Harry que Sirius tampoco estaba muy contento con el director. De pronto, Harry sintió un renovado cariño hacia su padrino.

—Al menos tú sabías qué estaba pasando —dijo más animado.

—Sí, claro —repuso Sirius con sarcasmo—. Yo sólo tenía que oír los informes de Snape, aguantar sus maliciosas insinuaciones de que él estaba ahí fuera poniendo su vida en peligro mientras yo me quedaba aquí cómodamente sentado y sin pegar golpe..., y sus preguntas acerca de cómo iba la limpieza...

—¿Qué limpieza? —preguntó Harry.

—Hemos tenido que convertir esta casa en un sitio habitable —contestó Sirius, haciendo un ademán que abarcó la desangelada cocina—. Hacía diez años que nadie vivía aquí, desde que murió mi querida madre, exceptuando a su viejo elfo doméstico, pero como se ha vuelto loco hace una eternidad que no limpia nada.

—Sirius —dijo Mundungus, que al parecer no había prestado ninguna atención a la conversación y había estado examinando con minuciosidad una copa vacía—. ¿Esto es de plata maciza?

—Sí —respondió Sirius, mirándola con desagrado—. La mejor plata del siglo quince labrada por duendes, con el emblema de los Black grabado en relieve.

—Ya, pero eso se podrá quitar —murmuró Mundungus, abrillantando la copa con el puño.

—¡Fred, George! ¡No! ¡He dicho que los lleven! —gritó la señora Weasley.

Harry, Sirius y Mundungus se volvieron y de inmediato se apartaron de la mesa. Fred y George habían encantado un gran caldero de estofado, una jarra de hierro de cerveza de mantequilla y una pesada tabla de madera para cortar el pan, junto con el cuchillo, que en ese momento volaban a toda velocidad hacia ellos. El caldero patinó a lo largo de la mesa y se detuvo justo en el borde, dejando una larga y negra quemadura en la superficie de madera; la jarra de cerveza de mantequilla cayó con un gran estruendo y su contenido se derramó por todas partes; el cuchillo del pan resbaló de la tabla, se clavó en la mesa y se quedó temblando amenazadoramente justo donde hasta unos segundos antes Sirius había tenido la mano.

—¡Por favor! —gritó la señora Weasley—. ¡No hacía falta! ¡Ya no lo aguanto más! ¡Que ahora les permitan hacer magia no quiere decir que tengan que sacar la varita a cada paso!

—¡Sólo pretendíamos ahorrar un poco de tiempo! —se disculpó Fred, y corrió a arrancar el cuchillo del pan de la mesa—. Perdona, Sirius, no era mi intención...

Harry y Sirius se echaron a reír; Mundungus, que se había caído hacia atrás volcando también la silla, empezó a maldecir tan pronto como se hubo levantado del suelo; *Crookshanks* había soltado un fuerte bufido y había corrido a refugiarse debajo del aparador, donde se veían sus enormes ojos amarillos, que relucían en la oscuridad.

—Niños —les regañó el señor Weasley dejando el caldero de estofado en el centro de la mesa—, su madre tiene razón; ahora que han alcanzado la mayoría de edad se supone que tienen que dar ejemplo de responsabilidad...

—¡Ninguno de sus hermanos ha causado nunca estos problemas! —dijo, rabiosa, la señora Weasley a los gemelos mientras con un porrazo ponía otra jarra de cerveza de mantequilla, que también se derramó, encima de la mesa—. ¡Bill no se pasaba el día apareciéndose a cada momento! ¡Charlie no encantaba todo cuanto encontraba! ¡Percy...!

Se detuvo en el acto y contuvo la respiración al mismo tiempo que le dirigía una mirada asustada a su marido, cuyo rostro, de pronto, se había quedado inexpresivo.

—Vamos a comer —dijo Bill con rapidez.

—Esto tiene un aspecto estupendo, Molly —intervino Lupin, sirviéndole el estofado con un cucharón y acercándole el plato desde el otro lado de la mesa.

Durante unos minutos sólo se oyó el tintineo de platos y cubiertos y el ruido de las sillas arrastrándose, y todos se pusieron a comer. Entonces la señora Weasley miró a Sirius y le dijo:

—Se me olvidó comentarte, Sirius, que hay algo atrapado en ese escritorio del salón que no para de vibrar y tamborilear. A lo mejor sólo es un boggart, desde luego, pero quizá deberíamos pedirle a Alastor que le echara un vistazo antes de soltarlo.

—Como quieras —contestó Sirius con indiferencia.

—Y las cortinas están llenas de doxys —añadió la señora Weasley—. He pensado que mañana podríamos ocuparnos de ellas.

—Será un placer —dijo Sirius. Harry detectó el sarcasmo en su voz, pero no estaba seguro de que los demás también lo hubieran percibido.

Enfrente de Harry, Tonks distraía a Hermione y a Ginny transformando su nariz entre bocado y bocado: apretaba mucho los ojos y ponía la misma expresión de dolor que había adoptado en el dormitorio de Harry; de ese modo, hinchaba la nariz hasta convertirla en una protuberancia picuda que se parecía a la de Snape, la encogía hasta reducirla al tamaño de un champiñón pequeño y luego hacía que le saliera un montón de pelo por cada orificio nasal. Por lo visto, era un entretenimiento habitual a la hora de las comidas, porque Hermione y Ginny pronto empezaron a pedir sus narices favoritas.

—Haz esa que parece un morro de cerdo, Tonks.

Tonks complació a su público, y Harry, al levantar la cabeza, tuvo por un momento la impresión de que una versión femenina de Dudley le sonreía desde el otro lado de la mesa.

El señor Weasley, Bill y Lupin discutían acaloradamente sobre duendes.

—Todavía no han dicho nada —apuntó Bill—. Aún no sé si creen o no que ha regresado. Es posible que prefieran no tomar partido y que quieran mantenerse al margen.

—Estoy seguro de que nunca se pasarían al bando de Quien-tú-sabes —afirmó el señor Weasley haciendo un gesto negativo con la cabeza—. Ellos también han sufrido pérdidas; ¿te acuerdas de lo de aquella familia de duendes a la que mató la última vez, cerca de Nottingham?

—Creo que depende de lo que les ofrezcan —opinó Lupin—. Y no me refiero al dinero. Si les ofrecen las libertades que les hemos negado durante siglos, seguro que lo pensarán. ¿Todavía no has tenido suerte con Ragnok, Bill?

—De momento sigue en contra de los magos —respondió Bill—, y no para de protestar por lo del asunto Bagman; dice que el Ministerio hizo una maniobra de encubrimiento. Mira, esos duendes no le robaron el oro...

Hacia la mitad de la mesa un estallido de carcajadas ahogó el resto de las palabras de Bill. Fred, George, Ron y Mundungus se retorcían de risa en sus sillas.

—... y entonces... —decía Mundungus mientras las lágrimas le resbalaban por las mejillas—, entonces me dice, en serio, me dice: «Oye, Dung, ¿de dónde has sacado esos sapos? ¡Porque un hijo de mala bludger me ha robado a mí los míos!» Y yo le contesto: «¿Te han robado los sapos, Will? ¡No me digas! Y ahora, ¿qué? ¿Piensas comprarte unos cuantos?» Y esa gárgola inútil, chicos, pueden creerme, va y me compra sus propios sapos por mucho más dinero del que le habían costado la primera vez...

—Gracias, Mundungus, pero creo que podemos pasar sin los detalles de tus negocios —dijo la señora Weasley con aspereza mientras Ron se inclinaba sobre la mesa, riendo a carcajadas.

—Perdona, Molly —se apresuró a decir Mundungus, secándose las lágrimas y guiñándole un ojo a Harry—, pero es que Will se los había robado a Warty Harris, o sea, que en realidad yo no hice nada malo.

—No sé dónde aprendiste los conceptos del bien y del mal, Mundungus, pero creo que te perdiste un par de lecciones fundamentales —respondió la señora Weasley con frialdad.

Fred y George escondieron la cara detrás de sus copas de cerveza de mantequilla; George no paraba de hipar. Por algún extraño motivo, la señora Weasley le lanzó una mirada muy desagradable a Sirius antes de levantarse e ir a buscar un enorme pastel de ruibarbo que había de postre. Harry miró a su padrino.

—A Molly no le cae bien Mundungus —le dijo Sirius en voz baja.

—¿Cómo es posible que pertenezca a la Orden? —preguntó Harry, también en voz baja.

—Porque es útil —contestó Sirius—. Conoce a todos los sinvergüenzas; es lógico, puesto que él también lo es. Pero también es muy fiel a Dumbledore, que una vez lo sacó de un apuro. Conviene contar con alguien como Dung, porque él oye cosas que nosotros no oímos. Pero Molly cree que invitarlo a cenar es ir demasiado lejos. Todavía no lo ha perdonado por haber abandonado su puesto cuando se suponía que estaba vigilándote.

Tras tres raciones de pastel de ruibarbo con crema, a Harry empezó a apretarle la cintura de los pantalones vaqueros (lo cual resultaba un tanto alarmante, pues los había heredado de Dudley). Dejó la cuchara en el plato en el momento en que se hizo una pausa en la conversación general: el señor Weasley estaba recostado en el respaldo de la silla, saciado y relajado; Tonks, cuya nariz había recuperado su aspecto habitual, bostezaba abiertamente; y Ginny, que había conseguido hacer salir a *Crookshanks* de debajo del aparador, estaba sentada con las piernas cruzadas en el suelo, lanzándole al gato corchos de cerveza de mantequilla para que fuera a buscarlos.

—Creo que ya es hora de acostarse —dijo la señora Weasley con un bostezo.

—Todavía no, Molly —intervino Sirius, apartando su plato vacío y volviéndose para mirar a Harry—. Mira, estoy sorprendido. Creía que lo primero que harías en cuanto llegaras aquí sería empezar a hacer preguntas sobre Voldemort.

La atmósfera de la habitación cambió con aquella rapidez que Harry asociaba a la llegada de dementores. Hasta hacía unos segundos había reinado un ambiente relajado y soñoliento, pero de pronto se había vuelto tenso. Un escalofrío recorrió la mesa cuando Sirius mencionó el nombre de Voldemort. Lupin, que se disponía a beber un sorbo de vino, bajó con lentitud la copa y adoptó una expresión vigilante.

—¡Lo he hecho! —repuso Harry indignado—. Les he preguntado por él a Ron y a Hermione, pero me han dicho que como ellos no pertenecían a la Orden no...

—Y tienen razón —lo interrumpió la señora Weasley—. Son demasiado jóvenes.

Estaba sentada, muy tiesa, en su silla, con los puños apretados sobre los reposabrazos; ya no había ni rastro de somnolencia en ella.

—¿Desde cuándo tiene uno que pertenecer a la Orden del Fénix para hacer preguntas? —terció Sirius—. Harry se ha pasado un mes encerrado en esa casa de muggles. Creo que tiene derecho a saber qué ha pasa...

—¡Un momento! —le cortó George.

—¿Por qué Harry puede hacer preguntas? —quiso saber Fred enojado.

—¡Nosotros llevamos un mes intentando sonsacarles algo y no han soltado prenda! —protestó George.

—«Son demasiado jóvenes, no pertenecen a la Orden» —dijo Fred con una vocecilla aguda increíblemente parecida a la de su madre—. ¡Harry ni siquiera es mayor de edad!

—Yo no tengo la culpa de que no les hayan contado a qué se dedica la Orden —comentó Sirius con calma—, eso lo han decidido sus padres. Harry, por otra parte...

—¡Tú no eres nadie para decidir lo que le conviene a Harry! —saltó la señora Weasley. Su rostro, por lo general amable, había adoptado una expresión amenazadora—. Supongo que no habrás olvidado lo que dijo Dumbledore.

—¿A qué te refieres en concreto? —preguntó Sirius con educación, pero con el tono de quien se prepara para pelear.

—A lo de que no teníamos que contarle a Harry más de lo que necesita saber —dijo la señora Weasley poniendo mucho énfasis en las dos últimas palabras.

Ron, Hermione, Fred y George giraban la cabeza de un lado a otro, de Sirius a la señora Weasley, como si estuvieran mirando un partido de tenis. Ginny estaba arrodillada en medio de un montón de corchos de cerveza de mantequilla abandonados, y escuchaba la conversación con la boca entreabierta. Lupin no apartaba los ojos de Sirius.

—No pretendo contarle más de lo que necesita saber, Molly —aseguró Sirius—. Pero dado que fue él quien vio regresar a Voldemort —una vez más, un estremecimiento colectivo recorrió la mesa después de que Sirius pronunciara ese nombre—, tiene más derecho que nadie a...

—¡Harry no es miembro de la Orden del Fénix! —manifestó la señora Weasley—. Sólo tiene quince años y...

—Y se ha enfrentado a situaciones más graves que muchos de nosotros —afirmó Sirius.

—¡Nadie pone en duda lo que ha hecho! —exclamó la señora Weasley elevando la voz; sus puños temblaban sobre los reposabrazos de la silla—. Pero sigue siendo...

—¡No es ningún niño! —soltó Sirius con impaciencia.

—¡Tampoco es ningún adulto! —insistió la señora Weasley, cuyas mejillas estaban poniéndose coloradas—. ¡Harry no es James, Sirius!

—Sé perfectamente quién es, Molly, muchas gracias —dijo Sirius en un tono gélido.

—¡No estoy muy segura! —le espetó la señora Weasley—. A veces, por cómo le hablas, se diría que crees que has recuperado a tu amigo.

—¿Y qué hay de malo en eso? —preguntó Harry.

—¡Lo que hay de malo, Harry, es que tú no eres tu padre, por mucho que te parezcas a él! —le respondió la señora Weasley sin apartar los ojos de Sirius—. ¡Todavía vas al colegio, y los adultos responsables de ti no deberían olvidarlo!

—¿Significa eso que soy un padrino irresponsable? —preguntó Sirius elevando la voz.

—Significa que otras veces has actuado con precipitación, Sirius, y por eso Dumbledore no para de recordarte que debes quedarte en casa y...

—¡Si no te importa, vamos a dejar a un lado las instrucciones que he recibido de Dumbledore! —gritó Sirius.

—¡Arthur! —exclamó la señora Weasley buscando con la mirada a su marido—. ¡Apóyame, Arthur!

El señor Weasley no habló de inmediato. Se quitó las gafas y se puso a limpiarlas parsimoniosamente con su túnica sin mirar a su mujer. No contestó hasta que se las hubo colocado de nuevo con mucho cuidado.

—Dumbledore sabe que la situación ha cambiado, Molly. Está de acuerdo en que habrá que informar a Harry, hasta cierto punto, ahora que va a quedarse en el cuartel general.

—¡Sí, pero eso no es lo mismo que invitarlo a preguntar todo lo que quiera!

—Personalmente —terció Lupin con voz queda, apartando por fin la vista de Sirius, mientras la señora Weasley giraba con rapidez la cabeza hacia él, creyendo que por fin iba a tener un aliado— creo que es mejor que nosotros le expliquemos a Harry los hechos, no todos, Molly, sino la idea general, a que obtenga una versión tergiversada a través de... otros.

Su expresión era afable, pero Harry estaba seguro de que por lo menos Lupin sabía que algunas orejas extensibles habían sobrevivido a la purga de la señora Weasley.

—Bueno —cedió ésta, respirando hondo y recorriendo la mesa con la mirada por si alguien le ofrecía su apoyo, lo cual no ocurrió—; bueno..., ya veo que mi opinión queda invalidada. Sólo voy a decir una cosa: Dumbledore debía de tener sus razones para no querer que Harry supiera demasiado, y hablo como alguien que desea lo mejor para Harry...

—Harry no es hijo tuyo —dijo Sirius en voz baja.

—Como si lo fuera —repuso la señora Weasley con fiereza—. ¿A quién más tiene?

—¡Me tiene a mí!

—Sí —respondió la señora Weasley torciendo el gesto—, pero no te ha resultado nada fácil cuidar de él mientras estabas encerrado en Azkaban, ¿verdad?

Sirius hizo ademán de levantarse de la silla.

—Molly, tú no eres la única de los que estamos aquí que se preocupa por Harry —intervino Lupin con dureza—. Siéntate, Sirius. —A la señora Weasley le temblaba el labio inferior. Sirius volvió a sentarse con lentitud en la silla, pálido como la cera—. Creo que Harry tiene derecho a opinar en este asunto —continuó Lupin—. Es lo bastante mayor para decidir por sí mismo.

—Quiero saber qué ha estado pasando —dijo Harry de inmediato.

No miró a la señora Weasley. Le había conmovido que hubiera dicho que lo consideraba casi como un hijo suyo, pero también estaba un poco harto de sus mimos. Sirius tenía razón: ya no era ningún niño.

—Muy bien —dijo la señora Weasley con la voz quebrada—. Ginny, Ron, Hermione, Fred y George: salgan ahora mismo de la cocina.

Hubo un repentino revuelo.

—¡Nosotros somos mayores de edad! —gritaron Fred y George al unísono.

—Si a Harry le dejan, ¿por qué a mí no? —protestó Ron.

—¡Mamá, yo quiero oírlo! —gimoteó Ginny.

—¡No! —sentenció la señora Weasley, levantándose y echando chispas por los ojos—. Les prohíbo terminantemente...

—Molly, a Fred y a George no puedes impedírselo —dijo el señor Weasley con tono cansino—. Son mayores de edad.

—Todavía van al colegio.

—Pero legalmente ya son adultos —replicó el señor Weasley de nuevo con la misma voz cansada.

La señora Weasley estaba colorada de ira.

—Pero ¿cómo...? Bueno, está bien, Fred y George pueden quedarse, pero Ron...

—¡De todos modos, Harry nos lo contará todo a Hermione y a mí! —aseguró Ron con vehemencia—. ¿Verdad? —añadió con aire vacilante mirando a su amigo.

Durante una fracción de segundo Harry estuvo a punto de decirle a Ron que no pensaba contarle ni una sola palabra, que así se enteraría de lo que era quedarse en blanco y podría ver si le gustaba. Pero ese malvado impulso se desvaneció cuando Harry y Ron se miraron.

—Pues claro —afirmó Harry.

Ron y Hermione sonrieron radiantes.

—¡Muy bien! —gritó la señora Weasley—. ¡Muy bien! ¡Ginny! ¡A la cama!

Ginny no obedeció sin quejarse. Pudieron oír cómo protestaba y despotricaba contra su madre mientras subía la escalera, y cuando llegó al vestíbulo, los ensordecedores chillidos de la señora Black se añadieron al barullo. Lupin salió corriendo para tapar el retrato. Sirius esperó a que éste hubiera regresado a la cocina, hubiera cerrado la puerta tras él y se hubiera sentado de nuevo a la mesa, y entonces habló:

—Está bien, Harry... ¿Qué quieres saber?

Harry respiró hondo y formuló la pregunta que lo había obsesionado durante un mes.

—¿Dónde está Voldemort? —preguntó, ignorando los nuevos estremecimientos y las muecas de dolor que provocó al pronunciar otra vez ese nombre—. ¿Qué está haciendo? He mirado las noticias muggles y todavía no he visto nada que llevara su firma, ni muertes extrañas ni nada.

—Eso es porque todavía no ha habido ninguna muerte extraña —le explicó Sirius—, al menos que nosotros sepamos. Y sabemos bastante.

—Más de lo que él cree —añadió Lupin.

—¿Cómo puede ser que haya dejado de matar gente? —preguntó Harry. Sabía que Voldemort había matado más de una vez en el último año.

—Porque no quiere llamar la atención —contestó Sirius—. Eso sería peligroso para él. Verás, su regreso no fue como él lo había planeado. Lo estropeó todo.

—O, mejor dicho, tú se lo estropeaste todo —apuntó Lupin con una sonrisa de satisfacción.

—¿Cómo? —preguntó Harry, perplejo.

—¡Él no esperaba que sobrevivieras! —dijo Sirius—. Nadie, aparte de sus mortífagos, tenía que saber que él había regresado. Pero tú sobreviviste para atestiguarlo.

—Y la última persona que él quería que se enterara de su regreso era Dumbledore —añadió Lupin—. Y tú te encargaste de que Dumbledore lo supiera de inmediato.

—¿De qué ha servido eso? —continuó Harry.

—¿Lo dices en broma? —se extrañó Bill, incrédulo—. ¡Dumbledore era la única persona a la que Quien-tú-sabes había tenido miedo!

—Gracias a ti, Dumbledore pudo llamar a la Orden del Fénix una hora después del regreso de Voldemort —aclaró Sirius.

—¿Y qué ha hecho la Orden del Fénix hasta ahora? —preguntó Harry mirando a todos los presentes.

—Trabajar duro para asegurarnos de que Voldemort no pueda llevar a cabo sus planes —respondió Sirius.

—¿Cómo saben cuáles son sus planes? —preguntó rápidamente Harry.

—Dumbledore tiene una idea aproximada —dijo Lupin—, y en general las ideas aproximadas de Dumbledore resultan ser muy exactas.

—¿Y qué se imagina Dumbledore que está planeando?

—Bueno, en primer lugar quiere reconstruir su ejército —explicó Sirius—. En el pasado disponía de un grupo muy numeroso: brujas y magos a los que había intimidado o cautivado para que lo siguieran, sus leales mortífagos, una gran variedad de criaturas tenebrosas. Tú oíste que planeaba reclutar a los gigantes; pues bien, ellos son sólo uno de los grupos detrás de los que anda. Como es lógico, no va a intentar apoderarse del Ministerio de Magia con sólo una docena de mortífagos.

—Entonces, ¿ustedes intentan impedir que consiga a más seguidores?

—Hacemos todo lo que podemos —respondió Lupin.

—¿Cómo?

—Bueno, lo principal es convencer a cuantos más mejor de que es verdad que Quien-tú-sabes ha regresado, y de ese modo ponerlos en guardia —dijo Bill—. Pero no está resultando fácil.

—¿Por qué?

—Por la actitud del Ministerio —terció Tonks—. Ya viste a Cornelius Fudge después del regreso de Quien-tú-sabes, Harry. Y no ha modificado en absoluto su postura. Se niega rotundamente a creer que haya ocurrido.

—Pero ¿por qué? —se extrañó Harry, desesperado—. ¿Por qué es tan idiota? Si Dumbledore...

—Precisamente: has puesto el dedo en la llaga —lo interrumpió el señor Weasley con una sonrisa irónica—. Dumbledore.

—Fudge le tiene miedo —dijo Tonks con tristeza.

—¿Que le tiene miedo a Dumbledore? —repitió Harry, incrédulo.

—Tiene miedo a sus planes —explicó el señor Weasley—. Fudge cree que Dumbledore se ha propuesto derrocarlo y que quiere ser ministro de Magia.

—Pero Dumbledore no quiere...

—Claro que no —dijo el señor Weasley—. A él nunca le ha interesado el cargo de ministro, aunque mucha gente quería que lo ocupara cuando Millicent Bagnold se jubiló. Fue Fudge quien ocupó el cargo de ministro, pero nunca ha olvidado del todo el enorme apoyo popular que recibió Dumbledore, a pesar de que éste ni siquiera optaba al cargo.

—En el fondo, Fudge sabe que Dumbledore es mucho más inteligente que él y que es un mago mucho más poderoso; al principio siempre estaba pidiéndole ayuda y consejos —prosiguió Lupin—. Pero por lo visto se ha aficionado al poder y ahora tiene mucha más seguridad. Le encanta ser ministro de Magia y ha conseguido convencerse de que el listo es él y de que Dumbledore no hace más que causar problemas porque sí.

—¿Cómo puede pensar eso? —dijo Harry con enojo—. ¿Cómo puede pensar que Dumbledore sería capaz de inventárselo todo, o que he sido yo quien se lo ha inventado?

—Porque aceptar que Voldemort ha vuelto significaría asumir que el Ministerio tendrá que enfrentarse a unos problemas a los que no se enfrenta desde hace casi cuarenta años —contestó Sirius con amargura—. Fudge no puede asimilarlo, así de sencillo. Para él es mucho más cómodo convencerse de que Dumbledore miente para desestabilizarlo.

—Ya ves cuál es el problema —continuó Lupin—. Mientras el Ministerio siga insistiendo en que no hay motivo alguno para temer a Voldemort, resulta difícil convencer a la gente de que ha vuelto, sobre todo cuando, en realidad, a la gente no le interesa creerlo. Por si fuera poco, el Ministerio está presionando duramente a *El Profeta* para que no informe de nada de lo que ellos llaman «rumores sembrados por Dumbledore», de modo que la comunidad de magos, en general, no sabe nada de lo que ha pasado, y eso los convierte en blancos fáciles para los mortífagos si éstos están utilizando la maldición *imperius*.

—Pero ustedes se lo cuentan a la gente, ¿no? —preguntó Harry mirando sucesivamente al señor Weasley, Sirius, Bill, Mundungus, Lupin y Tonks—. Le cuentan que ha regresado, ¿verdad?

Todos sonrieron forzadamente.

—Bueno, como todo el mundo piensa que soy un asesino loco y el Ministerio le ha puesto un elevado precio a mi cabeza, no puedo pasearme por las calles y empezar a repartir panfletos, ¿no crees? —respondió Sirius con nerviosismo.

—Y yo tampoco tengo muy buena prensa entre la comunidad —añadió Lupin—. Es el inconveniente de ser un hombre lobo.

—Tonks y Arthur perderían su empleo en el Ministerio si empezaran a irse de la lengua —añadió Sirius—, y para nosotros es muy importante tener espías dentro del Ministerio porque, como podrás imaginar, Voldemort debe tenerlos.

—Pero hemos logrado convencer a un par de personas —informó el señor Weasley—. Tonks, por ejemplo; era demasiado joven para entrar en la Orden del Fénix la última vez, pero contar con la ayuda de aurores es fundamental. Kingsley Shacklebolt también ha sido una ayuda muy valiosa; se encarga de la caza de Sirius, y ha informado al Ministerio de que Sirius está en el Tíbet.

—Pero si ninguno de ustedes está extendiendo la noticia de que Voldemort ha vuelto... —empezó a decir Harry.

—¿Quién ha dicho que ninguno de nosotros esté propagando la noticia? —lo atajó Sirius—. ¿Por qué crees que Dumbledore tiene tantos problemas?

—¿Qué quieres decir?

—Están intentando desacreditarlo —explicó Lupin—. ¿No leíste *El Profeta* la semana pasada? Dijeron que no lo habían reelegido para la presidencia de la Confederación Internacional de Magos porque está haciéndose mayor y está perdiendo el control, pero no es verdad; los magos del Ministerio no lo reeligieron después de que pronunciara un discurso anunciando el regreso de Voldemort. Lo han apartado del cargo de Jefe de Magos del Wizengamot, es decir, el Tribunal Supremo de los Magos, y ahora están planteándose si le retiran también la Orden de Merlín, Primera Clase.

—Pero Dumbledore dice que no le importa lo que hagan mientras no lo supriman de los cromos de las ranas de chocolate —añadió Bill con una sonrisa.

—No tiene gracia —dijo el señor Weasley con severidad—. Si Dumbledore sigue desafiando al Ministerio, podría acabar en Azkaban, y lo peor que podría pasarnos sería que lo encerraran. Mientras Quien-tú-sabes sepa que Dumbledore está en activo y al corriente de sus intenciones, tendrá que andarse con cuidado. Si quitaran a Dumbledore de en medio..., entonces Quien-tú-sabes tendría vía libre para actuar.

—Pero si Voldemort está intentando reclutar a más mortífagos, acabará sabiéndose que ha regresado, ¿no? —dijo Harry, desesperado.

—Voldemort no se presenta en las casas de la gente y se pone a aporrear la puerta, Harry —replicó Sirius—. Los engaña, les echa maldiciones y los chantajea. Está acostumbrado a operar en secreto. Además, captar seguidores sólo es una de las cosas que le interesan. Aparte de eso tiene otros planes, unos planes que puede poner en marcha con mucha discreción, y de momento está concentrándose en ellos.

—¿Qué busca, aparte de seguidores? —preguntó Harry rápidamente. Le pareció que Sirius y Lupin intercambiaban una brevísima mirada antes de que Sirius contestara:

—Cosas que sólo puede conseguir furtivamente. —Como Harry seguía con expresión de perplejidad, su padrino añadió—: Como un arma. Algo que no tenía la última vez.

—¿Cuando tenía poder?

—Sí.

—Pero ¿qué clase de arma? —insistió Harry—. ¿Algo peor que la *Avada Kedavra*?

—¡Basta!

La señora Weasley, que estaba junto a la puerta, habló desde las sombras. Harry no había notado que había vuelto después de acostar a Ginny. Estaba cruzada de brazos y los miraba furiosa.

—Todos a la cama, ahora mismo —añadió mirando a Fred, George, Ron y Hermione.

—No puedes mangonearnos... —empezó a decir Fred.

—Cuidado conmigo —gruñó la señora Weasley. Temblaba ligeramente cuando miró a Sirius y dijo—: Ya le han dado mucha información a Harry. Lo único que falta es que lo recluten en la Orden.

—¿Por qué no? —se apresuró a decir Harry—. Quiero entrar en la Orden, quiero luchar.

—No. —Esa vez no fue la señora Weasley la que habló, sino Lupin—. La Orden está compuesta sólo por magos mayores de edad —aclaró—. Magos que ya han terminado el colegio —añadió al ver que Fred y George abrían la boca—.

Pertenecer a la Orden implica peligros que ninguno de ustedes podría imaginar siquiera... Creo que Molly tiene razón, Sirius. Ya hemos hablado bastante.

Sirius se encogió un poco de hombros, pero no discutió. La señora Weasley les hizo señas imperiosamente a sus hijos y a Hermione. Éstos se levantaron uno por uno, y Harry, admitiendo la derrota, los siguió.

6

La noble y ancestral casa de los Black

La señora Weasley los seguía muy seria por la escalera.

—Quiero que se vayan directos a la cama, y nada de hablar —dijo cuando llegaron al primer rellano—. Mañana nos espera un día muy ajetreado. Espero que Ginny ya esté dormida —añadió, dirigiéndose a Hermione—, así que intenta no despertarla.

—Sí, dormida, ya —murmuró Fred por lo bajo después de que Hermione les diera las buenas noches, y siguieron subiendo hasta el siguiente piso—. Si Ginny no está despierta esperando a que Hermione le cuente todo lo que han dicho abajo, yo soy un gusarajo...

—Muy bien, Ron, Harry... —les indicó la señora Weasley cuando llegaron al segundo rellano, señalando su dormitorio—. A la cama.

—Buenas noches —dijeron Harry y Ron a los gemelos.

—Que duerman bien —les deseó Fred guiñándoles un ojo.

La señora Weasley cerró la puerta detrás de Harry con un fuerte chasquido. El dormitorio parecía aún más frío y sombrío que la primera vez que Harry lo había visto. El cuadro en blanco de la pared respiraba lenta y profundamente, como si su invisible ocupante estuviera dormido. Harry se puso el pijama, se quitó las gafas y se metió en la fría cama, mientras Ron lanzaba unas cuantas golosinas lechuciles hacia lo alto del armario para apaciguar a *Hedwig* y *Pigwidgeon*, que, nerviosas, no paraban de hacer ruido moviendo las patas y las alas.

—No podemos dejarlas salir a cazar todas las noches —explicó Ron mientras se ponía el pijama de color granate—. Dumbledore no quiere que haya demasiadas lechuzas sueltas por la plaza porque dice que podrían levantar sospechas. ¡Ah, sí! Se me olvidaba...

Fue hacia la puerta y echó el cerrojo.

—¿Por qué haces eso?

—Por Kreacher —aclaró Ron, y apagó la luz—. La primera noche que pasé aquí entró a las tres de la madrugada. Créeme, no es nada agradable despertarse y encontrarlo paseándose por la habitación. En fin... —Se metió en la cama, se tapó bien y se volvió hacia Harry en la oscuridad; éste veía su contorno gracias a la luz de la luna que se filtraba por la mugrienta ventana—. ¿Tú qué opinas?

Harry sabía a la perfección a qué se refería su amigo.

—Bueno, no nos han contado gran cosa que no pudiéramos haber imaginado, ¿verdad? —contestó, pensando en todo lo que se había hablado abajo—. En realidad lo único que han dicho es que la Orden intenta impedir que la gente se una a Vol... —Ron soltó un gritito ahogado—... demort —acabó Harry con firmeza—. ¿Cuándo piensas empezar a llamarlo por su nombre? Sirius y Lupin lo hacen.

Ron no hizo caso de ese último comentario.

—Sí, tienes razón —dijo—, ya sabíamos casi todo lo que nos han contado gracias a las orejas extensibles. Lo único nuevo es que...

¡Crac!

—¡Ay!

—Baja la voz, Ron, si no quieres que venga mamá.

—¡Se han aparecido encima de mis rodillas!

—Sí, bueno, es que a oscuras es más difícil.

Harry vio las borrosas siluetas de Fred y de George saltando de la cama de Ron. Luego oyó un chirrido de resortes, y el colchón de Harry descendió unos cuantos centímetros porque George se había sentado cerca de sus pies.

—Bueno, ¿ya lo han captado? —inquirió George con avidez.

—¿Lo del arma que Sirius ha mencionado? —preguntó Harry.

—Yo diría que se le ha escapado —opinó Fred, muy contento. Se había sentado al lado de Ron—. Eso nunca lo habíamos oído con las extensibles.

—¿Qué creen que es? —siguió preguntando Harry.

—Podría ser cualquier cosa —contestó Fred.

—Pero no puede haber nada peor que la maldición *Avada Kedavra*, ¿verdad? —dijo Ron—. ¿Qué hay peor que la muerte?

—Quizá sea algo capaz de matar a muchísima gente a la vez —sugirió George.

—A lo mejor es una forma particularmente dolorosa de matar —propuso Ron, atemorizado.

—Para causar dolor tiene la maldición *cruciatus* —recordó Harry—, no necesita nada más eficaz que eso.

Hubo una pausa, y Harry se dio cuenta de que los otros, como él, estaban preguntándose qué horrores podría perpetrar aquella arma.

—¿Y quién creen que la tiene ahora? —preguntó George.

—Espero que alguien de nuestro bando —contestó Ron con una voz que denotaba cierto nerviosismo.

—Si es así, debe de tenerla guardada Dumbledore —dijo Fred.

—¿Dónde? —preguntó con rapidez Ron—. ¿En Hogwarts?

—¡Seguro que sí! —afirmó George—. Allí fue donde escondió la Piedra Filosofal.

—Pero ¡esa arma debe de ser mucho más grande que la Piedra! —objetó Ron.

—No necesariamente —contestó Fred.

—Sí, el tamaño no es garantía de poder —advirtió George—. Y si no, miren a Ginny.

—¿Qué quieres decir? —preguntó Harry.

—Nunca te ha echado uno de sus maleficios de los mocomurciélagos, ¿verdad?

—¡Chissst! —exclamó Fred haciendo ademán de levantarse de la cama—. ¡Escuchen!

Se quedaron callados. Y, en efecto, oyeron pasos que subían por la escalera.

—Es mamá —aseguró George, y sin más preámbulos se oyó un fuerte estampido, y Harry notó que el peso del cuerpo de George desaparecía de los pies de su cama.

Unos segundos más tarde, oyeron crujir la madera del suelo al otro lado de la puerta; la señora Weasley sólo estaba escuchando para saber si hablaban o no.

Hedwig y *Pigwidgeon* emitieron unos melancólicos ululatos. La madera del suelo volvió a crujir, y comprendieron que la señora Weasley subía al otro piso para ver qué hacían Fred y George.

—Es que no confía nada en nosotros —se lamentó Ron.

Harry estaba convencido de que no podría conciliar el sueño; durante la velada habían surgido tantos temas que suponía que pasaría horas despierto, reflexionando sobre lo que se había hablado. Le habría gustado seguir charlando con Ron, pero la señora Weasley bajaba de nuevo la escalera, y tan pronto como sus pasos se desvanecieron, Harry oyó que otros subían... Sí, unas criaturas con muchas patas correteaban arriba y abajo, al otro lado de la puerta del dormitorio, y Hagrid, el profesor de Cuidado de Criaturas Mágicas, iba diciendo: «Son preciosas, ¿verdad, Harry? Este año vamos a estudiar armas...», y Harry vio que aquellas criaturas tenían cañones en lugar de cabezas y que se daban la vuelta hacia él... Se agachó...

De pronto, se encontró hecho un ovillo debajo de las sábanas, mientras la potente voz de George resonaba en la habitación.

—Mamá dice que se levanten; tienen el desayuno en la cocina y luego los necesita en el salón. Hay muchas más doxys de las que ella creía, y ha encontrado un nido de puffskeins muertos debajo del sofá.

Media hora más tarde, Harry y Ron, que se habían vestido y habían desayunado muy deprisa, entraron en el salón: una estancia alargada de techo alto, que se hallaba en el primer piso, cuyas paredes eran de color verde oliva y estaban cubiertas de sucios tapices. De la alfombra se levantaban pequeñas nubes de polvo cada vez que alguien la pisaba, y las largas cortinas de terciopelo de color verde musgo zumbaban, como si en ellas se aglomeraran invisibles abejas. La señora Weasley, Hermione, Ginny, Fred y George estaban apiñados alrededor de ellas, y todos llevaban un pañuelo anudado en la parte de atrás de la cabeza, que les cubría la nariz y la boca y les daba un aire extraño.

Cada uno llevaba en la mano una botella muy grande, que tenía una boquilla en el extremo, llena de un líquido negro.

—Tápense la cara y agarren un pulverizador —ordenó la señora Weasley a Harry y a Ron en cuanto los vio, señalando otras dos botellas de líquido negro que había sobre una mesa de patas muy finas—. Es doxycida. Nunca había visto una plaga como ésta. No sé qué ha estado haciendo ese elfo doméstico en los diez últimos años...

Aunque Hermione llevaba la cara tapada, Harry vio con claridad que le lanzaba una mirada llena de reproche a la señora Weasley.

—Kreacher es muy viejo, seguramente no podía...

—Te sorprendería ver de lo que es capaz Kreacher cuando le interesa, Hermione —afirmó Sirius, que acababa de entrar en el salón con una bolsa manchada de sangre llena de algo que parecían ratas muertas—. Vengo de dar de comer a *Buckbeak* —añadió al distinguir la mirada inquisitiva de Harry—. Lo tengo arriba, en la habitación de mi madre. Bueno, a ver... este escritorio... —Dejó la bolsa de las ratas encima de una butaca y se agachó para examinar el mueble; entonces Harry notó que el escritorio temblaba ligeramente—. Mira, Molly, estoy convencido de que es un boggart —comentó Sirius mirando por la cerradura—, pero quizá convendría que Ojoloco le echara un vistazo antes de soltarlo. Conociendo a mi madre, podría ser algo mucho peor.

—Tienes razón, Sirius —coincidió la señora Weasley.

Ambos hablaban en un tono muy educado y desenfadado que le dio a entender a Harry que ninguno de los dos había olvidado su discusión de la noche anterior.

En el piso de abajo sonó un fuerte campanazo, seguido de inmediato por el mismo estruendo de gritos y lamentos que Tonks había provocado la noche pasada al tropezar con el paragüero.

—¡Estoy harto de decirles que no toquen el timbre! —exclamó Sirius, exasperado, y salió a toda prisa del salón. Lo oyeron bajar precipitadamente la escalera, mientras los chillidos de la señora Black volvían a resonar por toda la casa.

—¡Manchas de deshonra, sucios mestizos, traidores a la sangre, hijos de la inmundicia!...

—Harry, cierra la puerta, por favor —le pidió la señora Weasley.

Harry se tomó todo el tiempo que pudo para cerrar la puerta del salón porque quería escuchar lo que estaba pasando abajo. Era evidente que Sirius había conseguido cerrar las cortinas y tapar el retrato de su madre, porque ésta dejó de gritar. Harry oyó que Sirius andaba por el vestíbulo, y luego, el tintineo de la cadenilla de la puerta de la calle y una voz grave que identificó como la de Kingsley Shacklebolt que decía:

—Hestia acaba de relevarme, así que ahora tiene la capa de Moody. Me ha parecido oportuno comunicar a Dumbledore...

Harry notó los ojos de la señora Weasley clavados en su nuca, así que cerró con pesar la puerta del salón y se unió a la brigada de limpieza de doxys.

La señora Weasley estaba encorvada sobre la página correspondiente a las doxys de *Gilderoy Lockhart: guía de las plagas en el hogar*, que estaba abierto encima del sofá.

—Bueno, muchachos, tienen que ir con cuidado porque las doxys muerden y sus dientes son venenosos. Aquí tengo una botella de antídoto, pero preferiría no tener que utilizarlo. —Se enderezó, se plantó delante de las cortinas e hizo señas a los demás para que se acercaran—. Cuando dé la orden, empiecen a rociar las cortinas —dijo—. Ellas saldrán volando hacia nosotros, o eso espero, pero en los pulverizadores dice que con una sola rociada quedan paralizadas. Cuando estén inmovilizadas, pónganlas en este cubo. —Se apartó con cuidado de la línea de fuego de los demás y levantó su pulverizador—. ¿Preparados? ¡Disparen!

Harry sólo llevaba unos segundos pulverizando las cortinas cuando una doxy de tamaño considerable salió volando de un pliegue de la tela, agitando sus relucientes alas de escarabajo y enseñando los diminutos y afilados dientes. Tenía el cuerpo de hada cubierto de un tupido pelo negro y los cuatro pequeños puños apretados con furia. Harry le lanzó un chorro de doxycida en la cara. La doxy se quedó quieta en el aire y cayó produciendo un ruido sordo, sorprendentemente fuerte, sobre la raída alfombra. Harry la recogió y la echó al cubo.

—¿Se puede saber qué haces, Fred? —preguntó la señora Weasley con brusquedad—. ¡Rocía a ésa enseguida y métela en el cubo!

Harry se dio la vuelta. Fred tenía una doxy entre el índice y el pulgar.

—Allá va —dijo Fred con entusiasmo, y roció a la doxy en la cara hasta que la criatura se desmayó; pero en cuanto la señora Weasley se volvió, Fred se guardó la doxy en el bolsillo y guiñó un ojo.

—Queremos hacer experimentos con veneno de doxy para elaborar nuestros Surtidos Saltaclases —dijo George a Harry por lo bajo.

Harry roció con habilidad a otras dos doxys que iban volando directamente hacia su nariz; luego se acercó a George y, sin despegar los labios, murmuró:

—¿Qué son los Surtidos Saltaclases?

—Una variedad de caramelos para ponerte enfermo —susurró George sin apartar la vista de la espalda de la señora Weasley—. No gravemente enfermo, claro, sino sólo lo suficiente para saltarte una clase cuando te interese. Fred y yo los hemos creado este verano. Son unos caramelos masticables de dos colores. Si te comes la mitad de color naranja de las pastillas vomitivas, vomitas. En cuanto te dejan salir de la clase para ir a la enfermería, te tragas la mitad morada...

—... «que te devuelve a tu estado de salud normal, permitiéndote realizar la actividad de ocio de tu elección durante una hora que, de otro modo, habrías dedicado a un infructuoso aburrimiento.» Bueno, eso es lo que hemos puesto en los anuncios —continuó Fred en voz baja; se había ido apartando poco a poco del campo visual de la señora Weasley y recogía unas cuantas doxys, que habían quedado esparcidas por el suelo, y se las guardaba en el bolsillo—. Pero todavía tenemos que perfeccionar el invento. De momento, nuestros controladores de calidad tienen problemas para parar de vomitar y comerse la parte morada.

—¿Controladores de calidad?

—Nosotros —aclaró Fred—. Vamos turnándonos. George probó los bombones desmayo; el turrón sangranarices lo probamos los dos...

—Mamá creía que nos habíamos batido en duelo —dijo George.

—Veo que la tienda de artículos de broma sigue funcionando —murmuró Harry fingiendo que colocaba bien la boquilla de su pulverizador.

—Bueno, todavía no hemos tenido ocasión de buscar un local —continuó diciendo Fred, bajando la voz aún más, mientras la señora Weasley se secaba la frente con el pañuelo antes de volver al ataque—, así que de momento lo tenemos organizado como un servicio de venta por correo. La semana pasada pusimos anuncios en *El Profeta*.

—Y todo gracias a ti, Harry —añadió George—. Pero no temas, mamá no tiene ni idea. Ya no lee *El Profeta* porque dice mentiras sobre ti y sobre Dumbledore.

Harry sonrió. Había obligado a los gemelos Weasley a aceptar los mil galeones del premio en metálico del Torneo de los tres magos que había ganado, para ayudarlos a llevar a cabo su ambicioso plan de abrir una tienda de artículos de broma. De todos modos, le alegró saber que la señora Weasley no estaba al corriente de su colaboración, pues ella no creía que dirigir una tienda de artículos de broma fuera una carrera adecuada para dos de sus hijos.

La desdoxyzación de las cortinas les llevó casi toda la mañana. Ya era más de mediodía cuando la señora Weasley se quitó por fin el pañuelo protector y se dejó caer en una mullida butaca, pero dio un salto al tiempo que soltaba un grito de asco, pues se había sentado encima de la bolsa de ratas muertas. Las cortinas habían dejado de zumbar y colgaban mustias y húmedas después de la intensa pulverización. A los pies de las cortinas, las doxys inconscientes estaban amontonadas en el cubo, junto a un cuenco de huevos negros de doxy que *Crookshanks* olfateaba y a los que Fred y George lanzaban codiciosas miradas.

—Creo que de eso nos encargaremos después de comer —dijo la señora Weasley señalando las polvorientas vitrinas que había a ambos lados de la repisa de la chimenea.

Estaban llenas a rebosar de un extraño surtido de objetos: una colección de dagas oxidadas, garras, una piel de serpiente enroscada, varias cajas de plata sin lustre con inscripciones en idiomas que Harry no entendía, y lo más desagradable de todo: una ornamentada botella de cristal con un gran ópalo en el tapón, llena de algo que parecía sangre.

Volvió a sonar el timbre de la puerta, y todos miraron a la señora Weasley.

—Quédense aquí —dijo ella con firmeza, y agarró la bolsa de ratas en el momento en que abajo empezaban a oírse de nuevo los bramidos de la señora Black—. Voy a traerles unos sándwiches.

Salió de la habitación y cerró con cuidado tras ella. A continuación, todos corrieron hacia la ventana para ver quién estaba en la puerta principal. Alcanzaron a ver la coronilla de una despeinada y rojiza cabeza y un montón de calderos en precario equilibrio.

—¡Mundungus! —exclamó Hermione—. ¿Para qué habrá traído esos calderos?

—Debe de buscar un lugar seguro donde guardarlos —dijo Harry—. ¿No era eso, recoger calderos robados, lo que estaba haciendo la noche que debía vigilarme?

—¡Sí, tienes razón! —respondió Fred. La puerta de la calle se abrió y Mundungus entró por ella con sus calderos y se perdió de vista—. ¡Vaya, a mamá no le va a hacer ninguna gracia!

Fred y George corrieron hacia la puerta y se quedaron junto a ella, escuchando con atención. La señora Black había dejado de gritar.

—Mundungus está hablando con Sirius y con Kingsley —dijo Fred en voz baja, concentrado y con el entrecejo fruncido—. No los oigo bien... ¿Qué les parece si probamos con las orejas extensibles?

—Quizá valga la pena intentarlo —admitió George—. Podría subir un momento y tomar unas...

Pero en ese preciso instante estalló una sonora exclamación en el piso de abajo que hizo que las orejas extensibles resultaran superfluas. Se podía oír a la perfección lo que la señora Weasley estaba diciendo a grito pelado.

—¡Esto no es un escondrijo de artículos robados!

—Me encanta oír a mamá gritándole a otra persona —comentó Fred con una sonrisa de satisfacción en la cara, mientras abría un poco la puerta para dejar que la voz de la señora Weasley entrara mejor en el salón—. Para variar.

—... completamente irresponsable, como si no tuviéramos bastantes preocupaciones sin que tú traigas tus calderos robados a la casa...

—Los muy idiotas la están dejando que se explaye —dijo George haciendo un gesto negativo con la cabeza—. Hay que atajarla enseguida porque si no se enciende y ya no hay quien la pare. Se moría de ganas de soltarle una buena reprimenda a Mundungus desde que desapareció, cuando se suponía que estaba siguiéndote, Harry. Y allá va la madre de Sirius otra vez.

La voz de la señora Weasley quedó apagada bajo una nueva sarta de chillidos e improperios de los retratos del vestíbulo.

George hizo ademán de cerrar la puerta para ahogar el ruido, pero, antes de que pudiera hacerlo, un elfo doméstico se coló en la habitación.

Iba desnudo, con la excepción de un trapo mugriento atado, como un taparrabos, alrededor de la cintura. Parecía muy viejo. Le sobraba piel por todas partes y, aunque era calvo como todos los elfos domésticos, le salían pelos blancos por las enormes orejas de murciélago. Tenía los ojos, de color verde claro, inyectados en sangre, y la carnosa nariz era grande y con forma de morro de cerdo.

El elfo no prestó la más mínima atención ni a Harry ni a los demás. Como si no los hubiera visto, entró arrastrando los pies, encorvado, caminando despacio y con obstinación, y fue hacia el fondo de la estancia sin dejar de murmurar por lo bajo con voz grave y áspera, como la de una rana mugidora.

—... apesta a alcantarilla y por si fuera poco es un delincuente, pero ella no es mucho mejor, una repugnante traidora a la sangre con unos mocosos que enredan la casa de mi ama, oh, mi pobre ama, si ella supiera, si supiera qué escoria han dejado entrar en la casa, qué le diría al viejo Kreacher, oh, qué vergüenza, sangre sucia, hombres lobo, traidores y ladrones, pobre viejo Kreacher, qué puede hacer él...

—¡Hola, Kreacher! —lo saludó Fred, casi gritando, y cerró la puerta haciendo mucho ruido.

El elfo doméstico se paró en seco, dejó de mascullar y dio un respingo muy exagerado y muy poco convincente.

—Kreacher no había visto al joven amo —se excusó; a continuación se giró y se inclinó ante Fred. Con los ojos clavados todavía en la alfombra, añadió en un tono perfectamente audible—: Un sucio mocoso y un traidor a su sangre, eso es lo que es.

—¿Cómo dices? —preguntó George—. No he oído eso último.

—Kreacher no ha dicho nada —respondió el elfo, y se inclinó ante George, añadiendo en voz baja pero muy clara—: Y ahí está su gemelo; un par de bestias anormales. —Harry no sabía si reír o no. El elfo se enderezó y los miró a todos con hostilidad; en apariencia convencido de que nadie podía oírlo, siguió murmurando—: Y ahí está la sangre sucia, la muy descarada, ay, si mi ama lo supiera, oh, cómo lloraría; y hay un chico nuevo, Kreacher no sabe su nombre. ¿Qué hace aquí? Kreacher no lo sabe...

—Éste es Harry, Kreacher —dijo Hermione, titubeante—. Harry Potter.

Kreacher abrió mucho los ojos y se puso a farfullar más deprisa y con más rabia que antes:

—La sangre sucia le habla a Kreacher como si fuera su amigo; si el ama viera a Kreacher con esta gente, oh, ¿qué diría?

—¡No la llames sangre sucia! —saltaron Ron y Ginny al unísono, muy enfadados.

—No importa —susurró Hermione—, no está en sus cabales, no sabe lo que...

—Desengáñate, Hermione, sabe muy bien lo que dice —aclaró Fred mirando a Kreacher con antipatía.

Kreacher seguía mascullando sin apartar la vista de Harry.

—¿Es verdad? ¿Es Harry Potter? Kreacher puede ver la cicatriz, debe de ser cierto, ése es el chico que venció al Señor Tenebroso, Kreacher se pregunta cómo lo haría...

—Nosotros también nos lo preguntamos, Kreacher —dijo Fred.

—¿A qué has venido, Kreacher? ¿Qué quieres? —preguntó George.

Kreacher dirigió sus enormes y claros ojos hacia George.

—Kreacher está limpiando —contestó con evasivas.

—¡No me digas! —exclamó una voz detrás de Harry.

Sirius había vuelto y miraba con desprecio al elfo desde el umbral. El ruido en el vestíbulo había cesado; quizá la señora Weasley y Mundungus siguieran discutiendo en la cocina. Al ver a Sirius, Kreacher hizo una reverencia exageradísima, hasta tocar el suelo con su nariz en forma de hocico.

—Levántate —le espetó Sirius impaciente—. A ver, ¿qué estás tramando?

—Kreacher está limpiando —repitió el elfo—. Kreacher vive para servir a la noble casa de los Black...

—Que cada día está más negra —afirmó Sirius.

—Al amo siempre le ha gustado hacer bromas —comentó Kreacher; volvió a inclinarse y siguió murmurando—: El amo era un canalla desagradecido que le partió el corazón a su madre...

—Mi madre no tenía corazón, Kreacher —lo atajó Sirius—. Se mantenía viva por pura maldad.

Kreacher hizo otra reverencia.

—Como diga el amo —mascullló con furia—. El amo no es digno siquiera de limpiarle la porquería de las botas a su madre, oh, mi pobre ama, qué diría si viera a Kreacher sirviéndolo a él, con lo que ella lo odiaba, cómo la decepcionó...

—Te he preguntado qué te traes entre manos —dijo Sirius con frialdad—. Cada vez que apareces fingiendo que limpias, te llevas algo a tu habitación para que no podamos tirarlo.

—Kreacher jamás movería nada de su sitio en la casa del amo —repuso el elfo, y luego farfulló muy deprisa—: El ama jamás perdonaría a Kreacher si tiraran el tapiz, lleva siete siglos en la familia, Kreacher debe salvarlo, Kreacher no dejará que el amo y los traidores y los mocosos lo destruyan...

—Ya me lo imaginaba —comentó Sirius mirando con desprecio la pared de enfrente—. Mi madre le habrá hecho otro encantamiento de presencia permanente en la parte de atrás, seguro, pero si puedo deshacerlo me libraré de él. Y ahora lárgate, Kreacher.

Por lo visto, Kreacher no se atrevía a desobedecer una orden directa; sin embargo, la mirada que le lanzó a Sirius al pasar arrastrando los pies por delante de él estaba llena de un profundo odio, y salió de la habitación sin parar de murmurar:

—... llega de Azkaban y se pone a darle órdenes a Kreacher; oh, mi pobre ama, qué diría si viera cómo está la casa, llena de escoria, despojada de sus tesoros; ella juró que él no era hijo suyo y él ha vuelto, y dicen que es un asesino.

—¡Sigue murmurando y me convertiré en un asesino de verdad! —gritó Sirius con irritación al mismo tiempo que cerraba de un portazo.

—No está en sus cabales, Sirius —dijo Hermione con tono suplicante—, creo que no se da cuenta de que oímos lo que dice.

—Lleva demasiado tiempo solo —aclaró Sirius—, recibiendo órdenes absurdas del retrato de mi madre y hablándose a sí mismo, pero siempre fue un repugnante...

—A lo mejor, si le dieras la libertad... —sugirió Hermione.

—No podemos darle la libertad, sabe demasiado sobre la Orden —respondió Sirius de manera cortante—. Además, la conmoción lo mataría. Insinúale que salga de esta casa, y ya verás cómo reacciona.

Sirius se dirigió a la pared donde estaba colgado el tapiz que Kreacher había estado intentando proteger. Harry y los demás lo siguieron.

El tapiz parecía viejísimo; estaba desteñido y raído, como si las doxys lo hubieran mordisqueado. Con todo, el hilo dorado con el que estaba bordado todavía relucía lo suficiente para dejar ver un extenso árbol genealógico que se remontaba, por lo que Harry pudo distinguir, hasta la Edad Media. En la parte superior había grandes letras que rezaban:

La noble y ancestral casa de los Black
«Toujours pur»

—¡Tú no sales aquí! —exclamó Harry tras recorrer con la mirada la parte inferior del árbol.

—Antes estaba —comentó Sirius señalando un pequeño y redondo agujero con los bordes chamuscados, que parecía una quemadura de cigarrillo—. Mi dulce y anciana madre me borró cuando me escapé de casa. A Kreacher le encanta relatar esa historia entre dientes.

—¿Te escapaste de casa?

—Cuando tenía dieciséis años —afirmó Sirius—. Estaba harto.

—¿Adónde fuiste? —preguntó Harry mirándolo fijamente.

—A casa de tu padre —contestó Sirius—. Tus abuelos se portaron muy bien conmigo; me adoptaron, por así decirlo. Sí, me instalé en casa de tu padre y pasé allí las vacaciones escolares, y cuando cumplí diecisiete años me fui a vivir solo. Mi tío Alphard me había dejado una cantidad considerable de oro; a él también deben de haberlo borrado del árbol por eso. En fin, después empecé a vivir solo. Pero siempre fui bien recibido en casa de los Potter, y solía ir allí a comer los domingos.

—Pero ¿por qué...?

—¿Por qué me marché? —Sirius compuso una amarga sonrisa y se pasó los dedos por el largo y despeinado cabello—. Porque los odiaba a todos: a mis padres, con su manía de la sangre limpia, convencidos de que ser un Black te convertía prácticamente en un miembro de la realeza... El idiota de mi hermano, que fue lo bastante estúpido para creérselo... Ése es él.

Sirius puso un dedo en la parte inferior del árbol y señaló el nombre «Regulus Black». La fecha de su muerte (unos quince años atrás) seguía a la de su nacimiento.

—Era más joven que yo —explicó Sirius—, y mucho mejor, como me recordaban mis padres cada dos por tres.

—Pero murió —dijo Harry.

—Sí. El muy imbécil... se unió a los mortífagos.

—¡No lo dirás en serio!

—¡Vaya, Harry! ¿No has visto ya suficiente de esta casa para entender a qué clase de magos pertenecía mi familia? —dijo Sirius con fastidio.

—Tus padres..., tus padres ¿también eran mortífagos?

—No, no, pero creían que Voldemort tenía razón; estaban a favor de la purificación de la raza mágica, querían deshacerse de los hijos de los muggles y que mandaran los sangre limpia. Y no eran los únicos; mucha gente, antes de que Voldemort se mostrara tal cual era en realidad, creía que él tenía razón... Aunque, cuando vieron lo que estaba dispuesto a hacer para conseguir el poder, les entró miedo y se echaron atrás. Pero supongo que, al principio, mis padres creyeron que Regulus era un verdadero héroe cuando se le unió.

—¿Lo mató un auror? —preguntó Harry, titubeante.

—No, qué va —contestó Sirius—. Lo mató Voldemort. O mejor dicho, alguien que obedecía sus órdenes; dudo que Regulus llegara a ser lo bastante importante para que Voldemort quisiera matarlo en persona. Por lo que pude averiguar después de su muerte, al cabo de un tiempo de haberse unido a Voldemort le entró pánico al ver lo que le pedían que hiciera e intentó volverse atrás. Pero a Voldemort no le entregas tu dimisión así como así. Es toda una vida de servicio o la muerte.

—¡A comer! —anunció la señora Weasley.

Llevaba la varita en alto sosteniendo con la punta una enorme bandeja llena de sándwiches y un pastel. Estaba muy colorada y parecía muy enojada. Todos se dirigieron hacia ella, hambrientos, pero Harry se quedó con Sirius, que se había acercado más al tapiz.

—Hacía años que no lo miraba. Aquí está Phineas Nigellus, mi tatarabuelo, ¿lo ves? El director menos admirado que jamás ha tenido Hogwarts... Y Araminta Meliflua, prima de mi madre. Intentó llevar adelante un proyecto de ley ministerial para legalizar la caza de muggles... Y la querida tía Elladora. Inició la tradición familiar de decapitar a los elfos domésticos cuando se hacían demasiado viejos para llevar las bandejas del té... Como es lógico, cada vez que la familia daba algún miembro medianamente decente, lo repudiaban. Veo que Tonks no aparece. Quizá sea por eso por lo que Kreacher no acepta sus órdenes: se supone que tiene que hacer todo lo que le ordene cualquier miembro de la familia...

—¿Tonks y tú son parientes? —preguntó Harry con sorpresa.

—Sí, claro, su madre, Andrómeda, era mi prima favorita —le explicó Sirius mientras examinaba con minuciosidad el tapiz—. No, Andrómeda tampoco sale, mira...

Señaló otra quemadura redonda entre dos nombres, Bellatrix y Narcisa.

—Las hermanas de Andrómeda todavía están aquí porque hicieron bonitos y respetables matrimonios con hombres de sangre limpia, pero Andrómeda se casó con un hijo de muggles, Ted Tonks, así que...

Sirius fingió arremeter contra el tapiz con una varita y rió con amargura. Harry, sin embargo, no rió, pues estaba demasiado ocupado leyendo los nombres que había a la derecha del agujero de Andrómeda. Una línea doble de hilo dorado unía a Narcisa Black con Lucius Malfoy y una línea simple vertical que salía de sus nombres terminaba en «Draco».

—¡Estás emparentado con los Malfoy!

—Todas las familias de sangre limpia están relacionadas entre sí —explicó Sirius—. Si sólo permites que tus hijos e hijas se casen con gente de sangre limpia, las posibilidades son limitadas; ya no quedamos muchos. Molly y yo somos primos políticos, y Arthur es algo así como mi primo segundo. Pero no vale la pena buscarlos aquí: si hay una familia de traidores a la sangre en el mundo, se trata de los Weasley.

En ese momento Harry estaba leyendo el nombre que había a la izquierda del agujero correspondiente a Andrómeda: Bellatrix Black, que estaba conectado mediante una línea doble al del de Rodolphus Lestrange.

—Lestrange... —pronunció Harry en voz alta. Aquel nombre había despertado algún recuerdo en su memoria; le sonaba de algo, pero no sabía de qué, aunque le produjo una extraña sensación, una especie de escalofrío en el estómago.

—Están en Azkaban —dijo Sirius con aspereza. Harry lo miró con expresión de curiosidad—. Bellatrix y su marido, Rodolphus, entraron con Barty Crouch, hijo —añadió Sirius con la misma aspereza—. Rabastan, el hermano de Rodolphus, también entró con ellos.

Entonces Harry lo recordó. Había visto a Bellatrix Lestrange dentro del pensadero de Dumbledore, aquel extraño aparato en que se podían almacenar los pensamientos y los recuerdos; era una mujer alta y morena con los párpados caídos que en el juicio había proclamado que mantendría su alianza con lord Voldemort, así como lo orgullosa que se sentía por haber intentado encontrarlo después de su caída y su convicción de que algún día su lealtad se vería recompensada.

—Nunca me dijiste que era tu...

—¿Qué más da que sea mi prima? —le espetó Sirius—. Por lo que a mí respecta, ya no son familia mía. Ella, desde luego, no lo es. No la veo desde que tenía tu edad, exceptuando el día de su llegada a Azkaban. ¿Crees que estoy orgulloso de tener un pariente como ella?

—Lo siento —dijo Harry—. No quería... Es que me ha sorprendido, nada más.

—No importa, no tienes que disculparte —masculló Sirius entre dientes, y se dio la vuelta con las manos hundidas en los bolsillos—. No me hace ninguna gracia estar aquí —añadió contemplando el salón—. Nunca pensé que volvería a estar encerrado en esta casa.

Harry lo entendía a la perfección. Se imaginaba lo que sentiría cuando fuera mayor y creyera haberse librado de aquel lugar para siempre si tuviera que volver a vivir en el número 4 de Privet Drive.

—Como cuartel general es ideal, desde luego —agregó Sirius—. Cuando mi padre vivía aquí instaló todas las medidas de seguridad mágicas conocidas. Está muy bien disimulada, de modo que los muggles nunca llamarían a la puerta; claro que, aunque no lo estuviera, tampoco querrían acercarse aquí. Y ahora que Dumbledore ha añadido sus propios sistemas de protección, te costaría mucho encontrar otra casa más segura que ésta. Dumbledore es Guardián de los Secretos de la Orden, lo cual quiere decir que nadie puede encontrar el cuartel general a menos que él le diga personalmente dónde está. Esa nota que Moody te enseñó anoche era de Dumbledore... —Sirius soltó una breve y áspera risa—. Si mis padres vieran para qué estamos utilizando su casa ahora... Bueno, puedes hacerte una idea por los gritos del retrato de mi madre... —Frunció un instante el entrecejo y luego suspiró—. No me importaría tanto si de vez en cuando pudiera salir y hacer algo útil. Le he pedido a Dumbledore que me deje escoltarte el día de la vista, tomando la forma de Hocicos, claro; así podría darte un poco de apoyo moral. ¿Qué te parece?

Harry tuvo la sensación de que el estómago se le hundía hasta la polvorienta alfombra. No había vuelto a pensar ni una sola vez en la vista desde la cena de la noche anterior; con la emoción de volver a estar rodeado de la gente que él más quería, y con tantas noticias, no había vuelto a acordarse de aquel asunto pendiente. Sin embargo, cuando Sirius mencionó la vista, volvió a invadirlo un miedo aplastante. Miró a Hermione y a los Weasley, que estaban comiéndose los sándwiches, y pensó en cómo se sentiría si ellos regresaban a Hogwarts sin él.

—No te preocupes —lo tranquilizó Sirius. Harry levantó la cabeza y comprendió que su padrino había estado observándolo—. Estoy seguro de que te absolverán. El Estatuto Internacional del Secreto contempla el uso de la magia para salvar la propia vida.

—Pero si me expulsan —dijo Harry en voz baja—, ¿me dejarás venir aquí y quedarme a vivir contigo?

Sirius esbozó una triste sonrisa.

—Ya veremos.

—Afrontaría mucho mejor la vista si supiera que, pase lo que pase, no tendré que volver con los Dursley —insistió Harry.

—Deben ser realmente odiosos para que prefieras vivir en esta casa —contestó Sirius con tono pesimista.

—Dense prisa ustedes dos, se van a quedar sin nada —les advirtió la señora Weasley.

Sirius suspiró otra vez y echó un vistazo al tapiz; luego Harry y él fueron a reunirse con los demás.

Aquella tarde Harry hizo todo lo posible para no pensar en la vista mientras vaciaban las vitrinas. Por fortuna para él, era un trabajo que requería gran concentración, pues muchos de los objetos que había allí dentro se mostraban muy reacios a abandonar sus polvorientos estantes. Sirius recibió una fuerte mordedura de una caja de rapé de plata; pasados unos segundos, la mano herida había generado una repugnante costra, como una especie de guante marrón muy duro.

—No pasa nada —dijo examinándose la mano con interés antes de darle unos golpecitos con la varita mágica para que la piel volviera a su estado normal—. Dentro debía de haber polvos verrugosos.

Metió la caja en el saco donde iban guardando lo que sacaban de las vitrinas, y poco después Harry vio cómo

George se envolvía la mano con un trapo y se guardaba la caja en el bolsillo lleno de doxys.

Encontraron un instrumento de plata de aspecto espeluznante, algo parecido a unas pinzas con muchas patas; cuando Harry lo agarró, subió corriendo por su brazo, como una araña, e intentó pincharlo. Sirius lo atrapó y lo aplastó con un pesado libro titulado *La nobleza de la naturaleza: una genealogía mágica*. También había una caja de música que emitía una melodía tintineante y un poco siniestra cuando le dabas cuerda, y de pronto todos se sintieron débiles y soñolientos de una forma muy extraña, hasta que a Ginny se le ocurrió cerrar la tapa de un porrazo; un enorme guardapelo que nadie pudo abrir; varios sellos antiguos; y, en una caja cubierta de polvo, una Orden de Merlín, Primera Clase, concedida al abuelo de Sirius por los «servicios prestados al Ministerio».

—Quiere decir que les dio mucho oro —aclaró Sirius con desprecio, y metió la medalla en el saco de basura.

Kreacher se coló en la habitación varias veces e intentó llevarse cosas en el taparrabos, murmurando terribles maldiciones cada vez que lo descubrían. Cuando Sirius le arrancó de la mano un enorme anillo de oro con el emblema de los Black, Kreacher rompió a llorar de rabia y salió de la habitación sollozando y lanzando contra Sirius unos insultos que Harry nunca había oído.

—Era de mi padre —explicó Sirius, y metió el anillo en el saco—. Kreacher no le tenía tanto aprecio a él como a mi madre, pero la semana pasada lo sorprendí robando unos pantalones suyos.

La señora Weasley los tuvo unos cuantos días trabajando muy duro. Tardaron tres días en descontaminar el salón. Al final los únicos trastos que quedaron fueron el tapiz del árbol genealógico de la familia Black, que resistió todos sus intentos de retirarlo de la pared, y el escritorio vibrante. Moody aún no había aparecido por el cuartel general, de modo que no podían estar seguros de qué había dentro.

Pasaron del salón a un comedor de la planta baja donde encontraron arañas, del tamaño de platos de postre, escondidas en el aparador (Ron salió precipitadamente de la habitación para hacerse una taza de té y no regresó hasta una hora y media más tarde). Sirius, sin miramientos, metió la porcelana, que llevaba el emblema y el lema de los Black, en un saco al que fueron a parar también una serie de fotografías viejas con deslustrados marcos de plata, cuyos ocupantes soltaron agudos gritos al romperse los cristales que los cubrían.

Snape se había referido a su trabajo como «limpieza», pero Harry opinaba que en realidad estaban guerreando contra la casa, que se defendía con uñas y dientes con la ayuda de Kreacher. El elfo doméstico aparecía siempre en el lugar donde se habían congregado, y sus murmullos de protesta cada vez eran más ofensivos mientras intentaba llevarse cualquier cosa que pudiera de los sacos de basura. Sirius hasta llegó a amenazarlo con darle una prenda, pero Kreacher lo miró fijamente con sus ojos vidriosos y dijo: «El amo puede hacer lo que quiera»; luego se dio la vuelta y farfulló de modo que todos pudieran oírlo: «Pero el amo no echará a Kreacher, no, porque Kreacher sabe lo que están tramando, oh, sí, están conspirando contra el Señor Tenebroso, sí, con estos sangre sucia y traidores y escoria...»

Al oír tales palabras, Sirius, sin hacer caso de las protestas de Hermione, agarró a Kreacher por la parte de atrás del taparrabos y lo sacó a la fuerza de la habitación.

El timbre de la puerta sonaba varias veces al día, y ésa era la señal para que la madre de Sirius se pusiera a gritar de nuevo, y para que Harry y los demás intentaran escuchar lo que decía el visitante, aunque podían deducir muy poco a partir de las fugaces imágenes y de los breves fragmentos de conversación que captaban, antes de que la señora Weasley los hiciera volver a sus tareas. Snape entró y salió de la casa varias veces más, aunque para gran alivio de Harry nunca se encontraron cara a cara; Harry también vio a la profesora McGonagall, de Transformaciones, que estaba muy rara con un vestido y un abrigo de muggle, y que al parecer también estaba demasiado ocupada para entretenerse mucho. A veces, sin embargo, los visitantes se quedaban para echar una mano. Tonks se quedó con ellos una tarde memorable en la que encontraron un viejo ghoul de instintos asesinos escondido en un cuarto de baño del piso superior, y Lupin, que vivía en la casa con Sirius pero pasaba largos periodos fuera, realizando misteriosas misiones para la Orden, los ayudó a reparar un reloj de pie que había desarrollado la desagradable costumbre de lanzarse contra quien pasara por delante de él. Mundungus se reconcilió un poco con la señora Weasley al rescatar a Ron de unas viejas túnicas de color morado que intentaron estrangularlo cuando las sacó de su armario.

Pese a que seguía durmiendo muy mal, pues todavía soñaba con pasillos y puertas cerradas con llave que hacían que le picara la cicatriz, Harry estaba pasándoselo bien por primera vez aquel verano. Mientras se mantenía ocupado se sentía contento; pero una vez terminadas las tareas, y tan pronto como bajaba la guardia o, agotado, se tumbaba en la cama y se quedaba mirando las sombras borrosas que se movían por el techo, volvía a acordarse de la vista del Ministerio que se avecinaba. El miedo lo atenazaba cada vez que se preguntaba qué sería de él si lo expulsaban de Hogwarts. Esa idea era tan terrible que no se atrevía a expresarla en voz alta, ni siquiera delante de Ron y Hermione, a los que Harry veía a menudo susurrando y mirándolo disimuladamente con expresión de tristeza, aunque seguían su ejemplo y no mencionaban aquel tema. A veces no podía impedir que su imaginación le hiciera ver a un funcionario sin rostro del Ministerio partiendo su varita mágica por la mitad y ordenándole que regresara a casa de los Dursley... Pero Harry no pensaba volver allí. Estaba decidido. Regresaría a Grimmauld Place y viviría con Sirius.

El miércoles por la noche, durante la cena, sintió como si un ladrillo hubiera caído dentro de su estómago cuando la señora Weasley se volvió hacia él y, con voz queda, dijo:

—Te he planchado tu mejor ropa para mañana por la mañana, Harry, y quiero que esta noche te laves el pelo. Una buena primera impresión puede hacer maravillas.

Ron, Hermione, Fred, George y Ginny dejaron de hablar y miraron a Harry. Éste asintió con la cabeza e intentó seguir comiéndose la chuleta, pero se le había quedado la boca tan seca que no podía masticar.

—¿Cómo voy a ir hasta allí? —le preguntó a la señora Weasley intentando adoptar un tono despreocupado.

—Te llevará Arthur cuando vaya a trabajar —contestó ella con dulzura.

El señor Weasley, que estaba sentado al otro lado de la mesa, sonrió para animar a Harry.

Éste miró a Sirius, pero antes de que pudiera formular la pregunta, la señora Weasley ya la había respondido.

—El profesor Dumbledore no cree que sea buena idea que Sirius vaya contigo, y he de decir que yo...

—... opino que tiene mucha razón —confirmó Sirius entre dientes.

La señora Weasley frunció los labios.

—¿Cuándo te ha dicho Dumbledore eso? —preguntó Harry mirando a Sirius.

—Vino anoche, cuando tú estabas acostado —terció el señor Weasley.

Sirius, malhumorado, clavó el tenedor en una papa. Harry bajó la vista y la fijó en su plato. Saber que Dumbledore había estado en aquella casa la víspera de su vista y no había ido a verlo hizo que se sintiera aún peor, si eso era posible.

7

El Ministerio de Magia

A la mañana siguiente, Harry despertó de golpe a las cinco, como si alguien le hubiera gritado en la oreja. Se quedó unos instantes tumbado, inmóvil, mientras la perspectiva de la vista disciplinaria llenaba cada diminuta partícula de su cerebro; luego, incapaz de soportarlo más, saltó de la cama y se puso las gafas. La señora Weasley le había dejado los pantalones vaqueros y una camiseta lavados y planchados a los pies de la cama. Harry se vistió. El cuadro vacío de la pared rió por lo bajo.

Ron estaba tirado en la cama, con la boca muy abierta, profundamente dormido. Ni siquiera se movió cuando Harry cruzó la habitación, salió al rellano y cerró la puerta sin hacer ruido. Procurando no pensar en la próxima vez que vería a Ron, cuando quizá ya no fueran compañeros de clase en Hogwarts, Harry bajó la escalera, pasó por delante de los antepasados de Kreacher y se dirigió a la cocina.

Se había imaginado que la encontraría vacía, pero cuando llegó a la puerta oyó un débil murmullo de voces al otro lado. Abrió y vio al señor y a la señora Weasley, Sirius, Lupin y Tonks sentados a la mesa como si estuvieran esperándolo. Todos estaban vestidos para salir, excepto la señora Weasley, que llevaba una bata acolchada de color morado. La mujer se puso en pie de un brinco en cuanto Harry entró en la cocina.

—Desayuno —dijo, y sacó su varita y corrió hacia el fuego.

—B-buenos días, Harry —lo saludó Tonks con un bostezo. Esa mañana tenía el pelo rubio y rizado—. ¿Has dormido bien?

—Sí.

—Yo no he pe-pegado ojo —comentó ella con otro bostezo que la hizo estremecerse—. Ven y siéntate...

Apartó una silla, y al hacerlo derribó la de al lado.

—¿Qué te apetece comer, Harry? —le preguntó la señora Weasley—. ¿Gachas de avena? ¿Pan dulce? ¿Arenques ahumados? ¿Huevos con tocino? ¿Pan tostado?

—Pan tostado, gracias.

Lupin miró a Harry y luego, dirigiéndose a Tonks, le dijo:

—¿Qué decías de Scrimgeour?

—¡Ah, sí! Bueno, que tendremos que irnos con cuidado; ha estado haciéndonos preguntas raras a Kingsley y a mí...

Harry agradeció que no le pidieran que participara en la conversación. Tenía el estómago revuelto. La señora Weasley le puso delante un par de rebanadas de pan tostado con mermelada; Harry intentó comer, pero era como si masticara un trozo de alfombra. La señora Weasley se sentó a su lado y empezó a arreglarle la camiseta, escondiéndole la etiqueta y alisándole las arrugas de los hombros. Harry habría preferido que no lo hiciera.

—... y tendré que decirle a Dumbledore que mañana no podré hacer el turno de noche, estoy demasiado ca-cansada —terminó Tonks, bostezando otra vez.

—Yo te cubriré —se ofreció el señor Weasley—. No me importa, y de todos modos tengo que terminar un informe...

El señor Weasley no llevaba ropa de mago, sino unos pantalones de rayas finas y una chaqueta. Cuando terminó de hablar con Tonks miró a Harry.

—¿Cómo te sientes? —El muchacho se encogió de hombros—. Pronto habrá terminado todo —le aseguró con optimismo—. Dentro de unas horas estarás absuelto. —Harry no dijo nada—. La vista se celebrará en el piso donde trabajo, en el despacho de Amelia Bones. Es la jefa del Departamento de Seguridad Mágica, y la encargada de interrogarte.

—Amelia Bones es buena persona, Harry —afirmó Tonks con seriedad—. Es justa y te escuchará.

Harry asintió con la cabeza; seguía sin ocurrírsele nada que decir.

—No pierdas la calma —intervino Sirius—. Sé educado y cíñete a los hechos.

Harry volvió a asentir.

—La ley está de nuestra parte —comentó Lupin con voz queda—. Hasta los magos menores de edad están autorizados a utilizar la magia en situaciones de peligro para su vida.

Harry tuvo la sensación de que algo muy frío goteaba por su espalda; al principio creyó que alguien estaba haciéndole un encantamiento desilusionador, pero entonces se dio cuenta de que era la señora Weasley, que intentaba peinarlo con un peine mojado. Le aplastaba con fuerza el pelo contra la coronilla, pero éste volvía a erizarse enseguida.

—¿No hay forma de aplastarlo? —preguntó desesperada.

Harry negó con la cabeza.

El señor Weasley consultó su reloj y miró al chico.

—Creo que deberíamos irnos ya —dijo—. Es temprano, pero estarás mejor en el Ministerio que aquí, sin hacer nada.

—Está bien —contestó Harry automáticamente; dejó el pan tostado en el plato y se puso en pie.

—Todo irá bien, Harry —aseguró Tonks, y le dio unas palmaditas en el brazo.

—Buena suerte —le deseó Lupin—. Estoy convencido de que todo saldrá bien.

—Y si no —añadió Sirius con gravedad—, ya me encargaré yo de Amelia Bones...

Harry esbozó una tímida sonrisa. La señora Weasley lo abrazó.

—Todos cruzaremos los dedos —afirmó.

—Sí —dijo Harry—. Bueno... Hasta luego.

Subió con el señor Weasley al vestíbulo y oyó cómo la madre de Sirius resoplaba en sueños detrás de las cortinas de su retrato. El señor Weasley abrió la puerta de la calle y salieron al frío y gris amanecer.

—Normalmente usted no va al trabajo andando, ¿verdad? —le preguntó cuando empezaron a caminar a buen paso bordeando la plaza.

—No, suelo aparecerme —respondió el señor Weasley—, pero evidentemente tú no puedes aparecerte, y creo que lo mejor es que lleguemos de forma no mágica. Así causarás mejor impresión, dado el motivo por el que te han sancionado...

Mientras caminaban, el señor Weasley llevaba una mano dentro de la chaqueta. Harry sabía que en esa mano llevaba la varita. Las calles, de aspecto abandonado, estaban casi desiertas, pero cuando llegaron a la desangelada estación de metro la encontraron llena de gente madrugadora que iba al trabajo. Como le ocurría siempre que se hallaba rodeado de muggles que seguían su rutina diaria, el señor Weasley a duras penas podía contener su entusiasmo.

—Sencillamente fabuloso —susurró, señalando los dispensadores automáticos de boletos—. Maravillosamente ingenioso.

—No funcionan —observó Harry señalando el letrero.

—Ya, pero aun así... —dijo el señor Weasley contemplándolos con una sonrisa radiante.

Le compraron los boletos a un soñoliento empleado (Harry se encargó de la transacción porque el señor Weasley no manejaba muy bien el dinero muggle), y cinco minutos más tarde subieron al tren, que los llevó traqueteando hacia el centro de Londres. El señor Weasley no paraba de consultar con ansiedad el plano del metro que había encima de las ventanas.

—Cuatro paradas más, Harry... Ahora quedan tres paradas... Sólo dos paradas, Harry...

Bajaron en una estación del centro de Londres y se vieron arrastrados por una marea de hombres vestidos con traje y corbata y de mujeres con maletines. Subieron por la escalera mecánica, pasaron por el torniquete (al señor Weasley le encantó cómo la máquina se tragaba su billete) y salieron a una ancha calle con mucho tráfico e imponentes edificios a ambos lados.

—¿Dónde estamos? —preguntó el señor Weasley, desorientado, y por un instante Harry creyó que habían bajado en una estación equivocada, a pesar de las continuas consultas del señor Weasley en el plano; pero entonces el hombre exclamó—: ¡Ah, sí! Por aquí, Harry. —Y lo guió por una calle lateral—. Lo siento —añadió—, pero nunca voy al Ministerio en metro, y desde la perspectiva muggle todo parece muy diferente. De hecho, nunca he utilizado la entrada de visitantes.

Cuanto más avanzaban, más pequeños y menos imponentes eran los edificios, hasta que al final llegaron a una calle donde había varias oficinas de aspecto destartalado, un pub y un contenedor rebosante de basura. Harry esperaba una ubicación mucho más impresionante para el Ministerio de Magia.

—Ya hemos llegado —afirmó, muy alegre, el señor Weasley, y señaló una vieja cabina telefónica roja a la que le faltaban varios cristales, situada frente a una pared cubierta de grafitis—. Después de ti, Harry —dijo, y abrió la puerta de la cabina.

Harry entró preguntándose qué demonios significaba aquello. El señor Weasley entró también, se apretujó contra él y cerró la puerta. Había muy poco espacio; Harry estaba pegado contra el teléfono, que colgaba torcido de la pared, como si un vándalo hubiera intentado arrancarlo. El señor Weasley estiró un brazo y tomó el auricular.

—Señor Weasley, creo que esto tampoco funciona —dijo Harry.

—No, no, seguro que funciona —respondió el hombre levantando el auricular por encima de su cabeza y mirando el disco del teléfono con los ojos entornados—. Veamos... Seis... —Marcó el número—. Dos... cuatro... y otro cuatro... y otro dos...

Cuando el disco hubo recuperado la posición inicial, con un suave zumbido, una gélida voz femenina se oyó dentro de la cabina telefónica, pero no salía por el auricular que el señor Weasley tenía en la mano, sino que sonaba con fuerza y claridad, como si una mujer invisible estuviera allí dentro con ellos.

—Bienvenido al Ministerio de Magia. Por favor, diga su nombre y el motivo de su visita.

—Este... —empezó el señor Weasley sin saber si tenía que hablar por el auricular o no. Lo solucionó acercándose el micrófono a la oreja—. Arthur Weasley, Oficina Contra el Uso Indebido de Artefactos Muggles. He llegado escoltando a Harry Potter, que tiene que presentarse a una vista disciplinaria...

—Gracias —contestó la gélida voz femenina—. Visitante, tome la identificación y colóquesela en la ropa en un lugar visible, por favor.

Se oyó un chasquido y un tintineo, y Harry vio que algo resbalaba por la rampa metálica por donde normalmente salían las monedas devueltas. Lo tomó y comprobó que era una identificación cuadrada de plata con la inscripción: «Harry Potter, vista disciplinaria.» Se la enganchó en la camiseta, y entonces la voz femenina dijo:

—Visitante del Ministerio, tendrá que someterse a un cacheo y entregar su varita mágica en el mostrador de seguridad, que se encuentra al final del Atrio.

El suelo de la cabina telefónica se estremeció. Estaban hundiéndose poco a poco. Harry miró con aprensión cómo la acera parecía elevarse al otro lado de las ventanas de cristal de la cabina hasta que se quedaron a oscuras por completo. Entonces ya no vio nada; sólo oía un monótono chirrido, mientras la cabina telefónica seguía hundiéndose en la tierra. Pasado más o menos un minuto, que a Harry se le hizo larguísimo, un resquicio de luz dorada le iluminó los pies, luego fue creciendo de tamaño y subió por el cuerpo de Harry hasta que le dio en la cara; el muchacho tuvo que parpadear para que no le lloraran los ojos.

—El Ministerio de Magia les desea un buen día —los saludó la voz de mujer.

La puerta de la cabina telefónica se abrió sola y el señor Weasley salió seguido de Harry, que tenía la boca abierta.

Se encontraban al final de un larguísimo y espléndido vestíbulo con el suelo de madera oscura muy brillante. En el techo, de color azul eléctrico, había incrustaciones de relucientes símbolos dorados que se movían y cambiaban continuamente, como un inmenso tablón de anuncios celeste. Las paredes del vestíbulo estaban recubiertas de pulida y oscura madera, y en ellas había varias chimeneas doradas. De vez en cuando, una bruja o un mago salía por una de las chimeneas de la pared de la izquierda con un débil ruido. Ante las chimeneas de la pared de la derecha estaban formándose reducidas colas de brujas y de magos que esperaban para entrar.

Hacia la mitad del vestíbulo había una fuente. Un grupo de estatuas doradas, de tamaño superior al natural, se alzaban en el centro de un estanque circular. La figura más alta de todas era la de un mago de aspecto noble, cuya varita señalaba al cielo. A su alrededor había una hermosa bruja, un centauro, un duende y un elfo doméstico. Los tres últimos miraban con adoración a la bruja y al mago, de cuyas varitas salían unos fastuosos chorros de agua, así como del extremo de la flecha del centauro, de la punta del sombrero del duende y de las orejas del elfo doméstico. El tintineante silbido del agua al caer se unía al ruido que hacía la gente al aparecerse (algo así como ¡crac! y ¡paf!) y al de los pasos de cientos de brujas y de magos, la mayoría de los cuales ofrecían el apesadumbrado aspecto de los madrugadores, que se dirigían hacia unas puertas doradas que había al fondo del vestíbulo.

—Por aquí —indicó el señor Weasley.

Se unieron a la multitud y avanzaron entre los empleados del Ministerio, algunos de los cuales transportaban tambaleantes pilas de pergaminos; otros, por su parte, llevaban gastados maletines, y unos cuantos iban leyendo *El Profeta* mientras andaban. Al pasar junto a la fuente, Harry vio sickles de plata y knuts de bronce que destellaban en el fondo del estanque. Un pequeño y emborronado letrero decía:

> TODO LO RECAUDADO POR LA FUENTE DE LOS HERMANOS MÁGICOS SERÁ DESTINADO AL HOSPITAL SAN MUNGO DE ENFERMEDADES Y HERIDAS MÁGICAS.

«Si no me expulsan de Hogwarts, donaré diez galeones», se sorprendió pensando Harry, desesperado.

—Por aquí —volvió a indicar el señor Weasley, y se separaron de la avalancha de empleados del Ministerio que iban hacia las puertas doradas. A la izquierda, sentado a una mesa, bajo un letrero que rezaba «Seguridad», había un mago muy mal afeitado y vestido con una túnica de color azul eléctrico, que levantó la cabeza al ver que se acercaban y dejó de leer *El Profeta*.

—Estoy escoltando a un visitante —dijo el señor Weasley, y señaló a Harry.

—Acérquese —le ordenó el mago al muchacho con voz de aburrimiento.

Harry obedeció y el hombre levantó una varilla larga y dorada, delgada y flexible como la antena de un coche, y se la pasó a Harry por delante y por detrás, recorriéndole todo el cuerpo.

—La varita —le gruñó a continuación el mago de seguridad, tras dejar el instrumento dorado y tender una mano con la palma hacia arriba.

Harry se la entregó. El mago la dejó caer sobre un extraño instrumento de latón que parecía una balanza con un único platillo. El aparato empezó a vibrar, y de una ranura que tenía en la base salió un estrecho trozo de pergamino. El mago lo arrancó y leyó lo que había escrito en él:

—Veintiocho centímetros, núcleo central de pluma de fénix, cuatro años en uso. ¿Correcto?

—Sí —afirmó Harry, nervioso.

—Yo me quedo con esto —dijo el mago clavando el trozo de pergamino en un pequeño pinchapapeles de latón—. Usted se queda la varita —añadió, y le devolvió la varita a Harry.

—Gracias.

—Un momento... —empezó a decir con lentitud el mago.

Se había fijado en la identificación de plata de visitante que Harry llevaba prendida en el pecho, pero ahora le miraba la frente.

—Gracias, Eric —dijo el señor Weasley con firmeza, y agarrando a Harry por el hombro lo apartó de la mesa y volvieron a mezclarse con la multitud de magos y de brujas que cruzaban las puertas doradas.

Empujado por la gente, Harry siguió al señor Weasley por las puertas que conducían a un vestíbulo más pequeño donde había, por lo menos, veinte ascensores detrás de unas rejas de oro labrado. Harry y el señor Weasley se unieron a un grupito que estaba reunido frente a uno de ellos. Cerca de allí había un corpulento y barbudo mago que llevaba en las manos una gran caja de cartón que emitía unos desagradables ruidos.

—¿Va todo bien, Arthur? —preguntó el mago saludando con la cabeza al señor Weasley.

—¿Qué llevas ahí, Bob? —inquirió éste mirando la caja.

—No estamos seguros —contestó el mago con seriedad—. Creíamos que se trataba de una gallina normal y corriente hasta que empezó a echar fuego por la boca. Yo diría que nos encontramos ante un caso grave de violación de la Prohibición de la Reproducción Experimental.

Entre fuertes traqueteos y sacudidas, un ascensor descendió ante ellos; la reja dorada se movió hacia un lado, y Harry y el señor Weasley entraron en el ascensor con los demás. Harry se encontró de pronto apretujado contra la pared del fondo. Varias brujas y magos lo observaban con curiosidad; él se quedó contemplando el suelo para evitar las miradas de la gente y se alisó el flequillo. La reja se cerró con un estruendo y el ascensor empezó a subir poco a poco, con un golpeteo de cadenas, mientras volvía a escucharse aquella gélida voz femenina que Harry había oído en la cabina telefónica.

—Séptima planta, Departamento de Deportes y Juegos Mágicos, que incluye el Cuartel General de la Liga de Quidditch de Gran Bretaña e Irlanda, el Club Oficial de Gobstones y la Oficina de Patentes Descabelladas.

Se abrieron las puertas del ascensor. Harry alcanzó a ver un desordenado pasillo en el que había varios carteles torcidos de equipos de quidditch colgados en las paredes. Uno de los magos que iba en el ascensor, que llevaba un montón de escobas, salió con cierta dificultad y desapareció por allí. Las puertas se cerraron de nuevo y el ascensor dio una sacudida, pero siguió subiendo mientras la voz de mujer anunciaba:

—Sexta planta, Departamento de Transportes Mágicos, que incluye la Dirección de la Red Flu, el Consejo Regulador de Escobas, la Oficina de Trasladores y el Centro Examinador de Aparición.

Las puertas del ascensor volvieron a abrirse y salieron cuatro o cinco ocupantes; al mismo tiempo, varios aviones de papel entraron volando. Harry se quedó mirándolos mientras revoloteaban tranquilamente por encima de su cabeza; eran de color violeta claro y llevaban estampado el sello de «Ministerio de Magia» en el borde de las alas.

—Sólo son memorándum interdepartamentales —le explicó el señor Weasley en voz baja—. Antes utilizábamos lechuzas, pero era un verdadero problema porque las mesas acababan cubiertas de excrementos...

Siguieron subiendo con el mismo traqueteo metálico, mientras los memorándum revoloteaban alrededor de la lámpara que colgaba del techo del ascensor.

—Quinta planta, Departamento de Cooperación Mágica Internacional, que incluye el Organismo Internacional de Normas de Instrucción Mágica, la Oficina Internacional de Ley Mágica y la Confederación Internacional de Magos, Sede Británica.

Cuando se abrieron otra vez las puertas, dos memorándum salieron disparados junto con unos cuantos ocupantes más del ascensor, pero entraron otros documentos que se pusieron a volar alrededor de la lámpara, cuya luz empezó a parpadear y a brillar sobre sus cabezas.

—Cuarta planta, Departamento de Regulación y Control de las Criaturas Mágicas, que incluye las Divisiones de Bestias, Seres y Espíritus, la Oficina de Coordinación de los Duendes y la Agencia Consultiva de Plagas.

—Perdón —se disculpó el mago que llevaba la gallina que echaba fuego por la boca, y salió del ascensor seguido de una pequeña bandada de memorándum. Las puertas se cerraron una vez más.

—Tercera planta, Departamento de Accidentes y Catástrofes en el Mundo de la Magia, que incluye el Equipo de Reversión de Accidentes Mágicos, el Cuartel General de Desmemorizadores y el Comité de Excusas para los Muggles.

En esa planta salieron todos, excepto el señor Weasley, Harry y una bruja que iba leyendo un trozo de pergamino larguísimo que llegaba hasta el suelo. El resto de los memorándum siguieron volando alrededor de la lámpara mientras el ascensor subía otra vez; por fin, se abrieron las puertas y la voz anunció:

—Segunda planta, Departamento de Seguridad Mágica, que incluye la Oficina Contra el Uso Indebido de la

Magia, el Cuartel General de Aurores y los Servicios Administrativos del Wizengamot.

—Es aquí, Harry —indicó el señor Weasley, y salieron del ascensor, junto con la bruja, a un pasillo con puertas a ambos lados—. Mi despacho está al otro lado de esta planta.

—Señor Weasley —dijo Harry cuando pasaban por delante de una ventana por la que entraba la luz del sol—, ¿estamos todavía bajo tierra?

—Sí —confirmó el señor Weasley—. Esas ventanas están encantadas. El Servicio de Mantenimiento Mágico decide el tiempo que tenemos cada día. La última vez que los de ese servicio andaban detrás de un aumento de sueldo, tuvimos dos meses seguidos de huracanes... Por aquí, Harry.

Doblaron una esquina, pasaron por unas gruesas puertas dobles de roble y salieron a una zona, espaciosa pero desordenada, dividida en cubículos de los que surgía un intenso murmullo de voces y risas. Los memorándum entraban y salían volando como cohetes en miniatura. Un letrero torcido, colgado en la puerta del cubículo más cercano, decía: «Cuartel General de Aurores.»

Harry miró con disimulo por la puerta al pasar por delante. Los aurores habían cubierto las paredes con fotografías de sus familias y de los magos más buscados, carteles de sus equipos de quidditch favoritos y artículos de *El Profeta*. Dentro había un individuo, con una túnica de color escarlata y una cola de caballo más larga que la de Bill, que estaba sentado con las botas encima de la mesa dictándole un informe a su pluma. Un poco más allá, una bruja con un parche en un ojo hablaba con Kingsley Shacklebolt por encima de la pared de su compartimento.

—Buenos días, Weasley —lo saludó Kingsley con desgana cuando se acercaron a él—. Quiero hablar contigo, ¿tienes un momento?

—Si sólo es un momento, sí —contestó el señor Weasley—. Tengo mucha prisa.

Hablaban como si apenas se conocieran, y cuando Harry despegó los labios para saludar a Kingsley, el señor Weasley le dio un pisotón. Siguieron a Kingsley por un pasillo hasta llegar al último cubículo.

Harry sufrió una pequeña conmoción, pues la cara de Sirius lo miraba pestañeando desde todas las paredes, cubiertas de recortes de periódico y viejas fotografías, incluida una de Sirius haciendo de padrino en la boda de los Potter. El único espacio donde no aparecía la cara de Sirius era el que ocupaba un mapamundi en el que había clavados pequeños alfileres rojos que relucían como joyas.

—Toma —le dijo Kingsley con brusquedad al señor Weasley, poniéndole un fajo de pergaminos en las manos—. Necesito toda la información que puedas conseguir sobre vehículos muggles voladores avistados en los doce últimos meses. Hemos recibido información de que Black podría seguir utilizando su vieja motocicleta. —Kingsley le hizo un enorme guiño a Harry y añadió en un susurro—: Dale la revista, quizá la encuentre interesante. —Luego, hablando otra vez en un tono de voz normal, añadió—: Y no tardes demasiado, Weasley, el retraso en aquel informe sobre armas de juego tuvo la investigación en suspenso durante más de un mes.

—Si hubieras leído mi informe sabrías que la expresión es «armas de fuego» —respondió el señor Weasley fríamente—. Y me temo que si buscas información sobre motocicletas tendrás que esperar, porque ahora estamos muy ocupados. —Bajó la voz y dijo—: A ver si puedes salir antes de las siete; Molly va a hacer albóndigas.

Le hizo señas a Harry y lo sacó del cubículo de Kingsley; pasaron por otras puertas de roble, recorrieron otro pasillo, torcieron a la izquierda, desfilaron por otro pasillo más, torcieron a la derecha por un nuevo pasillo, mal iluminado y feo, y por fin se encontraron ante una pared; a la izquierda había una puerta entornada que dejaba entrever un armario de escobas, y a la derecha otra puerta con una placa de latón deslustrada que decía: «Uso Indebido de Artefactos Muggles.»

El sombrío despacho del señor Weasley parecía un poco más pequeño que el armario de las escobas. Dentro había dos mesas apretujadas, y apenas quedaba espacio para moverse a su alrededor por culpa de los rebosantes archiveros que cubrían las paredes, encima de los cuales había montones de documentos en precario equilibrio. El poco espacio libre de la pared delataba las obsesiones del señor Weasley, pues estaba lleno de varios carteles de coches, entre ellos uno de un motor desmontado, dos ilustraciones de buzones que parecían recortadas de libros infantiles y un diagrama que mostraba cómo montar un enchufe.

Encima de la desbordada bandeja que contenía la correspondencia sin abrir del señor Weasley, se hallaba una vieja tostadora que hipaba con desconsuelo y un par de guantes de piel vacíos que movían los pulgares. Junto a la bandeja había una fotografía de la familia Weasley. Harry se fijó en que Percy, al parecer, había salido de ella.

—No tenemos ventana —se disculpó el señor Weasley al mismo tiempo que se quitaba la chaqueta y la colgaba del respaldo de su silla—. La hemos pedido, pero por lo visto no creen que la necesitemos. Siéntate, Harry, veo que Perkins todavía no ha llegado.

Harry se sentó en la silla que había detrás de la mesa de Perkins mientras el señor Weasley daba un vistazo al fajo de pergaminos que le había entregado Kingsley Shacklebolt.

—¡Ah! —dijo, sonriendo, y extrajo del montón un ejemplar de la revista *El Quisquilloso*—, sí... —Se puso a hojear la revista—. Sí, Kingsley tiene razón, seguro que Sirius encuentra esto muy divertido. ¡Vaya! ¿Qué será eso?

Un memorándum entró volando por la puerta abierta y se posó encima de la tostadora hipante. El señor Weasley lo desdobló y lo leyó en voz alta:

—«Tercer inodoro público regurgitante denunciado en Bethnal Green; por favor, investiguen de inmediato.» Esto ya es demasiado...

—¿Un inodoro regurgitante?

—Bromistas antimuggles —explicó el señor Weasley frunciendo el entrecejo—. La semana pasada tuvimos dos, uno en Wimbledon y otro en Elephant and Castle. Los muggles tiran de la cadena y en lugar de desaparecer todo... Bueno, ya te lo imaginas. Los pobres llaman a esos... sonajeros, creo que se llaman, ya sabes, los que arreglan las cañerías y esas cosas.

—¿Plomeros?

—Eso es, pero, como es lógico, no saben qué hacer. Espero que podamos atrapar al responsable.

—¿Se encargan los aurores de buscarlo?

—Oh, no, esto es demasiado trivial para los aurores; lo hará la Patrulla de Seguridad Mágica. Ah, Harry, te presento a Perkins.

Un anciano mago, encorvado y de aspecto tímido, que lucía un suave y sedoso cabello blanco, acababa de entrar en la habitación jadeando.

—¡Oh, Arthur! —exclamó desesperadamente sin mirar a Harry—. Por fin te encuentro, no sabía qué hacer, si esperarte aquí o no. He enviado una lechuza a tu casa, pero veo que no la has recibido. Hace diez minutos llegó un mensaje urgente...

—Ya sé, lo del inodoro regurgitante —comentó el señor Weasley.

—No, no, no es el inodoro, es la vista de ese chico, Potter. Han cambiado la hora y el lugar: empieza a las ocho en punto y se celebra abajo, en la vieja sala número diez del tribunal...

—En la vieja sala... Pero si a mí me dijeron... ¡Por las barbas de Merlín! —El señor Weasley consultó su reloj, soltó un grito y se levantó de un brinco de la silla—. ¡Rápido, Harry, hace cinco minutos que deberíamos estar allí!

Perkins se pegó a los archiveros mientras el señor Weasley salía corriendo del despacho con Harry pisándole los talones.

—¿Por qué han cambiado la hora? —preguntó éste, casi sin aliento, mientras pasaban a toda velocidad por delante de los cubículos de los aurores; la gente asomaba la cabeza y se quedaba mirándolos. Harry tenía la sensación de que se había dejado las tripas en la mesa de Perkins.

—¡No tengo ni idea, pero menos mal que hemos venido con tiempo; si no te hubieras presentado habría sido catastrófico! —El señor Weasley se detuvo patinando junto a los ascensores y pulsó con impaciencia el botón de «Bajar»—. ¡Vamos!

Apareció el ascensor, acompañado de fuertes ruidos metálicos, y subieron en él rápidamente. Cada vez que el ascensor se detenía en una planta, el señor Weasley se ponía a maldecir, furioso, y aporreaba el botón número nueve.

—Esas salas del tribunal no se utilizan desde hace años —explicó el señor Weasley con enojo—. No sé cómo se les ha ocurrido celebrar la vista allí, a menos que... Pero no...

Una bruja regordeta, que llevaba una copa humeante, entró en ese momento en el ascensor, y el señor Weasley no dio más explicaciones.

—El Atrio —dijo la gélida voz femenina, y las rejas doradas se abrieron mostrando a Harry una lejana vista de las estatuas doradas de la fuente. La bruja regordeta salió del ascensor, y entró un mago de piel cetrina y rostro muy triste.

—Buenos días, Arthur —saludó con voz sepulcral mientras el ascensor empezaba a descender de nuevo—. No se te ve mucho por aquí abajo.

—Es un asunto urgente, Bode —dijo el señor Weasley, que se balanceaba sobre la punta de los pies y lanzaba nerviosas miradas a Harry.

—¡Ah, sí! —exclamó Bode mirando a Harry sin pestañear—. Claro.

Harry ya no era capaz de experimentar más emociones, pero la imperturbable mirada de Bode no hizo que se sintiera muy cómodo.

—Departamento de Misterios —anunció la voz femenina, y no dijo nada más.

—Rápido, Harry —lo apremió el señor Weasley cuando las puertas del ascensor se abrieron, y entonces echaron a correr por un pasillo muy distinto de los superiores.

Las paredes estaban desnudas; no había ventanas ni puertas, aparte de una, negra y sencilla, situada al final. Harry pensó que entrarían por ella, pero el señor Weasley lo agarró por un brazo y lo arrastró hacia la izquierda, donde había una abertura que conducía a unos escalones.

—Por aquí, por aquí —indicó el señor Weasley, jadeante, bajando los escalones de dos en dos—. El ascensor no llega tan abajo... ¿Por qué la celebrarán aquí?

Llegaron al final de los escalones y corrieron por un nuevo pasillo muy parecido al que conducía a la mazmorra de Snape en Hogwarts, con bastas paredes de piedra en las que había soportes con antorchas. Las puertas de ese pasillo eran de madera muy gruesa, con cerrojos y cerraduras de hierro.

—Sala... diez... Creo que... Ya casi... Sí.

El señor Weasley se detuvo frente a una sucia y oscura puerta con un inmenso cerrojo de hierro y se apoyó en la pared, llevándose una mano al pecho, donde notaba una fuerte punzada.

—Adelante —dijo entrecortadamente, señalando la puerta con el pulgar—. Entra.

—¿Usted no... entra... conmigo?

—No, no, yo no estoy autorizado. ¡Buena suerte!

El corazón de Harry latía con violencia contra su nuez. Tragó saliva, giró el pesado pomo de hierro de la puerta y entró en la sala del tribunal.

8

La vista

Harry no pudo contener un grito de asombro. La enorme mazmorra en la que había entrado le resultaba espantosamente familiar. No sólo la había visto antes, sino que había estado allí. Era el lugar que había visitado dentro del pensadero de Dumbledore, donde había visto cómo sentenciaban a los Lestrange a cadena perpetua en Azkaban.

Las paredes eran de piedra oscura, y las antorchas apenas las iluminaban. Había gradas vacías a ambos lados, pero enfrente, en los bancos más altos, había muchas figuras entre sombras. Estaban hablando en voz baja, pero cuando la gruesa puerta se cerró detrás de Harry se hizo un tremendo silencio.

Una fría voz masculina resonó en la sala del tribunal:

—Llegas tarde.

—Lo siento —se disculpó Harry, nervioso—. No... no sabía que habían cambiado la hora y el lugar.

—De eso no tiene la culpa el Wizengamot —repuso la voz—. Esta mañana te hemos enviado una lechuza. Siéntate.

Harry miró la silla que había en el centro de la sala, que tenía los reposabrazos cubiertos de cadenas. Había visto cómo aquellas cadenas cobraban vida y ataban a la persona que se había sentado en la silla. Echó a andar por el suelo de piedra y sus pasos produjeron un fuerte eco. Cuando se sentó, con cautela, en el borde de la silla, las cadenas tintinearon amenazadoramente, pero no lo ataron. Estaba muy mareado, a pesar de lo cual miró a la gente que estaba sentada en los bancos de enfrente.

Había unas cincuenta personas que, por lo que pudo observar, llevaban túnicas de color morado con una ornamentada «W» de plata en el lado izquierdo del pecho; todas lo miraban fijamente, algunas con expresión muy adusta, y otras con franca curiosidad.

En medio de la primera fila estaba Cornelius Fudge, el ministro de Magia. Fudge era un hombre corpulento que solía llevar un bombín de color verde lima, aunque ese día no se lo había puesto; tampoco lucía aquella sonrisa indulgente que le había dedicado a Harry cuando en una ocasión habló con él. Una bruja de mandíbula cuadrada y con el pelo gris muy corto estaba sentada a la izquierda de Fudge; llevaba un monóculo y su aspecto era verdaderamente severo. A la derecha de Fudge había otra bruja, pero estaba sentada con la espalda apoyada en el respaldo del banco, de manera que su rostro quedaba en sombras.

—Muy bien —dijo Fudge—. Hallándose presente el acusado, por fin podemos empezar. ¿Están preparados? —preguntó a las demás personas que ocupaban el banco.

—Sí, señor —respondió una voz ansiosa que Harry reconoció al instante.

Era Percy, el hermano de Ron, que estaba sentado al final del banco de la primera fila. Harry miró a Percy esperando ver en su rostro alguna señal de reconocimiento, pero no la encontró. Percy tenía los clavados en su pergamino, y una pluma preparada en la mano.

—Vista disciplinaria del doce de agosto —comenzó Fudge con voz sonora, y Percy empezó a tomar notas de inmediato— por el delito contra el Decreto para la moderada limitación de la brujería en menores de edad y contra el Estatuto Internacional del Secreto de los Brujos, cometido por Harry James Potter, residente en el número cuatro de Privet Drive, Little Whinging, Surrey.

»Interrogadores: Cornelius Oswald Fudge, ministro de Magia; Amelia Susan Bones, jefa del Departamento de Seguridad Mágica; Dolores Jane Umbridge, subsecretaria del ministro. Escribiente del tribunal, Percy Ignatius Weasley...

—Testigo de la defensa, Albus Percival Wulfric Brian Dumbledore —dijo una voz queda por detrás de Harry, quien giró la cabeza con tanta brusquedad que se hizo daño en el cuello.

En ese instante Dumbledore cruzaba con aire resuelto y sereno la habitación; llevaba una larga túnica de color azul marino y la expresión de su rostro era de absoluta tranquilidad. Su barba y su melena, largas y plateadas, relucían a la luz de las antorchas; cuando llegó junto a Harry miró a Fudge a través de sus gafas de media luna, que reposaban hacia la mitad de su torcida nariz.

Los miembros del Wizengamot murmuraban, y todas las miradas se dirigieron hacia Dumbledore. Algunos parecían enfadados, otros un poco asustados; dos de las brujas más ancianas de la fila del fondo, sin embargo, levantaron una mano y lo saludaron.

Al ver a Dumbledore, una profunda emoción surgió en el pecho de Harry, un reforzado y esperanzador sentimiento parecido al que le había producido la canción del fénix. Estaba deseando mirar a Dumbledore a los ojos, pero éste no lo miraba a él: tenía la vista clavada en Fudge, que no podía disimular su nerviosismo.

—¡Ah! —exclamó el ministro, que parecía sumamente desconcertado—. Dumbledore. Sí. Veo que..., que... recibió nuestro mensaje... de que habíamos cambiado el lugar y la hora de la vista...

—Pues no, no lo he recibido —contestó Dumbledore con tono alegre—. Sin embargo, debido a un providencial error, llegué al Ministerio con tres horas de antelación, de modo que no ha habido ningún problema.

—Sí..., bueno... Supongo que necesitaremos otra silla... Este..., Weasley, ¿podría...?

—No se moleste, no se moleste —dijo Dumbledore con amabilidad; sacó su varita mágica, la sacudió levemente y una mullida butaca de tela de algodón estampada apareció de la nada junto a la silla de Harry.

Dumbledore se sentó, juntó las yemas de sus largos dedos y miró a Fudge por encima de ellos con una expresión de educado interés. Los miembros del Wizengamot seguían murmurando y moviéndose inquietos en los bancos; sólo se calmaron cuando Fudge volvió a hablar.

—Sí —repitió éste moviendo sus notas de un sitio para otro—. Bueno. Está bien. Los cargos. Sí... —Separó una hoja de pergamino del montón que tenía delante, respiró hondo y leyó en voz alta—: Los cargos contra el acusado son los siguientes: que a sabiendas, deliberadamente y consciente de la ilegalidad de sus actos, tras haber recibido una anterior advertencia por escrito del Ministerio de Magia por un delito similar, realizó un encantamiento *patronus* en una zona habitada por muggles, en presencia de un muggle, el dos de agosto a las nueve y veintitrés minutos, lo cual constituye una violación del Párrafo C del Decreto para la moderada limitación de la brujería en menores de edad, mil ochocientos setenta y cinco, y también de la Sección Trece de la Confederación Internacional del Estatuto del Secreto de los Brujos. ¿Es usted Harry James Potter, residente en el número cuatro de Privet Drive, Little Whinging, Surrey? —preguntó Fudge, fulminando a Harry con la mirada por encima del pergamino.

—Sí —respondió él.

—Recibió una advertencia oficial del Ministerio por utilizar magia ilegal hace tres años, ¿no es cierto?

—Sí, pero...

—Y aun así, ¿conjuró usted un *patronus* la noche del dos de agosto? —inquirió Fudge.

—Sí —contestó Harry—, pero...

—¿A sabiendas de que no le está permitido utilizar la magia fuera de la escuela hasta que haya cumplido diecisiete años?

—Sí, pero...

—¿A sabiendas de que se encontraba en una zona llena de muggles?

—Sí, pero...

—¿Completamente consciente de que estaba muy cerca de un muggle en ese momento?

—¡Sí! —exclamó Harry con enojo—. Pero sólo lo hice porque estábamos...

La bruja del monóculo lo interrumpió con una voz retumbante:

—¿Hizo aparecer un *patronus* hecho y derecho?

—Sí —afirmó Harry—, porque...

—¿Un *patronus* corpóreo?

—Un... ¿qué? —preguntó Harry.

—¿Su *patronus* tenía una forma bien definida? Es decir, ¿no era simplemente vapor o humo?

—Sí, tenía forma —asintió Harry impaciente y, a la vez, un poco desesperado—. Es un ciervo. Siempre es un ciervo.

—¿Siempre? —bramó Madame Bones.

—¡Sí! —dijo Harry—. Hace más de un año que lo hago.

—¿Y tiene usted quince años?

—Sí, y...

—¿Dónde aprendió a hacer eso? ¿En el colegio?

—Sí, el profesor Lupin me enseñó en mi tercer año porque...

—Impresionante —opinó Madame Bones mirándolo con atención—, un verdadero *patronus* a esa edad... Francamente impresionante.

Algunos de los magos y de las brujas que la rodeaban se pusieron a murmurar de nuevo; unos cuantos movían la cabeza afirmativamente, mientras que otros la movían negativamente y fruncían el entrecejo.

—¡No se trata de lo impresionante que fuera el conjuro! —advirtió Fudge con voz de mal genio—. ¡De hecho, yo diría que cuanto más impresionante, peor, dado que el chico lo hizo delante de un muggle!

Los que habían fruncido el entrecejo murmuraron en señal de aprobación, pero fue el mojigato movimiento que Percy hizo con la cabeza lo que incitó a hablar a Harry:

—¡Lo hice por los dementores! —exclamó en voz alta antes de que alguien volviera a interrumpirlo.

Se había imaginado que habría más murmullos, pero el silencio que se apoderó de la sala le pareció incluso más denso que el anterior.

—¿Dementores? —se extrañó Madame Bones tras una pausa, y alzó sus tupidas cejas hasta que estuvo a punto de caérsele el monóculo—. ¿Qué quieres decir, muchacho?

—¡Quiero decir que había dos dementores en aquel callejón y que nos atacaron a mi primo y a mí!

—¡Ah! —dijo Fudge sonriendo con suficiencia mientras recorría con la mirada a los miembros del Wizengamot, como invitándolos a compartir el chiste—. Sí. Sí, ya me imaginaba que escucharíamos algo semejante.

—¿Dementores en Little Whinging? —preguntó Madame Bones con profunda sorpresa—. No entiendo...

—¿No entiendes, Amelia? —repuso Fudge sin dejar de sonreír—. Déjame que te lo explique. Este chico ha estado pensándoselo bien y ha llegado a la conclusión de que los dementores le proporcionarían una bonita excusa, una excusa fenomenal. Los muggles no pueden ver a los dementores, ¿verdad que no, chico? Muy conveniente, muy conveniente... Así sólo cuenta tu palabra, sin testigos...

—¡No estoy mintiendo! —gritó Harry, y sus palabras ahogaron otro estallido de murmullos del tribunal—. Había dos dementores, que se nos acercaban desde los dos extremos del callejón; todo quedó a oscuras y hacía mucho frío, y mi primo los sintió y salió corriendo...

—¡Basta! ¡Basta! —ordenó Fudge con una expresión muy altanera en el rostro—. Lamento interrumpir lo que sin duda habría sido una historia muy bien ensayada...

Dumbledore carraspeó. El Wizengamot volvió a guardar silencio.

—De hecho, tenemos un testigo de la presencia de dementores en ese callejón —dijo Dumbledore—. Un testigo que no es Dudley Dursley, quiero decir.

El rostro regordete de Fudge pareció deshincharse, como si le hubieran quitado el aire. Clavó por un instante la mirada en Dumbledore y luego, recobrando la compostura, replicó:

—Me temo que no tenemos tiempo para escuchar más mentiras, Dumbledore. Quiero liquidar este asunto cuanto antes...

—Quizá me equivoque —repuso Dumbledore en tono agradable—, pero estoy seguro de que los Estatutos del Wizengamot contemplan el derecho del acusado a presentar testigos para defender su versión de los hechos, ¿no es así? ¿No es ésa la política del Departamento de Seguridad Mágica, Madame Bones? —continuó, dirigiéndose a la bruja del monóculo.

—Así es —contestó ésta—. Completamente cierto.

—Muy bien. ¡Muy bien! —exclamó Fudge con brusquedad—. ¿Dónde está esa persona?

—Ha venido conmigo —afirmó Dumbledore—. Está esperando fuera. ¿Quieres que...?

—¡No! Weasley, vaya usted —ordenó Fudge a Percy, quien se levantó de inmediato, bajó a toda prisa los escalones de piedra del estrado y pasó corriendo junto a Dumbledore y Harry sin mirarlos siquiera.

Percy regresó pasados unos momentos seguido de la señora Figg. Parecía asustada y más chiflada que nunca. Harry lamentó que no se hubiera quitado las zapatillas de tela escocesa.

Dumbledore se puso en pie y cedió su butaca a la señora Figg, y luego hizo aparecer otra para él.

—¿Nombre completo? —preguntó Fudge a voz en cuello cuando la señora Figg, muy nerviosa, se hubo sentado en el borde de su asiento.

—Arabella Doreen Figg —respondió con su temblorosa voz.

—¿Y quién es usted exactamente? —siguió preguntando Fudge con una voz altiva que indicaba aburrimiento.

—Soy una vecina de Little Whinging. Vivo cerca de donde vive Harry Potter.

—No tenemos constancia de que en Little Whinging vivan más magos o brujas que Harry Potter —saltó Madame Bones—. Esa circunstancia siempre ha sido controlada con meticulosidad debido a..., debido a lo ocurrido en el pasado.

—Soy una squib —aclaró la señora Figg—. Quizá por eso no me tengan registrada.

—¿Una squib? —intervino Fudge escudriñando con recelo a la señora Figg—. Lo comprobaremos. Haga el favor de darle los detalles de su origen a mi ayudante, el señor Weasley. Por cierto —añadió mirando a derecha e izquierda—, ¿los squibs pueden ver a los dementores?

—¡Por supuesto! —exclamó la señora Figg con indignación.

Fudge la miró desde lo alto del banco mientras arqueaba las cejas.

—Muy bien —admitió con actitud distante—. ¿Qué tiene que contarnos?

—Había salido a comprar comida para gatos en la tienda de la esquina, al final del paseo Glicinia, a eso de las nueve, la noche del dos de agosto —contó la señora Figg, hablando atropelladamente, como si se hubiera aprendido de memoria lo que estaba diciendo—, cuando oí ruidos en el callejón que comunica la calle Magnolia con el paseo Glicinia. Al acercarme a la entrada del callejón, vi a unos dementores que corrían...

—¿Que corrían? —la interrumpió Madame Bones con aspereza—. Los dementores no corren, se deslizan.

—Eso quería decir —se corrigió la señora Figg, y unas manchas rosas aparecieron en sus marchitas mejillas—. Se deslizaban por el callejón hacia lo que me pareció que eran dos chicos.

—¿Cómo eran? —preguntó Madame Bones entornando los ojos hasta que el borde del monóculo desapareció bajo la piel.

—Bueno, uno era muy gordo y el otro delgaducho...

—No, no —dijo Madame Bones impaciente—. Los dementores. Describa a los dementores.

—¡Ah! —exclamó la señora Figg con un suspiro, y las manchas rosas de sus mejillas empezaron a extenderse por el cuello—. Eran grandes, muy grandes. Y llevaban capas.

Harry sentía un espantoso vacío en el estómago. Dijera lo que dijese la señora Figg, él tenía la impresión de que, como máximo, habría visto un dibujo de un dementor, y era imposible que un dibujo transmitiera el verdadero aspecto de aquellos seres: su fantasmagórica forma de moverse, suspendidos unos centímetros por encima del suelo, el olor a podrido que desprendían y aquel horroroso estertor que emitían cuando absorbían el aire que los rodeaba...

En la segunda fila, un mago rechoncho con gran bigote negro se acercó a la oreja de su vecina, una bruja de pelo crespo, para susurrarle algo al oído.

—Grandes y con capas —repitió Madame Bones con voz cortante mientras Fudge resoplaba con sorna—. Entiendo. ¿Algo más?

—Sí —respondió la señora Figg—. Los sentí. Todo se volvió frío, y era una noche de verano muy calurosa, créame. Y sentí... como si no quedara ni una pizca de felicidad en el mundo... y recordé... cosas espantosas.

Su voz tembló un momento y se apagó.

Madame Bones abrió un poco los ojos. Harry vio unas marcas rojas debajo de su ceja, donde se le había clavado el monóculo.

—¿Qué hicieron los dementores? —preguntó Madame Bones, y Harry sintió una ráfaga de esperanza.

—Atacaron a los chicos —afirmó la señora Figg, que hablaba con una voz más fuerte y más segura mientras el rubor iba desapareciendo de su cara—. Uno de los muchachos había caído al suelo. El otro se echaba hacia atrás, intentando repeler al dementor. Ése era Harry. Sacudió dos veces la varita, pero sólo salió un vapor plateado. Al tercer intento consiguió un *patronus* que arremetió contra el primer dementor y luego, siguiendo las instrucciones de Harry, ahuyentó al que se había abalanzado sobre su primo. Eso fue..., eso fue lo que pasó —terminó la señora Figg de manera no muy convincente.

Madame Bones se quedó mirando a la mujer sin decir nada. Fudge no la miraba, sino que removía sus papeles. Finalmente, levantó la vista y, con tono agresivo, le espetó:

—Eso fue lo que usted vio, ¿no?

—Eso fue lo que pasó —repitió la señora Figg.

—Muy bien —dijo Fudge—. Ya puede irse.

La señora Figg, asustada, miró primero a Fudge y luego a Dumbledore; a continuación se levantó y se fue, arrastrando los pies hacia la puerta, que se cerró detrás de ella produciendo un ruido sordo.

—No es un testigo muy convincente —sentenció Fudge con altivez.

—No sé qué decir —replicó Madame Bones con su atronadora voz—. De hecho, ha descrito los efectos de un ataque de dementores con gran precisión. Y no sé por qué iba a decir que estaban allí si no estaban.

—¿Dos dementores deambulando por un barrio de muggles y tropezando por casualidad con un mago? —inquirió Fudge con sorna—. No hay muchas probabilidades de que eso ocurra. Ni siquiera Bagman se atrevería a apostar...

—¡Oh, no! Creo que ninguno de nosotros piensa que los dementores estuviesen allí por casualidad —lo interrumpió Dumbledore sin darle mucha importancia.

La bruja que estaba sentada a la derecha de Fudge, con la cara en sombras, se movió un poco, pero los demás permanecieron muy quietos y callados.

—¿Y qué se supone que significa eso? —preguntó Fudge con tono glacial.

—Significa que creo que les ordenaron ir allí —contestó Dumbledore.

—¡Me parece que si alguien hubiera ordenado a un par de dementores que fueran a pasearse por Little Whinging, habríamos tenido constancia de ello! —bramó Fudge.

—No si actualmente los dementores estuvieran recibiendo órdenes de alguien que no es el Ministerio de Magia —repuso Dumbledore sin perder la calma—. Ya te he explicado lo que opino de este asunto, Cornelius.

—Sí, ya me lo has explicado —dijo Fudge con energía—, y no tengo ningún motivo para creer que tus opiniones sean otra cosa que sandeces, Dumbledore. Los dementores están donde tienen que estar, en Azkaban, y hacen todo lo que nosotros les ordenamos.

—En ese caso —prosiguió Dumbledore en voz baja pero con mucha claridad— tenemos que preguntarnos por qué alguien del Ministerio ordenó a un par de dementores que fueran a ese callejón el dos de agosto...

En medio del absoluto silencio con que fueron recibidas las palabras de Dumbledore, la bruja que estaba sentada a la derecha de Fudge se inclinó hacia delante y Harry pudo verla por primera vez.

Le pareció que era como un sapo, enorme y blanco. Era bajita y rechoncha, con una cara ancha y fofa, muy poco cuello, como tío Vernon, y una boca también muy ancha y flácida. Tenía los ojos grandes, redondos y un poco saltones. Hasta el pequeño lazo de terciopelo negro que llevaba en el pelo, corto y rizado, le recordó a una gran mosca que la bruja fuese a cazar con una larga y pegajosa lengua en cualquier momento.

—La presidencia le concede la palabra a Dolores Jane Umbridge, subsecretaria del ministro —dijo Fudge.

La bruja habló con una voz chillona, cantarina e infantil que sorprendió a Harry, pues estaba esperando oírla croar.

—Estoy segura de que no lo he entendido bien, profesor Dumbledore —afirmó con una sonrisa tonta que hizo aún más fríos sus redondos ojos—. ¡Qué necia soy! Pero ¡por un brevísimo instante me ha parecido que insinuaba usted que el Ministerio de Magia había ordenado a los dementores que atacaran a este muchacho!

Soltó una risa clara que hizo que a Harry se le erizara el vello de la nuca. Algunos miembros del Wizengamot rieron con ella. Sin embargo, estaba más claro que el agua que ninguno de ellos lo encontraba divertido.

—Si es cierto que los dementores sólo reciben órdenes del Ministerio de Magia, y si también es cierto que dos dementores atacaron a Harry y a su primo hace una semana, se deduce, por lógica, que alguien del Ministerio ordenó el ataque —aventuró Dumbledore con educación—. Aunque, evidentemente, esos dos dementores en particular podían estar fuera del control del Ministerio...

—¡No hay dementores fuera del control del Ministerio! —le espetó Fudge, que se había puesto rojo como un tomate.

Dumbledore, condescendiente, inclinó la cabeza.

—Entonces no cabe duda de que el Ministerio llevará a cabo una rigurosa investigación para averiguar qué hacían dos dementores tan lejos de Azkaban y por qué atacaron sin autorización.

—¡No te corresponde a ti decidir lo que el Ministerio de Magia tiene que hacer o dejar de hacer, Dumbledore! —exclamó Fudge, cuyo rostro estaba adquiriendo un tono morado del que tío Vernon habría estado orgulloso.

—Por supuesto que no —dijo Dumbledore con la misma serenidad—. Me he limitado a expresar mi convencimiento de que este asunto no dejará de ser investigado.

Dumbledore miró a Madame Bones, que se colocó bien el monóculo y observó con atención a Dumbledore frunciendo el entrecejo.

—¡Quiero recordar a todos los presentes que el comportamiento de esos dementores, suponiendo que no sean producto de la imaginación de este chico, no es el tema de la presente vista! —aclaró Fudge—. ¡Estamos aquí para analizar el atentado de Harry Potter contra el Decreto para la moderada limitación de la brujería en menores de edad!

—Claro que sí —coincidió Dumbledore—, pero la presencia de dos dementores en ese callejón está relacionada con el caso. La cláusula número siete del Decreto estipula que se puede emplear la magia delante de muggles en circunstancias excepcionales, y dado que esas circunstancias excepcionales incluyen situaciones en que se ve amenazada la vida de un mago o de una bruja, ellos mismos o cualquier otro mago, bruja o muggle que se encuentre en el lugar de los hechos en el momento de...

—¡Ya conocemos la cláusula número siete, muchas gracias! —gruñó Fudge.

—Por supuesto —aceptó Dumbledore con cortesía—. Entonces estamos de acuerdo en que el hecho de que Harry utilizara un encantamiento *patronus* en ese momento encaja perfectamente en la categoría de circunstancias excepcionales que describe la cláusula, ¿no?

—Suponiendo que sea cierto que había dementores, lo cual pongo en duda.

—Lo ha confirmado un testigo presencial —le recordó Dumbledore—. Si todavía dudas de su veracidad, vuelve a llamarla e interrógala otra vez. Estoy seguro de que no tendrá ningún inconveniente en declarar de nuevo.

—Yo..., eso... no... —rugió Fudge moviendo los papeles que tenía delante—. ¡Quiero liquidar este asunto hoy mismo, Dumbledore!

—Pero, como es lógico, no te importaría tener que escuchar a un testigo las veces que hiciera falta, a no ser que, por no hacerlo, te arriesgaras a cometer una grave injusticia —insinuó Dumbledore.

—¡Una grave injusticia! ¡Por las barbas de...! —gritó Fudge—. ¿Te has molestado alguna vez en enumerar los cuentos chinos que se ha inventado este chico, Dumbledore, mientras intentabas encubrir sus flagrantes usos indebidos de la magia fuera del colegio? Supongo que ya te has olvidado del encantamiento levitatorio que empleó hace tres años...

—¡No fui yo! ¡Fue un elfo doméstico! —protestó Harry.

—¿Lo ves? —bramó Fudge señalando aparatosamente a Harry—. ¡Un elfo doméstico! ¡En una casa de muggles! Ya me contarás.

—El elfo doméstico en cuestión trabaja en la actualidad para el Colegio Hogwarts —aclaró Dumbledore—. Si quieres puedo hacerlo venir aquí de inmediato para declarar.

—¡No tengo tiempo de escuchar a elfos domésticos! Además, ésa no fue la única vez que... ¡Recuerda que infló a su tía, por todos los demonios! —chilló Fudge, que luego dio un puñetazo en el estrado y volcó un tintero.

—Y en aquella ocasión tuviste la amabilidad de no presentar cargos contra él, aceptando, supongo, que ni siquiera los mejores magos controlan siempre sus emociones —afirmó Dumbledore con calma mientras Fudge intentaba quitar la mancha de tinta de sus notas.

—Y todavía no me he metido con lo que hace en el colegio.

—Pero como el Ministerio no tiene autoridad para castigar a los alumnos de Hogwarts por faltas cometidas en el colegio, la conducta de Harry allí no viene al caso en esta vista —sentenció Dumbledore con mayor educación que nunca, pero con un dejo de frialdad en la voz.

—¡Vaya! —exclamó Fudge—. ¡Así que lo que haga en el colegio no es asunto nuestro! ¿Eso crees?

—El Ministerio no tiene competencia para expulsar a los alumnos de Hogwarts, Cornelius, como ya te recordé la noche del dos de agosto —dijo Dumbledore—. Y tampoco tiene derecho a confiscar varitas mágicas hasta que los cargos hayan sido comprobados satisfactoriamente, como también te recordé la noche del dos de agosto. Con tus admirables prisas por asegurarte de que se respete la ley, creo que tú mismo has pasado por alto, sin querer, eso sí, unas cuantas leyes.

—Las leyes pueden cambiarse —afirmó Fudge con rabia.

—Por supuesto que pueden cambiarse —admitió Dumbledore inclinando la cabeza—. Y por lo visto tú estás introduciendo muchos cambios, Cornelius. ¡Porque, en las pocas semanas que hace que se me pidió que abandonara el Wizengamot, se juzga en un tribunal penal un simple caso de magia en menores de edad!

Unos cuantos magos de los bancos superiores se removieron incómodos en los asientos. Fudge adquirió un tono morado algo más oscuro. La bruja con cara de sapo que estaba sentada a su derecha, sin embargo, se limitó a mirar a Dumbledore con gesto inexpresivo.

—Que yo sepa —continuó Dumbledore— todavía no hay ninguna ley que diga que la misión de este tribunal es castigar a Harry por todas las veces que ha empleado la magia. Ha sido acusado de un delito concreto y ha presentado su defensa. Lo único que nos queda por hacer a él y a mí es esperar el veredicto.

Dumbledore volvió a juntar las yemas de los dedos y no dijo nada más. Fudge lo observaba con odio, claramente indignado. Harry miró de reojo a Dumbledore buscando algún gesto tranquilizador; no estaba del todo convencido de que Dumbledore hubiera hecho bien diciéndole al Wizengamot que, en efecto, ya iba siendo hora de que tomara una decisión. Sin embargo, Dumbledore seguía sin percatarse, en apariencia, de que Harry intentaba establecer una mirada cómplice con él, y continuaba dirigiendo la vista hacia los bancos, donde todos los miembros del Wizengamot se habían puesto a hablar entre sí con apremiantes susurros.

Harry se miró los pies. Su corazón, que parecía haberse inflado hasta adquirir un tamaño desmesurado, latía con violencia bajo las costillas. Se había imaginado que la vista duraría más, y no estaba seguro de haber causado una buena impresión. En realidad no había hablado mucho. Tendría que haber dado más detalles sobre el ataque de los dementores, tendría que haber explicado cómo había caído al suelo y cómo los dementores habían estado a punto de besarlos a él y a Dursley...

En dos ocasiones levantó la cabeza, miró a Fudge y despegó los labios para hablar, pero su desbocado corazón le apretaba las vías respiratorias, y en las dos ocasiones se limitó a respirar hondo y a agachar de nuevo la cabeza para seguir mirándose los pies.

De pronto cesaron los susurros. Harry estaba deseando mirar a los jueces, pero se dio cuenta de que era muchísimo más fácil seguir examinado los cordones de sus zapatos deportivos.

—Los que estén a favor de absolver al acusado de todos los cargos... —anunció la atronadora voz de Madame Bones.

Harry levantó la cabeza con una sacudida. Vio varias manos levantadas, muchas... ¡Más de la mitad! Respirando entrecortadamente intentó contarlas, pero antes de que hubiera terminado Madame Bones dijo:

—Los que estén a favor de condenarlo...

Fudge levantó la mano; lo mismo hicieron media docena más, entre ellos la bruja que tenía a la derecha, el mago del poblado bigote y la bruja de pelo crespo de la segunda fila.

Fudge los recorrió a todos con la mirada. Parecía que tuviera algo atascado en la garganta. Luego bajó la mano. Respiró hondo dos veces y dijo con la voz alterada por la rabia contenida:

—Muy bien. Muy bien... Absuelto de todos los cargos.

—Excelente —dijo Dumbledore con contundencia, y se puso de inmediato en pie. Sacó su varita e hizo desaparecer las dos butacas de tela de algodón estampada—. Bueno, debo irme. Que tengan todos un buen día.

Y sin mirar siquiera una vez a Harry, salió majestuosamente de la mazmorra.

9

Las tribulaciones de la señora Weasley

La súbita partida de Dumbledore tomó por sorpresa a Harry, que se quedó sentado donde estaba, en la silla con cadenas, debatiéndose entre la conmoción y el alivio. Los miembros del Wizengamot empezaron a levantarse, hablando entre ellos, mientras recogían sus papeles y los guardaban. Harry también se levantó. Nadie le prestaba la más mínima atención, excepto la bruja con cara de sapo que había estado sentada a la derecha de Fudge, y que en ese instante lo miraba a él en lugar de a Dumbledore desde el estrado. Harry no le hizo caso e intentó captar la mirada de Fudge o la de Madame Bones, porque quería preguntarles si ya podía marcharse; pero el ministro parecía decidido a hacer caso omiso de Harry, y Madame Bones estaba muy ocupada con su maletín, así que el muchacho dio unos pasos vacilantes hacia la salida y, como nadie lo llamó, echó a andar muy deprisa.

Los últimos metros los hizo corriendo; abrió la puerta de un tirón y casi chocó contra el señor Weasley, que estaba de pie fuera, pálido y con gesto preocupado.

—Dumbledore no me ha dicho...

—¡Absuelto! —gritó Harry cerrando la puerta tras él—. ¡Absuelto de todos los cargos!

El señor Weasley sonrió, radiante, y agarró al chico por los hombros.

—¡Eso es fantástico, Harry! Bueno, era evidente que no podían declararte culpable con las pruebas que tenían, pero, aun así, no puedo decir que no estuviera... —Pero el hombre no terminó la frase porque la puerta de la sala del tribunal acababa de abrirse otra vez. Los miembros del Wizengamot comenzaron a desfilar por ella—. ¡Por las barbas de Merlín! —exclamó el señor Weasley, sorprendido, y apartó a Harry para dejarlos pasar—. ¿Te ha juzgado el tribunal en pleno?

—Creo que sí —contestó Harry.

Uno o dos magos saludaron a Harry al pasar, y otros, entre ellos Madame Bones, dijeron al señor Weasley: «Buenos días, Arthur.» Sin embargo, la mayoría esquivó su mirada. Cornelius Fudge y la bruja con cara de sapo fueron de los últimos en abandonar la mazmorra. Fudge se comportó como si el señor Weasley y Harry fueran parte de la pared, pero la bruja, una vez más, miró de arriba abajo a Harry al pasar a su lado. El último en salir fue Percy. Al igual que había hecho Fudge, ignoró por completo a su padre y a Harry; pasó sin decir nada con un gran rollo de pergamino y un puñado de plumas de repuesto en las manos, con la espalda rígida y la barbilla levantada. Los labios del señor Weasley se tensaron ligeramente, pero aparte de eso no dio señales de haber visto a su tercer hijo.

—Voy a acompañarte ahora mismo para que puedas contarles a todos la buena noticia —dijo el señor Weasley a Harry haciéndole señas para que lo siguiera tan pronto como Percy se perdió de vista por la escalera que conducía a la novena planta—. Te dejaré en casa aprovechando que tengo que ir a ver ese inodoro público de Bethnal Green. Vamos...

—¿Y qué tendrá que hacer con el inodoro? —preguntó Harry, sonriente.

De pronto, todo parecía muchísimo más gracioso de lo habitual. Estaba empezando a convencerse de que lo habían absuelto y de que, por lo tanto, volvería a Hogwarts.

—Oh, bastará con un sencillo antiembrujo —dijo el señor Weasley mientras subían la escalera—, pero el problema no está tanto en tener que reparar los daños causados, sino en la actitud que hay detrás de ese acto de vandalismo, Harry. Hay magos que se divierten fastidiando a los muggles, y eso es la expresión de algo mucho más profundo y feo, y yo personalmente...

El señor Weasley se interrumpió a media frase. Acababan de llegar al pasillo de la novena planta y Cornelius Fudge estaba plantado a pocos metros de ellos, hablando en voz baja con un individuo alto que tenía el cabello rubio y lacio y el rostro pálido y anguloso.

El individuo se volvió al oír pasos y también interrumpió la conversación; entrecerró los ojos, grises y de fría mirada, y los clavó en la cara de Harry.

—Vaya, vaya... *Patronus* Potter —dijo Lucius Malfoy con descaro.

Harry se quedó sin aliento, como si el aire se hubiera solidificado. Había visto por última vez aquellos ojos de mirada gélida a través de las ranuras de la máscara de un mortífago y había escuchado, también por última vez, aquella voz burlándose de él en un oscuro cementerio, mientras lord Voldemort lo torturaba. Harry no podía creer que Lucius Malfoy se atreviera a mirarlo a la cara; no podía creer que estuviese allí, en el Ministerio de Magia, ni que Cornelius Fudge estuviera hablando con él cuando sólo hacía unas semanas que Harry le había dicho a Fudge que Malfoy era un mortífago.

—El ministro me estaba contando que te has librado de una buena, Potter —comentó el señor Malfoy arrastrando las palabras—. Es asombroso cómo te las ingenias para escabullirte de las situaciones comprometidas... Como una culebra, diría yo.

El señor Weasley sujetó a Harry por un hombro en señal de advertencia.

—Sí —afirmó Harry—. Es verdad, se me da muy bien escabullirme.

Lucius Malfoy miró al señor Weasley.

—¡Mira por dónde, Arthur Weasley! ¿Qué haces aquí, Arthur?

—Trabajo aquí —contestó éste en tono cortante.

—¿Aquí? —se extrañó el señor Malfoy, arqueando las cejas y mirando hacia la puerta que el señor Weasley tenía a sus espaldas—. Creía que estabas arriba, en la segunda planta... ¿No te dedicabas a llevarte artefactos muggles a escondidas y hechizarlos?

—No —se limitó a decir el señor Weasley, y clavó aún más los dedos en el hombro de Harry.

—¿Y usted qué hace aquí, por cierto? —le preguntó Harry a Lucius Malfoy.

—No creo que los asuntos privados que hay entre el ministro y yo sean de tu incumbencia, Potter —contestó Malfoy alisándose la parte delantera de la túnica. Harry oyó con claridad el débil tintineo de un bolsillo lleno de oro—. Francamente, que seas el alumno favorito de Dumbledore no significa que debas esperar la misma indulgencia por parte de los demás... ¿Subimos a su despacho, ministro?

—Desde luego —respondió Fudge dándoles la espalda a Harry y al señor Weasley—. Por aquí, Lucius.

Echaron a andar hablando en voz baja, y el señor Weasley no soltó el hombro de Harry hasta que los otros dos entraron en el ascensor.

—Si tienen asuntos que tratar, ¿por qué no estaba esperando Malfoy frente al despacho de Fudge? —estalló Harry—. ¿Qué hacía aquí abajo?

—Intentar colarse en la sala del tribunal, supongo —respondió el señor Weasley, muy agitado, al mismo tiempo que giraba la cabeza para asegurarse de que nadie podía oírlos—. Debía de querer enterarse de si te habían expulsado o no. Cuando te lleve a casa le dejaré una nota a Dumbledore; le conviene saber que Malfoy ha estado hablando con Fudge otra vez.

—¿Y qué asunto privado debe de ser ése del que tienen que tratar?

—Oro, supongo —contestó el señor Weasley, enojado—. Malfoy lleva años haciendo generosas donaciones de todo tipo. Así se congracia con la gente que le interesa... y de ese modo puede pedir favores, retrasar leyes que no le conviene que aprueben... ¡Ah, sí, Lucius Malfoy está muy bien relacionado!

Llegó el ascensor, que iba vacío, con excepción de una nube de memorándum que revolotearon alrededor de la cabeza del señor Weasley mientras él pulsaba el botón del Atrio y se cerraban las puertas. Irritado, el hombre movió la mano para apartarlos.

—Señor Weasley —dijo Harry lentamente—, si Fudge se reúne con mortífagos como Malfoy, si los ve a solas, ¿cómo podemos saber que no le han echado una maldición *imperius*?

—No creas que no se nos ha ocurrido ya, Harry —respondió el señor Weasley en voz baja—. Pero Dumbledore cree que de momento Fudge actúa por voluntad propia, lo cual, como también dice Dumbledore, no supone un gran consuelo. Pero ahora más vale que no hablemos de eso, Harry.

Se abrieron las puertas y salieron al Atrio, que en ese instante estaba casi desierto. Eric, el mago de seguridad, volvía a estar escondido tras *El Profeta*. Cuando ya habían pasado la fuente dorada, Harry se acordó de algo.

—Un momento —le pidió al señor Weasley, y sacando su monedero del bolsillo, volvió junto a la fuente.

Miró el hermoso rostro del mago, pero visto de cerca Harry lo encontró débil y estúpido. La bruja lucía una sonrisa insulsa de aspirante a reina de un concurso de belleza, y por lo que Harry sabía de los duendes y los centauros, no era nada probable que los pillaran contemplando con tanto embeleso a ningún humano. Sólo la actitud de repulsivo servilismo del elfo doméstico resultaba convincente. Sonriendo al pensar en lo que diría Hermione si viera la estatua del elfo, Harry le dio la vuelta al monedero y vació no sólo diez galeones, sino todo su contenido en el estanque.

—¡Lo sabía! —gritó Ron lanzando puñetazos al aire—. ¡Siempre te libras de todo!

—Estaba clarísimo que tendrían que absolverte —dijo Hermione, que cuando Harry entró en la cocina parecía a punto de desmayarse de la ansiedad, y que en ese instante se tapaba los ojos con una mano temblorosa—. No podían acusarte de nada.

—Pues están todos muy aliviados teniendo en cuenta que creían que me absolverían —comentó Harry, sonriente.

La señora Weasley se secaba las lágrimas con el delantal, y Fred, George y Ginny se habían puesto a bailar una especie de danza guerrera al son de una canción que decía:

—¡Se ha librado! ¡Se ha librado! ¡Se ha librado!

—¡Basta! ¡Cálmense! —gritó el señor Weasley, aunque él también sonreía—. Oye, Sirius, hemos visto a Lucius Malfoy en el Ministerio...

—¿Qué? —saltó Sirius.

—¡Se ha librado! ¡Se ha librado! ¡Se ha librado!

—¡Cállense, ustedes tres! Sí. Lo hemos visto hablando con Fudge en la novena planta; luego han subido juntos al despacho de Fudge. Dumbledore debería saberlo.

—Desde luego —coincidió Sirius—. Se lo diremos, no te preocupes.

—Bueno, tengo que irme, hay un inodoro que vomita esperándome en Bethnal Green. Molly, llegaré tarde, debo cubrir a Tonks, pero quizá Kingsley venga a cenar...

—Se ha librado, se ha librado, se ha librado...

—¡Basta! ¡Fred, George, Ginny! —chilló la señora Weasley cuando su marido salió de la cocina—. Harry, querido, ven y siéntate, come algo, que apenas has desayunado.

Ron y Hermione se sentaron enfrente de Harry, que no los había visto tan contentos desde su llegada a Grimmauld Place, y la vertiginosa sensación de alivio del muchacho, que su encuentro con Lucius Malfoy había estropeado un poco, volvió a dispararse. De pronto la sombría casa resultaba más cálida y acogedora; hasta Kreacher le pareció menos feo cuando éste metió la nariz en la cocina para investigar el origen de todo aquel alboroto.

—Claro, cuando Dumbledore se puso de tu lado, no había forma de que te condenaran —observó Ron alegremente mientras servía enormes cucharadas de puré de papas en los platos.

—Sí, Dumbledore me echó una mano —afirmó Harry. Tenía la impresión de que habría resultado muy desagradecido, por no decir infantil, que dijera: «Pero me habría gustado que me hubiera dicho algo. O que por lo menos me hubiera mirado.»

Y cuando estaba pensándolo, la cicatriz de la frente empezó a arderle tanto que tuvo que tapársela con una mano.

—¿Qué ocurre? —preguntó Hermione, alarmada.

—La cicatriz —murmuró Harry—. Pero no es nada... Ahora me pasa con mucha frecuencia.

Los demás no se habían dado cuenta, pues todos se servían comida mientras seguían saboreando la absolución de Harry. Fred, George y Ginny seguían cantando y

Hermione estaba muy nerviosa, pero antes de que pudiera decir algo, Ron se le adelantó:

—Seguro que Dumbledore vendrá esta noche para celebrarlo con nosotros.

—No creo que pueda venir, Ron —intervino la señora Weasley al mismo tiempo que ponía un inmenso plato de pollo asado delante de Harry—. Ahora está muy ocupado.

—Se ha librado, se ha librado, se ha librado...

—¡Cállense! —rugió la señora Weasley.

En los días que siguieron, a Harry no se le escapó que en el número 12 de Grimmauld Place había una persona a la que no parecía alegrarle mucho saber que él regresaría a Hogwarts. Al enterarse de la noticia, Sirius interpretó bien su papel expresando su satisfacción, estrujándole la mano y sonriendo encantado como todos los demás. Sin embargo, poco después se mostró más malhumorado y hosco que antes; cada vez hablaba menos, incluso con Harry, y pasaba mucho tiempo encerrado en la habitación de su madre con *Buckbeak*.

—¡No te sientas culpable! —exclamó Hermione con contundencia unos días más tarde, después de que Harry les confesara a Ron y a ella sus sentimientos mientras limpiaban un mohoso armario del tercer piso—. Tu lugar está en Hogwarts, y Sirius lo sabe. La verdad, creo que su actitud es muy egoísta.

—No seas tan dura, Hermione —dijo Ron con el entrecejo fruncido mientras intentaba arrancarse un poco de moho que se le había pegado en el dedo—; a ti tampoco te haría ninguna gracia tener que quedarte encerrada en esta casa sin ninguna compañía.

—¡Tendrá compañía! —replicó Hermione—. Ahora esta casa es el cuartel general de la Orden del Fénix, ¿no? Lo que pasa es que se había hecho ilusiones de que Harry viniera a vivir con él.

—No, no lo creo —intervino Harry retorciendo su trapo—. Cuando le pregunté si me dejaría venir a vivir aquí, no me dio una respuesta clara.

—Porque no quería hacerse más ilusiones —sugirió Hermione hábilmente—. Y seguro que él también se sentía un poco culpable porque creo que, en el fondo, confiaba en que te expulsaran. Así los dos serían unos marginados.

—¡No digas tonterías! —saltaron Harry y Ron al unísono, pero Hermione sólo se encogió de hombros.

—Como quieran. Pero en parte creo que la madre de Ron está en lo cierto, y que a veces Sirius se hace un lío y no sabe si tú eres tú o tu padre, Harry.

—¿Insinúas que está tocado de la cabeza? —replicó el muchacho acaloradamente.

—No, sólo creo que ha pasado mucho tiempo solo —se limitó a decir Hermione.

Entonces la señora Weasley entró en el dormitorio.

—¿Todavía no han terminado? —preguntó, metiendo la cabeza en el armario.

—¡Pensaba que habías venido a decirnos que descansáramos un poco! —protestó Ron—. ¿Sabes la cantidad de moho que hemos sacado desde que llegamos aquí?

—¿No tenían tantas ganas de ayudar a la Orden? —repuso la señora Weasley—. Pues pueden colaborar convirtiendo el cuartel general en un sitio habitable.

—Me siento como un elfo doméstico —refunfuñó Ron.

—¡Mira, ahora que entiendes lo tristes que son sus vidas, quizá colabores un poco más con el PEDDO! —sugirió Hermione, esperanzada, mientras la señora Weasley los dejaba de nuevo solos—. Tal vez no sea mala idea demostrar a la gente lo espantoso que es pasarse el día limpiando; podríamos organizar una limpieza benéfica de la sala común de Gryffindor, y todos los donativos irían a parar al PEDDO. Así conseguiríamos hacer conciencia en la gente y al mismo tiempo recogeríamos fondos.

—Yo estoy dispuesto a pagarte para que dejes de hablar del PEDDO —masculló Ron con fastidio, pero procurando que sólo Harry oyera el comentario.

A medida que se acercaba el final de las vacaciones, Harry cada vez fantaseaba más sobre Hogwarts; estaba ansioso por volver a ver a Hagrid, por jugar al quidditch, incluso por pasear por los huertos hasta los invernaderos de Herbología; sería un placer salir de aquella polvorienta y mohosa casa donde la mitad de los armarios todavía estaban cerrados con llave y donde Kreacher, escondido, te lanzaba insultos al pasar, aunque Harry no comentaba nada de todo eso cuando Sirius podía oírlo.

Lo cierto era que vivir en el cuartel general del movimiento antiVoldemort no era ni tan interesante ni tan emocionante como Harry se había imaginado antes de pasar por esa experiencia. Aunque miembros de la Orden del Fénix entraban y salían con regularidad (a veces se quedaban a comer o a cenar, y otras, sólo el tiempo necesario para hablar con alguien en voz baja), la señora Weasley se encargaba de que Harry y los demás no oyeran nada (con orejas extensibles o sin ellas), y nadie, ni siquiera Sirius, creía que Harry necesitara saber nada más de lo que le habían contado la noche de su llegada.

El último día de las vacaciones, Harry estaba limpiando los excrementos de *Hedwig* de lo alto del armario cuando Ron entró en su dormitorio con un par de sobres.

—Han llegado las listas de libros —anunció lanzándole una carta a Harry, que estaba subido a una silla—. Ya era hora, pensaba que se habían olvidado; normalmente llegan mucho antes...

Harry metió los últimos excrementos en una bolsa de basura y la lanzó por encima de la cabeza de Ron a la papelera que había en un lado, la cual se la tragó y soltó un fuerte eructo. Entonces abrió el sobre. Contenía dos trozos de pergamino: uno era la nota habitual que le recordaba que el curso empezaba el uno de septiembre, y en el otro estaban detallados los libros que necesitaría para el próximo curso.

—Sólo hay dos nuevos —comentó leyendo la lista—. *Libro reglamentario de hechizos, 5º curso*, de Miranda Goshawk, y *Teoría de defensa mágica*, de Wilbert Slinkhard.

¡Crac!

Fred y George se habían aparecido al lado de Harry. Él ya estaba tan acostumbrado a que lo hicieran que ni siquiera se cayó de la silla.

—Nos gustaría saber quién ha elegido el libro de Slinkhard —comentó Fred.

—Porque eso significa que Dumbledore ha encontrado un nuevo profesor de Defensa Contra las Artes Oscuras —añadió George.

—Y ya era hora, por cierto —dijo Fred.

—¿Qué quieres decir? —le preguntó Harry saltando de la silla.

—Verás, hace unas semanas captamos con las orejas extensibles una conversación de papá y mamá —le explicó Fred—, y por lo que decían, a Dumbledore le estaba costando mucho trabajo encontrar a alguien que estuviera dispuesto a dar esa asignatura este año.

—Lo cual no es de extrañar, teniendo en cuenta lo que les ha pasado a los cuatro anteriores —apuntó George.

—Uno despedido, uno muerto, uno sin memoria y uno encerrado nueve meses en un baúl —contó Harry ayudándose con los dedos—. Sí, ya te entiendo.

—¿Qué te pasa, Ron? —le preguntó Fred a su hermano.

Ron no contestó, y Harry se dio la vuelta y vio que su amigo estaba de pie, muy quieto, con la boca un poco abierta, contemplando la carta que había recibido de Hogwarts.

—¿Qué pasa? —insistió Fred, y se colocó detrás de Ron para ver el trozo de pergamino por encima de su hombro. Fred también abrió la boca—. ¿Prefecto? —dijo, mirando la nota con incredulidad—. ¿Tú, prefecto?

George se abalanzó sobre su hermano menor, le arrancó el sobre que tenía en la otra mano y lo puso boca abajo. Harry vio que una cosa de color escarlata y dorado caía en la palma de la mano de George.

—No puede ser —murmuró éste en voz baja.

—Tiene que haber un error —aseguró Fred arrancándole la carta de la mano a Ron y poniéndola a contraluz, como si buscara una filigrana—. Nadie en su sano juicio nombraría prefecto a Ron. —Los gemelos giraron la cabeza al unísono y se quedaron mirando a Harry—. ¡Estábamos seguros de que te nombrarían a ti! —exclamó Fred con un tono que sugería que Harry los había engañado.

—¡Creíamos que Dumbledore se vería obligado a nombrarte a ti! —dijo George con indignación.

—¡Después de ganar el Torneo de los tres magos! —añadió Fred.

—Supongo que todo este lío lo ha perjudicado —le comentó George a su gemelo.

—Sí —repuso Fred—. Sí, has causado demasiados problemas, amigo. Bueno, al menos uno de ustedes dos tiene claro cuáles son sus prioridades. —Y se acercó a Harry y le dio una palmada en la espalda mientras le lanzaba una mirada mordaz a Ron—. Prefecto... El pequeño Ronnie, prefecto...

—¡Oh, no va a haber quien aguante a mamá! —gruñó George poniéndole la insignia de prefecto en la mano a Ron, como si pudiera contaminarse con ella.

Ron, que todavía no había dicho nada, tomó la insignia, se quedó mirándola un momento y luego se la mostró a Harry. Parecía que le pedía una confirmación de su autenticidad. Harry la tomó. Había una gran «P» superpuesta en el león de Gryffindor. Había visto una insignia idéntica en el pecho de Percy en su primer día en Hogwarts.

En ese momento la puerta se abrió de par en par y Hermione irrumpió en la habitación con las mejillas coloradas y el pelo por los aires. Llevaba un sobre en la mano.

—¿Ustedes... también...? —Vio la insignia que Harry tenía en la mano y soltó un chillido—. ¡Lo sabía! —gritó emocionada blandiendo su carta—. ¡Yo también, Harry, yo también!

—No —se apresuró a decir Harry, y le puso la insignia en la mano a Ron—. No es mía, es de Ron.

—¿Cómo dices?

—El prefecto es Ron, no yo.

—¿Ron? —se extrañó la chica, y se quedó con la boca abierta—. Pero... ¿estás seguro? Quiero decir...

Se puso muy roja cuando Ron la miró con expresión desafiante.

—El sobre va dirigido a mi nombre —afirmó él.

—Yo... —balbuceó Hermione muy apabullada—. Yo... Bueno... ¡Vaya! ¡Felicidades, Ron! Es totalmente...

—Inesperado —acabó George haciendo un movimiento afirmativo con la cabeza.

—No —dijo Hermione ruborizándose aún más—, no, no es nada inesperado. Ron ha hecho cantidad de... Es verdaderamente...

La puerta que había a su espalda se abrió un poco más y la señora Weasley entró en la habitación cargada de ropa recién planchada.

—Ginny me ha dicho que por fin han llegado las listas de libros —comentó echando un vistazo a los sobres mientras iba hacia la cama y empezaba a ordenar la ropa en dos montones—. Si me las dan, iré al callejón Diagon esta tarde y les compraré los libros mientras ustedes hacen el equipaje. Ron, tendré que comprarte más pijamas, éstos te quedan cortos al menos quince centímetros. No puedo creer que hayas crecido tanto... ¿De qué color los quieres?

—Cómpraselos rojos y dorados para que hagan juego con su insignia —dijo George con una sonrisita de suficiencia.

—¿Para que hagan juego con qué? —preguntó la señora Weasley, distraída, mientras doblaba unos calcetines granates y los colocaba en el montón de ropa de Ron.

—Con su insignia —respondió Fred como quien quiere liquidar un asunto desagradable cuanto antes—. Su preciosa y reluciente nueva insignia de prefecto.

Las palabras de Fred tardaron un momento en llegar al cerebro de la señora Weasley, pero fulminaron su preocupación por los pijamas de su hijo.

—Su... Pero si... Ron, tú no... —Ron le enseñó la insignia y la señora Weasley soltó un chillido muy parecido al de Hermione—. ¡No puedo creerlo! ¡No puedo creerlo! ¡Oh, Ron, qué maravilla! ¡Prefecto! ¡Como todos en la familia!

—¿Y quiénes somos Fred y yo, los vecinos de enfrente? —preguntó George, indignado, cuando su madre lo apartó de un empujón y se lanzó a abrazar a su hijo menor.

—¡Ya verás cuando lo sepa tu padre! ¡Ron, estoy tan orgullosa de ti, qué noticia tan fabulosa, quizá acaben nombrándote delegado, como a Bill y a Percy, es el primer paso! ¡Oh, qué gran noticia en medio de todos estos problemas, estoy encantada, oh, Ronnie!

A espaldas de su madre, Fred y George se pusieron a fingir que vomitaban, pero la señora Weasley no se dio ni cuenta porque estaba abrazada a Ron, cubriéndole la cara de besos. Ron estaba más colorado que su insignia.

—Mamá..., no... Mamá, contrólate... —balbuceó intentando apartarla.

La señora Weasley lo soltó y, casi sin aliento, dijo:

—Bueno, ¿qué quieres que te regalemos? A Percy le regalamos una lechuza, pero tú ya tienes una, claro.

—¿Qué quieres decir? —preguntó el chico, que no podía dar crédito a sus oídos.

—¡Mereces una recompensa por esto! —afirmó la señora Weasley con cariño—. ¿Qué te parece una túnica de gala nueva?

—Nosotros ya le hemos comprado una —dijo Fred con amargura, como si lamentara sinceramente tanta generosidad.

—O un caldero nuevo. El de Charlie está tan viejo que está agujereándose. O una rata nueva; siempre te gustó *Scabbers*...

—Mamá —aventuró Ron esperanzado—, ¿pueden comprarme una escoba? —El rostro de la mujer se ensombreció un poco, pues las escobas eran caras—. ¡No hace falta que sea muy buena! —se apresuró a añadir Ron—. Me conformo con que sea nueva...

La señora Weasley vaciló, pero acabó sonriendo.

—Claro que sí, hijo mío... Bueno, será mejor que me dé prisa si también tengo que comprar una escoba. Ya los veré más tarde... ¡El pequeño Ronnie, prefecto! Y no se olviden de hacer el equipaje... ¡Prefecto! ¡Oh, qué nerviosa estoy!

Volvió a besar a Ron en la mejilla, aspiró ruidosamente por la nariz y salió a toda velocidad de la habitación.

Fred y George se miraron.

—No te importará que nosotros no te besemos, ¿verdad, Ron? —dijo Fred con una vocecilla falsamente nerviosa.

—Si quieres, podemos hacerte una reverencia —añadió George.

—Déjenme en paz —replicó Ron frunciendo el entrecejo.

—Y si no te dejamos en paz, ¿qué? —dijo Fred dibujando una maliciosa sonrisa—. ¿Vas a castigarnos?

—Me encantaría ver cómo lo intenta —se burló George.

—¡Podría hacerlo si no se andan con cuidado! —intervino una enojada Hermione.

Fred y George rompieron a reír, y Ron murmuró:

—Déjalo ya, Hermione.

—Vamos a tener que ir con mucho cuidado, George —dijo Fred fingiendo que temblaba—, con estos dos vigilándonos...

—Sí, por lo visto se nos han acabado nuestros días de faltas y travesuras —añadió George moviendo la cabeza.

Y con otro sonoro ¡crac!, los gemelos se desaparecieron.

—¡Vaya par! —exclamó Hermione, furiosa, mirando al techo, a través del cual oían a Fred y a George, que se reían a carcajadas en la habitación del piso de arriba—. No les hagas caso, Ron, lo que ocurre es que están celosos.

—No lo creo —dijo Ron mirando también hacia el techo—. Siempre han dicho que sólo nombran prefectos a los imbéciles... —Luego, con un tono de voz más alegre, continuó—: Pero ¡ellos nunca han tenido escobas nuevas! Me habría gustado ir con mamá y elegirla... Ella no me puede comprar una Nimbus, pero ha salido una Barredora nueva que me encantaría... Sí, creo que voy a decirle que me gustaría que me comprara una Barredora, para que lo sepa...

Salió corriendo de la habitación, y Harry y Hermione se quedaron solos.

Por algún extraño motivo, a Harry no le apetecía nada mirar a Hermione. Se volvió hacia su cama, tomó el montón de ropa limpia que la señora Weasley había dejado encima y fue hacia su baúl.

—Harry... —empezó a decir la muchacha con timidez.

—Felicidades, Hermione —dijo Harry tan efusivamente que no parecía su voz; y, todavía sin mirarla, añadió—: Es fantástico. Prefecta. Genial.

—Gracias —contestó Hermione—. Este... Harry, ¿me prestas a *Hedwig* para que pueda contárselo a mis padres? Se pondrán muy contentos. Bueno, creo que entenderán lo que significa que me hayan nombrado prefecta.

—¡Sí, claro! —exclamó Harry con aquella espantosa voz efusiva que no le pertenecía—. ¡Llévala!

Se inclinó sobre su baúl, puso las túnicas en el fondo y fingió que buscaba algo dentro, mientras Hermione iba hacia el armario y llamaba a *Hedwig*. Pasaron unos momentos; Harry oyó que se cerraba la puerta, pero siguió doblado por la cintura, escuchando; lo único que oía eran las risitas del cuadro en blanco de la pared y los eructos de la papelera del rincón.

Se enderezó y giró la cabeza. Hermione se había marchado y *Hedwig* no estaba. Harry volvió con lentitud a su cama y se sentó en ella, clavando la vista en las patas del armario.

Había olvidado por completo que elegían a los prefectos en quinto. Había estado tan preocupado con la posibilidad de que lo expulsaran del colegio que no se había parado a considerar que las insignias debían de estar viajando hacia sus destinatarios. Pero si lo hubiera recordado..., si hubiera pensado en ello... ¿qué expectativas habría tenido?

«Ésta no, desde luego», dijo una discreta pero sincera vocecilla en su cerebro.

Harry hizo una mueca y se tapó la cara con ambas manos. No podía engañarse a sí mismo: si hubiera sabido que una insignia de prefecto iba en camino, se habría imaginado que sería para él, no para Ron. ¿Lo convertía eso en una persona tan arrogante como Draco Malfoy? ¿Se consideraba superior a los demás? ¿De verdad creía que era mejor que Ron?

«No», dijo la vocecilla, desafiante.

¿Era eso cierto?, se preguntó Harry, angustiado, poniendo a prueba sus sentimientos.

«Yo soy mejor en quidditch —afirmó la voz—. Pero no soy mejor en nada más.»

Era la pura verdad, pensó Harry; no era mejor que Ron en clase. Pero ¿y fuera de clase? ¿Y las aventuras que él, Ron y Hermione habían vivido juntos desde que llegaron a Hogwarts, arriesgándose muchas veces a cosas peores que la expulsión?

«Bueno, Ron y Hermione casi siempre estaban conmigo», aseguró la voz.

«Pero no siempre —discutió Harry—. Ellos no pelearon conmigo contra Quirrell. Ellos no se enfrentaron a Ryddle ni al basilisco, ni se libraron de los dementores la noche que Sirius escapó, ni estaban conmigo en el cementerio la noche que regresó Voldemort...»

Y volvió a asaltarlo aquella sensación de injusticia que había tenido la noche de su llegada a la casa.

«Es evidente que yo he hecho muchas más cosas —pensó Harry con indignación—. ¡He hecho muchas más cosas que ellos dos!»

«Pero a lo mejor —aventuró la vocecita con imparcialidad—, Dumbledore no elige a los prefectos por haberse metido en un montón de situaciones peligrosas... Quizá los elija por otros motivos... Ron debe de tener algo que tú no tienes...»

Harry abrió los ojos y miró entre sus dedos las patas con forma de garras del armario, recordando lo que había dicho Fred: «Nadie en su sano juicio nombraría prefecto a Ron...»

Harry soltó una breve risotada. Un segundo más tarde estaba asqueado de sí mismo.

Ron no le había pedido a Dumbledore que le diera una insignia de prefecto. Ron no era culpable de nada. ¿Iba a deprimirse Harry, el mejor amigo que Ron tenía en el mundo, porque él no tenía una insignia? ¿Iba a reírse con los gemelos a espaldas de Ron, iba a estropearle la fiesta a su amigo cuando, por primera vez, lo había superado a él en algo?

Entonces Harry volvió a oír los pasos de Ron por la escalera. Se levantó, se colocó bien las gafas y sonrió cuando Ron entró dando saltos por la puerta.

—¡La he alcanzado! —exclamó alegremente—. Dice que si puede me comprará la Barredora.

—Qué bien —dijo Harry, y sintió un gran alivio al comprobar que su voz había dejado de sonar efusiva—. Oye, Ron... Bueno, te felicito, amigo.

La sonrisa de los labios de Ron se esfumó de inmediato.

—¡Nunca pensé que fueran a dármela a mí! —aseguró, haciendo un gesto negativo con la cabeza—. ¡Estaba convencido de que te la darían a ti!

—No, yo he causado demasiados problemas —afirmó Harry, repitiendo las palabras de Fred.

—Ajá. Sí, debe de ser por eso... Bueno, será mejor que hagamos el equipaje, ¿no?

Parecía mentira cómo se habían esparcido sus cosas desde que habían llegado a la casa. Les llevó casi toda la tarde recoger sus libros y sus objetos personales, que estaban desperdigados por todas partes, y meterlos en los baúles del colegio. Harry se fijó en que Ron llevaba su insignia de prefecto de un lado a otro: primero la dejó en la mesilla de noche, luego se la puso en el bolsillo de los pantalones vaqueros, y por fin la sacó y la dejó sobre sus túnicas dobladas, como si quisiera ver cómo quedaba el rojo sobre el negro. Pero cuando Fred y George entraron en la habitación y amenazaron con pegársela en la frente con un encantamiento de presencia permanente, Ron la envolvió con ternura con sus calcetines granates y la guardó bajo llave en el baúl.

La señora Weasley regresó del callejón Diagon hacia las seis, cargada de libros y con un largo paquete envuelto con papel marrón que Ron le quitó de las manos con un gemido de deseo contenido.

—No la desenvuelvas ahora; está llegando la gente para cenar y los quiero a todos abajo —dijo la señora Weasley, pero en cuanto se perdió de vista, Ron arrancó el papel en un arrebato de euforia y, extasiado, examinó centímetro a centímetro su nueva escoba.

Abajo, en el sótano, la señora Weasley había colgado una pancarta roja sobre la mesa, llena a rebosar de comida, que decía:

FELICIDADES
RON Y HERMIONE
NUEVOS PREFECTOS

Harry no la había visto de tan buen humor en todas las vacaciones.

—Me ha parecido buena idea celebrar una pequeña fiesta en lugar de servir la cena en la mesa —explicó a Harry, Ron, Hermione, Fred, George y Ginny cuando entraron en la sala—. Tu padre y Bill están en camino, Ron. Les he enviado una lechuza y están entusiasmados —añadió, radiante.

Fred puso los ojos en blanco.

Sirius, Lupin, Tonks y Kingsley Shacklebolt ya estaban allí, y *Ojoloco* Moody entró poco después de que Harry se sirviera una cerveza de mantequilla.

—¡Oh, Alastor, me alegro de verte! —exclamó la señora Weasley jovialmente, mientras Ojoloco se quitaba la capa de viaje haciendo un movimiento con los hombros—. Hace mucho tiempo que queríamos pedírtelo... ¿Podrías echarle un vistazo al escritorio del salón y decirnos qué hay dentro? No hemos querido abrirlo por si se trata de algo peligroso.

—No te preocupes, Molly... —El ojo de color azul eléctrico de Moody giró hacia arriba y se clavó en el techo de la cocina—. En el salón... —gruñó mientras se le contraía la pupila—. ¿Ese escritorio del rincón? ¡Ah, sí, ya lo veo! Sí, es un boggart... ¿Quieres que suba y me deshaga de él, Molly?

—No, no, ya lo haré yo más tarde —dijo la señora Weasley sin dejar de sonreír—. Ahora tómate algo. Verás, hoy hemos organizado una pequeña fiesta... —Señaló la pancarta roja—. ¡El cuarto prefecto de la familia! —añadió con orgullo, alborotándole el pelo a Ron.

—Conque prefecto... —gruñó Moody observando a Ron con su ojo normal mientras el mágico giraba y se quedaba mirando hacia la sien. Harry tuvo la desagradable sensación de que lo contemplaba a él, y fue hacia donde estaban Sirius y Lupin—. Bueno..., felicidades —dijo Moody fulminando a Ron con su ojo normal—, las figuras de autoridad siempre atraen problemas, pero supongo que Dumbledore cree que tú puedes soportar cualquier embrujo, porque si no, no te habría nombrado a ti...

Ron se asustó un poco ante aquella interpretación del asunto, pero se libró de tener que contestar gracias a la llegada de su padre y de su hermano mayor. La señora Weasley estaba de tan buen humor que ni siquiera protestó porque hubieran llevado a Mundungus con ellos; éste llevaba un largo abrigo que tenía extraños bultos en sitios donde no debía tenerlos, y declinó el ofrecimiento de quitárselo y dejarlo con la capa de viaje de Moody.

—Bueno, creo que la ocasión merece un brindis —anunció el señor Weasley cuando todos tenían ya su copa. Levantó la suya y dijo—: ¡Por Ron y por Hermione, los nuevos prefectos de Gryffindor!

Ron y Hermione sonrieron encantados mientras los demás bebían a su salud, y luego todos aplaudieron.

—Yo nunca fui prefecta —comentó alegremente Tonks, que estaba detrás de Harry, cuando todos fueron hacia la mesa para servirse. Ese día llevaba el cabello de color rojo tomate, y largo hasta la cintura; parecía la hermana mayor de Ginny—. El jefe de mi casa decía que me faltaban ciertas cualidades indispensables.

—¿Como cuáles? —preguntó Ginny, que estaba sirviéndose una papa asada.

—Como la capacidad de comportarme —respondió Tonks.

Ginny rió; Hermione no sabía si sonreír o no, y solucionó el dilema bebiendo un enorme trago de cerveza de mantequilla y atragantándose con él.

—¿Y tú, Sirius? —preguntó Ginny mientras le daba una palmada en la espalda a Hermione.

Sirius, que estaba junto a Harry, soltó su atronadora risa.

—A nadie se le habría ocurrido nombrarme prefecto porque me pasaba demasiado tiempo castigado con James. El bueno era Lupin, a él sí le dieron la insignia.

—Creo que Dumbledore albergaba esperanzas de que yo ejerciera cierto control sobre mis mejores amigos —terció Lupin—. Ni que decir tiene que fracasé estrepitosamente.

Harry se animó al descubrir que su padre tampoco había sido prefecto y entonces la fiesta empezó a resultar más agradable; se llenó el plato y, de pronto, todo el mundo parecía mucho más simpático.

Ron, entusiasmado, no paraba de hablar de su nueva escoba con todo el que estuviera dispuesto a escucharlo.

—... de cero a ciento diez en diez segundos. No está mal, ¿eh? Imagínate, la Cometa 290 sólo tiene una aceleración de cero a sesenta, y eso con un viento de cola apropiado, según *El mundo de la escoba*.

Hermione hablaba muy seriamente con Lupin de su opinión sobre los derechos de los elfos.

—Mire, es tan absurdo como la segregación de los hombres lobo, ¿no le parece? Todo proviene de esa horrible tendencia de los magos a considerarse superiores al resto de las criaturas...

La señora Weasley y Bill discutían sobre el pelo de éste, como siempre.

—... se está descontrolando, y eres tan guapo... Te quedaría mucho mejor corto, ¿no crees, Harry?

—Oh... No sé... —contestó él, un tanto alarmado cuando le pidieron su opinión; se alejó de ellos y fue hacia Fred y George, que estaban apiñados en un rincón junto a Mundungus.

Éste dejó de hablar en cuanto vio a Harry, pero Fred le guiñó un ojo e hizo señas al muchacho para que se acercara.

—No pasa nada —aseguró Fred a Mundungus—. Podemos confiar en Harry; es nuestro patrocinador.

—Mira lo que nos ha traído Dung —dijo George mostrándole a Harry una mano llena de unas cosas negras que parecían vainas resecas. Emitían un ruidito vibrante pese a estar completamente quietas—. Son semillas de *Tentacula venenosa*. Las necesitamos para los Surtidos Saltaclases, pero son una Sustancia No Comerciable de Clase C, y por eso nos ha costado un poco conseguirlas.

—¿Cuánto dices, Dung? ¿Diez galeones el lote? —preguntó Fred.

—Ya sabes los problemas que he tenido para hacerme con ellas —respondió Mundungus abriendo aún más los hundidos y enrojecidos ojos—. Lo siento, muchachos, pero no puedo bajar de veinte.

—A Dung le encanta bromear —le dijo Fred a Harry.

—Sí, hasta ahora su mejor chiste fue pedirnos seis sickles por una bolsa de púas de knarl —añadió George.

—Tengan cuidado —les advirtió Harry con disimulo.

—¿Qué pasa? —inquirió Fred—. ¡Ah, no te preocupes! Mamá está muy ocupada arrullando al prefecto Ron.

—Pero Moody podría estar vigilándolos —señaló Harry.

Mundungus, nervioso, giró la cabeza.

—Es verdad —gruñó—. Está bien, chicos, se las dejo por diez si se las llevan ahora mismo.

—¡Gracias, Harry! —exclamó Fred con gran alegría cuando Mundungus vació sus bolsillos en las manos de los gemelos y se escabulló hacia donde estaba la comida—. Será mejor que las subamos a la habitación...

Harry vio cómo se marchaban y se quedó un tanto preocupado. Se le acababa de ocurrir que el señor y la señora Weasley querrían saber cómo financiaban Fred y George su negocio de artículos de broma cuando por fin lo descubrieran, lo cual acabaría pasando tarde o temprano. En su momento había resultado muy sencillo entregar a los gemelos el premio en metálico del Torneo de los tres magos, pero ¿y si eso acababa provocando otra pelea familiar y una crisis parecida a la que había causado Percy? ¿Seguiría considerando la señora Weasley a Harry como un hijo si se enteraba de que él había contribuido a que Fred y

George empezaran una carrera que ella consideraba inadecuada?

Se quedó plantado donde lo habían dejado los gemelos, sin otra compañía que el peso de su sentimiento de culpa en el fondo del estómago, y entonces oyó que alguien pronunciaba su nombre. La profunda voz de Kingsley Shacklebolt se oía incluso en medio de todo aquel alboroto.

—¿... por qué Dumbledore no ha nombrado prefecto a Potter? —preguntaba Kingsley.

—Debe de tener sus razones —respondió Lupin.

—Pero así le habría demostrado que confía en él. Es lo que habría hecho yo —insistió Kingsley—, sobre todo ahora que *El Profeta* se mete con él sin parar.

Harry no se dio la vuelta; no quería que Lupin y Kingsley supieran que los había oído. Pese a que no tenía ni pizca de hambre, siguió el ejemplo de Mundungus y se dirigió hacia la mesa. El placer que había empezado a encontrar en la fiesta se había evaporado con la misma rapidez con que había llegado; le habría gustado estar arriba, en la cama.

Ojoloco Moody olfateaba un muslo de pollo con lo que le quedaba de nariz; evidentemente, no detectó ni rastro de veneno, porque le asestó un mordisco y arrancó un buen trozo de carne.

—... el mango es de roble español, con barniz antiembrujos y control de vibración incorporado... —le decía Ron a Tonks.

La señora Weasley bostezó sin disimulo.

—Bueno, creo que voy a ocuparme de ese boggart antes de acostarme... Arthur, no quiero que los niños se vayan a dormir demasiado tarde, ¿entendido? Buenas noches, Harry, querido —añadió, y salió de la cocina.

El muchacho dejó su plato y se preguntó si sería capaz de seguirla sin llamar la atención.

—¿Estás bien, Potter? —le preguntó entonces Moody.

—Sí, muy bien —mintió él.

Moody bebió un sorbo de su licorera de metal; su ojo azul eléctrico miraba de soslayo a Harry.

—Ven aquí, tengo una cosa que quizá te interese —dijo, sacando una vieja y destrozada fotografía mágica de un bolsillo interior de su túnica—. La Orden del Fénix original —gruñó Moody—. La encontré anoche mientras buscaba mi capa invisible de repuesto, dado que Podmore no ha tenido la decencia de devolverme la que le presté, que por cierto es la buena... Pensé que a alguien le gustaría verla.

Harry tomó la fotografía. En ella había un grupo de gente que le devolvía la mirada; algunos lo saludaban con la mano y otros se levantaban las gafas.

—Ése soy yo —dijo Moody, señalándose, aunque no hacía ninguna falta. El Moody de la fotografía era inconfundible, pese a que no tenía el cabello tan gris y su nariz estaba intacta—. Y el que está a mi lado es Dumbledore; al otro lado tengo a Dedalus Diggle... Ésa es Marlene McKinnon; la asesinaron dos días después de que se tomara esta fotografía; de hecho, mataron a toda su familia. Ésos son Frank y Alice Longbottom...

El estómago de Harry, que ya estaba un poco revuelto, se encogió al ver a Alice Longbottom; su cara, redonda y simpática, le resultaba muy familiar pese a que no la conocía, porque era la viva imagen de su hijo Neville.

—... pobrecillos —gruñó Moody—. Preferiría morir a que me pasara lo que les pasó a ellos... Y ésa es Emmeline Vance, ya la conoces, y ese otro es Lupin, evidentemente... Benjy Fenwick, que también se fue al otro barrio; sólo encontramos unos cuantos trozos de su cuerpo... Muévanse un poco —añadió, dándole unos golpecitos a la fotografía, y los retratados se desplazaron hacia un lado para que los que quedaban tapados pudieran pasar hacia delante.

»Ése de ahí es Edgar Bones, el hermano de Amelia Bones... También los liquidaron a él y a su familia; era un gran mago... Sturgis Podmore, vaya, qué joven está... Caradoc Dearborn, que murió seis meses después; nunca encontramos su cadáver... Hagrid, por supuesto, está igual que siempre... Elphias Doge, también lo conoces, no me acordaba de que antes solía llevar ese ridículo sombrero... Gideon Prewett, hicieron falta cinco mortífagos para matarlos a él y a su hermano Fabian, que pelearon como verdaderos héroes... Muévanse, muévanse...

Los retratados se empujaron unos a otros y los que estaban ocultos detrás pasaron al primer plano de la imagen.

—Ése es Aberforth, el hermano de Dumbledore; sólo lo vi ese día, era un tipo extraño... Y Dorcas Meadowes, a quien Voldemort mató personalmente... Sirius, cuando todavía llevaba el pelo corto... Y... ¡ahí está, pensé que esto te interesaría!

A Harry le dio un vuelco el corazón. Su padre y su madre lo miraban sonrientes, sentados uno a cada lado de un individuo menudo y de ojos llorosos a quien Harry reconoció de inmediato: era Colagusano, el que había revelado a Voldemort el paradero de sus padres, ayudándolo así a provocar su muerte.

—¿Qué me dices? —le preguntó Moody.

Harry levantó la cabeza y miró el rostro, picado y lleno de cicatrices, de Moody. Era evidente que *Ojoloco* tenía la impresión de que acababa de darle una alegría a Harry.

—Vaya —dijo éste, y una vez más intentó sonreír—. Este..., mire, acabo de recordar que he olvidado meter en el baúl...

Pero se libró de tener que inventar un objeto que no había metido en el baúl, porque Sirius acababa de decir:

—¿Qué es eso que tienes ahí, Moody?

Ojoloco se volvió hacia Sirius, y Harry cruzó la cocina, se escabulló por la puerta y subió la escalera antes de que alguien pudiera retenerlo.

No sabía por qué estaba tan conmocionado; al fin y al cabo, ya había visto otras fotografías de sus padres y había conocido a Colagusano... Pero verlos aparecer así, cuando menos se lo esperaba... Eso a nadie le gustaría, pensó con enfado...

Y además, verlos rodeados de esas otras caras sonrientes... Benjy Fenwick, al que habían encontrado hecho pedazos, y Gideon Prewett, que había muerto como un héroe, y los Longbottom, a los que habían torturado hasta la locura... Todos condenados a saludar alegremente con la mano desde la fotografía, sin saber que estaban destinados a morir... Quizá Moody lo encontrara interesante, pero a Harry le resultaba inquietante...

A continuación subió la escalera de puntillas y pasó por delante de las cabezas de elfo reducidas, contento de volver a estar solo, pero cuando llegaba al primer rellano oyó ruidos. Había alguien llorando en el salón.

—¿Hola? —dijo Harry.

No obtuvo respuesta, pero los sollozos continuaron. Subió de dos en dos los escalones que faltaban, cruzó el rellano y abrió la puerta del salón.

Dentro había alguien encogido de miedo contra la oscura pared, con la varita mágica en la mano, mientras los sollozos sacudían con violencia su cuerpo. Tirado sobre la polvorienta alfombra, en medio de un rayo de luz de luna, y sin duda alguna muerto, estaba Ron.

Harry tuvo la sensación de que sus pulmones se quedaban sin aire; notó que se hundía en el suelo y el cerebro se le paralizó. Ron muerto, no, no podía ser...

«Espera un momento», pensó; no podía ser, Ron estaba abajo...

—¡Señora Weasley! —gritó Harry con voz ronca.

—*¡Ri-ri-riddíkulo!* —sollozaba la señora Weasley, apuntando con su temblorosa varita al cuerpo de Ron.

¡Crac!

El cuerpo de Ron se transformó en el de Bill, que estaba tumbado boca arriba con los brazos y las piernas extendidos y los ojos muy abiertos e inexpresivos. La señora Weasley sollozó aún más fuerte.

—*¡Ri-riddíkulo!* —volvió a exclamar.

¡Crac!

El cuerpo del señor Weasley sustituyó al de Bill; llevaba las gafas torcidas y un hilillo de sangre resbalaba por su cara.

—¡No! —gimió la señora Weasley—. No... *¡Riddíkulo! ¡Riddíkulo! ¡RIDDÍKULO!*

¡Crac! Los gemelos muertos. ¡Crac! Percy muerto. ¡Crac! Harry muerto...

—¡Salga de aquí, señora Weasley! —gritó Harry contemplando su propio cuerpo sin vida, que yacía sobre la alfombra—. ¡Deje que alguien...!

—¿Qué está pasando aquí?

Lupin había entrado corriendo en la habitación, seguido de Sirius y luego de Moody, que estaba furioso. Lupin miró a la señora Weasley y después el cadáver de Harry echado en el suelo, y al parecer lo entendió todo en un instante. Sacó su varita mágica y dijo con voz firme y clara:

—*¡Riddíkulo!*

El cadáver de Harry desapareció y una esfera plateada quedó suspendida en el aire sobre la alfombra. Lupin sacudió una vez más su varita y la esfera desapareció tras convertirse en una bocanada de humo.

—¡Oh! ¡Oh! ¡Oh! —exclamó la señora Weasley, y rompió a llorar con desconsuelo tapándose la cara con las manos.

—Molly —dijo Lupin con tono sombrío acercándose a ella—. Molly, no... —La mujer se abrazó a Lupin y lloró a lágrima viva sobre su hombro—. Sólo era un boggart, Molly —susurró Lupin para tranquilizarla mientras le acariciaba la cabeza—. Sólo era un estúpido boggart...

—¡Los veo m-m-muertos continuamente! —gimió la señora Weasley sin separarse de Lupin—. ¡C-c-continuamente! S-s-sueño con ellos...

Sirius se quedó mirando el trozo de alfombra en el que había estado tumbado el boggart adoptando la forma del cuerpo de Harry. Moody, por su parte, observaba al muchacho, que esquivó su mirada. Harry tenía la extraña sensación de que el ojo mágico de Moody lo había seguido desde que había salido de la cocina.

—N-n-no se lo cuentes a Arthur —gimoteaba la señora Weasley, restregándose desesperadamente los ojos con los puños de la túnica—. N-n-no quiero que sepa... lo t-t-tonta que soy... —Lupin le dio un pañuelo y la señora Weasley se sonó—. Lo siento mucho, Harry. ¿Qué vas a pensar de mí? —dijo con voz temblorosa—. Ni siquiera soy capaz de librarme de un boggart...

—No diga tonterías —contestó Harry intentando sonreír.

—Es que estoy t-t-tan preocupada... —añadió ella, y las lágrimas volvieron a brotar de sus ojos—. La mitad de la f-f-familia está en la Orden; si salimos todos con vida de ésta, será un m-m-milagro... Y P-P-Percy no nos dirige la palabra... ¿Y si le p-p-pasa algo espantoso antes de que hayamos hecho las p-p-paces con él? ¿Y qué s-s-sucederá si morimos Arthur y yo? ¿Quién c-c-cuidará de Ron y Ginny?

—¡Basta, Molly! —exclamó Lupin con firmeza—. Esto no es como la última vez. La Orden está más preparada, ahora le llevamos ventaja y sabemos qué pretende Voldemort... —La señora Weasley soltó un grito ahogado al oír ese nombre—. Vamos, Molly, ya va siendo hora de que te acostumbres a oír su nombre. Mira, no puedo prometer que nadie vaya a resultar herido, eso no puede prometerlo nadie, pero estamos mucho más preparados que la última vez. Entonces tú no pertenecías a la Orden y por eso no lo entiendes. En el último enfrentamiento, los mortífagos eran veinte veces más numerosos que nosotros y nos perseguían uno por uno.

Harry volvió a pensar en la fotografía, en los rostros sonrientes de sus padres, consciente de que Moody seguía mirándolo.

—Y no te preocupes por Percy —dijo de pronto Sirius—. Ya rectificará. Sólo es cuestión de tiempo que Voldemort dé la cara; en cuanto lo haga, el Ministerio en masa nos suplicará que lo perdonemos. Aunque yo no estoy seguro de que vaya a aceptar sus disculpas —añadió con amargura.

—Y respecto a eso de quién cuidaría de Ron y Ginny si faltaran Arthur y tú —terció Lupin, esbozando una sonrisa—, ¿qué crees que haríamos, dejarlos morir de hambre?

La señora Weasley también sonrió tímidamente.

—Qué tonta soy —volvió a murmurar secándose las lágrimas.

Sin embargo, unos diez minutos más tarde, cuando entró en su dormitorio y cerró la puerta, Harry seguía sin pensar que la señora Weasley fuera tonta. Aún veía a sus padres sonriéndole desde la vieja fotografía sin saber que sus vidas, como las de muchos de los que los rodeaban, estaban llegando a su fin. La imagen del boggart que se hacía pasar por el cadáver de cada uno de los miembros de la familia Weasley seguía apareciendo ante sus ojos.

Y entonces, sin previo aviso, la cicatriz de su frente volvió a producirle un intenso dolor y se le contrajo el estómago.

—¡Para ya! —ordenó con firmeza al mismo tiempo que se frotaba la cicatriz; inmediatamente el dolor empezó a remitir.

—Un primer síntoma de locura: hablar contigo mismo —dijo una vocecilla traviesa desde el cuadro en blanco de la pared.

Harry no le hizo caso. Se sentía mayor, más que nunca, y le parecía increíble que, apenas una hora antes, hubiera estado preocupado por una tienda de artículos de broma y por quién había recibido una insignia de prefecto y quién no.

10

Luna Lovegood

Harry durmió mal esa noche. Sus padres entraban y salían de sus sueños, pero nunca le hablaban; la señora Weasley lloraba sobre el cuerpo sin vida de Kreacher, y Ron y Hermione, que llevaban coronas, la miraban; y una vez más, Harry iba por un pasillo que terminaba en una puerta cerrada con llave. Despertó sobresaltado, con picor en la cicatriz, y vio que Ron ya se había vestido y estaba hablándole.

—... date prisa, mamá está histérica, dice que vamos a perder el tren...

En la casa había mucha conmoción. Por lo que pudo oír mientras se vestía a toda velocidad, Harry comprendió que Fred y George habían encantado sus baúles para que bajaran la escalera volando, ahorrándose así la molestia de transportarlos, y éstos habían golpeado a Ginny y la habían hecho bajar dos tramos de escalones rodando hasta el vestíbulo; la señora Black y la señora Weasley gritaban a voz en cuello.

—¡... PODRÍAN HABERLE HECHO DAÑO DE VERDAD, IDIOTAS!

—¡... MESTIZOS PODRIDOS, MANCILLANDO LA CASA DE MIS PADRES!

Hermione entró corriendo en la habitación, muy aturullada, cuando Harry estaba poniéndose los zapatos tenis. La chica llevaba a *Hedwig* balanceándose en el hombro y a *Crookshanks* retorciéndose en los brazos.

—Mis padres me han devuelto a *Hedwig*.

La lechuza revoloteó obedientemente y se posó encima de su jaula.

—¿Ya estás listo?

—Casi. ¿Cómo está Ginny? —preguntó Harry poniéndose las gafas.

—La señora Weasley ya la ha curado. Pero ahora Ojoloco dice que no podemos irnos hasta que llegue Sturgis Podmore porque en la guardia falta un miembro.

—¿La guardia? —se extrañó Harry—. ¿Necesitamos una guardia para ir a King's Cross?

—Tú necesitas una guardia para ir a King's Cross —lo corrigió Hermione.

—¿Por qué? —preguntó Harry con fastidio—. Tenía entendido que Voldemort intentaba pasar desapercibido, así que no irás a decirme que piensa saltar desde detrás de un cubo de basura para matarme, ¿verdad?

—No lo sé, eso es lo que ha dicho Ojoloco —replicó Hermione distraídamente, mirando su reloj—, pero si no nos vamos pronto, perderemos el tren, eso seguro...

—¿Quieren bajar ahora mismo, por favor? —gritó la señora Weasley.

Hermione pegó un brinco, como si se hubiera escaldado, y salió a toda prisa de la habitación. Harry agarró a *Hedwig*, la metió sin muchos miramientos en su jaula y bajó la escalera, detrás de su amiga, arrastrando su baúl.

El retrato de la señora Black lanzaba unos furiosos aullidos, pero nadie se molestó en cerrar las cortinas; de todos modos, el ruido que había en el vestíbulo la habría despertado otra vez.

—Harry, tú vienes conmigo y con Tonks —gritó la señora Weasley para hacerse oír sobre los chillidos de «¡SANGRE SUCIA! ¡CANALLAS! ¡SACOS DE INMUNDICIA!»—. Deja tu baúl y tu lechuza; Alastor se encargará del equipaje... ¡Oh, por favor, Sirius! ¡Dumbledore dijo que no!

Un perro negro que parecía un oso había aparecido junto a Harry mientras éste trepaba por los baúles amontonados en el vestíbulo para llegar a donde estaba la señora Weasley.

—En serio... —dijo la señora Weasley con desesperación—. ¡Está bien, pero lo dejo a tu responsabilidad!

Luego abrió la puerta de la calle de un fuerte tirón y salió a la tenue luz del día otoñal. Harry y el perro la siguieron. La puerta se cerró tras ellos, y los gritos de la señora Black dejaron de escucharse de inmediato.

—¿Dónde está Tonks? —preguntó Harry, mirando alrededor, mientras bajaban los escalones de piedra del número 12, que desaparecieron en cuanto pisaron la acera.

—Nos espera allí —contestó la señora Weasley con tono frío apartando la vista del perro negro que caminaba con torpeza sin separarse de Harry.

Una anciana los saludó cuando llegaron a la esquina. Tenía el cabello gris muy rizado y llevaba un sombrero de color morado con forma de pastel de carne de cerdo.

—¿Qué hay, Harry? —le preguntó guiñándole un ojo—. Será mejor que nos demos prisa, ¿verdad, Molly? —añadió mientras consultaba su reloj.

—Ya lo sé, ya lo sé —gimoteó ésta mientras daba pasos más largos—, es que Ojoloco quería esperar a Sturgis... Si Arthur nos hubiera conseguido unos coches del Ministerio... Pero últimamente Fudge no le presta ni un tintero vacío... ¿Cómo se las ingenian los muggles para viajar sin hacer magia?

En ese momento, el enorme perro negro soltó un alegre ladrido y se puso a hacer cabriolas a su alrededor, corriendo detrás de las palomas y persiguiéndose la cola. Harry no pudo contener la risa. Sirius había pasado mucho tiempo encerrado en la casa. La señora Weasley, sin embargo, frunció los labios de forma muy parecida a como lo hacía tía Petunia.

Tardaron veinte minutos en llegar a King's Cross a pie, y en ese rato no ocurrió nada digno de mención, salvo que Sirius asustó a un par de gatos para distraer a Harry. Una vez dentro de la estación, se quedaron con disimulo junto a la barrera que había entre el andén número nueve y el número diez hasta que no hubo moros en la costa; entonces, uno a uno, se apoyaron en ella y la atravesaron fácilmente, apareciendo en el andén nueve y tres cuartos, donde el expreso de Hogwarts escupía vapor y hollín junto a un montón de alumnos que aguardaban con sus familias la hora de partir. Harry aspiró aquel familiar aroma y notó que le subía la moral... Iba a regresar a Hogwarts, por fin...

—Espero que los demás lleguen a tiempo —comentó la señora Weasley, nerviosa, y giró la cabeza hacia el arco de hierro forjado que había en el andén, por donde entraban los que iban llegando.

—¡Qué perro tan bonito, Harry! —gritó un muchacho con rastas.

—Gracias, Lee —respondió Harry, sonriente, y Sirius agitó con frenesí la cola.

—¡Ah, menos mal! —dijo la señora Weasley con alivio—. Ahí está Alastor con el equipaje, miren...

Con una gorra de mozo que le tapaba los desiguales ojos, Moody entró cojeando por debajo del arco mientras empujaba un carrito donde llevaba los baúles.

—Todo en orden —murmuró al llegar junto a Tonks y la señora Weasley—. Creo que no nos han seguido...

Unos instantes después, el señor Weasley apareció en el andén con Ron y Hermione. Casi habían descargado el equipaje del carrito de Moody cuando llegaron Fred, George y Ginny con Lupin.

—¿Algún problema? —gruñó Moody.

—Ninguno —contestó Lupin.

—De todos modos, informaré a Dumbledore de lo de Sturgis —afirmó Moody—. Es la segunda vez que no se presenta en una semana. Está volviéndose tan informal como Mundungus.

—Bueno, cuídense mucho —dijo Lupin estrechándoles la mano a todos. Por último se acercó a Harry y le dio una palmada en el hombro—. Tú también, Harry. Ten cuidado.

—Sí, no te metas en líos y ten los ojos bien abiertos —le aconsejó Moody al estrecharle la mano—. Y esto va por todos: cuidado con lo que ponen por escrito. Si tienen dudas, no se les ocurra escribirlas en sus cartas.

—Ha sido un placer conocerlas —dijo Tonks abrazando a Hermione y Ginny—. Espero que volvamos a vernos pronto.

Entonces sonó un silbido de aviso; los alumnos que todavía estaban en el andén fueron apresuradamente hacia el tren.

—Rápido, rápido —los apremió la señora Weasley, atolondrada, abrazándolos a todos, y a Harry dos veces—.

Escriban... Pórtense bien... Si se han dejado algo ya se lo mandaremos... ¡Rápido, suban al tren!

El perro negro se levantó sobre las patas traseras y colocó las delanteras sobre los hombros de Harry, pero la señora Weasley empujó al muchacho hacia la puerta del tren y susurró:

—¡Te lo suplico, Sirius, haz el favor de comportarte como un perro!

—¡Hasta pronto! —gritó Harry desde la ventanilla abierta cuando el tren se puso en marcha, mientras Ron, Hermione y Ginny saludaban con la mano.

Las figuras de Tonks, Lupin, Moody y el señor y la señora Weasley se encogieron con rapidez, pero el perro negro corrió por el andén junto a la ventana, agitando la cola; la gente que había en el andén reía viéndolo perseguir el tren; entonces éste tomó una curva y Sirius desapareció.

—No ha debido acompañarnos —comentó Hermione, preocupada.

—Vamos, no seas así —dijo Ron—, hacía meses que no veía la luz del sol, pobre hombre.

—Bueno —dijo Fred dando una palmada—, no podemos pasarnos el día charlando, tenemos asuntos de los que hablar con Lee. Hasta luego —se despidió, y George y él desaparecieron por el pasillo hacia la derecha.

El tren iba adquiriendo velocidad, y las casas que se veían por la ventana pasaban volando mientras ellos se mecían acompasadamente.

—¿Vamos a buscar nuestro compartimento? —propuso Harry.

Ron y Hermione se miraron.

—Este... —empezó a decir Ron.

—Nosotros... Bueno, Ron y yo tenemos que ir al vagón de los prefectos —dijo Hermione incómoda.

Ron no miraba a su amigo, pues parecía muy interesado en las uñas de su mano izquierda.

—¡Ah! —exclamó Harry—. Bueno, bien.

—No creo que tengamos que quedarnos allí durante todo el trayecto —se apresuró a añadir Hermione—. Nuestras cartas decían que teníamos que recibir instrucciones de los delegados, y luego patrullar por los pasillos de vez en cuando.

—Bien —repitió Harry—. Bueno, entonces ya..., ya nos veremos más tarde.

—Sí, claro —dijo Ron lanzándole una furtiva y nerviosa mirada a su amigo—. Es una lata que tengamos que ir al vagón de los prefectos, yo preferiría... Pero tenemos que hacerlo, es decir, a mí no me hace ninguna gracia. Yo no soy Percy —concluyó con tono desafiante.

—Ya lo sé —afirmó Harry, y sonrió.

Pero cuando Hermione y Ron arrastraron sus baúles, y a *Crookshanks* y a *Pigwidgeon* en su jaula hacia el primer vagón del tren, Harry tuvo una extraña sensación de abandono. Nunca había viajado en el expreso de Hogwarts sin Ron.

—¡Vamos! —le dijo Ginny—. Si nos damos prisa podremos guardarles sitio.

—Tienes razón —replicó Harry, y agarró la jaula de *Hedwig* con una mano y el asa de su baúl con la otra.

Luego echaron a andar por el pasillo mirando a través de las puertas de paneles de cristal para ver el interior de los compartimentos, que ya estaban llenos. Harry se fijó, inevitablemente, en que mucha gente se quedaba contemplándolo con gran interés, y varios daban codazos a sus compañeros y lo señalaban. Tras observar aquel comportamiento en cinco vagones consecutivos, recordó que *El Profeta* se había pasado el verano contando a sus lectores que Harry era un mentiroso y un fanfarrón. Desanimado, se preguntó si esa gente que lo miraba y susurraba se habría creído aquellas historias.

En el último vagón encontraron a Neville Longbottom, que, como Harry, también iba a cursar el quinto año en Gryffindor; tenía la cara cubierta de sudor por el esfuerzo de tirar de su baúl por el pasillo mientras con la otra mano sujetaba a su sapo, *Trevor*.

—¡Hola, Harry! —lo saludó, jadeando—. ¡Hola, Ginny! El tren va lleno... No encuentro asiento...

—Pero ¿qué dices? —se extrañó Ginny, que se había colado por detrás de Neville para mirar en el compartimento que había tras él—. En este compartimento hay sitio, sólo está Lunática Lovegood.

Neville murmuró algo parecido a que no quería molestar a nadie.

—No digas tonterías —soltó Ginny riendo—. Es muy simpática. —Y entonces abrió la puerta del compartimento y metió su baúl dentro. Harry y Neville la siguieron—. ¡Hola, Luna! —la saludó Ginny—. ¿Te importa que nos quedemos aquí?

La muchacha que había sentada junto a la ventana levantó la cabeza. Tenía el pelo rubio, sucio y desgreñado, largo hasta la cintura, cejas muy claras y unos ojos saltones que le daban un aire de sorpresa permanente. Harry comprendió de inmediato por qué Neville había decidido pasar de largo de aquel compartimento. La muchacha tenía un aire inconfundible de chiflada. Quizá contribuyera a ello que se había colocado la varita mágica detrás de la oreja izquierda, o que llevaba un collar hecho con corchos de cerveza de mantequilla, o que estaba leyendo una revista al revés. La chica miró primero a Neville y luego a Harry, y a continuación asintió con la cabeza.

—Gracias —dijo Ginny, sonriente.

Harry y Neville pusieron los tres baúles y la jaula de *Hedwig* en la rejilla portaequipajes y se sentaron. Luna los observaba por encima del borde de su revista, *El Quisquilloso*, y parecía que no parpadeaba tanto como el resto de los seres humanos. Miraba fijamente a Harry, que se había sentado enfrente de ella y que ya empezaba a lamentarlo.

—¿Has pasado un buen verano, Luna? —le preguntó Ginny.

—Sí —respondió ella en tono soñador sin apartar los ojos de Harry—. Sí, me lo he pasado muy bien. Tú eres Harry Potter —añadió.

—Sí, ya lo sé —repuso el chico.

Neville rió entre dientes y Luna dirigió sus claros ojos hacia él.

—Y tú no sé quién eres.

—No soy nadie —se apresuró a decir Neville.

—Claro que sí —intervino Ginny, tajante—. Neville Longbottom, Luna Lovegood. Luna va a mi curso, pero es una Ravenclaw.

—«Una inteligencia sin límites es el mayor tesoro de los hombres» —recitó Luna con sonsonete.

Luego levantó su revista, que seguía sosteniendo del revés, lo bastante para ocultarse la cara y se quedó callada. Harry y Neville se miraron arqueando las cejas y Ginny contuvo una risita.

El tren avanzaba traqueteando a través del campo. Hacía un día extraño, un tanto inestable; tan pronto el sol inundaba el vagón como pasaban por debajo de unas amenazadoras nubes grises.

—¿Saben qué me regalaron por mi cumpleaños? —preguntó de repente Neville.

—¿Otra recordadora? —aventuró Harry acordándose de la bola de cristal que la abuela de Neville le había enviado en un intento de mejorar la desastrosa memoria de su nieto.

—No. Aunque no me vendría mal una, porque perdí la vieja hace mucho tiempo... No, miren...

Metió la mano con la que no sujetaba con firmeza a *Trevor* en su mochila y, tras hurgar un rato, sacó una cosa que parecía un pequeño cactus gris en un tiesto, aunque estaba cubierto de forúnculos en lugar de espinas.

—Una *Mimbulus mimbletonia* —dijo con orgullo, y Harry se quedó mirando aquella cosa que latía débilmente y tenía el siniestro aspecto de un órgano enfermo—. Es muy, muy rara —afirmó Neville, radiante—. No sé si hay alguna en el invernadero de Hogwarts. Me muero de ganas de enseñársela a la profesora Sprout. Mi tío abuelo Algie me la trajo de Asiria. Voy a ver si puedo conseguir más ejemplares a partir de éste.

Harry ya sabía que la asignatura favorita de Neville era la Herbología, pero por nada del mundo podía entender que le interesara tanto aquella raquítica plantita.

—¿Hace... algo? —preguntó.

—¡Ya lo creo! ¡Un montón de cosas! —exclamó Neville con orgullo—. Tiene un mecanismo de defensa asombroso. Mira, sujétame a *Trevor*...

Entonces puso el sapo en el regazo de Harry y sacó una pluma de su mochila. Los saltones ojos de Luna Lovegood volvieron a asomar por el borde de su revista para ver qué hacía Neville. Éste, con la lengua entre los dientes, colocó la *Mimbulus mimbletonia* a la altura de sus ojos, eligió un punto y le dio un pinchazo con la punta de su pluma.

Inmediatamente empezó a salir líquido por todos los forúnculos de la planta, unos chorros densos y pegajosos de color verde oscuro. El líquido salpicó el techo y las ventanas y manchó la revista de Luna Lovegood; Ginny, que se había tapado la cara con los brazos justo a tiempo, quedó como si llevara un viscoso sombrero verde, y Harry, que tenía las manos ocupadas impidiendo que *Trevor* escapara, recibió un chorro en toda la cara. El líquido olía a estiércol seco.

Neville, que también se había manchado la cara y el pecho, sacudió la cabeza para quitarse el líquido de los ojos.

—Lo…, lo siento —dijo entrecortadamente—. Todavía no lo había probado... No me imaginaba que pudiera ser tan... Pero no se preocupen, su jugo fétido no es venenoso —añadió, nervioso, al ver que Harry escupía un trago en el suelo.

En ese preciso instante se abrió la puerta de su compartimento.

—¡Oh..., hola, Harry! —lo saludó una vocecilla—. Humm..., ¿te encuentro en mal momento?

Harry limpió los cristales de sus gafas con la mano con la que no sujetaba a *Trevor*. Una chica muy guapa, cuyo cabello era negro, largo y reluciente, estaba plantada en la puerta, sonriéndole. Era Cho Chang, la buscadora del equipo de quidditch de Ravenclaw.

—¡Ah, hola...! —respondió Harry, desconcertado.

—Humm... —dijo Cho—. Bueno... Sólo venía a decirte hola... Hasta luego.

Y con las mejillas muy coloradas cerró la puerta y se marchó. Harry se recostó en el asiento y soltó un gruñido. Le habría gustado que Cho lo encontrara sentado con un grupo de gente interesante, muerta de risa por un chiste que él acababa de contar, y no con Neville y Lunática Lovegood, con un sapo en la mano y chorreando jugo fétido.

—Bueno, no importa —dijo Ginny con optimismo—. Miren, podemos librarnos de todo esto con facilidad. —Sacó su varita y exclamó—: *¡Fregotego!*

Y el jugo fétido desapareció.

—Lo siento —volvió a decir Neville con un hilo de voz.

Ron y Hermione no aparecieron hasta al cabo de una hora, después de que pasase el carrito de la comida. Harry,

Ginny y Neville se habían terminado las empanadas de calabaza y estaban muy entretenidos intercambiando cromos de ranas de chocolate cuando se abrió la puerta del compartimento y Ron y Hermione entraron acompañados de *Crookshanks* y *Pigwidgeon*, que ululaba estridentemente en su jaula.

—Estoy muerto de hambre —dijo Ron; dejó a *Pigwidgeon* junto a *Hedwig*, le quitó una rana de chocolate de las manos a Harry y se sentó a su lado. Abrió el envoltorio, mordió la cabeza de la rana y se recostó con los ojos cerrados, como si hubiera tenido una mañana agotadora.

—Hay dos prefectos de quinto en cada casa —explicó Hermione, que parecía muy contrariada, y se sentó también—. Un chico y una chica.

—Y a ver si saben quién es uno de los prefectos de Slytherin —preguntó Ron, que todavía no había abierto los ojos.

—Malfoy —contestó Harry al instante, convencido de que sus peores temores se confirmarían.

—Por supuesto —afirmó Ron con amargura; luego se metió el resto de la rana en la boca y tomó otra.

—Y Pansy Parkinson, esa zonza —añadió Hermione con malicia—. No sé cómo la han nombrado prefecta, si es más tonta que un trol con conmoción cerebral...

—¿Quiénes son los de Hufflepuff? —preguntó Harry.

—Ernie Macmillan y Hannah Abbott —contestó Ron.

—Y Anthony Goldstein y Padma Patil son los de Ravenclaw —añadió Hermione.

—Tú fuiste al baile de Navidad con Padma Patil —dijo una vocecilla con tono ambiguo.

Todos se volvieron para mirar a Luna Lovegood, que observaba sin pestañear a Ron por encima de *El Quisquilloso*. El chico se tragó el trozo de rana que tenía en la boca.

—Sí, ya lo sé —afirmó un tanto sorprendido.

—Ella no se lo pasó muy bien —le informó Luna—. No está contenta con cómo la trataste, porque no quisiste bailar con ella. A mí no me habría importado —añadió pensativa—. A mí no me gusta bailar —aseguró, y luego volvió a esconderse detrás de *El Quisquilloso*.

Ron se quedó mirando la portada durante unos segundos con la boca abierta y después miró a Ginny en busca de algún tipo de explicación, pero su hermana se había metido los nudillos en la boca para no reírse. Ron movió negativamente la cabeza, desconcertado, y luego miró la hora.

—Tenemos que patrullar por los pasillos de vez en cuando —les comentó a Harry y a Neville—, y podemos castigar a los alumnos si se portan mal. Estoy deseando sorprender a Crabbe y a Goyle haciendo algo...

—¡No debes aprovecharte de tu cargo, Ron! —lo regañó Hermione.

—Sí, claro, como si Malfoy no pensara sacarle provecho al suyo —replicó éste con sarcasmo.

—¿Qué vas a hacer? ¿Ponerte a su altura?

—No, sólo voy a asegurarme de sorprender a sus amigos antes de que él sorprenda a los míos.

—Ron, por favor...

—Obligaré a Goyle a copiar y copiar; eso le fastidiará mucho porque no soporta escribir —aseguró Ron muy contento. Luego bajó la voz imitando los gruñidos de Goyle y, poniendo una mueca de dolorosa concentración, hizo como si escribiera en el aire—: «No... debo... parecerme... al culo... de un... babuino.»

Todos rieron, pero nadie más fuerte que Luna Lovegood, quien soltó una sonora carcajada que hizo que *Hedwig* despertara y agitara las alas con indignación, y que *Crookshanks* saltara a la rejilla portaequipajes bufando. Luna rió tan fuerte que la revista salió despedida de sus manos, resbaló por sus piernas y fue a parar al suelo.

—¡Qué gracioso!

Sus saltones ojos se llenaron de lágrimas mientras intentaba recobrar el aliento, mirando fijamente a Ron. Éste, perplejo, observó a los demás, que en ese momento se reían de la expresión del rostro de su amigo y de la risa ridículamente prolongada de Luna Lovegood, que se mecía adelante y atrás sujetándose los costados.

—¿Me tomas el pelo? —preguntó Ron frunciendo el entrecejo.

—¡El culo... de un... babuino! —exclamó ella con voz entrecortada sin soltarse las costillas.

Todos los demás observaban cómo reía Luna, pero Harry se fijó en la revista que había caído al suelo y vio algo que lo hizo agacharse con rapidez y levantarla. Viéndola del revés no había identificado la imagen de la portada, pero entonces Harry se dio cuenta de que era una caricatura bastante mala de Cornelius Fudge; de hecho, Harry sólo lo reconoció por el bombín de color verde lima. Fudge tenía una bolsa de oro en una mano, y con la otra estrangulaba a un duende. La caricatura llevaba esta leyenda: «¿De qué será capaz Fudge para conseguir el control de Gringotts?»

Debajo había una lista de los títulos de otros artículos incluidos en la revista:

Corrupción en la liga de quidditch: los ilícitos métodos de los Tornados.
Los secretos de las runas antiguas, revelados.
Sirius Black: ¿víctima o villano?

—¿Me dejas mirar un momento? —le preguntó Harry a Luna.

Ella, que seguía mirando a Ron y riendo a carcajadas, asintió con la cabeza.

Harry, por su parte, abrió la revista y buscó el índice. Hasta aquel momento se había olvidado por completo de la revista que Kingsley había entregado al señor Weasley para que se la hiciera llegar a Sirius, pero debía de ser el mismo número de *El Quisquilloso.*

Encontró la página en el índice y la buscó.

Ese artículo también iba ilustrado con una caricatura bastante mala; seguramente, Harry no habría sabido que pretendía representar a Sirius si no hubiera llevado una leyenda. Su padrino estaba de pie sobre un montón de huesos humanos, con la varita en alto. El titular del artículo rezaba:

¿ES SIRIUS BLACK TAN MALO COMO LO PINTAN?
¿Famoso autor de matanzas
o inocente cantante de éxito?

Harry tuvo que leer la segunda frase varias veces antes de convencerse de que no la había entendido mal. ¿Desde cuándo era Sirius un cantante de éxito?

Durante catorce años, Sirius Black ha sido considerado culpable del asesinato de un mago y doce muggles inocentes. La audaz fuga de Black de Azkaban, hace dos años, ha dado pie a la mayor persecución organizada en toda la historia del Ministerio de Magia. Ninguno de nosotros ha puesto en duda jamás que Black merece ser capturado de nuevo y entregado a los dementores.

PERO ¿LO MERECE EN REALIDAD?

Hace poco tiempo han salido a la luz nuevas y sorprendentes pruebas de que Sirius Black podría no haber cometido los crímenes por los que lo enviaron a Azkaban. De hecho, Doris Purkiss, del número 18 de Acanthia Way, Little Norton, sostiene que Black ni siquiera podría haber estado presente en el escenario de los crímenes.

«Lo que la gente no sabe es que Sirius Black es un nombre falso —afirma la señora Purkiss—. El hombre al que todos creen conocer como Sirius Black es en realidad Stubby Boardman, cantante del conocido grupo musical Los Trasgos, que se retiró de la vida pública hace casi quince años, tras recibir el impacto de un nabo en una oreja durante un concierto celebrado en la iglesia de Little Norton. Lo reconocí en cuanto vi su fotografía en el periódico. Pues bien, Stubby no pudo cometer esos crímenes porque el día en cuestión estaba disfrutando de una romántica cena a la luz de las velas conmigo. He escrito al ministro de Magia y espero que pronto presente sus disculpas a Stubby, alias Sirius.»

Harry terminó de leer el artículo y se quedó mirando la página, incrédulo. Quizá fuera un chiste, pensó, quizá la revista incluyese bromas de ese tipo. Retrocedió unas cuantas páginas y encontró el artículo sobre Fudge.

Cornelius Fudge, el ministro de Magia, ha negado que tuviera planes para tomar la dirección de Gringotts, el banco mágico, cuando fue elegido ministro de Magia hace cinco años. Fudge siempre ha insistido en que lo único que quiere es «cooperar pacíficamente» con los guardianes de nuestro oro.

PERO ¿ES ESO CIERTO?

Fuentes cercanas al ministro han revelado recientemente que la mayor ambición de Fudge es hacerse del control del oro de los duendes, y que no dudará en emplear la fuerza si es necesario.

«No sería la primera vez que sucede —dijo un empleado del Ministerio—. Cornelius Fudge, *el Aplastaduendes*, así es como lo llaman sus amigos. Si lo oyera usted hablar cuando cree que nadie lo escucha... Oh, siempre está hablando de los duendes que ha liquidado: ha mandado que los ahoguen, que los lancen desde lo alto de edificios, que los envenenen, que hagan pasteles con ellos...»

Harry no siguió leyendo. Fudge podía tener muchos defectos, pero le resultaba extremadamente difícil imaginárselo ordenando que hicieran pasteles con duendes. Hojeó el resto de la revista y, deteniéndose de vez en cuando, leyó otros artículos, como: la afirmación de que los Tutshill Tornados estaban ganando la liga de quidditch mediante una combinación de chantaje, tortura y manipulación ilegal de escobas; una entrevista con un brujo que aseguraba haber volado hasta la luna en una Barredora 6 y había traído una bolsa llena de ranas lunares para demostrarlo; y un artículo sobre las runas antiguas que al menos explicaba por qué Luna había estado leyendo *El Quisquilloso* del revés. Según la revista, si ponías las runas cabeza abajo, éstas revelaban un hechizo para hacer que las orejas de tu enemigo se convirtieran en naranjitas chinas. De hecho, comparada con el resto de los artículos de *El Quisquilloso*, la insinuación de que Sirius podía ser en realidad el cantante de Los Trasgos parecía bastante sensata.

—¿Hay algo que valga la pena? —preguntó Ron cuando Harry cerró la revista.

—Pues claro que no —se adelantó Hermione en tono mordaz—. *El Quisquilloso* es pura basura, lo sabe todo el mundo.

—Perdona —dijo Luna, cuya voz, de pronto, había perdido aquel tono soñador—. Mi padre es el director.

—¡Oh..., yo...! —balbuceó Hermione, abochornada—. Bueno..., tiene cosas interesantes... Es muy...

—Dámela, por favor. Gracias —respondió Luna con frialdad, y luego se inclinó hacia delante y se la quitó a Harry de las manos.

Pasó con rapidez las páginas hasta la número cincuenta y siete, volvió a ponerla del revés con decisión y desapareció de nuevo tras ella justo cuando la puerta del compartimento se abría por tercera vez.

Harry se volvió; estaba esperando que sucediera, pero eso no significó que el hecho de ver a Draco Malfoy sonriendo con suficiencia, flanqueado por Crabbe y Goyle, le resultara menos desagradable.

—¿Qué? —le espetó agresivamente antes de que Malfoy pudiera abrir la boca.

—Cuida tus modales, Potter, o tendré que castigarte —dijo Malfoy arrastrando las palabras; su lacio y rubio cabello y su puntiaguda barbilla eran iguales que los de su padre—. Mira, a mí me han nombrado prefecto y a ti no, lo cual significa que yo tengo el derecho de imponer castigos y tú no.

—Sí —replicó Harry—, pero tú eres un imbécil y yo no, así que lárgate de aquí y déjanos en paz.

Ron, Hermione, Ginny y Neville se pusieron a reír y Malfoy torció el gesto.

—Dime, Potter, ¿qué se siente siendo el mejor después de Weasley?

—Cállate, Malfoy —replicó Hermione con dureza.

—Veo que he puesto el dedo en la llaga —sentenció Malfoy sin dejar de sonreír—. Bueno, ándate con mucho cuidado, Potter, porque voy a estar siguiéndote como un perro por si desobedeces en algo.

—¡Largo! —le ordenó Hermione poniéndose en pie.

Malfoy soltó una risita, dirigió una última mirada maliciosa a Harry y salió del compartimento seguido de Crabbe y Goyle. Hermione cerró de golpe la puerta y se volvió para mirar a Harry, quien comprendió de inmediato que ella, igual que él, había entendido lo que había querido decir Malfoy con aquellas palabras, y que la habían impresionado tanto como a él.

—Pásame otra rana —dijo entonces Ron, que no se había enterado de nada.

Harry no podía hablar libremente ni delante de Neville ni de Luna, así que intercambió otra mirada nerviosa con Hermione y luego se puso a mirar por la ventanilla.

Le había parecido divertido que Sirius los acompañara a la estación, pero de pronto lo asaltó la idea de que había sido arriesgado, por no decir peligrosísimo... Hermione tenía razón... Sirius no debía haberlos acompañado. ¿Y si el señor Malfoy había visto al perro negro y se lo había contado a Draco? ¿Y si había deducido que los Weasley, Lupin, Tonks y Moody sabían dónde estaba escondido Sirius? ¿O había sido una simple coincidencia que Malfoy utilizara la expresión «como un perro»?

El clima seguía sin definirse mientras el tren avanzaba hacia el norte. La lluvia salpicaba las ventanillas con desgana, y de vez en cuando el sol hacía una débil aparición antes de que las nubes volvieran a taparlo. Cuando oscureció y se encendieron las luces dentro de los vagones, Luna enrolló *El Quisquilloso*, lo guardó con cuidado en su bolsa y se dedicó a observar a los que viajaban con ella en el compartimento.

Harry iba sentado con la frente apoyada en la ventanilla intentando divisar la silueta de Hogwarts, pero no había luna y el cristal estaba mojado y sucio.

—Será mejor que nos cambiemos —dijo Hermione al fin.

Ron y Hermione engancharon sus insignias de prefectos en ellas y Harry vio que Ron se miraba en el cristal de la oscura ventanilla.

Por fin el tren empezó a aminorar la marcha y oyeron el habitual alboroto por el pasillo, pues todos se pusieron en pie para recoger su equipaje y a sus mascotas, listos para apearse. Como Ron y Hermione tenían que supervisar que hubiera orden, volvieron a salir del compartimento encargando a Harry y a los demás del cuidado de *Crookshanks* y *Pigwidgeon*.

—Yo puedo llevar esa lechuza, si quieres —le dijo Luna a Harry señalando la jaula de *Pigwidgeon* mientras Neville se guardaba a *Trevor* con cuidado en un bolsillo interior.

—¡Ah, gracias! —contestó Harry, quien le pasó la jaula de *Pigwidgeon* y así pudo sujetar mejor la de *Hedwig*.

Salieron del compartimento y notaron por primera vez el frío de la noche en la cara al reunirse con el resto de los alumnos en el pasillo. Lentamente fueron avanzando hacia las puertas. Harry notó el olor de los pinos que bordeaban el sendero, que descendía hasta el lago. Bajó al andén y miró a su alrededor esperando oír el familiar grito de «¡Primer año! ¡Los de primer año por aquí!».

Pero aquel grito no se oyó. Una voz de mujer muy diferente gritaba con un enérgico tono: «¡Los de primero pónganse en fila aquí, por favor! ¡Todos los de primero conmigo!»

Un farol se acercaba oscilando hacia Harry, y su luz le permitió ver la prominente barbilla y el severo corte de pelo de la profesora Grubbly-Plank, la bruja que el año anterior había sustituido durante un tiempo a Hagrid como profesor de Cuidado de Criaturas Mágicas.

—¿Dónde está Hagrid? —preguntó Harry en voz alta.

—No lo sé —contestó Ginny—, pero será mejor que nos apartemos, estamos impidiendo el paso.

—¡Ah, sí!

Harry y Ginny se separaron mientras recorrían el andén y entraban en la estación. Empujado por el gentío, el muchacho escudriñaba la oscuridad tratando de distinguir a Hagrid; tenía que estar allí, Harry lo había dado por hecho: volver a ver a Hagrid era una de las cosas que más ilusión le hacían. Pero no había ni rastro de él.

«No puede haberse marchado —se dijo Harry mientras caminaba con el resto de los alumnos, despacio y arrastrando los pies, y pasaba por una estrecha puerta que daba a la calle—. Debe de estar resfriado o algo así.»

Miró alrededor buscando a Ron o a Hermione, pues quería saber qué opinaban ellos de la presencia de la profesora Grubbly-Plank, pero ninguno de los dos estaba por allí cerca, así que se dejó arrastrar hacia la oscura y mojada calle que discurría frente a la estación de Hogsmeade.

Allí esperaba el centenar de carruajes sin caballos que cada año llevaba a los alumnos que no eran de primer curso hasta el castillo. Harry los miró brevemente, se dio la vuelta para buscar a Ron y a Hermione, y luego volvió a mirar.

Los carruajes habían cambiado, pues entre las varas de los coches había unas criaturas de pie. Si hubiera debido llamarlas de alguna forma, suponía que las habría llamado caballos, aunque tenían cierto aire de reptil. No tenían ni pizca de carne, y el negro pelaje se pegaba al esqueleto, del que se distinguía con claridad cada uno de los huesos. La cabeza parecía de dragón y tenían los ojos sin pupila, blancos y fijos. De la cruz, la parte más alta del lomo de aquella especie de animales, les salían alas, unas alas inmensas, negras y curtidas, que parecían de gigantescos murciélagos. Allí plantadas, quietas y silenciosas en la oscuridad, las criaturas tenían un aire fantasmal y siniestro. Harry no entendía por qué aquellos horribles caballos tiraban de los carruajes cuando éstos eran perfectamente capaces de moverse solos.

—¿Dónde está *Pig*? —preguntó la voz de Ron detrás de Harry.

—La llevaba esa chica, Luna —respondió éste volviéndose con rapidez, ansioso por preguntar a Ron por Hagrid—. ¿Dónde crees que...?

—¿... está Hagrid? No lo sé —contestó su amigo, que se mostraba preocupado—. Espero que esté bien...

Cerca de ellos, Draco Malfoy, seguido de un pequeño grupo de amigotes, entre ellos Crabbe, Goyle y Pansy Parkinson, apartaba a unos alumnos de segundo de aspecto tímido para que él y sus colegas pudieran tener un coche para ellos solos. Unos segundos más tarde, Hermione salió jadeando de entre la multitud.

—Malfoy se ha portado fatal con un alumno de primero. Pienso informar de esto, sólo hace tres minutos que se ha puesto la insignia y ya está utilizándola para intimidar a la gente... ¿Dónde está *Crookshanks*?

—Lo tiene Ginny —respondió Harry—. Mira, allí está...

Ginny acababa de salir de la muchedumbre con el gato en los brazos.

—Gracias —dijo Hermione tomando a su mascota—. Vamos a ver si encontramos un coche antes de que se llenen todos y podemos ir juntos...

—¡Todavía no tengo a *Pig*! —exclamó entonces Ron, pero Hermione ya iba hacia el primer carruaje libre que había visto. Harry se quedó atrás con su amigo.

—¿Qué crees que son esos bichos? —le preguntó señalando con la cabeza los horribles caballos, mientras los otros alumnos pasaban a su lado.

—¿Qué bichos?

—Esos caballos...

En ese momento apareció Luna con la jaula de *Pigwidgeon*; la pequeña lechuza gorjeaba muy emocionada, como siempre.

—Toma —dijo Luna—. Es una lechuza encantadora, ¿no?

—Este..., sí..., encantadora —balbuceó Ron con brusquedad—. Vamos, subamos al... ¿Qué estabas diciéndome, Harry?

—Estaba preguntándote qué son esos caballos —repitió Harry mientras Ron, Luna y él se dirigían al carruaje al que ya habían subido Hermione y Ginny.

—¿Qué caballos?

—¡Los caballos que tiran de los coches! —dijo Harry con impaciencia.

Estaban a menos de un metro de uno de ellos y el animal los miraba con sus ojos vacíos y blancos. Ron, sin embargo, miró a Harry con perplejidad.

—¿De qué me hablas?

—Te hablo de... ¡Mira!

Harry agarró a Ron por un brazo y le dio la vuelta, colocándolo cara a cara con el caballo alado. Ron lo miró fijamente un par de segundos y luego volvió a mirar a Harry.

—¿Qué se supone que estoy mirando?

—El... ¡Aquí, entre las varas! ¡Enganchado al coche! ¡Lo tienes delante de las narices!

Pero Ron seguía sin comprender ni una palabra, y entonces a Harry se le ocurrió algo muy extraño.

—¿No..., no los ves?

—¿Ver qué?

—¿No ves lo que tira de los carruajes?

En ese instante Ron parecía ya muy alarmado.

—¿Te encuentras bien, Harry?

—Sí, claro...

Harry estaba absolutamente perplejo. El caballo estaba allí mismo, delante de él, sólido y reluciente bajo la débil luz que salía de las ventanas de la estación que tenían detrás, y le salía vaho por los orificios de la nariz. Sin embargo, a menos que Ron estuviera gastándole una broma, y si así era no tenía ninguna gracia, su amigo no los veía.

—¿Subimos o no? —preguntó éste, perplejo, mirando a Harry como si estuviera preocupado por él.

—Sí. Sí, subamos...

—No pasa nada —dijo entonces una voz soñadora detrás de Harry en cuanto Ron se perdió en el oscuro interior del carruaje—. No te estás volviendo loco ni nada parecido. Yo también los veo.

—¿Ah, sí? —replicó Harry, desesperado, volviéndose hacia Luna y viendo reflejados en sus redondos y plateados ojos los caballos con alas de murciélago.

—Sí, claro. Yo ya los vi el primer día que vine aquí —le explicó la chica—. Siempre han tirado de los carruajes. No te preocupes, estás tan cuerdo como yo.

Luna esbozó una sonrisa y subió al mohoso carruaje detrás de Ron, y Harry la siguió sin estar muy convencido.

11

La nueva canción del Sombrero Seleccionador

Harry no quería que los demás supieran que Luna y él tenían la misma alucinación, si eso es lo que era, de modo que no volvió a mencionar los caballos; simplemente se sentó en el carruaje y cerró la portezuela tras él. Con todo, no pudo evitar mirar las siluetas de los animales que se movían detrás de la ventanilla.

—¿Han visto a Grubbly-Plank? —preguntó Ginny—. ¿Qué hace aquí? No se habrá marchado Hagrid, ¿verdad?

—A mí no me importaría —dijo Luna—. No es muy buen profesor.

—¡Claro que lo es! —saltaron Harry, Ron y Ginny, enojados.

Harry lanzó una mirada fulminante a Hermione, que carraspeó y dijo:

—Sí, sí... Es muy bueno.

—Pues a los de Ravenclaw nos da mucha risa —comentó Luna sin inmutarse.

—Se ve que tienen un sentido del humor muy raro —le espetó Ron mientras las ruedas del carruaje empezaban a moverse.

A Luna no pareció afectarle la tosquedad de Ron; más bien al contrario: se quedó mirándolo un buen rato como si fuera un programa de televisión poco interesante.

Los coches, traqueteando y balanceándose, avanzaban en caravana por el camino. Cuando pasaron entre los dos altos pilares de piedra, adornados con sendos cerdos alados en la parte de arriba, que había a ambos lados de la verja de los jardines del colegio, Harry se inclinó hacia delante para ver si había luz en la cabaña de Hagrid, junto al Bosque Prohibido, pero los jardines estaban completamente a oscuras. El castillo de Hogwarts, sin embargo, se erguía ante ellos: un imponente conjunto de torrecillas, negro como el azabache contra el oscuro cielo, con alguna que otra ventana muy iluminada en la parte superior.

Los carruajes se detuvieron con un tintineo cerca de los escalones de piedra que conducían a las puertas de roble, y Harry fue el primero en apearse. Se dio la vuelta una vez más para comprobar si había alguna ventana iluminada cerca del Bosque, pero no distinguió señales de vida en la cabaña de Hagrid. Luego volvió a mirar de mala gana, porque todavía albergaba esperanzas de que hubieran desaparecido, a aquellas esqueléticas criaturas que conducían los carruajes, y vio que se habían quedado quietas y silenciosas en la fría noche, y que sus blancos e inexpresivos ojos relucían.

Harry ya había tenido en otra ocasión la experiencia de percibir algo que Ron no podía ver, pero se había tratado de un reflejo en un espejo, algo mucho más incorpóreo que un centenar de sólidos animales lo bastante fuertes para tirar de una flota de carruajes. Si Luna no mentía, aquellas bestias siempre habían estado allí, aunque él nunca las había visto. Entonces ¿por qué podía percibirlas en ese momento, y su amigo no?

—¿Vienes o qué? —le preguntó Ron.

—¡Ah, sí! —respondió Harry rápidamente, y se unieron a la muchedumbre que corría escalones arriba y entraba en el castillo.

El vestíbulo resplandecía con la luz de las antorchas, y en él resonaban los pasos de los alumnos que caminaban por el suelo de losas de piedra hacia las puertas que había a la derecha, las cuales conducían al Gran Comedor donde iba a celebrarse el banquete de bienvenida.

Los alumnos fueron sentándose a las cuatro largas mesas del Gran Comedor, que pertenecían a cada una de las casas del colegio, bajo un techo negro sin estrellas, idéntico al cielo que podía verse a través de las altas ventanas. Las velas que flotaban en el aire, sobre las mesas, iluminaban a los plateados fantasmas que había desperdigados por el comedor, así como los rostros de los alumnos, que hablaban con entusiasmo intercambiando noticias del verano, saludando a gritos a los amigos de otras casas y examinándose los recientes cortes de pelo y las nuevas túnicas. Una vez más, Harry se fijó en que la gente inclinaba la cabeza para cuchichear entre sí cuando él pasaba a su lado; apretó los dientes e intentó hacer como que no lo había notado o que no le importaba.

Luna se separó de ellos al llegar a la mesa de Ravenclaw. En cuanto los demás llegaron a la de Gryffindor, a Ginny la llamaron unos compañeros de cuarto y fue a sentarse con ellos; Harry, Ron, Hermione y Neville encontraron cuatro asientos libres hacia la mitad de la mesa, entre Nick Casi Decapitado, el fantasma de la casa de Gryffindor, y Parvati Patil y Lavender Brown; éstas saludaron a Harry con tanta despreocupación y efusividad que el chico no tuvo ninguna duda de que habían dejado de hablar de él un segundo antes. Pero Harry tenía cosas más importantes en que pensar: miraba por encima de las cabezas de los alumnos hacia la mesa de los profesores, que discurría a lo largo de la pared del fondo del comedor.

—Ahí tampoco está.

Ron y Hermione recorrieron también la mesa con la mirada, aunque en realidad no hacía falta: por su estatura, Hagrid destacaba enseguida en cualquier lugar.

—No puede haberse marchado —comentó Ron, que parecía un tanto angustiado.

—Claro que no —dijo Harry firmemente.

—No le habrá... pasado nada, ¿verdad? —sugirió Hermione con inquietud.

—No —respondió Harry de inmediato.

—Pero ¿entonces dónde está?

Se produjo una pausa, y luego Harry dijo en voz baja para que no lo oyeran Neville, Parvati y Lavender:

—A lo mejor todavía no ha vuelto. Ya saben..., de su misión, de eso que ha estado haciendo este verano para Dumbledore.

—Sí... Sí, debe de ser eso —coincidió Ron, más tranquilo; pero Hermione se mordió el labio inferior y siguió recorriendo la mesa de los profesores con la mirada, como si allí fuera a encontrar alguna explicación convincente a la ausencia de Hagrid.

—¿Quién es ésa? —preguntó de pronto, señalando hacia la mitad de la mesa.

Harry miró hacia donde indicaba su amiga. Primero se detuvo en la figura del profesor Dumbledore, que estaba sentado en el centro en su silla de oro de alto respaldo, con una túnica de color morado oscuro salpicada de estrellas plateadas y un sombrero a juego. Dumbledore tenía la cabeza inclinada hacia la mujer que estaba sentada a su lado, que le decía algo al oído. Harry pensó que esa mujer parecía una tía solterona: era rechoncha y bajita, y tenía el cabello pardusco, corto y rizado. Se había puesto una espantosa diadema de color rosa que hacía juego con la esponjosa chaqueta de punto del mismo tono que llevaba sobre la túnica. Entonces la mujer giró un poco la cabeza para beber un sorbo de su copa, y Harry vio, con gran sorpresa, un pálido rostro que recordaba al de un sapo y dos ojos saltones y con bolsas.

—¡Es Umbridge!

—¿Quién?

—¡Estaba en la vista! ¡Trabaja para Fudge!

—Bonita chaqueta —comentó Ron con una sonrisa irónica.

—¡Trabaja para Fudge! —repitió Hermione frunciendo el entrecejo—. Entonces ¿qué demonios hace aquí?

—No lo sé...

Hermione volvió a recorrer la mesa de los profesores con los ojos entornados.

—No —murmuró—, no, seguro que no...

Harry no entendió a qué se refería, pero no se lo preguntó, pues en ese instante acaparaba su atención la profesora Grubbly-Plank, que acababa de aparecer detrás de la mesa de los profesores; fue hasta el extremo de la mesa y se sentó en el lugar que debería haber ocupado Hagrid. Eso significaba que los de primer año ya habían cruzado el lago y habían llegado al castillo; y en efecto, unos segundos más tarde se abrieron las puertas del Gran Comedor. Por ellas entró una larga fila de alumnos de primero, con pinta de asustados, guiados por la profesora McGonagall, que llevaba en las manos un taburete sobre el que reposaba un viejo sombrero de mago, muy remendado y zurcido, con una ancha rasgadura cerca del raído borde.

Los murmullos que llenaban el Gran Comedor fueron apagándose. Los de primer año se pusieron en fila delante de la mesa de los profesores, de cara al resto de los alumnos, y la profesora McGonagall dejó con cuidado el taburete delante de ellos y luego se apartó.

Los rostros de los de primero resplandecían tenuemente a la luz de las velas. Había un muchacho hacia la mitad de la fila que temblaba. Durante un momento Harry recordó lo aterrado que él estaba el día que tuvo que esperar allí de pie a que le tocara el turno de someterse al examen que decidiría a qué casa pertenecería.

El colegio entero permanecía expectante, conteniendo la respiración. Entonces la rasgadura que el sombrero tenía cerca del borde se abrió, como si fuera una boca, y el Sombrero Seleccionador se puso a cantar:

Cuando Hogwarts comenzaba su andadura
y yo no tenía ni una sola arruga,
los fundadores del colegio creían
que jamás se separarían.
Todos tenían el mismo objetivo,
un solo deseo compartían:
crear el mejor colegio mágico del mundo
y transmitir su saber a sus alumnos.
«¡Juntos lo levantaremos y allí enseñaremos!»,
decidieron los cuatro amigos
sin pensar que su unión pudiera fracasar.
Porque ¿dónde podía encontrarse
a dos amigos como Slytherin y Gryffindor?
Sólo otra pareja, Hufflepuff y Ravenclaw,
a ellos podía compararse.
¿Cómo fue que todo acabó mal?
¿Cómo pudieron arruinarse
tan buenas amistades?
Verán, yo estaba allí y puedo contarles
toda la triste y lamentable historia.
Dijo Slytherin: «Sólo enseñaremos a aquellos
que tengan pura ascendencia.»
Dijo Ravenclaw: «Sólo enseñaremos a aquellos

de probada inteligencia.»
Dijo Gryffindor: «Sólo enseñaremos a aquellos
que hayan logrado hazañas.»
Dijo Hufflepuff: «Yo les enseñaré a todos,
y trataré a todos por igual.»
Cada uno de los cuatro fundadores
acogía en su casa a los que quería.
Slytherin sólo aceptaba
a los magos de sangre limpia
y gran astucia, como él,
mientras que Ravenclaw sólo enseñaba
a los de mente muy despierta.
Los más valientes y audaces
tenían como maestro al temerario Gryffindor.
La buena de Hufflepuff se quedó con el resto
y todo su saber les transmitía.
De este modo las casas y sus fundadores
mantuvieron su firme y sincera amistad.
Y Hogwarts funcionó en armonía
durante largos años de felicidad,
hasta que surgió entre nosotros la discordia,
que de nuestros miedos y errores se nutría.
Las casas que, como cuatro pilares,
habían sostenido nuestra escuela
se pelearon entre ellas
y, divididas, todas querían dominar.
Entonces parecía que el colegio
mucho no podría aguantar,
pues siempre había duelos
y peleas entre amigos.
Hasta que por fin una mañana
el viejo Slytherin partió,
y aunque las peleas cesaron,
el colegio muy triste se quedó.
Y nunca desde que los cuatro fundadores
quedaron reducidos a tres
volvieron a estar unidas las casas
como pensaban estarlo siempre.
Y todos los años el sombrero seleccionador se presenta,
y todos saben para qué:
yo los pongo a cada uno en una casa

porque ésa es mi misión,
pero este año iré más lejos,
escuchen atentamente mi canción:
aunque estoy condenado a separarlos
creo que con eso cometemos un error.
Aunque debo cumplir mi deber
y cada año tengo que dividirlos,
sigo pensando que así no lograremos
eliminar el miedo que tenemos.
Yo conozco los peligros, leo las señales,
las lecciones que la historia nos enseña,
y les digo que nuestro Hogwarts está amenazado
por malignas fuerzas externas,
y que si unidos no permanecemos
por dentro nos desmoronaremos.
Ya les he dicho, ya están prevenidos.
Que comience la Selección.

El sombrero se quedó quieto y su discurso fue recibido con un fuerte aplauso, aunque por primera vez, según recordaba Harry, se escucharon al mismo tiempo murmullos y susurros. Por todo el Gran Comedor los alumnos intercambiaban comentarios con sus vecinos, y Harry, mientras aplaudía como los demás, sabía con exactitud de qué hablaban.

—Este año se ha ido un poco por las ramas, ¿no? —comentó Ron arqueando las cejas.

—Pero tiene mucha razón —repuso Harry.

El Sombrero Seleccionador solía limitarse a describir las diferentes cualidades que buscaba cada una de las casas de Hogwarts y su forma de seleccionar a los alumnos. Harry no recordaba que el Sombrero Seleccionador hubiera dado consejos al colegio.

—Me pregunto si habrá hecho advertencias como ésta alguna otra vez —dijo Hermione con ansiedad.

—Sí, ya lo creo —afirmó Nick Casi Decapitado dándoselas de entendido e inclinándose hacia ella a través de Neville (quien hizo una mueca, pues era muy desagradable tener a un fantasma atravesando tu cuerpo)—. El sombrero se cree obligado a prevenir al colegio siempre que...

Pero la profesora McGonagall, que esperaba para empezar a leer la lista de alumnos de primer año, miraba a los ruidosos muchachos con aquellos ojos que abrasaban. Nick Casi Decapitado se llevó un transparente dedo a los labios y se sentó remilgadamente tieso, y los murmullos cesaron de inmediato. La profesora McGonagall, tras recorrer por última vez las cuatro mesas con el entrecejo fruncido, bajó la vista hacia el largo trozo de pergamino que tenía entre las manos y pronunció el primer nombre:

—Abercrombie, Euan.

El muchacho muerto de miedo en el que Harry se había fijado antes se adelantó dando trompicones y se puso el sombrero en la cabeza; sus grandes orejas impidieron que éste se le cayera hasta los hombros. El sombrero caviló unos instantes, y luego la rasgadura que tenía cerca del borde volvió a abrirse y gritó:

—¡Gryffindor!

Harry aplaudió con el resto de los de su casa mientras Euan Abercrombie iba tambaleándose hasta su mesa y se sentaba; parecía que estaba deseando que se lo tragara la tierra para que nadie volviera a mirarlo jamás.

Poco a poco, la larga fila de alumnos de primero fue disminuyendo. En las pausas que había entre la lectura de los nombres y la decisión del Sombrero Seleccionador, Harry oía cómo a Ron le sonaban las tripas. Finalmente seleccionaron a «Zeller, Rose» para Hufflepuff, y la profesora McGonagall recogió el sombrero y el taburete y se los llevó mientras el profesor Dumbledore se ponía en pie.

Pese a los amargos sentimientos que Harry había experimentado últimamente hacia su director, en ese momento lo tranquilizó ver a Dumbledore de pie ante los alumnos. Entre la ausencia de Hagrid y la presencia de los caballos con pinta de dragón, tenía la sensación de que su regreso a Hogwarts, tan esperado, estaba lleno de inesperadas sorpresas, como notas discordantes en una canción conocida. Sin embargo, la ceremonia era, al menos en aquel instante, como se suponía que debía ser: el director del colegio se levantaba para saludarlos a todos antes del banquete de bienvenida.

—A los nuevos —dijo Dumbledore con voz sonora, los brazos abiertos y extendidos y una radiante sonrisa en los labios— les digo: ¡bienvenidos! Y a los que no son nuevos les repito: ¡bienvenidos otra vez! En toda reunión hay un momento adecuado para los discursos, y como éste no lo es, ¡al ataque!

Las palabras de Dumbledore fueron recibidas con risas y aplausos, y el director se sentó con sumo cuidado y se echó la larga barba sobre un hombro para que no se le metiera en el plato, pues la comida había aparecido por arte de magia, y las cinco largas mesas estaban llenas a rebosar de trozos de carne asada, pasteles y bandejas de verduras, pan, salsas y jarras de jugo de calabaza.

—Excelente —dijo Ron con un gemido de placer; luego agarró la bandeja de chuletas que tenía más cerca y empezó a amontonarlas en su plato bajo la nostálgica mirada de Nick Casi Decapitado.

—¿Qué decía usted antes de que se iniciara la Ceremonia de Selección? —le preguntó Hermione al fantasma—. Eso de que el sombrero podía lanzar advertencias.

—¡Ah, sí! —contestó Nick, contento de tener un motivo para apartar la mirada del plato de Ron, quien estaba comiendo papas asadas con un entusiasmo casi indecente—. Sí, he oído al sombrero lanzar advertencias otras veces, siempre que ha detectado momentos de grave peligro para el colegio. Y, por supuesto, el consejo siempre ha sido el mismo: permanezcan unidos, fortalézcanse por dentro.

—¿Cóbo va a fabeb um fombebo fi el cobefio ftá em belifro? —preguntó Ron.

Tenía la boca tan llena que Harry creyó que era todo un logro que hubiera conseguido articular algún sonido.

—¿Cómo decís? —preguntó con mucha educación Nick Casi Decapitado mientras Hermione hacía una mueca de asco. Ron tragó como pudo y repitió:

—¿Cómo va a saber un sombrero si el colegio está en peligro?

—No tengo ni idea —respondió el fantasma—. Bueno, vive en el despacho de Dumbledore, así que supongo que allí se entera de cosas.

—¿Y pretende que todas las casas sean amigas? —inquirió Harry echando un vistazo a la mesa de Slytherin, donde estaba Draco Malfoy rodeado de admiradores—. Pues lo tiene claro.

—Miren, no deberían adoptar esa actitud —les aconsejó Nick en tono reprobatorio—. Cooperación pacífica, ésa es la clave. Nosotros, los fantasmas, pese a pertenecer a diferentes casas, mantenemos vínculos de amistad. Aunque haya competitividad entre Gryffindor y Slytherin, a mí ni se me ocurriría provocar una discusión con el Barón Sanguinario.

—Sí, pero eso es porque le tiene usted miedo —aseguró Ron.

Nick Casi Decapitado se ofendió mucho.

—¿Miedo? ¡Creo poder afirmar que yo, sir Nicholas de Mimsy-Porpington, nunca jamás he pecado de cobarde! La noble sangre que corre por mis venas...

—¿Qué sangre? —lo interrumpió Ron—. Pero si usted ya no tiene...

—¡Es una forma de hablar! —exclamó Nick Casi Decapitado, tan enojado que empezó a temblarle aparatosamente la cabeza sobre el cuello medio rebanado—. ¡Espero tener todavía libertad para utilizar las palabras que se me antojen, dado que los placeres de la comida y de la bebida me han sido negados! Pero ¡ya estoy acostumbrado a que los alumnos se rían de mi muerte, se lo aseguro!

—¡Ron no se estaba riendo de usted, Nick! —terció Hermione fulminando a su amigo con la mirada.

Por desgracia, éste volvía a tener la boca a punto de explotar, y lo único que consiguió decir fue: «Nunfa me gío fon ga boga gena», algo que Nick no consideró una disculpa adecuada. Se elevó, se colocó bien el sombrero con plumas y se fue hacia el otro extremo de la mesa, donde se sentó entre los hermanos Creevey, Colin y Dennis.

—Felicidades, Ron —le soltó Hermione.

—¿Qué pasa? —protestó él, indignado; al fin había conseguido tragar la comida que tenía en la boca—. ¿No puedo hacer una sencilla pregunta?

—Olvídalo —dijo Hermione con fastidio, y ambos estuvieron el resto de la cena callados y enfurruñados.

Harry estaba tan acostumbrado a sus discusiones que no se molestó en intentar reconciliarlos; le pareció que empleaba mucho mejor su tiempo comiéndose el pastel de filete y riñones, y luego una gran ración de su tarta de melaza favorita.

Cuando todos los alumnos terminaron de comer y el nivel de ruido del Gran Comedor empezó a subir de nuevo, Dumbledore se puso una vez más en pie. Las conversaciones se interrumpieron al instante y todos giraron la cabeza para mirar al director. En ese momento Harry estaba maravillosamente amodorrado. Su cama de cuatro columnas lo esperaba arriba, blanda y calentita...

—Bueno, ahora que estamos digiriendo otro magnífico banquete, les pido un instante de atención para los habituales avisos de principio de curso —anunció Dumbledore—. Los de primer año deben saber que los alumnos tienen prohibido entrar en los bosques de los terrenos del castillo, y algunos de nuestros antiguos alumnos también deberían recordarlo. —Harry, Ron y Hermione se miraron y rieron por lo bajo—. El señor Filch, el conserje, me ha pedido, y según dice ya van cuatrocientas sesenta y dos veces, que les recuerde a todos que no está permitido hacer magia en los pasillos entre clase y clase, así como unas cuantas cosas más que pueden revisar en la larga lista que hay colgada en la puerta de su despacho.

»Este año hay dos cambios en el profesorado. Estamos muy contentos de dar la bienvenida a la profesora Grubbly-Plank, que se encargará de las clases de Cuidado de Criaturas Mágicas; también nos complace enormemente presentarles a la profesora Umbridge, la nueva responsable de Defensa Contra las Artes Oscuras.

Hubo un educado pero no muy entusiasta aplauso, durante el cual Harry, Ron y Hermione se miraron un tanto angustiados; Dumbledore no había especificado durante cuánto tiempo iba a dar clase la profesora Grubbly-Plank.

Después el director siguió diciendo:

—Las pruebas para los equipos de quidditch de cada casa tendrán lugar en...

Se interrumpió e interrogó con la mirada a la profesora Umbridge. Como no era mucho más alta de pie que sentada, se produjo un momento de confusión ya que nadie entendía por qué Dumbledore había dejado de hablar; pero entonces la profesora Umbridge se aclaró la garganta, «Ejem, ejem», y los alumnos se dieron cuenta de que se había levantado y de que pretendía pronunciar un discurso.

Dumbledore sólo vaciló unos segundos; luego se sentó con elegancia y miró con interés a la profesora Umbridge, como si lo que más deseara fuera oírla hablar. Otros miembros del profesorado no fueron tan hábiles disimulando su sorpresa. Las cejas de la profesora Sprout habían subido hasta la raíz de su airosa melena, y la profesora McGonagall tenía la boca más delgada que nunca. Era la primera vez que un profesor nuevo interrumpía a Dumbledore. Muchos alumnos sonrieron; era evidente que aquella mujer no tenía ni idea de cómo funcionaban las cosas en Hogwarts.

—Gracias, señor director —empezó la profesora Umbridge con una sonrisa tonta—, por esas amables palabras de bienvenida.

Tenía una voz muy chillona y entrecortada, de niña pequeña, y una vez más Harry sintió hacia ella una aversión que no podía explicarse; lo único que sabía era que todo en ella le resultaba repugnante, desde su estúpida voz hasta su esponjosa chaqueta de punto de color rosa. La profesora Umbridge volvió a carraspear («Ejem, ejem») y continuó su discurso.

—¡Bueno, en primer lugar quiero decir que me alegro de haber vuelto a Hogwarts! —Sonrió, enseñando unos dientes muy puntiagudos—. ¡Y de ver tantas caritas felices que me miran!

Harry echó un vistazo a su alrededor. Ninguna de las caras que vio tenía el aspecto de sentirse feliz. Más bien al contrario, todas parecían muy sorprendidas de que se dirigieran a ellas como si tuvieran cinco años.

—¡Estoy impaciente por conocerlos a todos y estoy segura de que seremos muy buenos amigos!

Al oír aquello, los alumnos se miraron unos a otros; algunos ya no podían contener una sonrisa burlona.

—Estoy dispuesta a ser amiga suya mientras no tenga que ponerme nunca esa chaqueta —le susurró Parvati a Lavender, y ambas rieron por lo bajo.

La profesora Umbridge se aclaró la garganta una vez más («Ejem, ejem»), pero cuando habló de nuevo su voz ya no sonaba tan entrecortada como antes. Sonaba mucho más seria, y ahora sus palabras tenían un tono monótono, como si se las hubiera aprendido de memoria.

—El Ministerio de Magia siempre ha considerado de vital importancia la educación de los jóvenes magos y de las jóvenes brujas. Los excepcionales dones con los que nacieron podrían quedar reducidos a nada si no se cultivaran y desarrollaran mediante una cuidadosa instrucción. Las ancestrales habilidades de la comunidad mágica deben ser transmitidas de generación en generación para que no se pierdan para siempre. El tesoro escondido del saber mágico acumulado por nuestros antepasados debe ser conservado, reabastecido y pulido por aquellos que han sido llamados a la noble profesión de la docencia.

Al llegar a ese punto la profesora Umbridge hizo una pausa y saludó con una pequeña inclinación de cabeza al resto de los profesores, pero ninguno le devolvió el saludo. Las oscuras cejas de la profesora McGonagall se habían contraído hasta tal punto que parecía un halcón, y a Harry no se le escapó la mirada de complicidad que intercambió con la profesora Sprout, mientras Umbridge carraspeaba otra vez y seguía con su perorata.

—Cada nuevo director o directora de Hogwarts ha aportado algo a la gran tarea de gobernar este histórico colegio, y así es como debe ser, pues si no hubiera progreso se llegaría al estancamiento y a la desintegración. Sin embargo, hay que poner freno al progreso por el progreso, pues muchas veces nuestras probadas tradiciones no aceptan retoques. Un equilibrio, por lo tanto, entre lo viejo y lo nuevo, entre la permanencia y el cambio, entre la tradición y la innovación...

Harry notó que su concentración disminuía, como si su cerebro se conectara y se desconectara. El silencio que siempre se apoderaba del Gran Comedor cuando hablaba Dumbledore estaba rompiéndose, pues los alumnos se acercaban unos a otros y juntaban las cabezas para cuchichear y reírse. En la mesa de Ravenclaw, Cho Chang charlaba la mar de animada con sus amigas. Unos cuantos asientos más allá, Luna Lovegood había sacado *El Quisquilloso*. Mientras tanto, en la mesa de Hufflepuff, Ernie Macmillan era uno de los pocos que seguían mirando fijamente a la profesora Umbridge, pero tenía los ojos vidriosos y Harry estaba seguro de que sólo fingía escuchar en un intento de hacer honor a la nueva insignia de prefecto que relucía en su pecho.

La profesora Umbridge no pareció reparar en la inquietud de su público. Harry tenía la impresión de que si se hubiera desatado una revuelta delante de sus narices, ella habría continuado, impasible, con su discurso. Los profesores, a pesar de todo, seguían escuchando con atención, y Hermione parecía pendiente de cada una de las palabras que pronunciaba, aunque, a juzgar por su expresión, no eran de su agrado.

—... porque algunos cambios serán para mejor, y otros, con el tiempo, se demostrará que fueron errores de juicio. Entre tanto se conservarán algunas viejas costumbres, y estará bien que así se haga, mientras que otras, desfasadas y anticuadas, deberán ser abandonadas. Sigamos adelante, así pues, hacia una nueva era de apertura, eficacia y responsabilidad, decididos a conservar lo que haya que conservar, perfeccionar lo que haya que perfeccionar y recortar las prácticas que creamos que han de ser prohibidas.

Y tras pronunciar esa última frase la mujer se sentó. Dumbledore aplaudió y los profesores lo imitaron, aunque Harry se fijó en que varios de ellos sólo juntaban las manos una o dos veces y luego paraban. Unos cuantos alumnos aplaudieron también, pero el final del discurso, del que en realidad sólo habían escuchado unas palabras, halló desprevenidos a casi todos, y antes de que pudieran empezar a aplaudir como es debido, Dumbledore ya había dejado de hacerlo.

—Muchas gracias, profesora Umbridge, ha sido un discurso sumamente esclarecedor —dijo con una inclinación de cabeza—. Y ahora, como iba diciendo, las pruebas de quidditch se celebrarán...

—Sí, sí que ha sido esclarecedor —comentó Hermione en voz baja.

—No me irás a decir que te ha gustado —repuso Ron mirándola con ojos vidriosos—. Ha sido el discurso más aburrido que he oído jamás, y eso que he crecido con Percy.

—He dicho que ha sido esclarecedor, no que me haya gustado —puntualizó Hermione—. Ha explicado muchas cosas.

—¿Ah, sí? —dijo Harry con sorpresa—. A mí me ha parecido que tenía mucha paja.

—Había cosas importantes escondidas entre la paja —replicó Hermione con gravedad.

—¿En serio? —se extrañó Ron, que no comprendía nada.

—Como, por ejemplo, «hay que poner freno al progreso por el progreso». O «recortar las prácticas que creamos que han de ser prohibidas».

—¿Y eso qué significa? —preguntó Ron, impaciente.

—Te voy a decir lo que significa —respondió Hermione con tono amenazador—. Significa que el Ministerio está inmiscuyéndose en Hogwarts.

De pronto se produjo un gran estrépito a su alrededor; era evidente que Dumbledore los había despedido a todos, porque los alumnos se habían puesto en pie y se disponían a salir del Gran Comedor. Hermione se levantó muy atolondrada.

—¡Ron, tenemos que enseñar a los de primero adónde deben ir!

—¡Ah, sí! —exclamó Ron, que lo había olvidado—. ¡Eh, eh, ustedes! ¡Enanos!

—¡Ron!

—Es que lo son, míralos... Son pequeñísimos.

—¡Ya lo sé, pero no puedes llamarlos enanos! ¡Los de primer año! —llamó Hermione con tono autoritario a los nuevos alumnos de su mesa—. ¡Por aquí, por favor!

Un grupo de alumnos desfiló con timidez por el espacio que había entre la mesa de Gryffindor y la de Hufflepuff; todos ponían mucho empeño en no colocarse a la cabeza del grupo. Realmente parecían muy pequeños; Harry estaba seguro de que él no lo parecía tanto cuando llegó por primera vez a Hogwarts. Les sonrió, y un muchacho rubio que estaba junto a Euan Abercrombie se quedó petrificado, le dio un codazo y le susurró algo al oído. Euan puso la misma cara de susto y miró de reojo a Harry, quien notó que su sonrisa resbalaba por su cara como una mancha de jugo fétido.

—Hasta luego —les dijo tristemente a Ron y a Hermione, y salió solo del Gran Comedor haciendo todo lo posible por ignorar los susurros, las miradas y los dedos que lo señalaban al pasar.

Mantuvo la mirada al frente mientras se abría paso entre la multitud que llenaba el vestíbulo, subió a toda prisa la escalera de mármol, tomó un par de atajos y no tardó en dejar atrás al resto de los alumnos.

Qué estupidez no haber imaginado que ocurriría algo así, pensó, furioso, mientras recorría los pasillos de los pisos superiores, que estaban casi vacíos. Claro que todo el mundo lo miraba; dos meses antes había salido del laberinto del Torneo de los tres magos con el cadáver de un compañero en los brazos y asegurando haber visto cómo lord Voldemort volvía al poder. Al finalizar el curso anterior no había tenido tiempo para dar explicaciones antes de que todos volvieran a sus casas (en caso de que hubiera querido dar al colegio un informe detallado de los terribles sucesos ocurridos en el cementerio).

Harry había llegado al final del pasillo que conducía a la sala común de Gryffindor y se había parado frente al retrato de la Señora Gorda cuando se dio cuenta de que no sabía la nueva contraseña.

—Este... —comenzó a decir con desánimo, mirando fijamente a la Señora Gorda, que se alisó los pliegues del vestido de raso de color rosa y le devolvió una severa mirada.

—Si no me dices la contraseña, no entras —dijo con altanería.

—¡Yo la sé, Harry! —exclamó alguien que llegaba jadeando; Harry se dio la vuelta y vio que Neville corría hacia él—. ¿Sabes qué es? Por una vez no se me va a olvidar... —afirmó agitando el raquítico cactus que le había enseñado en el tren—. *¡Mimbulus mimbletonia!*

—Correcto —dijo la Señora Gorda, y su retrato se abrió hacia ellos, como si fuera una puerta, y en la pared dejó a la vista un agujero redondo por el que entraron Harry y Neville.

La sala común de Gryffindor, una agradable habitación circular llena de destartaladas y blandas butacas y viejas y desvencijadas mesas, parecía más acogedora que nunca. Un fuego chisporroteaba alegremente en la chimenea y había varios alumnos calentándose las manos frente a él antes de subir a sus dormitorios; al otro lado de la estancia Fred y George Weasley estaban colgando algo en el tablón de anuncios. Harry les dijo adiós con la mano y fue directo hacia la puerta del dormitorio de los chicos; en ese momento no estaba de humor para charlar. Neville lo siguió.

Dean Thomas y Seamus Finnigan ya habían llegado al dormitorio y habían empezado a cubrir las paredes que había junto a sus camas con pósters y fotografías. Cuando Harry abrió la puerta estaban hablando, pero se interrumpieron en cuanto lo vieron. El chico se preguntó si estarían hablando de él, y luego se preguntó también si tendría paranoia.

—¡Hola! —los saludó, y después se dirigió hacia su baúl y lo abrió.

—¡Hola, Harry! —respondió Dean, que estaba poniéndose un pijama con los colores del West Ham—. ¿Has pasado un buen verano?

—No ha estado mal —masculló Harry, pues le habría llevado toda la noche hacer un verdadero relato de sus vacaciones, y no estaba preparado para afrontarlo—. ¿Y tú?

—Sí, muy bueno —contestó Dean con una risita—. Mejor que el de Seamus, desde luego. Estaba contándomelo.

—¿Por qué? ¿Qué ha pasado, Seamus? —preguntó Neville mientras colocaba con mucho cuidado su *Mimbulus mimbletonia* sobre su mesilla de noche.

Seamus no contestó enseguida; estaba complicándose mucho la vida para asegurarse de que su póster del equipo de quidditch de los Kenmare Kestrels quedara completamente recto. Al fin contestó, aunque todavía estaba de espaldas a Harry.

—Mi madre no quería que volviera.

—¿Qué dices? —Harry, que se disponía a quitarse la túnica, se quedó parado.

—No quería que volviera a Hogwarts.

Seamus se dio la vuelta y sacó el pijama de su baúl, pero sin mirar a Harry.

—Pero ¿por qué? —preguntó éste, perplejo. Sabía que la madre de Seamus era bruja y por lo tanto no entendía por qué tenía una actitud más propia de los Dursley.

Seamus no contestó hasta que hubo terminado de abotonarse el pijama.

—Bueno —respondió con voz tranquila—, supongo que... por ti.

—¿Qué quieres decir? —inquirió Harry rápidamente. El corazón le latía muy deprisa y tenía la extraña sensación de que algo se le caía encima.

—Bueno —continuó Seamus, esquivando la mirada de su compañero—, es que... Este... Bueno, no sólo por ti, sino también por Dumbledore...

—¿Se ha creído lo que cuenta *El Profeta*? —se extrañó Harry—. ¿Cree que soy un mentiroso y que Dumbledore es un viejo chiflado?

Seamus levantó la cabeza y miró a Harry.

—Sí, más o menos.

Harry no dijo nada. Tiró su varita encima de la mesilla de noche, se quitó la túnica, la metió de cualquier manera en el baúl y sacó el pijama. Estaba harto; harto de que todos se quedaran mirándolo y hablaran de él a sus espaldas. Si los demás lo supieran, si tuvieran una leve idea de lo que era ser siempre el centro de atención... La estúpida de la señora Finnigan no se enteraba de nada, pensó rabioso.

Se metió en la cama, pero cuando iba a correr las cortinas del dosel, Seamus dijo:

—Oye..., ¿qué pasó aquella noche? La noche en que..., ya sabes, cuando..., lo de Cedric Diggory y todo eso...

Seamus parecía nervioso y expectante al mismo tiempo. Dean, que estaba inclinado sobre su baúl intentando sacar una zapatilla, se quedó de pronto muy quieto y Harry comprendió que estaba escuchándolos.

—¿Por qué me lo preguntas? —replicó Harry—. Sólo tienes que leer *El Profeta* como tu madre, ¿no? Así podrás enterarte de todo lo que quieras saber.

—No te metas con mi madre —le espetó Seamus.

—Me meto con cualquiera que me llame mentiroso —contestó Harry.

—¡No me hables así!

—Te hablo como me da la gana —estalló Harry; se estaba poniendo tan furioso que agarró la varita, que había dejado en la mesilla de noche—. Si tienes algún inconveniente en compartir dormitorio conmigo, ve y pídele a McGonagall que te cambie... Así tu madre no tendrá que preocuparse por ti...

—¡Deja a mi madre en paz, Potter!

—¿Qué pasa aquí?

Ron acababa de entrar por la puerta. Con los ojos como platos, miró primero a Harry, que estaba arrodillado en la cama apuntando con la varita a Seamus, y luego a Seamus, que estaba de pie con los puños levantados.

—¡Está metiéndose con mi madre! —gritó Seamus.

—¿Qué? —se extrañó Ron—. Harry nunca haría eso. Conocimos a tu madre y nos cayó muy bien...

—¡Eso fue antes de que empezara a creer al pie de la letra todo lo que dice sobre mí ese asqueroso periódico! —exclamó Harry a grito pelado.

—¡Oh! —dijo Ron, que empezaba a comprender—. Ya veo...

—¿Saben qué? —chilló Seamus acaloradamente, lanzando a Harry una mirada cargada de veneno—. Es cierto, no quiero compartir dormitorio con él; está loco.

—Eso está fuera de lugar, Seamus —aseguró Ron, cuyas orejas comenzaban a ponerse coloradas, lo cual siempre indicaba peligro.

—¿Fuera de lugar, dices? —chilló Seamus, que a diferencia de Ron estaba poniéndose muy pálido—. Tú te crees todas las tonterías que cuenta sobre Quien-tú-sabes, ¿no? Te tragas todo lo que cuenta, ¿verdad?

—¡Pues sí! —contestó Ron muy alterado.

—Entonces tú también estás loco —afirmó Seamus con desprecio.

—¿Ah, sí? ¡Pues mira, amigo, por desgracia para ti, además de estar loco soy prefecto! —dijo Ron señalándose la insignia con un dedo—. ¡Así que, si no quieres que te castigue, vigila lo que dices!

Durante unos instantes pareció que Seamus creía que un castigo era un precio razonable por decir lo que en aquellos momentos le pasaba por la cabeza; sin embargo, hizo un ruidito desdeñoso con la boca, se dio la vuelta, se metió en la cama de un brinco y cerró las cortinas con tanta violencia que se desengancharon y cayeron formando un polvoriento montón en el suelo. Ron miró desafiante a Seamus y luego miró a Dean y a Neville.

—¿Hay alguien más cuyos padres tengan algún problema con Harry? —preguntó con agresividad.

—Mis padres son muggles —dijo Dean encogiéndose de hombros—. No saben nada de ninguna muerte ocurrida en Hogwarts porque no soy tan idiota como para contárselo.

—¡No sabes cómo es mi madre, es capaz de sonsacarle lo que sea a cualquiera! —le espetó Seamus—. Además, tus padres no reciben *El Profeta*. No se han enterado de que a nuestro director lo han echado del Wizengamot y de la Confederación Internacional de Magos porque está perdiendo la cabeza...

—Mi abuela dice que eso son tonterías —intervino Neville—. Afirma que el que está perdiendo los papeles es *El Profeta*, y no Dumbledore. Así que ha cancelado la suscripción. Nosotros creemos en Harry —concluyó con rotundidad. Luego se metió en la cama y se tapó con las sábanas hasta la barbilla. Miró a Seamus con cara de sabiondo y añadió—: Mi abuela siempre ha dicho que Quien-tú-sabes regresaría algún día, y asegura que si Dumbledore dice que ha vuelto, es que ha vuelto.

En ese momento Harry sintió una oleada de gratitud hacia Neville. Nadie más dijo nada, y Seamus tomó su varita mágica, reparó las cortinas de la cama y desapareció tras ellas. Dean también se acostó, se dio la vuelta y se quedó callado. Neville, que al parecer tampoco tenía nada más que añadir, miraba con cariño su cactus, débilmente iluminado por la luz de la luna.

Harry se quedó tumbado mientras Ron iba de aquí para allá, alrededor de la cama de al lado, poniendo sus cosas en orden. A Harry le había afectado mucho la discusión con Seamus, que siempre le había caído muy bien. ¿Quién más iba a insinuar que mentía o que estaba trastornado?

¿Habría tenido que soportar Dumbledore algo parecido aquel verano, cuando primero lo echaron del Wizengamot y luego de la Confederación Internacional de Magos? ¿Acaso estaba enfadado con Harry y por eso llevaba meses sin hablar con él? A fin de cuentas, ambos estaban metidos en aquel lío; Dumbledore había creído a Harry, había defendido su versión de los hechos ante el colegio en pleno y luego ante la comunidad de los magos. Cualquiera que pensara que Harry era un mentiroso debía creer lo mismo de Dumbledore, o que lo habían engañado...

«Al final se sabrá que tenemos razón», pensó Harry, que se sentía muy desgraciado, mientras Ron se metía en la cama y apagaba la última vela que quedaba encendida en el dormitorio. Luego se preguntó cuántos ataques como el de Seamus debería soportar antes de que llegara ese momento.

12

La profesora Umbridge

A la mañana siguiente, Seamus se vistió a toda velocidad y salió del dormitorio antes de que Harry se hubiera puesto los calcetines.

—¿Qué le pasa? ¿Teme volverse loco si está demasiado tiempo en una habitación conmigo? —preguntó Harry en voz alta en cuanto el dobladillo de la túnica de Seamus se perdió de vista.

—No te preocupes, Harry —dijo Dean colgándose la mochila del hombro—. Lo que le pasa es que...

Pero al parecer no sabía decir con exactitud lo que le sucedía a Seamus, y tras una pausa un tanto violenta, salió también del dormitorio.

Neville y Ron miraron a Harry como diciendo «Es problema suyo, no le hagas caso», pero eso no consoló demasiado a Harry. ¿Tendría que aguantar muchas situaciones semejantes?

—¿Qué les ocurre? —les preguntó Hermione cinco minutos más tarde, cuando se reunió con sus dos amigos en la sala común antes de que bajaran todos a desayunar—. Están completamente... ¡Vaya!

Se había quedado mirando el tablón de anuncios de la sala común, donde habían colgado un gran letrero.

¡GALONES DE GALEONES!
¿Tus gastos superan tus ingresos?
¿Te gustaría ganar un poco de oro?
Si te interesa un empleo sencillo,
de tiempo parcial y prácticamente indoloro,

ponte en contacto con Fred y George Weasley,
sala común de Gryffindor.
(Lamentamos decir que los aspirantes
tendrán que asumir los riesgos del empleo.)

—Se han pasado —comentó Hermione con gravedad, y descolgó el letrero que Fred y George habían clavado encima de un póster que anunciaba la fecha de la primera excursión a Hogsmeade, que sería en octubre—. Vamos a tener que hablar con ellos, Ron.

Ron se mostró muy alarmado.

—¿Por qué?

—¡Porque somos prefectos! —exclamó Hermione mientras trepaban por el agujero del retrato—. ¡Es tarea nuestra impedir este tipo de cosas!

Ron no dijo nada, pero, por la apesadumbrada expresión de su amigo, Harry comprendió que la perspectiva de evitar que Fred y George hicieran lo que les gustaba no lo ilusionaba.

—¿Qué te pasa, Harry? —continuó Hermione mientras bajaban un tramo de escalera cuya pared estaba cubierta de retratos de viejos magos y brujas que no les hicieron ni caso, pues se hallaban enfrascados en sus propias conversaciones—. Te veo de muy mal humor.

—Seamus cree que Harry miente acerca de Quien-tú-sabes —contestó brevemente Ron al comprobar que Harry no respondía.

La chica suspiró, lo cual sorprendió al muchacho, que esperaba que su amiga manifestara indignación.

—Ya, Lavender también lo cree —comentó Hermione con tristeza.

—Seguro que has tenido una interesante charla con ella sobre si soy o no soy un mentiroso y un presumido que sólo busca llamar la atención, ¿no? —dijo Harry en voz alta.

—No —repuso Hermione con calma—. La verdad es que le he dicho que cierre su sucia boca y que no hable mal de ti. Y haz el favor de dejar de lanzarte a nuestro cuello a cada momento, Harry, porque, por si no lo sabías, Ron y yo estamos de tu parte.

Hubo una breve pausa.

—Lo siento —se disculpó Harry en voz baja.

—Así me gusta —dijo Hermione con dignidad. Luego hizo un gesto negativo con la cabeza y añadió—: ¿No se acuerdan de lo que dijo Dumbledore en el banquete de final de curso del año pasado? —Harry y Ron la miraron sin comprender, y la chica volvió a suspirar—. Sí, habló sobre Quien-ustedes-saben. Dijo que su «fuerza para extender la discordia y la enemistad entre nosotros es muy grande. Sólo podemos luchar contra ella presentando unos lazos de amistad y mutua confianza igualmente fuertes».

—¿Cómo consigues acordarte de esas cosas? —preguntó Ron mirando a Hermione con admiración.

—Escucho, Ron —respondió ella con un dejo de aspereza.

—Yo también, pero sería incapaz de decirte con exactitud qué...

—El caso es —prosiguió Hermione, imponiéndose— que a eso es precisamente a lo que se refería Dumbledore. Sólo hace dos meses que Quien-ustedes-saben ha regresado y ya hemos empezado a pelearnos entre nosotros. Y la advertencia del Sombrero Seleccionador era la misma: permanezcan juntos, esten unidos...

—Y Harry ya dijo anoche —replicó Ron— que si eso significa que tenemos que hacernos amigos de los de Slytherin..., lo tiene claro.

—Bueno, pues yo creo que es una lástima que no fomentemos la unidad entre las casas —dijo Hermione con enfado.

En ese momento llegaron al pie de la escalera de mármol. Una fila de alumnos de cuarto de Ravenclaw cruzaba el vestíbulo; al ver a Harry se apresuraron a apiñarse, como si temieran que él pudiera atacar a los rezagados.

—Sí, deberíamos intentar trabar amistad con gente como ésa —comentó Harry con sarcasmo.

Siguieron a los de Ravenclaw al interior del Gran Comedor, y al entrar miraron instintivamente hacia la mesa del profesorado. La profesora Grubbly-Plank hablaba con la profesora Sinistra, de Astronomía, y Hagrid, una vez más, brillaba por su ausencia. El techo encantado del recinto reflejaba el estado anímico de Harry: tenía un triste color gris, como el de las nubes de lluvia.

—Dumbledore ni siquiera mencionó durante cuánto tiempo vamos a tener a la profesora Grubbly-Plank —comentó Harry mientras los tres se dirigían hacia la mesa de Gryffindor.

—A lo mejor... —insinuó Hermione pensativa.

—¿Qué? —preguntaron Harry y Ron a la vez.

—Bueno..., a lo mejor no quería llamar la atención sobre la ausencia de Hagrid.

—¿Qué quieres decir? —preguntó Ron medio riendo—. ¿Cómo no íbamos a fijarnos en que no está aquí?

Antes de que Hermione pudiera contestar, una muchacha alta y negra, que llevaba el pelo peinado en largas trencitas, se había acercado a Harry.

—¡Hola, Angelina!

—¡Hola! —contestó ella con brío—. ¿Qué tal las vacaciones? —Y sin esperar respuesta, añadió—: Me han nombrado capitana del equipo de quidditch de Gryffindor.

—¡Qué bien! —dijo Harry sonriéndole; se imaginó que las charlas de Angelina para infundir ánimo no serían tan densas como las de Oliver Wood, lo cual suponía una mejora.

—Sí, bueno... Necesitamos un nuevo guardián ahora que Oliver se ha marchado. Las pruebas serán el viernes a las cinco y quiero que venga todo el equipo, ¿está bien? Tenemos que ver quién encaja mejor en esa posición.

—De acuerdo —contestó Harry.

Angelina le sonrió y se fue.

—Ya no me acordaba de que Wood se marchó —comentó Hermione con vaguedad mientras se sentaba junto a Ron y se acercaba un plato de rebanadas de plan tostado—. Supongo que el equipo lo notará, ¿no?

—Supongo —contestó Harry, y se sentó en el banco de enfrente—. Era un buen guardián...

—De todos modos, no irá mal un poco de sangre nueva, ¿verdad? —observó Ron.

De repente se oyó como un rugido, y cientos de lechuzas entraron volando por las ventanas más altas. Bajaron hacia las mesas del comedor y llevaron cartas y paquetes a sus destinatarios, a quienes rociaron con gotas de agua; evidentemente, fuera estaba lloviendo. Harry no vio a *Hedwig*, pero eso no le sorprendió: su único corresponsal era

Sirius, y dudaba mucho que su padrino tuviera algo nuevo que contarle ya que sólo llevaban veinticuatro horas sin verse. Hermione, en cambio, tuvo que apartar con rapidez su jugo de naranja para dejar sitio a una enorme y chorreante lechuza que llevaba un empapado ejemplar de *El Profeta* en el pico.

—¿Todavía recibes *El Profeta*? —le preguntó Harry con fastidio, acordándose de Seamus, mientras Hermione ponía un knut en la bolsita de piel que la lechuza llevaba atada a la pata y el ave volvía a emprender el vuelo—. Yo ya no me molesto en leerlo. Sólo cuentan tonterías.

—Conviene saber lo que dice el enemigo —respondió ella misteriosamente; luego desplegó el periódico y desapareció tras él, y no volvieron a verla hasta que Harry y Ron terminaron de desayunar—. Nada —se limitó a decir; enrolló el periódico y lo dejó junto a su plato—. No hace ningún comentario sobre ti, ni sobre Dumbledore ni sobre nada.

En ese momento la profesora McGonagall pasó por la mesa repartiendo horarios.

—¡Miren lo que tenemos hoy! —gruñó Ron—. Historia de la Magia, clase doble de Pociones, Adivinación y otra sesión doble de Defensa Contra las Artes Oscuras... ¡Binns, Snape, Trelawney y Umbridge en un solo día! Espero que Fred y George se den prisa y se pongan a fabricar ese Surtido Saltaclases...

—¿He oído bien? —dijo Fred, que llegaba en ese instante con George. Los gemelos se sentaron junto a Harry—. ¡No es posible que los prefectos de Hogwarts intenten saltarse clases!

—¡Miren lo que tenemos hoy! —repitió Ron de mal humor, y le puso el horario bajo la nariz a Fred—. Es el peor lunes que he visto en mi vida.

—Tienes razón, hermanito —le dijo Fred leyendo la lista—. Si quieres puedo darte un turrón sangranarices; te lo dejo barato.

—¿Por qué barato? —preguntó Ron con recelo.

—Porque sangrarás hasta quedarte seco. Todavía no hemos conseguido el antídoto —respondió George mientras se servía un arenque ahumado.

—Gracias —repuso Ron de mal humor, y se guardó el horario en el bolsillo—, pero creo que iré a las clases.

—Por cierto, hablando de su Surtido Saltaclases —dijo Hermione mirando a Fred y a George con sus redondos y brillantes ojos—, no pueden poner anuncios en el tablón de Gryffindor para contratar cobayas.

—¡¿Ah, no?! —exclamó George con sorpresa—. ¿Quién ha dicho eso?

—Lo digo yo —contestó Hermione—. Y Ron.

—A mí no me metas —se apresuró a apuntar éste.

La chica le lanzó una mirada fulminante y los gemelos rieron por lo bajo.

—No tardarás en cambiar de actitud, Hermione —vaticinó Fred mientras untaba un buñuelo con mantequilla—. Vas a empezar quinto, y dentro de poco vendrás a suplicar que te vendamos un Surtido Saltaclases.

—¿Y qué tiene que ver que empiece quinto con que quiera comprar un Surtido Saltaclases? —preguntó Hermione.

—Quinto es el año de los TIMOS —le recordó George.

—¿Y?

—Que llegarán los exámenes, ¿no? Van a tener que hincar los codos hasta que se les quede en carne viva —dijo Fred con satisfacción.

—La mitad de los de nuestro curso sufrieron pequeñas crisis nerviosas cuando se acercaban los exámenes del TIMO —añadió George la mar de contento—. Lágrimas, rabietas... Patricia Stimpson se desmayaba a cada momento...

—Kenneth Towler se llenó de granos, ¿te acuerdas? —dijo Fred con nostalgia.

—Eso fue porque le pusiste polvos Bulbadox en el pijama —aclaró George.

—¡Ah, sí! —admitió Fred, sonriente—. Ya no me acordaba... A veces resulta difícil llevar la cuenta de todo, ¿verdad?

—En fin, quinto es un curso de pesadilla —concluyó George—. Si te importan los resultados de los exámenes, naturalmente. Fred y yo conseguimos no desanimarnos.

—Sí, claro... —intervino Ron—. ¿Qué sacaron, tres TIMOS cada uno?

—Sí —afirmó Fred con indiferencia—. Pero nosotros creemos que nuestro futuro está fuera del mundo de los logros académicos.

—Nos planteamos muy seriamente si íbamos a volver a Hogwarts este año para hacer séptimo —comentó George alegremente— ahora que tenemos...

Se interrumpió al captar la mirada de advertencia de Harry, que se había dado cuenta de que George estaba a punto de mencionar el premio en metálico del Trofeo de los tres magos que les había entregado.

—... ahora que tenemos nuestros TIMOS —se apresuró a añadir George—. No sé, ¿de verdad necesitamos los ÉXTASIS? Pero creímos que mamá no soportaría que abandonáramos los estudios tan pronto, sobre todo después de que Percy resultara ser el mayor imbécil del mundo.

—Pero no vamos a malgastar nuestro último año aquí —prosiguió Fred echando un afectuoso vistazo al Gran Comedor—. Vamos a utilizarlo para hacer un poco de estudio de mercado. Nos interesa saber con exactitud qué le exige el alumno medio de Hogwarts a una tienda de artículos de broma para luego evaluar meticulosamente los resultados de nuestra investigación y crear productos que satisfagan la demanda.

—Pero ¿de dónde piensans sacar el oro necesario para montar una tienda de artículos de broma? —inquirió Hermione con escepticismo—. Necesitarán muchos ingredientes y materiales, y también permisos, supongo...

Harry no miró a los gemelos. Notó que estaba ruborizándose, de modo que dejó caer a propósito el tenedor y se agachó para recogerlo. Cuando todavía no se había incorporado oyó que Fred decía:

—No nos hagas preguntas y no tendremos que decirte mentiras, Hermione. Vamos, George, si llegamos pronto quizá podamos vender unas cuantas orejas extensibles antes de que empiece la clase de Herbología.

—¿Qué habrá querido decir con eso? —dijo Hermione mirando primero a Harry y luego a Ron—. «No nos hagas preguntas...» ¿Significa que ya tienen dinero para montar la tienda?

—Mira, yo ya lo había pensado —repuso Ron frunciendo el entrecejo—. Este verano me compraron una túnica de gala nueva y no sé de dónde sacaron los galeones...

Harry decidió que había llegado el momento de desviar aquella conversación tan peligrosa.

—¿Creen que es cierto que los exámenes de este año serán muy duros?

—¡Oh, ya lo creo! —exclamó Ron—. Los TIMOS son muy importantes, y del resultado dependerá el tipo de ofertas de empleo a las que puedas presentarte más adelante. Además, este año podemos pedir consejo sobre las diferentes carreras. Me lo ha dicho Bill. Así puedes elegir qué ÉXTASIS quieres hacer el año que viene.

—¿Ustedes ya saben qué les gustaría hacer cuando salgan de Hogwarts? —preguntó Harry a sus dos amigos poco después, cuando salían del Gran Comedor y se dirigían hacia el aula de Historia de la Magia.

—Pues no —contestó Ron—. Salvo..., bueno... —añadió un tanto avergonzado.

—¿Qué? —lo animó Harry.

—Bueno, no me importaría ser auror —declaró Ron con brusquedad.

—A mí tampoco —repuso fervorosamente Harry.

—Pero los aurores son... la elite —comentó Ron—. Para ser auror tienes que ser muy bueno. ¿Y tú, Hermione?

—No lo sé. Creo que me gustaría hacer algo que valga la pena.

—¡Ser auror vale la pena! —exclamó Harry.

—Sí, ya lo sé, pero no es lo único que vale la pena —dijo Hermione con aire pensativo—. No sé, si pudiera seguir trabajando en el PEDDO... —añadió, y Harry y Ron evitaron mirarse.

Todos los alumnos de Hogwarts estaban de acuerdo en que Historia de la Magia era la asignatura más aburrida que jamás había existido en el mundo de los magos. El profesor Binns, su profesor fantasma, tenía una voz jadeante y monótona que casi garantizaba una terrible somnolencia al cabo de diez minutos (cinco si hacía calor). Nunca alteraba el esquema de las lecciones y las recitaba sin hacer pausas mientras los alumnos tomaban apuntes o contemplaban el vacío con aire amodorrado. Hasta entonces, Harry y Ron habían conseguido unos aprobados justos en esa asignatura copiando los apuntes de Hermione antes de los exámenes; ella era la única capaz de resistir el efecto soporífero de la voz de Binns.

Aquel día tuvieron que soportar tres cuartos de hora de una inalterable perorata sobre las guerras de los gigantes. Harry oyó lo suficiente en los diez primeros minutos para comprender que en manos de otro profesor, esa asignatura habría podido resultar un poco más interesante; sin embargo, desconectó el cerebro y pasó los treinta y cinco minutos restantes jugando con Ron al ahorcado, utilizando una esquina de su pergamino, mientras Hermione les lanzaba con disimulo miradas asesinas.

—¿Qué pasaría —les preguntó con frialdad cuando salieron del aula a la hora del descanso (Binns se perdió a través de la pizarra)— si este año me negara a prestarles mis apuntes?

—Que reprobaríamos el TIMO —contestó Ron—. Si quieres cargar con eso en tu conciencia, Hermione...

—Pues se lo merecen —les espetó—. Ni siquiera intentan escuchar al profesor, ¿verdad?

—Sí lo intentamos —dijo Ron—. Lo que pasa es que no tenemos tu cerebro, ni tu memoria, ni tu capacidad de concentración. Eres más inteligente que nosotros, pero no hace falta que nos lo recuerdes continuamente.

—No me vengas con cuentos —repuso Hermione, pero las palabras de Ron la habían aplacado un poco, o eso parecía cuando los precedió en dirección al mojado patio.

Caía una débil llovizna, y el contorno de los alumnos, que estaban de pie formando corros en el patio, se veía difuminado. Harry, Ron y Hermione eligieron un rincón apartado, bajo un balcón desde el que caían gruesas gotas; se levantaron el cuello de las túnicas para protegerse del frío aire de septiembre y empezaron a hacer conjeturas sobre lo que Snape les tendría preparado para la primera clase del curso. Ya se habían puesto de acuerdo en que probablemente sería algo muy difícil, para sorprenderlos desprevenidos tras dos meses de vacaciones, cuando alguien dobló la esquina y fue hacia ellos.

—¡Hola, Harry!

Era Cho Chang, y curiosamente volvía a estar sola. Eso era muy raro, pues Cho casi siempre iba rodeada de un grupo de chicas que no paraban de reír como tontas; Harry recordaba lo mal que lo había pasado cuando intentaba hablar un momento a solas con ella para invitarla al baile de Navidad.

—¡Hola! —dijo Harry, y notó que se ponía colorado. «Al menos esta vez no estás cubierto de jugo fétido», se dijo. Cho parecía estar pensando algo parecido.

—Veo que ya te has quitado aquella... cosa.

—Sí —afirmó Harry intentando sonreír, como si el recuerdo de su último encuentro fuera divertido en vez de vergonzoso—. Bueno..., y tú... ¿has pasado un buen verano?

Lamentó haber pronunciado esas palabras en cuanto salieron por su boca, pues Cedric había sido el novio de Cho, y recordar su muerte debía de haberla afectado durante las vacaciones tanto como a él. Con cierta tensión en el rostro, Cho dijo:

—Sí, no ha estado mal...

—¿Qué es eso? ¿Una insignia de los Tornados? —preguntó de pronto Ron señalando la túnica de Cho, donde llevaba una insignia de color azul cielo con la doble T dorada—. No serás admiradora suya, ¿verdad?

—Pues sí —contestó Cho.

—¿Lo has sido siempre, o sólo desde que empezaron a ganar la liga? —inquirió Ron con un tono de voz que Harry consideró innecesariamente acusador.

—Soy admiradora de los Tornados desde que tenía seis años —concretó la chica con serenidad—. Bueno, hasta luego, Harry.

Hermione esperó a que Cho se alejara por el patio antes de volverse contra Ron.

—¡Qué poco tacto tienes!

—¿Qué? Pero si sólo le he preguntado si...

—¿No te has dado cuenta de que quería hablar con Harry?

—¿Y qué? Podía hablar con él, yo no se lo impedía...

—¿Por qué demonios te has metido con ella por su equipo de quidditch?

—¿Meterme con ella? No me he metido con ella, sólo he...

—¿Qué importa que sea seguidora de los Tornados?

—Mira, Hermione, la mitad de la gente que ves con esas insignias se las compró la temporada pasada...

—Pero ¿a ti qué te importa?

—Significa que no son verdaderos admiradores, sino unos simples oportunistas...

—Ha sonado la campana —dijo Harry sin ánimo, porque Ron y Hermione discutían en voz tan alta que no la habían oído.

No dejaron de pelearse hasta que llegaron a la mazmorra de Snape, lo cual dio tiempo a Harry para pensar que, gracias a Neville y a Ron, podría considerarse afortunado si conseguía hablar dos minutos con Cho y no recordar esa breve conversación deseando que la tierra se lo tragase.

Mientras se unían a la fila que se había formado delante de la puerta del aula de Snape, Harry pensó que, sin embargo, Cho había ido por voluntad propia a hablar con él... Cho había sido la novia de Cedric, y habría sido comprensible que odiara a Harry por haber salido con vida del laberinto del Torneo de los tres magos, mientras que Cedric había muerto; pero a pesar de todo hablaba con él en un tono normal y amistoso, y no como si creyera que estaba loco, que era un mentiroso o que en cierto modo era responsable de la muerte de su novio... Sí, estaba claro que había ido a hablar con él porque había querido, y era la segunda vez que lo hacía en dos días... Ese pensamiento le subió la moral. Ni siquiera el amenazador chirrido que la puerta de la mazmorra de Snape hizo al abrirse consiguió que estallara la pequeña y optimista burbuja que había crecido en su pecho. Entró en el aula detrás de Ron y Hermione, los siguió hasta la mesa donde se sentaban siempre, al fondo, y fingió que no oía los sonidos de irritación que ambos emitían.

—Silencio —ordenó Snape con voz cortante al cerrar la puerta tras él.

En realidad no había ninguna necesidad de que impusiera orden, pues en cuanto los alumnos oyeron que la puerta se cerraba, se quedaron quietos y callados. Por lo general, la sola presencia de Snape bastaba para imponer silencio en el aula.

—Antes de empezar la clase de hoy —dijo el profesor desde su mesa, abarcando con la vista a todos los estudiantes y mirándolos fijamente—, creo conveniente recordarles que el próximo mes de junio realizarán un importante examen en el que demostrarán cuánto han aprendido sobre la composición y el uso de las pociones mágicas. Pese a que algunos alumnos de esta clase son indudablemente imbéciles, espero que consigan un «Aceptable» en el TIMO si no quieren... contrariarme. —Esa vez su mirada se detuvo en Neville, que tragó saliva—. Después de este curso, muchos de ustedes dejarán de estudiar conmigo, por supuesto —prosiguió Snape—. Yo sólo preparo a los mejores alumnos para el ÉXTASIS de Pociones, lo cual significa que tendré que despedirme de algunos de los presentes.

Entonces miró a Harry y torció el gesto. El muchacho le sostuvo la mirada y sintió un sombrío placer ante la perspectiva de librarse de Pociones al acabar quinto.

—Pero antes de que llegue el feliz momento de la despedida tenemos todo un año por delante —anunció Snape melodiosamente—. Por ese motivo, tanto si piensan presentarse al ÉXTASIS como si no, les recomiendo que concentren sus esfuerzos en mantener el alto nivel que espero de mis alumnos de TIMO.

»Hoy vamos a preparar una poción que suele salir en el examen de Título Indispensable de Magia Ordinaria: el Filtro de Paz, una poción para calmar la ansiedad y aliviar el nerviosismo. Pero les advierto: si no miden bien los ingredientes, pueden provocar un profundo y a veces irreversible sueño a la persona que la beba, de modo que tendrán que prestar mucha atención a lo que están haciendo. —Hermione, que estaba sentada a la izquierda de Harry, se enderezó un poco; la expresión de su rostro denotaba una concentración absoluta—. Los ingredientes y el método —continuó Snape, y agitó su varita— están en la pizarra. —En ese momento aparecieron escritos—. Encontrarán todo lo que necesitan —volvió a agitar la varita— en el armario del material. —A continuación, la puerta del mueble se abrió sola—. Tienen una hora y media. Ya pueden empezar.

Como habían imaginado Harry, Ron y Hermione, Snape no podía haber elegido una poción más difícil y complicada. Había que echar los ingredientes en el caldero en el orden y las cantidades precisas; había que remover la mezcla exactamente el número correcto de veces, primero en el sentido de las agujas del reloj y luego en el contrario; y había que bajar el fuego, sobre el que la pócima hervía lentamente, hasta que alcanzara los grados adecuados durante un número determinado de minutos antes de añadir el último ingrediente.

—Ahora un débil vapor plateado debería empezar a salir de su poción —advirtió Snape cuando faltaban diez minutos para que concluyera el plazo.

Harry, que sudaba mucho, echó un vistazo alrededor de la mazmorra, desesperado. Su caldero emitía grandes cantidades de vapor gris oscuro; el de Ron, por su parte, escupía chispas verdes. Seamus intentaba avivar con la punta de la varita las llamas sobre las que estaba colocado su caldero, pues amenazaban con apagarse. La superficie de la poción de Hermione, en cambio, era una reluciente neblina de vapor plateado, y al pasar a su lado, Snape acercó su ganchuda nariz al interior sin hacer ningún comentario, lo cual significaba que no había encontrado nada que criticar.

Al llegar junto al caldero de Harry, sin embargo, Snape se detuvo y miró su contenido con una espantosa sonrisa burlona en los labios.

—¿Qué se supone que es esto, Potter?

Los estudiantes de Slytherin que estaban sentados en las primeras filas del aula levantaron la cabeza, expectantes; les encantaba oír cómo Snape se burlaba de Harry.

—El Filtro de Paz —contestó el chico, muy tenso.

—Dime, Potter —repuso Snape con calma—, ¿sabes leer?

Draco Malfoy no pudo contener la risa.

—Sí, sé leer —respondió Harry sujetando con fuerza su varita.

—Léeme la tercera línea de las instrucciones, Potter.

El muchacho miró la pizarra con los ojos entornados, pues no resultaba fácil descifrar las instrucciones a través de la niebla de vapor multicolor que en ese instante llenaba la mazmorra.

—«Añadir polvo de ópalo, remover tres veces en sentido contrario a las agujas del reloj, dejar hervir a fuego lento durante siete minutos y luego añadir dos gotas de jarabe de eléboro.»

Entonces se le cayó el alma a los pies. No había añadido el jarabe de eléboro y había pasado a la cuarta línea de las instrucciones tras dejar hervir la poción a fuego lento durante siete minutos.

—¿Has hecho todo lo que se especifica en la tercera línea, Potter?

—No —contestó él en voz baja.

—¿Perdón?

—No —repitió Harry elevando la voz—. Me he olvidado del eléboro.

—Ya lo sé, Potter, y eso significa que este brebaje no sirve para nada. *¡Evanesco!* —La pócima de Harry desapareció y él se quedó plantado como un idiota junto a un caldero vacío—. Los que hayan conseguido leer las instrucciones, llenen una botella con una muestra de su poción, etiquétenla claramente con su nombre y déjenla en mi mesa para que yo la examine —indicó luego Snape—. Deberes: treinta centímetros de pergamino sobre las propiedades del ópalo y sus usos en la fabricación de pociones, para entregar el jueves.

Mientras los otros estudiantes llenaban sus botellas, Harry, muerto de rabia, recogió sus cosas. Su poción no era peor que la de Ron, que ahora desprendía un desagradable olor a huevos podridos; ni peor que la de Neville, que había adquirido la consistencia del cemento recién mezclado, y que el muchacho intentaba arrancar de su caldero; y, sin embargo, era él, Harry, quien recibiría un cero. Guardó la varita en su mochila y se dejó caer en el asiento mientras observaba a los demás, que desfilaban hacia la mesa de Snape con sus botellas llenas y tapadas con corchos. Cuando por fin sonó la campana, Harry fue el primero en salir de la mazmorra, y ya había empezado a comer cuando Ron y Hermione se reunieron con él en el Gran Comedor. El techo se había puesto de un gris todavía más oscuro a lo largo de la mañana. La lluvia golpeaba las altas ventanas.

—¡Qué injusto! —exclamó Hermione intentando consolar a Harry. Luego se sentó a su lado y empezó a servirse pudín de carne y papas—. Tu poción era mucho mejor que la de Goyle; cuando la puso en la botella, el cristal estalló y le prendió fuego a la túnica.

—Sí, pero ¿desde cuándo Snape es justo conmigo? —dijo Harry sin apartar la vista de su plato.

Nadie contestó, pues los tres sabían perfectamente que la enemistad mutua que había entre Snape y Harry había sido absoluta desde el momento en que éste puso un pie en Hogwarts.

—Yo creía que este año se comportaría un poco mejor —comentó Hermione con pesar—. Ya saben... —miró alrededor, vigilante; había media docena de asientos vacíos a ambos lados, y nadie pasaba cerca de la mesa—, ahora que ha entrado en la Orden y eso.

—Las manchas de los hongos venenosos nunca cambian —sentenció Ron sabiamente—. En fin, yo siempre he pensado que Dumbledore está loco por confiar en Snape. ¿Qué pruebas tiene de que dejara de trabajar en realidad para Quien-ustedes-saben?

—Supongo que Dumbledore debe de tener pruebas de sobra, aunque no las comparta contigo, Ron —le espetó Hermione.

—¿Quieren parar de una vez? —dijo Harry con fastidio al ver que Ron abría la boca para replicar. Hermione y Ron se quedaron callados, con aire enfadado y ofendido—. ¿Tienen que estar siempre igual? No paran de molestarse el uno al otro, están volviéndome loco —añadió, y apartó su pudín de carne y papas, se colgó la mochila del hombro y los dejó allí plantados.

Subió de dos en dos los escalones de la escalinata de mármol, cruzándose con los alumnos que bajaban corriendo a comer. Todavía sentía aquella rabia que había surgido inesperadamente en su interior, pero al ver las caras de asombro de sus amigos había experimentado una profunda satisfacción.

«Les está bien empleado —pensó—. Siempre están como el perro y el gato... No lo soporto.»

Entonces llegó al rellano donde estaba colgado el retrato del caballero sir Cadogan, quien desenvainó su espada y la blandió, exaltado, contra Harry, pero éste no le hizo caso.

—¡Ven aquí, perro sarnoso! ¡Ponte en guardia y pelea! —gritó sir Cadogan con una voz amortiguada por la visera, pero Harry siguió caminando, y cuando el caballero intentó seguirlo trasladándose al cuadro de al lado, su ocupante, un corpulento y fiero hombre lobo, lo rechazó.

Harry pasó el resto de la hora de la comida solo, sentado bajo la trampilla que había en lo alto de la torre norte. Por eso fue el primero en subir por la escalerilla de plata que conducía al aula de Sybill Trelawney cuando sonó la campana.

Después de Pociones, Adivinación era la asignatura que menos le gustaba a Harry, debido sobre todo a la costumbre de la profesora Trelawney de vaticinar, de vez en cuando, que él moriría prematuramente. Era una mujer delgada, envuelta siempre en varios chales y con muchos collares de cuentas; a Harry le recordaba a una especie de insecto por las gruesas gafas que llevaba, que aumentaban de tamaño sus ojos. Cuando Harry entró en el aula, ella estaba ocupada repartiendo unos viejos libros, encuadernados en cuero, por las mesitas de finas patas que llenaban desordenadamente la habitación; pero la luz que proyectaban las lámparas cubiertas con pañuelos, y la del fuego de la chimenea, que ardía con lentitud y desprendía un desagradable olor, era tan tenue que pareció que la profesora Trelawney no se había dado cuenta de que Harry se sentaba en la penumbra. Los demás alumnos llegaron al cabo de unos cinco minutos. Ron entró por la trampilla, miró con detenimiento a su alrededor, vio a Harry y fue derecho hacia él, o todo lo derecho que pudo, pues tuvo que abrirse camino entre las mesas, las sillas y los abultados pufs.

—Hermione y yo ya hemos dejado de pelearnos —aseguró al sentarse junto a su amigo.

—Me alegro —gruñó Harry.

—Pero Hermione dice que le gustaría que dejaras de descargar tu mal humor sobre nosotros —añadió Ron.

—Yo no...

—Sólo te repito lo que ella me ha dicho —aclaró Ron sin dejar que Harry acabara—. Pero creo que tiene razón. Nosotros no tenemos la culpa de cómo te traten Seamus o Snape.

—Yo nunca he dicho que...

—Buenos días —saludó la profesora Trelawney con su sutil y etérea voz, y Harry se interrumpió; volvía a estar enfadado y un poco avergonzado a la vez—. Y bienvenidos de nuevo a Adivinación. Como es lógico, durante las vacaciones he ido siguiendo con atención sus peripecias, y me alegro mucho de ver que han regresado todos sanos y salvos a Hogwarts, como yo, evidentemente, ya sabía que sucedería.

»Encima de las mesas encontrarán sus ejemplares de *El oráculo de los sueños*, de Inigo Imago. La interpretación de los sueños es un medio importantísimo de adivinar el futuro, y es muy probable que ese tema aparezca en su examen de TIMO. No es que crea que los aprobados o los reprobados en los exámenes tengan ni la más remota relevancia cuando se trata del sagrado arte de la adivinación, porque si tienen el Ojo que Ve, los títulos y los certificados importan muy poco. Con todo, el director quiere que hagan el examen, así que...

Su frase quedó en suspenso, y los alumnos comprendieron que la profesora Trelawney consideraba que su asignatura estaba muy por encima de asuntos tan insignificantes como los exámenes.

—Abran el libro por la introducción, por favor, y lean lo que Imago dice sobre el tema de la interpretación de los sueños. Luego siéntense en parejas y utilicen el libro para interpretar los sueños más recientes de su compañero. Pueden empezar.

Lo único bueno que tenía aquella clase era que no duraría dos horas. Cuando todos terminaron de leer la introducción del libro, apenas les quedaban diez minutos para la interpretación de los sueños. En la mesa contigua a la de Harry y Ron, Dean había formado pareja con Neville, quien de inmediato emprendió un denso relato de una pesadilla en la que aparecían unas tijeras gigantes que se habían puesto el mejor sombrero de su abuela; Harry y Ron se limitaron a mirarse con desánimo.

—Yo nunca me acuerdo de lo que sueño —dijo Ron—. Cuéntame tú algún sueño que hayas tenido.

—Seguro que recuerdas alguno —replicó Harry con impaciencia.

Él no pensaba compartir sus sueños con nadie. Sabía perfectamente qué significaba su recurrente pesadilla sobre el cementerio; no necesitaba que Ron, la profesora Trelawney o ese estúpido libro se lo explicara.

—Bueno, la otra noche soñé que jugaba al quidditch —confesó Ron haciendo muecas mientras se esforzaba por rescatar aquel sueño de su memoria—. ¿Qué crees que significa?

—Pues que se te va a comer un malvavisco gigante, o algo así —sugirió Harry mientras pasaba distraídamente las páginas de *El oráculo de los sueños*.

Buscar fragmentos de sueños en el libro era un trabajo aburridísimo, y a Harry no le hizo ninguna gracia que la profesora Trelawney les mandara escribir durante un mes un diario de los sueños que tenían. Cuando sonó la campana, Harry y Ron fueron los primeros en salir del aula y bajar la escalera; Ron gruñía sin parar.

—¿Te das cuenta de la cantidad de deberes que tenemos ya? Binns nos ha puesto una redacción de medio metro sobre las guerras de los gigantes; Snape quiere que le entreguemos otra de treinta centímetros sobre las propiedades y los usos del ópalo; ¡y ahora Trelawney nos manda redactar un diario de sueños durante un mes! Fred y George no andaban equivocados sobre el año de los TIMOS, ¿no crees? Espero que la profesora Umbridge no nos ponga...

Cuando entraron en el aula de Defensa Contra las Artes Oscuras, la profesora Umbridge ya estaba sentada en su sitio. Llevaba la suave y esponjosa chaqueta de punto de color rosa que había lucido la noche anterior, y el lazo de terciopelo negro en la cabeza. A Harry volvió a recordarle a una gran mosca posada imprudentemente en la cabeza de un sapo aún más descomunal.

Los alumnos guardaron silencio en cuanto entraron en el aula; la profesora Umbridge todavía era un elemento desconocido y nadie sabía lo estricta que podía ser a la hora de imponer disciplina.

—¡Buenas tardes a todos! —saludó a los alumnos cuando por fin éstos se sentaron. Unos cuantos respondieron con un tímido «Buenas tardes»—. ¡Ay, ay, ay! —exclamó—. ¿Así saludan a su profesora? Me gustaría oírlos decir: «Buenas tardes, profesora Umbridge.» Volvamos a empezar, por favor. ¡Buenas tardes a todos!

—Buenas tardes, profesora Umbridge —gritó la clase.

—Eso está mucho mejor —los felicitó con dulzura—. ¿A que no ha sido tan difícil? Guarden las varitas y saquen las plumas, por favor.

Unos cuantos alumnos intercambiaron miradas lúgubres; hasta entonces la orden de guardar las varitas nunca había sido el preámbulo de una clase que hubieran considerado interesante. Harry metió su varita en la mochila y sacó la pluma, la tinta y el pergamino. La profesora Umbridge abrió su bolso, sacó su varita, que era inusitadamente corta, y dio unos golpecitos en la pizarra con ella; de inmediato, aparecieron las siguientes palabras:

Defensa Contra las Artes Oscuras:
regreso a los principios básicos

—Muy bien, hasta ahora su estudio de esta asignatura ha sido muy irregular y fragmentado, ¿verdad? —afirmó la profesora Umbridge volviéndose hacia la clase con las manos entrelazadas con esmero frente al cuerpo—. Por desgracia, el constante cambio de profesores, muchos de los cuales no seguían, al parecer, ningún programa de estudio aprobado por el Ministerio, ha hecho que estén muy por debajo del nivel que nos gustaría que alcanzaran en el año del TIMO. Sin embargo, les complacerá saber que ahora vamos a rectificar esos errores. Este año seguiremos un curso sobre magia defensiva cuidadosamente estructurado, basado en la teoría y aprobado por el Ministerio. Copien esto, por favor.

Volvió a golpear la pizarra y el primer mensaje desapareció y fue sustituido por los «Objetivos del curso».

1. *Comprender los principios en que se basa la magia defensiva.*
2. *Aprender a reconocer las situaciones en las que se puede emplear legalmente la magia defensiva.*
3. *Analizar en qué contextos es oportuno el uso de la magia defensiva.*

Durante un par de minutos en el aula sólo se oyó el rasgueo de las plumas sobre el pergamino. Cuando los alumnos copiaron los tres objetivos del curso de la profesora Umbridge, ésta preguntó:

—¿Tienen todos un ejemplar de *Teoría de defensa mágica*, de Wilbert Slinkhard? —Un sordo murmullo de asentimiento recorrió la clase—. Creo que tendremos que volver a intentarlo —dijo la profesora Umbridge—. Cuando les haga una pregunta, me gustaría que contestaran «Sí, profesora Umbridge», o «No, profesora Umbridge». Veamos: ¿tienen todos un ejemplar de *Teoría de defensa mágica*, de Wilbert Slinkhard?

—Sí, profesora Umbridge —contestaron los alumnos al unísono.

—Estupendo. Quiero que abran el libro por la página cinco y lean el capítulo uno, que se titula «Conceptos elementales para principiantes». En silencio, por favor.

La profesora Umbridge se apartó de la pizarra y se sentó en la silla, detrás de su mesa, observándolos atentamente con aquellos ojos de sapo con bolsas. Harry abrió su ejemplar de *Teoría de defensa mágica* por la página cinco y empezó a leer.

Era extremadamente aburrido, casi tanto como escuchar al profesor Binns. El muchacho notó que le fallaba la concentración, pues al poco rato se dio cuenta de que había leído la misma línea media docena de veces sin entender nada más que las primeras palabras. Pasaron unos silenciosos minutos. A su lado, Ron, distraído, giraba la pluma una y otra vez entre los dedos con los ojos clavados en un punto de la página. Harry miró hacia su derecha y se llevó una sorpresa que lo sacó de su letargo. Hermione ni siquiera había abierto su ejemplar de *Teoría de defensa mágica* y estaba mirando fijamente a la profesora Umbridge con una mano levantada.

Pero pasados unos minutos más, Harry dejó de ser el único que observaba a Hermione. El capítulo que les habían ordenado leer era tan tedioso que muchos alumnos optaban por contemplar el mudo intento de Hermione de captar la atención de la profesora Umbridge, en lugar de seguir adelante con la lectura de los «Conceptos elementales para principiantes».

Cuando más de la mitad de la clase miraba a Hermione en vez de leer el libro, la profesora Umbridge decidió que ya no podía seguir ignorando aquella situación.

—¿Quería hacer alguna pregunta sobre el capítulo, querida? —le dijo a Hermione como si acabara de reparar en ella.

—No, no es sobre el capítulo.

—Mire, ahora estamos leyendo —repuso la profesora Umbridge mostrando sus pequeños y puntiagudos dientes—. Si tiene usted alguna duda podemos solucionarla al final de la clase.

—Tengo una duda sobre los objetivos del curso —aclaró Hermione.

La profesora arqueó las cejas.

—¿Cómo se llama, por favor?

—Hermione Granger.

—Mire, señorita Granger, creo que los objetivos del curso están muy claros si los lee atentamente —dijo la profesora Umbridge con decisión y un dejo de dulzura.

—Pues yo creo que no —soltó Hermione sin miramientos—. Ahí no dice nada sobre la práctica de los hechizos defensivos.

Se produjo un breve silencio durante el cual muchos miembros de la clase giraron la cabeza y se quedaron mirando con el entrecejo fruncido los objetivos del curso, que seguían escritos en la pizarra.

—¿La práctica de los hechizos defensivos? —repitió la profesora Umbridge con una risita—. Verá, señorita Granger, no me imagino que en mi aula pueda surgir ninguna situación que requiera la práctica de un hechizo defensivo por parte de los alumnos. Supongo que no espera usted ser atacada durante la clase, ¿verdad?

—¡¿Entonces no vamos a usar la magia?! —exclamó Ron en voz alta.

—Por favor, levante la mano si quiere hacer algún comentario durante mi clase, señor...

—Weasley —dijo Ron, y levantó una mano.

La profesora Umbridge, con una amplia sonrisa en los labios, le dio la espalda. Harry y Hermione levantaron también las manos inmediatamente. La profesora Umbridge miró un momento a Harry con sus ojos saltones antes de dirigirse de nuevo a Hermione.

—¿Sí, señorita Granger? ¿Quiere preguntar algo más?

—Sí —contestó ella—. Es evidente que el único propósito de la asignatura de Defensa Contra las Artes Oscuras es practicar los hechizos defensivos, ¿no es así?

—¿Acaso es usted una experta docente preparada en el Ministerio, señorita Granger? —le preguntó la profesora Umbridge con aquella voz falsamente dulce.

—No, pero...

—Pues entonces me temo que no está cualificada para decidir cuál es el «único propósito» de la asignatura que imparto. Magos mucho mayores y más inteligentes que usted han diseñado nuestro nuevo programa de estudio. Aprenderán los hechizos defensivos de forma segura y libre de riesgos...

—¿De qué va a servirnos eso? —inquirió Harry en voz alta—. Si nos atacan, no va a ser de forma...

—¡La mano, señor Potter! —canturreó la profesora Umbridge.

Harry levantó un puño. Una vez más, la profesora Umbridge le dio rápidamente la espalda, pero otros alumnos también habían levantado la mano.

—¿Su nombre, por favor? —le preguntó la bruja a Dean.

—Dean Thomas.

—¿Y bien, señor Thomas?

—Bueno, creo que Harry tiene razón. Si nos atacan, no vamos a estar libres de riesgos.

—Repito —dijo la profesora Umbridge, que miraba a Dean sonriendo de una forma muy irritante—: ¿espera usted ser atacado durante mis clases?

—No, pero...

La profesora Umbridge no le dejó acabar:

—No es mi intención criticar el modo en que se han hecho hasta ahora las cosas en este colegio —explicó con una sonrisa poco convincente, estirando aún más su ancha boca—, pero en esta clase han estado ustedes dirigidos por algunos magos muy irresponsables, sumamente irresponsables; por no mencionar —soltó una desagradable risita— a algunos híbridos peligrosos en extremo...

—Si se refiere al profesor Lupin —saltó Dean, enojado—, era el mejor que jamás...

—¡La mano, señor Thomas! Como iba diciendo, los han iniciado en hechizos demasiado complejos e inapropiados para su edad, y letales en potencia. Los han asustado y les han hecho creer que podrían ser víctimas de ataques de las fuerzas oscuras en cualquier momento...

—Eso no es cierto —la interrumpió Hermione—. Sólo nos...

—¡No ha levantado la mano, señorita Granger!

Hermione la levantó y la profesora Umbridge le dio la espalda.

—Tengo entendido que mi predecesor no sólo realizó maldiciones ilegales delante de ustedes, sino que incluso los realizó con ustedes.

—Bueno, resultó que era un maniaco, ¿no? —terció Dean acaloradamente—. Y aun así, aprendimos muchísimo con él.

—¡No ha levantado la mano, señor Thomas! —gorjeó la profesora Umbridge—. Bueno, el Ministerio opina que un conocimiento teórico será más que suficiente para que aprueben el examen; y al fin y al cabo para eso es para lo que vienen ustedes al colegio. ¿Su nombre? —añadió mirando a Parvati, que acababa de levantar la mano.

—Parvati Patil. Pero ¿no hay una parte práctica en el TIMO de Defensa Contra las Artes Oscuras? ¿No se supone que tenemos que demostrar que sabemos hacer las contramaldiciones y esas cosas?

—Si han estudiado bien la teoría, no hay ninguna razón para que no puedan realizar los hechizos en el examen, en una situación controlada —explicó la profesora Umbridge quitándole importancia al asunto.

—¿Sin haberlos practicado de antemano? —preguntó Parvati con incredulidad—. ¿Significa eso que no vamos a hacer los hechizos hasta el día del examen?

—Repito, si han estudiado bien la teoría...

—¿Y de qué nos va a servir la teoría en la vida real? —intervino de pronto Harry, que había vuelto a levantar el puño.

La profesora Umbridge lo miró y dijo:

—Esto es el colegio, señor Potter, no la vida real.

—¿Acaso no se supone que estamos preparándonos para lo que nos espera fuera del colegio?

—No hay nada esperando fuera del colegio, señor Potter.

—¿Ah, no? —insistió Harry. La rabia que sentía, que parecía haber estado borboteando ligeramente durante todo el día, estaba alcanzando el punto de ebullición.

—¿Quién iba a querer atacar a unos niños como ustedes? —preguntó la profesora Umbridge con un exageradísimo tono meloso.

—Humm, a ver... —respondió Harry fingiendo reflexionar—. ¿Quizá... lord Voldemort?

Ron contuvo la respiración, Lavender Brown soltó un grito y Neville resbaló hacia un lado del banco. La profesora Umbridge, sin embargo, ni siquiera se inmutó: simplemente miró a Harry con un gesto de rotunda satisfacción en la cara.

—Diez puntos menos para Gryffindor, señor Potter —dijo, y los alumnos se quedaron callados e inmóviles observando tanto a la profesora Umbridge como a Harry—. Y ahora, permítanme aclarar algunas cosas. —La profesora Umbridge se puso en pie y se inclinó hacia ellos con las manos de dedos regordetes abiertas y apoyadas en la mesa—. Les han contado que cierto mago tenebroso ha resucitado...

—¡No estaba muerto —la corrigió un Harry furioso—, pero sí, ha regresado!

—Señor-Potter-ya-ha-hecho-perder-diez-puntos-a-su-casa-no-lo-estropee-más —recitó la profesora de un tirón y sin mirar a Harry—. Como iba diciendo, les han informado de que cierto mago tenebroso vuelve a estar suelto. Pues bien, eso es mentira.

—¡No es mentira! —la contradijo Harry—. ¡Yo lo vi con mis propios ojos! ¡Luché contra él!

—¡Castigado, señor Potter! —exclamó entonces la profesora Umbridge, triunfante—. Mañana por la tarde. A las cinco. En mi despacho. Repito, eso es mentira. El Ministerio de Magia garantiza que no están ustedes bajo la amenaza de ningún mago tenebroso. Si alguno todavía está preocupado, puede ir a verme fuera de las horas de clase. Si alguien está asustándolos con mentiras sobre magos tenebrosos resucitados, me gustaría que me lo contara. Estoy aquí para ayudar. Soy su amiga. Y ahora, ¿serán tan amables de continuar con la lectura? Página cinco, «Conceptos elementales para principiantes».

Y tras pronunciar esas palabras la profesora Umbridge se sentó. Harry, en cambio, se levantó. Todos lo miraban expectantes, y Seamus parecía sentirse entre aterrado y fascinado.

—¡No, Harry! —le advirtió Hermione con un susurro mientras le tiraba de la manga; pero su amigo dio un tirón del brazo para soltarse.

—Entonces, según usted, Cedric Diggory se cayó muerto porque sí, ¿verdad? —dijo Harry con voz temblorosa.

Todo el mundo contuvo la respiración, pues ningún alumno salvo Ron y Hermione había oído hablar a Harry sobre lo sucedido la noche en que murió Cedric. Ávidos de noticias, miraron a Harry y luego a la profesora Umbridge, que había arqueado las cejas y observaba al muchacho muy atenta, sin rastro de una sonrisa forzada en los labios.

—La muerte de Cedric Diggory fue un trágico accidente —afirmó con tono cortante.

—Fue un asesinato —le discutió Harry, que entonces se dio cuenta de que estaba temblando. No había hablado con casi nadie de aquel tema, y menos aún con treinta compañeros de clase que escuchaban ansiosos—. Lo mató Voldemort, y usted lo sabe.

El rostro de la profesora Umbridge no denotaba expresión alguna. Durante un momento Harry creyó que iba a gritarle, pero ella, con la más suave y dulce voz infantil, dijo:

—Venga aquí, señor Potter.

Harry apartó su silla de una patada, dio unas cuantas zancadas, pasando al lado de Ron y de Hermione, y se acercó a la mesa de la profesora. Era consciente de que el resto de la clase seguía conteniendo la respiración, pero estaba tan furioso que no le importaba lo que pudiera ocurrir.

La profesora Umbridge sacó de su bolso un pequeño rollo de pergamino rosa, lo extendió sobre la mesa, mojó la pluma en un tintero y empezó a escribir encorvada sobre él para que Harry no viera lo que ponía. Nadie decía nada. Aproximadamente después de un minuto, la profesora enrolló el pergamino, que, al recibir un golpe de su varita mágica, quedó sellado a la perfección para que Harry no pudiera abrirlo.

—Lleve esto a la profesora McGonagall, haga el favor —le ordenó la profesora Umbridge tendiéndole la nota.

Harry la tomó sin decir nada, salió del aula sin mirar siquiera a Ron y a Hermione y cerró de un portazo. Echó a andar a buen ritmo por el pasillo, con la nota para la profesora McGonagall fuertemente agarrada con una mano; al doblar una esquina tropezó con Peeves, el *poltergeist*, un hombrecillo con boca de pato que flotaba en el aire, boca arriba, haciendo malabarismos con unos tinteros.

—¡Hombre, pero si es Potter pipí en el pote! —dijo Peeves riendo con voz aguda al mismo tiempo que dejaba caer al suelo dos de los tinteros, que se rompieron y salpicaron las paredes; Harry se apartó de un brinco y le gruñó:

—Déjame, Peeves.

—¡Oh! El chiflado está de mal humor —replicó el *poltergeist*, y se puso a perseguir a Harry por el pasillo, sonriendo burlonamente mientras volaba por encima de él—. ¿Qué ha pasado esta vez, Potty, amigo mío? ¿Has oído voces? ¿Has tenido visiones? ¿Te has puesto a hablar en... —Peeves hizo una gigantesca pedorreta— idiomas raros?

—¡Te he dicho que me dejes en paz! —gritó el chico, y echó a correr hacia la escalera más cercana; pero Peeves, impasible, se tumbó sobre la barandilla y se deslizó por ella, siguiéndolo.

—«Ladra el pequeño chiflado / porque está malhumorado. / Los más clementes opinan / que sólo está un poco amargado. / Pero Peeves les asegura / que es un perturbado...»

—¡Cállate!

Entonces se abrió una puerta en la pared de la izquierda y la profesora McGonagall salió de su despacho con aire severo y un tanto nervioso.

—¿Qué demonios significan esos gritos, Potter? —le espetó mientras Peeves reía socarronamente y se alejaba volando a toda velocidad—. ¿Por qué no estás en clase?

—Me han enviado a verla —le explicó Harry en un tono glacial.

—¿Enviado? ¿Qué quiere decir que te han enviado?

Como respuesta le tendió la nota de la profesora Umbridge. La profesora McGonagall, frunciendo el entrecejo, tomó el rollo de pergamino, lo abrió con un golpe de su varita, lo desenrolló y empezó a leer. Detrás de sus cuadradas gafas, sus ojos recorrían el pergamino rápidamente y con cada línea se estrechaban más.

—Pasa, Potter. —Harry la siguió a su despacho, cuya puerta se cerró automáticamente detrás de él—. ¿Y bien? —dijo la profesora McGonagall, volviéndose hacia Harry—. ¿Es verdad?

—¿Si es verdad qué? —preguntó él con un tono mucho más agresivo de lo que era su intención—... profesora —añadió en un intento de suavizar su primera reacción.

—¿Es verdad que has gritado a la profesora Umbridge?

—Sí.

—¿La has llamado mentirosa?

—Sí.

—¿Le has dicho que El-que-no-debe-ser-nombrado ha vuelto?

—Sí.

La profesora McGonagall se sentó detrás de su mesa y se quedó mirando a Harry con el entrecejo fruncido. Tras una pausa, dijo:

—Toma una galleta, Potter.

—Que tome... ¿qué?

—Toma una galleta —repitió ella con impaciencia señalando una lata de cuadros escoceses que había sobre uno de los montones de papeles de su mesa—. Y siéntate.

En ese momento Harry recordó aquella otra ocasión en que, en lugar de castigarlo con la palmeta, la profesora McGonagall lo había incluido en el equipo de quidditch de Gryffindor. El muchacho se sentó en una silla delante de la mesa y tomó un tritón de jengibre, tan desconcertado y despistado como aquella vez.

La profesora McGonagall dejó la nota de la profesora Umbridge sobre la mesa y miró con seriedad a Harry.

—Debes tener cuidado, Potter.

Harry se tragó el trozo de tritón de jengibre y la miró a los ojos. El tono de voz de la profesora McGonagall no se parecía en nada al que él estaba acostumbrado a oír; no era enérgico, seco y severo, sino lento y angustiado, y mucho más humano de lo habitual.

—La mala conducta en la clase de Dolores Umbridge podría costarte mucho más que un castigo y unos puntos menos para Gryffindor.

—¿Qué quiere...?

—Utiliza el sentido común, Potter —lo atajó la profesora McGonagall, y volvió rápidamente al tono al que tenía acostumbrados a sus alumnos—. Ya sabes de dónde viene, y por lo tanto también debes saber bajo las órdenes de quién está.

En ese instante sonó la campana que señalaba el final de la clase. Por todas partes se oía el ruido de cientos de alumnos que se movilizaban como una manada de elefantes.

—Aquí dice que te ha impuesto un castigo todas las tardes de esta semana, y que empezarás mañana —prosiguió la profesora McGonagall, y miró de nuevo la nota de la profesora Umbridge.

—¡Todas las tardes de esta semana! —repitió Harry, horrorizado—. Pero profesora, ¿no podría usted...?

—No, no puedo —dijo la profesora McGonagall con rotundidad.

—Pero...

—Ella es tu profesora y tiene derecho a castigarte. Debes ir a su despacho mañana a las cinco en punto para recibir el primer castigo. Y recuerda: ándate con cuidado cuando estés con Dolores Umbridge.

—Pero ¡si yo sólo he dicho la verdad! —protestó Harry, indignado—. Voldemort ha regresado, usted lo sabe; el profesor Dumbledore también lo sabe...

—¡Por favor, Potter! —lo interrumpió la profesora McGonagall con enojo, colocándose bien las gafas, pues había hecho una mueca espantosa al oír el nombre de Voldemort—. ¿De verdad crees que esto es una cuestión de verdades o mentiras? ¡Lo que tienes que hacer es mantenerte al margen y controlar tu temperamento!

La mujer se levantó, con las aletas de la nariz dilatadas y los labios muy apretados, y Harry también.

—Toma otra galleta —dijo la profesora McGonagall con irritación acercándole la lata.

—No, gracias —repuso Harry fríamente.

—No seas ridículo —le espetó ella.

Entonces el muchacho tomó una galleta y dijo a regañadientes:

—Gracias.

—¿No oíste el discurso de Dolores Umbridge en el banquete de bienvenida, Potter?

—Sí. Sí, dijo que... iban a prohibir el progreso o... Bueno, lo que quería decir era que... el Ministerio de Magia intenta inmiscuirse en Hogwarts.

La profesora McGonagall se quedó mirándolo un momento; luego resopló, pasó por el lado de su mesa y le abrió la puerta a Harry.

—Bueno, me alegra saber que al menos escuchas a Hermione Granger —comentó haciéndole señas para que saliera de su despacho.

13

Castigo con Dolores

Aquella noche, la cena en el Gran Comedor no fue una experiencia agradable para Harry. La noticia de su enfrentamiento a gritos con la profesora Umbridge se había extendido a una velocidad increíble, contrariamente a lo que solía suceder en Hogwarts. Mientras comía, sentado entre Ron y Hermione, Harry oía cuchicheos a su alrededor. Lo más curioso era que a ninguno de los que susurraban parecía importarle que Harry se enterara de lo que estaban diciendo de él. Más bien al contrario: era como si estuvieran deseando que se enojara y se pusiera a gritar otra vez, para poder escuchar su historia directamente.

—Dice que vio cómo asesinaban a Cedric Diggory...

—Asegura que se batió en duelo con Quien-tú-sabes...

—Anda ya...

—¿Nos toma por idiotas?

—Yo no me creo nada...

—Lo que no entiendo —comentó Harry con voz trémula, dejando el cuchillo y el tenedor, pues le temblaban demasiado las manos para sujetarlos con firmeza— es por qué todos creyeron la historia hace dos meses, cuando la contó Dumbledore...

—Verás, Harry, no estoy tan segura de que la creyeran —replicó Hermione con gravedad—. ¡Vamos, larguémonos de aquí!

Ella dejó también sus cubiertos sobre la mesa; Ron, con pesar, echó un último vistazo a la tarta de manzana que no se había terminado y los siguió. Los demás alumnos no les quitaron el ojo de encima hasta que salieron del comedor.

—¿Qué quieres decir con eso de que no estás segura de que creyeran a Dumbledore? —le preguntó Harry a Hermione cuando llegaron al rellano del primer piso.

—Mira, tú no entiendes cómo se vivió eso aquí —intentó explicar Hermione—. Apareciste en medio del jardín con el cadáver de Cedric en brazos... Ninguno de nosotros había visto lo que había ocurrido en el laberinto... No teníamos más pruebas que la palabra de Dumbledore de que Quien-tú-sabes había regresado, había matado a Cedric y había peleado contigo.

—¡Es la verdad! —replicó Harry de viva voz.

—Ya lo sé, Harry, así que, por favor, deja de echarme la bronca —dijo Hermione cansinamente—. Lo que pasa es que la gente se marchó a casa de vacaciones antes de que pudiera asimilar la verdad, y ha estado dos meses leyendo que tú estás chiflado y que Dumbledore chochea.

La lluvia golpeaba los cristales de las ventanas mientras ellos avanzaban por los desiertos pasillos hacia la torre de Gryffindor. Harry tenía la impresión de que su primer día había durado una semana, pero todavía debía hacer una montaña de deberes antes de acostarse. Empezaba a notar un dolor débil y pulsante sobre el ojo derecho. Cuando entraron en el pasillo de la Señora Gorda, miró por una de las ventanas mojadas y contempló los oscuros jardines. Seguía sin haber luz en la cabaña de Hagrid.

—*¡Mimbulus mimbletonia!* —dijo Hermione antes de que la Señora Gorda tuviera ocasión de pedirles la contraseña. El retrato se abrió, dejó ver la abertura que había detrás, y los tres se metieron por ella.

La sala común estaba casi vacía; la mayoría seguía abajo, cenando. *Crookshanks*, que descansaba enroscado en una butaca, se levantó y fue a recibirlos ronroneando, y cuando Harry, Ron y Hermione se sentaron en sus tres butacas favoritas junto al fuego, saltó con agilidad al regazo de su dueña y se acurrucó allí como si fuera un peludo cojín de color rojo anaranjado. Harry, agotado, se quedó contemplando las llamas.

—¿Cómo es posible que Dumbledore haya permitido que pase esto? —gritó de pronto Hermione, sobresaltando a sus amigos; *Crookshanks* pegó un brinco y bajó al suelo con aire ofendido. Hermione golpeó, furiosa, los reposabrazos de su butaca, y por los agujeros salieron trozos de relleno—. ¿Cómo puede permitir que esa mujer infame nos dé clase? ¡Y en el año de los TIMOS, por si fuera poco!

—Bueno, la verdad es que nunca hemos tenido muy buenos profesores de Defensa Contra las Artes Oscuras, ¿no? —observó Harry—. Ya sabes lo que pasa, nos lo contó Hagrid: nadie quiere ese empleo porque dicen que trae mala suerte.

—¡Sí, pero contratar a alguien que se niega explícitamente a dejarnos hacer magia!... ¿A qué juega Dumbledore?

—Y pretende que hagamos de espías para ella —terció Ron, deprimido—. ¿Se acuerdan de que ha dicho que fuéramos a verla si oíamos a alguien decir que Quien-ustedes-saben ha regresado?

—Pues claro que está aquí para espiarnos, eso es obvio. ¿Con qué otro motivo la habría enviado Fudge a Hogwarts? —saltó Hermione.

—No empiecen a discutir otra vez —intervino un Harry harto, al ver que Ron abría la boca para responder a Hermione—. ¿Por qué no podemos...? Hagamos los deberes, a ver si nos los quitamos de encima...

Recogieron sus mochilas, que estaban en un rincón, y volvieron a las butacas, junto al fuego. En ese momento comenzaban a llegar alumnos que regresaban después de cenar. Harry evitaba dirigir la vista hacia la abertura del retrato, pero aun así era consciente de que atraía las miradas de sus compañeros.

—¿Qué les parece si empezamos por los de Snape? —propuso Ron mojando su pluma en el tintero—. «Las propiedades... del ópalo... y sus usos... en la fabricación de pociones...» —murmuró mientras escribía las palabras en la parte superior del pergamino. Subrayó el título, miró expectante a Hermione y añadió—: A ver, ¿cuáles son las propiedades del ópalo y sus usos en la fabricación de pociones?

Pero Hermione no lo escuchaba, pues miraba entornando los ojos hacia un rincón alejado de la sala, donde Fred, George y Lee Jordan estaban sentados en el centro de un corro de alumnos de primero, de aspecto inocente, que mascaban algo que, al parecer, había salido de una gran bolsa de papel que Fred tenía en las manos.

—Mira, lo siento, pero se han pasado de la raya —explotó, poniéndose en pie. Era evidente que estaba rabiosa—. ¡Vamos, Ron!

—Yo..., ¿qué? —repuso Ron para ganar tiempo—. ¡Vaya, Hermione, no podemos regañarlos por repartir golosinas!

—Sabes perfectamente que eso es turrón sangranarices, o pastillas vomitivas, o...

—¿Bombones desmayo? —apuntó Harry en voz baja.

Uno a uno, como si los hubieran golpeado en la cabeza con un mazo invisible, los alumnos de primero fueron cayendo inconscientes en sus asientos; algunos resbalaron hasta el suelo y otros quedaron colgando sobre los reposabrazos de las butacas con la lengua fuera. Los que estaban viéndolo reían; Hermione, en cambio, se puso muy tiesa y fue directamente hacia Fred y George, que estaban de pie con una libreta en la mano, observando atentamente a los alumnos de primer año desmayados. Ron hizo ademán de levantarse de la butaca, se quedó a medio camino unos segundos, vacilante, y luego murmuró a Harry:

—Ya se encarga ella.

Después se hundió cuanto pudo en la butaca, aunque no resultaba fácil debido a su larguirucha figura.

—¡Basta! —les dijo Hermione con ímpetu a Fred y George, que levantaron la cabeza y la miraron un tanto sorprendidos.

—Sí, tienes razón —dijo George, asintiendo—. Creo que ya hay suficiente con esa dosis.

—¡Ya les he advertido esta mañana, no pueden probar sus porquerías con los alumnos!

—Pero ¡si les hemos pagado! —replicó Fred, indignado.

—¡No me importa! ¡Podría ser peligroso!

—No digas bobadas —repuso Fred.

—¡Cálmate, Hermione, no les pasa nada! —intentó tranquilizarla Lee mientras iba de un alumno a otro y les metía unos caramelos de color morado en la boca, que mantenían abierta.

—Sí, mira, ya vuelven en sí —confirmó George.

Era verdad: unos cuantos alumnos de primero empezaban a moverse. Algunos se sorprendieron tanto de estar tumbados en el suelo o colgando de las butacas que Harry comprendió que Fred y George no les habían advertido del efecto que iban a producirles aquellos caramelos.

—¿Te encuentras bien? —le preguntó George con amabilidad a una chica menuda de pelo castaño oscuro, que estaba tendida a sus pies.

—Creo que sí —contestó ella con voz temblorosa.

—Excelente —dijo Fred, muy contento, pero inmediatamente Hermione le arrancó de las manos la libreta y la bolsa de papel llena de bombones desmayo.

—¡De excelente nada!

—Claro que sí, están vivos, ¿no? —comentó Fred con enojo.

—No pueden hacer eso. ¿Y si alguno se pusiera enfermo de verdad?

—No se van a poner enfermos porque los hemos probado nosotros mismos; esto sólo lo hacemos para ver si todo el mundo reacciona igual...

—Si no paran, voy a...

—¿Castigarnos? —insinuó Fred como diciendo «Inténtalo y verás».

—¿Ordenar que copiemos algo? —intervino George con una sonrisa burlona.

En la sala había curiosos riendo. Hermione se enderezó al máximo; tenía los ojos entrecerrados y su poblada melena parecía estar a punto de chisporrotear.

—No —dijo con la voz temblorosa de rabia—, pero voy a escribir a su madre.

—No serás capaz —replicó George, horrorizado, y retrocedió.

—Ya lo creo —lo desafió Hermione sin acobardarse—. No puedo impedir que ustedes se coman esas tonterías, pero no pienso permitir que se las den a los de primero.

Fred y George se quedaron estupefactos. Era evidente que consideraban que la amenaza de Hermione era un golpe bajo. Ella les lanzó una última mirada amenazadora, se sujetó con fuerza la libreta y la bolsa contra el pecho y regresó muy ofendida a su butaca junto al fuego.

Ron se había ido agachando en su asiento y en ese instante tenía la nariz casi al nivel de las rodillas.

—Gracias por tu apoyo, Ron —dijo Hermione mordazmente.

—Ya lo has resuelto muy bien tú sola —masculló él.

Hermione contempló su trozo de pergamino en blanco durante unos segundos y luego dijo con voz tensa:

—Es inútil, ahora no puedo concentrarme. Me voy a la cama —dijo, y abrió su mochila.

Harry creyó que iba a guardar en ella sus libros, pero en lugar de eso Hermione sacó dos objetos deformes de lana, los colocó con cuidado sobre una mesa junto al fuego, los cubrió con una pluma rota y unos cuantos trozos de pergamino inservibles y se retiró un poco para evaluar el efecto.

—Por las barbas de Merlín, ¿se puede saber qué haces? —preguntó Ron, observándola como si temiera por la salud mental de su amiga.

—Son gorros para elfos domésticos —contestó ella con aspereza, y a continuación empezó a guardar sus libros en la mochila—. Los he hecho este verano. Sin magia soy muy lenta tejiendo, pero ahora que he vuelto al colegio creo que podré hacer muchos más.

—¿Vas a dejar aquí estos gorros para los elfos domésticos? —inquirió Ron lentamente—. ¿Y primero los tapas con piltrafas?

—Sí —contestó Hermione desafiante, y se colgó la mochila.

—Eso no está bien —dijo Ron, enfadado—. Quieres engañarlos para que agarren los gorros. Quieres darles la libertad cuando quizá ellos no quieran ser libres.

—¡Claro que quieren ser libres! —saltó Hermione, que estaba poniéndose colorada—. ¡No te atrevas a tocar esos gorros, Ron!

Y tras pronunciar esas palabras se marchó muy airada. Ron esperó hasta que hubo desaparecido por la puerta de los dormitorios de las chicas, y entonces quitó los trozos de pergamino de encima de los gorros.

—Al menos que vean lo que están agarrando —dijo con firmeza—. En fin... —enrolló el pergamino en el que había escrito el título de la redacción para Snape—, no tiene sentido intentar terminar esto ahora; sin Hermione no puedo hacerlo, no tengo ni la más remota idea de para qué sirve el ópalo. ¿Y tú?

Harry negó con la cabeza, y al hacerlo notó que el dolor que tenía en la sien derecha estaba empeorando. Se acordó de la larga redacción sobre las guerras de los gigantes y sintió una intensa punzada de dolor. Aun siendo consciente de que a la mañana siguiente lamentaría no haber terminado sus deberes por la noche, guardó sus libros en la mochila.

—Yo también voy a acostarme.

Cuando iba hacia la puerta que conducía a los dormitorios pasó por delante de Seamus, pero no lo miró. Harry tuvo la fugaz impresión de que su compañero había despegado los labios para decir algo, pero aceleró el paso y llegó a la tranquilizadora paz de la escalera de caracol de piedra sin tener que aguantar más provocaciones.

El día siguiente amaneció tan plomizo y lluvioso como el anterior. Hagrid tampoco estaba sentado a la mesa de los profesores a la hora del desayuno.

—La única ventaja es que hoy no tenemos a Snape —comentó Ron con optimismo.

Hermione dio un gran bostezo y se sirvió una taza de café. Parecía contenta, y cuando Ron le preguntó de qué se alegraba tanto, ella se limitó a decir:

—Los gorros ya no están. A lo mejor resulta que los elfos domésticos quieren ser libres.

—Yo no estaría tan seguro —replicó él, cortante—. Quizá no podamos considerarlas prendas de vestir. Yo jamás habría dicho que eran gorros, más bien parecían vejigas lanudas.

Hermione no le dirigió la palabra en toda la mañana.

Después de una clase doble de Encantamientos tuvieron también dos horas de Transformaciones. El profesor Flitwick y la profesora McGonagall dedicaron el primer cuarto de hora de sus clases a sermonear a los alumnos sobre la importancia de los TIMOS.

—Lo que deben recordar —dijo el profesor Flitwick, un mago bajito con voz chillona, encaramado, como siempre, en un montón de libros para poder ver a sus alumnos por encima de la superficie de su mesa— es que estos exámenes pueden influir en sus vidas en los años venideros. Si todavía no se han planteado seriamente qué carrera quieren hacer, éste es el momento. Mientras tanto, ¡me temo que tendremos que trabajar más que nunca para asegurarnos de que todos ustedes rinden a la altura de su capacidad en el examen!

Luego estuvieron más de una hora repasando encantamientos convocadores que, según el profesor Flitwick, era probable que aparecieran en el TIMO; remató la clase poniéndoles como deberes un montón de encantamientos.

Lo mismo ocurrió, o peor, en la clase de Transformaciones.

—Piensen que no aprobarán los TIMOS —les advirtió la profesora McGonagall con gravedad— sin unas buenas dosis de aplicación, práctica y estudio. No veo ningún motivo por el que algún alumno de esta clase no apruebe el TIMO de Transformaciones, siempre que se apliquen en sus estudios. —Neville hizo un ruidito de incredulidad—. Sí, tú también, Longbottom —agregó la profesora—. No tengo queja de tu trabajo; lo único que tienes que corregir es esa falta de confianza en ti mismo. Por lo tanto... hoy vamos a empezar con los hechizos desvanecedores. Aunque son más fáciles que los hechizos comparecedores, que no suelen abordarse hasta el año de los ÉXTASIS, se consideran uno de los aspectos más difíciles de la magia, cuyo dominio tendrán que demostrar en sus TIMOS.

La profesora McGonagall tenía razón, pues Harry encontró dificilísimos los hechizos desvanecedores. Tras una clase de dos horas, ni él ni Ron habían conseguido hacer desaparecer los caracoles con los que estaban practicando, aunque Ron, optimista, comentó que el suyo parecía haber palidecido un poco. Hermione, por su parte, consiguió hacer desaparecer su caracol al tercer intento, y la profesora McGonagall le dio diez puntos extra a Gryffindor. Fue la única a la que la profesora McGonagall no puso deberes; a los demás les ordenó que practicaran el hechizo para el día siguiente, ya que por la tarde tendrían que volver a probarlo con sus caracoles.

Harry y Ron, presas del pánico por la cantidad de trabajo que empezaba a acumulárseles, pasaron la hora de la comida en la biblioteca documentándose sobre los usos del ópalo en la fabricación de pociones. Hermione, que todavía estaba enojada con Ron por su ofensivo comentario sobre los gorros de lana, no los acompañó. Por la tarde, cuando llegaron a Cuidado de Criaturas Mágicas, a Harry volvía a dolerle la cabeza.

El día se había puesto frío y ventoso, y mientras descendían por el empinado jardín hacia la cabaña de Hagrid, situada al borde del Bosque Prohibido, notaron que algunas gotas de lluvia les caían en la cara. La profesora Grubbly-Plank esperaba de pie a los alumnos a unos diez metros de la puerta de la cabaña de Hagrid, detrás de una larga mesa de caballete cubierta de ramitas. Cuando Harry y Ron llegaron a donde estaba la profesora, oyeron una fuerte risotada a sus espaldas; se dieron la vuelta y vieron a Draco Malfoy, que iba con aire resuelto hacia ellos, rodeado como siempre de su cuadrilla de amigotes de Slytherin. Por lo visto acababa de decir algo divertidísimo porque Crabbe, Goyle, Pansy Parkinson y los demás seguían riéndose con ganas cuando rodearon la mesa de caballete; y a juzgar por cómo miraban a Harry, éste pudo imaginar sin grandes dificultades el motivo del chiste.

—¿Ya están todos? —gritó la profesora Grubbly-Plank cuando hubieron llegado los de Slytherin y los de Gryffindor—. Entonces manos a la obra. ¿Quién puede decirme cómo se llaman estas cosas?

Señaló el montón de ramitas que tenía delante y Hermione levantó una mano. Malfoy, que estaba detrás, sacó los dientes e hizo una imitación de Hermione dando saltitos, ansiosa por contestar a la pregunta. Pansy Parkinson soltó una carcajada que casi de inmediato se convirtió en un grito, pues las ramitas que había encima de la mesa brincaron y resultaron ser algo así como diminutos duendecillos hechos de madera, con huesudos brazos y piernas de color marrón, dos delgados dedos en los extremos de cada mano y una curiosa cara plana, que parecía de corteza de árbol, en la que relucían un par de ojos de color marrón oscuro.

—¡Oooooh! —exclamaron Parvati y Lavender, lo cual molestó mucho a Harry.

¡Como si Hagrid nunca les hubiera enseñado criaturas impresionantes! Había que admitir que los gusarajos no eran nada del otro mundo, pero las salamandras y los hipogrifos habían sido muy interesantes, y los escregutos de cola explosiva, quizá hasta demasiado interesantes.

—¡Hagan el favor de bajar la voz, señoritas! —ordenó la profesora Grubbly-Plank con severidad, y luego esparció un puñado de algo que parecía arroz integral entre aquellos seres hechos de palitos, los cuales inmediatamente se abalanzaron sobre la comida—. A ver, ¿alguien sabe cómo se llaman estas criaturas? ¿Señorita Granger?

—Bowtruckles —dijo Hermione—. Son guardianes de árboles; generalmente viven en los que sirven para hacer varitas.

—Cinco puntos para Gryffindor —replicó la profesora Grubbly-Plank—. Efectivamente, son bowtruckles, y como muy bien dice la señorita Granger, generalmente viven en árboles cuya madera se emplea para la fabricación de varitas. ¿Alguien sabría decirme de qué se alimentan?

—De cochinillas —contestó Hermione de inmediato, y entonces Harry entendió por qué aquello que él había tomado por granos de arroz integral se movía—. Pero también de huevos de hada, si los encuentran.

—Muy bien, anótate cinco puntos más. Bien, siempre que necesiten hojas o madera de un árbol habitado por un bowtruckle, es recomendable tener a mano un puñado de cochinillas para distraerlo o apaciguarlo. Quizá no parezcan peligrosos, pero si los molestan intentarán sacarles los ojos con los dedos, que, como pueden ver, son muy afilados; por lo tanto, no conviene que se acerquen a nuestros globos oculares. De modo que si quieren aproximarse un poco... Tomen un puñado de cochinillas y un bowtruckle, hay uno para cada tres, y así podrán examinarlos mejor. Antes de que termine la clase quiero que cada uno de ustedes me entregue un dibujo con todas las partes del cuerpo señaladas.

Los alumnos se acercaron a la mesa de caballete. Harry la rodeó deliberadamente por detrás para colocarse al lado de la profesora Grubbly-Plank.

—¿Dónde está Hagrid? —le preguntó mientras los demás empezaban a elegir sus bowtruckles.

—Eso no es asunto tuyo —contestó la profesora, tajante, y Harry recordó que cuando en otra ocasión Hagrid no se había presentado para dar su clase, ella había adoptado la misma actitud.

Draco Malfoy, con una amplia sonrisa de suficiencia en el anguloso rostro, se acercó a Harry y tomó el bowtruckle más grande que encontró.

—A lo mejor ese bruto zopenco ha tenido un accidente —sugirió en voz baja para que sólo pudiera oírlo Harry.

—El que va a tener un accidente eres tú como no te calles —replicó Harry sin levantar la voz.

—Quizá se haya metido en un lío con alguien más grande que él; no sé si me entiendes...

Malfoy se alejó, mirando hacia atrás y sonriendo, y de pronto Harry se sintió muy angustiado. ¿Sabía algo Malfoy? Al fin y al cabo su padre era un mortífago; ¿y si tenía alguna información sobre el paradero de Hagrid que todavía no había llegado a oídos de la Orden?

Volvió a rodear la mesa y se dirigió hacia Ron y Hermione, que estaban de cuclillas en la hierba, un poco alejados, intentando convencer a un bowtruckle de que se estuviera quieto el tiempo necesario para que ellos pudieran dibujarlo. Harry sacó pergamino y pluma, se agachó junto a sus amigos y, con disimulo, les contó lo que acababa de decir Malfoy.

—Si le hubiera ocurrido algo a Hagrid, Dumbledore lo sabría —opinó Hermione—. Si nos mostramos preocupados sólo estaremos poniéndoselo en bandeja a Malfoy; entonces comprenderá que nosotros no sabemos exactamente lo que está pasando. No tenemos que hacerle caso, Harry. Toma, sujeta un momento al bowtruckle para que pueda dibujar su cara...

—Sí —oyeron que decía Malfoy arrastrando las palabras; estaba sentado en otro grupo, cerca de ellos—, mi padre habló con el ministro hace un par de días, y según parece el Ministerio está decidido a tomar enérgicas medidas contra la escasa calidad de la educación en este colegio. De modo que, aunque ese tarado gigantesco vuelva a presentarse por aquí, seguramente lo pondrán de patitas en la calle en el acto.

—¡AY!

Harry había sujetado tan fuerte al bowtruckle que éste casi se había partido, pero como represalia le había hecho un fuerte arañazo en la mano con los afilados dedos, dejándole dos largos y profundos cortes. Harry lo soltó. Crabbe y Goyle, que ya estaban riéndose a carcajadas ante la idea de que despidieran a Hagrid, se rieron con más entusiasmo todavía cuando el bowtruckle salió corriendo a toda velocidad hacia el bosque y vieron cómo aquel pequeño individuo se perdía enseguida entre las raíces de los árboles. Cuando la campana repicó por el jardín, Harry enrolló su dibujo del bowtruckle, manchado de sangre, y fue hacia Herbología con la mano envuelta en el pañuelo de Hermione. La despectiva risa de Malfoy todavía le resonaba en los oídos.

—Como vuelva a llamar tarado a Hagrid una sola vez... —gruñó Harry.

—Harry, no te vayas a pelear con Malfoy, no olvides que ahora es prefecto, podría hacerte la vida imposible si quisiera...

—Uf, no me imagino cómo debe de ser eso de que te hagan la vida imposible —replicó Harry con sarcasmo.

Ron rió, pero Hermione frunció el entrecejo. Luego siguieron recorriendo juntos los huertos mientras el cielo se mostraba incapaz de decidir si quería que lloviera o no.

—Es que estoy deseando que Hagrid vuelva, nada más —comentó Harry en voz baja cuando llegaron a los invernaderos—. ¡Y no se te ocurra decir que esa Grubbly-Plank es mejor profesora que él! —añadió amenazadoramente.

—No pensaba decirlo —repuso Hermione con serenidad.

—Porque no le llega ni a la suela de los zapatos —agregó Harry con firmeza. Era consciente de que acababa de presenciar una clase de Cuidado de Criaturas Mágicas ejemplar y estaba muy molesto por ello.

La puerta del invernadero más cercano se abrió y por ella desfilaron unos cuantos alumnos de cuarto curso, entre los que estaba Ginny.

—¡Hola! —los saludó con alegría al pasar a su lado.

Unos segundos más tarde salió Luna Lovegood, un tanto rezagada del resto de la clase, con la nariz manchada de tierra y el cabello recogido en un moño en lo alto de la cabeza. Al ver a Harry, los saltones ojos de Luna se desorbitaron aún más por la emoción y fue derechita hacia él. Muchos compañeros de Harry giraron la cabeza con curiosidad. Luna respiró hondo y, sin saludarlo siquiera con un «Hola», dijo:

—Yo sí creo que El-que-no-debe-ser-nombrado ha regresado y que tú peleaste con él y lograste escapar.

—Ss-sí —balbuceó Harry. Luna llevaba unos pendientes que parecían rábanos de color naranja, un detalle en el que también se habían fijado Parvati y Lavender, pues ambas se reían por lo bajo y le señalaban las orejas.

—Pueden reírse —prosiguió Luna elevando la voz; al parecer, pensaba que Parvati y Lavender se reían de lo que acababa de decir y no de los pendientes que llevaba—, pero antes la gente tampoco creía que existieran ni los blibbers maravillosos ni los snorkacks de cuernos arrugados.

—Ya, y tenían razón, ¿no? —dijo Hermione, impaciente—. Los blibbers maravillosos y los snorkacks de cuernos arrugados no existen.

Luna le lanzó una mirada fulminante y se alejó indignada, mientras los rabanitos oscilaban con energía en sus orejas. Parvati y Lavender ya no eran las únicas que se desternillaban de risa.

—¿Quieres hacer el favor de no insultar a la única persona que cree en mí? —le dijo Harry a Hermione mientras entraban en la clase.

—Por favor, Harry, tú te mereces algo mejor. Ginny me ha hablado de Luna; por lo visto sólo cree en cosas de las que no hay pruebas. Bueno, y no me extraña que así sea, siendo la hija del director de *El Quisquilloso*.

Harry se acordó de los siniestros caballos alados que había visto la noche de su llegada a Hogwarts, y de que Luna había afirmado que ella también los veía, y se deprimió un poco. ¿Y si Luna le había mentido? Pero antes de que siguiera reflexionando sobre aquel tema, Ernie Macmillan se le había acercado.

—Quiero que sepas, Potter —dijo con una voz fuerte y decidida—, que no te apoyan sólo los bichos raros. Yo te creo sin reservas. Mi familia siempre ha respaldado incondicionalmente a Dumbledore, y yo también.

—Muchas gracias, Ernie —contestó Harry, sorprendido pero también agradecido.

Ernie podía ser pedante en ocasiones como aquélla, pero Harry, dadas sus circunstancias, supo apreciar el voto de confianza de alguien que no llevaba rabanitos colgando de las orejas. Al menos las palabras de Ernie le habían borrado la sonrisa de la cara a Lavender Brown, y cuando se dio la vuelta para hablar con Ron y Hermione, Harry vio la expresión de Seamus, que era una mezcla de desconcierto y desafío.

La profesora Sprout empezó la clase sermoneando a sus alumnos sobre la importancia de los TIMOS, lo cual no sorprendió a nadie. Harry estaba deseando que los profesores dejaran de referirse a los exámenes; empezaba a notar una desagradable sensación en el estómago cada vez que recordaba la cantidad de deberes que tenía que hacer, una sensación que empeoró notablemente cuando, al fina lizar la clase, la profesora Sprout les mandó otra redacción. Así pues, cansados y apestando a estiércol de dragón, el tipo de fertilizante preferido de la profesora Sprout, los de Gryffindor regresaron al castillo. Nadie hablaba mucho ya que había sido un largo día.

Como Harry estaba muerto de hambre y tenía su primer castigo con la profesora Umbridge a las cinco en punto, fue directamente al Gran Comedor sin dejar su mochila en la torre de Gryffindor, con la idea de comer algo antes de enfrentarse a lo que la profesora le tuviera preparado. Sin embargo, cuando acababa de llegar a la puerta, alguien le gritó, con voz potente y enfadada:

—¡Eh, Potter!

—¿Qué pasa ahora? —murmuró él con tono cansino. Al darse la vuelta vio a Angelina Johnson, que parecía de un humor de perros.

—¿Cómo que qué pasa? —replicó ella dirigiéndose hacia él y clavándole el dedo índice en el pecho—. ¿Cómo has permitido que te castiguen el viernes a las cinco?

—¿Qué? ¿Qué...? ¡Ah, sí, las pruebas para elegir al nuevo guardián!

—¡Ahora te acuerdas! —rugió Angelina—. ¿Acaso no te dije que quería hacer una prueba con todo el equipo y buscar a alguien que encajara con el resto de los jugadores? ¿No te dije que había reservado el campo de quidditch con ese propósito? ¡Y ahora resulta que tú has decidido no ir!

—¡Yo no he decidido nada! —protestó Harry, dolido por la injusticia de aquellas palabras—. La profesora Umbridge me ha castigado por decir la verdad sobre Quien-tú-sabes.

—Pues ya puedes ir a verla y pedirle que te levante el castigo del viernes —dijo Angelina con fiereza—. Y no me importa cómo lo hagas. Si quieres dile que Quien-tú-sabes es producto de tu imaginación, pero ¡quiero verte el viernes en el campo!

Dicho eso, se alejó a grandes zancadas.

—¿Saben qué? —les dijo Harry a Ron y a Hermione cuando entraban en el Gran Comedor—. Tendríamos que preguntar al Puddlemere United si Oliver Wood se ha matado en una sesión de entrenamiento, porque tengo la impresión de que su espíritu se ha apoderado del cuerpo de Angelina.

—¿Crees que hay alguna posibilidad de que la profesora Umbridge te levante el castigo del viernes? —preguntó Ron con escepticismo mientras se sentaban a la mesa de Gryffindor.

—Ninguna —contestó Harry con desánimo; se sirvió unas costillas de cordero y empezó a comer—. Pero de todos modos será mejor que lo intente, ¿no? Le propondré cambiar el castigo del viernes por dos días más o algo así, no lo sé... —Tragó un bocado de papa y añadió—: Espero que no me entretenga demasiado esta tarde. ¿Te das cuenta de que tenemos que escribir tres redacciones, practicar los hechizos desvanecedores para McGonagall, trabajar en un contraencantamiento para Flitwick, terminar el dibujo del bowtruckle y empezar ese absurdo diario de sueños para Trelawney?

Ron soltó un gemido y miró al techo.

—Y para colmo parece que va a llover.

—¿Qué tiene eso que ver con nuestros deberes? —le preguntó Hermione con las cejas arqueadas.

—Nada —contestó rápidamente Ron, y se le pusieron las orejas coloradas.

A las cinco menos cinco, Harry se despidió de sus amigos y fue hacia el despacho de la profesora Umbridge, en el tercer piso. Llamó a la puerta y ella contestó con un meloso «Pasa, pasa». Harry entró con cautela, mirando a su alrededor.

Harry había visto aquel despacho en la época en que lo habían utilizado cada uno de los tres anteriores profesores de Defensa Contra las Artes Oscuras. Cuando Gilderoy Lockhart estaba instalado allí, las paredes se hallaban cubiertas de retratos suyos. Cuando lo ocupaba Lupin, se podía encontrar en aquella habitación cualquier fascinante criatura tenebrosa en una jaula o en un tanque. Y en tiempos del falso Moody, el despacho estaba abarrotado de diversos instrumentos y artefactos para la detección de fechorías y ocultaciones.

En ese momento, sin embargo, estaba completamente irreconocible. Todas las superficies estaban cubiertas con fundas o tapetes de encaje. Había varios jarrones llenos de flores secas sobre su correspondiente tapete, y en una de las paredes colgaba una colección de platos decorativos, en cada uno de los cuales había un gatito de color muy chillón con un lazo diferente en el cuello. Eran tan feos que Harry se quedó mirándolos, petrificado, hasta que la profesora Umbridge volvió a hablar.

—Buenas tardes, señor Potter.

Harry dio un respingo y miró nuevamente a su alrededor. Al principio no la había visto porque llevaba una chillona túnica floreada cuyo estampado se parecía mucho al del mantel de la mesa que la profesora tenía detrás.

—Buenas tardes, profesora Umbridge —repuso con frialdad.

—Siéntese, por favor —dijo la profesora señalando una mesita cubierta con un mantel de encaje a la que había acercado una silla. Sobre la mesa había un trozo de pergamino en blanco que parecía esperar a Harry.

—Este... —empezó él sin moverse—, profesora Umbridge... Este..., antes de empezar quería pedirle... un favor.

Los saltones ojos de la bruja se entrecerraron.

—¿Ah, sí?

—Sí, mire... Es que estoy en el equipo de quidditch de Gryffindor. Y el viernes a las cinco en punto tenía que asistir a las pruebas de selección del nuevo guardián, y me gustaría saber si... si podría librarme del castigo esa tarde y hacerlo... cualquier otra tarde...

Antes de terminar la frase ya había comprendido que no iba a servir de nada.

—¡Ah, no! —replicó la profesora Umbridge esbozando una sonrisa tan amplia que parecía que acabara de tragarse una mosca especialmente sabrosa—. No, no, no. Lo he castigado por divulgar mentiras repugnantes y asquerosas con las que sólo pretende obtener notoriedad, señor Potter, y los castigos no pueden ajustarse a la comodidad del culpable. No, mañana vendrá aquí a las cinco en punto, y pasado mañana, y también el viernes, y cumplirá sus castigos como está planeado. De hecho, me alegro de que se pierda algo que desea mucho. Eso reforzará la lección que intento enseñarle.

Harry notó que la sangre le subía a la cabeza y oyó unos golpes sordos en los oídos. Así que lo que hacía era divulgar mentiras repugnantes y asquerosas con las que sólo pretendía obtener notoriedad, ¿eh?

La profesora Umbridge lo miraba con la cabeza un poco ladeada y seguía sonriendo abiertamente, como si supiera con exactitud lo que Harry estaba pensando y quisiera comprobar si se ponía a gritar otra vez. El chico hizo un gran esfuerzo, miró hacia otro lado, dejó su mochila junto a la silla y se sentó.

—Bueno —continuó la profesora Umbridge con dulzura—, veo que ya estamos aprendiendo a controlar nuestro genio, ¿verdad? Y ahora quiero que copie un poco, Potter. No, con su pluma no —añadió cuando Harry se agachó para abrir su mochila—. Copiará con una pluma especial que tengo yo. Tome. —Le entregó una larga, delgada y negra pluma con la plumilla extraordinariamente afilada—. Quiero que escriba «No debo decir mentiras» —le indicó con voz melosa.

—¿Cuántas veces? —preguntó Harry fingiendo educación lo mejor que pudo.

—Ah, no sé, las veces que haga falta para que se le grabe el mensaje —contestó la profesora Umbridge con ternura—. Ya puede empezar.

Ella fue hacia su mesa, se sentó y se encorvó sobre un montón de hojas de pergamino que parecían trabajos para corregir. Harry levantó la afilada pluma negra y entonces se dio cuenta de lo que le faltaba.

—No me ha dado tinta —observó.

—Sí, es que no la necesita —contestó la profesora, y algo parecido a la risa se insinuó en su voz.

Harry puso la plumilla en el pergamino, escribió: «No debo decir mentiras» y soltó un grito de dolor.

Las palabras habían aparecido en el pergamino escritas con una reluciente tinta roja, y al mismo tiempo habían aparecido en el dorso de la mano derecha de Harry. Quedaron grabadas en su piel como trazadas por un bisturí; sin embargo, mientras contemplaba aquel reluciente corte, la piel cicatrizó y quedó un poco más roja que antes, pero completamente lisa.

Harry se dio la vuelta y miró a la profesora Umbridge. Ella lo observaba con la boca de sapo estirada forzando una sonrisa.

—¿Sí?

—Nada —respondió él con un hilo de voz.

Harry volvió a mirar el pergamino, puso la plumilla encima una vez más y escribió «No debo decir mentiras»; inmediatamente sintió otra vez aquel fuerte dolor en el dorso de la mano; una vez más las palabras se habían grabado en su piel; y una vez más, desaparecieron pasados unos segundos.

Harry siguió escribiendo. Una y otra vez, trazaba las palabras en el pergamino y pronto comprendió que no era tinta, sino su propia sangre. Y una y otra vez, las palabras aparecían grabadas en el dorso de su mano, cicatrizaban y aparecían de nuevo cuando volvía a escribir con la pluma en el pergamino.

A través de la ventana del despacho vio que había oscurecido, pero Harry no preguntó cuándo podía parar. Ni siquiera miró qué hora era. Sabía que ella lo observaba, atenta a cualquier señal de debilidad, y no pensaba mostrar ninguna, aunque tuviera que pasar toda la noche allí sentado, cortándose la mano con aquella pluma...

—Venga aquí —le ordenó la profesora Umbridge al cabo de lo que a Harry le parecieron horas.

El chico se levantó. Le dolía la mano, y cuando se la miró vio que el corte se había curado, pero tenía la piel muy tierna.

—La mano —pidió la profesora Umbridge.

Harry se la tendió y ella la tomó entre las suyas. Harry contuvo un estremecimiento cuando la profesora se la tocó con sus gruesos y regordetes dedos, en los que llevaba varios feos y viejos anillos.

—¡Ay, ay, ay! Veo que todavía no le he impresionado mucho —comentó sonriente—. Bueno, tendremos que intentarlo de nuevo mañana, ¿no? Ya puede marcharse.

Harry se marchó del despacho sin decir palabra. El colegio estaba casi desierto; debía de ser más de medianoche. Fue lentamente por el pasillo y entonces, cuando hubo doblado la esquina y estuvo seguro de que la profesora Umbridge ya no podría oírlo, echó a correr.

No había tenido tiempo de practicar los hechizos desvanecedores, ni había anotado un solo sueño en su diario de sueños, ni había terminado el dibujo del bowtruckle ni había escrito las redacciones. A la mañana siguiente se saltó el desayuno para escribir un par de sueños inventados para la clase de Adivinación, la primera que tenían aquel día, y le sorprendió que Ron, muy despeinado, se quedara con él en la sala común.

—¿Por qué no lo hiciste anoche? —le preguntó Harry mientras Ron miraba a su alrededor, desesperado, en busca de inspiración.

Su amigo, que estaba profundamente dormido la noche anterior, cuando Harry llegó al dormitorio, murmuró algo de que había estado «haciendo otras cosas», se inclinó sobre su hoja de pergamino y garabateó unas cuantas palabras.

—Bueno, ya está —afirmó, y cerró el diario de un golpetazo—. He dicho que soñé que me compraba unos zapatos nuevos. No creo que pueda ver nada raro en eso, ¿verdad? —Salieron juntos hacia la torre norte—. ¿Cómo te fue el castigo con la profesora Umbridge, por cierto? ¿Qué te hizo?

Harry vaciló un instante y luego contestó:

—Me puso a copiar.

—Ah, pues no está tan mal —comentó Ron.

—No —confirmó Harry.

—Oye, se me olvidaba, ¿te levantó el castigo del viernes?

—No.

Ron se solidarizó con su amigo soltando un gruñido.

Harry volvió a tener un mal día; fue uno de los peores en Transformaciones porque no había practicado los hechizos desvanecedores. Tuvo que saltarse la hora de la comida para terminar el dibujo del bowtruckle y, entre tanto, las profesoras McGonagall, Grubbly-Plank y Sinistra les pusieron aún más deberes, que él no iba a poder terminar aquella tarde por culpa de su segundo castigo con la profesora Umbridge. Para colmo, Angelina Johnson volvió a abordarlo a la hora de la cena y, al enterarse de que no podría ir el viernes a las pruebas para seleccionar al nuevo guardián, le dijo que su actitud la había decepcionado mucho y que esperaba que los jugadores que quisieran seguir en el equipo antepusieran los entrenamientos a sus otras obligaciones.

—¡Estoy castigado! —le gritó Harry mientras ella se alejaba muy indignada—. ¿Acaso crees que prefiero estar encerrado en una habitación con ese sapo viejo a jugar al quidditch?

—Al menos sólo tienes que copiar —comentó Hermione para consolarlo cuando Harry volvió a sentarse en el banco y se quedó contemplando su pastel de carne y riñones, que ya no le gustaba tanto—. La verdad es que no es un castigo espantoso...

Harry despegó los labios, volvió a cerrarlos y asintió. En realidad no sabía muy bien por qué no había contado ni a Ron ni a Hermione en qué consistía exactamente el castigo que le había impuesto la profesora Umbridge: lo único que sabía era que no quería ver sus caras de horror, porque eso haría que todo pareciera aún peor y resultaría mucho más difícil afrontarlo. Además, tenía la impresión de que ese asunto era algo entre él y la profesora Umbridge, una prueba de fuerza entre ellos dos, y no pensaba darle la satisfacción de descubrir que se había quejado.

—No puedo creer la cantidad de deberes que tenemos —comentó Ron con abatimiento.

—¿Y por qué no los hiciste anoche? —le preguntó Hermione—. ¿Dónde estabas, por cierto?

—Estaba... Me apetecía dar un paseo —contestó Ron con evasivas.

Harry tuvo entonces la clara sensación de que él no era el único que ocultaba cosas.

• • •

El segundo castigo fue igual de duro que el del día anterior. Esa vez la piel del dorso de la mano de Harry se irritó más deprisa, y enseguida se le puso roja e inflamada. Harry no creía que siguiera curándose tan bien como al principio. El corte no tardaría mucho en quedar marcado en su mano, y quizá entonces la profesora Umbridge se considerara satisfecha. Sin embargo, el chico no dejó escapar ni el más leve gemido de dolor, y desde que entró en el despacho hasta que la profesora Umbridge le mandó que se marchara, pasadas las doce, no dijo más que «Buenas noches».

Pero el asunto de los deberes estaba llegando a un punto alarmante, de modo que cuando volvió a la sala común de Gryffindor, pese a estar agotado, no fue a acostarse, sino que abrió sus libros y empezó la redacción sobre el ópalo que tenía que entregar a Snape. Sabía que había escrito una redacción muy floja, pero no le quedaba más remedio que entregarla, porque, por mala que fuera, si no la hacía Snape sería el próximo en castigarlo. A continuación, escribió a toda velocidad las respuestas a las preguntas que les había puesto la profesora McGonagall, redactó a la carrera algo sobre el manejo adecuado de los bowtruckles para la profesora Grubbly-Plank, y subió a acostarse. Se tumbó sobre la colcha sin desnudarse y se quedó dormido inmediatamente.

El jueves, Harry se sintió cansado todo el día. Ron también parecía adormilado, aunque su amigo no entendía por qué. El tercer castigo de Harry fue igual que los dos anteriores, sólo que, tras dos horas de copia, las palabras «No debo decir mentiras» dejaron de desaparecer del dorso de su mano y permanecieron grabadas allí, rezumando gotitas de sangre. La pausa en el rasgueo de la afilada pluma hizo que la profesora Umbridge levantara la cabeza.

—¡Ah! —dijo en voz baja, y pasó junto a su mesa y fue a examinarle la mano—. Muy bien. Esto debería servirle de recordatorio, ¿no cree? Ya puede marcharse.

—¿Tengo que volver mañana? —preguntó Harry mientras agarraba su mochila con la mano izquierda para no usar la derecha, que tenía adolorida.

—Sí, claro —contestó la profesora Umbridge con una amplia sonrisa—. Sí, creo que podemos grabar el mensaje un poco más con otro día de trabajo.

Harry jamás se había planteado la posibilidad de que existiera algún otro profesor en el mundo al que odiara más que a Snape, pero mientras volvía caminando hacia la torre de Gryffindor, tuvo que reconocer que había encontrado a un poderoso contrincante. «Es cruel —pensó mientras subía por la escalera hacia el séptimo piso—. Es una vieja loca, cruel y retorcida.»

—¿Ron?

Harry había llegado al final de la escalera, había girado a la derecha y casi había tropezado con su amigo, que estaba escondido detrás de una estatua de Lachlan *el Desgarbado*, aferrado a su escoba. Al ver a Harry, Ron se sobresaltó e intentó esconder su nueva Barredora 11 detrás de la espalda.

—¿Qué haces aquí?

—Pues... nada. ¿Y tú?

Harry lo miró frunciendo el entrecejo.

—¡Vamos, Ron, puedes contármelo! ¿De qué te escondes?

—Ya que insistes... Me escondo de Fred y George. Acabo de verlos pasar con un grupo de alumnos de primero; creo que están utilizándolos otra vez como conejillos de Indias. Como ahora ya no pueden hacerlo en la sala común, porque allí está Hermione...

Hablaba muy deprisa, febrilmente.

—Pero ¿qué haces con la escoba? No habrás estado volando, ¿verdad?

—No..., bueno..., este... ¡Está bien, te lo contaré! Pero no te rías, ¿sí? —dijo, poniéndose a la defensiva; cada vez estaba más colorado—. Es que... quiero presentarme a las pruebas de guardián de Gryffindor ahora que tengo una escoba decente. Ya está. ¡Anda, ríete!

—No me río —replicó Harry mientras Ron parpadeaba por la sorpresa—. ¡Me parece una idea excelente! ¡Sería genial que entraras en el equipo! Nunca te he visto jugar de guardián. ¿Lo haces bien?

—Digamos que no lo hago del todo mal —contestó Ron, que parecía inmensamente aliviado por la reacción de

Harry—. Charlie, Fred y George siempre me colocaban de guardián cuando se entrenaban durante las vacaciones.

—¿Y has estado practicando esta noche?

—Todas las noches desde el martes... Pero yo solo. He intentado encantar unas quaffles para que volaran hacia mí, pero no ha resultado fácil, y no sé si servirá de algo. —Ron parecía nervioso y angustiado—. Fred y George van a morirse de risa cuando vean que me presento a las pruebas. No han parado de tomarme el pelo desde que me nombraron prefecto.

—Ojalá pudiera asistir a las pruebas —comentó Harry con amargura mientras reanudaban juntos el camino hacia la sala común.

—Sí, yo también... ¡Harry! ¿Qué es eso que tienes en la mano?

Harry, que acababa de rascarse la nariz con la mano derecha, intentó esconderla, pero tuvo el mismo éxito que Ron con su Barredora.

—Sólo es un corte... No es nada..., es...

Pero Ron había agarrado a su amigo por el antebrazo y se había acercado el dorso de su mano a los ojos. Hubo una pausa durante la cual Ron miró fijamente las palabras grabadas en la piel; luego, muerto de rabia, soltó a Harry:

—¿No decías que sólo te había mandado copiar?

Harry vaciló, pero al fin y al cabo Ron acababa de ser sincero con él, así que le contó a su amigo la verdad sobre las horas que había pasado en el despacho de la profesora Umbridge.

—¡Vieja arpía! —exclamó Ron con un susurro de repugnancia cuando se detuvieron frente al retrato de la Señora Gorda, que dormía apaciblemente con la cabeza apoyada en el marco—. ¡Está enferma! ¡Díselo a McGonagall, haz algo!

—No —repuso Harry tajantemente—. No quiero darle la satisfacción de descubrir que me ha afectado.

—¿Que te ha afectado? ¡No puedes dejar que se salga con la suya!

—No sé hasta qué punto la profesora McGonagall tiene poder sobre ella.

—¡Pues a Dumbledore! ¡Díselo a Dumbledore!

—No —dijo Harry por toda respuesta.

—¿Por qué no?

—Él ya tiene bastantes preocupaciones —contestó, pero ése no era el verdadero motivo. No pensaba ir a pedir ayuda a Dumbledore porque éste no había hablado con él ni una sola vez desde el mes de junio.

—Mira, yo creo que deberías... —empezó Ron, pero entonces lo interrumpió la Señora Gorda, que había estado observándolos, adormilada, y en ese momento les espetó:

—¿Van a decirme la contraseña o tendré que pasarme toda la noche despierta esperando a que terminen su conversación?

El viernes amaneció sombrío y húmedo, como todos los días de la semana. Cuando entró en el Gran Comedor, Harry miró automáticamente hacia la mesa de los profesores, pero sin ninguna esperanza de encontrar a Hagrid allí, y enseguida se concentró en otros problemas más acuciantes, como la montaña de deberes que tenía que hacer y la perspectiva de otro castigo más con la profesora Umbridge.

Aquel día hubo dos cosas que animaron un poco a Harry. Una era la idea de que se acercaba el fin de semana; la otra era que, pese a lo desagradable que sin duda alguna sería su último día de castigo, desde la ventana del despacho de la profesora Umbridge se veía el campo de quidditch, y con un poco de suerte podría observar las pruebas de Ron. Los rayos de luz eran verdaderamente tenues, pero Harry agradecía cualquier cosa que pudiera iluminar un poco la oscuridad que lo envolvía; nunca había pasado una primera semana de curso peor.

Aquella tarde, a las cinco en punto, llamó a la puerta del despacho de la profesora Umbridge deseando que fuera la última vez, y recibió la orden de entrar. La hoja de pergamino en blanco lo esperaba sobre la mesa cubierta con el tapete de encaje, así como la afilada pluma negra, que estaba a un lado.

—Ya sabe lo que tiene que hacer, Potter —le indicó la profesora Umbridge sonriendo con amabilidad.

Harry tomó la pluma y echó un vistazo por la ventana. Si movía la silla un par de centímetros hacia la derecha con la excusa de acercarse más a la mesa, lo conseguiría. A lo lejos veía al equipo de quidditch de Gryffindor volando por el campo, mientras una media docena de figuras negras esperaban de pie, junto a los tres altos postes de gol, aguardando seguramente su turno para hacer de guardianes. Desde aquella distancia era imposible saber cuál de aquellas figuras era Ron.

«No debo decir mentiras», escribió Harry. A continuación, el corte se abrió en el dorso de su mano derecha y empezó a sangrar de nuevo.

«No debo decir mentiras.» El corte se hizo más profundo y le produjo dolor y escozor.

«No debo decir mentiras.» La sangre empezó a resbalar por su muñeca.

Se arriesgó a mirar una vez más por la ventana. El que defendía los postes de gol en ese momento estaba haciéndolo muy mal. Katie Bell marcó dos veces en los pocos segundos que Harry se atrevió a echar un vistazo. Con la esperanza de que aquel guardián no fuera Ron, volvió a bajar la vista hacia el pergamino, salpicado de sangre.

«No debo decir mentiras.»

«No debo decir mentiras.»

Harry levantaba la cabeza cada vez que creía que no corría peligro si lo hacía: cuando oía el rasgueo de la pluma de la profesora Umbridge o que un cajón de la mesa se abría. La tercera persona que hizo la prueba era bastante buena, la cuarta era malísima, y la quinta esquivó una bludger con una habilidad excepcional, pero luego falló en una parada fácil. El cielo se estaba oscureciendo y Harry dudaba que pudiera ver la actuación del sexto y del séptimo aspirantes.

«No debo decir mentiras.»

«No debo decir mentiras.»

En ese momento el pergamino estaba cubierto de relucientes gotas de la sangre que le caía de la mano, que le dolía muchísimo. Cuando volvió a levantar la cabeza ya era de noche y no se distinguía el campo de quidditch.

—Vamos a ver si ya ha captado el mensaje —propuso la profesora Umbridge con voz suave media hora más tarde.

Se dirigió hacia Harry extendiendo los cortos y ensortijados dedos para agarrarle el brazo y entonces, cuando lo sujetó para examinar las palabras grabadas en su piel, el chico sintió un intenso dolor, pero no en el dorso de la mano sino en la cicatriz de la frente. Al mismo tiempo tuvo una sensación muy extraña a la altura del estómago.

Dio un tirón para soltarse y se puso en pie de un brinco, mirando fijamente a la profesora Umbridge. Ella lo miró también a los ojos, forzando aquella ancha y blanda sonrisa.

—Ya lo sé. Duele, ¿verdad? —comentó con su empalagosa voz. Harry no contestó. El corazón le latía aceleradamente y con violencia. ¿Se refería la profesora a su mano o sabía lo que acababa de notar en la frente?—. Bueno, creo que ya me ha comprendido, Potter. Puede marcharse.

Harry agarró su mochila y salió del despacho tan deprisa como pudo.

«Serénate —se dijo mientras corría escaleras arriba—. Serénate, no tiene por qué significar lo que crees que significa...»

—*¡Mimbulus mimbletonia!* —dijo, jadeando, al llegar al retrato de la Señora Gorda, que se abrió una vez más.

Lo recibió un fuerte estruendo. Ron fue corriendo hacia él, sonriente y derramándose sobre la túnica la cerveza de mantequilla que tenía en la copa que llevaba.

—¡Lo he conseguido, Harry! ¡Me han elegido! ¡Soy guardián!

—¿Qué? ¡Oh, es fabuloso! —exclamó Harry intentando sonreír con naturalidad mientras el corazón seguía latiéndole a toda velocidad y la mano le dolía y le sangraba.

—Tómate una cerveza de mantequilla. —Ron le puso una botella en la mano—. No puedo creerlo. ¿Dónde se ha metido Hermione?

—Está allí —dijo Fred, que también estaba tomando la misma clase de cerveza, y señaló una butaca junto al fuego. Hermione estaba dormitando en ella con la copa peligrosamente inclinada en una mano.

—Bueno, cuando le he dado la noticia me ha parecido que se ponía contenta —comentó Ron, que se veía un tanto decepcionado.

—Déjala dormir —se apresuró a decir George.

Harry tardó un momento en darse cuenta de que unos cuantos alumnos de primer año, de los que había a su alrededor, tenían señales de haber sangrado por la nariz hacía poco tiempo.

—Ven aquí, Ron, a ver si te queda bien la vieja túnica de Oliver —dijo Katie Bell—. Podemos quitar su nombre y poner el tuyo...

Cuando Ron se separó de Harry, Angelina se le acercó con aire resuelto.

—Lo siento, ya sé que he estado un poco brusca contigo, Potter —se disculpó con brusquedad—. Es que esto de dirigir el equipo es muy estresante, ¿sabes? Empiezo a pensar que a veces no era del todo justa con Wood. —La chica observó a Ron por encima del borde de su copa, con el entrecejo ligeramente fruncido—. Mira, ya sé que es tu mejor amigo, pero está un poco verde —añadió sin andarse con rodeos—. Sin embargo, creo que con un poco de entrenamiento mejorará. Procede de una familia de buenos jugadores de quidditch. Si he de serte sincera, cuento con que demuestre tener algo más de talento del que ha demostrado hoy. Vicky Frobisher y Geoffrey Hooper han volado mejor que él esta noche, pero Hooper es un quejumbroso, siempre está protestando por algo, y Vicky pertenece a un montón de asociaciones. Ella misma reconoció que sus reuniones del Club de Encantamientos serían prioritarias si coincidían con los entrenamientos. En fin, mañana a las dos en punto tenemos una sesión de prácticas; espero que no faltes esta vez. Y hazme un favor: ayuda todo lo que puedas a Ron, ¿sí?

Harry asintió con la cabeza y Angelina volvió a reunirse con Alicia Spinnet. Harry fue a sentarse junto a Hermione, que se despertó sobresaltada cuando él dejó su mochila en el suelo.

—¡Ah, eres tú, Harry! Qué bien que hayan elegido a Ron, ¿verdad? —dijo con cara de sueño—. Estoy ta-ta-tan cansada —bostezó—. Anoche estuve levantada hasta la una tejiendo más gorros. ¡Desaparecen a una velocidad increíble!

Y, en efecto, Harry vio que había gorros de lana escondidos por toda la habitación, en lugares donde los elfos desprevenidos podrían encontrarlos por casualidad.

—Genial —comentó Harry, distraído; si no se lo contaba a alguien pronto, estallaría—. Oye, Hermione, estaba en el despacho de Umbridge y me ha tocado el brazo...

Hermione lo escuchó atentamente. Cuando su amigo hubo terminado su relato, le preguntó, hablando despacio:

—¿Temes que Quien-tú-sabes esté controlándola como controlaba a Quirrell?

—Bueno —contestó Harry, bajando la voz—, es una posibilidad, ¿no?

—Supongo que sí —respondió Hermione, aunque no parecía convencida—. Pero no creo que pueda poseerla como a Quirrell. No sé, ahora está vivito y coleando, ¿no es así?, tiene su propio cuerpo y no necesita compartir el de otra persona. Supongo que podría haberle echado una maldición *imperius*, desde luego... —Harry se quedó un momento mirando cómo Fred, George y Lee Jordan hacían malabarismos con unas botellas de cerveza de mantequilla vacías. Entonces Hermione añadió—: Pero el año pasado te dolía la cicatriz sin que nadie te tocara y Dumbledore dijo que eso tenía que ver con lo que Quien-tú-sabes sentía en aquel momento, ¿verdad? O sea, que lo que te ocurre ahora quizá no tenga nada que ver con la profesora Umbridge. Quizá no sea más que una casualidad que ocurriera mientras estabas con ella.

—Es cruel —se limitó a decir Harry—. Y retorcida.

—Es horrible, eso es verdad, pero... Harry, creo que deberías contarle a Dumbledore que te ha dolido la cicatriz.

Era la segunda vez en dos días que le aconsejaban que fuera a ver a Dumbledore, y la respuesta que le dio a Hermione fue la misma que le había dado a Ron.

—No quiero molestarlo con tonterías. Como ya has dicho, no tiene tanta importancia. Me ha dolido todo el verano, y esta noche quizá me haya dolido un poco más, sólo eso...

—Harry, estoy segura de que a Dumbledore no le importaría que lo molestaras por una cosa así...

—Sí —explotó Harry sin poder contenerse—, eso es lo único que a Dumbledore le importa de mí, mi cicatriz.

—¡No digas eso! ¡No es verdad!

—Creo que escribiré a Sirius y se lo contaré, a ver qué opina él...

—¡No puedes poner una cosa así por escrito, Harry! —exclamó Hermione, alarmada—. ¿No recuerdas que Moody nos dijo que tuviéramos mucho cuidado con lo que escribíamos en nuestras cartas? ¡No podemos estar seguros de que no intercepten nuestras lechuzas!

—¡De acuerdo, de acuerdo, no se lo contaré! —repuso Harry, enfadado. Luego se levantó y dijo—: Me voy a la cama. Díselo a Ron, ¿quieres?

—¡Ah, ni hablar! —replicó Hermione con alivio—. Si tú te vas, yo también puedo irme sin parecer maleducada. Estoy agotada y mañana quiero hacer unos cuantos gorros más. Mira, si quieres puedes ayudarme, es muy divertido. Ya he mejorado y puedo hacer dibujos, borlas y todo tipo de adornos.

Harry la miró y vio que estaba muy contenta, así que intentó fingir que su ofrecimiento lo tentaba.

—Este..., no, no creo que te ayude, gracias —balbuceó—. Humm... Mañana no, tengo un montón de deberes por hacer...

Y fue hacia la escalera de los dormitorios de los chicos dejándola un tanto decepcionada.

14

Percy y Canuto

Al día siguiente, Harry fue el primero que despertó en el dormitorio. Se quedó un momento tumbado y contempló el polvo que se arremolinaba en un rayo de sol que entraba por el espacio que había entre las cortinas de su cama adoselada, saboreando la idea de que era sábado. La primera semana del curso había sido interminable, como una gigantesca lección de Historia de la Magia.

A juzgar por el silencio que había en la habitación y el inmaculado aspecto de aquel rayo de sol, acababa de amanecer. Harry abrió las cortinas de su cama, se levantó y empezó a vestirse. Lo único que se oía, aparte del lejano piar de los pájaros, era la lenta y profunda respiración de sus compañeros de Gryffindor. Abrió con cuidado su mochila, sacó una hoja de pergamino y una pluma y bajó a la sala común.

Allí fue derecho hacia su butaca favorita, vieja y mullida, junto al fuego ya apagado, se sentó cómodamente en ella y desenrolló la hoja de pergamino mientras miraba a su alrededor. Los trozos de pergamino arrugados, gobstones viejos, tarros vacíos y envoltorios de dulces que solían cubrir la sala común al final del día, habían desaparecido, así como los gorros de elfo de Hermione. Mientras se preguntaba cuántos elfos habrían conseguido la libertad, tanto si la querían como si no, Harry destapó su tintero, mojó la pluma en él y la dejó suspendida un par de centímetros por encima de la suave y amarillenta superficie del pergamino, muy concentrado... Pero al cabo de un minuto más o menos, se encontró contemplando la chimenea vacía sin saber qué decir.

Ya entendía lo difícil que debía de haber sido para Ron y Hermione escribirle cartas aquel verano. ¿Cómo iba a contarle a Sirius lo que había pasado aquella semana y plantearle las preguntas que se moría por hacer sin proporcionar a unos hipotéticos ladrones de cartas gran cantidad de información que no quería que tuvieran?

Se quedó allí sentado un buen rato, observando la chimenea, y al final tomó una decisión. Mojó otra vez la pluma en el tintero y empezó a escribir resueltamente.

Querido Hocicos:

Espero que estés bien. Los primeros días aquí han sido terribles, y por eso me alegro de que haya llegado el fin de semana.

Tenemos una profesora nueva de Defensa Contra las Artes Oscuras, la profesora Umbridge. Es tan encantadora como tu madre. Te escribo porque eso que te conté en verano volvió a pasarme anoche mientras estaba cumpliendo un castigo con Umbridge.

Todos echamos de menos a nuestro gran amigo, pero esperamos que vuelva pronto.

Contéstame cuanto antes, por favor.

Un abrazo,

Harry

El chico releyó varias veces la carta intentando ponerse en el pellejo de una persona desconocida. Le pareció que, leyendo aquella carta, nadie podría saber de qué estaba hablando ni a quién se dirigía. Esperaba que Sirius captara la indirecta sobre Hagrid y les dijera cuándo iba a volver. Harry no quería preguntárselo directamente por si eso atraía demasiado la atención sobre lo que estaba haciendo Hagrid mientras no se hallaba en Hogwarts.

Teniendo en cuenta que era una carta muy breve, Harry había tardado mucho en escribirla, pues la luz del sol ya había invadido la habitación mientras la redactaba. En ese momento, Harry escuchaba ruidos en la distancia que indicaban que sus compañeros se habían puesto en movimiento en los dormitorios del piso de arriba. Selló el pergamino con sumo cuidado, salió por el agujero del retrato y se dirigió a la lechucería.

—Yo no tomaría ese camino —lo previno Nick *Casi Decapitado*, que apareció después de atravesar una pared del pasillo por el que iba Harry, desconcertándolo momentáneamente—. Peeves ha preparado una graciosa broma para el primero que pase por delante del busto de Paracelso que hay un poco más allá.

—¿Y en qué consiste la broma? ¿En que Paracelso se le caiga en la cabeza al que pase por delante?

—Pues da la casualidad de que sí —contestó Nick *Casi Decapitado* con voz aburrida—. La sutileza nunca ha sido el fuerte de Peeves. Voy a ver si encuentro al Barón Sanguinario... Quizá él pueda hacer algo para impedirlo... Hasta la vista, Harry...

—Bien, adiós —dijo él, y en lugar de torcer hacia la derecha, giró hacia la izquierda y tomó un camino más largo pero más seguro para llegar a la lechucería.

Fue animándose a medida que pasaba junto a las ventanas, una tras otra, por las que se veía un reluciente cielo azul; más tarde tenía entrenamiento: ¡por fin iba a volver al campo de quidditch!

Entonces algo le rozó los tobillos. Miró hacia abajo y vio a la esquelética gata del conserje, la *Señora Norris*, que pasaba escabulléndose por su lado. La gata clavó brevemente en él sus ojos amarillos como lámparas antes de desaparecer detrás de una estatua de Wilfred *el Nostálgico*.

—No estoy haciendo nada malo —le gritó Harry.

Resultaba evidente que la gata tenía intención de informar a su amo, pero él no entendía por qué: estaba en su perfecto derecho de ir a la lechucería un sábado por la mañana.

El sol ya había salido completamente, así que cuando Harry entró en la lechucería, la luz que se colaba por las ventanas sin cristales lo deslumbró; unos gruesos rayos de sol plateados se entrecruzaban en la estancia circular, en cuyas vigas había posadas cientos de lechuzas, un poco inquietas con las primeras luces de la mañana; era evidente que algunas acababan de llegar de cazar. El suelo cubierto de paja crujió levemente cuando Harry pisó unos huesecillos de animales pequeños, y a continuación el muchacho estiró el cuello para ver a *Hedwig*.

—¡Ah, estás ahí! —exclamó al verla cerca de la parte más alta del techo abovedado—. Ven aquí, tengo una carta para ti. —*Hedwig* emitió un débil ululato, extendió sus grandes alas blancas y descendió hasta posarse en el hombro de Harry—. Mira, ya sé que fuera pone Hocicos —le dijo Harry dándole la carta para que la agarrara con el pico, y sin saber muy bien por qué, bajó la voz para añadir—: Pero es para Sirius, ¿de acuerdo? —*Hedwig* parpadeó una sola vez con sus ojos de color ámbar y Harry lo interpretó como una señal de que lo había entendido—. Que tengas un feliz vuelo —le deseó, y la llevó a una de las ventanas.

Hedwig, tras presionarle brevemente el brazo, salió volando hacia el deslumbrante cielo. Harry siguió su trayectoria con la mirada hasta que la lechuza se convirtió en una motita negra y desapareció del todo; entonces dirigió la vista hacia la cabaña de Hagrid, que se veía muy bien desde aquella ventana, y comprobó que seguía deshabitada: no salía humo por la chimenea y las cortinas estaban corridas.

Una ligera brisa agitaba las copas de los árboles del Bosque Prohibido. Harry las contempló mientras se deleitaba con el fresco aire que le rozaba la cara, se puso a pensar en el entrenamiento de quidditch que tenía más tarde... y entonces lo distinguió. Un enorme caballo alado con aspecto de reptil igual que los que había observado tirando de los carruajes de Hogwarts, desplegó unas curtidas y negras alas que parecían de pterodáctilo y se irguió entre los árboles como un gigantesco y grotesco pájaro. Voló describiendo un amplio círculo, luego volvió a descender en picada y desapareció entre los árboles. Todo había sido tan rápido que Harry no podía creer lo que había visto, pero el corazón le latía con violencia.

La puerta de la lechucería se abrió detrás de él. Harry dio un respingo, se volvió con rapidez y vio a Cho Chang con una carta y un paquete en las manos.

—¡Hola! —dijo él automáticamente.

—¡Ah, hola! —respondió ella con voz entrecortada—. No pensé que habría alguien aquí tan temprano... Hace cinco minutos me he acordado de que hoy es el cumpleaños de mi madre.

Le mostró el paquete a Harry.

—¡Vaya! —repuso él. Tenía la impresión de que el cerebro se le había atascado. Le habría gustado decir algo gracioso e interesante, pero el recuerdo de aquel terrible caballo alado estaba demasiado fresco y su mente aún no había reaccionado—. ¡Qué día tan perfecto! —dijo señalando las ventanas. Estaba tan abochornado que se le encogieron las tripas. El tiempo... Hablaba del tiempo...

—Sí —coincidió Cho mirando a su alrededor en busca de una lechuza adecuada—. Excelentes condiciones para el quidditch. Yo no he salido en toda la semana. ¿Y tú?

—Tampoco.

Cho eligió una de las lechuzas del colegio. Hizo que bajara y se le posara en el brazo, y el pájaro, obediente, extendió una pata para que Cho pudiera atarle el paquete.

—Oye, ¿ya tiene Gryffindor nuevo guardián? —preguntó.

—Sí —contestó Harry—. Es mi amigo Ron Weasley, ¿lo conoces?

—¿El enemigo de los Tornados? —preguntó Cho con frialdad—. ¿Es bueno?

—Sí. Creo que sí. Pero no le vi hacer la prueba porque estaba castigado.

Cho levantó la cabeza cuando todavía no había acabado de atar el paquete a la pata de la lechuza.

—Esa Umbridge es asquerosa —dijo en voz baja—. Castigarte sólo porque dijiste la verdad sobre... sobre... sobre cómo murió Cedric. Se enteró todo el mundo, en el colegio no se hablaba de otra cosa. Fuiste muy valiente enfrentándola de ese modo.

Harry se hinchó tanto que creyó que acabaría flotando unos centímetros por encima del suelo cubierto de excrementos de lechuza. ¿Qué importancia tenía un ridículo caballo volador si Cho consideraba que había sido muy valiente? Estuvo a punto de mostrarle, como sin querer, el corte que tenía en la mano mientras la ayudaba a atar el paquete a la pata de la lechuza... Pero en cuanto se le ocurrió aquella emocionante idea, volvió a abrirse la puerta de la lechucería.

Filch, el conserje, entró en la sala resollando. Tenía manchas de color morado en las hundidas mejillas surcadas de venas, le temblaba la parte inferior de los carrillos y llevaba el escaso y canoso cabello despeinado: todo indicaba que había ido corriendo hasta allí. La *Señora Norris* entró pegada a sus talones, mirando a las lechuzas y maullando con avidez. En las vigas, las aves, nerviosas, agitaron las alas, y una gran lechuza de color marrón hizo un ruido amenazador con el pico.

—¡Ja! —exclamó Filch, y dio un torpe paso hacia Harry. Las flácidas mejillas le temblaban de ira—. ¡Me han dado el soplo de que piensas hacer un pedido descomunal de bombas fétidas!

Harry se cruzó de brazos y observó al conserje.

—¿Quién le ha dicho que iba a hacer ese pedido?

Cho miró primero a Harry y luego a Filch con el entrecejo fruncido; la lechuza que tenía en el brazo, cansada de esperar sobre una sola pata, soltó un grito de queja, pero la chica la ignoró.

—Tengo mis fuentes —respondió Filch, muy satisfecho de sí mismo—. Dame ahora mismo eso que pensabas enviar.

Harry, contentísimo de no haberse entretenido enviando la carta, replicó:

—No puedo, ya no lo tengo.

—¿Cómo que ya no lo tienes? —se extrañó Filch con el rostro contraído de rabia.

—Que ya no lo tengo —repitió Harry con calma.

Filch abrió la boca, feroz, movió los labios durante unos segundos, y luego paseó la mirada por la túnica de Harry.

—¿Cómo sé que no te lo has guardado en un bolsillo?

—Porque...

—Yo he visto cómo enviaba la carta —intervino Cho con tono antipático.

Filch se volvió hacia ella.

—¿Tú has visto cómo...?

—Sí, lo he visto —confirmó ella rotundamente.

Hubo una breve pausa durante la cual Filch fulminó a Cho con la mirada y Cho lo fulminó a él; entonces el conserje se dio la vuelta y caminó hacia la puerta arrastrando los pies. Luego se paró con la mano en el pomo y giró la cabeza para observar por última vez a Harry.

—Como note el más leve tufillo a bomba fétida... —dijo, y bajó la escalera pisando fuerte. La *Señora Norris* contempló con ganas a las lechuzas y después lo siguió.

Harry y Cho se miraron.

—Gracias —dijo él.

—De nada —repuso Cho, ligeramente ruborizada, y terminó de atar el paquete a la otra pata de la lechuza—. No estabas encargando bombas fétidas, ¿verdad?

—No —contestó Harry.

—No sé por qué Filch cree que estabas haciéndolo —comentó mientras llevaba la lechuza a la ventana.

Harry se encogió de hombros. Él tampoco lo entendía, pero curiosamente eso no le importaba mucho en aquel momento.

Luego salieron juntos de la lechucería. Al llegar a la entrada de un pasillo que conducía al ala oeste del castillo, Cho dijo:

—Me voy por aquí. Bueno, ya..., ya nos veremos, Harry.

—Sí, nos vemos.

Cho le sonrió y se marchó. Él siguió caminando invadido por una serena euforia. Había conseguido mantener una conversación con ella sin meter la pata ni una sola vez... «Fuiste muy valiente enfrentándola de ese modo»... Cho lo había llamado valiente... No lo odiaba por estar vivo...

Ella había preferido a Cedric, desde luego; Harry lo sabía. Pero si él le hubiera pedido antes que Cedric que lo acompañara al baile, quizá todo habría sido diferente... Cuando Harry se lo pidió, le pareció que Cho lamentaba con sinceridad tener que decirle que no podía ir con él...

—Buenos días —saludó Harry alegremente a Ron y Hermione cuando se reunió con ellos en la mesa de Gryffindor, en el Gran Comedor.

—¿Cómo es que estás tan contento? —preguntó Ron mirando a Harry con sorpresa.

—Este... Porque luego hay entrenamiento de quidditch —respondió él con una sonrisa, y se acercó una gran bandeja de huevos con tocino.

—¡Ah, sí! —exclamó Ron, que dejó el pan tostado que estaba comiéndose y bebió un largo trago de jugo de calabaza. Entonces añadió—: Oye, ¿no querrías ir un poco antes conmigo? Para... practicar antes de que empiece el entrenamiento... Así podría familiarizarme con el terreno de juego...

—Sí, claro —respondió Harry.

—Miren, no creo que deban hacerlo —intervino Hermione, muy seria—. Los dos se han retrasado mucho con los deberes...

Pero Hermione no terminó la frase, pues estaba llegando el correo de la mañana y, como era habitual, *El Profeta* volaba hacia ella en el pico de una lechuza que aterrizó peligrosamente cerca del azucarero y extendió una pata. Hermione le puso un knut en la bolsita de piel, tomó el periódico y leyó con rapidez la primera plana, con gesto de desaprobación, mientras la lechuza se marchaba volando.

—¿Hay algo interesante? —preguntó Ron. Harry sonrió, pues sabía que Ron se alegraba de que Hermione hubiera tenido que dejar el tema de los deberes.

—No —respondió ella con un suspiro—, sólo cuentan tonterías sobre la bajista de Las Brujas de Macbeth, que se casa. —Hermione abrió el periódico y desapareció tras él. Harry se dedicó a su segundo plato de huevos con tocino y Ron, que parecía un poco preocupado, miraba hacia las altas ventanas—. Un momento —dijo ella de pronto—. ¡Oh, no! ¡Sirius!

—¿Qué pasa? —preguntó Harry arrancándole el periódico de las manos tan bruscamente que lo rompió por la mitad, de modo que Hermione y él se quedaron cada uno con una parte.

—«Según una información obtenida por el Ministerio de Magia de fuentes fidedignas, Sirius Black, el famoso asesino... bla, bla, bla... ¡está escondido en Londres!» —leyó Hermione en su mitad del periódico con un susurro angustiado.

—Lucius Malfoy, me apuesto algo —afirmó Harry conteniendo la furia de su voz—. Seguro que reconoció a Sirius en el andén...

—¿Qué? —saltó Ron, alarmado—. No me dijiste que...

—¡Chissst! —exclamaron los otros dos.

—«... El Ministerio advierte a la comunidad de magos que Black es muy peligroso... mató a treinta personas... se fugó de Azkaban...» Las majaderías de siempre —concluyó Hermione dejando su mitad del periódico y mirando con temor a Harry y Ron—. Bueno, ya no podrá volver a salir de la casa, eso es todo —susurró—. Dumbledore ya le advirtió que no lo hiciera.

Afligido, Harry miró el trozo de *El Profeta* con que se había quedado. La mayor parte de la página la ocupaba un anuncio de «Madame Malkin, túnicas para todas las ocasiones», donde al parecer había rebajas.

—¡Eh! —exclamó de pronto, alisando la hoja para que Hermione y Ron pudieran verla—. ¡Miren esto!

—Yo ya tengo todas las túnicas que necesito —dijo Ron.

—No —replicó Harry—, miren... este breve artículo de aquí...

Ron y Hermione se inclinaron sobre la mesa para leerlo; el artículo no tenía ni tres centímetros de largo, estaba colocado al final de una columna y decía:

TENTATIVA DE ROBO EN EL MINISTERIO

Sturgis Podmore, de 38 años, vecino del número 2 de Laburnum Gardens, Clapham, se ha presentado ante el Wizengamot acusado de entrada ilegal y tentativa de robo en el Ministerio de Magia el 31 de agosto. Podmore fue detenido por el mago de seguridad del Ministerio de Magia, Eric Munch, que lo sorprendió intentando entrar por una puerta de alta seguridad a la una de la madrugada. Podmore, que se negó a declarar en su defensa, fue hallado culpable de ambas acusaciones y condenado a seis meses en Azkaban.

—¿Sturgis Podmore? —dijo Ron lentamente—. Es ese tipo con una mata de pelo que parece paja, ¿no? Pertenece a la Ord...

—¡Ron! ¡Chissst! —saltó Hermione mirando aterrada a sus amigos.

—¡Seis meses en Azkaban! —susurró Harry, impresionado—. ¡Sólo por intentar entrar por una puerta!

—No seas tonto, no lo han condenado sólo por intentar entrar por una puerta. ¿Qué demonios hacía en el Ministerio de Magia a la una de la madrugada? —dijo Hermione en voz baja.

—¿Crees que hacía algún trabajo para la Orden? —murmuró Ron.

—Esperen un momento... —dijo Harry—. Sturgis tenía que venir a despedirnos, ¿no se acuerdan?

Los otros dos lo miraron.

—Sí, tenía que formar parte de la guardia que nos acompañó a King's Cross. Y Moody estaba muy enfadado porque no se había presentado; por lo tanto, no puede ser que estuviera realizando una misión para la Orden, ¿verdad?

—Bueno, a lo mejor no contaban con que lo pillaran —dijo Hermione.

—¡Podría ser una trampa! —exclamó Ron, emocionado—. ¡No, escuchen! —continuó, bajando la voz exageradamente ante la mirada amenazadora de Hermione—. El Ministerio sospecha que es uno de los seguidores de Dumbledore, así que..., no sé, lo atrajeron hasta el Ministerio de alguna forma, y no es que él intentara entrar por alguna puerta. ¡Quizá sólo se hayan inventado una excusa para atraparlo!

Se produjo una pausa durante la cual Harry y Hermione reflexionaron sobre aquella posibilidad. Harry la encontraba demasiado rocambolesca. Hermione, por su parte, se mostró impresionada.

—La verdad, no me extrañaría nada que fuera eso lo que pasó —comentó, y dobló concienzudamente su mitad del periódico. Mientras Harry dejaba el cuchillo y el tenedor en el plato, ella pareció salir de un ensueño y añadió—: Bueno, creo que para empezar deberíamos ponernos a escribir esa redacción para Sprout sobre arbustos autofertilizantes, y si tenemos suerte, podremos empezar la del hechizo *Inanimatus Conjurus* para la profesora McGonagall antes de la hora de comer...

Harry sintió cierto remordimiento al pensar en el montón de deberes que lo esperaba, pero el cielo, de un azul estimulante, estaba despejado y no había montado en su Saeta de Fuego en toda la semana...

—Hombre, podemos hacerlos esta noche —propuso Ron mientras él y Harry bajaban por la extensión de césped que descendía hasta el campo de quidditch, con las escobas sobre el hombro y las severas advertencias de Hermione de que reprobarían todos sus TIMOS resonando todavía en los oídos—. Y nos queda mañana. Hermione se obsesiona demasiado con el trabajo, ése es su problema... —Hizo una pausa y añadió con un tono más angustiado—: ¿Crees que hablaba en serio cuando dijo que no piensa dejarnos copiar?

—Sí, creo quc sí —respondió Harry—. Pero esto también es importante, tenemos que practicar si queremos seguir en el equipo de quidditch...

—Sí, tienes razón —coincidió Ron, más animado—. Y tenemos tiempo de sobra para hacerlo todo...

Mientras se acercaban al campo de quidditch, Harry miró hacia la derecha, donde el viento agitaba los árboles del Bosque Prohibido, pero no salió nada volando de entre las copas; en el cielo sólo se veían unas cuantas lechuzas que revoloteaban alrededor de la torre de la lechucería. Como ya tenía suficientes preocupaciones, Harry apartó de su mente al caballo volador, convencido de que no iba a hacerle ningún daño.

Agarraron las pelotas de quidditch, guardadas en el armario de los vestidores, y se pusieron a entrenar. Ron defendía los tres altos postes de gol, y Harry hacía de cazador y le lanzaba la quaffle procurando que no la atrapara. A Harry le pareció que Ron jugaba muy bien, pues bloqueó tres cuartas partes de los tantos que Harry intentó marcarle, y a medida que practicaban, su juego mejoraba. Pasadas un par de horas volvieron al castillo para comer (ocasión que Hermione aprovechó para dejar muy claro que los consideraba unos irresponsables), y luego volvieron al campo de quidditch para la sesión de entrenamiento con el resto del equipo. Sus compañeros, salvo Angelina, estaban ya en los vestidores cuando ellos entraron.

—¿Estás preparado, Ron? —le preguntó George guiñándole un ojo.

—Sí —contestó Ron, que había ido quedándose más callado cuanto más se acercaban al campo.

—¿Preparado para hacernos a todos una exhibición, prefectito? —añadió Fred asomando la despeinada cabeza por el cuello de su túnica de quidditch con una sonrisa ligeramente malévola en los labios.

—¡Cállate! —le ordenó Ron con expresión inmutable mientras se ponía la túnica del equipo por primera vez. Ésta le quedaba muy bien si se tenía en cuenta que había pertenecido a Oliver Wood, cuyos hombros eran mucho más anchos que los de él.

—¡Hola, chicos! —dijo Angelina al salir del despacho del capitán, ya cambiada—. Vamos a empezar. Alicia y Fred, ¿pueden llevar el cajón de las pelotas? Ah, hay un par de personas ahí fuera mirando, pero quiero que las ignoren, ¿de acuerdo?

Por el tono forzadamente despreocupado de su voz, Harry sospechó quiénes podían ser aquellos espectadores a los que nadie había invitado, y, en efecto, cuando salieron del vestidor a la intensa luz del sol del terreno de juego, los recibió una tormenta de silbidos y abucheos del equipo de quidditch de Slytherin y unos cuantos aficionados, que se habían sentado en grupo hacia la mitad de las tribunas vacías y cuyas voces resonaban por todo el estadio.

—¿Qué es eso que lleva Weasley? —gritó Malfoy con su voz burlona—. ¿A quién se le ocurriría hacerle un encantamiento volador a un palo viejo y mohoso como ése?

Crabbe, Goyle y Pansy Parkinson rieron a carcajadas. Mientras, Ron montó en su escoba y dio una patada en el suelo para despegar, y Harry lo siguió y vio cómo se le ponían las orejas coloradas.

—No les hagas caso —le dijo a su amigo, y aceleró para alcanzarlo—, ya veremos quién ríe el último cuando nos toque jugar contra ellos...

—Ésa es exactamente la actitud que espero de mis jugadores, Harry —terció Angelina con satisfacción. Voló alrededor de ellos con la quaffle bajo el brazo y redujo la velocidad hasta quedar suspendida en un punto fijo frente al equipo—. Bueno, chicos, vamos a empezar con unos cuantos pases para calentar, todo el equipo, por favor...

—Eh, Johnson, ¿quién te ha hecho ese peinado? —gritó Pansy Parkinson desde las gradas—. ¡Parece que te salen gusanos de la cabeza!

Angelina se apartó las largas trenzas de la cara y siguió diciendo con serenidad:

—Sepárense, y a ver qué podemos hacer...

Harry dio marcha atrás para alejarse de sus compañeros y colocarse en uno de los extremos del campo. Ron retrocedió hacia la portería opuesta. Angelina levantó la quaffle con una mano y se la lanzó con fuerza a Fred, quien se la pasó a George, quien se la pasó a Harry, quien se la pasó a Ron..., quien la dejó caer.

Los de Slytherin, liderados por Malfoy, se desternillaron de risa. Ron, que había bajado a toda velocidad para atrapar la quaffle antes de que llegara al suelo, remontó el vuelo torpemente, resbalando hacia un lado, y volvió hasta la altura donde estaban sus compañeros. Harry vio que Fred y George se miraban, pero ninguno de los dos dijo nada, cosa rara en ellos, y Harry se lo agradeció.

—Pásala, Ron —le pidió Angelina como si no hubiera pasado nada.

Ron le lanzó la quaffle a Alicia, quien se la pasó a Harry, quien se la pasó a George...

—Eh, Potter, ¿qué tal va tu cicatriz? —le gritó entonces Malfoy—. ¿Seguro que no necesitas descansar un poco? No sé, debe de hacer una semana entera que no has estado en la enfermería. Eso es un récord para ti, ¿verdad?

George le pasó la quaffle a Angelina; Angelina se la pasó hacia atrás a Harry, que no se la esperaba, pero a pesar de eso la atrapó con las yemas de los dedos y se la pasó rápidamente a Ron, que se lanzó para agarrarla, pero la quaffle se le escapó por unos centímetros.

—¡Vamos, Ron! —exclamó Angelina con enfado cuando Ron volvió a descender para recoger la quaffle—. ¡Presta más atención!

Cuando Ron volvió a alcanzar la altura necesaria para seguir jugando, habría resultado difícil decir qué rojo era más intenso, si el de la quaffle o el de la cara del chico. Malfoy y el resto de los del equipo de Slytherin se partían de risa.

Al tercer intento Ron atrapó la quaffle, y debido quizá al alivio que sintió, la pasó con tanto entusiasmo que la pelota voló entre las manos extendidas de Katie y le golpeó en la cara.

—¡Lo siento! —se disculpó Ron acercándose a Katie para ver si le había hecho mucho daño.

—¡No ha sido nada, vuelve a tu posición! —bramó Angelina—. Pero cuando le pases la pelota a un compañero intenta no derribarlo de la escoba, ¿está claro? ¡Para eso ya tenemos las bludgers!

Katie sangraba por la nariz. Abajo, en las gradas, los de Slytherin pateaban y abucheaban a los de Gryffindor. Fred y George se acercaron a Katie.

—Tómate esto —le dijo Fred mientras le tendía una cosa pequeña y de color morado que había sacado del bolsillo—. Detendrá la hemorragia en cuestión de segundos.

—Muy bien —gritó Angelina—, Fred y George, vayan a buscar sus bates y una bludger. Ron, sube a los postes. Harry, suelta la snitch cuando yo lo diga. Vamos a marcar en la portería de Ron, evidentemente.

Harry fue volando detrás de los gemelos para recoger la snitch.

—Ron está haciéndolo fatal, ¿no? —murmuró George mientras los tres aterrizaban junto al cajón donde estaban las pelotas y lo abrían para sacar una bludger y la snitch.

—Es que está nervioso —replicó Harry—; esta mañana he estado practicando con él y lo hacía mucho mejor.

—Bueno, pues espero que su mejor momento no haya pasado del todo —comentó Fred con pesimismo.

Luego volvieron a subir. Cuando Angelina tocó el silbato, Harry soltó la snitch y Fred y George hicieron otro tanto con la bludger. A partir de aquel momento, Harry apenas se fijó en lo que hacían los demás. Su trabajo consistía en capturar la pequeña y dorada pelota con alas plateadas que valía ciento cincuenta puntos para el equipo del buscador que la atrapara, y eso requería mucha velocidad y habilidad. Aceleró haciendo bruscos virajes para sortear a los cazadores; el tibio aire otoñal le azotaba la cara, y los lejanos gritos de los de Slytherin dejaron de tener sentido... Pero mucho antes de lo que él esperaba, el silbato lo obligó a detenerse de nuevo.

—¡Alto! ¡Alto! ¡ALTO! —bramó Angelina—. ¡Ron, no estás cubriendo el poste central!

Harry giró la cabeza y miró a su amigo, que estaba suspendido delante del aro de gol izquierdo, dejando los otros dos completamente desprotegidos.

—Oh..., lo siento...

—¡No paras de moverte mientras miras a los cazadores! —le recriminó Angelina—. ¡O te quedas en el centro hasta que tengas que moverte para defender un aro, o vuelas en círculo alrededor de ellos, pero no vayas de un lado para otro porque así es como te han marcado los tres últimos tantos!

—Lo siento... —repitió Ron. Su rostro, sudoroso y colorado, brillaba como una señal roja de peligro contra el azul del cielo.

—Y tú, Katie, ¿no puedes hacer nada con esa nariz?

—¡Cada vez va peor! —se lamentó la chica con voz pastosa mientras intentaba contener el chorro de sangre con la manga de su túnica.

Harry observó a Fred, que parecía nervioso y se palpaba los bolsillos. Vio que el gemelo sacaba una cosa de color morado, la examinaba rápidamente y luego, presa del pánico, miraba a Katie.

—Bueno, volvamos a intentarlo —propuso Angelina. No hacía ni caso a los de Slytherin, que se habían puesto a cantar «Los de Gryffindor son unos perdedores, los de Gryffindor son unos perdedores», pero de todos modos se la notaba un poco tensa sobre la escoba.

Cuando apenas llevaban tres minutos volando, volvió a sonar el silbato de Angelina. Harry, que acababa de ver que la snitch describía un círculo alrededor de un poste de la portería contraria, se paró sintiéndose ofendido.

—¿Y ahora qué pasa? —le preguntó impaciente a Alicia, que era la jugadora que tenía más cerca.

—Es Katie —se limitó a contestar ella.

Harry giró la cabeza y vio que Angelina, Fred y George volaban a toda velocidad hacia Katie. Harry y Alicia fueron también hacia ella. Era evidente que Angelina había interrumpido el entrenamiento justo a tiempo, pues Katie estaba pálida como la cera y cubierta de sangre.

—Hay que llevarla a la enfermería —decidió Angelina.

—Ya la llevamos nosotros —se ofreció Fred—. Es posible que... se haya tragado un manantial de sangre por equivocación...

—Bueno, no tiene sentido continuar sin golpeadores y con una cazadora menos —se lamentó Angelina. Mientras tanto, Fred y George volaban hacia el castillo llevando entre los dos a Katie—. En fin, vamos a cambiarnos.

Los de Slytherin siguieron cantando mientras los de Gryffindor entraban en el vestidor.

—¿Cómo ha ido el entrenamiento? —preguntó Hermione fríamente media hora más tarde, cuando Harry y Ron entraron por la abertura del retrato en la sala común de Gryffindor.

—Ha sido... —empezó a decir Harry.

—Un desastre total —se le adelantó Ron con voz apagada, y se desplomó en una butaca junto a Hermione. Ella miró a Ron y su frialdad pareció derretirse.

—Bueno, sólo ha sido el primero —dijo para consolarlo—, supongo que te costará cierto tiempo...

—¿Quién ha dicho que haya sido un desastre total por mi culpa? —la interrumpió Ron.

—Nadie —contestó Hermione, sorprendida—. Creí que...

—Estabas convencida de que iba a hacerlo mal, ¿no?

—¡No, nada de eso! Mira, como tú has dicho que había sido un desastre total...

—Voy a empezar a hacer los deberes —dijo Ron enfadado, y se fue dando zancadas hacia la escalera que conducía a los dormitorios de los chicos y se perdió de vista.

Hermione miró a Harry y le preguntó:

—¿Lo ha hecho mal o no?

—No —respondió Harry manteniéndose leal. Hermione arqueó las cejas—. Bueno, digamos que podría haber jugado mejor —murmuró—, pero sólo ha sido la primera sesión de entrenamiento, como tú has dicho...

Aquella noche ni Harry ni Ron adelantaron mucho los deberes. Harry sabía que su amigo estaba demasiado preocupado por lo nefasta que había sido su actuación en el entrenamiento de quidditch, y él no conseguía quitarse de la cabeza aquella cantinela de «Los de Gryffindor son unos perdedores».

Pasaron todo el domingo en la sala común, rodeados de libros, mientras a ratos la estancia se llenaba de alumnos y otras veces se quedaba vacía. Hacía un día bonito y despejado, y la mayoría de sus compañeros de Gryffindor estuvieron al aire libre, en los jardines, disfrutando de lo que bien podía ser uno de los últimos días soleados del año. Al anochecer, Harry tenía la sensación de que alguien había estado golpeándole el cerebro contra las paredes internas del cráneo.

—Mira, creo que deberíamos intentar hacer más deberes durante la semana —le comentó a Ron cuando finalmente terminaron la larga redacción para la profesora McGonagall sobre el hechizo *Inanimatus Conjurus* y, abatidos, empezaron otra igual de larga para la profesora Sinistra sobre las lunas de Júpiter.

—Sí —respondió Ron frotándose los enrojecidos ojos y arrojando al fuego la quinta hoja de pergamino descartada—. Oye, ¿por qué no pedimos a Hermione que nos deje echar un vistazo a sus trabajos?

Harry giró la cabeza y miró a su amiga, que estaba sentada con *Crookshanks* en el regazo, charlando alegremente con Ginny mientras un par de agujas de punto tejían, suspendidas en el aire delante de sus ojos, un par de deformes calcetines de elfo.

—No —decidió Harry—, sabes perfectamente que no nos dejará copiar.

Así que siguieron trabajando mientras fuera el cielo iba poniéndose cada vez más oscuro. Poco a poco, la sala común fue quedándose vacía otra vez. A las once y media, Hermione se les acercó bostezando.

—¿Ya han terminado?

—No —contestó Ron con aspereza.

—La luna más grande de Júpiter es Ganimedes, no Calixto —corrigió Hermione señalando por encima del hombro de su amigo una línea de la redacción de Astronomía—, y la que tiene los volcanes es Ío.

—Gracias —gruñó Ron tachando las frases equivocadas.

—Lo siento, yo sólo...

—Mira, Hermione, si únicamente has venido para criticar...

—Ron...

—No tengo tiempo para escuchar tus sermones, Hermione, ya estoy harto de...

—No, Ron, ¡mira!

Hermione señalaba la ventana más cercana. Harry y Ron miraron hacia allí. Una bonita lechuza se había posado en el alféizar y miraba a Ron.

—¿No es *Hermes*? —preguntó Hermione, asombrada.

—¡Vaya, sí! —exclamó Ron, que dejó su pluma y se levantó—. ¿Para qué me habrá escrito Percy?

Fue hacia la ventana y la abrió, y *Hermes* entró en la habitación, aterrizó sobre la redacción de Ron y extendió la pata en la que llevaba atada una carta. Ron tomó la carta y la lechuza se marchó sin perder tiempo, dejando huellas de tinta en el dibujo que el chico había hecho de la luna Ío.

—Sí, es la letra de Percy —observó Ron sentándose en la butaca y leyendo lo que había escrito en la parte exterior del rollo de pergamino: «Ronald Weasley, Casa de Gryffindor, Hogwarts.» Luego miró a sus amigos y añadió—: ¿Qué creen que será?

—¡Ábrela! —le ordenó Hermione con impaciencia, y Harry asintió con la cabeza.

Ron desenrolló el pergamino y empezó a leer. Cuanto más avanzaba, más ceñuda era su expresión. Después, cuando con aspecto indignado terminó la lectura, les pasó la carta a Harry y a Hermione, que se pusieron el uno al lado del otro para leerla juntos.

Querido Ron:

Acabo de enterarme (nada más y nada menos que por el ministro de Magia en persona, a quien ha informado tu nueva maestra, la profesora Umbridge) de que te han nombrado prefecto de Hogwarts.

Cuando supe la noticia me llevé una grata sorpresa, y ante todo quiero felicitarte. He de admitir que siempre temí que tomaras lo que podríamos llamar «el camino de Fred y George» en lugar de seguir mis pasos, así que ya puedes imaginarte cómo me alegré al saber que has dejado de desobedecer a las autoridades y has decidido cargar con una responsabilidad real.

Pero no voy a limitarme a felicitarte, Ron; también quiero darte algunos consejos, y por eso te envío esta carta por la noche en vez de utilizar el correo matutino, como habría sido lo normal. Espero que puedas leerla lejos de miradas curiosas y así evitar preguntas inoportunas.

Por algo que al ministro se le escapó cuando me contó que te habían nombrado prefecto, deduzco que sigues relacionándote con Harry Potter. Debo decirte, Ron, que no hay nada que pueda ponerte en mayor peligro de perder tu insignia que seguir confraternizando con ese chico. Sí, estoy seguro de que te sorprenderá que te diga esto (sin duda argumentarás que Potter siempre ha sido el favorito de Dumbledore), pero me veo obligado a comunicarte que es posible que Dumbledore no siga dirigiendo Hogwarts durante mucho tiempo, y las personas que son importantes de verdad tienen una opinión muy distinta (y seguramente más acertada) del comportamiento de Potter. Ahora no voy a darte más detalles, pero si mañana lees *El Profeta* tendrás una idea de por dónde van los tiros (¡y ya verás mis declaraciones!).

En serio, Ron, no debes permitir que te metan en el mismo saco que a Potter, pues eso podría resultar muy perjudicial para tus perspectivas de futuro, y me refiero también a la vida después del colegio. Como ya debes de saber, dado que nuestro padre lo acompañó al tribunal, este verano Potter tuvo una vista disciplinaria ante el Wizengamot en pleno, y no salió muy bien parado. Si quieres que te diga la verdad, se libró de que lo condenaran gracias a un mero tecnicismo, pero mucha gente con la que he hablado sigue convencida de su culpabilidad.

Es posible que te dé miedo cortar tus lazos con Potter (ya sé que es un desequilibrado y que, por lo que me han contado, hasta puede llegar a ser violento), pero si tienes alguna preocupación al respecto, o si has detectado algo más en la conducta de Potter que te inquiete, te recomiendo que hables con Dolores Umbridge, una mujer encantadora que no tendrá ningún inconveniente en orientarte.

Y eso me lleva a darte otro consejo. Como ya he insinuado antes, es posible que muy pronto Dumbledore deje de dirigir Hogwarts. Tus lealtades, Ron, no deberían estar con él, sino con el colegio y el Ministerio. Lamento mucho saber que hasta ahora la profesora Umbridge no ha encontrado mucha cooperación por parte del profesorado en su intento de introducir esos necesarios cambios en Hogwarts que el Ministerio tan ardientemente desea (aunque a partir de la semana que viene creo que le resultará más fácil; te remito una vez más a *El Profeta* de mañana). Sólo te diré una cosa: un alumno que demuestre estar dispuesto a ayudar a la profesora Umbridge en estos momentos podría ser un firme candidato al cargo de delegado dentro de un par de años.

Siento mucho que no pudiéramos vernos más este verano. No me gusta criticar a nuestros padres, pero me temo que no puedo continuar viviendo con ellos mientras sigan mezclándose con ese peligroso grupo que apoya a Dumbledore (si escribes a nuestra madre, deberías decirle que a un tal Sturgis Podmore, gran amigo de Dumbledore, lo han enviado recientemente a Azkaban porque entró de forma ilegal en el Ministerio e intentó robar. Quizá la noticia le abra los ojos y le haga comprender que las personas con las que se relaciona son una pandilla de delincuentes). Me considero muy afortunado por haberme librado del estigma que conlleva asociarse con ese tipo de gente (el ministro se porta estupendamente conmigo), y de verdad, Ron, espero que no dejes que los lazos familiares te impidan ver lo erróneo de las opiniones y de los actos de nuestros padres. Ojalá con el tiempo se den cuenta de lo equivocados que estaban, y, por supuesto, cuando llegue ese día aceptaré sin reservas sus disculpas.

Piensa con detenimiento en todo lo que te he dicho, por favor, especialmente en lo de Harry Potter, y felicidades una vez más por tu nombramiento.

Tu hermano,

Percy

Harry levantó la cabeza y miró a Ron.

—Bueno —dijo intentando que pareciera que se había tomado aquella carta como una broma—, si quieres... ¿Cómo era?... —volvió a mirar la carta de Percy—. ¡Ah, sí! «Cortar los lazos» conmigo, te juro que no me pondré violento.

—Dámela —le pidió Ron tendiéndole una mano—. Es un completo... —añadió entrecortadamente mientras rompía la carta de Percy por la mitad—, absoluto... —la rompió en cuatro trozos—, y rematado... —la cortó en ocho trozos— imbécil. —Y los arrojó al fuego—. Démonos prisa, hemos de terminar esto antes del amanecer —le dijo con brusquedad a Harry, y tomó otra vez la redacción para la profesora Sinistra.

Hermione miraba a Ron con una extraña expresión en la cara.

—Dénmelas —dijo de pronto.

—¿Qué? —se extrañó Ron.

— Dénmelas, las repasaré y las corregiré —afirmó.

—¿Lo dices en serio? ¡Oh, Hermione, eres nuestra salvación! —exclamó Ron—. ¿Qué puedo...?

—Pueden decir esto: «Prometemos que nunca volveremos a dejar nuestros deberes para el último momento» —recitó ella tendiéndoles ambas manos para que le entregaran las redacciones, aunque con aire divertido.

—Un millón de gracias, Hermione —dijo Harry con un hilo de voz mientras le pasaba su redacción, y volvió a hundirse en su butaca frotándose los ojos.

Ya era más de medianoche, y en la sala común sólo estaban ellos tres y *Crookshanks*. Lo único que se oía era el rasgueo de la pluma de Hermione mientras tachaba frases aquí y allá, y el ruido que hacía al pasar las páginas de los libros de consulta que había esparcidos sobre la mesa cuando buscaba algún dato en ellos. Harry estaba agotado. Además notaba una extraña sensación de vacío y de mareo en el estómago que no tenía nada que ver con el cansancio, pero sí con la carta de Percy, que ya había quedado reducida a cenizas en la chimenea.

Harry era consciente de que la mitad de los estudiantes de Hogwarts lo consideraban raro, o incluso loco, y sabía que *El Profeta* llevaba meses haciendo comentarios maliciosos sobre él, pero ver todo eso escrito de puño y letra de Percy, y enterarse de que éste aconsejaba a Ron que dejara de ser amigo suyo y que le hablara de él a la profesora Umbridge, lo obligó a tomar conciencia real de la situación. Hacía cuatro años que conocía a Percy, había estado en su casa durante las vacaciones de verano, había compartido una tienda con él durante los Mundiales de quidditch, había recibido de él la puntuación máxima en la segunda prueba del Torneo de los tres magos el año anterior, y, sin embargo, en esos momentos, Percy creía que era un desequilibrado y que hasta podía llegar a ser violento.

Entonces Harry sintió un arrebato de cariño hacia su padrino, y pensó que seguramente Sirius era la única persona capaz de comprender de verdad cómo se sentía él en aquel momento, porque Sirius estaba en la misma situación. Casi toda la comunidad de los magos creía que era un peligroso asesino y uno de los más fieles seguidores de Voldemort, y él había tenido que aguantar aquello durante catorce años...

Harry parpadeó, pues acababa de ver algo en el fuego que no podía estar allí. Había aparecido un instante y luego había desaparecido. No, no podía ser... Se lo había imaginado porque estaba pensando en Sirius...

—Bueno, ya puedes pasarla a limpio —le dijo Hermione a Ron acercándole su redacción y una hoja con lo que ella había escrito—; luego añade las conclusiones que he redactado yo.

—En serio, Hermione, eres la persona más maravillosa que he conocido jamás —repuso Ron con timidez—, y si vuelvo a ser maleducado contigo...

—... sabré que vuelves a ser el de siempre —terminó Hermione—. Harry, la tuya está bien, excepto este trozo del final. Creo que no oíste bien lo que decía la profesora Sinistra: Europa está cubierta de hielo, no de pelo. ¿Me oyes, Harry?

Harry se había levantado de la butaca y estaba arrodillado en la chamuscada y raída alfombra que había delante de la chimenea, contemplando las llamas.

—Harry —dijo Ron, desconcertado—. ¿Qué haces ahí?

—Acabo de ver la cabeza de Sirius en el fuego —explicó Harry.

Lo dijo con mucha calma; al fin y al cabo, había visto la cabeza de Sirius en aquella misma chimenea el año anterior y había hablado con él. Con todo, no estaba seguro de haberla visto esta vez... Había desaparecido tan deprisa...

—¿La cabeza de Sirius? —repitió Hermione—. ¿Como aquella vez que quería hablar contigo durante el Torneo de los tres magos? Pero no creo que vaya a hacerlo ahora, sería demasiado... ¡Sirius!

La chica dio un grito ahogado y se quedó mirando el fuego mientras Ron soltaba la pluma. En medio de las llamas, efectivamente, estaba la cabeza de Sirius, con el largo y oscuro cabello enmarcando su sonriente rostro.

—Empezaba a pensar que subiríais a acostaros antes de que se hubieran marchado los demás —dijo—. He venido a vigilar todas las horas.

—¿Has aparecido en el fuego hora tras hora? —le preguntó Harry conteniendo la risa.

—Sólo unos segundos, para comprobar si había moros en la costa.

—Pero ¿y si llega a verte alguien? —dijo Hermione con nerviosismo.

—Bueno, creo que antes me ha visto una chica que debía de ser de primero, por la pinta que tenía, pero no se preocupen —se apresuró a añadir Sirius al ver que Hermione se llevaba una mano a la boca—, desaparecí en cuanto volvió a mirarme, y estoy seguro de que pensó que sólo era un tronco con forma rara o algo así.

—Pero Sirius, esto es muy arriesgado... —empezó Hermione.

—Me recuerdas a Molly —repuso Sirius—. Ésta ha sido la única manera que se me ha ocurrido de contestar a la carta de Harry sin recurrir a un código. Además, los códigos pueden descifrarse.

Cuando Sirius mencionó la carta de Harry, Hermione y Ron giraron la cabeza y se quedaron observando a su amigo.

—¡No nos dijiste que habías escrito a Sirius! —protestó Hermione.

—Se me olvidó —repuso Harry, y era cierto: su encuentro con Cho en la lechucería le había borrado de la mente todo lo ocurrido con anterioridad—. No me mires así, Hermione, era imposible que alguien obtuviera información secreta de esa carta, ¿verdad, Sirius?

—Sí, era muy buena —confirmó éste sonriendo—. Bueno, será mejor que nos demos prisa, por si alguien nos molesta. A ver, tu cicatriz...

—¿Qué pasa con...? —empezó a decir Ron, pero Hermione lo interrumpió.

—Ya te lo contaremos más tarde, Ron. Sigue, Sirius.

—Mira, ya sé que no tiene ninguna gracia que te duela, pero no creemos que sea algo por lo que debamos preocuparnos. El año pasado te dolía continuamente, ¿no?

—Sí, y Dumbledore dijo que sucedía cada vez que Voldemort sentía una intensa emoción —explicó Harry, ignorando, como de costumbre, las muecas de Ron y Hermione—. Quizá sólo se tratara de que Voldemort estaba..., no sé, muy enfadado o algo así la noche de mi castigo.

—Bueno, ahora que ha regresado, es lógico que te duela más a menudo —afirmó Sirius.

—Entonces, ¿no crees que tenga nada que ver con el hecho de que la profesora Umbridge me tocara mientras estaba cumpliendo el castigo con ella? —inquirió Harry.

—Lo dudo. No la conozco personalmente, pero sé la fama que tiene y estoy seguro de que no es una mortífaga.

—Pues es lo bastante repugnante para serlo —opinó Harry con desánimo, y Ron y Hermione asintieron enérgicamente, dándole la razón.

—Sí, pero el mundo no está dividido en buenas personas y mortífagos —aclaró Sirius con una sonrisa irónica—. De todos modos, ya sé que es una imbécil. Deberían oír a Remus hablar de ella.

—¿Lupin la conoce? —preguntó Harry rápidamente, recordando los comentarios sobre híbridos peligrosos que la profesora Umbridge hizo en su primera clase.

—No —respondió Sirius—, pero hace dos años ella redactó el borrador de una ley antihombres lobo, y por culpa de esa ley, Remus tiene muchos problemas para conseguir trabajo.

Harry se acordó del descuidado y empobrecido aspecto que Lupin tenía últimamente, y sintió aún más desprecio hacia la profesora Umbridge.

—¿Qué tiene contra los hombres lobo? —preguntó Hermione, enojada.

—Supongo que miedo —contestó Sirius sonriendo ante la indignación de Hermione—. Por lo visto odia a los semihumanos; el año pasado hizo una campaña para reunir a toda la gente del agua y etiquetarla. Imagínense, perder el tiempo y la energía persiguiendo a la gente del agua, cuando hay tantos sinvergüenzas sueltos, como Kreacher.

Ron rió, pero Hermione estaba muy enfadada.

—¡Sirius! —exclamó en tono de reproche—. En serio, si te esforzaras un poco con Kreacher, estoy segura de que él reaccionaría. Después de todo, eres el único miembro de la familia que le queda, y el profesor Dumbledore dijo que...

—Bueno, ¿qué tal son las clases con Umbridge? —la interrumpió Sirius—. ¿Qué hace, los entrena a todos para exterminar híbridos?

—No —contestó Harry sin hacer caso del gesto ofendido de Hermione por haber sido interrumpida en su defensa de Kreacher—. ¡No nos deja hacer magia!

—Lo único que hacemos es leer esos estúpidos libros de texto —añadió Ron.

—Ah, no me extraña —dijo Sirius—. Según hemos sabido por las fuentes que tenemos en el Ministerio, Fudge no quiere que reciban entrenamiento para el combate.

—¿Entrenamiento para el combate? —repitió Harry, incrédulo—. ¿Qué piensa que hacemos aquí, formar una especie de ejército mágico?

—Eso es exactamente lo que piensa que hacen —confirmó Sirius—, o, mejor dicho, eso es exactamente lo que teme que hace Dumbledore: formar su ejército privado, con el que podrá enfrentarse al Ministerio de Magia.

Se produjo una pausa, y luego Ron dijo:

—Es la cosa más estúpida que he oído en mi vida, incluidas todas las tonterías que dice Luna Lovegood.

—Entonces ¿no nos dejan aprender Defensa Contra las Artes Oscuras porque Fudge teme que utilicemos los hechizos contra el Ministerio? —preguntó Hermione, furiosa.

—Exacto —afirmó Sirius—. Fudge cree que Dumbledore no se detendrá ante nada con tal de alcanzar el poder. Cada día que pasa está más paranoico con él. Sólo es cuestión de tiempo que dé la orden de detenerlo bajo alguna acusación falsa.

Aquellas palabras hicieron que Harry recordara la carta de Percy.

—¿Sabes si mañana va a salir algo sobre Dumbledore en *El Profeta*? Percy, el hermano de Ron, dice que sí...

—No lo sé —repuso Sirius—. No he visto a nadie de la Orden en todo el fin de semana; andaban todos muy ocupados. Hemos estado solos Kreacher y yo...

La voz de Sirius tenía un claro dejo de amargura.

—Entonces ¿tampoco has tenido noticias de Hagrid?

—Ah... —dijo Sirius—, bueno, ya tendría que haber vuelto, nadie sabe con certeza qué le ha pasado. —Entonces, al ver los acongojados rostros de los tres amigos, se apresuró a añadir—: Pero Dumbledore no está preocupado, así que no se pongan nerviosos. Estoy seguro de que Hagrid está bien.

—Pero si ya tendría que haber vuelto... —insistió Hermione con un hilo de voz.

—Madame Maxime estaba con él; hemos hablado con ella y dice que se separaron en el viaje de regreso a casa, pero nada indica que pueda estar herido o... Bueno, nada indica que no esté perfectamente bien. —Harry, Ron y Hermione, poco convencidos, intercambiaron miradas de preocupación—. Miren, será mejor que no hagan muchas preguntas sobre Hagrid —continuó Sirius—. Con eso sólo conseguirán atraer la atención hacia el hecho de que no ha vuelto, y sé que a Dumbledore no le interesa. Hagrid es un tipo duro, seguro que está bien. —Y como no pareció que sus palabras animaran a los chicos, añadió—: Por cierto, ¿cuándo es su próxima excursión a Hogsmeade? Se me ha ocurrido que ya que nos salió bien lo del disfraz de perro en la estación, podríamos...

—¡NO! —saltaron Harry y Hermione a la vez, gritando.

—Sirius, ¿acaso no lees *El Profeta*? —le preguntó Hermione muy angustiada.

—¡Oh, *El Profeta*! —exclamó Sirius sonriendo—. Les encantaría saber por dónde ando, pero en realidad no tienen ni idea...

—Sí, pero creemos que esta vez sospechan algo —intervino Harry—. Algo que comentó Malfoy en el tren, utilizando la palabra perro, nos hizo pensar que sabía que eras tú, y su padre estaba en el andén, Sirius, ya sabes, Lucius Malfoy, así que sobre todo no te acerques por aquí. Si Malfoy vuelve a reconocerte...

—De acuerdo, de acuerdo —repuso Sirius con aire muy contrariado—. Sólo era una idea, pensé que te gustaría que nos viéramos.

—¡Claro que me gustaría, pero no quiero que vuelvan a encerrarte en Azkaban! —aclaró Harry.

Hubo una pausa durante la cual Sirius se quedó mirando a su ahijado desde el fuego, frunciendo el entrecejo.

—No te pareces a tu padre tanto como yo creía —comentó entonces con frialdad—. Para James el riesgo habría sido lo divertido.

—Mira...

—Bueno, tengo que marcharme. Oigo a Kreacher bajando por la escalera —dijo Sirius, pero Harry estaba seguro de que mentía—. Ya te escribiré diciéndote a qué hora puedo volver a aparecer en el fuego, ¿está bien? Si no lo encuentras demasiado arriesgado, claro...

Entonces se oyó un débil «¡Pum!», y donde antes estaba la cabeza de Sirius volvieron a verse sólo llamas.

15

La suma inquisidora de Hogwarts

Creyeron que a la mañana siguiente tendrían que repasar *El Profeta* de Hermione de arriba abajo para encontrar el artículo que Percy mencionaba en su carta. Sin embargo, cuando la lechuza que se lo había llevado acababa de levantar el vuelo desde la jarra de leche, Hermione soltó un grito ahogado y puso el periódico sobre la mesa para enseñar a sus amigos una gran fotografía de Dolores Umbridge que lucía una amplia sonrisa en los labios y pestañeaba lentamente bajo el siguiente titular:

EL MINISTERIO EMPRENDE LA REFORMA
EDUCATIVA Y NOMBRA A DOLORES UMBRIDGE
PRIMERA SUMA INQUISIDORA

—¿La profesora Umbridge «Suma Inquisidora»? —repitió Harry, desconcertado. La rebanada de pan tostado que estaba comiendo se le cayó de los dedos—. ¿Qué significa eso?

Hermione leyó en voz alta:

Anoche el Ministerio de Magia tomó una decisión inesperada y aprobó una nueva ley con la que alcanzará un nivel de control sin precedentes sobre el Colegio Hogwarts de Magia y Hechicería.

«Hace tiempo que el ministro está preocupado por los sucesos ocurridos en Hogwarts —explicó el asistente del ministro, Percy Weasley—. Y el paso que acaba de dar ha sido la respuesta a la preocupación manifestada por muchos padres angustiados respecto a la orientación que está tomando el colegio, una orientación con la que no están de acuerdo.»

No es la primera vez en las últimas semanas que el ministro, Cornelius Fudge, utiliza nuevas leyes para introducir mejoras en el colegio de magos. Recientemente, el 30 de agosto, se aprobó el Decreto de Enseñanza n.º 22 para asegurar que, en caso de que el actual director no pudiera nombrar a un candidato para un puesto docente, el Ministerio tuviera derecho a elegir a la persona apropiada.

«Así fue como Dolores Umbridge ocupó su actual puesto como profesora en Hogwarts —explicó Weasley anoche—. Dumbledore no encontró a nadie para impartir la asignatura de Defensa Contra las Artes Oscuras... y por eso el ministro nombró a Dolores Umbridge, lo que ha constituido, por supuesto, un éxito inmediato...»

—¿Que ha sido QUÉ? —saltó Harry.

—Espera, aún hay más —dijo Hermione, apesadumbrada.

«... por supuesto, un éxito inmediato porque ha revolucionado por completo el sistema de enseñanza de dicha asignatura y porque así proporciona al ministro información de primera mano sobre lo que está pasando en Hogwarts.»

El Ministerio ha formalizado esta última función con la aprobación del Decreto de Enseñanza n.º 23, que crea el nuevo cargo de Sumo Inquisidor de Hogwarts.

«De este modo se inicia una emocionante nueva fase del plan del ministro para poner remedio a lo que algunos llaman el "descenso de nivel" de Hogwarts —explicó Weasley—. El Inquisidor tendrá poderes para supervisar a sus colegas y asegurarse de que su trabajo alcance el nivel requerido. El ministro ha ofrecido este cargo a la profesora Umbridge, además del puesto docente, y estamos encantados de anunciar que ella lo ha aceptado.»

Las nuevas medidas adoptadas por el Ministerio han recibido el entusiasta apoyo de los padres de los alumnos de Hogwarts.

«Estoy mucho más tranquilo desde que sé que Dumbledore estará sometido a una evaluación justa y objetiva —declaró el señor Lucius Malfoy, de 41 años, en su mansión de Wiltshire—. Muchos padres, que queremos lo mejor para nuestros hijos, estábamos preocupados por algunas de las descabelladas decisiones que ha tomado Dumbledore en los últimos años y nos alegra saber que el Ministerio controla la situación.»

Entre esas «descabelladas decisiones» están sin duda los controvertidos nombramientos docentes, anteriormente descritos en este periódico, que incluyen al hombre lobo Remus Lupin, al semigigante Rubeus Hagrid y al engañoso ex auror Ojoloco Moody.

Abundan los rumores, desde luego, de que Albus Dumbledore, antiguo Jefe Supremo de la Confederación Internacional de Magos y Jefe de Magos del Wizengamot, ya no está en condiciones de dirigir el prestigioso Colegio Hogwarts.

«Creo que el nombramiento de la Inquisidora es un primer paso hacia la garantía de que Hogwarts tenga un director en quien todos podamos depositar nuestra confianza», afirmó una persona perteneciente al Ministerio.

Dos de los miembros de mayor antigüedad del Wizengamot, Griselda Marchbanks y Tiberius Ogden, han dimitido como protesta ante la introducción del cargo de Inquisidor de Hogwarts.

«Hogwarts es un colegio, no un puesto de avanzada del despacho de Cornelius Fudge —afirmó la señora Marchbanks—. Esto no es más que otro lamentable intento de desacreditar a Albus Dumbledore.»

(En la página diecisiete encontrarán una detallada descripción de las presuntas vinculaciones de la señora Marchbanks con grupos subversivos de duendes.)

Hermione terminó de leer y miró a sus amigos, que estaban sentados al otro lado de la mesa.

—¡Ahora ya sabemos por qué nos han puesto a esa Umbridge! ¡Fudge aprobó el Decreto de Enseñanza y nos la ha impuesto! ¡Y ahora va y le da poderes para supervisar a los otros profesores! —Hermione respiraba muy deprisa y le brillaban los ojos—. No puedo creerlo. ¡Es un escándalo!

—Ya lo sé —coincidió Harry, que se miró la mano derecha, apoyada con fuerza en la mesa, y vio el débil trazo de las palabras que la profesora Umbridge le había obligado a grabarse en la piel.

Pero en la cara de Ron estaba dibujándose una sonrisa.

—¿Qué pasa? —preguntaron Harry y Hermione al mismo tiempo, observándolo.

—Es que me muero de ganas de ver cómo supervisan a la profesora McGonagall —dijo Ron alegremente—. Umbridge va a enterarse de lo que es bueno.

—En fin, vámonos —propuso Hermione poniéndose en pie—. Si piensa supervisar la clase de Binns, será mejor que no lleguemos tarde...

Pero la profesora Umbridge no supervisó la clase de Historia de la Magia, que fue tan aburrida como la del lunes anterior; tampoco la encontraron en la mazmorra de Snape cuando llegaron para una clase de dos horas de Pociones, en la que a Harry le devolvieron su redacción sobre el ópalo con una enorme y puntiaguda D negra estampada en una esquina superior.

—Les he puesto la nota que les habrían puesto si hubieran presentado este trabajo en su TIMO —explicó Snape con una sonrisita de suficiencia mientras se paseaba entre sus alumnos devolviéndoles los deberes corregidos—. Así se harán una idea de los resultados que pueden esperar de sus exámenes. —Snape llegó a la parte delantera de la clase y se dio la vuelta para mirar a los alumnos—. En general, el nivel de la redacción ha sido pésimo. La mayoría de ustedes habría reprobado si hubiera sido un examen. Espero que se esfuercen mucho más en la redacción de esta semana sobre las diferentes variedades de antídotos para veneno; si no, tendré que empezar a castigar a los burros que obtengan una D.

—¿A alguien le han puesto una D? ¡Ja! —dijo Malfoy en voz baja, y entonces Snape esbozó una sonrisa de complicidad.

Harry se dio cuenta de que Hermione lo miraba de reojo intentando ver qué nota había tenido, así que guardó su redacción sobre el ópalo en la mochila tan rápido como pudo, pues prefería no divulgar esa información.

Decidido a no proporcionar un pretexto a Snape para que lo reprobara en aquella clase, Harry leyó y releyó cada una de las instrucciones escritas en la pizarra como mínimo tres veces antes de ponerlas en práctica. Su solución fortificante no tenía exactamente el tono turquesa claro de la de Hermione, pero al menos era azul y no rosa como la de Neville; al finalizar la clase, fue hasta la mesa de Snape y se la entregó con una mezcla de alivio y desafío.

—Bueno, no ha ido tan mal como la semana pasada, ¿verdad? —comentó Hermione cuando subían por la escalera de la mazmorra y cruzaban el vestíbulo hacia el Gran Comedor para ir a comer—. Y los deberes tampoco están tan mal, ¿no? —Como ninguno de sus amigos contestó, Hermione insistió—: Hombre, tampoco es que esperara la nota más alta, sobre todo si Snape los ha corregido como si fueran un examen de TIMO, pero un aprobado no está mal en esta etapa, ¿no les parece? —Harry hizo un ruidito evasivo con la garganta—. Evidentemente, pueden pasar muchas cosas desde ahora hasta el examen, y tenemos mucho tiempo para mejorar, pero las notas que obtenemos ahora son una especie de punto de referencia, ¿no? Algo sobre lo que podemos construir... —Se sentaron juntos a la mesa de Gryffindor—. Evidentemente me habría encantado que me hubiera puesto una E...

—Hermione —dijo Ron con aspereza—, si quieres saber qué notas nos ha puesto, pregúntanoslo, ¿de acuerdo?

—No, si yo no... Bueno, si quieren decírmelo...

—A mí me ha puesto una I —confesó Ron mientras se servía sopa—. ¿Estás contenta?

—Bueno, no tienes por qué avergonzarte de eso —dijo Fred, que acababa de llegar a la mesa con George y Lee Jordan y se había sentado a la derecha de Harry—. Una buena I no tiene nada de malo.

—Pero ¿la I no significa...? —empezó Hermione.

—Sí, «Insatisfactorio» —contestó Lee Jordan—. Pero es mejor que una D de «Desastroso», ¿no?

Harry notó que se le encendían las mejillas y fingió un acceso de tos mientras se comía el panecillo. Cuando paró de toser lamentó comprobar que Hermione seguía hablando sobre las notas de los TIMOS.

—O sea, que la mejor nota es la E de «Extraordinario» —iba diciendo—, y luego está la A...

—No, la S —la corrigió George—, S de «Supera las expectativas». Y siempre he pensado que Fred y yo deberíamos tener S en todo porque superamos las expectativas sólo con presentarnos a los exámenes.

Todos rieron excepto Hermione, que siguió insistiendo:

—Bueno, después de la S está la A de «Aceptable», y ésa es la última nota de aprobado, ¿no?

—Sí —confirmó Fred echando un panecillo entero en su cuenco de sopa; luego se lo metió en la boca y se lo tragó de una vez.

—Después está la I de «Insatisfactorio»... —Ron levantó ambos brazos fingiendo que lo celebraba—, y la D de «Desastroso».

—Y luego la T —le recordó George.

—¿La T? —repitió Hermione, desconcertada—. ¿Es más baja incluso que la D? ¿Qué demonios significa la T?

—«Trol» —contestó George.

Harry volvió a reír, aunque no estaba seguro de si George bromeaba o no. Se imaginó que intentaba ocultar a Hermione que le habían puesto una T en todos los TIMOS, e inmediatamente decidió que trabajaría más a partir de entonces.

—¿Ya han tenido alguna clase supervisada? —inquirió Fred.

—No —contestó Hermione en el acto—. ¿Y ustedes?

—Sólo una, antes de la comida —respondió George—. Encantamientos.

—¿Cómo ha ido? —preguntaron Harry y Hermione.

Fred se encogió de hombros.

—No ha estado tan mal. La profesora Umbridge se ha quedado en un rincón tomando notas en un fajo de pergaminos agarrados con un sujetapapeles. Ya conocen a Flitwick, la ha tratado como si fuera una invitada; no parecía que le preocupara ni lo más mínimo. Y ella no ha dicho casi nada. Le ha hecho un par de preguntas a Alicia sobre cómo son las clases normalmente, Alicia le ha dicho que eran muy interesantes y ya está.

—No me imagino al viejo Flitwick siendo supervisado —comentó George—. Casi siempre aprueba a todo el mundo.

—¿A quién tienen esta tarde? —le preguntó Fred a Harry.

—A Trelawney...

—Una T como hay pocas...

—... y a Umbridge.

—Pues hoy sé bueno y controla tu genio con la profesora Umbridge —le aconsejó George—. Angelina va a ponerse hecha una fiera como te pierdas otro entrenamiento de quidditch.

Pero Harry no tuvo que esperar a la clase de Defensa Contra las Artes Oscuras para ver a la profesora Umbridge. Estaba sentado en la última fila de la lóbrega aula de Adivinación, sacando de su mochila el diario de sueños, cuando Ron le dio un codazo en las costillas; Harry giró la cabeza y observó que la profesora Umbridge entraba por la trampilla del suelo. La clase, que hasta entonces hablaba alegremente, guardó silencio de inmediato. El brusco descenso del ruido hizo que la profesora Trelawney, que se paseaba repartiendo copias de *El oráculo de los sueños*, se volviera para ver qué sucedía.

—Buenas tardes, profesora Trelawney —saludó la profesora Umbridge sonriendo ampliamente—. Espero que haya recibido mi nota en la que le indicaba la fecha y la hora en que la supervisaría.

La profesora Trelawney asintió con sequedad y, muy contrariada, le dio la espalda a la profesora Umbridge y siguió repartiendo los libros. Sin dejar de sonreír, la profesora Umbridge agarró el respaldo de la butaca que había más cerca y la arrastró hasta la parte delantera de la clase para colocarla a unos centímetros por detrás de la profesora Trelawney. Entonces se sentó, sacó las hojas de pergamino de su floreado bolso y se quedó mirando expectante a su colega esperando que comenzara la clase.

La profesora Trelawney se ciñó los chales con manos ligeramente temblorosas y miró a sus alumnos a través de sus gafas de cristales de aumento.

—Hoy vamos a continuar con nuestro estudio de los sueños proféticos —dijo en un valeroso intento de adoptar su tono místico, aunque la voz también le temblaba un poco—. Colóquense por parejas, por favor, e interpreten las últimas visiones nocturnas de su compañero con la ayuda del libro.

Fue hacia su butaca, pero como vio a la profesora Umbridge sentada justo detrás, de inmediato giró hacia la izquierda, donde se hallaban Parvati y Lavender, que ya estaban enfrascadas en un profundo análisis del último sueño de Parvati.

Harry abrió su ejemplar de *El oráculo de los sueños* mirando disimuladamente a la profesora Umbridge, que ya había empezado a tomar notas. Pasados unos minutos, ésta se levantó y empezó a pasearse por el aula siguiendo a la profesora Trelawney, escuchando las conversaciones que mantenía con los alumnos y haciendo preguntas de vez en cuando. Harry agachó la cabeza sobre su libro rápidamente.

—Deprisa, piensa un sueño por si el sapo viene hacia aquí.

—Yo me lo inventé la última vez —protestó Ron—, ahora te toca a ti.

—¡Ay, no sé! —dijo Harry, desesperado. No recordaba haber soñado nada en los últimos días—. Digamos que soñé que estaba... ahogando a Snape en mi caldero. Sí, eso servirá...

Ron contuvo la risa mientras abría *El oráculo de los sueños*.

—Está bien, tenemos que sumar tu edad a la fecha en que tuviste el sueño, y el número de letras del tema... ¿Cuál sería el tema? ¿Ahogamiento, caldero o Snape?

—No importa, elige el que quieras —contestó Harry, y se arriesgó a mirar hacia atrás.

La profesora Umbridge estaba de pie detrás de la profesora Trelawney, echando un vistazo por encima de su hombro y tomando notas, mientras la profesora de Adivinación interrogaba a Neville sobre su diario de sueños.

—A ver, ¿qué noche lo soñaste? —le preguntó Ron, enfrascado en sus cálculos.

—No lo sé, anoche, o cuando te parezca —respondió Harry intentando escuchar lo que Dolores Umbridge estaba diciéndole a la profesora Trelawney.

En ese momento ya sólo estaban a una mesa dc distancia de ellos. La profesora Umbridge anotaba algo más, y la profesora Trelawney parecía sumamente molesta.

—Dígame —dijo la profesora Umbridge mirando a su colega—, ¿cuánto tiempo hace exactamente que imparte esta clase?

La profesora Trelawney la observó frunciendo el entrecejo, con los brazos cruzados y los hombros encorvados, como si quisiera protegerse cuanto pudiera de la humillación que suponía aquel examen. Tras una breve pausa, durante la cual pareció decidir que la pregunta no era tan ofensiva como para ignorarla por completo, contestó con un tono que denotaba un profundo resentimiento:

—Casi dieciséis años.

—Eso es mucho tiempo —repuso la profesora Umbridge, y lo anotó en sus hojas de pergamino—. ¿Y fue el profesor Dumbledore quien le ofreció el puesto?

—Sí —respondió la profesora Trelawney con sequedad.

La profesora Umbridge lo apuntó también.

—¿Y es usted la tataranieta de la famosa vidente Cassandra Trelawney?

—Sí —respondió la profesora levantando un poco más la barbilla.

Otra nota en las hojas de pergamino.

—Pero tengo entendido, y corríjame si me equivoco, que usted es la primera de su familia, desde Cassandra, que tiene el don de la clarividencia.

—Estos dones suelen saltarse... tres generaciones —repuso la profesora Trelawney.

La sonrisa de sapo de la profesora Umbridge se ensanchó un poco más.

—Claro, claro —dijo con dulzura, y tomó otra nota—. ¿Podría predecirme algo, por favor? —preguntó, y miró inquisidoramente a su colega sin dejar de sonreír.

La profesora Trelawney se puso tensa, como si no pudiera creer lo que acababa de oír.

—Perdone, pero no la entiendo —dijo agarrando convulsivamente el chal que tenía alrededor del esquelético cuello.

—Me gustaría que me predijera algo —repitió la profesora Umbridge con toda claridad.

Harry y Ron ya no eran los únicos que observaban y escuchaban a hurtadillas escondidos tras sus libros. La mayoría de los estudiantes miraban perplejos a la profesora Trelawney, que se enderezó completamente haciendo tintinear sus brazaletes y sus collares de cuentas.

—¡El Ojo Interior no ve nada por encargo! —respondió escandalizada.

—Ya —dijo la profesora Umbridge, y tomó una nueva nota.

—Pero... ¡un momento! —exclamó de pronto la profesora Trelawney en un intento de recuperar su tono etéreo, aunque el efecto místico se malogró un poco porque la voz le temblaba de rabia—. Creo..., creo... que veo algo. Algo... que la concierne a usted... Sí, noto algo..., algo tenebroso..., un grave peligro...

La profesora Trelawney señaló con un tembloroso dedo a la profesora Umbridge, que siguió sonriéndole de manera insulsa con las cejas arqueadas.

—Me temo... ¡Me temo que corre un grave peligro! —concluyó la profesora Trelawney con dramatismo.

Se produjo un silencio. La profesora Umbridge todavía tenía las cejas arqueadas.

—Muy bien —repuso en voz baja, y volvió a hacer una anotación—. Si no es capaz de nada mejor...

Se dio la vuelta y dejó a la profesora Trelawney plantada donde estaba mientras ésta respiraba con agitación. Harry miró de reojo a Ron y comprendió que su amigo estaba pensando exactamente lo mismo que él: ambos sabían que la profesora Trelawney era una farsante, pero, por otra parte, detestaban tanto a Umbridge que se sentían inclinados a defenderla. Bueno, al menos hasta que unos segundos más tarde la profesora Trelawney se abatió sobre ellos.

—¿Y bien? —dijo, chasqueando los dedos bajo la nariz de Harry con una brusquedad inusitada—. Déjame ver lo que has escrito en tu diario de sueños, por favor.

Pero cuando terminó de interpretar en voz alta los sueños de Harry (los cuales, incluso aquellos en los que comía un plato de avena, parecía que pronosticaban una muerte espantosa y prematura), él ya no sentía tanta compasión por ella. La profesora Umbridge permaneció todo el rato de pie, un poco alejada, sin dejar de tomar notas, y cuando sonó la campana fue la primera en bajar por la escalerilla de plata, de modo que ya los esperaba en el aula cuando los alumnos llegaron, diez minutos más tarde, para su clase de Defensa Contra las Artes Oscuras.

Cuando entraron en el aula la encontraron tarareando y sonriendo. Harry y Ron le contaron a Hermione, que había estado en Aritmancia, lo que había pasado en Adivinación mientras los alumnos sacaban sus ejemplares de *Teoría de defensa mágica*, pero antes de que Hermione pudiera preguntar algo, la profesora Umbridge ya los había llamado al orden y todos se habían callado.

—Guarden las varitas —ordenó sin dejar de sonreír, y los estudiantes más optimistas, que las habían sacado, volvieron a guardarlas con pesar en sus mochilas—. En la última clase terminamos el capítulo uno, de modo que hoy quiero que abran el libro por la página diecinueve y empiecen a leer el capítulo dos, titulado «Teorías defensivas más comunes y su derivación». En silencio, por favor —añadió, y exhibiendo aquella amplia sonrisa de autosuficiencia, se sentó detrás de su mesa.

Los alumnos suspiraron mientras, todos a una, abrían los libros por la página diecinueve. Harry, abatido, se preguntó si habría suficientes capítulos para pasarse el año leyendo en las clases de Defensa Contra las Artes Oscuras, y cuando estaba a punto de revisar el índice se fijó en que Hermione volvía a tener la mano levantada.

La profesora Umbridge también lo había visto, y no sólo eso, sino que al parecer había diseñado una estrategia por si se presentaba aquella eventualidad. En lugar de fingir que no se había fijado en Hermione, se puso en pie y pasó por la primera hilera de pupitres hasta colocarse delante de ella; entonces se agachó y susurró para que el resto de la clase no pudiera oírla:

—¿Qué ocurre esta vez, señorita Granger?

—Ya he leído el capítulo dos —respondió Hermione.

—Muy bien, entonces vaya al capítulo tres.

—También lo he leído. He leído todo el libro.

La profesora Umbridge parpadeó, pero recuperó el aplomo casi de inmediato.

—Estupendo. En ese caso, podrá explicarme lo que dice Slinkhard sobre los contraembrujos en el capítulo quince.

—Dice que los contraembrujos no deberían llamarse así —contestó Hermione sin vacilar—. Dice que «contraembrujo» no es más que un nombre que la gente utiliza para denominar sus embrujos cuando quieren que parezcan más aceptables. —La profesora Umbridge arqueó las cejas y Harry se dio cuenta de que estaba impresionada, a su pesar—. Pero yo no estoy de acuerdo —añadió Hermione.

Las cejas de la profesora Umbridge se arquearon un poco más y su mirada adquirió una frialdad evidente.

—¿No está usted de acuerdo?

—No —contestó Hermione, quien, a diferencia de la profesora, no hablaba en voz baja, sino con una voz clara y potente que ya había atraído la atención del resto de la clase—. Al señor Slinkhard no le gustan los embrujos, ¿verdad? En cambio, yo creo que pueden resultar muy útiles cuando se emplean para defenderse.

—¡¿Ah, sí?! —exclamó la profesora Umbridge olvidando bajar la voz y enderezándose—. Pues me temo que es la opinión del señor Slinkhard, y no la suya, la que nos importa en esta clase, señorita Granger.

—Pero... —empezó a decir ella.

—Basta —la atajó la profesora Umbridge; a continuación, se dirigió a la parte delantera de la clase y se quedó de pie delante de sus alumnos; todo el garbo que había exhibido al principio de la clase había desaparecido—. Señorita Granger, voy a restarle cinco puntos a la casa de Gryffindor.

Sus palabras desencadenaron un arranque de murmullos.

—¿Por qué? —preguntó Harry, furioso.

—¡No te metas en esto! —le susurró Hermione, alarmada.

—Por perturbar el desarrollo de mi clase con interrupciones que no vienen al caso —contestó la profesora Umbridge suavemente—. Estoy aquí para enseñarles a utilizar un método aprobado por el Ministerio que no contempla la posibilidad de animar a los alumnos a expresar sus opiniones sobre temas de los que no entienden casi nada. Es posible que sus anteriores profesores de esta disciplina se hayan permitido más libertades, pero dado que ninguno de ellos, tal vez con la excepción del profesor Quirrell, que al menos se limitó a abordar temas apropiados para su edad, habría aprobado una supervisión del Ministerio...

—Sí, Quirrell era un profesor excelente —dijo Harry en voz alta—, pero tenía un pequeño inconveniente: que por su turbante se asomaba lord Voldemort.

Esa declaración fue recibida con uno de los silencios más aplastantes que Harry había oído en su vida. Y entonces...

—Creo que le sentará bien otra semana de castigos, Potter —sentenció la profesora Umbridge sin alterarse.

El corte que Harry tenía en la mano todavía no se había curado, y a la mañana siguiente volvía a sangrar. Harry no se quejó durante el castigo de la tarde, pues estaba decidido a no dar aquella satisfacción a la profesora Umbridge. Escribió una y otra vez «No debo decir mentiras» sin que un solo sonido escapara de sus labios, aunque el corte iba haciéndose más profundo con cada letra.

Lo peor de aquella segunda semana de castigos fue, como había predicho George, la reacción de Angelina. El martes, a la hora del desayuno, acorraló a Harry cuando éste llegó a la mesa de Gryffindor y se puso a gritarle de tal modo que la profesora McGonagall se acercó desde la mesa de los profesores.

—Señorita Johnson, ¿cómo se atreve a montar semejante escándalo en el Gran Comedor? ¡Cinco puntos menos para Gryffindor!

—Pero profesora... Han vuelvo a castigar a Harry...

—¿Qué pasa, Potter? —preguntó la profesora McGonagall con enojo dirigiéndose a Harry—. ¿Te han castigado? ¿Quién?

—La profesora Umbridge —masculló esquivando los negros y pequeños ojos de la profesora McGonagall, que lo taladraban a través de las gafas cuadradas.

—¿Estás diciéndome que, después de la advertencia que te hice el lunes pasado —dijo, bajando la voz para que no la oyera un grupo de curiosos de Ravenclaw que tenía detrás—, has vuelto a perder los estribos en la clase de la profesora Umbridge?

—Sí —confesó Harry mirando al suelo.

—¡Tienes que aprender a controlarte, Potter! ¡Estás buscándote problemas! ¡Cinco puntos menos para Gryffindor!

—Pero... ¿qué? ¡No, profesora! —se rebeló Harry, furioso ante aquella injusticia—. Ya me ha castigado ella, ¿por qué tiene que restarme puntos también?

—¡Porque por lo visto los castigos no surten el más mínimo efecto! —exclamó la profesora McGonagall de manera cortante—. ¡No, Potter, no quiero oír ni una palabra más! ¡Y usted, señorita Johnson, haga el favor de reservar en el futuro sus gritos para el campo de quidditch si no quiere perder la capitanía del equipo!

Y tras pronunciar esas palabras, la profesora McGonagall se encaminó pisando fuerte hacia la mesa de los profesores. Angelina lanzó a Harry una mirada de profundo desprecio y se alejó de él, tras lo cual el chico se sentó en el banco junto a Ron, echando chispas.

—¡Le quita puntos a Gryffindor porque todas las tardes me abro la mano con una plumilla! ¿Es eso justo?

—Te comprendo, Harry —dijo su amigo compasivamente mientras le servía tocino—. Está completamente chiflada.

Hermione, sin embargo, se limitó a hojear *El Profeta* y no comentó nada.

—Crees que la profesora McGonagall tiene razón, ¿verdad? —le preguntó Harry a la fotografía de Cornelius Fudge que le tapaba la cara a Hermione.

—Lamento que te haya quitado puntos, pero creo que hace bien advirtiéndote que no pierdas los estribos con Umbridge —sentenció la voz de su amiga mientras Fudge gesticulaba enérgicamente en la primera plana cuando pronunciaba un discurso.

Harry no le dirigió la palabra a Hermione en Encantamientos, pero cuando entraron en Transformaciones se le olvidó que estaba enfadado con ella. La profesora Umbridge estaba sentada en un rincón sosteniendo las hojas de pergamino, y al verla, lo ocurrido durante el desayuno se borró de su memoria.

—Estupendo —murmuró Ron cuando se sentaron en los asientos que solían ocupar—. Ahora veremos cómo le dan su merecido a esa Umbridge.

La profesora McGonagall entró en el aula con aire marcial sin dar ni la más leve muestra de saber que la profesora Umbridge estaba allí.

—¡Ya basta! —exclamó, y la clase se calló de inmediato—. Señor Finnigan, haga el favor de venir a buscar los trabajos y repártalos. Señorita Brown, agarra esta caja de ratones, por favor; no seas tonta, niña, no te van a hacer nada, y dale uno a cada alumno.

—Ejem, ejem.

La profesora Umbridge utilizó la misma tosecilla ridícula con que había interrumpido a Dumbledore la primera noche del curso. La profesora McGonagall, sin embargo, la ignoró por completo. Seamus le devolvió su redacción a Harry, quien la agarró sin mirarlo y vio, con gran alivio, que le habían puesto una A.

—Muy bien, escúchenme todos con atención. Dean Thomas, si vuelves a hacerle eso a tu ratón voy a castigarte. La mayoría de ustedes ya ha conseguido que sus caracoles desaparezcan, e incluso quienes les dejaron un poco de caparazón han captado lo esencial del hechizo. Hoy vamos a...

—Ejem, ejem —insistió la profesora Umbridge.

—¿Sí? —dijo la profesora McGonagall volviéndose con las cejas tan juntas que formaban una larga y severa línea.

—Estaba preguntándome, profesora, si habría recibido usted la nota en la que le detallaba la fecha y la hora de su supervi...

—Es evidente que la he recibido, porque si no ya le habría preguntado qué está haciendo en mi aula —la interrumpió la profesora McGonagall, y dicho eso le dio la espalda. Muchos estudiantes intercambiaron miradas de regocijo—. Como iba diciendo, hoy vamos a practicar el hechizo desvanecedor con ratones, lo cual resulta mucho más difícil. Bien, el hechizo desvanecedor...

—Ejem, ejem.

—Me gustaría saber —empezó la profesora McGonagall, conteniendo su ira y volviéndose hacia la profesora Umbridge— cómo espera hacerse una idea de mis métodos de enseñanza si no para de interrumpirme. Verá, por lo general, no tolero que la gente hable cuando estoy hablando yo.

La profesora Umbridge se quedó como si acabara de recibir una bofetada. No dijo nada, pero colocó bien las hojas de pergamino que estaban agarradas con el sujetapapeles y empezó a escribir furiosamente.

La profesora McGonagall, haciendo gala de una indiferencia suprema, se dirigió de nuevo a los alumnos.

—Como iba diciendo, la dificultad del hechizo desvanecedor es proporcional a la complejidad del animal que queremos hacer desaparecer. El caracol, que es un invertebrado, no supone un gran desafío; el ratón, que es un mamífero, plantea un reto mucho mayor. Por lo tanto, éste no es un hechizo que puedan realizar si están pensando en la cena. Bien, ya conocen el conjuro, veamos de qué son capaces...

—¡Cómo se atreve a sermonearme por perder los estribos con Umbridge! —le murmuró Harry a Ron, aunque sonreía: casi se le había pasado del todo el enfado con la profesora McGonagall.

Dolores Umbridge no siguió a la profesora McGonagall por el aula como había hecho con la profesora Trelawney; quizá se diese cuenta de que la profesora McGonagall no lo permitiría. Sin embargo, tomó muchas notas, sentada en un rincón, y cuando finalmente la profesora McGonagall dijo a sus alumnos que podían recoger, se levantó con semblante adusto.

—Bueno, algo es algo —comentó Ron mientras tomaba una larga y escurridiza cola de ratón y la metía en la caja que Lavender estaba pasando por los pasillos.

Cuando salían en fila del aula, Harry vio que la profesora Umbridge se acercaba a la mesa de la profesora McGonagall; entonces le dio un codazo a Ron, que a su vez le dio un codazo a Hermione, y los tres se quedaron rezagados adrede para escuchar.

—¿Cuánto tiempo hace que imparte clases en Hogwarts? —le preguntó la profesora Umbridge.

—En diciembre hará treinta y nueve años —contestó la profesora McGonagall bruscamente, y cerró su bolso con brío.

La profesora Umbridge anotó algo una vez más.

—Muy bien —añadió—, recibirá el resultado de su supervisión dentro de diez días.

—Me muero de impaciencia —replicó la profesora McGonagall con fría indiferencia, y se encaminó hacia la puerta con grandes zancadas—. Dense prisa, ustedes tres —añadió dirigiéndose a Harry, Ron y Hermione.

Harry no pudo evitar dirigirle una tímida sonrisa, y habría jurado que la profesora McGonagall se la devolvía.

Harry creyó que no volvería a ver a Dolores Umbridge hasta el castigo de aquella tarde, pero se equivocaba. Después de recorrer el césped hacia el bosque para asistir a la clase de Cuidado de Criaturas Mágicas, la encontraron esperándolos junto a la profesora Grubbly-Plank con sus dichosas hojas de pergamino para tomar notas.

—Usted no siempre imparte esta clase, ¿verdad? —oyó Harry que le preguntaba a Grubbly-Plank cuando llegaron a la mesa de caballete donde los bowtruckles cautivos, que parecían un montón de ramitas vivas, escarbaban en busca de cochinillas.

—Correcto —confirmó la profesora con las manos agarradas detrás de la espalda mientras se balanceaba sobre la parte anterior de la planta del pie—. Soy la sustituta del profesor Hagrid.

Harry intercambió una mirada de desasosiego con sus dos amigos. Malfoy hablaba en voz baja con Crabbe y Goyle; seguro que aprovecharía aquella oportunidad para contarle patrañas sobre Hagrid a un miembro del Ministerio.

—Humm —murmuró la profesora Umbridge, bajando la voz, aunque Harry pudo oírla a la perfección—. El director se muestra extrañamente reacio a proporcionarme información acerca de este asunto... ¿Podría usted decirme cuál es el motivo del prolongado permiso de inasistencia del profesor Hagrid?

Harry vio que Malfoy levantaba la cabeza, atento.

—Me temo que no —respondió la profesora Grubbly-Plank con toda tranquilidad—. Sé lo mismo que usted. Dumbledore me envió una lechuza preguntándome si me gustaría hacer una sustitución de dos semanas, y acepté. Es lo único que puedo decirle. Bueno..., ¿ya podemos empezar?

—Sí, por favor —respondió la profesora Umbridge tomando notas de nuevo.

En aquella clase, la profesora Umbridge adoptó una táctica diferente: se paseó entre los estudiantes formulando preguntas sobre criaturas mágicas. La mayoría supo contestar correctamente, y Harry se animó un poco: al menos la clase no estaba poniendo en evidencia a Hagrid.

—Ya que es usted miembro temporal del cuerpo docente, y por lo tanto me imagino que tiene una perspectiva más objetiva —dijo luego la profesora Umbridge, que había regresado junto a la profesora Grubbly-Plank tras interrogar detenidamente a Dean Thomas—, dígame, ¿qué le parece Hogwarts? ¿Considera que recibe suficiente apoyo de la dirección del colegio?

—Sí, ya lo creo. Dumbledore es un excelente director —contestó la profesora Grubbly-Plank con entusiasmo—. Sí, estoy muy contenta con su forma de llevar las cosas, muy contenta.

La profesora Umbridge adoptó una expresión de educada incredulidad, anotó algo en sus hojas y prosiguió:

—¿Y qué materia tiene previsto enseñar a esta clase durante el curso, suponiendo, por supuesto, que el profesor Hagrid no vuelva?

—Oh, estudiaremos las criaturas que suelen salir en el TIMO —respondió la profesora Grubbly-Plank—. No queda mucho por hacer. Ya han estudiado los unicornios y los escarbatos; he pensado que podríamos dedicarnos a los porlocks y a los kneazles, y asegurarnos de que saben reconocer a los crups y a los knarls...

—Sí, desde luego parece que usted sabe lo que hace —dijo la profesora Umbridge, que hizo ostentosamente una señal de visto en sus notas. A Harry no le gustó el énfasis que puso en la palabra «usted», y aún menos la pregunta que le formuló a continuación a Goyle—: Tengo entendido que en esta clase ha habido heridos, ¿es eso cierto?

Goyle esbozó una estúpida sonrisa y Malfoy se apresuró a contestar la pregunta por él.

—Fui yo —respondió—. Me golpeó un hipogrifo.

—¿Un hipogrifo? —se extrañó la profesora Umbridge, escribiendo frenéticamente en sus pergaminos.

—Sí, pero fue porque Malfoy es tan estúpido que no escuchó las instrucciones que le dio Hagrid —intervino Harry, furioso.

Ron y Hermione soltaron un gemido y la profesora Umbridge giró con lentitud la cabeza hacia donde estaba Harry.

—Creo que añadiremos una tarde más de castigo —dijo impasible—. Bueno, muchas gracias, profesora Grubbly-Plank, creo que ya tengo todo lo que necesito. Recibirá los resultados de su supervisión dentro de diez días.

—Estupendo —repuso ella, y la profesora Umbridge regresó por la ladera de césped hacia el castillo.

Era casi medianoche cuando Harry salió del despacho de la profesora Umbridge. La mano le sangraba tanto que se le había manchado el pañuelo con que se la había envuelto. Se había imaginado que al regresar encontraría la sala común vacía, pero Ron y Hermione estaban esperándolo. Se alegró de verlos, sobre todo porque Hermione no se mostró crítica con él, sino comprensiva.

—Toma —dijo con inquietud mientras le acercaba un pequeño cuenco lleno de un líquido amarillo—, pon la mano en remojo, es una solución de tentáculos de murtlap pasteurizados y escabechados. Te ayudará.

Harry metió la mano, adolorida y sangrante, en el cuenco y experimentó una agradable sensación de alivio. *Crookshanks* se enroscó alrededor de sus piernas maullando fuerte; luego saltó a su regazo y se quedó acurrucado.

—Gracias —dijo Harry reconfortado, acariciando a *Crookshanks* detrás de las orejas con la mano izquierda.

—Sigo pensando que deberías quejarte de esto —afirmó Ron en voz baja.

—No —contestó Harry cansinamente.

—La profesora McGonagall se pondría furiosa si supiera...

—Sí, es lo más probable —admitió Harry—. Pero ¿cuánto crees que tardaría Umbridge en aprobar otro decreto diciendo que cualquier profesor que se queje de la Suma Inquisidora será inmediatamente despedido?

Ron despegó los labios para responder, pero no articuló ningún sonido, y al cabo de un momento volvió a cerrarlos, derrotado.

—Esa mujer es repugnante —afirmó Hermione con un susurro—. Repugnante. Cuando has entrado estaba diciéndole a Ron... que tenemos que tomar cartas en el asunto.

—Yo propongo que la envenenemos —sugirió Ron con gravedad.

—No, en serio... Tendríamos que decir algo sobre lo mala profesora que es y sobre el hecho de que con ella no vamos a aprender nada de Defensa —propuso Hermione.

—Pero ¿qué quieres que hagamos? —le preguntó Ron con un bostezo—. Es demasiado tarde, ¿no? Ya le han dado el empleo, y ahora no se va a marchar. De eso se encargará Fudge.

—Bueno —aventuró Hermione—, se me ha ocurrido... —Miró con cierto nerviosismo a Harry y prosiguió—: Se me ha ocurrido que a lo mejor ha llegado el momento... de que actuemos por nuestra cuenta.

—¿De que actuemos por nuestra cuenta? —repitió recelosamente Harry, que todavía tenía la mano metida en la solución de tentáculos de murtlap.

—Me refiero a... aprender Defensa Contra las Artes Oscuras nosotros solos —aclaró Hermione.

—¡Cómo! —exclamó Ron—. ¿Pretendes hacernos trabajar aún más? ¿No te das cuenta de que Harry y yo volvemos a tener los deberes atrasados y sólo llevamos dos semanas de curso?

—Pero ¡esto es mucho más importante que los deberes! —protestó Hermione.

Harry y Ron la miraron con los ojos desorbitados.

—¡No sabía que en el universo hubiera algo más importante que los deberes! —exclamó Ron.

—No seas tonto, claro que lo hay —replicó Hermione, y Harry percibió atemorizado que de pronto la cara de su amiga denotaba aquel tipo de fervor que el PEDDO le solía inspirar—. Se trata de prepararnos, como dijo Harry en la primera clase de Umbridge, para lo que nos espera fuera del colegio. Se trata de asegurarnos de que verdaderamente sepamos defendernos. Si no aprendemos nada durante un año...

—No podremos hacer gran cosa nosotros solos —repuso Ron con desánimo—. Sí, de acuerdo, podemos buscar embrujos en la biblioteca e intentar practicarlos, supongo...

—No, si estoy de acuerdo contigo: ya hemos superado esa etapa en la que sólo podíamos aprender cosas en los libros —dijo Hermione—. Necesitamos un profesor, un profesor de verdad que nos enseñe a usar los hechizos y nos corrija si los hacemos mal.

—Si estás pensando en Lupin... —empezó a decir Harry.

—No, no, no estoy pensando en Lupin —dijo Hermione—. Él está demasiado ocupado con la Orden, y además sólo podríamos verlo los fines de semana que fuéramos a Hogsmeade, y eso no sería suficiente.

—Entonces, ¿en quién? —preguntó Harry, mirándola con el entrecejo fruncido.

Hermione suspiró profundamente.

—¿No lo han captado? —se lamentó—. Podrías hacerlo tú, Harry.

Hubo un momento de silencio. Una ligera brisa nocturna hacía crujir los cristales de las ventanas y el fuego ardía con luz parpadeante.

—Podría hacer ¿qué? —se sorprendió él.

—Podrías enseñarnos Defensa Contra las Artes Oscuras.

Harry la miró fijamente. Luego dirigió la vista hacia Ron, dispuesto a cambiar con él una de aquellas miradas de exasperación que compartían cuando Hermione les salía con algún descabellado proyecto como el PEDDO. Sin embargo, para desesperación de Harry, Ron no parecía nada exasperado, y, después de reflexionar unos instantes con el entrecejo un poco fruncido, dijo:

—No es mala idea.

—¿Qué es lo que no es mala idea? —le preguntó Harry.

—Que nos enseñes tú.

—Pero si... —Harry sonrió, convencido de que sus amigos estaban tomándole el pelo—. Pero si yo no soy profesor. Yo no puedo...

—Harry, eres el mejor de nuestro curso en Defensa Contra las Artes Oscuras —le recordó Hermione.

—¿Yo? —dijo Harry sonriendo más abiertamente—. Eso no es verdad, tú me has superado en todos los exámenes que...

—No, Harry —aseguró Hermione cortante—. Tú me superaste en tercero, el único curso en que ambos hicimos el examen y tuvimos un profesor que sabía algo de la asignatura. Pero no estoy hablando de resultados de exámenes, Harry. ¡Piensa en todo lo que has hecho!

—¿Qué quieres decir?

—¿Sabes qué? No estoy seguro de querer que me dé clases alguien tan estúpido —le insinuó Ron a Hermione con una sonrisita. Luego miró a Harry e, imitando a Goyle cuando se concentraba, dijo—: Vamos a ver... En primero salvaste la Piedra Filosofal de las manos de Quien-tú-sabes...

—Pero no gracias a mi habilidad —explicó Harry—, sino porque tuve suerte.

—En segundo —lo interrumpió Ron— mataste al basilisco y destruiste a Ryddle.

—Sí, pero si no llega a ser por *Fawkes*...

—En tercero —prosiguió Ron, subiendo el tono de voz— ahuyentaste a más de un centenar de dementores de una sola vez...

—Sabes perfectamente que eso fue por chiripa, si el giratiempo no hubiera...

—El año pasado —continuó Ron ya casi a voz en grito— volviste a vencer a Quien-tú-sabes...

—¿Quieren hacer el favor de escucharme? —saltó Harry casi enfadado porque Ron y Hermione lo miraban sonriendo—. Escúchenme, ¿de acuerdo? Dicho así suena fabuloso, pero lo que pasó fue que tuve suerte, yo ni siquiera sabía lo que estaba haciendo, no planeé nada, me limité a hacer lo que se me ocurría, y casi siempre conté con ayuda...

Ron y Hermione seguían sonriendo y Harry se puso aún más nervioso; ni siquiera sabía con exactitud por qué estaba tan enfadado.

—¡No se queden ahí sentados sonriendo como si ustedes supieran más que yo! Era yo el que estaba allí, ¿no? —dijo acaloradamente—. Yo sé lo que pasó, ¿de acuerdo? Y si salí bien parado de esas situaciones no fue porque supiera mucho de Defensa Contra las Artes Oscuras, sino porque..., porque recibí ayuda en el momento preciso, o porque acerté por casualidad... Pero me libré por los pelos, no tenía ni idea de lo que estaba haciendo... ¡PAREN DE REÍRSE!

El cuenco que contenía la solución de murtlap cayó al suelo y se rompió y Harry se dio cuenta de que estaba de pie, aunque no recordaba haberse levantado. *Crookshanks* se escondió debajo de un sofá y la sonrisa de Ron y Hermione desapareció.

—¡No tienen ni idea! ¡Ustedes nunca han tenido que enfrentarse a él! ¿Creen que basta con memorizar un puñado de hechizos y lanzárselos, como si estuvieran en clase? En esas circunstancias eres totalmente consciente de que no hay nada que te separe de la muerte salvo..., salvo tu propio cerebro o tus agallas o lo que sea, como si fuera posible pensar fríamente cuando sabes que estás a milésimas de segundo de que te maten, o de que te torturen, o de ver morir a tus amigos... Lo que se siente cuando uno se enfrenta a situaciones así... nunca nos lo han enseñado en las clases. Y ustedes dos me miran como si yo fuera muy listo porque estoy aquí de pie, vivo, y Diggory fuera un estúpido, como si él hubiera metido la pata... No lo entienden; pudo pasarme a mí, me habría pasado de no ser porque Voldemort me necesitaba para...

—Nosotros no queríamos decir eso, Harry —se excusó Ron, que contemplaba aterrado a su amigo—. No nos estábamos metiendo con Diggory, no pretendíamos... Nos has interpretado mal —añadió mirando desesperado a Hermione, que estaba muy afligida.

—Harry —dijo ella con timidez—, ¿es que no lo ves? Por eso..., por eso precisamente te necesitamos. Necesitamos saber... có-cómo es en realidad... enfrentarse a..., enfrentarse a Vo-Voldemort.

Era la primera vez que Hermione pronunciaba el nombre de Voldemort, y fue eso más que ninguna otra cosa lo que calmó a Harry. Se sentó en la butaca, respirando agitadamente, y entonces se dio cuenta de que volvía a dolerle muchísimo la mano. Enseguida lamentó haber roto el cuenco del murtlap.

—Bueno, piénsatelo... —insinuó Hermione con voz queda—. Por favor.

Harry no sabía qué decir. Estaba arrepentido de aquel arrebato, así que asintió sin reparar apenas en lo que estaba aceptando.

Hermione se puso en pie.

—En fin, me voy a la cama —anunció, esforzándose por hablar con naturalidad—. Buenas noches...

Ron también se había levantado.

—¿Vienes? —le preguntó con suavidad a Harry.

—Sí. Ahora mismo... Voy a limpiar esto —dijo señalando el cuenco roto. Ron asintió y se marchó—. *¡Reparo!* —murmuró luego Harry apuntando con la varita a los trozos de porcelana rotos. Los fragmentos se unieron solos y el cuenco quedó como nuevo, pero no había forma de devolver la solución de murtlap al cuenco.

De pronto Harry se sintió tan cansado que estuvo tentado de dejarse caer de nuevo en la butaca y dormir allí mismo, pero hizo un esfuerzo para levantarse y siguió a Ron por la escalera. Aquella noche durmió mal y volvió a tener sueños en los que veía largos pasillos y puertas cerradas con llave, y al día siguiente, cuando despertó, volvía a dolerle la cicatriz.

16

Reunión en Cabeza de Puerco

Hermione no volvió a mencionar su idea de que Harry les enseñara Defensa Contra las Artes Oscuras hasta al cabo de dos semanas. Harry (quien no estaba seguro de que las palabras que tenía grabadas en el dorso de la mano llegaran a desaparecer del todo) ya había terminado los castigos con la profesora Umbridge; Ron había asistido a cuatro entrenamientos de quidditch más, y en los dos últimos no le habían gritado; y los tres amigos habían conseguido hacer desaparecer sus ratones en la clase de Transformaciones (es más, Hermione había progresado y había hecho desaparecer gatitos), antes de que volvieran a abordar el tema durante una desapacible y tempestuosa tarde de finales de septiembre, cuando estaban sentados en la biblioteca buscando ingredientes de pociones para un trabajo que les había encargado Snape.

—Harry —dijo de pronto Hermione—, ¿has vuelto a pensar en la asignatura de Defensa Contra las Artes Oscuras?

—Pues claro —repuso Harry malhumorado—. ¿Cómo vamos a olvidarla, con la arpía que tenemos de profesora?

—Me refería a la idea que tuvimos Ron y yo... —Ron, alarmado, le dirigió una mirada amenazadora a Hermione, quien frunció el entrecejo y rectificó—: De acuerdo, de acuerdo, a la idea que tuve yo de que nos dieras clase tú.

Harry no contestó enseguida. Fingió que leía detenidamente una página de *Antídotos asiáticos*, porque no quería decir lo que estaba pensando.

Lo cierto era que durante aquellas dos semanas había reflexionado mucho sobre aquel tema. A veces le parecía una idea descabellada, como se lo había parecido la noche que Hermione se la propuso, pero otras se sorprendía a sí mismo pensando en los hechizos que más le habían servido en sus diversos enfrentamientos con mortífagos y criaturas tenebrosas; y no sólo eso, a veces se sorprendía a sí mismo planeando inconscientemente las clases...

—Bueno —dijo con lentitud, pues ya no podía continuar simulando que le interesaba muchísimo *Antídotos asiáticos*—. Sí, he pensado un poco.

—¿Y? —preguntó Hermione, esperanzada.

—No lo sé —empezó Harry para ganar tiempo. Luego levantó la cabeza y miró a Ron.

—A mí me pareció buena idea desde el principio —afirmó éste, que parecía más dispuesto a participar en aquella conversación ahora que estaba seguro de que Harry no iba a ponerse a gritar otra vez.

Harry, incómodo, cambió de postura en la silla.

—Ya les dije que gran parte de mi éxito se debió a la suerte.

—Sí, Harry —replicó Hermione suavemente—, pero de todos modos es inútil que finjas que no eres bueno en Defensa Contra las Artes Oscuras, porque lo eres. El año pasado fuiste el único estudiante que supo realizar a la perfección la maldición *imperius*, sabes hacer aparecer un patronus, sabes hacer cosas que muchos magos adultos no saben. Viktor siempre decía...

Ron giró la cabeza hacia ella, y lo hizo tan bruscamente que dio la impresión de que se había lastimado el cuello. Se lo frotó y dijo:

—¿Ah, sí? ¿Qué decía Vicky?

—¡Jo, jo! —replicó Hermione con voz de aburrimiento—. Decía que Harry sabía hacer cosas que ni siquiera él sabía hacer, y eso que estaba en el último curso del Instituto Durmstrang.

Ron miraba a Hermione con recelo.

—No seguirás en contacto con él, ¿verdad?

—¿Qué hay de malo en eso? —repuso Hermione en tono cortante, aunque se había ruborizado un poco—. Si quiero puedo tener un amigo por correspondencia...

—Eso no era lo único que él quería —comentó Ron con aire acusador.

Hermione movió negativamente la cabeza, exasperada, y sin hacer caso a Ron, que seguía mirándola fijamente, le dijo a Harry:

—Bueno, ¿qué dices? ¿Nos enseñarás?

—Está bien, pero sólo a ti y a Ron, ¿no?

—Verás... —comenzó Hermione con cierto nerviosismo—. Bueno, ahora no vuelvas a subirte por las paredes, Harry, por favor..., pero creo que deberías enseñar a todo aquel que quiera aprender. Mira, estamos hablando de defendernos de Vo-Voldemort. Y no seas ridículo, Ron. No sería justo que no ofreciéramos a los demás la posibilidad de aprender.

Harry lo pensó un momento, y entonces respondió:

—Sí, pero dudo que haya alguien, aparte de ustedes dos, que esté interesado en que le dé clase. Recuerda que soy un chiflado.

—Creo que te sorprenderías de la cantidad de gente a la que le apetecería escuchar lo que tú tengas que decir —afirmó Hermione muy seria—. Mira —se inclinó hacia Harry; Ron, que todavía la miraba ceñudo, se inclinó también para enterarse—, ¿recuerdas que el primer fin de semana de octubre tenemos la excursión a Hogsmeade? ¿Qué te parecería si le dijéramos a los que estén interesados que se reúnan con nosotros en el pueblo para que podamos discutirlo?

—¿Por qué tenemos que hacerlo fuera del colegio? —preguntó Ron.

—Porque no creo que Umbridge se pusiera muy contenta si descubriera lo que estamos tramando —contestó Hermione, y volvió al diagrama de la col masticadora china que estaba copiando.

Harry estaba deseando que llegara el fin de semana para ir de excursión a Hogsmeade, aunque había una cosa que le preocupaba. Sirius había mantenido un silencio sepulcral desde el día que apareció en el fuego de la chimenea a principios de septiembre; Harry sabía que habían logrado que se enfadara al decirle que no querían que los acompañara, pero de vez en cuando todavía le preocupaba más que Sirius tirara las precauciones por la borda y decidiera presentarse. ¿Qué harían si un gran perro negro se les acercaba dando saltos por una calle de Hogsmeade, quizá ante las narices de Draco Malfoy?

—Tienes que comprender que le apetezca salir a darse un paseo —opinó Ron cuando Harry compartió sus temores con él y con Hermione—. Ten en cuenta que lleva más de dos años huyendo de la justicia, ¿no?, y ya sé que no debe de haber sido divertido, pero al menos era libre. Sin embargo, ahora está encerrado día y noche con ese horrendo elfo.

Hermione miró con gesto reprobador a Ron, pero ignoró la alusión a Kreacher.

—El problema —le dijo Hermione a Harry— es que Sirius tendrá que permanecer escondido hasta que Vo-Voldemort, ¡venga, Ron, por favor!, salga y dé la cara, ¿no? Quiero decir que el imbécil del ministro no se dará cuenta de que Sirius es inocente hasta que acepte que Dumbledore siempre le ha dicho la verdad sobre él. Y cuando esos inútiles empiecen a atrapar a mortífagos de verdad comprenderán que Sirius no es uno de ellos. Ni siquiera tiene la marca.

—No creo que sea tan estúpido para venir —terció Ron convencido—. Dumbledore se enfadaría muchísimo si lo hiciera, y Sirius siempre hace caso a Dumbledore aunque no le guste lo que le manda.

Como Harry seguía preocupado, Hermione añadió:

—Ron y yo hemos estado sondeando a la gente que creíamos que querría aprender algo de Defensa Contra las Artes Oscuras, y hay un par de personas que parecen interesadas. Les hemos dicho que se reúnan con nosotros en Hogsmeade.

—Bien —contestó Harry vagamente, pues seguía pensando en Sirius.

—No te angusties, Harry —lo animó Hermione—. Ya tienes bastantes problemas sin Sirius.

Hermione tenía razón. Harry no conseguía llevar los deberes al día, aunque su situación había mejorado mucho porque ya no debía pasarse todas las tardes castigado con la profesora Umbridge. Ron, en cambio, iba más atrasado aún porque, además de entrenar dos veces por semana, tenía sus obligaciones de prefecto. Por su parte Hermione, que tenía más asignaturas que ellos dos, no sólo había terminado todos sus deberes, sino que también había encontrado tiempo para seguir tejiendo ropa para los elfos. Y Harry tenía que admitir que Hermione estaba mejorando: ya casi siempre era posible distinguir los gorros de los calcetines.

La mañana de la excursión a Hogsmeade amaneció despejada pero ventosa. Después de desayunar formaron una fila delante de Filch, que comprobó que sus nombres aparecían en la larga lista de estudiantes que tenían permiso de sus padres o tutores para visitar el pueblo. Harry recordó con cierto remordimiento que, de no ser por Sirius, no habría podido hacer la excursión.

Cuando Harry llegó frente a Filch, el conserje aspiró fuerte por la nariz, como si intentara detectar algún tufillo en Harry. Luego hizo un brusco movimiento con la cabeza y volvió a temblarle la parte inferior de los carrillos; Harry siguió adelante y salió a la escalera de piedra y a la fría y soleada mañana.

—Oye, ¿por qué te ha olfateado Filch? —le preguntó Ron cuando los tres echaron a andar a buen paso por el ancho camino hacia la verja.

—Supongo que quería comprobar si olía a bombas fétidas —contestó Harry con una risita—. Se me olvidó contarles...

Y les explicó lo que había sucedido segundos más tarde de haber enviado la carta a Sirius, cuando Filch entró en la lechucería exigiéndole que le enseñara la misiva. A Harry le sorprendió un poco que Hermione considerara tan interesante su historia, mucho más, desde luego, de lo que a él mismo le parecía.

—¿Filch dijo que había recibido un chivatazo de que ibas a encargar bombas fétidas? Pero ¿quién se lo dio?

—No lo sé —respondió Harry, encogiéndose de hombros—. A lo mejor fue Malfoy; seguramente creyó que sería divertido.

Pasaron entre los altos pilares de piedra coronados con sendos cerdos alados y torcieron a la izquierda por la carretera que conducía al pueblo. El viento los despeinaba y el cabello les tapaba los ojos.

—¿Malfoy? —dijo Hermione, escéptica—. Bueno, sí, a lo mejor fue él...

Y siguió muy pensativa hasta que llegaron a las afueras de Hogsmeade.

—Bueno, ¿adónde vamos? —preguntó Harry—. ¿A Las Tres Escobas?

—No, no —repuso Hermione saliendo de su ensimismamiento—. No, siempre está abarrotado y hay mucho ruido. He quedado con los otros en Cabeza de Puerco, ese otro pub, ya lo conocen, el que no está en la calle principal. Me parece que no es... muy recomendable, pero los alumnos de Hogwarts no suelen ir allí, así que no creo que nos oiga nadie.

Bajaron por la calle principal y pasaron por delante de la tienda de artículos de broma de Zonko, donde no les sorprendió nada ver a Fred, George y Lee Jordan; luego dejaron atrás la oficina de correos, de donde salían lechuzas a intervalos regulares, y torcieron por una calle lateral al final de la cual había una pequeña posada. Un estropeado letrero de madera colgaba de un oxidado soporte que había sobre la puerta, con un dibujo de una cabeza de jabalí cortada que goteaba sangre sobre la tela blanca en la que estaba colocada. Cuando se acercaron a la puerta, el letrero chirrió agitado por el viento y los tres vacilaron un instante.

—¡Vamos! —urgió Hermione, un tanto nerviosa. Harry fue el primero en entrar.

Aquel pub no se parecía en nada a Las Tres Escobas, que era un local limpio y acogedor. Cabeza de Puerco consistía en una sola habitación, pequeña, lúgubre y sucísima, donde se notaba un fuerte olor a algo que podría tratarse de cabras. Las ventanas tenían tanta mugre incrustada que entraba muy poca luz del exterior. Por eso el local estaba iluminado con cabos de cera colocados sobre las bastas mesas de madera. A primera vista, el suelo parecía de tierra apisonada, pero cuando Harry caminó por él, se dio cuenta de que había piedra debajo de una capa de roña acumulada durante siglos.

Harry recordaba que Hagrid había mencionado aquel pub en el primer año que estuvo en Hogwarts: «Hay mucha gente rara en Cabeza de Puerco», dijo cuando les contó cómo le había ganado un huevo de dragón a un desconocido encapuchado que estaba allí. Entonces a Harry le había sorprendido que Hagrid no encontrara raro que un desconocido permaneciera todo el tiempo con la cara tapada; pero en ese momento comprendió que permanecer con la cara tapada era algo normal en aquella taberna. En la barra había un individuo que llevaba la cabeza envuelta con grises y sucias vendas, aunque aun así se las ingeniaba para tragar vaso tras vaso de una sustancia humeante y abrasadora por una rendija que tenía a la altura de la boca. También había dos personas encapuchadas sentadas a una mesa, junto a una de las ventanas; Harry habría jurado que eran dementores si no las hubiera oído hablar con un fuerte acento de Yorkshire. Y en un oscuro rincón, al lado de la chimenea, estaba sentada una bruja con un grueso velo negro que le llegaba hasta los pies. Lo único que se destacaba bajo el velo era la punta de la nariz, un poco prominente.

—No sé qué decirte, Hermione —murmuró Harry mientras avanzaban hacia la barra y miraba con desconfianza a la bruja tapada con el grueso velo—. ¿No se te ha ocurrido pensar que la profesora Umbridge podría estar debajo de eso?

Hermione echó una ojeada a la bruja, evaluándola.

—Umbridge es más baja que esa mujer —comentó en voz baja—. Además, aunque ella entrara aquí, no podría hacer nada para interferir en nuestro proyecto, Harry, porque he revisado minuciosamente las normas del colegio. Estamos dentro de los límites establecidos. Hasta le pregunté al profesor Flitwick si a los alumnos les está permitido entrar en Cabeza de Puerco, y me dijo que sí, aunque me aconsejó que lleváramos nuestros propios vasos. Y he comprobado todo lo que se me ha ocurrido sobre grupos de estudio y trabajo, y son legales. Lo único que no tenemos que hacer es pregonar lo que estamos haciendo.

—Ya —dijo Harry con aspereza—, sobre todo dado que lo que estamos organizando no es precisamente un grupo de estudio, ¿verdad?

El camarero salió de la trastienda y se les acercó con sigilo. Era un anciano de aspecto gruñón, con barba y una mata de largo cabello gris. Era alto y delgado, y a Harry su cara le resultó vagamente familiar.

—¿Qué quieren? —gruñó.

—Tres cervezas de mantequilla —contestó Hermione.

El camarero metió una mano bajo la barra y sacó tres botellas sucias y cubiertas de polvo que colocó con brusquedad sobre la barra.

—Seis sickles —dijo.

—Pago yo —se apresuró a decir Harry, y le entregó las monedas de plata.

El camarero recorrió a Harry de arriba abajo con la mirada, y sus ojos se detuvieron un momento en su cicatriz. Luego se dio la vuelta y depositó las monedas de Harry en una vieja caja registradora de madera cuyo cajón se abrió automáticamente para recibirlas. Harry, Ron y Hermione fueron hacia la mesa más apartada de la barra y se sentaron observando a su alrededor. El individuo de los sucios y grises vendajes dio unos golpes en la barra con los nudillos, y el camarero le sirvió otro vaso lleno de aquella bebida humeante.

—¿Saben qué? —murmuró Ron mirando hacia la barra con entusiasmo—. Aquí podríamos pedir lo que quisiéramos. Apuesto algo a que ese tipo nos serviría cualquier cosa, seguro que le importa un rábano. Siempre he querido probar el whisky de fuego...

—¡Ron! ¡Ahora eres prefecto! —lo regañó Hermione.

—¡Ah, sí! —exclamó Ron, y la sonrisa se le borró de los labios.

—Bueno, ¿quién dijiste que iba a venir? —le preguntó Harry a su amiga, arrancando el oxidado tapón de su cerveza de mantequilla y dando un sorbo.

—Sólo un par de personas —repitió Hermione. Consultó su reloj y miró nerviosa hacia la puerta—. Ya deberían estar aquí, estoy segura de que saben el camino... ¡Oh, miren, deben de ser ellos!

La puerta del pub se había abierto. Un ancho haz de luz, en el que bailaban motas de polvo, dividió el local en dos durante un instante y luego desapareció, pues lo ocultaba la multitud que desfilaba por la puerta.

Primero entraron Neville, Dean y Lavender, seguidos de cerca por Parvati y Padma Patil con Cho (con lo cual a Harry le dio un vuelco el corazón) y una de sus risueñas amigas. Luego entró Luna Lovegood, sola y con aire despistado, como si hubiera entrado allí por equivocación. A continuación, aparecieron Katie Bell, Alicia Spinnet y Angelina Johnson, Colin y Dennis Creevey, Ernie Macmillan, Justin Finch-Fletchley, Hannah Abbott y una chica de Hufflepuff con una larga trenza, cuyo nombre Harry no sabía; tres chicos de Ravenclaw que, si no se equivocaba, se llamaban Anthony Goldstein, Michael Corner y Terry Boot; Ginny, seguida por un chico alto y delgado, rubio y con la nariz respingona a quien Harry creyó reconocer como miembro del equipo de quidditch de Hufflepuff, y, cerrando la marcha, Fred y George Weasley con su amigo Lee Jordan, los tres con enormes bolsas de papel llenas de artículos de Zonko.

—¿Un par de personas? —dijo Harry con voz quebrada—. ¡Un par de personas!

—Bueno, verás, la idea tuvo mucho éxito... —comentó Hermione alegremente—. Ron, ¿quieres traer unas cuantas sillas más?

El camarero, que estaba secando un vaso con un trapo tan sucio que parecía que no lo hubieran lavado nunca, se quedó paralizado. Seguramente, en la vida había visto su pub tan lleno.

—¡Hola! —saludó Fred. Fue el primero en llegar a la barra, y se puso a contar con rapidez a sus acompañantes—. ¿Puede ponernos... veinticinco cervezas de mantequilla, por favor?

El camarero lo fulminó un instante con la mirada; luego, de mala gana, dejó el trapo, como si lo hubieran interrumpido cuando hacía algo importantísimo, y empezó a sacar polvorientas botellas de cerveza de mantequilla de debajo de la barra.

—¡Salud! —exclamó Fred mientras las repartía—. Suelten la lana, yo no tengo suficiente oro para pagar todo esto...

Harry, que no salía de su asombro, contemplaba a los numerosos y ruidosos estudiantes, que tomaban sus cervezas y hurgaban en los bolsillos de sus túnicas buscando monedas. No podía imaginar a qué había ido allí toda aquella gente, hasta que se le ocurrió, horrorizado, que a lo mejor esperaban oír alguna especie de discurso. Se volvió hacia Hermione y, en voz baja, le susurró:

—¿Qué les has dicho? ¿Qué esperan?

—Ya te lo he explicado, sólo quieren oír lo que tengas que decir —contestó Hermione con voz tranquilizadora. Sin embargo, Harry seguía mirándola tan enfadado que rápidamente añadió—: Pero no tienes que hacer nada todavía, primero hablaré yo.

—¡Hola, Harry! —dijo Neville sonriendo, y se sentó frente a él.

Harry intentó devolverle la sonrisa, pero no dijo nada, pues tenía la boca extremadamente seca. Cho se había limitado a sonreírle y se había sentado a la derecha de Ron. Su amiga, que tenía el cabello rizado y de un tono rubio rojizo, no sonrió, sino que lanzó a Harry una mirada de desconfianza con la que dejó muy claro que, de haber podido elegir, ella jamás habría acudido a aquella reunión.

Los recién llegados fueron sentándose en grupos de dos y de tres alrededor de Harry, Ron y Hermione. Algunos parecían muy emocionados, otros, curiosos; Luna Lovegood miraba en torno con ojos soñadores. Cuando todos tuvieron su silla, fue cesando el parloteo. Todos miraban a Harry.

—Este... —empezó Hermione hablando en voz más alta de lo habitual debido al nerviosismo—. Este..., bueno..., hola. —Los asistentes giraron la cabeza hacia ella, aunque de vez en cuando las miradas seguían desviándose hacia Harry—. Bueno..., este..., ya saben por qué hemos venido aquí. Verán, nuestro amigo Harry tuvo la idea..., es decir —Harry le había lanzado una mirada furibunda—, yo tuve la idea de que sería conveniente que la gente que quisiera estudiar Defensa Contra las Artes Oscuras, o sea, estudiar de verdad, ya saben, y no esas tonterías que nos hace leer la profesora Umbridge —de repente la voz de Hermione se volvió mucho más potente y segura—, porque a eso no se le puede llamar Defensa Contra las Artes Oscuras —«Eso, eso», dijo Anthony Goldstein, y su comentario animó a Hermione—... Bueno, creí que estaría bien que nosotros tomáramos cartas en el asunto. —Hizo una pausa, miró de reojo a Harry y prosiguió—: Y con eso quiero decir aprender a defendernos como es debido, no sólo en teoría, sino poniendo en práctica los hechizos...

—Pero supongo que también querrás aprobar el TIMO de Defensa Contra las Artes Oscuras, ¿no? —la interrumpió Michael Corner.

—Por supuesto. Pero también quiero estar debidamente entrenada en defensa porque... porque... —inspiró hondo y terminó la frase— porque lord Voldemort ha vuelto.

La reacción de su público fue inmediata y predecible. La amiga de Cho soltó un grito y derramó un chorro de cerveza de mantequilla; Terry Boot dio una especie de respingo involuntario; Padma Patil se estremeció y Neville soltó un extraño chillido que consiguió transformar en una tos. Todos, sin embargo, miraban fijamente, casi con avidez, a Harry.

—Bueno, pues ése es el plan —concluyó Hermione—. Si quieren unirse a nosotros, tenemos que decidir dónde vamos a...

—¿Qué pruebas tienen de que Quien-ustedes-saben ha regresado? —preguntó el jugador rubio de Hufflepuff con tono bastante agresivo.

—Bueno, Dumbledore lo cree... —empezó a decir Hermione.

—Querrás decir que Dumbledore le cree a él —aclaró el muchacho rubio señalando a Harry con la cabeza.

—¿Cómo te llamas? —le preguntó Ron con brusquedad.

—Zacharias Smith —contestó él—, y creo que tenemos derecho a saber qué es exactamente lo que les permite afirmar que Quien-tú-sabes ha regresado.

—Mira —intervino Hermione con rapidez—, ése no es el tema de esta reunión...

—Déjalo, Hermione —dijo Harry, que acababa de comprender por qué había acudido tanta gente a la convocatoria.

Pensó que Hermione debería haberlo previsto. Algunos de sus compañeros, quizá incluso la mayoría, habían ido a Cabeza de Puerco con la esperanza de oír la historia de Harry contada por su protagonista.

—¿Quieres saber qué es exactamente lo que me permite afirmar que Quien-tú-sabes ha regresado? —preguntó mirando a los ojos a Zacharias—. Yo lo vi. El año pasado, Dumbledore le contó al colegio en pleno lo que había ocurrido, pero si tú no lo creíste, no me creerás a mí, y no pienso malgastar una tarde intentando convencer a nadie.

El grupo en su totalidad había contenido la respiración mientras Harry hablaba, y él tuvo la impresión de que hasta el camarero, que seguía secando el mismo vaso con el trapo mugriento y lo ensuciaba aún más, lo escuchaba.

A continuación Zacharias dijo desdeñosamente:

—Lo único que nos contó Dumbledore el año pasado fue que Quien-tú-sabes había matado a Cedric Diggory y que tú habías llevado el cadáver a Hogwarts. No nos contó los detalles ni nos dijo cómo habían matado a Diggory, y creo que a todos nos gustaría saber...

—Si has venido a oír un relato detallado de cómo mata Voldemort, no puedo ayudarte —lo interrumpió Harry. Su genio, que últimamente estaba siempre muy a flor de piel, volvía a descontrolarse. No apartó los ojos del agresivo rostro de Zacharias Smith, y estaba decidido a no mirar a Cho—. No voy a hablar de Cedric Diggory, ¿de acuerdo? De modo que si es a eso a lo que has venido aquí, ya puedes marcharte.

Y entonces lanzó una airada mirada a Hermione. Ella tenía la culpa de aquella situación; ella había decidido exhibirlo como si fuera un monstruo de feria, y por eso todos habían ido a comprobar lo descabellada que era su historia. Pero ninguno de sus compañeros se levantó de la silla, ni siquiera Zacharias Smith, aunque siguió contemplando a Harry.

—Bueno —saltó Hermione con voz chillona—. Bueno..., como iba diciendo..., si quieren aprender defensa, tenemos que decidir cómo vamos a hacerlo, con qué frecuencia vamos a reunirnos y dónde vamos a...

—¿Es verdad —la interrumpió la chica de la larga trenza, mirando a Harry— que puedes hacer aparecer un patronus?

Un murmullo de interés recorrió el grupo.

—Sí —contestó Harry poniéndose a la defensiva.

—¿Un patronus corpóreo?

Esa frase le sonaba de algo a Harry...

—Oye, ¿tú conoces a la señora Bones? —le preguntó.

—Es mi tía —dijo la chica sonriendo—. Me llamo Susan Bones. Me contó lo de la vista. Bueno, ¿es verdad o no? ¿Sabes hacer aparecer un patronus con forma de ciervo?

—Sí.

—¡Caramba, Harry! —exclamó Lee, que parecía muy impresionado—. ¡No lo sabía!

—Mi madre hizo prometer a Ron que no lo contaría —intervino Fred dirigiéndole una sonrisa a Harry—. Dijo que ya atraías suficiente atención.

—Pues está en lo cierto —murmuró Harry, y un par de personas rieron.

La bruja del velo negro que estaba sentada sola en un rincón se movió un poco en la silla.

—¿Y mataste un basilisco con esa espada que hay en el despacho de Dumbledore? —inquirió Terry Boot—. Eso fue lo que me dijo uno de los retratos de la pared cuando estuve allí el año pasado...

—Pues sí, es verdad... —admitió Harry.

Justin Finch-Fletchley soltó un silbido; los hermanos Creevey se miraron atemorizados y Lavender Brown exclamó «¡Ahí va!» en voz baja. A Harry empezaron a entrarle calores; seguía empeñado en mirar a cualquier sitio menos a Cho.

—Y en primero —dijo Neville dirigiéndose al grupo— salvó la Piedra Filológica...

—Filosofal —lo corrigió Hermione.

—Eso, sí..., de Quien-ustedes-saben —concluyó Neville.

Hannah Abbott tenía los ojos redondos como galeones.

—Por no mencionar —intervino Cho, y a Harry se le desviaron los ojos hacia ella, que lo miraba sonriente, y volvió a darle un vuelco el corazón— las pruebas que tuvo que superar en el Torneo de los tres magos el año pasado: se enfrentó a dragones, a la gente del agua, a las acromántulas y a todo tipo de cosas...

Los impresionados asistentes emitieron un murmullo de aprobación que recorrió la mesa. Harry se moría de vergüenza e intentaba controlar la expresión de su rostro para que no pareciera que estaba demasiado satisfecho de sí mismo. El hecho de que Cho acabara de elogiarlo hacía que le resultara mucho más difícil decir a sus compañeros lo que se había propuesto explicar.

—Miren —dijo sobreponiéndose, y todos callaron al instante—, no... no quisiera pecar de falsa modestia ni nada parecido, pero... en todas esas ocasiones conté con ayuda...

—Con el dragón no —saltó Michael Corner—. Aquello fue un vuelo excepcional...

—Sí, bueno... —cedió Harry creyendo que sería una grosería no admitirlo.

—Y tampoco te ayudó nadie a librarte de los dementores este verano —aportó Susan Bones.

—No —reconoció Harry—. De acuerdo, ya sé que algunas cosas las conseguí sin ayuda, pero lo que intento hacerles entender es...

—¿Intentas escabullirte y no enseñarnos a hacer nada de eso? —sugirió Zacharias Smith.

—Oye, tú —dijo Ron en voz alta antes de que Harry pudiera contestar—, ¿por qué no cierras el pico?

Ron, que estaba perdiendo la paciencia, miraba a Zacharias como si estuviera deseando pegarle un puñetazo. El chico se ruborizó y se defendió diciendo:

—Hemos venido aquí a aprender de él y ahora resulta que en realidad no puede hacer nada...

—Harry no ha dicho eso —gruñó Fred.

—¿Quieres que te limpiemos las orejas? —le preguntó George sacando un largo instrumento metálico de aspecto mortífero de la bolsa de Zonko.

—O cualquier otra parte del cuerpo. De verdad, no tenemos manías —añadió Fred.

—Sí, bueno... —los interrumpió Hermione—. Siguiendo con lo que decíamos... Lo que importa es: ¿estamos de acuerdo en que queremos que Harry nos dé clases?

Hubo un murmullo general de aprobación. Zacharias se cruzó de brazos y no dijo nada, aunque quizá fuera porque estaba demasiado ocupado vigilando el instrumento que Fred tenía en la mano.

—Muy bien —dijo Hermione, que pareció aliviada al comprobar que al menos se habían puesto de acuerdo en algo—. Entonces, la siguiente pregunta es con qué frecuencia queremos reunirnos. Creo que, como mínimo, deberíamos reunirnos una vez por semana...

—Un momento —terció Angelina—, tenemos que asegurarnos de que esto no interferirá con nuestros entrenamientos de quidditch.

—Eso —coincidió Cho—. Ni con los nuestros.

—Ni con los nuestros —añadió Zacharias Smith.

—Estoy segura de que podremos encontrar una noche que le vaya bien a todo el mundo —afirmó Hermione impacientándose un poco—, pero piensen que esto es muy importante, estamos hablando de aprender solos a defendernos de Vo-Voldemort y de los mortífagos...

—¡Así se habla! —bramó Ernie Macmillan. A Harry le sorprendía que hubiera tardado tanto en hablar—. Personalmente creo que lo que intentamos es muy importante, con seguridad lo más importante que haremos este curso, más incluso que los TIMOS. —Miró a su alrededor con gesto imponente, como si esperara que los demás gritaran «¡No exageres!». Pero como nadie dijo nada, prosiguió—: Personalmente no me explico cómo el Ministerio nos ha endilgado una profesora tan inepta en este periodo tan crítico. Es evidente que no quieren aceptar que Quien-ustedes-saben ha regresado, pero ponernos una profesora que intenta deliberadamente impedir que utilicemos hechizos defensivos...

—Creemos que la razón por la que Umbridge no quiere entrenarnos en Defensa Contra las Artes Oscuras —explicó Hermione— es que se le ha metido en la cabeza la idea de que Dumbledore podría utilizar a los estudiantes del colegio como una especie de ejército privado. Cree que podría movilizarlos para enfrentarse al Ministerio.

Aquella noticia sorprendió a casi todos; a casi todos excepto a Luna Lovegood, que soltó:

—Bueno, es lógico. Al fin y al cabo, Cornelius Fudge tiene su propio ejército privado.

—¿Qué? —saltó Harry, absolutamente desconcertado por aquella inesperada información.

—Sí, tiene un ejército de heliópatas —afirmó Luna con solemnidad.

—Eso no es cierto —le espetó Hermione.

—Claro que sí —la contradijo Luna.

—¿Qué son heliópatas? —preguntó Neville, perplejo.

—Son espíritus de fuego —contestó Luna, y sus saltones ojos se abrieron aún más, haciéndola parecer más chiflada que nunca—, unas enormes criaturas llameantes que galopan por la tierra quemando cuanto encuentran a su paso...

—No existen, Neville —aseguró Hermione de manera cortante.

—¡Claro que existen! —insistió Luna, furiosa.

—Lo siento, pero ¿qué pruebas hay de que existan? —le preguntó Hermione.

—Hay muchísimos testimonios oculares. Que tú tengas una mentalidad tan cerrada que necesites que te lo pongan todo delante de las narices para que...

—Ejem, ejem —carraspeó Ginny imitando a la perfección a la profesora Umbridge; varios estudiantes giraron la cabeza, asustados, y luego rieron—. ¿No estábamos intentando decidir cuántas veces nos íbamos a reunir para dar clase de defensa?

—Sí —se apresuró a confirmar Hermione—, exacto. Tienes razón, Ginny.

—Bueno, a mí una vez por semana no me parece mal —opinó Lee Jordan.

—Siempre que... —empezó a decir Angelina.

—Sí, sí, ya sabemos lo del quidditch —concedió Hermione con voz tensa—. Bueno, la otra cosa que queda por decidir es dónde vamos a reunirnos...

Aquello era mucho más difícil, y el grupo se quedó callado.

—¿En la biblioteca? —propuso Katie Bell tras un largo silencio.

—No creo que la señora Pince se ponga muy contenta si nos ve haciendo hechizos en la biblioteca —comentó Harry.

—¿Y en algún aula que no se utilice? —sugirió Dean.

—Sí —afirmó Ron—. Quizá la profesora McGonagall nos deje la suya. Nos la prestó cuando Harry tenía que practicar para el Torneo de los tres magos.

Pero Harry estaba seguro de que esa vez la profesora McGonagall no sería tan complaciente. Pese al convencimiento de Hermione de que los grupos de estudio y trabajo estaban permitidos, él tenía la impresión de que considerarían aquél excesivamente subversivo.

—Bueno, ya buscaremos un sitio —dijo Hermione—. Cuando tengamos el sitio y la hora de la primera reunión les enviaremos un mensaje a todos. —Rebuscó en su mochila, sacó un rollo de pergamino y una pluma y vaciló un momento, como si estuviera armándose de valor para decir algo—. Creo que ahora cada uno debería escribir su nombre, para que sepamos que ha estado aquí. Pero también creo —añadió inspirando hondo— que todos deberíamos comprometernos a no ir por ahí contando lo que estamos haciendo. De modo que si firman, se comprometen a no hablar de esto ni con la profesora Umbridge ni con nadie.

Fred agarró el pergamino y, decidido, firmó en él, pero Harry se fijó enseguida en que varias personas no parecían muy dispuestas a poner su nombre en la lista.

—Este... —empezó Zacharias con lentitud, y no agarró el pergamino que George intentaba pasarle—. Bueno..., estoy seguro de que Ernie me dirá cuándo es la reunión.

Pero Ernie tampoco parecía muy decidido a firmar. Hermione lo miró arqueando las cejas.

—Es que... ¡somos prefectos! —dijo Ernie—. Y si alguien encontrara esta lista... Bueno, quiero decir que... ya lo has dicho tú misma, si se entera la profesora Umbridge...

—Acabas de decir que haber formado este grupo es la cosa más importante de este curso —le recordó Harry.

—Sí, ya... —repuso Ernie—. Sí, y lo creo, pero...

—Ernie, ¿de verdad piensas que voy a dejar esta lista por ahí? —le preguntó Hermione con irritación.

—No. No, claro que no —contestó Ernie un poco aliviado—. Yo..., sí, claro que firmo.

Después de Ernie nadie puso reparos, aunque Harry vio que la amiga de Cho la miraba con reproche antes de escribir su nombre. Cuando hubo firmado el último, que fue Zacharias, Hermione agarró el pergamino y lo guardó con cuidado en su mochila. En ese momento, el grupo experimentaba una sensación extraña. Era como si acabaran de firmar una especie de contrato.

—Bueno, el tiempo pasa —dijo Fred con decisión, y se puso en pie—. George, Lee y yo tenemos que comprar unos artículos delicados. Ya nos veremos más tarde.

Los demás estudiantes se marcharon también en grupos de dos y de tres. Cho se entretuvo mucho cerrando el broche de su mochila antes de marcharse, mientras la larga y oscura melena le oscilaba y le tapaba la cara; pero su amiga la esperaba con los brazos cruzados, chasqueando la lengua, así que Cho no tuvo más remedio que irse con ella. Cuando ambas llegaron a la puerta, Cho se volvió y se despidió de Harry con la mano.

—Bueno, creo que ha ido muy bien —opinó Hermione alegremente unos momentos más tarde, mientras ella, Harry y Ron salían de Cabeza de Puerco a la intensa luz de la mañana. Harry y Ron llevaban en la mano sus botellas de cerveza de mantequilla.

—Ese Zacharias es un cretino —dijo Ron mirando con rabia a Smith, que iba delante de ellos, apenas distinguible en la distancia.

—A mí tampoco me cae muy bien —admitió Hermione—, pero me oyó hablar con Ernie y Hannah en la mesa de Hufflepuff y parecía muy interesado en venir. ¿Qué querías que hiciera? Y en realidad, cuantos más seamos, mejor. Mira, Michael Corner y sus amigos no habrían venido si él no estuviera saliendo con Ginny...

Ron, que estaba bebiéndose las últimas gotas de cerveza de mantequilla de su botella, se atragantó y derramó toda la que tenía en la boca.

—¿Saliendo CON QUIÉN? —gritó. Tenía las orejas ardiendo—. ¿Que está saliendo con... que mi hermana está saliendo con...? ¿Ginny sale con Michael Corner?

—Bueno, creo que por eso han venido él y sus amigos. Les interesa aprender defensa, desde luego, pero si Ginny no le hubiera contado a Michael lo que estaba...

—¿Desde cuándo salen juntos?

—Se conocieron el año pasado en el baile de Navidad y a final de curso empezaron a salir —explicó Hermione con serenidad. Habían llegado a la calle principal, y Hermione se detuvo frente a La Casa de las Plumas, en cuyo escaparate había una hermosa exposición de plumas de faisán—. Humm... Me encantaría comprarme una pluma nueva.

Y entonces Hermione entró en la tienda y Harry y Ron la siguieron.

—¿Quién de ellos era Michael Corner? —preguntó éste, furioso.

—El moreno —contestó Hermione.

—No me ha caído bien —dijo Ron de inmediato.

—No me sorprende —respondió Hermione por lo bajo.

—Pero ¡si yo creía que a Ginny le gustaba Harry! —comentó Ron mientras seguía a Hermione por delante de una hilera de plumas expuestas en tarros de cobre.

Hermione lo miró con desdén y movió la cabeza negativamente.

—A Ginny le gustaba Harry, pero se le pasó hace meses. No es que no le caigas bien, Harry... —aclaró, mirando a su amigo mientras examinaba una larga pluma negra y dorada.

Harry, que todavía tenía vivo en la memoria el gesto de despedida de Cho, no encontraba aquel tema tan interesante como Ron, que temblaba de indignación; pero la cuestión le hizo pensar en algo que hasta entonces había pasado por alto.

—¿Por eso ahora me habla? —le preguntó a Hermione—. Antes nunca abría la boca delante de mí.

—Exacto —confirmó Hermione—. Sí, creo que me quedaré ésta...

Fue al mostrador y pagó quince sickles y dos knuts mientras Ron seguía respirando con agitación.

—Ron —dijo Hermione con severidad, y se dio la vuelta y le dio un pisotón—, por eso precisamente Ginny no te ha dicho que sale con Michael, porque sabía que te lo tomarías mal. Así que haz el favor de no insistir en el tema.

—¿Qué quieres decir? ¿Quién se lo toma mal? Yo no voy a insistir en nada... —continuó mascullando Ron cuando salieron a la calle.

Hermione miró a Harry y puso los ojos en blanco, y luego, en voz baja, mientras Ron seguía despotricando contra Michael Corner, dijo:

—Y hablando de Michael y Ginny... ¿Qué tal Cho y tú?

—¿Qué quieres decir? —saltó Harry, que tuvo la sensación de que estaba lleno de agua hirviendo. La cara le ardía a pesar del frío. ¿Tan evidente era?

—Bueno —dijo Hermione sonriendo—, no te ha quitado los ojos de encima, ¿no?

Hasta entonces, Harry nunca se había fijado en lo bonito que era el pueblo de Hogsmeade.

17

El Decreto de Enseñanza n.º 24

Desde que había comenzado el curso, Harry nunca había estado tan contento como aquel fin de semana. Ron y él pasaron gran parte del domingo poniendo al día los deberes; aunque no era una tarea precisamente divertida, como volvía a hacer un soleado día de otoño, sacaron sus cosas fuera y se tumbaron a la sombra de una gran haya, junto al borde del lago, en lugar de quedarse trabajando en las mesas de la sala común. Hermione, que como era lógico llevaba al día sus deberes, agarró unos ovillos de lana y encantó sus agujas de tejer, que tintineaban y destellaban suspendidas en el aire delante de ella, mientras tejían gorros y bufandas sin parar.

Harry experimentaba un sentimiento de inmensa satisfacción cuando se acordaba de que estaban tomando medidas para oponer resistencia a la profesora Umbridge y al Ministerio, y que él era un elemento fundamental en la rebelión. No paraba de recordar la reunión del sábado: la gente que había acudido a él para aprender Defensa Contra las Artes Oscuras; la expresión de los rostros de los demás cuando escucharon algunas de las cosas que Harry había hecho; los elogios que Cho le dedicó, alabando su actuación en el Torneo de los tres magos... Pensar que había tantos chicos y chicas que no lo consideraban un mentiroso ni un loco, sino alguien digno de admiración, le levantó tanto el ánimo que todavía estaba contento el lunes por la mañana, pese a la inminente perspectiva de las clases que menos le gustaban.

Ron y él bajaron del dormitorio hablando acerca de la idea que había tenido Angelina de trabajar en una nueva jugada, bautizada como «voltereta con derrape», en el entrenamiento de aquella noche, y hasta que llegaron al otro extremo de la iluminada sala común no se fijaron en un nuevo elemento que ya había atraído la atención de un pequeño grupo de estudiantes.

En el tablón de anuncios de Gryffindor habían colgado un enorme letrero, tan grande que tapaba casi todos los demás carteles: la lista de libros de hechizos de segunda mano que estaban a la venta, los habituales recordatorios de Argus Filch sobre las normas del colegio, el horario de entrenamiento del equipo de quidditch, las ofertas de intercambio de cromos de ranas de chocolate, los últimos anuncios de los Weasley para contratar cobayas, las fechas de las excursiones a Hogsmeade y las listas de objetos perdidos y encontrados. El nuevo letrero estaba escrito con grandes letras negras, y al final había un sello oficial junto a una pulcra firma cargada de florituras.

POR ORDEN DE LA SUMA INQUISIDORA DE HOGWARTS

De ahora en adelante quedan disueltas todas las organizaciones y sociedades, y todos los equipos, grupos y clubes.

Se considerará organización, sociedad, equipo, grupo o club cualquier reunión asidua de tres o más estudiantes.

Para volver a formar cualquier organización, sociedad, equipo, grupo o club será necesario un permiso de la Suma Inquisidora (profesora Umbridge).

No podrá existir ninguna organización ni sociedad, ni ningún equipo, grupo ni club de estudiantes sin el conocimiento y la aprobación de la Suma Inquisidora.

Todo alumno que haya formado una organización o sociedad, o un equipo, grupo o club, o bien haya pertenecido a alguna entidad de este tipo, que no haya sido aprobada por la Suma Inquisidora, será expulsado del colegio.

Esta medida está en conformidad con el Decreto de Enseñanza n.º 24.

Firmado:

Dolores Jane Umbridge
Suma Inquisidora

Harry y Ron leyeron el letrero mirando por encima de las cabezas de un grupo de afligidos alumnos de segundo.

—¿Significa esto que van a cerrar el Club de Gobstones? —le preguntó uno de ellos a su amigo.

—No creo que haya problemas con el Club de Gobstones —dijo Ron con tristeza. El alumno, que no lo había visto, dio un respingo—. Pero no creo que nosotros tengamos tanta suerte, ¿no te parece? —le comentó a Harry cuando se apartaron los de segundo.

Harry estaba leyendo una vez más el letrero. El optimismo que lo había acompañado desde el sábado se había esfumado y el estómago se le había encogido de rabia.

—Esto no puede ser una coincidencia —afirmó apretando los puños—. La profesora Umbridge lo sabe.

—No puede ser —replicó Ron de inmediato.

—En aquel pub había gente escuchando. Y seamos realistas: no sabemos con certeza en cuántas personas de las que se presentaron podemos confiar. Cualquiera de ellas pudo ir corriendo a contárselo a la dichosa Umbridge...

Y él que había pensado que lo creían, que lo admiraban incluso...

—¡Zacharias Smith! —exclamó Ron dándose con el puño en la palma de la otra mano—. O... ese Michael Corner también tenía un aspecto sospechoso...

—No sé si Hermione habrá visto esto ya —comentó Harry, mirando hacia la puerta de los dormitorios de las chicas.

—Vamos a contárselo —propuso Ron, y fue hacia la puerta de los dormitorios, la abrió y empezó a subir la escalera de caracol.

Cuando había llegado al sexto escalón, sonó una especie de sirena y los escalones se unieron y formaron un largo y liso tobogán de piedra en espiral. Al principio Ron intentó continuar el ascenso, agitando los brazos, pero cayó hacia atrás, resbaló por el recién creado tobogán y fue a parar a los pies de Harry.

—Me parece que no nos dejan entrar en los dormitorios de las chicas —dijo Harry conteniendo la risa mientras ayudaba a levantarse a Ron.

Dos chicas de cuarto bajaron riendo por el tobogán de piedra.

—¿Quién era el que intentaba subir? —preguntaron alegremente, poniéndose en pie y comiéndose con los ojos a Harry y a Ron.

—Yo —contestó éste, que todavía estaba muy despeinado—. No tenía ni idea de que pudiera pasar esto. ¡No hay derecho! —añadió dirigiéndose a Harry mientras las chicas iban hacia la abertura del retrato sin parar de reír—. Hermione puede subir a nuestro dormitorio, ¿por qué nosotros no...?

—Bueno, es una norma anticuada —explicó Hermione, que acababa de bajar por el tobogán y había aterrizado limpiamente en una alfombra que había delante de Harry y Ron—, pero en *Historia de Hogwarts* se dice que los fundadores del colegio creían que los chicos eran menos dignos de confianza que las chicas. En fin, ¿para qué querían subir?

—Para verte. ¡Mira eso! —dijo Ron, y la arrastró hasta el tablón de anuncios.

Hermione leyó rápidamente el letrero y puso una expresión glacial.

—¡Alguien ha cantado! —exclamó Ron, indignado.

—Es imposible —murmuró Hermione en voz baja.

—¡Qué ingenua eres! —explotó Ron—. ¿Crees que porque tú eres honrada y digna de confianza...?

—No, es imposible porque hice un embrujo en el rollo de pergamino en que firmamos todos —explicó Hermione gravemente—. Créeme, si alguien cantó a Umbridge, sabremos exactamente quién ha sido y te aseguro que lo lamentará.

—¿Qué le pasará? —preguntó Ron, intrigado.

—Bueno, para que te hagas una idea —contestó Hermione—, parecerá que el acné de Eloise Midgeon se trata solamente de unas cuantas pecas. Vamos a desayunar y veamos qué piensan los demás... ¿Habrán colgado el letrero en todas las casas?

En cuanto entraron en el Gran Comedor comprendieron que el letrero de la profesora Umbridge no había aparecido únicamente en la torre de Gryffindor. En el comedor se percibía un rumor de una intensidad peculiar y una agitación mayor que la habitual: los alumnos iban y venían por sus mesas, comentando unos con otros lo que habían leído. Harry, Ron y Hermione acababan de sentarse cuando Neville, Dean, Fred, George y Ginny formaron un corro a su alrededor.

—¿Lo han visto?

—¿Creen que lo sabe?

—¿Qué piensan hacer?

Todos miraban a Harry, y él echó un vistazo alrededor para asegurarse de que no había ningún profesor cerca.

—Seguiremos adelante de todos modos, desde luego —dijo con serenidad.

—Sabía que dirías eso —repuso George, sonriente, y le dio una palmada en el brazo.

—¿Los prefectos también? —preguntó Fred observando inquisitivamente a Ron y a Hermione.

—Por supuesto —afirmó ella con frialdad.

—Miren, ahí vienen Ernie y Hannah Abbott —observó Ron, que había girado la cabeza—. Y esos de Ravenclaw y Smith... Y ninguno tiene muchos granos.

Hermione se veía alarmada.

—Olvídate de los granos. ¿Se han vuelto locos? No pueden venir aquí ahora, resultará sumamente sospechoso. ¡Siéntense! —les dijo a Ernie y a Hannah sin que se la oyera, pero moviendo exageradamente los labios y haciéndoles señas para que regresaran a la mesa de Hufflepuff—. ¡Más tarde! ¡Ya... hablaremos... más tarde!

—Se lo diré a Michael —terció Ginny, impaciente, y se levantó del banco—. Qué burros, francamente...

Fue corriendo hacia la mesa de Ravenclaw y Harry la siguió con la mirada. Cho estaba sentada cerca, hablando con la amiga del cabello rizado que la había acompañado a Cabeza de Puerco. ¿Y si el letrero de la profesora Umbridge la había asustado y no volvía a asistir a las reuniones?

Pero no comprendieron el alcance de las repercusiones del anuncio hasta que salieron del Gran Comedor y se encaminaron hacia la clase de Historia de la Magia.

—¡Harry! ¡Ron!

Era Angelina, que corría hacia ellos. Parecía absolutamente desesperada.

—No pasa nada —afirmó Harry en voz baja cuando Angelina se le acercó lo suficiente—. Seguiremos adelante de todos...

—¿Te das cuenta de que el quidditch está incluido en la prohibición? —le comentó Angelina—. ¡Tenemos que ir a pedirle permiso para volver a formar el equipo de Gryffindor!

—¡¿Qué?! —exclamó Harry, incrédulo.

—¡No puede ser! —dijo Ron, atónito.

—¡Ya han leído el letrero! ¡Incluye los equipos! Escucha, Harry... Te lo digo por última vez... ¡Por favor, no vuelvas a perder los estribos con la profesora Umbridge o no nos dejará jugar!

—Sí, sí —aseguró Harry, pues Angelina parecía a punto de llorar—. No te preocupes, me comportaré...

—Seguro que Umbridge está en Historia de la Magia —comentó Ron gravemente cuando emprendieron de nuevo el camino hacia la clase de Binns—. Todavía no ha supervisado a Binns... Me apuesto lo que quieras a que está allí...

Pero Ron se equivocaba: cuando entraron en el aula sólo encontraron al profesor Binns, que estaba flotando un par de centímetros por encima de su silla, como de costumbre, mientras se preparaba para continuar su monótono discurso sobre las guerras de los gigantes. Aquel día Harry ni siquiera intentó seguir lo que decía el profesor; se puso a garabatear, distraído, en su pergamino, ignorando las frecuentes miradas y los codazos de Hermione, hasta que un golpe particularmente doloroso en las costillas lo obligó a levantar la cabeza.

—¿Qué pasa? —preguntó con enojo.

Hermione señaló la ventana y Harry giró la cabeza. *Hedwig* estaba posada en el estrecho alféizar, mirándolo a través del grueso cristal, con una carta atada a la pata. Harry no lo entendía: acababan de desayunar, ¿por qué demonios no le había entregado la carta entonces, como hacía normalmente? Varios de sus compañeros de clase señalaban también a *Hedwig*.

—Siempre me ha encantado esa lechuza, es tan bonita… —oyó Harry que Lavender le comentaba a Parvati.

Entonces giró la cabeza y miró al profesor Binns, que continuaba leyendo sus notas con tranquilidad, sin darse cuenta de que los alumnos le prestaban aún menos atención de lo habitual. Harry se levantó con sigilo de la silla, se agachó y recorrió el pasillo hasta la ventana. Una vez allí, soltó el pestillo y la abrió muy despacio.

Suponía que *Hedwig* extendería la pata para que él pudiera retirar la carta, y que luego echaría a volar hacia la lechucería, pero en cuanto abrió la ventana lo suficiente, la lechuza dio un salto y entró, ululando lastimeramente. Harry cerró la ventana y miró preocupado al profesor Binns; después volvió a agacharse y regresó corriendo a su asiento con *Hedwig* sobre el hombro. Llegó a su silla, se puso a *Hedwig* en el regazo y empezó a retirar la carta que llevaba atada a la pata.

Entonces se dio cuenta de que su lechuza tenía las plumas muy alborotadas; unas cuantas estaban del revés, y tenía un ala en una extraña postura.

—¡Está herida! —susurró Harry agachando la cabeza. Hermione y Ron se inclinaron hacia él; Hermione hasta dejó la pluma—. Miren, le pasa algo en el ala...

Hedwig estaba temblando; cuando Harry le tocó el ala, la lechuza dio un respingo y se le erizaron las plumas, como si se le inflaran, y miró a su amo con reproche.

—Profesor Binns —dijo Harry en voz alta, y todos giraron la cabeza hacia él—, no me encuentro bien.

El profesor Binns levantó la vista de sus notas, sorprendido, como siempre, al ver que estaba ante un aula llena de alumnos.

—¿No se encuentra bien? —preguntó vagamente.

—No, me encuentro muy mal —aseguró Harry con firmeza, y escondiendo a *Hedwig* detrás de la espalda, se levantó—. Creo que necesito ir a la enfermería.

—Sí —repuso el profesor Binns, a quien Harry había pillado desprevenido—. Sí, ya... A la enfermería... Bueno, pues vaya, Perkins...

En cuanto salió del aula, Harry se puso a *Hedwig* sobre el hombro y echó a correr por el pasillo; sólo se paró a pensar cuando perdió de vista la puerta del aula de Binns. La persona idónea para curar a *Hedwig* habría sido Hagrid, por descontado, pero como no sabía dónde se hallaba su amigo, la única opción que tenía era encontrar a la profesora Grubbly-Plank y confiar en que lo ayudara.

Miró por la ventana hacia los jardines: el cielo estaba nublado y borrascoso. No había ni rastro de la profesora Grubbly-Plank cerca de la cabaña de Hagrid; si no estaba dando clase, seguramente estaría en la sala de profesores. Entonces Harry bajó por la escalera mientras *Hedwig* oscilaba sobre su hombro y ululaba débilmente.

Dos gárgolas de piedra flanqueaban la puerta de la sala de profesores. Cuando Harry se acercó, una de ellas dijo con voz ronca:

—Deberías estar en clase, hijito.

—Esto es urgente —contestó Harry con tono cortante.

—¡Oh! ¡Es urgente! ¿En serio? —repuso la otra gárgola con voz chillona—. ¡No me digas!

Harry llamó a la puerta. Oyó pasos, y entonces la puerta se abrió. Harry se encontró cara a cara con la profesora McGonagall.

—¡No habrán vuelto a castigarte! —exclamó ella inmediatamente, alarmada, mirándolo a través de sus gafas de montura cuadrada.

—No, profesora —contestó Harry.

—Entonces, ¿por qué no estás en clase?

—Por lo visto es urgente —afirmó la segunda gárgola con malicia.

—Busco a la profesora Grubbly-Plank —explicó Harry—. Es mi lechuza. Está herida.

—¿Una lechuza herida? —La profesora Grubbly-Plank apareció detrás de la profesora McGonagall, fumando una pipa y con un ejemplar de *El Profeta* en las manos.

—Sí —dijo Harry levantando con cuidado a *Hedwig* de su hombro—. Ha llegado más tarde que el resto de las lechuzas y no sé qué le pasa en el ala, mire...

La profesora Grubbly-Plank sujetó firmemente la pipa entre los dientes y tomó a *Hedwig* mientras la profesora McGonagall los miraba.

—Humm —dijo la profesora Grubbly-Plank. La pipa se le movía un poco cuando hablaba—. Parece que la han atacado. Pero no sé qué criatura puede habérselo hecho. A veces los thestrals atacan a los pájaros, desde luego, pero Hagrid tiene a los thestrals de Hogwarts muy bien entrenados para que no se acerquen a las lechuzas.

Harry ni sabía qué eran los thestrals ni le importaba; lo único que le interesaba saber era si *Hedwig* iba a ponerse bien. La profesora McGonagall, sin embargo, miró con dureza a Harry y le preguntó:

—¿Sabes si esta lechuza viene de muy lejos, Potter?

—Este... —dijo Harry—. Desde Londres, creo.

Harry miró brevemente a la profesora McGonagall, pero al ver que ésta fruncía el entrecejo, se dio cuenta de que la profesora había comprendido que «Londres» significaba en realidad «el número 12 de Grimmauld Place».

La profesora Grubbly-Plank sacó un monóculo de un bolsillo de su túnica y se lo colocó en un ojo para examinar meticulosamente el ala de *Hedwig*.

—Si me la dejas, intentaré averiguar qué le ha pasado, Potter —dijo—. De todos modos, no conviene que vuele largas distancias durante unos días.

—Bien..., gracias... —dijo Harry, y entonces sonó la campana que anunciaba el descanso.

—No pasa nada —dijo la profesora Grubbly-Plank con brusquedad; a continuación, se dio la vuelta y entró en la sala de profesores.

—¡Un momento, Wilhelmina! —exclamó la profesora McGonagall—. ¡La carta de Potter!

—¡Ah, sí! —dijo Harry, que había olvidado quitarle el rollo de pergamino a *Hedwig*.

La profesora Grubbly-Plank se lo entregó y a continuación desapareció en la sala de profesores con la lechuza, que miraba a su amo como si no pudiera creer que se hubiera desprendido de ella tan fácilmente. Harry, sintiéndose ligeramente culpable, se dio la vuelta para marcharse, pero la profesora McGonagall lo llamó:

—¡Potter!

—¿Sí, profesora?

La profesora McGonagall miró hacia ambos lados del pasillo, por donde empezaban a llegar alumnos.

—Recuerda —dijo rápidamente y en voz baja, mirando el pergamino que Harry tenía en la mano— que los canales de comunicación de entrada y de salida de Hogwarts podrían estar controlados.

—Ajá... —respondió Harry, pero el tropel de alumnos que se acercaba por el pasillo casi había llegado hasta donde se hallaban.

Entonces la profesora McGonagall hizo un brusco movimiento con la cabeza y entró en la sala de profesores, mientras que la multitud arrastró a Harry hacia el patio. Éste vio que Ron y Hermione estaban esperándolo en un rincón apartado, con el cuello de las capas levantado para protegerse del viento. Harry abrió el rollo de pergamino mientras iba hacia ellos y descubrió que sólo había cinco palabras escritas con la letra de Sirius:

Hoy, misma hora, mismo sitio.

—¿Cómo está *Hedwig*? —preguntó Hermione, preocupada, tan pronto como Harry llegó junto a ellos.

—¿Adónde la has llevado? —preguntó Ron a su vez.

—Se la he llevado a la profesora Grubbly-Plank —respondió Harry—. Y he visto a McGonagall... Escuchen...

Y les contó lo que había dicho la profesora McGonagall. Para sorpresa de Harry, ninguno de sus dos amigos se mostró sorprendido. Más bien al contrario: intercambiaron miradas de complicidad.

—¿Qué pasa? —inquirió Harry mirándolos con desconcierto.

—Bueno, precisamente estaba diciéndole a Ron... ¿Y si alguien ha intentado interceptar a *Hedwig*? Es la primera vez que llega herida de un vuelo, ¿verdad?

—Bueno, ¿de quién es la carta? —preguntó Ron quitándole la nota a Harry de las manos.

—De *Hocicos* —contestó Harry en voz baja.

—¿«Misma hora, mismo sitio»? ¿Se refiere a la chimenea de la sala común?

—Evidentemente —confirmó Hermione, que también había leído la nota. Parecía nerviosa—. Espero que nadie más haya visto esto...

—El rollo todavía estaba sellado —comentó Harry intentando convencerse también a sí mismo—. Y nadie entendería qué significa el mensaje si no sabe dónde hemos hablado con él la vez anterior, ¿no?

—No lo sé —dijo Hermione, angustiada. En ese momento volvió a sonar la campana y se colgó la mochila del hombro—. No sería muy difícil volver a sellar el rollo mediante magia... Y si hay alguien vigilando la Red Flu... Pero ¡no sé cómo vamos a decirle a *Hocicos* que no venga sin que nos intercepten a nosotros también!

A continuación bajaron cansinamente la escalera de piedra que conducía a las mazmorras donde daban la clase de Pociones. Iban los tres absortos en sus pensamientos, pero, cuando llegaron al final de la escalera, la voz de Draco Malfoy los sacó de su ensimismamiento. Draco estaba de pie junto a la puerta del aula de Snape y exhibía una hoja de pergamino de aspecto oficial mientras hablaba en voz mucho más alta de lo necesario para que lo oyera todo el mundo.

—Sí, la profesora Umbridge ha concedido permiso al equipo de quidditch de Slytherin para seguir jugando. He ido a pedírselo esta mañana a primera hora. Bueno, ha sido prácticamente automático, porque la profesora Umbridge conoce muy bien a mi padre, ya que mi padre frecuenta el Ministerio... Será interesante saber si al equipo de Gryffindor también le dan permiso para seguir jugando, ¿verdad?

—No se sulfuren —imploró con un susurro Hermione a Harry y a Ron, que miraban a Malfoy con los puños apretados y gesto amenazador—. Eso es precisamente lo que está buscando.

—Lo digo —prosiguió Malfoy levantando un poco más la voz y mirando a Harry y Ron con unos ojos que despedían malévolos destellos— porque si es cuestión de influencia en el Ministerio, no creo que tengan muchas posibilidades... Según dice mi padre, hace años que buscan un pretexto para despedir a Arthur Weasley... Y en cuanto a Potter... Mi padre dice que cualquier día el Ministerio lo envía para el Hospital San Mungo... Por lo visto tienen una planta reservada para gente a la que la magia ha trastornado.

Malfoy hizo una mueca grotesca, con la boca abierta y los ojos bizcos, Crabbe y Goyle se rieron a carcajadas, como de costumbre, y Pansy Parkinson soltó una risita idiota.

De pronto, Harry notó un golpe en el hombro que lo desvió hacia un lado. Unas milésimas de segundo más tarde, se dio cuenta de que Neville lo había apartado de un empujón e iba derechito hacia Malfoy.

—¡No, Neville!

Harry saltó hacia delante y agarró a Neville por la túnica; éste forcejeó con ímpetu, agitando los puños, e intentó abalanzarse sobre Malfoy, que durante un momento se quedó completamente perplejo.

—¡Ayúdenme! —gritó Harry.

Consiguió rodear el cuello de Neville con un brazo, tiró de él hacia atrás y lo alejó de los de Slytherin. Crabbe y Goyle se colocaron delante de Malfoy y flexionaron los brazos, listos para pelear. Ron agarró a Neville por los brazos, y Harry y él lograron volver a colocarlo en la fila de alumnos de Gryffindor. Neville estaba rojo como un tomate; la presión que Harry ejercía sobre su cuello hacía que apenas se le entendiera, pero seguía farfullando:

—No tiene... gracia... San Mungo..., ya verá...

Entonces se abrió la puerta de la mazmorra y Snape apareció en el umbral. Recorrió con sus negros ojos a los alumnos de Gryffindor hasta llegar a donde estaban Harry y Ron intentando sujetar a Neville.

—¿Peleando, Potter, Weasley, Longbottom? —preguntó Snape con su fría y socarrona voz—. Diez puntos menos para Gryffindor. Suelta a Longbottom, Potter, o serás castigado. Todos adentro.

Harry soltó a Neville, que se quedó mirándolo y jadeando.

—He tenido que frenarte —se excusó Harry entrecortadamente mientras recogía su mochila—. Crabbe y Goyle te habrían hecho pedazos.

Neville no dijo nada; se limitó a recoger su mochila y entró muy ofendido en la mazmorra.

—Por las barbas de Merlín —comentó Ron en voz baja mientras seguían a Neville—. ¿Qué le ha pasado?

Harry no contestó. Sabía perfectamente por qué aquella alusión a la gente que estaba en San Mungo con secuelas cerebrales a causa de la magia había afectado tanto a Neville, pero había jurado a Dumbledore que no revelaría a nadie el secreto de Longbottom. Ni siquiera el propio Neville podía imaginarse que Harry estaba al corriente.

Harry, Ron y Hermione se sentaron como siempre al fondo de la clase y sacaron pergamino, plumas y sus ejemplares de *Mil hierbas y hongos mágicos*. Sus compañeros de clase cuchicheaban sobre lo que acababa de hacer Neville, pero cuando Snape cerró la puerta de la mazmorra con un sonoro golpetazo, todos guardaron silencio de inmediato.

—Como verán —dijo Snape con su queda y socarrona voz—, hoy tenemos una invitada.

Señaló un oscuro rincón de la mazmorra y Harry vio a la profesora Umbridge sentada allí, con las hojas de pergamino agarradas con el sujetapapeles sobre las rodillas. Harry miró de reojo a Ron y a Hermione arqueando las cejas. Snape y Umbridge, los dos profesores que más odiaba: aunque era difícil decidir cuál prefería que triunfara.

—Hoy vamos a continuar con la solución fortificante. Encontrarán sus mezclas como las dejaron en la última clase; si las prepararon correctamente deberían haber madurado durante el fin de semana. Las instrucciones —agitó su varita— están en la pizarra. Ya pueden empezar.

La profesora Umbridge pasó la primera media hora de la clase tomando notas en su rincón. Harry estaba deseando escuchar cómo interrogaba a Snape, pero le interesaba tanto enterarse que estaba volviendo a descuidar su poción.

—¡Sangre de salamandra, Harry —le avisó Hermione por lo bajo, agarrándole la muñeca para impedir que añadiera un ingrediente equivocado por tercera vez—, no jugo de granada!

—Sí —dijo Harry, despistado. Luego empezó a verter el contenido de la botella en el caldero y siguió observando el rincón. La profesora Umbridge acababa de levantarse—. ¡Ja! —exclamó en voz baja al ver que la profesora caminaba dando zancadas entre dos hileras de pupitres hacia Snape, que estaba inclinado sobre el caldero de Dean Thomas.

—Bueno, parece que los alumnos están bastante adelantados para el curso que hacen —comentó la profesora Umbridge con brusquedad, dirigiéndose a Snape, que estaba de espaldas—. Aunque no estoy segura de que sea conveniente enseñarles a preparar una poción como la solución fortificante. Creo que el Ministerio preferiría que fuera eliminada del programa. —Snape se enderezó lentamente y se volvió para mirarla—. Dígame, ¿cuánto tiempo hace que enseña en Hogwarts? —le preguntó con la pluma apoyada en el pergamino.

—Catorce años —respondió Snape. La expresión de su rostro era insondable. Sin quitarle los ojos de encima al profesor, Harry añadió unas gotas más a su poción, que produjo un silbido amenazador y pasó del color turquesa al naranja.

—Tengo entendido que primero solicitó el puesto de Defensa Contra las Artes Oscuras, ¿no es así? —inquirió la profesora Umbridge.

—Sí —contestó Snape con serenidad.

—Pero ¿no lo consiguió?

Snape torció el gesto y respondió:

—Es obvio.

La profesora Umbridge anotó algo en sus pergaminos.

—Y desde que entró en el colegio ha solicitado con regularidad el puesto de Defensa Contra las Artes Oscuras, ¿verdad?

—Sí —contestó Snape, imperturbable, sin mover apenas los labios. Parecía muy enfadado.

—¿Tiene usted idea de por qué Dumbledore ha rechazado por sistema su solicitud? —inquirió la profesora Umbridge.

—Eso debería preguntárselo a él —dijo Snape entrecortadamente.

—Oh, lo haré, lo haré —dijo la profesora Umbridge componiendo una dulce sonrisa.

—Aunque no veo qué importancia puede tener eso —añadió Snape a la vez que entrecerraba sus ojos negros.

—¡Oh, ya lo creo que la tiene! —replicó la profesora Umbridge—. Sí, el Ministerio quiere conocer a la perfección el... pasado de los profesores.

Y entonces se dio la vuelta, fue hacia Pansy Parkinson y empezó a interrogarla sobre las clases. Snape giró la cabeza hacia donde estaba Harry y sus miradas se encontraron durante un momento. Harry bajó rápidamente la vista hacia su poción, que se había espesado, dando lugar a una masa asquerosa, y desprendía un intenso olor a goma quemada.

—Otro cero, Potter —dijo Snape con maldad, y vació el caldero de Harry con una sacudida de la varita—. Quiero que me escribas una redacción sobre la correcta composición de esta poción, indicando dónde y por qué te has equivocado, y que me la entregues en la próxima clase. ¿Entendido?

—Sí —contestó Harry, furioso.

Snape ya les había mandado un trabajo, y Harry tenía entrenamiento de quidditch aquella tarde; eso significaba que pasaría un par de noches más sin dormir. No podía creer que aquella mañana hubiera despertado contento. Lo único que sentía en ese instante era un intenso deseo de que el día llegara a su fin.

—A lo mejor me salto Adivinación —les comentó con desánimo a Ron y a Hermione en el patio, después de comer. El viento agitaba el bajo de sus túnicas y las alas de sus sombreros—. Fingiré que estoy enfermo y escribiré la redacción para Snape, así no tendré que pasar otra noche en blanco.

—No puedes saltarte Adivinación —le regañó Hermione con severidad.

—¡Mira quién habla! ¡Tú te has borrado de esa asignatura porque no soportas a la profesora Trelawney! —exclamó Ron, indignado.

—No la odio —aseguró Hermione con altivez—. Sencillamente pienso que es una profesora malísima y una farsante. Pero Harry ya se ha saltado Historia de la Magia y no creo que hoy deba perderse ninguna otra clase.

Hermione tenía razón, y a Harry no le quedó más remedio que hacerle caso. Media hora más tarde se encontraba envuelto en el caluroso y perfumado ambiente del aula de Adivinación, furioso con todo el mundo. La profesora Trelawney volvió a repartir ejemplares de *El oráculo de los sueños*. Harry estaba seguro de que emplearía mejor su tiempo haciendo la redacción que Snape le había puesto como castigo que permaneciendo allí sentado, intentando encontrar el significado de un montón de sueños inventados.

Sin embargo, resultó que Harry no era el único que estaba de mal humor. Dando un porrazo, la profesora Trelawney dejó un ejemplar del libro de texto sobre la mesa que había entre Harry y Ron, y se alejó con los labios fruncidos. Lanzó el siguiente ejemplar de *El oráculo* a Seamus y Dean, rozando la cabeza de Seamus, y el último libro se lo puso a Neville en el pecho con tanto ímpetu que éste se cayó del puf donde estaba sentado.

—¡Ya pueden empezar! —gritó la profesora Trelawney con una voz chillona y un tanto histérica—. ¡Ya saben lo que tienen que hacer! ¿O soy una profesora con un nivel de conocimientos tan bajo que ni siquiera les he enseñado a abrir un libro?

Los alumnos la observaron perplejos y luego se miraron unos a otros. Sin embargo, Harry creyó comprender cuál era el motivo del enfado de la profesora Trelawney. Cuando ella volvió haciendo aspavientos a su silla, con los ojos agrandados por las gafas de aumento y llenos de lágrimas de rabia, Harry inclinó la cabeza hacia Ron y murmuró:

—Me parece que ya ha recibido los resultados de su supervisión.

—Profesora... —dijo Parvati Patil con voz queda (Lavender y ella siempre habían admirado enormemente a la profesora Trelawney)—. Profesora, ¿le ocurre... algo?

—¡¿Si me ocurre algo?! —exclamó la profesora Trelawney con una voz cargada de emoción—. ¡No, claro que no! Me han insultado, desde luego... Han hecho insinuaciones contra mí... Han formulado acusaciones infundadas... Pero ¡no, no me ocurre nada! —Inspiró hondo con un estremecimiento y dejó de mirar a Parvati; las lágrimas resbalaban por debajo de sus gafas—. No me importa que no hayan tenido en cuenta mis dieciséis años de abnegado servicio... —prosiguió entrecortadamente—. Por lo visto eso ha pasado inadvertido... Pero ¡no voy a permitir que me insulten, no, señor!

—Pero profesora, ¿quién la ha insultado? —preguntó Parvati con timidez.

—¡Las autoridades! —contestó la profesora Trelawney con una voz grave, dramática y temblorosa—. Sí, aquellos que tienen los ojos tan cegados por las cosas vulgares que no pueden ver como yo veo, para saber como yo sé... Las videntes siempre han inspirado temor, desde luego; siempre han sido objeto de persecución... Ése es, lamentablemente, nuestro destino.

A continuación tragó saliva, se secó las mejillas con una punta del chal, sacó un pequeño pañuelo bordado de la manga de su túnica y se sonó la nariz, produciendo un ruido como el que producía Peeves al hacer pedorretas.

Ron rió por lo bajo y Lavender le lanzó una mirada de reprobación.

—Profesora... —dijo Parvati—, ¿se refiere a... la profesora Umbridge?

—¡No menciones a esa mujer en mi presencia! —gritó la profesora Trelawney poniéndose en pie; sus collares de cuentas tintinearon y sus gafas lanzaron destellos—. ¡Hagan el favor de seguir con su trabajo!

Y pasó el resto de la clase paseándose entre los alumnos. Las lágrimas continuaban brotando detrás de sus gafas y no paraba de murmurar lo que parecían amenazas.

—... podría presentar mi dimisión... Qué humillación... Ponerme en periodo de prueba... Ya veremos... Cómo se atreve...

—Parece que la profesora Umbridge y tú tienen algo en común —le dijo Harry a Hermione en voz baja cuando volvieron a verse en la clase de Defensa Contra las Artes Oscuras—. Es evidente que ella también opina que Trelawney es una farsante. La ha puesto en periodo de prueba.

En ese preciso instante, la profesora Umbridge entró en el aula luciendo su lazo de terciopelo negro y su típica expresión de suficiencia.

—Buenas tardes, chicos.

—Buenas tardes, profesora Umbridge —respondieron sombríamente los alumnos.

—Guarden las varitas, por favor.

Esa vez no hubo ningún revuelo porque nadie se había molestado en sacarla.

—Abran *Teoría de defensa mágica* por la página treinta y cuatro y lean el tercer capítulo, titulado «Razones para las respuestas no agresivas a los ataques mágicos». En...

—... silencio —dijeron a coro por lo bajo Harry, Ron y Hermione.

—Nada de entrenamientos de quidditch —murmuró Angelina con voz apagada aquella noche cuando Harry,

Ron y Hermione entraron en la sala común después de cenar.

—Pero ¡si he controlado mi genio! —exclamó Harry, horrorizado—. No le he dicho nada, Angelina, te lo juro...

—Ya lo sé, ya lo sé —dijo Angelina con tristeza—. Me ha dicho que necesita un poco de tiempo para pensarlo.

—Para pensar ¿qué? —preguntó Ron muy enojado—. A los de Slytherin les ha dado permiso. ¿Por qué no va a dárnoslo a nosotros?

Pero Harry se imaginaba cómo debía de estar disfrutando la profesora Umbridge al mantener la amenaza de disolver el equipo de quidditch de Gryffindor, y comprendía perfectamente por qué no quería renunciar demasiado pronto a utilizar aquel recurso contra ellos.

—Bueno —comentó Hermione—, mira la parte positiva del asunto. ¡Al menos ahora tendrás tiempo para escribir la redacción para Snape!

—¿Ésa es la parte positiva? —le espetó Harry mientras Ron miraba con incredulidad a Hermione—. ¿Una redacción de Pociones en lugar de un entrenamiento de quidditch?

Harry se dejó caer en una butaca, sacó a regañadientes de la mochila el material necesario para redactar su redacción de Pociones y se puso a trabajar. Pero le costaba mucho concentrarse, y aunque sabía que Sirius no aparecería en la chimenea hasta mucho más tarde, su mirada se dirigía de forma inconsciente hacia las llamas, por si acaso. Además, había muchísimo ruido en la sala común: parecía que Fred y George habían perfeccionado por fin una clase de golosinas del Surtido Saltaclases, y se turnaban para hacer una demostración de sus efectos ante un animado grupo de curiosos.

Primero, Fred mordía un trocito del extremo de color naranja de un chicle y empezaba a vomitar espectacularmente en un cubo que habían colocado delante de él. A continuación se tragaba, aunque con dificultad, el extremo de color morado del chicle, y los vómitos cesaban de inmediato. Lee Jordan, que desempeñaba la función de ayudante en la exhibición, hacía desaparecer el vómito, a intervalos regulares, con el mismo hechizo desvanecedor que Snape solía utilizar para eliminar las pociones que elaboraba Harry.

Entre el ruido de las vomiteras, los vítores y los gritos de Fred y George, que no paraban de anotar pedidos de sus compañeros, a Harry le resultaba muy difícil pensar cuál era el método correcto de elaboración de la solución fortificante. Hermione tampoco lo ayudaba nada, porque a Harry lo distraían sobre todo los resoplidos de desaprobación que su amiga dedicaba a las exclamaciones de entusiasmo y al ruido que los vómitos de los gemelos producían al caer en el fondo del cubo.

—Si tanto te molesta ¿por qué no vas y les dices que paren? —le preguntó Harry con irritación después de tachar por cuarta vez una medida equivocada de polvo de zarpa de grifo.

—No puedo, porque técnicamente no están haciendo nada malo —contestó Hermione apretando los dientes—. Están en su derecho de comerse esas porquerías, y no encuentro ninguna norma que diga que los idiotas que los aclaman no tengan derecho a comprarlas, a menos que esté demostrado que son peligrosas en algún sentido, y no parece que lo sean.

Hermione, Harry y Ron se quedaron mirando cómo George vomitaba a chorro en el cubo, se comía el resto del chicle y se enderezaba, sonriente y con los brazos extendidos, para recibir el prolongado aplauso de su público.

—La verdad es que no entiendo por qué Fred y George sólo aprobaron tres TIMOS cada uno —comentó Harry mientras observaba cómo los gemelos y Lee recogían las monedas de oro que les arrojaba el entusiasmado corro de alumnos—. Lo hacen muy bien.

—Sí, pero es que sólo saben hacer trucos espectaculares que no tienen ninguna aplicación práctica —apuntó Hermione con desdén.

—¿Ninguna aplicación práctica? —repitió Ron con crispación—. Hermione, ya llevan ganados unos veintiséis galeones.

Pasó un buen rato hasta que el corro que rodeaba a los gemelos Weasley se dispersó; entonces Fred, Lee y George se sentaron para contar sus beneficios, de modo que era más de medianoche cuando Harry, Ron y Hermione dispusieron por fin de la sala común para ellos solos. Fred había cerrado la puerta de los dormitorios de los chicos tras él, agitando ostentosamente su caja llena de galeones, y Hermione frunció el entrecejo. Harry, que no avanzaba mucho con su redacción de Pociones, decidió dejarlo por aquella noche. Cuando estaba guardando sus libros, Ron, que dormitaba en una butaca, soltó un gruñido ahogado, despertó y miró con cara de sueño la chimenea.

—¡Sirius! —exclamó.

Harry se volvió con brusquedad. La oscura y despeinada cabeza de su padrino había vuelto a aparecer entre las llamas.

—¡Hola! —saludó sonriente.

—¡Hola! —corearon Harry, Ron y Hermione, y se arrodillaron en la alfombra que había delante de la chimenea. *Crookshanks* se acercó al fuego, ronroneando ruidosamente, e intentó, pese al calor, acercar su cara a la de Sirius.

—¿Cómo va todo?

—No muy bien —contestó Harry mientras Hermione apartaba a *Crookshanks* para que no se chamuscara los bigotes—. El Ministerio ha aprobado otro decreto por el que quedan prohibidos los equipos de quidditch...

—... ¿y los grupos secretos de Defensa Contra las Artes Oscuras? —preguntó Sirius.

Hubo una breve pausa.

—¿Cómo sabes eso? —inquirió Harry.

—Deberían elegir con más cuidado sus lugares de reunión —repuso Sirius sonriendo abiertamente—. Mira que escoger Cabeza de Puerco, ¡menuda ocurrencia!

—¡Bueno, no me negarás que era mejor que Las Tres Escobas! —replicó Hermione a la defensiva—, porque ese local siempre está abarrotado de gente...

—Lo cual significa que no habría sido tan fácil que los oyeran —comentó Sirius—. Todavía tienes mucho que aprender, Hermione.

—¿Quién nos oyó? —preguntó Harry.

—Mundungus, por supuesto —respondió Sirius, y como todos parecían muy desconcertados, rió y añadió—: Era la bruja del velo negro.

—¿La bruja era Mundungus? —se extrañó Harry, atónito—. ¿Y qué hacía en Cabeza de Puerco?

—¿A ti qué te parece que hacía allí? —replicó Sirius, impaciente—. Vigilarte, claro.

—¿Todavía me siguen? —preguntó Harry con enojo.

—Sí —confirmó Sirius—, y me alegro de que así sea, si lo único que se te ocurre hacer en la primera excursión es organizar un grupo ilegal de defensa.

Pero Sirius no parecía ni enfadado ni preocupado, sino que, al contrario, miraba a Harry con evidente orgullo.

—¿Por qué se escondió Dung de nosotros? —inquirió Ron un tanto decepcionado—. A todos nos habría encantado verlo.

—Le prohibieron la entrada en Cabeza de Puerco hace veinte años —explicó Sirius—, y ese camarero tiene una memoria de elefante. Perdimos la capa invisible de recambio de Moody cuando detuvieron a Sturgis, de modo que últimamente Dung se disfraza a menudo de bruja... En fin, antes que nada, Ron, me he comprometido a hacerte llegar un mensaje de tu madre.

—¿Ah, sí? —dijo Ron con aprensión.

—Dice que ni se te ocurra, bajo ningún concepto, formar parte de un grupo secreto e ilegal de Defensa Contra las Artes Oscuras porque te expulsarán del colegio y arruinarás tu futuro. Dice que ya tendrás tiempo de aprender a defenderte por tus propios medios más adelante y que aún eres demasiado joven para preocuparte por esas cosas. Del mismo modo aconseja a Harry y a Hermione —Sirius dirigió la mirada hacia ellos— que no sigan adelante con el grupo, aunque admite que no tiene ninguna autoridad para ordenarles nada, pero simplemente les ruega que recuerden que sólo quiere lo mejor para ustedes. Le habría gustado explicarte todo esto por escrito, Ron, pero si hubieran interceptado la lechuza, habrías tenido graves problemas, y no te lo puede decir en persona porque esta noche está de guardia.

—¿De guardia? ¿Dónde? —preguntó rápidamente Ron.

—Eso no es asunto tuyo, son cosas de la Orden —respondió Sirius—. Así que me ha tocado a mí hacer de mensajero y asegurarme de que le comuniques que te he transmitido el mensaje, porque me parece que no se fía de mí.

Hubo otra pausa, durante la cual *Crookshanks*, que maullaba, intentó tocar con la pata la cabeza de Sirius, y Ron se puso a hurgar en un agujero que había en la alfombrilla.

—¿Qué quieres, que te diga que no voy a participar en el grupo de defensa? —murmuró finalmente.

—¿Yo? ¡Claro que no! —exclamó Sirius con sorpresa—. ¡Creo que es una idea excelente!

—¿Ah, sí? —dijo Harry, y se le levantaron los ánimos.

—¡Por supuesto! ¿Acaso crees que tu padre y yo nos habríamos quedado de brazos cruzados y habríamos aceptado las órdenes de una arpía como la profesora Umbridge?

—Pero... el curso pasado lo único que hiciste fue decirme que tuviera cuidado y que no me arriesgara...

—¡El curso pasado había indicios de que dentro de Hogwarts había alguien que intentaba matarte, Harry! —argumentó Sirius con impaciencia—. Este año sabemos que hay alguien fuera de Hogwarts que está deseando liquidarnos a todos, así que creo que es una idea estupenda que aprendan a defenderse ustedes mismos.

—¿Y si nos expulsan? —preguntó Hermione, desafiante.

—¡Todo esto fue idea tuya, Hermione! —gritó Harry mirándola fijamente.

—Ya lo sé. Sólo quería saber qué opinaba Sirius —replicó ella encogiéndose de hombros.

—Bueno, estarán mejor si los expulsan pero son capaces de defenderse, que si se quedan sentaditos a salvo en el colegio sin hacer nada —consideró Sirius.

—¡Eso, eso! —saltaron Harry y Ron con entusiasmo.

—Y bien —continuó Sirius—, ¿cómo piensan organizar ese grupo? ¿Dónde van a reunirse?

—Bueno, ése es un problema que todavía no hemos solucionado —admitió Harry—. No sabemos adónde podemos ir.

—¿Y la Casa de los Gritos? —propuso Sirius.

—¡Eh, no es mala idea! —exclamó Ron, pero Hermione puso cara de escepticismo y los tres la miraron.

—Verás, Sirius, es que en la Casa de los Gritos sólo se reunían cuatro cuando venían a este colegio —explicó Hermione—, y los cuatro podían transformarse en animales; supongo que también habrían podido apretujarse bajo una única capa invisible si hubieran querido. Pero nosotros somos veintiocho y ninguno es animago, así que no necesitaríamos una capa invisible, sino un toldo invisible...

—Tienes razón —coincidió Sirius, que parecía un poco alicaído—. Bueno, estoy seguro de que ya se les ocurrirá algo. Había un pasadizo secreto muy espacioso detrás de ese gran espejo del cuarto piso; allí quizá tendrían suficiente espacio para practicar embrujos.

—Fred y George me dijeron que está interceptado —dijo Harry haciendo un gesto negativo con la cabeza—. Creo que se derrumbó o algo así.

—Ah... —dijo Sirius frunciendo el entrecejo—. Bueno, ya lo pensaré y les...

Se interrumpió antes de terminar la frase. De pronto, su expresión se tornó tensa y alarmada. Se volvió hacia un lado y tuvieron la sensación de que intentaba encontrar algo en la sólida pared de ladrillo de la chimenea.

—¡Sirius! —dijo Harry, preocupado.

Pero Sirius había desaparecido. Harry se quedó mirando las llamas y luego se volvió hacia Ron y Hermione.

—¿Por qué ha...?

Entonces Hermione soltó un grito ahogado y se puso en pie de un brinco sin apartar la vista del fuego.

Entre las llamas había aparecido una mano que buscaba a tientas como si quisiera agarrar algo; era una mano de dedos cortos y regordetes llenos de feos y anticuados anillos.

Los tres echaron a correr. Al llegar a la puerta de los dormitorios de los chicos, Harry miró hacia atrás. La mano de la profesora Umbridge seguía agitándose entre las llamas con la intención de agarrar algo, como si supiera exactamente dónde había estado el cabello de Sirius hasta momentos antes y estuviera decidida a aferrarse a él.

18

El Ejército de Dumbledore

—La profesora Umbridge ha leído tu correo, Harry. No hay otra explicación.

—¿Crees que fue ella quien atacó a *Hedwig*? —preguntó Harry, indignado.

—Estoy prácticamente convencida de ello —respondió Hermione con gravedad—. Cuidado con la rana. Se te escapa.

Harry apuntó con la varita mágica a la rana mugidora que iba dando saltos hacia el otro extremo de la mesa. «*¡Accio!*», exclamó, y la rana, resignada, volvió a saltarle a la mano.

La clase de Encantamientos siempre había sido una de las mejores para charlar en privado con los compañeros; generalmente había tanto movimiento y tanta actividad que no había peligro de que te oyeran. Aquel día el aula estaba llena de ranas mugidoras que no paraban de croar y cuervos que graznaban sin cesar, y un intenso aguacero golpeaba y hacía vibrar los cristales de las ventanas, de modo que Harry, Ron y Hermione podían hablar en voz baja y comentar cómo la profesora Umbridge había estado a punto de atrapar a Sirius sin que nadie reparara en ello.

—Empecé a sospechar que la profesora Umbridge te controlaba el correo cuando Filch te acusó de encargar bombas fétidas, porque me pareció una mentira ridícula —prosiguió Hermione—. En cuanto hubiera leído tu carta habría quedado claro que no las estabas encargando, o sea, que no habrías tenido ningún problema. Es como un chiste malo, ¿no te parece? Pero entonces pensé: ¿y si alguien sólo buscaba un pretexto para leer tu correo? Ésa habría sido la excusa perfecta para la profesora Umbridge: le da el soplo a Filch, deja que él haga el trabajo sucio y que te confisque la carta; luego busca una forma de robársela o le exige que se la deje ver. No creo que Filch hubiera puesto objeciones porque ¿alguna vez ha defendido los derechos de los estudiantes? ¡Harry, estás apachurrando a tu rana! —Harry miró hacia abajo. Era verdad: estaba apretando tan fuerte a su rana que al animal casi se le saltaban los ojos. Entonces la dejó apresuradamente sobre el pupitre—. Anoche nos salvamos por un pelito —prosiguió Hermione—. Me pregunto si la profesora Umbridge es consciente de lo poco que le faltó. *¡Silencius!* —exclamó, y la rana con la que estaba practicando su encantamiento silenciador enmudeció a medio croar y la miró llena de reproche—. Si llega a atrapar a *Hocicos*...

Harry terminó la frase por ella:

—... seguramente habría vuelto a Azkaban esta misma mañana.

Luego agitó la varita mágica sin concentrarse mucho, y su rana se infló como un globo verde y empezó a emitir un agudo silbido.

—*¡Silencius!* —repitió Hermione con rapidez, apuntando con su varita a la rana de Harry, que se desinfló silenciosamente ante ellos—. Bueno, ahora ya sabemos que no debe hacerlo más. Pero no sé cómo vamos a comunicárselo. No podemos enviarle una lechuza.

—No creo que vuelva a arriesgarse —terció Ron—. No es estúpido, ya debe de saber que la profesora Umbridge estuvo a punto de atraparlo. *¡Silencius!* —dijo, y el enorme y desagradable cuervo que tenía delante soltó un graznido desdeñoso—. *¡Silencius! ¡SILENCIUS!* —repitió, y el cuervo graznó aún más fuerte.

—Es que no mueves la varita correctamente —comentó Hermione observando a Ron con mirada crítica—. No hay que sacudirla, sino darle un golpe seco.

—Con los cuervos es más difícil que con las ranas —se defendió él.

—Bien, cambiemos —propuso Hermione, que agarró el cuervo de Ron y puso su gruesa rana en su lugar—. *¡Si-*

lencius! —El cuervo siguió abriendo y cerrando el afilado pico, pero no emitió ningún sonido.

—¡Muy bien, señorita Granger! —dijo el profesor Flitwick con su vocecilla chillona, que sobresaltó a los tres amigos—. Y ahora veamos cómo lo haces tú, Weasley.

—¿Cómo...? Oh, sí, sí —repuso Ron muy aturullado—. Este... *¡silencius!*

Pero al apuntar a la rana con la varita dio un golpe tan brusco que le metió la punta en un ojo; la rana croó de forma ensordecedora y saltó del pupitre.

A nadie le sorprendió que a Harry y a Ron les pusieran como deberes que practicaran el encantamiento silenciador.

A la hora del recreo les permitieron quedarse dentro porque llovía. Los tres buscaron asientos en una ruidosa y abarrotada aula del primer piso donde Peeves flotaba con aire soñador, cerca de la araña; de vez en cuando, sin embargo, inflaba una burbuja de tinta sobre la cabeza de algún alumno. Cuando acababan de sentarse, Angelina fue hacia ellos abriéndose paso entre los grupos de estudiantes que chismeaban.

—¡Tengo el permiso! —exclamó—. ¡Podemos volver a formar el equipo de quidditch!

—¡Excelente! —respondieron Harry y Ron al unísono.

—Sí —continuó Angelina con una sonrisa de oreja a oreja—. Fui a hablar con la profesora McGonagall y creo que ella recurrió a Dumbledore. En fin, el caso es que la profesora Umbridge tuvo que ceder. ¡Ja! De modo que esta tarde quiero verlos en el campo a las siete en punto porque tenemos que recuperar el tiempo perdido. ¿Se dan cuenta de que sólo faltan tres semanas para nuestro primer partido?

Se alejó de ellos, esquivando por los pelos una burbuja de tinta de Peeves que fue a parar sobre la cabeza de un estudiante de primer curso, y se perdió de vista.

La amplia sonrisa de Ron disminuyó un tanto cuando éste miró por la ventana, a través de la cual ya no se veía nada, pues la lluvia había dejado los cristales opacos.

—Espero que pare de llover. ¿Y a ti qué te pasa, Hermione?

Hermione también miraba por la ventana, pero no observaba nada en concreto. Tenía la mirada perdida y el entrecejo fruncido.

—Estaba pensando... —murmuró sin dejar de mirar la ventana y la lluvia que golpeaba los cristales.

—¿En Sir... *Hocicos*? —apuntó Harry.

—No, no exactamente... Más bien... me preguntaba... Supongo que estamos haciendo lo correcto, ¿no?

Harry y Ron se contemplaron durante un momento.

—Bueno, eso lo aclara todo —dijo Ron—. Habría sido un fastidio que no te hubieras explicado adecuadamente.

Hermione lo miró como si acabara de reparar en su presencia.

—Me preguntaba —continuó con una voz más fuerte— si estamos haciendo lo correcto al organizar el grupo de Defensa Contra las Artes Oscuras.

—¿Qué? —dijeron Harry y Ron a la vez.

—¡Fuiste tú quien tuvo la idea, Hermione! —saltó Ron, indignado.

—Ya lo sé —admitió ella entrelazando los dedos—. Pero después de hablar con *Hocicos*...

—Pero si él nos apoya... —afirmó Harry.

—Sí —repuso su amiga, y volvió a mirar hacia la ventana—. Sí, precisamente por eso pensé que quizá no fuera tan buena idea después de todo...

Peeves flotó hacia ellos panza abajo, con una cerbatana preparada; automáticamente, los tres tomaron sus mochilas y se taparon con ellas la cabeza hasta que Peeves hubo pasado de largo.

—A ver si lo entiendo —dijo Harry de mala gana mientras volvían a dejar las mochilas en el suelo—: ¿Sirius está de acuerdo con nosotros y por eso tú crees que no deberíamos seguir con el proyecto?

Hermione parecía tensa y abochornada. Mirándose las manos, replicó:

—¿Tú confías sinceramente en su criterio?

—¡Pues claro! —exclamó Harry sin vacilar—. ¡Siempre nos ha dado buenos consejos!

Una burbuja de tinta pasó zumbando al lado de ellos y le dio de lleno en la oreja a Katie Bell. Hermione vio cómo ésta se ponía en pie y empezaba a lanzarle cosas a Peeves; pasados unos momentos, Hermione volvió a hablar, y tuvieron la impresión de que elegía las palabras con mucho cuidado.

—¿No crees que se ha vuelto... un poco... imprudente... desde que está encerrado en Grimmauld Place? ¿No crees que... en cierto modo... vive a través de nosotros?

—¿Qué quieres decir con eso de que «vive a través de nosotros»? —replicó Harry.

—Lo que quiero decir... Bueno, creo que a él le encantaría formar una sociedad secreta de defensa ante las narices de alguien del Ministerio... Creo que se siente muy frustrado por lo poco que puede hacer desde donde está... Y creo que, en cierto modo, es por eso por lo que nos incita a crear el grupo.

Ron estaba atónito.

—Sirius tiene razón —afirmó—. Hablas igual que mi madre.

Hermione se mordió la lengua y no dijo nada más. La campana sonó justo cuando Peeves descendía sobre Katie y le vaciaba un tintero lleno en la cabeza.

El tiempo no mejoró a lo largo del día, y a las siete en punto, cuando Harry y Ron bajaron resbalando por la mojada hierba hasta el campo de quidditch para el entrenamiento, quedaron empapados en cuestión de minutos. El cielo estaba gris oscuro y tormentoso, y sintieron un gran alivio cuando llegaron a los vestidores, cálidos e iluminados, pese a saber que la tregua sólo era pasajera. Encontraron allí a Fred y George, que estaban discutiendo si debían utilizar una golosina de su Surtido Saltaclases para no tener que volar.

—... pero seguro que nos descubriría —comentaba Fred con voz queda—. Ojalá ayer no le hubiera dicho que nos comprara unas cuantas pastillas vomitivas.

—Podríamos probar con un caramelo de la fiebre —murmuró George—. Eso todavía no lo ha visto nadie...

—¿Funcionan? —preguntó Ron, esperanzado. El golpeteo de la lluvia en el tejado se había intensificado y el viento aullaba alrededor del edificio.

—Bueno, sí —respondió Fred—. Te sube la temperatura, desde luego.

—Pero también te salen unos enormes granos llenos de pus —añadió George—. Y todavía no hemos encontrado la forma de hacerlos desaparecer.

—Yo no veo que tengan ningún grano —comentó Ron escudriñando las caras de los gemelos.

—No, bueno, es lógico —explicó Fred, compungido—. No están en un sitio que solamos mostrar en público.

—Pero te aseguro que duelen un montón cuando te sientas en una escoba.

—Muy bien, escúchenme todos —dijo de pronto Angelina con una voz atronadora. Acababa de salir del despacho del capitán—. Ya sé que no hace el tiempo ideal, pero cabe la posibilidad de que tengamos que jugar contra Slytherin en condiciones como éstas, así que no estará mal que nos acostumbremos a arreglárnoslas con ellas. Harry, ¿verdad que les hiciste algo a tus gafas para que la lluvia no las empañara cuando jugamos contra Hufflepuff en medio de aquella tormenta?

—Lo hizo Hermione —contestó Harry. Y sacó su varita, dio con ella unos golpecitos en sus gafas y dijo—: *¡Impervius!*

—Creo que todos deberíamos intentarlo —propuso Angelina—. Si conseguimos apartar la lluvia de nuestra cara, tendremos mejor visibilidad. Vamos, todos juntos: *¡Impervius!* Muy bien, en marcha.

Todos guardaron las varitas mágicas en los bolsillos interiores de las túnicas, se cargaron las escobas al hombro y salieron de los vestidores detrás de Angelina.

Fueron chapoteando por el barro, cada vez más profundo, hasta el centro del terreno de juego; la visibilidad seguía siendo muy escasa a pesar del encantamiento impermeabilizante; estaba oscureciendo y la cortina de lluvia impedía que se distinguiera el suelo.

—Muy bien, cuando dé la señal —gritó Angelina.

Harry pegó una patada en el suelo, salpicándolo todo de barro, y emprendió el vuelo. El viento lo desviaba ligeramente de su trayectoria. No tenía ni idea de cómo se las iba a ingeniar para distinguir la snitch con aquel tiempo, pues ya le costaba bastante ver la única bludger con la que practicaban. Cuando sólo llevaba un minuto volando, la bludger casi lo derribó de la escoba y tuvo que utilizar la voltereta con derrape para esquivarla. Desgraciadamente, Angelina no lo vio. De hecho, parecía que no veía nada; ninguno de los jugadores tenía ni idea de lo que estaban haciendo los otros. El viento arreciaba; incluso Harry oía a lo lejos el rumor y el martilleo de la lluvia aporreando la superficie del lago.

Angelina insistió durante casi una hora antes de admitir la derrota. Acompañó al empapado y contrariado equipo a los vestidores e intentó convencer a sus compañeros de que el entrenamiento no había sido una pérdida de tiempo, aunque no lo decía muy segura. Fred y George eran los que parecían más fastidiados; ambos caminaban con las piernas arqueadas y hacían muecas de dolor a cada momento. Harry los oyó quejarse por lo bajo mientras se secaba el pelo.

—Me parece que a mí se me han reventado unos cuantos —comentó Fred con voz apagada.

—A mí no —replicó George apretando los dientes—. Me duelen muchísimo. Creo que se han hecho aún más grandes.

—¡Ay! —exclamó entonces Harry.

Cerró los ojos y se tapó la cara con la toalla. Había vuelto a notar una punzada de dolor en la cicatriz, más fuerte que las de las últimas semanas.

—¿Qué pasa? —le preguntaron varias voces.

Harry se retiró la toalla de la cara. Veía el interior del vestidor borroso porque no llevaba las gafas, pero aun así se dio cuenta de que todo el mundo se había vuelto hacia él.

—Nada —masculló—. Me he metido un dedo en un ojo.

Pero lanzó una mirada de complicidad a Ron, y ambos se quedaron rezagados cuando el resto del equipo salió del vestidor, envueltos en sus capas y con los sombreros calados hasta las orejas.

—¿Qué te ha pasado? —le preguntó Ron en cuanto Alicia hubo salido por la puerta—. ¿Ha sido la cicatriz? —Harry asintió con la cabeza—. Pero... —Ron, asustado, fue hacia la ventana y miró al exterior—. No puede estar por aquí cerca, ¿verdad que no?

—No —dijo Harry sentándose en un banco y frotándose la frente—. Seguramente está a kilómetros de distancia. Me ha dolido porque... está furioso.

Harry había pronunciado aquellas palabras sin haberlas pensado, y al escucharlas tuvo la sensación de que las había dicho otra persona. Sin embargo, supo inmediatamente que era cierto. No sabía cómo lo sabía, pero lo sabía: Voldemort, estuviera donde estuviese, hiciera lo que hiciese, estaba de muy mal humor.

—¿Lo has visto? —le preguntó Ron, horrorizado—. ¿Has tenido... una visión o algo así?

Harry se quedó muy quieto, mirándose los pies, y dejó que la mente y la memoria se le relajaran tras el momento de dolor.

Una desordenada maraña de sombras, un torrente de voces...

—Quiere que alguien haga algo, pero no va tan deprisa como a él le gustaría —dijo.

Una vez más, le sorprendió escuchar las palabras que salían por su boca, aunque a pesar de todo estaba convencido de que lo que acababa de decir era verdad.

—Pero... ¿cómo lo sabes? —inquirió Ron.

Harry hizo un gesto negativo con la cabeza y se tapó los ojos con las manos, apretándolos con las palmas. Vio surgir unas pequeñas estrellas en la oscuridad. Percibía la presencia de Ron a su lado, en el banco, y sabía que su amigo lo miraba fijamente.

—¿Has sentido lo mismo que la última vez, cuando te dolió la cicatriz en el despacho de la profesora Umbridge? —le preguntó Ron con voz queda—. Es decir, ¿que Quien-tú-sabes estaba enfadado? —Harry negó de nuevo con la cabeza—. Entonces, ¿qué es?

Harry hizo memoria. En aquella ocasión había estaba mirando a la profesora Umbridge a la cara... Le había dolido la cicatriz... y había notado algo raro en el estómago..., un extraño aleteo..., una sensación de júbilo... Pero, como es lógico, no la había reconocido, porque él se sentía muy desgraciado...

—La última vez me dolió porque él estaba contento —explicó—. Muy contento. Creía... que iba a pasar algo bueno. Y la noche antes de que viniéramos a Hogwarts... —recordó el momento en que le había dolido mucho la cicatriz en el dormitorio que compartía con Ron en Grimmauld Place...— estaba furioso...

Miró a Ron, que lo observaba a su vez con la boca abierta.

—Podrías quitarle la plaza a la profesora Trelawney, Harry —murmuró, sobrecogido.

—No estoy haciendo profecías —replicó Harry.

—De acuerdo, pero ¿sabes lo que estás haciendo? —sentenció Ron, entre asustado e impresionado—. ¡Le estás leyendo la mente a Quien-tú-sabes, Harry!

—No —corrigió éste moviendo negativamente la cabeza—. Más que su mente es su... estado de ánimo, supongo. Recibo impresiones del estado de ánimo que tiene. Dumbledore me habló de esto el año pasado. Dijo que yo percibía cuándo Voldemort estaba cerca de mí, o cuándo sentía odio. Pues bien, ahora también noto cuándo está contento...

Hubo una pausa. El viento y la lluvia azotaban el edificio.

—Tienes que contárselo a alguien —sugirió Ron.

—La última vez se lo conté a Sirius.

—¡Pues cuéntale lo que te ha pasado ahora!

—No puedo, Ron —reflexionó Harry con gravedad—. La profesora Umbridge vigila las lechuzas y las chimeneas, ¿no te acuerdas?

—Entonces cuéntaselo a Dumbledore.

—Él ya lo sabe, acabo de decírtelo —dijo Harry de manera cortante. Se puso en pie, tomó su capa del colgador y se la echó sobre los hombros—. No tiene sentido volver a contárselo.

Ron se abrochó el cierre de la capa mientras observaba atentamente a su amigo.

—A Dumbledore le gustaría saberlo —afirmó.

Harry se encogió de hombros.

—Vamos, todavía tenemos que practicar los encantamientos silenciadores.

Recorrieron los oscuros jardines hasta el castillo, resbalando y tropezando por la hierba fangosa, pero no hablaron. Harry iba pensando. ¿Qué debía de ser lo que Voldemort quería que alguien hiciera, y que no se hacía suficientemente deprisa?

«... tiene otros planes, unos planes que puede poner en marcha con mucha discreción... Cosas que sólo puede conseguir furtivamente... Como un arma. Algo que no tenía la última vez.»

Harry no había vuelto a pensar en aquellas palabras desde hacía semanas; estaba demasiado absorto en lo que estaba ocurriendo en Hogwarts, demasiado ocupado pensando en las batallas con la profesora Umbridge, en la injusticia de la intromisión del Ministerio... Pero en ese momento las recordó y le hicieron reflexionar. Cabía la posibilidad de que Voldemort estuviera furioso porque todavía no había podido hacerse con el arma, fuera cual fuese. ¿Habría desbaratado la Orden sus planes, habría impedido que se apoderara de ella? ¿Dónde estaba guardada? ¿Quién la tenía?

—*¡Mimbulus mimbletonia!* —pronunció Ron, y Harry salió de su ensimismamiento justo a tiempo para pasar por la abertura del retrato y entrar en la sala común.

Por lo visto Hermione se había acostado temprano, pero había dejado a *Crookshanks* acurrucado en una butaca y un surtido de gorros de elfo de punto, llenos de nudos, sobre una mesa junto al fuego. Harry se alegró de que Hermione no estuviera allí, porque no le apetecía seguir hablando del dolor de su cicatriz ni que su amiga insistiera en que fuera a hablar con Dumbledore. Ron no paraba de lanzarle miradas de inquietud, pero Harry sacó sus libros de Encantamientos y se puso a terminar la redacción, aunque lo único que hacía era fingir que estaba concentrado. Cuando Ron anunció que él también se iba a la cama, Harry no había escrito casi nada.

Pasó la medianoche, y Harry continuaba leyendo y releyendo un párrafo sobre los usos de la coclearia, el ligústico y la tármica sin entender ni una sola palabra.

«Estas plantas resultan muy eficaces para la inflamación del cerebro, y de ahí que se empleen corrientemente en la fabricación de filtros para confundir y ofuscar, o allí donde el mago pretenda producir exaltación e imprudencia...»

... Hermione decía que Sirius estaba volviéndose imprudente porque se hallaba encerrado en Grimmauld Place...

«... muy eficaces para la inflamación del cerebro, y de ahí que se empleen corrientemente...»

... *El Profeta* creería que Harry tenía el cerebro inflamado si se enteraba de que sabía lo que sentía Voldemort...

«... corrientemente en la fabricación de filtros para confundir y ofuscar...»

... «Confundir» era la palabra, sin duda; ¿por qué sabía él lo que sentía Voldemort? ¿Qué era aquella extraña conexión entre ambos que Dumbledore nunca había sido capaz de explicar satisfactoriamente?

«... o allí donde el mago pretenda...»

... Qué sueño le estaba entrando a Harry...

«... producir exaltación...»

... Estaba tan calentito y cómodo en su butaca junto al fuego, escuchando el repiqueteo de la lluvia en los cristales de las ventanas, el ronroneo de *Crookshanks* y el chisporroteo de las llamas...

El libro que Harry tenía en las manos resbaló y cayó sobre la alfombra de la chimenea, produciendo un ruido sordo. Harry ladeó la cabeza...

Volvía a caminar por un pasillo sin ventanas, y sus pasos resonaban en el silencio. La puerta que había al fondo fue aumentando de tamaño; el corazón de Harry latía muy deprisa por la emoción... Si pudiera abrirla, si pudiera pasar por ella...

Extendió un brazo... Las yemas de sus dedos estaban a sólo unos centímetros de la puerta...

—¡Harry Potter!

Harry despertó sobresaltado. Todas las velas de la sala común se habían apagado, pero vio que algo se movía cerca de él.

—¿Quién está ahí? —preguntó incorporándose en la butaca. El fuego estaba casi apagado, y la estancia, oscura.

—¡Dobby tiene su lechuza, señor! —dijo una vocecilla chillona.

—¿Dobby? —se extrañó Harry con una voz pastosa, y escudriñó la oscuridad hacia el sitio de donde procedía el sonido.

Dobby, el elfo doméstico, estaba de pie junto a la mesa donde Hermione había dejado media docena de gorros de punto. Sus grandes y puntiagudas orejas sobresalían por debajo de lo que Harry sospechó que eran todos los gorros de lana que Hermione había tejido hasta entonces; los llevaba uno encima de otro, y su cabeza parecía dos o tres palmos más larga. En lo alto de la borla del último gorro estaba posada *Hedwig*, que ululaba tranquilamente y, según todos los indicios, curada.

—Dobby se ofreció de voluntario para devolverle la lechuza a Harry Potter —explicó el elfo con voz de pito mientras miraba con manifiesta adoración a Harry—. La profesora Grubbly-Plank opina que ya está bien, señor —añadió, e hizo una exagerada reverencia hasta que su puntiaguda nariz rozó la raída alfombra de la chimenea. *Hedwig* soltó un ululato de indignación y voló hasta el brazo de la butaca de Harry.

—¡Gracias, Dobby! —exclamó el chico al mismo tiempo que acariciaba la cabeza de su lechuza y pestañeaba para borrar de su mente la imagen de la puerta que había visto en sueños y que parecía tan real...

Entonces miró con más detenimiento a Dobby y vio que el elfo también llevaba varias bufandas e innumerables calcetines, de modo que sus pies parecían desmesurados para su cuerpo.

—Oye, ¿has tomado todas las prendas que Hermione ha dejado por ahí?

—¡Oh, no, señor! —repuso Dobby alegremente—. Dobby también ha tomado unas cuantas para Winky, señor.

—¡Ah, sí! ¿Cómo está Winky? —le preguntó Harry.

Dobby agachó ligeramente las orejas.

—Winky todavía bebe mucho, señor —afirmó con pesar, mirando al suelo con sus enormes, redondos y verdes ojos, del tamaño de pelotas de tenis—. Siguen sin interesarle las prendas de ropa, Harry Potter. Y a los otros elfos domésticos tampoco. Ya nadie quiere limpiar la torre de Gryffindor porque hay gorros y calcetines escondidos por todas partes; los encuentran insultantes, señor. Dobby lo hace todo él solo, señor, pero a Dobby no le importa, señor, porque él siempre confía en encontrarse a Harry Potter, y esta noche, señor, ¡se ha cumplido su deseo! —El elfo volvió a hacer una reverencia—. Pero Harry Potter no parece contento —prosiguió Dobby, enderezándose de nuevo y mirando tímidamente a Harry—. Dobby lo ha oído hablar en sueños. ¿Tenía Harry Potter pesadillas?

—Sí, aunque no eran muy desagradables —explicó Harry bostezando y frotándose los ojos—. Las he tenido peores.

El elfo contempló a Harry con sus enormes ojos como esferas. Entonces se puso muy serio y, agachando las orejas, dijo:

—A Dobby le encantaría poder ayudar a Harry Potter, porque Harry Potter le dio la libertad a Dobby, y Dobby es mucho, mucho más feliz ahora.

Harry sonrió.

—No puedes ayudarme, Dobby, pero gracias de todos modos.

Se agachó y recogió su libro de Pociones. Tendría que intentar terminar la redacción al día siguiente. Cerró el libro, y en ese instante la luz del fuego iluminó las delgadas cicatrices blancas que tenía en el dorso de la mano, resultado de sus castigos con la profesora Umbridge.

—Un momento, quizá sí puedas hacerme un favor, Dobby —dijo Harry muy despacio.

El elfo miró a Harry sonriente.

—¡Harry Potter sólo tiene que pedírmelo, señor!

—Necesito encontrar un sitio donde veintiocho personas puedan practicar Defensa Contra las Artes Oscuras sin que las descubra ningún profesor, sobre todo —añadió, agarrando con tanta fuerza el libro que las cicatrices brillaron con un tono blanco y perlado— la profesora Umbridge.

Se había imaginado que la sonrisa del elfo desaparecería con rapidez y que Dobby agacharía las orejas o diría que eso era imposible, o como mucho que intentaría buscar algún sitio, pero se equivocó. Lo que no esperaba era que Dobby pegara un saltito, agitando alegremente las orejas, y diera una palmada.

—¡Dobby conoce el sitio perfecto, señor! —exclamó—. Dobby oyó hablar de él a los otros elfos domésticos cuando llegó a Hogwarts, señor. ¡Lo llamamos la Sala que Viene y Va, señor, o la Sala de los Menesteres!

—¿Por qué la llaman así? —preguntó Harry, intrigado.

—Porque es una sala en la que uno sólo puede entrar —explicó Dobby poniéndose muy serio— cuando tiene verdadera necesidad. A veces está allí y a veces no, pero cuando aparece siempre está equipada para satisfacer las necesidades de la persona que la busca. Dobby la ha utilizado en algunas ocasiones, señor —añadió el elfo bajando la voz, como si tuviera remordimientos—, cuando Winky estaba muy borracha; Dobby la ha escondido en la Sala de los Menesteres y ha encontrado allí antídotos contra la cerveza de mantequilla, y una bonita cama de tamaño adecuado para los elfos donde ponerla a dormir, señor... Y Dobby sabe que el señor Filch ha encontrado allí productos de limpieza extra cuando se le han terminado, señor, y...

—Y si necesitas urgentemente un baño —terció Harry, que de pronto había recordado algo que había dicho Dumbledore en el baile de Navidad el curso anterior—, ¿se llena de orinales?

—Dobby se imagina que sí, señor —afirmó el elfo asintiendo enérgicamente con la cabeza—. Es una sala muy especial, señor.

—¿Cuánta gente conoce su existencia? —le preguntó Harry enderezándose un poco más en la butaca.

—Muy poca, señor. La mayoría tropiezan con ella cuando la necesitan, señor, pero no suelen volver a encontrarla porque no saben que siempre está allí esperando a que se solicite su servicio, señor.

—¡Parece estupendo! —exclamó Harry muy animado—. ¡Parece perfecto, Dobby! ¿Cuándo podrás enseñarme dónde está?

—Cuando Harry Potter quiera, señor —repuso Dobby, que se mostraba encantado con el entusiasmo del chico—. ¡Podríamos ir ahora mismo si así lo quiere Harry Potter!

Harry estuvo tentado de ir con Dobby a buscar la Sala de los Menesteres. Ya se estaba levantando de la butaca, con la intención de subir a toda prisa a su dormitorio para tomar la capa invisible, cuando una voz (que no era la primera vez que oía) que se parecía mucho a la de Hermione le susurró al oído: «Imprudente.» Realmente era muy tarde y estaba agotado.

—Esta noche no, Dobby —dijo Harry a regañadientes, y volvió a sentarse en la butaca—. Esto es muy importante... No quisiera estropearlo, necesito planearlo todo muy bien. Oye, ¿puedes decirme dónde está con exactitud esa Sala de los Menesteres, y cómo entrar en ella?

Las túnicas ondeaban al viento y se les enroscaban alrededor del cuerpo mientras atravesaban chapoteando los inundados huertos para asistir a una clase de dos horas de Herbología. El martilleo de las gotas de lluvia, duras como piedras de granizo, apenas les dejaba oír lo que les decía la profesora Sprout. Aquella tarde la clase de Cuidado de Criaturas Mágicas tuvo que trasladarse de los jardines, azotados por la tormenta, a un aula libre de la planta baja, y para gran alivio de los miembros del equipo de quidditch, Angelina se había dirigido a ellos a la hora de la comida para informarles de que se había suspendido el entrenamiento.

—Genial —comentó Harry en voz baja cuando Angelina se lo comunicó—, porque hemos encontrado un sitio para celebrar nuestra primera reunión de defensa. Hoy a las ocho en punto en el séptimo piso, frente al tapiz en que los trols están dándole garrotazos a Barnabás *el Chiflado*. ¿Podrás avisar a Katie y a Alicia?

Angelina se mostró un poco acobardada, pero prometió decírselo a las demás. Harry, que estaba muerto de hambre, siguió comiendo salchichas y puré de papa. Cuando levantó la cabeza para beber un sorbo de jugo de calabaza, vio que Hermione lo observaba atentamente.

—¿Qué pasa? —le preguntó con la boca llena.

—Bueno... Es que no sé si debemos fiarnos de Dobby. ¿No te acuerdas de que te dejó sin huesos en un brazo?

—Esa sala no es una idea descabellada de Dobby. Dumbledore también la conoce, me habló de ella en el baile de Navidad.

La expresión de Hermione se relajó un tanto.

—¿Dumbledore te habló de ella?

—Sólo de pasada —comentó Harry encogiéndose de hombros.

—Ah, bueno, entonces de acuerdo —dijo Hermione con decisión, y ya no puso más reparos.

Harry, Ron y Hermione habían dedicado gran parte del día a buscar a los compañeros que habían firmado en la lista para decirles dónde iban a reunirse aquella noche. Por desgracia para Harry, fue Ginny la que encontró primero a Cho y a su amiga; finalizada la cena estaba convencido de que la noticia ya había llegado a las veinticinco personas que habían acudido a la cita del pub.

A las siete y media, los tres amigos salieron de la sala común de Gryffindor. Harry llevaba un trozo de pergamino viejo en una mano. Los alumnos de quinto curso podían estar en los pasillos hasta las nueve en punto, pero aun así los tres volvían continuamente la cabeza, nerviosos, mientras se dirigían hacia el séptimo piso.

—Un momento —dijo Harry al llegar al final del último tramo de escaleras, y desenrolló el trozo de pergamino. Le dio un golpe con la varita y recitó en voz baja—: ¡Juro solemnemente que mis intenciones no son buenas!

Un mapa de Hogwarts apareció en la superficie en blanco del pergamino. Unos diminutos puntos negros móviles, etiquetados con nombres, mostraban dónde se encontraban en aquel momento algunas personas.

—Filch está en el segundo piso —afirmó Harry acercándose el mapa a los ojos—. Y la *Señora Norris* está en el cuarto.

—¿Y la profesora Umbridge? —le preguntó Hermione, inquieta.

—En su despacho —contestó él, y lo señaló—. Bien, sigamos. —Echaron a andar a buen ritmo por el pasillo hasta el lugar que Dobby le había descrito a Harry: un tramo vacío de pared frente a un enorme tapiz que representaba el absurdo intento de Barnabás *el Chiflado* de enseñar ballet a los trols—. Muy bien —dijo Harry en voz baja mientras un apolillado trol dejaba por un momento de aporrear despiadadamente a su frustrado profesor de ballet para observarlos—. Dobby dijo que teníamos que pasar tres veces por delante de este trozo de pared, concentrándonos en lo que necesitamos.

Así lo hicieron: dieron media vuelta bruscamente al llegar a la ventana que había más allá del tramo vacío de pared, y luego regresaron al alcanzar el jarrón del tamaño de una persona que había en el otro extremo. Ron tenía los ojos cerrados con fuerza, Hermione susurraba algo y Harry tenía los puños apretados y miraba al frente.

«Necesitamos un sitio donde aprender a luchar... —pensó—. Danos un sitio donde practicar... Un sitio donde no puedan encontrarnos...»

—¡Harry! —exclamó Hermione cuando se dieron la vuelta después de hacer el recorrido por tercera vez.

Una puerta de brillante madera había aparecido en la pared. Ron la miraba fijamente y parecía un poco receloso.

Harry extendió un brazo, agarró el picaporte de latón, abrió y entró el primero en una amplia estancia en la que ardían parpadeantes antorchas como las que iluminaban las mazmorras, ocho pisos más abajo.

Las paredes estaban cubiertas de estanterías de madera, y en lugar de sillas había unos enormes cojines de seda en el suelo. En unos estantes, en la pared del fondo de la sala, se veían una serie de instrumentos, como chivatoscopios, sensores de ocultamiento y un gran reflector de enemigos rajado que Harry estaba seguro de haber visto el año anterior en el despacho del falso Moody.

—Esto nos vendrá muy bien cuando practiquemos hechizos aturdidores —comentó Ron con entusiasmo dándole unos golpecitos con el pie a uno de los cojines.

—¡Y miren los libros! —gritó Hermione, emocionada, mientras pasaba un dedo por los lomos de los grandes volúmenes encuadernados en piel—. *Compendio de maldiciones básicas y cómo combatirlas... Cómo burlar las artes oscuras... Hechizos de autodefensa...* ¡Uf! —Radiante, se volvió y miró a Harry, quien comprendió que la presencia de aquellos cientos de libros había convencido definitivamente a Hermione de que lo que estaban haciendo era correcto—. Esto es fabuloso, Harry. ¡Aquí está todo lo que necesitamos!

Y sin más preámbulos, agarró *Embrujos para embrujados* del estante, se sentó en el primer cojín que encontró y se puso a leer.

Entonces oyeron unos golpecitos en la puerta. Harry se dio la vuelta. Habían llegado Ginny, Neville, Lavender, Parvati y Dean.

—¡Vaya! —exclamó Dean observando lo que lo rodeaba impresionado—. ¿Qué es esto?

Harry empezó a explicárselo, pero antes de que hubiera terminado llegó más gente y tuvo que empezar de nuevo. A las ocho en punto todos los cojines ya estaban ocupados. Harry fue hacia la puerta y giró la llave que había en la cerradura con un ruido lo bastante alto para convencer a los asistentes; éstos, por su parte, guardaron silencio y se quedaron mirando a Harry. Hermione marcó con cuidado la página que estaba leyendo de *Embrujos para embrujados* y dejó el libro a un lado.

—Bueno —dijo Harry un poco nervioso—. Éste es el sitio que hemos encontrado para nuestras sesiones de prácticas, y por lo que veo... todos lo aprueban.

—¡Es fantástico! —exclamó Cho, y varias personas expresaron también su aprobación.

—Qué raro —comentó Fred echando un vistazo a su alrededor con la frente arrugada—. Una vez nos escondimos de Filch aquí, ¿te acuerdas, George? Pero entonces esto no era más que un armario de escobas.

—Oye, Harry, ¿qué es eso? —preguntó Dean desde el fondo de la sala, señalando los chivatoscopios y el reflector de enemigos.

—Detectores de tenebrismo —contestó Harry, y fue hacia ellos sorteando los cojines—. Indican cuándo hay enemigos o magos tenebrosos cerca, pero no hay que confiar demasiado en ellos porque se les puede engañar... —Miró un momento en el rajado reflector de enemigos; dentro se movían unas figuras oscuras, aunque ninguna estaba muy definida. Luego se dio la vuelta—. Bueno, he estado pensando por dónde podríamos empezar y... —Vio una mano levantada—. ¿Qué pasa, Hermione?

—Creo que deberíamos elegir un líder —sugirió ella.

—Harry es el líder —saltó Cho mirando a Hermione como si estuviera loca.

A Harry volvió a darle un vuelco el corazón.

—Sí, pero creo que deberíamos realizar una votación en toda regla —afirmó Hermione sin inmutarse—. Queda más serio y le confiere autoridad a Harry. A ver, que levanten la mano los que opinan que Harry debería ser nuestro líder.

Todos levantaron la mano, incluso Zacharias Smith, aunque lo hizo sin entusiasmo.

—Bueno, gracias —dijo Harry, que tenía las mejillas ardiendo—. Y... ¿qué pasa, Hermione?

—También creo que deberíamos tener un nombre —propuso alegremente sin bajar la mano—. Eso fomentaría el espíritu de equipo y la unidad, ¿no les parece?

—Podríamos llamarnos Liga AntiUmbridge —terció Angelina.

—O Grupo Contra los Tarados del Ministerio de Magia —sugirió Fred.

—Yo había pensado —insinuó Hermione mirando ceñuda a Fred— en un nombre que no revelara tan explícitamente a qué nos dedicamos, para que podamos referirnos a él sin peligro fuera de las reuniones.

—¿Entidad de Defensa? —aventuró Cho—. Podríamos abreviarlo ED y nadie sabría de qué estamos hablando.

—Sí, ED me parece bien —intervino Ginny—. Pero sería mejor que fueran las siglas de Ejército de Dumbledore, porque eso es lo que más teme el Ministerio, ¿no?

El comentario de Ginny fue recibido con risas y murmullos de conformidad.

—¿Están todos a favor de ED? —preguntó Hermione en tono autoritario, y se arrodilló en el cojín para contar—. Sí, hay mayoría. ¡Moción aprobada!

Clavó el trozo de pergamino donde habían firmado todos en la pared, y en lo alto escribió con letras grandes:

EJÉRCITO DE DUMBLEDORE

—Muy bien —dijo Harry cuando Hermione se hubo sentado de nuevo—, ¿empezamos a practicar? He pensado que lo primero que deberíamos hacer es practicar el *expelliarmus*, es decir, el encantamiento de desarme. Ya sé que es muy elemental, pero lo encontré muy útil...

—¡Vaya, hombre! —exclamó Zacharias Smith mirando al techo y cruzándose de brazos—. No creo que el *expelliarmus* nos ayude mucho si tenemos que enfrentarnos a Quien-tú-sabes.

—Yo lo utilicé contra él —dijo Harry con serenidad—. En junio, ese encantamiento me salvó la vida. —Smith se quedó con la boca abierta, con cara de estúpido. Los demás estudiantes estaban muy callados—. Pero si crees que está por debajo de tus conocimientos, puedes marcharte —añadió Harry. Smith no se movió. Los demás tampoco—. Bien —continuó Harry. Había tantos ojos fijos en él que se le estaba secando la boca—. Podríamos dividirnos en parejas y practicar.

A Harry le resultaba muy extraño dar instrucciones, pero más extraño aún le resultaba ver que los demás las seguían. Todos se pusieron en pie a la vez y se colocaron de dos en dos. Como era de esperar, Neville se quedó sin pareja.

—Tú practicarás conmigo —le dijo Harry—. Muy bien, contaré hasta tres: uno, dos, tres...

De pronto, la sala se llenó de gritos de *¡Expelliarmus!* Las varitas volaban en todas direcciones; los hechizos mal ejecutados iban a parar contra los libros de las estanterías y los hacían saltar por los aires. Harry era demasiado rápido para Neville, cuya varita saltó de su mano, giró sobre sí misma, golpeó el techo produciendo una lluvia de chispas y aterrizó con estrépito en lo alto de una estantería, de donde Harry la recuperó con un encantamiento convocador. Entonces miró a su alrededor y comprobó que había hecho bien al proponer que practicaran los hechizos elementales en primer lugar, pues sus compañeros estaban haciendo unas chapuzas tremendas. Muchos no conseguían desarmar a sus oponentes y sólo lograban que saltaran hacia atrás unos pocos pasos o que hicieran muecas de dolor cuando su débil hechizo pasaba rozándoles la coronilla.

—*¡Expelliarmus!* —exclamó Neville. Había pillado a Harry desprevenido, y la varita saltó de la mano de éste—. ¡LO HE CONSEGUIDO! —exclamó Neville, emocionado—. No lo había hecho nunca. ¡LO HE CONSEGUIDO!

—¡Muy bien! —lo animó Harry, y decidió no comentarle que en un duelo real no era probable que su oponente estuviera mirando hacia otro lado con la varita en la mano, pero sin apretarla—. Oye, Neville, ¿por qué no te turnas un rato para practicar con Ron y con Hermione? Así podré pasearme por la sala y ver cómo les va a los demás.

Harry se colocó en el centro de la estancia. A Zacharias Smith le estaba pasando algo muy raro. Cada vez que abría la boca para desarmar a Anthony Goldstein, su propia varita salía despedida de su mano pese a que Anthony no decía nada. A Harry no le costó mucho resolver aquel misterio: Fred y George estaban cerca de Smith y se turnaban para apuntarle a la espalda con sus varitas.

—Lo siento, Harry —se apresuró a decir George al comprobar que Harry lo miraba—. No he podido evitarlo.

Harry se paseó entre las otras parejas e intentó corregir a los que realizaban mal el hechizo. Ginny se había emparejado con Michael Corner; lo estaba haciendo muy bien, mientras que Michael o lo hacía muy mal o no quería hechizar a Ginny. Ernie Macmillan blandía exageradamente su varita, con lo que daba tiempo a su compañero para ponerse en guardia. Los hermanos Creevey practicaban con entusiasmo pero de manera irregular, y eran ellos los responsables de que los libros saltaran de los estantes. Luna Lovegood también tenía altibajos: a veces hacía saltar la varita de la mano de Justin Finch-Fletchley, y otras sólo conseguía que se le pusiera el pelo de punta.

—¡Alto! —gritó Harry—. ¡Alto! ¡ALTO! —«Necesito un silbato», pensó, e inmediatamente vio uno en lo alto de la hilera de libros más cercana. Lo agarró, sopló con fuerza y todos bajaron las varitas en el acto—. No está mal —dijo Harry—, pero todavía pueden mejorar mucho. —En ese momento Zacharias le lanzó una mirada de desdén—. Volvamos a intentarlo.

Siguió paseándose por la sala deteniéndose de vez en cuando para hacer alguna sugerencia. Poco a poco los estudiantes fueron mejorando. Durante un rato evitó acercarse a Cho y a su amiga, pero después de aproximarse dos veces a las demás parejas, tuvo la impresión de que ya no podía seguir ignorándolas.

—¡Oh, no! —exclamó Cho al ver que Harry se dirigía hacia ellas—. *¡Expelliarmonos!* ¡Ay, no! *¡Expelliemillus!* ¡Oh, Marietta, lo siento! —La manga de la túnica de su amiga de cabello rizado se había prendido fuego; Marietta apagó las llamas con su propia varita y miró con odio a Harry, como si él tuviera la culpa de todo—. ¡Me has puesto nerviosa, hasta ahora lo estaba haciendo bien! —le dijo Cho a Harry con tristeza.

—Está muy bien —mintió Harry, pero al ver que Cho arqueaba las cejas se corrigió—: Bueno, no, está fatal, pero ya sé que lo sabes hacer muy bien. He estado observándote desde allí.

Cho rió y su amiga Marietta los miró con cara de pocos amigos y se apartó.

—No le hagas caso —murmuró Cho—. En realidad preferiría no estar aquí, pero yo la he obligado a venir. Sus padres le han prohibido hacer cualquier cosa que pueda molestar a la profesora Umbridge. Verás, su madre trabaja para el Ministerio.

—¿Y tus padres? —le preguntó Harry.

—Bueno, también me han prohibido llevarle la contraria a la profesora Umbridge —afirmó Cho irguiéndose con orgullo—. Pero si creen que no voy a luchar contra Quien-tú-sabes después de lo que le pasó a Cedric...

No terminó la frase; se quedó confundida, y entre ellos dos se hizo un incómodo silencio. Entonces la varita de Terry Boot pasó volando junto a la oreja de Harry y le dio de lleno a Alicia Spinnet en la nariz.

—¡Pues mi padre apoya cualquier acción contra el Ministerio! —afirmó Luna Lovegood también muy orgullosa mientras Justin Finch-Fletchley intentaba colocarse bien la túnica con la que se había tapado la cabeza. Luna estaba detrás de Harry y era evidente que había estado escuchando la conversación que éste había mantenido con Cho—. Siempre dice que cree a Fudge capaz de cualquier cosa. ¡Con la cantidad de duendes que ha asesinado! Además, utiliza el Departamento de Misterios para fabricar pociones terribles que hace beber a todo el que no está de acuerdo con él. Y luego está su umgubular slashkilter...

—No hagas preguntas —recomendó Harry por lo bajo a Cho al ver que ésta abría la boca, desconcertada. Cho rió.

—Oye, Harry —gritó Hermione desde el otro extremo de la sala—. ¿Has mirado la hora?

Harry consultó su reloj y se llevó una sorpresa al ver que ya eran las nueve y diez, lo cual significaba que tenían que volver a sus salas comunes inmediatamente si no querían que Filch los pescara y los castigara por estar en los pasillos fuera de los límites permitidos. Entonces hizo sonar el silbato, los estudiantes dejaron de gritar *«¡Expelliarmus!»* y las dos últimas varitas cayeron al suelo.

—Bueno, ha estado muy bien —comentó Harry—, pero la sesión se ha prolongado más de lo previsto. Tenemos que dejarlo aquí. ¿Quedamos la semana que viene a la misma hora en el mismo sitio?

—¡Antes! —exclamó Dean Thomas con entusiasmo, y muchos compañeros asintieron con la cabeza.

Angelina, en cambio, dijo:

—¡La temporada de quidditch está a punto de empezar y el equipo también tiene que practicar!

—Entonces el próximo miércoles por la noche —determinó Harry—. Ya decidiremos si hacemos alguna reunión adicional. ¡Ahora será mejor que nos vayamos!

Volvió a sacar el mapa del merodeador y lo revisó meticulosamente para ver si había algún profesor en el séptimo piso. Dejó salir a sus compañeros en grupos de tres y de cuatro, y luego siguió con inquietud los diminutos puntos que los representaban en el mapa para asegurarse de si regresaban sanos y salvos a sus dormitorios: los de Hufflepuff se dirigieron hacia el pasillo del sótano, que también conducía a las cocinas; los de Ravenclaw, a una torre situada en el ala oeste del castillo, y los de Gryffindor, por el pasillo del retrato de la Señora Gorda.

—Ha sido estupendo, Harry —confesó Hermione cuando por fin se quedaron solos él, ella y Ron.

—¡Sí, genial! —coincidió éste, entusiasmado. Salieron por la puerta y vieron cómo ésta volvía a convertirse en piedra—. ¿Has visto cómo he desarmado a Hermione, Harry?

—Sólo una vez —puntualizó ella, dolida—. Yo te he desarmado muchas más veces que tú a mí.

—No te he desarmado sólo una vez; han sido como mínimo tres.

—Sí, claro, contando la vez que has tropezado y al caerte me has quitado la varita de un manotazo.

Siguieron discutiendo hasta que llegaron a la sala común, pero Harry no les hacía caso. Observaba muy atento el mapa del merodeador, pero al mismo tiempo recordaba que Cho le había dicho que la ponía nerviosa.

19

El león y la serpiente

Durante las dos semanas siguientes, Harry tuvo la impresión de que llevaba una especie de talismán dentro del pecho, un secreto íntimo que lo ayudaba a soportar las clases de la profesora Umbridge y que incluso le permitía sonreír de manera insulsa cuando la miraba a los espantosos y saltones ojos. Harry y el ED le oponían resistencia delante de sus propias narices, practicando precisamente lo que más temían ella y el Ministerio, y durante sus clases, cuando se suponía que Harry estaba leyendo el libro de Wilbert Slinkhard, lo que hacía en realidad era recordar los momentos más satisfactorios de las últimas reuniones del ED: Neville había conseguido desarmar a Hermione; Colin Creevey había realizado a la perfección el embrujo paralizante; después de tres sesiones de duros esfuerzos, Parvati Patil había hecho una maldición reductora tan potente que había convertido en polvo la mesa de los chivatoscopios...

Resultaba casi imposible escoger una noche a la semana para las reuniones del ED, porque tenían que adaptarse al horario de entrenamientos de tres equipos de quidditch, que muchas veces se modificaba debido a las condiciones climáticas adversas. Pero eso no preocupaba a Harry: tenía la sensación de que, seguramente, era mejor que sus reuniones no tuvieran un horario fijo. Si alguien estaba vigilándolos, iba a costarle mucho descubrir un sistema predeterminado.

Hermione no tardó en idear un método muy ingenioso para comunicar la fecha y la hora de la siguiente reunión a los miembros del ED por si había que cambiarlas en el último momento, porque habría resultado sospechoso que los estudiantes de diferentes casas cruzaran el Gran Comedor para hablar entre ellos demasiado a menudo. Entregó a cada uno de los miembros del ED un galeón falso (Ron se emocionó mucho cuando vio por primera vez el cesto, convencido de que estaba regalando oro de verdad).

—¿Ven los números que hay alrededor del borde de las monedas? —dijo Hermione mostrándoles una para que la examinaran al final de su cuarta reunión. La moneda, gruesa y amarilla, reflejaba la luz de las antorchas—. En los galeones auténticos no son más que un número de serie que se refiere al duende que acuñó la moneda. En estas monedas falsas, sin embargo, los números cambiarán para indicar la fecha y la hora de la siguiente reunión. Las monedas se calentarán cuando cambie la fecha, de modo que si las llevan en un bolsillo lo notarán. Tomaremos una cada uno, y cuando Harry decida la fecha de la siguiente reunión, él modificará los números de su moneda, y los de las demás también cambiarán para imitar los de la de Harry porque les he hecho un encantamiento proteico. —Las palabras de Hermione fueron recibidas con un silencio sepulcral. Ella observó a sus compañeros, que la miraban desconcertados—. No sé, me pareció buena idea —balbuceó—. Porque aunque la profesora Umbridge nos ordenara vaciar nuestros bolsillos, no hay nada sospechoso en llevar un galeón, ¿no? Pero..., bueno, si no quieren utilizarlas...

—¿Sabes hacer un encantamiento proteico? —le preguntó Terry Boot.

—Sí.

—Pero si eso..., eso corresponde al nivel de ÉXTASIS —comentó con un hilo de voz.

—Bueno... —repuso Hermione intentando parecer modesta—, sí, supongo que sí.

—¿Por qué no te pusieron en Ravenclaw? —inquirió Ron mirando a Hermione maravillado—. ¡Con el cerebro que tienes!...

—Verás, el Sombrero Seleccionador estuvo a punto de mandarme a Ravenclaw —contestó Hermione alegremente—, pero al final se decidió por Gryffindor. Bueno, ¿qué dicen? ¿Quieren usar los galeones?

Hubo un murmullo de aprobación general, y los compañeros se acercaron al cesto para tomar su moneda. Harry miró de reojo a Hermione.

—¿Sabes a qué me recuerda esto?

—No, ¿a qué?

—A las cicatrices de los mortífagos. Cuando Voldemort toca a uno de ellos, todos notan que les queman las cicatrices y así saben que tienen que reunirse con él.

—Sí, exacto —contestó Hermione con tranquilidad—. De ahí fue de donde saqué la idea... Pero te habrás dado cuenta de que decidí grabar la fecha en unos trozos de metal, y no en la piel de los miembros del grupo.

—Sí, claro... Lo prefiero así —respondió Harry, sonriente, y se guardó un galeón en el bolsillo—. Supongo que el único peligro de este sistema es que nos gastemos las monedas sin querer.

—Lo veo difícil —intervino Ron, que estaba examinando su galeón falso con cierta tristeza—. Yo no tengo ni un solo galeón auténtico con el que confundirlo.

Al acercarse el día del primer partido de quidditch de la temporada, Gryffindor contra Slytherin, las reuniones del ED quedaron suspendidas porque Angelina se empeñó en hacer entrenamientos casi diarios. Dado que hacía mucho tiempo que no se celebraba la Copa de quidditch, el inminente encuentro había producido grandes expectativas y emoción. Como era lógico, los de Ravenclaw y los de Hufflepuff demostraban un vivo interés por el resultado del partido, pues ellos jugarían contra ambos equipos en el curso de aquel año. Los jefes de las casas de cada uno de los dos equipos enfrentados, pese a que intentaban disimularlo bajo un considerable alarde de espíritu deportivo, estaban ansiosos por ver ganar a los suyos. Harry comprendió hasta qué punto le importaba a la profesora McGonagall que Gryffindor venciera a Slytherin cuando la semana previa al partido decidió abstenerse de ponerles deberes.

—Creo que ya tienen suficiente trabajo de momento —dijo con altivez. Nadie dio crédito a lo que acababa de oír hasta que la profesora McGonagall miró directamente a Harry y Ron y añadió con gravedad—: Ya me he acostumbrado a ver la Copa de quidditch en mi despacho, muchachos, y no tengo ningunas ganas de entregársela al profesor Snape, así que empleen el tiempo libre para entrenar, ¿entendido?

Snape tampoco disimulaba que defendía los intereses de su equipo. Había reservado tantas veces el campo de quidditch para los entrenamientos de Slytherin que los de Gryffindor tenían dificultades para utilizarlo. También hacía oídos sordos a los continuos informes de los intentos de los de Slytherin de hacer maleficios a los jugadores de Gryffindor en los pasillos del colegio. El día que Alicia Spinnet se presentó en la enfermería con las cejas tan crecidas que le impedían ver y le tapaban la boca, Snape insistió en que debía de haber probado por su cuenta un encantamiento crecepelo y no quiso escuchar a los catorce testigos que aseguraban haber visto cómo el guardián de Slytherin, Miles Bletchley, le lanzaba un embrujo por la espalda mientras ella estaba estudiando en la biblioteca.

Harry era optimista en cuanto a las posibilidades que Gryffindor tenía de ganar; al fin y al cabo nunca habían perdido contra el equipo de Malfoy. Había que admitir que Ron todavía no había alcanzado el nivel de rendimiento que Wood habría aprobado, pero se estaba esforzando muchísimo para mejorar. Su punto débil era la tendencia a perder la confianza en sí mismo después de meter la pata; cuando le marcaban un tanto, se ponía nervioso y entonces era probable que le marcaran más goles. Por otra parte, Harry había visto a Ron hacer algunas paradas francamente espectaculares cuando su amigo estaba inspirado; en uno de los entrenamientos más memorables, Ron se había quedado colgado de la escoba, agarrado con una sola mano, y le había dado una patada tan fuerte a la quaffle para alejarla del aro de gol que la pelota recorrió todo el terreno de juego y se coló por el aro central del extremo opuesto. El resto del equipo comentó que aquella parada no tenía nada que envidiar a la que había hecho poco antes Barry Ryan, el guardián de la selección irlandesa, contra un lanzamiento del cazador estrella de Polonia, Ladislaw Zamojski. Hasta Fred había dicho que quizá Ron lograra que él y George se sintieran orgullosos de su hermano, y que estaban planteándose muy en serio reconocer que Ron tenía algún parentesco con ellos, lo cual le aseguraron que llevaban cuatro años cuestionándose.

Lo único que de verdad preocupaba a Harry era lo mucho que a Ron le afectaban las tácticas usadas por el equipo de Slytherin antes de que llegara el enfrentamiento. Harry, lógicamente, también había soportado los insidiosos comentarios de los de Slytherin durante cuatro años, de modo que cuando alguien le susurraba al oído: «Eh, Potty, me han dicho que Warrington ha jurado que el sábado te derribará de la escoba», en lugar de asustarse se ponía a reír. «Warrington tiene tan mala puntería que me preocuparía más si apuntara al jugador que estuviera a mi lado», replicó en aquella ocasión, con lo que Ron y Hermione se echaron a reír, y la sonrisita de suficiencia se borró del rostro de Pansy Parkinson.

Pero Ron nunca había estado sometido a una implacable campaña de insultos, burlas e intimidaciones. Cuando los de Slytherin, entre ellos algunos de séptimo curso mucho más altos que él, murmuraban al cruzárselo en un pasillo: «¿Ya has reservado una cama en la enfermería, Weasley?», Ron no se reía, sino que se ponía verde en cuestión de segundos. Cuando Draco Malfoy intimidaba a Ron dejando caer la quaffle (y lo hacía cada vez que ambos se veían), a éste se le ponían las orejas coloradas y empezaban a temblarle las manos de tal modo que si en ese momento llevaba algo en ellas, también se le caía.

El mes de octubre fue una sucesión ininterrumpida de días de viento huracanado y lluvia torrencial, y cuando llegó noviembre, hizo un frío glacial; el gélido viento y las intensas heladas matinales herían las manos y las caras si no se protegían. El cielo y el techo del Gran Comedor adoptaron un tono gris claro y perlado; las montañas que rodeaban Hogwarts estaban coronadas de nieve, y la temperatura dentro del castillo descendió tanto que muchos estudiantes llevaban puestos sus gruesos guantes de piel de dragón cuando iban por los pasillos de una clase a otra.

La mañana del partido amaneció fría y despejada. Cuando Harry despertó, giró la cabeza hacia la cama de Ron y lo vio sentado muy tieso, abrazándose las rodillas y mirando fijamente el vacío.

—¿Estás bien? —le preguntó Harry. Ron asintió con la cabeza sin decir nada. Harry se acordó de cuando Ron, por error, se hizo a sí mismo un encantamiento vomitababosas;

estaba tan pálido y sudoroso como entonces, y se mostraba igual de reacio a abrir la boca—. Lo que necesitas es un buen desayuno —le dijo Harry para animarlo—. ¡Vamos!

El Gran Comedor estaba casi a rebosar cuando llegaron; los alumnos hablaban más alto de lo habitual y reinaba una atmósfera llena de vida y de entusiasmo. Cuando pasaron junto a la mesa de Slytherin, aumentó el nivel del ruido. Harry se dio vuelta y vio que, además de los acostumbrados gorros y bufandas de color verde y plateado, todos llevaban una insignia de plata con una forma que parecía la de una corona. Curiosamente, muchos alumnos de Slytherin saludaron con la mano a Ron riendo a mandíbula batiente. Harry intentó leer lo que estaba escrito en las insignias, pero como le interesaba mucho conseguir que Ron pasara de largo rápidamente, no quiso entretenerse demasiado.

Llegaron a la mesa de Gryffindor y recibieron una calurosa bienvenida. Todos iban vestidos de rojo y dorado, pero, lejos de levantarle los ánimos a Ron, los vítores no lograron más que minar la poca moral que le quedaba; Ron se dejó caer en el banco más cercano con el aire de quien se sienta a comer por última vez.

—Debo de estar loco para hacer lo que voy a hacer —dijo con un susurro ronco—. Loco de atar.

—No seas tonto —repuso Harry con firmeza, y le pasó un surtido de cereales—. Jugarás muy bien. Es lógico que estés nervioso.

—Lo haré fatal —le contradijo Ron—. Soy malísimo. No acierto ni una. ¿Cómo se me ocurriría meterme en semejante lío?

—Contrólate —le ordenó Harry severamente—. Piensa en la parada que hiciste con el pie el otro día. Hasta Fred y George comentaron que había sido espectacular.

Ron giró el rostro atormentado hacia Harry.

—Eso fue un accidente —susurró muy afligido—. No lo hice a propósito. Resbalé de la escoba cuando nadie miraba, y en el momento en que intentaba volver a montarme en ella le di una patada a la quaffle sin querer.

—Bueno —dijo Harry recuperándose rápidamente de aquella desagradable sorpresa—, unos cuantos accidentes más como ése y tendremos el partido ganado, ¿no?

Hermione y Ginny se sentaron enfrente de ellos; llevaban bufandas, guantes y escarapelas de color rojo y dorado.

—¿Cómo te encuentras? —le preguntó Ginny a Ron, que contemplaba la leche que había en el fondo de su cuenco de cereales vacío como si estuviera planteándose muy en serio la posibilidad de ahogarse en ella.

—Está un poco nervioso —puntualizó Harry.

—Eso es buena señal. Creo que en los exámenes nunca obtienes tan buenos resultados si no estás un poco nervioso —comentó Hermione con optimismo.

—¡Hola! —saludó entonces una vocecilla tenue y soñadora detrás de ellos.

Harry levantó la cabeza: Luna Lovegood se había alejado de la mesa de Ravenclaw y había ido a la de Gryffindor. Mucha gente no le quitaba la vista de encima, y unos cuantos estudiantes reían sin disimulo y la señalaban con el dedo. Luna había conseguido un gorro con forma de cabeza de león de tamaño natural y lo llevaba precariamente colocado en la cabeza.

—Yo apoyo a Gryffindor —declaró la chica señalando su gorro pese a que no hacía ninguna falta—. Miren lo que hace... —Levantó una mano y le dio unos golpecitos con la varita. El gorro abrió la boca y soltó un rugido extraordinariamente realista que hizo que todos los que había cerca pegaran un brinco—. ¿Verdad que es genial? —preguntó Luna muy contenta—. Quería que tuviera en la boca una serpiente que representara a Slytherin, pero no hubo tiempo. En fin... ¡Buena suerte, Ronald!

Y tras decir eso, la chica se marchó. Cuando todavía no se habían recuperado de la impresión que les había causado el gorro, Angelina fue muy deprisa hacia ellos acompañada de Katie y de Alicia, cuyas cejas habían vuelto a su estado normal gracias a la señora Pomfrey.

—Cuando terminen de desayunar —les indicó—, pueden ir directamente al terreno de juego. Comprobaremos las condiciones del campo y nos cambiaremos.

—Iremos enseguida —le aseguró Harry—. Es que Ron todavía tiene que comer algo más.

Sin embargo, pasados diez minutos quedó claro que Ron no podía ingerir nada más, y Harry creyó que lo mejor que podía hacer era bajar con él a los vestidores. Cuando se levantaron de la mesa, Hermione se levantó también y, tomando a Harry por un brazo y apartándolo un poco, le susurró:

—No dejes que Ron lea lo que hay escrito en las insignias de los de Slytherin. —Harry la miró de manera inquisitiva, pero ella negó con la cabeza para advertirle, porque Ron se acercaba a ellos sin prisa, con aire perdido y desesperado—. ¡Buena suerte, Ron! —le deseó Hermione poniéndose de puntillas y besándolo en la mejilla—. Y a ti también, Harry...

Pareció que Ron volvía un poco en sí cuando recorrieron el Gran Comedor hacia la puerta. Entonces se tocó el sitio donde Hermione lo había besado, un tanto aturdido, como si no estuviera muy seguro de lo que acababa de ocurrir. Estaba tan distraído que no se daba cuenta de lo que sucedía a su alrededor, pero Harry, intrigado, al pasar junto a la mesa de Slytherin echó una ojeada a las insignias con forma de corona, y esa vez vio las palabras que había grabadas en ellas:

A Weasley vamos a coronar.

Con la desagradable sensación de que aquello no podía presagiar nada bueno, Harry se llevó a toda prisa a Ron por el vestíbulo; bajaron la escalera de piedra y salieron a la fría mañana.

La helada hierba crujió bajo sus pies cuando descendieron por la ladera hacia el estadio. No había ni gota de viento y el cielo era una extensión uniforme de un blanco perlado, lo cual significaba que la visibilidad sería buena, pues el sol no los deslumbraría. Harry le remarcó a Ron aquellos esperanzadores factores mientras caminaban, pero no estaba seguro de que su amigo estuviera escuchándolo.

Angelina ya se había cambiado y estaba hablando con el resto del equipo cuando ellos entraron. Harry y Ron se pusieron las túnicas (Ron estuvo un buen rato intentando ponérsela del revés, hasta que Alicia se compadeció de él y fue a ayudarlo); luego se sentaron para escuchar la charla previa al partido, mientras en el exterior el murmullo de voces iba aumentando de intensidad a medida que el público salía del castillo y bajaba al campo de quidditch.

—Bueno, acabo de enterarme de la alineación definitiva de Slytherin —anunció Angelina consultando una hoja de pergamino—. Los golpeadores del año pasado, Derrick y Bole, ya no están en el equipo, pero por lo visto Montague los ha sustituido por los gorilas de rigor, y no por dos jugadores que vuelen particularmente bien. Son dos tipos que se llaman Crabbe y Goyle, no sé mucho acerca de ellos...

—Nosotros sí —dijeron Harry y Ron a la vez.

—Bueno, no parecen lo bastante listos para distinguir un extremo de la escoba del otro —observó Angelina mientras se guardaba la hoja de pergamino—, pero la verdad es que siempre me sorprendió que Derrick y Bole consiguieran encontrar el camino hasta el campo sin necesidad de letreros.

—Crabbe y Goyle están cortados por el mismo patrón —afirmó Harry.

Oían cientos de pasos que ascendían por los bancos escalonados de las tribunas del público. Había gente que cantaba, aunque Harry no logró entender la letra de la canción. Estaba empezando a ponerse nervioso, pero sabía que sus nervios no eran nada comparados con los de Ron, que volvía a presionarse el estómago con la mirada perdida en el vacío, la mandíbula apretada y la piel de un verde pálido.

—Ya es la hora —anunció Angelina con voz queda, consultando su reloj—. ¡Ánimo, chicos! ¡Buena suerte!

Los miembros del equipo se levantaron, se cargaron las escobas al hombro y salieron del vestidor en fila india hacia el luminoso exterior. Los recibió un fuerte estallido de gritos y silbidos entre los cuales Harry seguía escuchando aquella canción, aunque en ese momento se oía amortiguada.

Los jugadores del equipo de Slytherin los esperaban de pie en el campo. Ellos también llevaban las insignias plateadas con forma de corona. El nuevo capitán, Montague, tenía la misma constitución que Dudley Dursley, con unos antebrazos enormes que parecían jamones peludos. Detrás de Montague acechaban Crabbe y Goyle, casi tan corpulentos como él, parpadeando con pinta de estúpidos y blandiendo sus bates nuevos de golpeadores. Malfoy estaba a un lado, y la luz arrancaba destellos a su rubio pelo. Al ver a Harry, sonrió y dio unos golpecitos a la insignia con forma de corona que llevaba prendida en el pecho.

—Dense la mano, capitanes —ordenó la señora Hooch, que hacía de árbitro, cuando Angelina y Montague se encontraron. Harry se dio cuenta de que Montague intentaba aplastarle los dedos a Angelina, aunque ella no hizo el más mínimo gesto de dolor—. Monten en sus escobas...

La señora Hooch se puso el silbato en la boca y pitó.

A continuación soltaron las pelotas y los catorce jugadores emprendieron el vuelo. Harry vio con el rabillo del ojo cómo Ron salía como un rayo hacia los aros de gol. Harry subió un poco más y esquivó la primera bludger; luego dio una amplia vuelta por el terreno de juego mirando a su alrededor en busca de un destello dorado; en el otro extremo del estadio, Draco Malfoy estaba haciendo exactamente lo mismo.

—Y es Johnson, Johnson con la quaffle, cómo juega esta chica, llevo años diciéndolo, pero ella sigue sin querer salir conmigo...

—¡JORDAN! —gritó la profesora McGonagall.

—Sólo era un comentario gracioso, profesora, para añadir un poco de interés... Ahora ha esquivado a Warrington, ha superado a Montague, ¡ay!, la bludger de Crabbe ha golpeado a Johnson por detrás... Montague atrapa la quaffle, Montague sube de nuevo por el campo y... Una buena bludger de George Weasley le ha dado de lleno en la cabeza a Montague, que suelta la quaffle, la atrapa Katie Bell; Katie Bell, de Gryffindor, le hace un pase hacia atrás a Alicia Spinnet, y Spinnet sale disparada...

Los comentarios de Lee Jordan resonaban por el estadio y Harry aguzaba el oído para escucharlos pese al viento que silbaba en sus oídos y el barullo del público, que gritaba, abucheaba y cantaba sin descanso.

—... Regatea a Warrington, esquiva una bludger, te has salvado por un pelito, Alicia, y el público está entusiasmado, escúchenlo, ¿qué es lo que canta?

Lee hizo una pausa para escuchar, y la canción se elevó, fuerte y clara, desde el mar verde y plateado de los de Slytherin que se hallaban en las gradas.

Weasley no atrapa las pelotas
y por el aro se le cuelan todas.
Por eso los de Slytherin debemos cantar:
a Weasley vamos a coronar.

Weasley nació en un vertedero
y se le va la quaffle por el agujero.
Gracias a Weasley hemos de ganar,
a Weasley vamos a coronar.

—... ¡Y Alicia vuelve a pasársela a Angelina! —gritó Lee. Harry hizo un viraje brusco, rabiando por lo que acababa de escuchar, y comprendió que Lee intentaba apagar la letra de la canción con sus comentarios—. ¡Vamos, Angelina! ¡Ya sólo tiene que superar al guardián!... LANZA... ¡¡¡AAAYYY!!!

Bletchley, el guardián de Slytherin, había parado la pelota; luego le lanzó la quaffle a Warrington, que salió como un rayo con ella, zigzagueando entre Alicia y Katie; los cánticos que ascendían desde las tribunas se hacían más y más fuertes a medida que Warrington se acercaba más y más a Ron.

A Weasley vamos a coronar.
A Weasley vamos a coronar.
Y por el aro se le cuelan todas.
A Weasley vamos a coronar.

Harry no pudo evitarlo: dejó de buscar la snitch y giró su Saeta de Fuego para mirar a Ron, que era una figura solitaria al fondo del campo y estaba suspendido ante los tres aros de gol mientras el corpulento Warrington iba como un bólido hacia él.

—... Warrington tiene la quaffle, Warrington va hacia la portería, está fuera del alcance de las bludgers y sólo tiene al guardián delante...

De las gradas de Slytherin ascendió otra vez aquella canción:

Weasley no atrapa las pelotas
y por el aro se le cuelan todas...

—... Va a ser la primera prueba para Weasley, el nuevo guardián de Gryffindor, hermano de los golpeadores Fred y George, y una nueva promesa del equipo... ¡Ánimo, Ron! —Pero un grito colectivo de alegría surgió de la zona de Slytherin: Ron se había lanzado a la desesperada, con los brazos en alto, y la quaffle había pasado volando entre ellos y había entrado limpiamente por el aro central de la portería de Ron—. ¡Slytherin ha marcado! —sonó la voz de Lee entre los vítores y los silbidos del público—. Diez a cero para Slytherin... Mala suerte, Ron.

Los de Slytherin entonaron aún más fuerte:

WEASLEY NACIÓ EN UN VERTEDERO
Y SE LE VA LA QUAFFLE POR EL AGUJERO...

—... Gryffindor vuelve a estar en posesión de la quaffle, y ahora es Katie Bell quien recorre el campo... —gritó Lee con valor, aunque los cantos eran tan ensordecedores que apenas se le oía.

GRACIAS A WEASLEY HEMOS DE GANAR,
A WEASLEY VAMOS A CORONAR.

—¿Qué haces, Harry? —gritó Angelina al pasar a toda velocidad por su lado para alcanzar a Katie—. ¡MUÉVETE!

Entonces Harry se dio cuenta de que llevaba más de un minuto quieto en el aire, contemplando el desarrollo del partido sin acordarse siquiera de la snitch; horrorizado, hizo un descenso en picada y empezó de nuevo a describir círculos por el terreno de juego mirando alrededor e intentando no hacer caso del coro de voces que llenaba el estadio:

A WEASLEY VAMOS A CORONAR.
A WEASLEY VAMOS A CORONAR.

Harry no paraba de mirar hacia uno y otro lado, pero no había ni rastro de la snitch; Malfoy también describía círculos por el estadio, igual que él. Hacia la mitad del campo se cruzaron y Harry oyó que Malfoy cantaba:

WEASLEY NACIÓ EN UN VERTEDERO...

—... Ahí va Warrington otra vez —bramó Lee—, se la pasa a Pucey, Pucey deja atrás a Spinnet, vamos, Angelina, tú puedes alcanzarlo... Pues no, no ha podido... Pero Fred Weasley golpea una bonita bludger, no, ha sido George Weasley, bueno, qué más da, uno de los dos, y Warrington suelta la quaffle y Katie Bell... también la deja caer... Montague se hace con ella: Montague, el capitán de Slytherin, agarra la quaffle y empieza a recorrer el campo, ¡vamos, Gryffindor, bloquéenlo!

Harry pasó por detrás de los aros de gol de Slytherin y evitó mirar qué estaba ocurriendo en la portería de Ron. Al pasar junto al guardián de Slytherin, oyó a Bletchley cantando a coro con el público:

WEASLEY NO ATRAPA LAS PELOTAS...

—... Pucey ha vuelto a regatear a Alicia y se dirige hacia los postes de gol... ¡Párala, Ron!

Harry no tuvo que mirar para saber qué había sucedido: hubo un terrible gemido en el extremo del campo de Gryffindor, acompañado de nuevos gritos y aplausos de los de Slytherin. Harry echó un vistazo hacia abajo y vio a Pansy Parkinson con su nariz chata, delante de las gradas y de espaldas al terreno de juego, dirigiendo a los seguidores de Slytherin, que cantaban:

POR ESO LOS DE SLYTHERIN DEBEMOS CANTAR:
A WEASLEY VAMOS A CORONAR.

Pero veinte a cero no era nada, Gryffindor todavía tenía tiempo para remontar el resultado o para atrapar la snitch. Unos cuantos tantos y volverían a ponerse por delante, como siempre; Harry estaba convencido de ello mientras se colaba entre los otros jugadores y perseguía un resplandor que resultó ser la correa del reloj de Montague.

Pero Ron se dejó marcar dos tantos más, y Harry empezó a buscar la snitch con desesperación, casi con pánico. Ojalá pudiera atraparla pronto y poner así fin al partido.

—... Katie Bell de Gryffindor dribla a Pucey, elude a Montague, buen viraje, Katie, y le lanza la quaffle a Johnson, Angelina Johnson con la quaffle, ha superado a Warrington, va hacia la portería, vamos, Angelina, ¡GRYFFINDOR HA MARCADO! Cuarenta a diez en el marcador, cuarenta a diez para Slytherin, y Pucey con la quaffle...

Harry oyó los rugidos del ridículo sombrero con forma de cabeza de león de Luna Lovegood entre los vítores de Gryffindor, y eso lo animó; sólo les llevaban treinta puntos de ventaja, eso no era nada, podían remontar fácilmente. En ese momento Harry esquivó una bludger que Crabbe había lanzado contra él y reanudó su desesperado registro del campo en busca de la snitch, sin perder de vista a Malfoy por si éste daba señales de haberla divisado; pero Malfoy, al igual que Harry, continuaba volando alrededor del estadio buscando en vano...

—... Pucey se la lanza a Warrington, Warrington a Montague, Montague se la devuelve a Pucey... Interviene Johnson, Johnson atrapa la quaffle, se la pasa a Bell, buena pasada, no, mala: Bell ha recibido el impacto de una bludger de Goyle, de Slytherin, y Pucey vuelve a estar en posesión...

WEASLEY NACIÓ EN UN VERTEDERO
Y SE LE VA LA QUAFFLE POR EL AGUJERO.
GRACIAS A WEASLEY HEMOS DE GANAR...

Pero Harry la había visto por fin: la diminuta snitch dorada estaba suspendida a unos palmos del suelo en el extremo del campo de Slytherin.

Bajó en picada...

Sin embargo, en cuestión de segundos Malfoy descendió como un rayo hacia la izquierda de Harry; Draco era una figura borrosa, verde y plateada, que volaba pegada a su escoba...

La snitch bordeó el pie de uno de los postes de gol y salió disparada hacia el extremo opuesto de las gradas; aquel cambio de dirección favorecía a Malfoy, que estaba más cerca; Harry giró su Saeta de Fuego y a partir de ese momento él y Malfoy fueron a la par...

Volando a unos palmos del suelo, Harry soltó la mano derecha de la escoba y la estiró hacia la snitch... A su derecha, Malfoy también extendió el brazo, estirándolo al máximo, intentando alcanzar la bola...

Sólo duró un par de desesperantes, angustiosos y vertiginosos segundos: los dedos de Harry se cerraron alrededor de la diminuta bola alada; Malfoy le arañó el dorso de la mano sin éxito; Harry tiró de la escoba hacia arriba, aprisionando la rebelde snitch en la mano, y los seguidores de Gryffindor gritaron de satisfacción...

Estaban salvados. Ya no importaba que Ron se hubiera dejado marcar aquellos tantos, nadie lo recordaría porque Gryffindor había ganado. Pero entonces...

¡PUM!

Una bludger golpeó con fuerza a Harry en la parte baja de la espalda, y cayó de la escoba. Afortunadamente, estaba a menos de dos metros del suelo porque había descendido mucho para atrapar la snitch, pero aun así se le cortó la respiración cuando aterrizó de espaldas en el helado campo. Enseguida oyó el estridente silbato de la señora Hooch, un rugido en las gradas formado por silbidos, gritos furiosos y abucheos, un ruido sordo y luego la desesperada voz de Angelina:

—¿Estás bien?

—Claro que estoy bien —contestó Harry muy serio; le tomó la mano y dejó que Angelina lo ayudara a levantarse.

La señora Hooch volaba hacia uno de los jugadores de Slytherin que estaba por encima de Harry, aunque desde donde él estaba no pudo ver quién era.

—Ha sido ese matón de Crabbe —dijo Angelina, furiosa—, te ha lanzado la bludger en cuanto ha visto que habías atrapado la snitch. Pero ¡hemos ganado, Harry, hemos ganado!

Harry oyó un bufido detrás de él y se dio la vuelta sin soltar la snitch: Draco Malfoy había aterrizado cerca. Pese a que estaba pálido por el disgusto, todavía era capaz de mirar a Harry con aire despectivo.

—Le has salvado el pellejo a Weasley, ¿eh? —le dijo—. Nunca había visto un guardián más torpe... Pero claro, nació en un vertedero... ¿Te ha gustado la letra de mi canción, Potter?

Harry no contestó. Dio media vuelta y fue a reunirse con el resto de los jugadores de su equipo, que entonces descendían uno a uno, gritando y agitando los puños, triunfantes; todos excepto Ron, que había desmontado de su escoba junto a los postes de gol e iba despacio, solo, hacia los vestidores.

—¡Queríamos escribir un par de versos más! —gritó Malfoy mientras Katie y Alicia abrazaban a Harry—. Pero no se nos ocurría nada que rimara con gorda y fea... Queríamos cantarle también a su madre, ¿sabes?

—Hay que ser desgraciado... —dijo Angelina mirando a Malfoy con desprecio.

—Tampoco pudimos incluir «pobre perdedor» para referirnos a su padre, claro...

Entonces Fred y George oyeron lo que estaba diciendo Malfoy. Le estaban estrechando la mano a Harry y, de pronto, se pusieron muy rígidos y se volvieron para mirar a Malfoy.

—¡No le hagan caso! —exclamó Angelina sujetando a Fred por el brazo—. No le hagas caso, Fred, deja que grite todo lo que quiera. Lo que ocurre es que no sabe perder, el muy creído...

—Pero a ti te caen muy bien los Weasley, ¿verdad, Potter? —continuó Malfoy con una sonrisa burlona—. Hasta pasas las vacaciones en su casa, ¿no es cierto? No entiendo cómo soportas el hedor, aunque supongo que cuando te has criado con muggles, hasta ese tugurio de los Weasley debe de oler bien...

Harry sujetó a George. Entre tanto, Angelina, Alicia y Katie habían unido sus fuerzas para impedir que Fred se abalanzara sobre Malfoy, que se reía a carcajadas. Harry buscó con la mirada a la señora Hooch, pero vio que todavía estaba amonestando a Crabbe por aquel ataque ilegal con la bludger.

—A lo mejor —añadió Malfoy lanzando a Harry una mirada de asco antes de darse la vuelta— es que todavía te acuerdas de cómo apestaba la casa de tu madre, Potter, y la pocilga de los Weasley te lo recuerda...

Harry no se enteró de que había soltado a George, pero un segundo más tarde ambos corrían a toda velocidad hacia Malfoy. Harry no se detuvo a pensar que los profesores lo estaban mirando: lo único que quería era hacerle a Draco todo el daño que pudiera; no le dio tiempo a sacar la varita mágica, así que echó hacia atrás el puño en el que tenía la snitch y se lo hundió a Malfoy con todas sus fuerzas en el estómago...

—¡Harry! ¡HARRY! ¡GEORGE! ¡NO!

Oía chillidos de chicas, los gritos de dolor de Malfoy, a George, que maldecía, un silbato y el bramido del público a su alrededor, pero nada de eso le importaba. Hasta que alguien que estaba cerca gritó «*¡Impedimenta!*» y Harry cayó hacia atrás por la fuerza del hechizo, no abandonó su propósito de machacar a puñetazos a Malfoy.

—¿Qué demonios te pasa? —gritó la señora Hooch cuando Harry se puso en pie.

Por lo visto había sido ella quien le había lanzado el embrujo paralizante; llevaba el silbato en una mano y la varita mágica en la otra, y había dejado abandonada su escoba a unos metros de allí. Malfoy estaba acurrucado en el suelo, gimiendo y lloriqueando, y sangraba por la nariz. George tenía un labio partido; las tres cazadoras todavía sujetaban con dificultad a Fred, y Crabbe reía socarronamente un poco más allá.

—¡Nunca había visto un comportamiento como éste! ¡Al castillo, los dos, y directamente al despacho del jefe de su casa! ¡Ahora mismo!

Harry y George salieron del campo, jadeantes y sin decirse nada. Los pitidos y los abucheos del público se debilitaron gradualmente hasta que ambos llegaron al vestíbulo, donde ya no se oía nada más que sus propios pasos. Harry se dio cuenta de que todavía había algo que se movía en su mano derecha, cuyos nudillos se había lastimado al golpear a Malfoy en la mandíbula. Miró hacia abajo y vio las plateadas alas de la snitch, que sobresalían entre sus dedos con la intención de liberarse.

Tan pronto como llegaron a la puerta del despacho de la profesora McGonagall, ésta apareció en el pasillo, caminando a grandes zancadas hacia ellos. Llevaba una bufanda de Gryffindor, pero se la quitó del cuello con manos temblorosas antes de llegar a donde se hallaban Harry y George. Estaba furiosa.

—¡Adentro! —les ordenó, y señaló la puerta. Harry y George entraron en el despacho. La profesora McGonagall se colocó detrás de su mesa, frente a los muchachos, temblando de ira mientras tiraba la bufanda de Gryffindor al suelo—. ¿Y bien? Jamás había visto una exhibición tan vergonzosa. ¡Dos contra uno! ¡Explíquense ahora mismo!

—Malfoy nos provocó —respondió Harry fríamente.

—¿Que los provocó? —gritó la profesora McGonagall golpeando la mesa con el puño. La lata de cuadros escoceses dio tal bote que cayó, se abrió y cubrió el suelo de tritones de jengibre—. Él acababa de perder el partido, ¿no? ¡Claro que quería provocarlos! Pero ¿qué demonios ha dicho que pueda justificar que ustedes dos...?

—Ha insultado a mis padres —gruñó George—. Y a la madre de Harry.

—Y en lugar de dejar que lo solucionara la señora Hooch, ustedes dos deciden hacer una exhibición de duelo muggle, ¿verdad? —bramó la profesora McGonagall—. ¿Tienen idea de lo que...?

—Ejem, ejem.

Harry y George giraron rápidamente la cabeza. Dolores Umbridge estaba plantada en el umbral, envuelta en una capa verde de tweed que acentuaba aún más su parecido con un sapo gigantesco, y sonreía de aquella forma asquerosa, forzada y siniestra que Harry había acabado por asociar con un desastre inminente.

—¿Necesita ayuda, profesora McGonagall? —preguntó la profesora Umbridge con su dulce y venenosa voz.

La sangre se agolpó en la cara de la profesora McGonagall.

—¿Ayuda? —repitió, controlando la voz—. ¿Qué clase de ayuda?

La profesora Umbridge entró en el despacho exhibiendo su repugnante sonrisa y se situó junto a la mesa de la profesora McGonagall.

—Verá, me ha parecido que agradecería la intervención de alguien con autoridad.

A Harry no le habría sorprendido ver salir chispas por las aletas de la nariz de la profesora McGonagall.

—Pues se ha equivocado —replicó ésta, y siguió hablando con los chicos como si la profesora Umbridge no estuviera allí—. Y ustedes dos a ver si me escuchan bien. ¡No me importa que Malfoy los haya provocado, por mí puede haber insultado a todos los miembros de sus respectivas familias; su comportamiento ha sido lamentable y voy a ponerlos a los dos una semana de castigos! ¡No me mires así, Potter, tú te lo has buscado! ¡Y si me entero de que alguno de los dos vuelve a...!

—Ejem, ejem.

La profesora McGonagall cerró los ojos, como si estuviera haciendo un esfuerzo para no perder la paciencia, y volvió a mirar a la profesora Umbridge.

—¿Sí?

—Creo que merecen algo más que castigos —apuntó Dolores Umbridge, y su sonrisa se hizo más amplia.

La profesora McGonagall abrió mucho los ojos.

—Pero por desgracia es más importante lo que yo crea, porque estos dos alumnos están en mi casa, Dolores —dijo forzando una sonrisa que pretendía imitar a la de su interlocutora y que le produjo una rigidez total en el rostro.

—Perdone, Minerva —replicó la profesora Umbridge con una sonrisa tonta—, pero ahora comprobará que mi opinión importa más de lo que usted cree. A ver, ¿dónde está? Cornelius acaba de enviármelo... Bueno —soltó una risita falsa mientras hurgaba en su bolso—, el ministro acaba de enviármelo... ¡Ah, sí..., aquí está! —Sacó un trozo de pergamino y lo desenrolló, aclarándose la garganta remilgadamente antes de empezar a leer lo que había escrito en él—. Ejem, ejem... «Decreto de Enseñanza Número Veinticinco.»

—¡Otro decreto! —exclamó la profesora McGonagall con violencia.

—Pues sí —repuso Dolores Umbridge sin dejar de sonreír—. De hecho, Minerva, fue usted quien me hizo ver que necesitábamos una enmienda... ¿Recuerda que invalidó mi orden cuando no quise permitir que se volviera a formar el equipo de quidditch de Gryffindor? Usted le presentó el caso a Dumbledore, quien insistió en que se permitiera jugar al equipo, ¿verdad? Pues bien, yo no podía tolerar eso. Hablé inmediatamente con el ministro, y coincidió conmigo en que la Suma Inquisidora debe tener poder para retirar privilegios a los alumnos, porque de no ser así, ella, es decir, yo, tendría menos autoridad que los simples profesores. Y supongo, Minerva, que ahora entenderá que yo tenía mucha razón cuando intenté impedir que se volviera a formar el equipo de Gryffindor. ¡Vaya manera de perder los estribos! En fin, estaba leyendo nuestra enmienda... Ejem, ejem... «En lo sucesivo, la Suma Inquisidora tendrá autoridad absoluta sobre los castigos, las sanciones y la supresión de privilegios de los estudiantes de Hogwarts, y podrá modificar los castigos, las sanciones y la supresión de privilegios que hayan podido ordenar otros miembros del profesorado. Firmado, Cornelius Fudge, ministro de Magia, Orden de Merlín, Primera Clase, etc., etc.» —Enrolló el pergamino y lo guardó en su bolso con la sonrisa en los labios—. Así pues... Me veo obligada a suspender a estos dos alumnos de por vida —sentenció, mirando primero a Harry y luego a George.

Harry notó que la snitch se agitaba furiosa en su mano.

—¿Suspendernos? —repitió, y su voz sonó extrañamente distante—. ¿No podremos volver a jugar al quidditch... nunca más?

—En efecto, señor Potter, creo que una suspensión de por vida conseguirá su propósito —confirmó la profesora Umbridge, y su sonrisa se ensanchó aún más mientras observaba a Harry, que intentaba asimilar lo que ella acababa de decir—. Tanto a usted como a su amigo, el señor Weasley. Y creo que, para estar seguros, deberíamos suspender también al gemelo de este joven. Si sus compañeros no lo hubieran sujetado, estoy convencida de que también habría atacado al señor Malfoy. Les confiscaré las escobas, por descontado; las guardaré en mi despacho para asegurarme de que se cumpla mi prohibición. Pero seré razonable, profesora McGonagall —prosiguió, volviéndose de nuevo hacia ésta, que estaba de pie y la miraba fijamente, tan quieta como si fuera una estatua de hielo—. El resto del equipo puede seguir jugando, pues no he detectado señales de violencia en ningún otro jugador. Buenas tardes.

Y con un aire de máxima satisfacción, la profesora Umbridge salió del despacho dejando tras ella un silencio espeluznante.

—Suspendidos —dijo Angelina con voz apagada aquella noche en la sala común—. Suspendidos de por vida... Nos hemos quedado sin buscador y sin golpeadores. ¿Qué vamos a hacer ahora?

No tenían la sensación de haber ganado el partido. Allá donde mirara, Harry sólo veía caras de desconsuelo y de enfado; los miembros del equipo estaban repantigados alrededor de la chimenea; todos excepto Ron, al que nadie había visto desde que había finalizado el partido.

—Es una injusticia —declaró Alicia, como medio atontada—. ¿Qué ha pasado con Crabbe y con esa bludger que te lanzó después de que sonara el silbato? ¿Acaso a él lo han suspendido?

—No —contestó Ginny con tristeza; ella y Hermione estaban sentadas a ambos lados de Harry—. Sólo tiene que copiar algo, he oído a Montague reírse de eso en la cena.

—¡Y suspender a Fred, cuando él no ha hecho nada! —añadió Alicia, furiosa, golpeándose la rodilla con el puño.

—No he hecho nada porque no me han dejado —intervino él con una expresión muy desagradable en la cara—. Si no me hubieran sujetado, habría hecho puré a ese cerdo.

Harry, abatido, se quedó mirando la oscura ventana. Estaba nevando. La snitch que había atrapado en el partido volaba en esos momentos describiendo círculos por la sala común; los estudiantes la miraban como hipnotizados, y *Crookshanks* saltaba de una butaca a otra intentando agarrarla.

—Voy a acostarme —anunció Angelina, y se puso lentamente en pie—. A lo mejor resulta que todo esto no es más que una pesadilla... A lo mejor mañana me despierto y me doy cuenta de que todavía no hemos jugado el partido...

Alicia y Katie no tardaron en seguirla. Fred y George se fueron a la cama poco después y fulminaron con la mirada a todo aquel con el que se cruzaron; Ginny también se marchó enseguida. Harry y Hermione fueron los únicos que se quedaron junto al fuego.

—¿Has visto a Ron? —le preguntó Hermione con voz queda. Harry negó con la cabeza—. Creo que nos evita. ¿Dónde crees que...?

Pero en aquel preciso momento oyeron un crujido detrás de ellos. El retrato de la Señora Gorda se abrió y por el hueco entró Ron. Estaba tremendamente pálido y tenía nieve en el pelo. Al ver a Harry y a Hermione, se quedó paralizado.

—¿Dónde has estado? —le preguntó ésta con inquietud levantándose de un brinco.

—Paseando —balbuceó Ron. Todavía llevaba puesto el uniforme de quidditch.

—Debes de estar congelado —observó Hermione—. ¡Ven y siéntate aquí!

Ron se acercó a la chimenea y se dejó caer en la butaca más alejada de Harry y esquivó su mirada. La snitch robada seguía volando por encima de sus cabezas.

—Perdóname —murmuró Ron mirándose los pies.

—¿Por qué tengo que perdonarte? —preguntó Harry.

—Por creer que podía jugar al quidditch —respondió Ron—. Voy a renunciar mañana por la mañana.

—Si renuncias —repuso Harry con fastidio— sólo quedarán tres jugadores en el equipo. —Como Ron lo miraba con extrañeza, Harry añadió—: Me han suspendido de por vida. Y también a Fred y a George.

—¿Qué? —gritó Ron.

Hermione le contó la historia con todo detalle porque Harry se sentía incapaz de volver a explicarla. Cuando hubo terminado, Ron parecía aún más angustiado.

—Todo ha sido culpa mía...

—Tú no me hiciste pegar a Malfoy —replicó Harry con enfado.

—Si no fuera tan malo jugando al quidditch...

—Eso no tiene nada que ver...

—Es que esa canción me puso histérico...

—Habría puesto histérico a cualquiera... —Hermione se levantó, fue hasta la ventana para retirarse de la discusión y contempló la nieve que caía formando remolinos detrás del cristal—. Basta, ¿me oyes? —estalló Harry—. ¡Ya estamos bastante fastidiados, y sólo falta que tú te eches la culpa de todo!

Ron se calló y se quedó mirando, muy triste, el empapado dobladillo de su túnica. Al cabo de un rato, dijo con un hilo de voz:

—Nunca me había sentido tan mal.

—Ya somos dos —contestó Harry con amargura.

—Bueno —empezó a decir Hermione con voz ligeramente temblorosa—, se me ha ocurrido una cosa que a lo mejor los anima un poco a los dos.

—No me digas —dijo Harry, escéptico.

—Sí —afirmó Hermione, y se apartó del negro cristal de la ventana salpicado de nieve. Una amplia sonrisa iluminaba su rostro—. Hagrid ha vuelto.

20

La historia de Hagrid

Harry subió a todo correr al dormitorio de los chicos para agarrar la capa invisible y el mapa del merodeador, que guardaba en su baúl; se dio tanta prisa que Ron y él estaban listos para salir por lo menos cinco minutos antes de que Hermione bajara del dormitorio de las chicas, provista de bufanda, guantes y uno de los gorros de elfo llenos de nudos.

—¡Es que fuera hace mucho frío! —se justificó cuando Ron chasqueó la lengua con impaciencia.

Salieron por la abertura del retrato y se apresuraron a cubrirse con la capa; Ron había crecido tanto que ahora tenía que encorvarse para que no le asomaran los pies por debajo. Bajaron despacio y con cuidado las diferentes escaleras, y se detenían de vez en cuando para comprobar, con ayuda del mapa, si Filch o la *Señora Norris* andaban cerca. Tuvieron suerte: no vieron a nadie más que a Nick *Casi Decapitado*, que se paseaba flotando y tarareando distraídamente «A Weasley vamos a coronar». Cruzaron el vestíbulo con sigilo y salieron a los silenciosos y nevados jardines. A Harry le dio un vuelco el corazón cuando vio unos pequeños rectángulos dorados de luz y el humo que salía en espirales por la chimenea de la cabaña de Hagrid. Echó a andar hacia allí a buen paso, y los otros dos lo siguieron dando traspiés. Bajaron emocionados por la ladera, donde la capa de nieve cada vez era más gruesa, y por fin llegaron frente a la puerta de madera de la cabaña. Harry levantó el puño y llamó tres veces, e inmediatamente se oyeron los ladridos de un perro.

—¡Somos nosotros, Hagrid! —susurró Harry por la cerradura.

—¡Debí imaginármelo! —respondió una áspera voz. Los tres amigos se miraron sonrientes debajo de la capa invisible; la voz de Hagrid sonaba alegre—. Sólo hace tres segundos que he llegado a casa... Aparta, *Fang*, ¡quita de en medio, chucho! —Se oyó cómo descorría el cerrojo, la puerta se abrió con un chirrido y la cabeza de Hagrid apareció en el resquicio. Hermione no pudo contener un grito—. ¡Por las barbas de Merlín, no chilles! —se apresuró a decir Hagrid, alarmado, mientras observaba por encima de las cabezas de los chicos—. Llevan la capa ésa, ¿no? ¡Vamos, entren, entren!

—¡Lo siento! —se disculpó Hermione mientras los tres entraban apretujándose en la cabaña y se quitaban la capa para que Hagrid pudiera verlos—. Es que... ¡Oh, Hagrid!

—¡No es nada, no es nada! —exclamó él rápidamente. Cerró la puerta y corrió todas las cortinas, pero Hermione seguía mirándolo horrorizada.

Hagrid tenía sangre coagulada en el enmarañado pelo, y su ojo izquierdo había quedado reducido a un hinchado surco en medio de un enorme cardenal de color negro y morado. Tenía diversos cortes en la cara y en las manos, algunos de los cuales todavía sangraban, y se movía con cautela, lo que hizo sospechar a Harry que Hagrid tenía alguna costilla rota. Era evidente que acababa de llegar a casa. Había una gruesa capa negra de viaje colgada en el respaldo de una silla, y una mochila donde habrían cabido varios niños pequeños apoyada en la pared, junto a la puerta. Hagrid, que medía dos veces lo que mide un hombre normal, fue cojeando hasta la chimenea y colocó una tetera de cobre sobre el fuego.

—¿Qué te ha pasado? —le preguntó Harry mientras *Fang* danzaba alrededor de los chicos intentando lamerles la cara.

—Ya se lo he dicho, nada —contestó Hagrid con firmeza—. ¿Quieren una taza de té?

—¡Vamos, Hagrid! —le espetó Ron—. ¡Si estás hecho polvo!

—Les digo que estoy bien —insistió Hagrid enderezándose y volviéndose para mirarlos sonriente, pero sin poder disimular una mueca de dolor—. ¡Vaya, cuánto me alegro de volver a verlos a los tres! ¿Han pasado un buen verano?

—¡Hagrid, te han atacado! —exclamó Ron.

—¡Por última vez: no es nada! —repitió Hagrid con rotundidad.

—¿Acaso dirías que no es nada si alguno de nosotros apareciera con casi medio kilo de carne picada donde antes tenía la cara? —inquirió Ron.

—Deberías ir a ver a la señora Pomfrey, Hagrid —terció Hermione, preocupada—. Algunos de esos cortes tienen mala pinta.

—Ya me estoy encargando de ellos, ¿de acuerdo? —respondió Hagrid intentando imponerse.

Entonces fue hacia la enorme mesa de madera que había en el centro de la cabaña y levantó un trapo de cocina que había encima. Debajo del trapo había un filete de color verdoso, crudo y sangrante, del tamaño de un neumático de coche.

—No pensarás comerte eso, ¿verdad, Hagrid? —preguntó Ron inclinándose sobre el filete para examinarlo—. Tiene aspecto venenoso.

—Tiene un aspecto perfectamente normal, es carne de dragón —replicó Hagrid—. Y no pensaba comérmelo. —Tomó el filete y se lo colocó sobre la parte izquierda de la cara. Un hilo de sangre verdosa resbaló por su barba y Hagrid emitió un débil gemido de satisfacción—. Así está mejor. Va muy bien para aliviar el dolor.

—¿Piensas contarnos lo que te ha pasado, o no? —inquirió Harry.

—No puedo, Harry. Es secreto. Si lo cuento me juego el empleo.

—¿Te han atacado los gigantes, Hagrid? —preguntó Hermione con voz queda.

Los dedos de Hagrid resbalaron por el filete de dragón, que descendió hasta el pecho haciendo un ruido parecido al de la succión.

—¿Los gigantes? —repitió Hagrid mientras agarraba el filete antes de que le llegara al cinturón y se lo colocaba de nuevo en la cara—. ¿Quién ha dicho nada de gigantes? ¿Con quién han estado hablando? ¿Quién les ha dicho que he...? ¿Quién les ha dicho que estaba...?

—Nos lo imaginamos nosotros —respondió Hermione en tono de disculpa.

—¿Ah, sí? —dijo Hagrid mirándola fijamente con el ojo que el filete no le tapaba.

—Era... en cierto modo evidente —añadió Ron, y Harry asintió con la cabeza.

Hagrid los miró a los tres con severidad; entonces dio un resoplido, dejó el filete en la mesa y fue a grandes zancadas hasta la tetera, que había empezado a silbar.

—No sé qué les pasa, pero siempre tienen que saber más de lo que deberían —masculló mientras vertía agua hirviendo en tres tazas con forma de cubo—. Y no se crean que es un cumplido. Son unos entrometidos. Y muy indiscretos.

Sin embargo, le temblaban los pelos de la barba.

—Entonces ¿es verdad que fuiste a buscar a los gigantes? —preguntó Harry, sonriente, al mismo tiempo que se sentaba a la mesa.

Hagrid colocó una taza de té delante de cada uno de los chicos, se sentó, volvió a tomar el filete y se lo puso de nuevo en la cara.

—Sí, es verdad —gruñó.

—¿Y los encontraste? —inquirió Hermione con un hilo de voz.

—Verás, los gigantes no son muy difíciles de encontrar, francamente —contestó Hagrid—. Son bastante grandes, ¿sabes?

—¿Dónde viven? —preguntó Ron.

—En las montañas —respondió Hagrid a regañadientes.

—Entonces, ¿cómo es que los muggles no...?

—Te equivocas —se adelantó Hagrid—. Lo que pasa es que sus muertes siempre se atribuyen a accidentes de alpinismo, ¿no es cierto?

Se ajustó un poco el filete para que le tapara la parte más magullada de la cara y Ron insistió:

—¡Vamos, Hagrid, cuéntanos lo que has estado haciendo! Si nos dices lo que te pasó con los gigantes, Harry te explicará cómo lo atacaron los dementores...

Hagrid se atragantó con el té y al mismo tiempo se le cayó el filete de la cara; una gran cantidad de saliva, té y sangre de dragón salpicó la mesa mientras Hagrid tosía y farfullaba. El filete resbaló y cayó al suelo produciendo un fuerte ¡paf!

—¿Qué es eso de que te atacaron los dementores? —masculló Hagrid.

—¿No lo sabías? —le preguntó Hermione con los ojos como platos.

—No sé nada de lo que ha pasado desde que me marché. Tenía una misión secreta, ¿de acuerdo? Y no era cuestión de que las lechuzas me siguieran por todas partes. ¡Esos malditos dementores!... ¿Lo dices en serio?

—Sí, claro. Fueron a Little Whinging y nos atacaron a mi primo y a mí, y entonces el Ministerio de Magia me expulsó...

—¿QUÉ?

—... y tuve que presentarme a una vista y todo, pero primero cuéntanos lo de los gigantes.

—¿Que te expulsaron del colegio?

—Cuéntanos lo que te ha pasado este verano y yo te contaré lo que me ha ocurrido a mí.

Hagrid lo fulminó con la mirada de su único ojo sano y Harry le sostuvo la mirada con una expresión que era mezcla de inocencia y determinación.

—Está bien —aceptó Hagrid, resignado.

Se agachó y le arrancó el filete de dragón a *Fang* de la boca.

—¡No hagas eso, Hagrid, es antihigiénico...! —exclamó Hermione, pero él ya se había vuelto a poner el enorme trozo de carne en la hinchada cara.

Bebió otro tonificante sorbo de té y comenzó:

—Bueno, salimos de aquí en cuanto terminó el curso...

—Entonces, ¿Madame Maxime iba contigo? —lo interrumpió Hermione.

—Sí, exacto —confirmó Hagrid, y una expresión más suave apareció en los pocos centímetros del rostro que no estaban tapados ni por la barba ni por aquel filete verde—. Sí, íbamos los dos solos. Y he de decir que a Olympe no le importa prescindir de las comodidades. Verán, ella es muy fina y siempre va muy bien vestida, y como yo sabía adónde íbamos, me preguntaba cómo encajaría eso de trepar por rocas y dormir en cuevas, pero les aseguro que no la oí rechistar ni una sola vez.

—¿Sabías adónde iban? —le preguntó Harry—. ¿Sabías dónde viven los gigantes?

—Bueno, Dumbledore lo sabía y nos lo dijo.

—¿Están escondidos? —inquirió Ron—. ¿Es un lugar secreto?

—No, no del todo —respondió Hagrid moviendo la greñuda cabeza—. Lo que pasa es que a la mayoría de los magos no les interesa saber dónde están, con tal de que estén bien lejos. Pero es muy difícil llegar hasta allí, al menos para los humanos, así que necesitábamos las instrucciones de Dumbledore. Tardamos cerca de un mes en llegar a...

—¡¿Un mes?! —exclamó Ron, como si no concibiera que un viaje pudiera durar tanto—. Pero... ¿por qué no utilizaron un traslador o algo así?

Hagrid entrecerró el ojo que no estaba hinchado y miró a Ron con una expresión extraña, casi de lástima.

—Nos vigilaban, Ron —respondió con brusquedad.

—¿Qué quieres decir?

—Ustedes no lo entienden. El Ministerio vigila de cerca a Dumbledore y a todos los que están a su favor, y...

—Eso ya lo sabemos —intervino Harry, ansioso por escuchar el resto de la historia de Hagrid—, ya sabemos que el Ministerio vigila a Dumbledore...

—¿Y no podían utilizar la magia para llegar hasta allí? —terció Ron, estupefacto—. ¿Tenían que comportarse como muggles todo el tiempo?

—Bueno, no siempre —puntualizó Hagrid cautelosamente—. Pero teníamos que ir con mucho cuidado, porque Olympe y yo... destacamos un poco... —Ron hizo un ruidito ahogado, un sonido entre un bufido y un resuello, y rápidamente bebió un sorbo de té—, de modo que no resulta muy difícil seguirnos la pista. Fingimos que nos íbamos de vacaciones juntos. Llegamos a Francia e hicimos ver que nos dirigíamos al colegio de Olympe, porque sabíamos que alguien del Ministerio estaba siguiéndola. Teníamos que avanzar muy despacio porque no debíamos emplear la magia, pues también sabíamos que el Ministerio buscaba cualquier excusa para echarnos el guante. Pero en Dijon conseguimos dar esquinazo al imbécil que nos seguía...

—¿En Dijon? —repitió Hermione, emocionada—. ¡Yo estuve allí de vacaciones! ¿Vieron el...?

Hermione se calló al ver la expresión de Ron.

—Después de eso pudimos hacer un poco de magia y el viaje no estuvo tan mal. En la frontera polaca nos topamos con un par de trols chiflados, y yo tuve un pequeño percance con un vampiro en una taberna de Minsk, pero aparte de eso el viaje fue pan comido.

»Entonces llegamos a las montañas y empezamos a buscar señales de los gigantes...

»Cuando nos acercábamos a donde estaban, tuvimos que dejar de emplear la magia. En parte porque a ellos no les gustan los magos y no queríamos irritarlos antes de tiempo, pero también porque Dumbledore nos había advertido que Quien-ustedes-saben también debía de andar buscando a los gigantes. Dijo que lo más probable era que ya les hubiera enviado un mensajero. Nos aconsejó que tuviéramos mucho cuidado y no llamáramos la atención cuando estuviéramos cerca, por si había mortífagos por allí.

Hagrid hizo una pausa y bebió un largo sorbo de té.

—¡Sigue! —le urgió Harry.

—Los encontramos —continuó Hagrid sin andarse con rodeos—. Una noche alcanzamos la cumbre de una montaña y allí estaban, diseminados a nuestros pies. Allá abajo ardían pequeñas hogueras y unas sombras inmensas... Era como si viéramos moverse trozos de montaña.

—¿Son muy grandes? —murmuró Ron.

—Miden unos seis metros —respondió Hagrid con indiferencia—. Los más altos llegan a medir casi ocho metros.

—¿Y cuántos había? —preguntó Harry.

—Calculo que setenta u ochenta.

—¿Sólo ésos? —se extrañó Hermione.

—Sí —confirmó Hagrid con tristeza—. Sólo quedan ochenta, y eso que antes había muchísimos. Debía de haber unas cien tribus diferentes en todo el mundo, pero hace años que se están extinguiendo. Los magos mataron a unos cuantos, desde luego, pero básicamente se mataron entre ellos, y ahora desaparecen más rápido que nunca porque no están hechos para vivir amontonados de esa forma. Dumbledore opina que es culpa nuestra, es decir, que fuimos los magos los que los obligamos a irse a vivir tan lejos de nosotros, y que ellos no tuvieron más remedio que unirse para protegerse.

—Bueno —intervino Harry—, los vieron, y entonces, ¿qué?

—Esperamos a que se hiciera de día; no queríamos aparecer entre ellos a oscuras porque era peligroso —prosiguió Hagrid—. Hacia las tres de la madrugada se quedaron dormidos donde estaban, aunque nosotros no nos atrevimos a dormir. Primero, porque no queríamos que ninguno despertara y nos descubriera, y además, porque los ronquidos eran increíbles. Antes del amanecer provocaron un alud. En fin, cuando se hizo de día, bajamos a verlos.

—¿Así, sin más? —preguntó Ron, perplejo—. ¿Bajaron como si tal cosa a un campamento de gigantes?

—Bueno, Dumbledore nos explicó cómo teníamos que hacerlo —puntualizó Hagrid—. Había que llevarle regalos al Gurg y mostrarse respetuoso con él, ya saben.

—¿Llevarle regalos a quién? —preguntó Harry.

—¡Ah, al Gurg! Significa «jefe».

—¿Y cómo supieron cuál de ellos era el Gurg? —inquirió Ron.

Hagrid soltó una risotada.

—No resultó difícil —respondió—. Era el más grande, el más feo y el más vago de todos. Estaba allí sentado esperando a que los otros le llevaran la comida. Cabras muertas y cosas así. Se llamaba Karkus. Debía de medir unos siete metros y pesar como dos elefantes macho. Y tenía una piel que parecía de rinoceronte.

—¿Y fuiste tranquilamente a hablar con él? —le preguntó Hermione, impresionada.

—Bueno, más o menos. Los gigantes estaban instalados en una hondonada entre cuatro montañas muy altas, junto a un lago, y Karkus estaba tumbado a orillas del lago y les gritaba a los otros que les llevaran comida a él y a su esposa. Olympe y yo bajamos por la ladera de la montaña...

—Pero ¿no intentaron matarlos cuando los vieron? —preguntó Ron, incrédulo.

—Estoy seguro de que a unos cuantos se les ocurrió esa idea —dijo Hagrid encogiéndose de hombros—, pero nosotros hicimos lo que nos había recomendado Dumbledore: sostener en alto nuestro regalo, mirar siempre al Gurg e ignorar a los demás. Y eso fue lo que hicimos. Los otros gigantes se quedaron callados al vernos pasar, y nosotros llegamos a donde estaba Karkus, lo saludamos con una reverencia y dejamos nuestro regalo en el suelo, a sus pies.

—¿Qué se le regala a un gigante? —preguntó Ron con impaciencia—. ¿Comida?

—No, ellos ya se las ingenian solos para conseguir comida. Le llevamos magia. A los gigantes les encanta la magia, lo que no les gusta es que nosotros la utilicemos contra ellos. El primer día le llevamos una rama de fuego de Gubraith.

—¡Vaya! —exclamó Hermione con voz queda, pero Harry y Ron miraron a Hagrid sin comprender.

—¿Una rama de...?

—Fuego eterno —explicó Hermione con irritación—. Ya deberían saberlo. ¡El profesor Flitwick lo ha mencionado al menos dos veces en las clases!

—Verán —continuó rápidamente Hagrid, interviniendo antes de que Ron tuviera ocasión de replicar—, Dumbledore hechizó aquella rama para que ardiera eternamente, algo que no todos los magos son capaces de hacer. La dejé sobre la nieve, a los pies de Karkus, y dije: «Un regalo de Albus Dumbledore para el Gurg de los gigantes, con sus cordiales saludos.»

—¿Y qué dijo Karkus? —preguntó Harry con avidez.

—Nada. No sabía hablar nuestro idioma.

—¡No me digas!

—Pero no tuvo importancia —comentó Hagrid, imperturbable—. Dumbledore ya nos había advertido sobre esa posibilidad. Karkus entendió lo suficiente para llamar a gritos a un par de gigantes que sabían, y ellos hicieron de intérpretes.

—¿Y le gustó el regalo? —inquirió Ron.

—Ya lo creo, se puso loco de contento cuando comprendió qué era —contestó Hagrid mientras le daba la vuelta al filete de dragón y se ponía la parte que estaba más fresca sobre el ojo hinchado—. Estaba entusiasmado. Y entonces le dije: «Albus Dumbledore ruega al Gurg que hable con su mensajero cuando mañana regrese con otro regalo.»

—¿Por qué no podías hablar con ellos aquel día? —preguntó Hermione.

—Dumbledore quería tomarse las cosas con calma para que vieran que cumplíamos nuestras promesas. Si les dices «Mañana volveremos con otro regalo», y al día siguiente cumples con lo que has prometido, les causas una buena impresión, ¿entienden? Además, así tienen tiempo de probar el primer regalo y comprobar que es un buen obsequio, y entonces quieren más. En fin, si los agobias con mucha información, los gigantes como Karkus te matan aunque sólo sea para simplificar las cosas. Así que nos marchamos de allí, haciendo reverencias, y buscamos una bonita cueva donde pasar la noche; a la mañana siguiente volvimos al campamento de los gigantes, y esta vez encontramos a Karkus sentado muy tieso, esperándonos impaciente.

—¿Y hablaron con él?

—Sí, sí. Primero le entregamos un precioso yelmo fabricado por duendes, indestructible. Luego nos sentamos a hablar con él.

—¿Y qué dijo?

—No gran cosa —contestó Hagrid—. En realidad se limitó a escuchar. Pero vimos algunos buenos indicios. Karkus había oído hablar de Dumbledore y sabía que no había estado de acuerdo con el exterminio de los últimos gigantes de Gran Bretaña. Le interesaba mucho enterarse de lo que quería decirle Dumbledore. Algunos gigantes, sobre todo los que entendían algo de nuestro idioma, se acercaron a escuchar. Aquel día nos marchamos muy esperanzados. Prometimos volver a la mañana siguiente con otro regalo. Pero aquella noche todo salió mal.

—¿Qué quieres decir? —preguntó rápidamente Ron.

—Ya les he dicho que los gigantes no están hechos para vivir en grupos tan numerosos —respondió Hagrid, apesadumbrado—. No pueden evitarlo, se pelean a cada momento. Los hombres riñen entre sí, y las mujeres, entre ellas; del mismo modo, los que quedan de las antiguas tribus riñen entre ellos, y eso sin que haya discusiones por la comida, ni por las mejores hogueras ni por los mejores enclaves para dormir. Lo lógico sería que vivieran en paz, dado que su raza está a punto de extinguirse, pero... —Hagrid suspiró profundamente—. Aquella noche se armó una pelea —prosiguió—. Nosotros lo vimos todo desde la entrada de nuestra cueva, que estaba orientada hacia el valle. Duró varias horas, y no se imaginan el ruido que hacían. Cuando salió el sol, vimos que la nieve se había teñido de rojo y que su cabeza estaba en el fondo del lago.

—¿La cabeza de quién? —preguntó Hermione entrecortadamente.

—De Karkus —dijo Hagrid, apesadumbrado—. Había un nuevo Gurg, Golgomath—. Suspiró de nuevo—. Nosotros no habíamos contado con tener que tratar con un nuevo Gurg dos días después de haber establecido contacto con el primero, e intuíamos que Golgomath no iba a mostrarse tan dispuesto a escucharnos, pero de todos modos debíamos intentarlo.

—¿Fueron a hablar con él? —inquirió Ron, fascinado—. ¿Después de ver cómo le arrancaba la cabeza a otro gigante?

—Pues claro —contestó Hagrid—. ¡No habíamos ido hasta allí para abandonar al segundo día! Bajamos hasta el campamento con el siguiente regalo que teníamos preparado para Karkus. Antes de abrir la boca, yo ya sabía que no íbamos a conseguir nada. Golgomath estaba sentado con el yelmo de Karkus puesto, y nos miraba con una sonrisa irónica en los labios. Era inmenso, uno de los gigantes más grandes del campamento. Tenía el cabello negro, a juego con los dientes, y llevaba un collar hecho de huesos. Algunos parecían humanos. Bueno, a pesar de todo decidí intentarlo: saqué un gran rollo de piel de dragón y dije: «Un regalo para el Gurg de los gigantes...» Pero antes de que acabara la frase estaba colgado cabeza abajo, pues dos de sus amigos me habían agarrado por los pies.

Hermione se tapó la boca con ambas manos.

—¿Cómo te libraste de ésa? —preguntó Harry.

—No habría podido si Olympe no hubiera estado allí —respondió Hagrid—. Sacó su varita mágica y los atacó con una rapidez que yo jamás había visto. Estuvo magnífica. A los dos gigantes que me sujetaban les echó una maldición de conjuntivitis, y entonces me soltaron inmediatamente. Pero estábamos metidos en un buen lío porque habíamos utilizado la magia contra ellos, y eso es lo que los gigantes no soportan de los magos. Tuvimos que poner pies en polvorosa, y sabíamos que ya no íbamos a poder volver al campamento.

—Caramba, Hagrid... —dijo Ron con voz queda.

—¿Y cómo es que has tardado tanto en volver a casa si sólo estuviste tres días allí? —inquirió Hermione.

—¡No nos marchamos al cabo de tres días! —contestó Hagrid, ofendido—. ¡Dumbledore confiaba en nosotros!

—Pero ¡si acabas de decir que ya no podían volver al campamento!

—No, de día no. Teníamos que replantearnos la estrategia. Pasamos un par de días escondidos en la cueva observando a los gigantes. Y lo que vimos no nos gustó nada.

—¿Arrancó más cabezas Golgomath? —preguntó Hermione con aprensión.

—No. ¡Ojalá lo hubiera hecho!

—¿Qué quieres decir?

—Quiero decir que pronto comprendimos que no le caían mal todos los magos, que sólo éramos nosotros.

—¿Mortífagos? —insinuó Harry rápidamente.

—Sí —confirmó Hagrid con amargura—. Un par visitaban al Gurg todos los días y le llevaban regalos, y el Gurg no los colgaba por los pies.

—¿Cómo supieron que eran mortífagos? —preguntó Ron.

—Porque a uno lo reconocí —gruñó Hagrid—. Macnair, ¿se acuerdan de él? El tipo al que enviaron para matar a *Buckbeak*. Está loco de remate. Disfruta tanto como Golgomath matando; no me extraña que se llevaran tan bien.

—¿Y Macnair convenció a los gigantes de que se unieran a Quien-tú-sabes? —inquirió Hermione, desesperada.

—¡Un momentito, todavía no he terminado mi historia! —dijo Hagrid, indignado. Teniendo en cuenta que al principio se había resistido a contarles nada, era curioso que ahora disfrutara tanto con su propio relato—. Olympe y yo estuvimos cambiando impresiones y llegamos a la conclusión de que el hecho de que el Gurg prefiriera a Quien-ustedes-saben no significaba que los demás también lo prefirieran. Teníamos que intentar convencer a unos cuantos de los otros, es decir, a los que no querían tener a Golgomath como Gurg.

—¿Y cómo sabían cuáles eran? —preguntó Ron.

—Pues mira, dedujimos que eran los que habían quedado hechos papilla —respondió Hagrid con paciencia—. Los que tenían un poco de sensatez se mantenían alejados de Golgomath y estaban escondidos en las cuevas que había alrededor del barranco, como nosotros. Así que decidimos ir a fisgonear allí por la noche para intentar convencer a algunos.

—¿Fueron a fisgonear por las cuevas a oscuras en busca de gigantes? —preguntó Ron con una voz que transmitía un profundo respeto.

—Bueno, los gigantes no eran lo que más nos preocupaba —contestó Hagrid—, sino los mortífagos. Antes de que partiéramos, Dumbledore nos había advertido que no nos enfrentáramos a ellos si podíamos evitarlo, y el problema era que los mortífagos sabían que estábamos por allí, porque lo lógico era que Golgomath se lo hubiera contado. Por la noche, cuando los gigantes dormían y nosotros queríamos ir a inspeccionar las cuevas, Macnair y el otro mortífago nos buscaban por las montañas. Me costó trabajo impedir que Olympe se abalanzara sobre ellos —prosiguió Hagrid, y al sonreír se le subió la enmarañada barba—. Estaba ansiosa por atacarlos... Olympe es increíble cuando se enoja..., se pone furiosa, de verdad... Debe de ser la sangre francesa que lleva en las venas...

Hagrid se quedó mirando el fuego con ojos llorosos. Harry le permitió treinta segundos de embelesamiento, pero luego se aclaró ruidosamente la garganta y dijo:

—¿Y qué pasó? ¿Encontraron a alguno de los otros gigantes?

—¿Qué? ¡Ah, sí! Sí, los encontramos. La tercera noche después de que mataran a Karkus, salimos de la cueva donde estábamos escondidos y bajamos al barranco, con los ojos muy abiertos por si rondaba por allí algún mortífago. Entramos en algunas cuevas, pero sin éxito. Y entonces, creo que fue en la sexta, encontramos a tres gigantes escondidos.

—Debían de estar muy apretujados —observó Ron.

—Era una cueva muy grande; había espacio para columpiar a un kneazle —concretó Hagrid.

—¿No los atacaron cuando los vieron? —preguntó Hermione.

—Probablemente lo habrían hecho si se hubieran hallado en mejores condiciones —contestó Hagrid—, pero estaban los tres malheridos porque los secuaces de Golgomath los habían apaleado hasta dejarlos inconscientes. Tras recobrar el conocimiento, se habían refugiado en el primer sitio que habían encontrado. En fin, uno de ellos sabía un poco nuestro idioma e hizo de intérprete para los otros, y lo que les dijimos no les pareció mal. Así que más tarde volvimos a su cueva para visitar a los heridos... Creo que hubo un momento en que tuvimos convencidos a seis o siete.

—¿Seis o siete? —repitió Ron con entusiasmo—. No está nada mal... ¿Van a venir aquí para pelear a nuestro lado contra Quien-tú-sabes?

Pero Hermione dijo:

—¿Qué quieres decir con eso de que «hubo un momento», Hagrid?

Éste la miró con tristeza.

—Los secuaces de Golgomath asaltaron las cuevas. Después de eso, los que sobrevivieron no quisieron saber nada más de nosotros.

—Entonces..., entonces ¿no va a venir ningún gigante? —dijo Ron, decepcionado.

—No —contestó Hagrid, y soltó un hondo suspiro. Volvió a dar la vuelta al filete y se colocó de nuevo la parte más fresca sobre la cara—, pero cumplimos con lo que habíamos ido a hacer: les llevamos el mensaje de Dumbledore, y algunos lo oyeron y espero que lo recuerden. A lo mejor los que no quieran quedarse con Golgomath se marchan de las montañas, y quizá recuerden que Dumbledore se mostró amable con ellos... Es posible que vengan.

La nieve estaba acumulándose en la ventana y entonces Harry se dio cuenta de que su túnica estaba empapada a la altura de las rodillas: *Fang* babeaba con la cabeza apoyada en su regazo.

—Hagrid... —dijo Hermione al cabo de un rato.

—¿Humm?

—¿Encontraste..., viste..., oíste algo de... tu... madre mientras estabas allí? —Hagrid miró a Hermione con su ojo sano, y ella se asustó—. Lo siento..., yo... Olvídalo...

—Murió —gruñó Hagrid—. Murió hace muchos años. Me lo dijeron.

—Oh... Lo siento mucho —replicó Hermione con un hilo de voz. Hagrid encogió sus enormes hombros.

—No pasa nada —afirmó de manera cortante—. Casi no me acuerdo de ella. No era muy buena madre.

Volvieron a quedarse callados. Hermione miró nerviosa a Harry y a Ron; era evidente que estaba deseando que dijeran algo.

—Pero todavía no nos has explicado cómo te pusieron así, Hagrid —comentó Ron señalando la cara manchada de sangre de su amigo.

—Ni por qué has tardado tanto en volver —añadió Harry—. Sirius dice que Madame Maxime regresó hace mucho tiempo...

—¿Quién te atacó? —le preguntó Ron.

—¡No me han atacado! —exclamó Hagrid enérgicamente—. Es que...

Pero unos súbitos golpes en la puerta acallaron el resto de sus palabras. Hermione emitió un grito ahogado y la taza se le cayó de las manos y se rompió al chocar contra el suelo. *Fang* dio un gañido. Los cuatro se quedaron mirando la ventana que había junto a la puerta. La sombra de una persona bajita y rechoncha ondeaba a través de la delgada cortina.

—¡Es ella! —susurró Ron.

—¡Rápido, escondámonos! —dijo Harry. Agarró la capa invisible y se la echó encima cubriendo también a Hermione, mientras Ron rodeaba la mesa y corría a refugiarse bajo la capa. Apretujados, retrocedieron hacia un rincón. *Fang* ladraba furioso mirando la puerta. Hagrid estaba muy aturdido—. ¡Esconde nuestras tazas, Hagrid!

Éste tomó las tazas de Harry y de Ron y las puso debajo del cojín del cesto de *Fang*. El perro arañaba la puerta con las patas delanteras, y Hagrid lo apartó con un pie y abrió.

La profesora Umbridge estaba plantada en el umbral, con su capa verde de tweed y un sombrero a juego con orejeras. Se echó hacia atrás con los labios fruncidos para ver la cara de Hagrid, a quien apenas le llegaba a la altura del ombligo.

—Usted es Hagrid, ¿verdad? —dijo despacio y en voz muy alta, como si hablara con un sordo. A continuación entró en la cabaña sin esperar una respuesta, dirigiendo sus saltones ojos en todas direcciones—. ¡Largo! —exclamó con brusquedad agitando su bolso frente a *Fang*, que se le había acercado dando saltos e intentaba lamerle la cara.

—Oiga, no querría parecer grosero —dijo Hagrid mirándola fijamente—, pero ¿quién demonios es usted?

—Me llamo Dolores Umbridge.

La profesora Umbridge recorrió la cabaña con la mirada. En dos ocasiones fijó la vista en el rincón donde estaba Harry apretado entre Ron y Hermione.

—¿Dolores Umbridge? —repitió Hagrid absolutamente confundido—. Creía que era una empleada del Ministerio. ¿No trabaja con Fudge?

—Sí, antes era la subsecretaria del ministro —confirmó la bruja, y empezó a pasearse por la cabaña reparando en todo, desde la mochila que había apoyada en la pared hasta la capa de viaje colgada del respaldo de la silla—. Ahora soy la profesora de Defensa Contra las Artes Oscuras...

—Es usted valiente —comentó Hagrid—. Ya no hay mucha gente dispuesta a ocupar esa plaza.

—... y la Suma Inquisidora de Hogwarts —añadió Dolores Umbridge como si no hubiera oído el comentario de Hagrid.

—¿Qué es eso? —preguntó él frunciendo el entrecejo.

—Precisamente iba a preguntarle lo mismo —dijo la profesora Umbridge señalando los trozos de porcelana de la taza de Hermione que había en el suelo.

—¡Ah! —exclamó Hagrid, y sin poder evitarlo miró hacia el rincón donde estaban escondidos Harry, Ron y Hermione—. ¡Ah, eso! Ha sido *Fang*. Ha roto una taza. Por eso he tenido que usar esa otra.

Hagrid señaló la taza con la que había estado bebiendo. Todavía se sujetaba con una mano el filete de dragón contra el ojo magullado. La profesora Umbridge dejó de pasearse y miró a Hagrid, fijándose en todos los detalles de su apariencia.

—He oído voces —comentó con calma.

—Estaba hablando con *Fang* —aseguró Hagrid con firmeza.

—¿Y él le contestaba?

—Bueno, en cierto modo... —dijo Hagrid, que parecía un poco incómodo—. A veces digo que *Fang* es casi humano...

—Hay tres rastros en la nieve que conducen desde la puerta del castillo hasta su cabaña —declaró la profesora Umbridge con parsimonia.

Hermione ahogó un grito y Harry le tapó la boca con una mano. Por fortuna, *Fang* olfateaba ruidosamente el bajo de la túnica de la profesora Umbridge, que no pareció haber oído nada.

—Mire, yo acabo de llegar —explicó Hagrid señalando su mochila con una enorme mano—. A lo mejor ha venido alguien antes y no me ha encontrado.

—No hay huellas que salgan de la puerta de la cabaña.

—Bueno..., no sé por qué será —dijo Hagrid, nervioso, tocándose la barba, y volvió a mirar hacia el rincón donde estaban Harry, Ron y Hermione, como pidiéndoles ayuda—. No sé...

La profesora Umbridge se dio la vuelta y volvió a recorrer la cabaña, examinando atentamente todo lo que la rodeaba. Se agachó y miró debajo de la cama. Abrió los armarios de Hagrid. Pasó a sólo cinco centímetros de donde estaban Harry, Ron y Hermione, pegados contra la pared; Harry hasta encogió el estómago cuando ella pasó por su lado. Tras examinar detenidamente el interior del inmenso caldero que Hagrid utilizaba para cocinar, volvió a darse la vuelta y preguntó:

—¿Qué le ha ocurrido? ¿Cómo se ha hecho esas heridas?

Hagrid se apresuró a quitarse el filete de dragón de la cara, lo cual, en opinión de Harry, fue un error, porque dejó al descubierto el tremendo cardenal que tenía alrededor del ojo, por no mencionar la gran cantidad de sangre fresca y coagulada que le cubría la cara.

—Es que... he sufrido un pequeño accidente —contestó sin convicción.

—¿Qué tipo de accidente?

—Pues... tropecé.

—Tropezó —repitió la profesora Umbridge con frialdad.

—Sí, eso es. Con..., con la escoba de un amigo mío. Yo no vuelo. Comprenderá que con mi estatura... No creo que haya escobas adecuadas para mí. Tengo un amigo que se dedica a la cría de caballos abraxan, no sé si los habrá visto alguna vez, son unas bestias enormes, con alas, ¿sabe? Una vez monté uno y fue...

—¿Dónde ha estado? —lo interrumpió la profesora Umbridge, cortando por lo sano el balbuceo de Hagrid.

—¿Que dónde he...?

—Estado, sí —acabó de decir ella—. El curso empezó hace dos meses. Otra profesora ha tenido que hacerse cargo de sus clases. Ninguno de sus colegas ha sabido darme ninguna información acerca de su paradero. No dejó usted ninguna dirección. ¿Dónde ha estado?

Entonces se produjo una pausa durante la cual Hagrid miró a la profesora Umbridge con el ojo que acababa de destapar. A Harry le pareció que podía oír el cerebro de su amigo trabajando a toda máquina.

—Pues... he estado fuera por motivos de salud —aclaró al fin.

—Por motivos de salud —repitió la profesora Umbridge recorriendo con la mirada la descolorida e hinchada cara de Hagrid; la sangre de dragón goteaba lenta y silenciosamente sobre su chaleco—. Vaya.

—Sí, necesitaba un poco de aire fresco, ¿sabe?

—Claro, porque como guardabosques no debe de tener ocasión de respirar mucho aire fresco —replicó la profesora Umbridge con dulzura. El único trozo de la cara de Hagrid que no estaba de color negro ni morado se puso rojo.

—Bueno, me convenía un cambio de ambiente...

—¿Ambiente de montaña? —sugirió la profesora Umbridge con rapidez.

«Lo sabe», pensó Harry desesperado.

—¿De montaña? —repitió Hagrid exprimiéndose el cerebro—. No, no, fui al sur de Francia. Me apetecía un poco de sol... y de mar...

—¡No me diga! —saltó la profesora Umbridge—. Pues no está muy moreno.

—Sí, es cierto... Es que tengo una piel muy sensible —repuso Hagrid intentando forzar una sonrisa conciliadora.

Harry se fijó en que le faltaban dos dientes. La profesora Umbridge se quedó mirándolo fríamente, y la sonrisa de Hagrid flaqueó. Entonces la bruja se subió un poco más el bolso, hasta el codo, y dijo:

—Informaré al Ministerio de su tardanza, como es lógico.

—Claro —repuso Hagrid, y asintió con la cabeza.

—También debería usted saber que como Suma Inquisidora es mi deber supervisar a los profesores de este colegio. De modo que me imagino que volveremos a vernos muy pronto —añadió, dando la vuelta bruscamente y dirigiéndose hacia la puerta.

—¿Que nos está supervisando? —preguntó Hagrid, desconcertado, mirando la espalda de la profesora Umbridge.

—En efecto —afirmó ésta girando la cabeza cuando ya tenía una mano en el picaporte—. El Ministerio está decidido a descartar a los profesores poco satisfactorios, Hagrid. Buenas noches.

Y a continuación salió de la cabaña y cerró la puerta, que hizo un ruido seco. Harry fue a quitarse la capa invisible, pero Hermione le agarró la muñeca.

—Todavía no —le susurró al oído—. Quizá aún no se haya ido.

Hagrid debía de estar pensando lo mismo, porque cruzó la habitación y apartó un poco la cortina para mirar afuera.

—Vuelve al castillo —dijo en voz baja—. Caramba, así que está supervisando a los profesores, ¿eh?

—Sí —afirmó Harry quitándose la capa—. La profesora Trelawney ya está en periodo de prueba...

—Oye, Hagrid, ¿qué tienes pensado hacer en nuestras clases? —preguntó Hermione.

—Oh, no te preocupes por eso, tengo un montón de clases planeadas —respondió Hagrid con entusiasmo. Tomó el filete de dragón de la mesa y volvió a ponérselo sobre el ojo—. Tenía un par de criaturas guardadas para su año del TIMO. Ya verán, son muy especiales.

—Especiales... ¿en qué sentido? —inquirió Hermione, vacilante.

—No pienso decírselo —repuso Hagrid alegremente—. Quiero que sea una sorpresa.

—Mira, Hagrid —dijo la chica con tono apremiante, pues no podía seguir disimulando—, a la profesora Umbridge no le va a hacer ninguna gracia que lleves bichos peligrosos a las clases.

—¿Bichos peligrosos? —se extrañó Hagrid, risueño—. ¡No seas tonta, jamás se me ocurriría llevar nada peligroso! Bueno, en verdad, saben cuidarse solitos...

—Hagrid, tienes que aprobar la supervisión de la profesora Umbridge, y para ello sería preferible que viera cómo nos enseñas a cuidar porlocks, a distinguir a los knarls de los erizos, y cosas así —expuso Hermione con mucha seriedad.

—Es que eso no es interesante, Hermione —argumentó Hagrid—. Lo que tengo preparado es mucho más impresionante. Llevo años criándolos, creo que tengo la única manada doméstica de Gran Bretaña.

—Por favor, Hagrid —le suplicó Hermione con verdadera desesperación en la voz—. La profesora Umbridge está buscando excusas para deshacerse de los profesores que estén, según ella, demasiado vinculados a Dumbledore. Por favor, Hagrid, enséñanos algo aburrido que pueda salir en el TIMO.

Pero Hagrid se limitó a abrir la boca en un enorme bostezo y a mirar con languidez con su ojo sano la inmensa cama que había en un rincón.

—Mira, ha sido un día muy largo y se hace tarde —dijo, dándole unas palmaditas en el hombro a Hermione, a quien se le doblaron las rodillas y cayó al suelo con un ruido sordo—. ¡Oh, lo siento! —La ayudó a levantarse tirando del cuello de su túnica—. No te preocupes por mí, te prometo que tengo cosas estupendas pensadas para las clases ahora que he vuelto... Será mejor que regresen cuanto antes al castillo, ¡y no olviden borrar sus huellas!

—No sé si habrás conseguido que lo capte —comentó Ron poco después, cuando, tras comprobar que no había peligro, volvían al castillo por la espesa capa de nieve sin dejar rastro tras ellos gracias al encantamiento de obliteración que Hermione realizaba a medida que avanzaban.

—Pues mañana iré a verlo otra vez —afirmó ésta muy decidida—. Si es necesario le programaré las clases. ¡No me importa que echen a la profesora Trelawney, pero no voy a permitir que despidan a Hagrid!

21

El ojo de la serpiente

El domingo por la mañana, Hermione volvió a la cabaña de Hagrid caminando con dificultad por la capa de medio metro de nieve que cubría los jardines. A Harry y a Ron les habría gustado acompañarla, pero la montaña de deberes había vuelto a alcanzar una altura alarmante, así que se quedaron de mala gana en la sala común e intentaron ignorar los gritos de alegría provenientes de los jardines, donde los alumnos se divertían patinando en el lago helado, deslizándose en trineo y, lo peor de todo, encantando bolas de nieve que volaban a toda velocidad hacia la torre de Gryffindor y golpeaban con fuerza los cristales de las ventanas.

—¡Ya está bien! —estalló Ron, que finalmente había perdido la paciencia, y sacó la cabeza por la ventana—. Soy prefecto, y si una de esas bolas de nieve vuelve a golpear esta ventana... ¡Ay! —Metió la cabeza rápidamente. Tenía la cara cubierta de nieve—. Son Fred y George —dijo con amargura, y cerró la ventana—. ¡Imbéciles!

Hermione volvió de la cabaña de Hagrid poco antes de la hora de comer, temblando ligeramente y con la túnica mojada hasta las rodillas.

—¿Y bien? —le preguntó Ron, que levantó la cabeza al verla llegar—. ¿Ya le has programado las clases?

—Bueno, lo he intentado —contestó ella con desánimo, y se sentó en una butaca al lado de Harry. Luego sacó su varita mágica e hizo un complicado movimiento con ella. Del extremo salió un chorro de aire caliente que Hermione dirigió hacia su túnica, y ésta empezó a despedir vapor hasta que se secó por completo—. Ni siquiera estaba en la cabaña cuando he llegado, y he pasado media hora llamando a la puerta. Hasta que he visto que venía del bosque...

Harry soltó un gemido. El Bosque Prohibido estaba lleno del tipo de criaturas que podían hacer perder el empleo a Hagrid.

—¿Qué tiene guardado allí? ¿Te lo ha dicho? —inquirió.

—No —respondió Hermione tristemente—. Dice que quiere que sea una sorpresa. He intentado explicarle qué clase de persona es la profesora Umbridge, pero él no lo entiende. Insiste en que nadie en su sano juicio preferiría estudiar los knarls a las quimeras. No, no creo que tenga una quimera —añadió al ver las caras de horror de Harry y de Ron—, pero no será porque no lo haya intentado, pues ha hecho un comentario sobre lo difícil que es conseguir sus huevos. No sé cuántas veces le habré dicho que haría mejor siguiendo el programa de la profesora Grubbly-Plank. Francamente, creo que ni siquiera me escuchaba. Está un poco raro, la verdad. Y sigue sin querer explicar cómo se hizo esas heridas.

La reaparición de Hagrid en la mesa de los profesores al día siguiente no fue recibida con entusiasmo por parte de todos los alumnos. Algunos, como Fred, George y Lee, gritaron de alegría y echaron a correr por el pasillo que separaba la mesa de Gryffindor y la de Hufflepuff para estrecharle la enorme mano; otros, como Parvati y Lavender, intercambiaron miradas lúgubres y movieron la cabeza. Harry sabía que muchos estudiantes preferían las clases de la profesora Grubbly-Plank, y lo peor era que en el fondo, si era objetivo, reconocía que tenían buenas razones: para la profesora Grubbly-Plank una clase interesante no era aquella en la que existía el riesgo de que alguien acabara con la cabeza seccionada.

El martes, Harry, Ron y Hermione, muy atribulados, se encaminaron hacia la cabaña de Hagrid a la hora de Cuidado de Criaturas Mágicas, bien abrigados para protegerse del frío. Harry estaba preocupado no sólo por lo que a Hagrid se le habría ocurrido enseñarles, sino también por cómo se comportaría el resto de la clase, y en particular Malfoy y sus amigotes, si los observaba la profesora Umbridge.

Con todo, no vieron a la Suma Inquisidora cuando avanzaban trabajosamente por la nieve hacia la cabaña de Hagrid, que los esperaba de pie al inicio del bosque. Hagrid no presentaba una imagen muy tranquilizadora: los cardenales, que el sábado por la noche eran de color morado, estaban en ese momento matizados de verde y amarillo, y algunos de los cortes que tenía todavía sangraban. Aquello desconcertó a Harry; la única explicación que se le ocurría era que a su amigo lo había atacado alguna criatura cuyo veneno impedía que las heridas que hacía cicatrizaran. Para completar aquel lamentable cuadro, Hagrid llevaba sobre el hombro un bulto que parecía la mitad de una vaca muerta.

—¡Hoy vamos a trabajar aquí! —anunció alegremente a los alumnos que se le acercaban, señalando con la cabeza los oscuros árboles que tenía a su espalda—. ¡Estaremos un poco más resguardados! Además, ellos prefieren la oscuridad.

—¿Quién prefiere la oscuridad? —preguntó Malfoy ásperamente a Crabbe y a Goyle con un dejo de pánico en la voz—. ¿Quién ha dicho que prefiere la oscuridad? ¿Lo han oído?

Harry recordó la única ocasión en que Malfoy había entrado en el bosque; aquella vez tampoco demostró mucha valentía. Sonrió; después del partido de quidditch, a Harry le parecía magnífica cualquier cosa que produjera malestar a Malfoy.

—¿Listos? —preguntó Hagrid festivamente mirando a sus estudiantes—. Muy bien, he preparado una excursión al bosque para los de quinto año. He pensado que sería interesante que observaran a esas criaturas en su hábitat natural. Verán, las criaturas que vamos a estudiar hoy son muy raras, creo que soy el único en toda Gran Bretaña que ha conseguido domesticarlas.

—¿Seguro que están domesticadas? —preguntó Malfoy, y el dejo de pánico de su voz se hizo más pronunciado—. Porque no sería la primera vez que nos trae bestias salvajes a la clase.

Los de Slytherin murmuraron en señal de adhesión, y unos cuantos estudiantes de Gryffindor también parecían opinar que Malfoy tenía razón.

—Claro que están domesticadas —contestó Hagrid frunciendo el entrecejo y colocándose bien la vaca muerta sobre el hombro.

—Entonces, ¿qué le ha pasado en la cara? —inquirió Malfoy.

—¡Eso no es asunto tuyo! —respondió Hagrid con enojo—. Y ahora, si ya han acabado de hacerme preguntas estúpidas, ¡síganme!

Se dio la vuelta y entró en el bosque, pero nadie se mostraba muy dispuesto a seguirlo. Harry miró a Ron y a Hermione, que suspiraron y asintieron con la cabeza, y los tres echaron a andar detrás de su amigo, precediendo al resto de la clase.

Caminaron unos diez minutos hasta llegar a un sitio donde los árboles estaban tan pegados que no había ni una gota de nieve en el suelo y parecía que había caído la tarde. Hagrid, con un gruñido, depositó la media vaca en el suelo, retrocedió y se volvió para mirar a los alumnos, la mayoría de los cuales pasaban sigilosamente de un árbol a otro hacia donde estaba él, escudriñando nerviosos los alrededores como si fueran a atacarlos en cualquier momento.

—Agrúpense, agrúpense —les aconsejó Hagrid—. Bueno, el olor de la carne los atraerá, pero de todos modos voy a llamarlos porque les gusta saber que soy yo.

Se dio la vuelta, movió la desgreñada cabeza para apartarse el cabello de la cara y dio un extraño y estridente grito que resonó entre los oscuros árboles como el reclamo de un pájaro monstruoso. Nadie rió: la mayoría de los estudiantes estaban demasiado asustados para emitir sonido alguno.

Hagrid volvió a pegar aquel chillido. Luego pasó un minuto, durante el cual los alumnos, inquietos, siguieron escudriñando los alrededores por si veían acercarse algo. Y entonces, cuando Hagrid se echó el cabello hacia atrás por tercera vez e infló su enorme pecho, Harry le dio un codazo a Ron y señaló un espacio que había entre dos retorcidos tejos.

Un par de ojos blancos y relucientes empezaron a distinguirse en la penumbra, poco después la cara y el cuello de un dragón, y luego el esquelético cuerpo de un enorme y negro caballo alado surgió de la oscuridad. El animal se quedó mirando a los niños unos segundos mientras agitaba su larga y negra cola; a continuación agachó la cabeza y empezó a arrancar carne de la vaca muerta con sus afilados colmillos.

Harry sintió un alivio inmenso. Por fin tenía pruebas de que no se había imaginado aquellas criaturas, de que eran reales: Hagrid también las conocía. Miró ansioso a Ron, pero su amigo seguía observando entre los árboles, y pasados unos segundos dijo en un susurro:

—¿Por qué no sigue llamando Hagrid?

El resto de los alumnos de la clase ponían la misma cara de aturdimiento y de nerviosa expectación que Ron, y miraban en todas direcciones menos al caballo que tenían delante. Al parecer, sólo había otras dos personas que podían verlo: un muchacho nervudo de Slytherin, que estaba detrás de Goyle y contemplaba al caballo con una expresión de profundo disgusto en la cara, y Neville, que seguía con la mirada los movimientos oscilantes de la larga cola negra del animal.

—¡Ah, aquí llega otro! —exclamó Hagrid con orgullo cuando otro caballo negro salió de entre los oscuros árboles. El animal plegó sus coriáceas alas, las pegó al cuerpo, agachó la cabeza y también se puso a comer—. A ver, que levanten la mano los que puedan verlos.

Harry la levantó. Estaba muy contento porque por fin iban a revelarle el misterio de aquellos caballos. Hagrid le hizo una seña con la cabeza.

—Sí, claro, ya sabía que tú los verías, Harry —dijo con seriedad—. Y tú también, ¿eh, Neville? Y...

—Perdone —dijo Malfoy con una voz socarrona—, pero ¿qué es exactamente eso que se supone que tendríamos que ver?

Por toda respuesta, Hagrid señaló el cuerpo de la vaca muerta que yacía en el suelo. Los alumnos la contemplaron unos segundos; entonces varios de ellos ahogaron un grito y Parvati se puso a chillar. Harry entendió por qué: lo único que veían eran trozos de carne que se separaban solos de los huesos y desaparecían, y era lógico que lo encontraran muy extraño.

—¿Quién lo hace? —preguntó Parvati, aterrada, retirándose hacia el árbol más cercano—. ¿Quién se está comiendo esa carne?

—Son thestrals —respondió Hagrid con orgullo, y Hermione, que estaba al lado de Harry, soltó un débil «¡Oh!» porque sabía de qué se trataba—. Hay una manada en Hogwarts. Veamos, ¿quién sabe...?

—Pero ¡si traen muy mala suerte! —lo interrumpió Parvati, alarmada—. Dicen que causan todo tipo de desgracias a quien los ve. Una vez la profesora Trelawney me contó...

—¡No, no, no! —negó Hagrid chasqueando la lengua—. ¡Eso no son más que supersticiones! Los thestrals no traen mala suerte. Son inteligentísimos y muy útiles. Bueno, estos de aquí no tienen mucho trabajo, sólo tiran de los carruajes del colegio, a menos que Dumbledore tenga que hacer un viaje largo y no quiera aparecerse. Miren, ahí llega otra pareja...

Dos caballos más salieron despacio de entre los árboles; uno de ellos pasó muy cerca de Parvati, que se estremeció y se pegó más al árbol, diciendo:

—¡Me parece que noto algo! ¡Creo que está cerca de mí!

—No te preocupes, no te hará ningún daño —le aseguró Hagrid con paciencia—. Bueno, ¿quién puede decirme por qué algunos de ustedes los ven y otros no?

Hermione levantó la mano.

—Adelante —dijo Hagrid sonriéndole.

—Los únicos que pueden ver a los thestrals —explicó Hermione— son los que han visto la muerte.

—Exacto —confirmó Hagrid solemnemente—. Diez puntos para Gryffindor. Verán, los thestrals...

—Ejem, ejem.

La profesora Umbridge había llegado. Estaba a unos palmos de Harry, luciendo su capa y su sombrero verdes, y con el fajo de hojas de pergamino preparado. Hagrid, que nunca había oído aquella tosecilla falsa de la profesora Umbridge, miró preocupado al thestral que tenía más cerca, creyendo que era el animal el que había producido aquel sonido.

—Ejem, ejem.

—¡Ah, hola! —saludó Hagrid, sonriendo, cuando por fin localizó la fuente de aquel ruidito.

—¿Ha recibido la nota que le he enviado a su cabaña esta mañana? —preguntó la profesora Umbridge hablando despacio y elevando mucho la voz, como había hecho anteriormente para dirigirse a Hagrid. Era como si le hablara a un extranjero corto de entendimiento—. La nota en la que le anunciaba que iba a supervisar su clase.

—Sí, sí —afirmó Hagrid muy contento—. ¡Me alegro de que haya encontrado el sitio! Bueno, como verá..., o quizá no... No lo sé... Hoy estamos estudiando los thestrals.

—¿Cómo dice? —preguntó la profesora Umbridge en voz alta, llevándose la mano a la oreja y frunciendo el entrecejo.

Hagrid parecía un poco confundido.

—¡Thestrals! —gritó—. Esos... caballos alados, grandes, ¿sabe?

Hagrid agitó sus gigantescos brazos imitando el movimiento de unas alas. La profesora Umbridge lo miró arqueando las cejas y murmuró mientras escribía en una de sus hojas de pergamino:

—«Tiene... que... recurrir... a... un... burdo... lenguaje... corporal.»

—Bueno..., en fin... —balbuceó Hagrid, y se volvió hacia sus alumnos. Parecía un poco nervioso—. Este..., ¿por dónde iba?

—«Presenta... signos... de... escasa... memoria... inmediata» —murmuró la profesora Umbridge lo bastante alto para que todos pudieran oírla.

Draco Malfoy estaba exultante, como si las Navidades se hubieran adelantado un mes. Hermione, en cambio, estaba roja de ira reprimida.

—¡Ah, sí! —exclamó Hagrid, y echó una ojeada a las notas de la profesora Umbridge, inquieto. Pero siguió adelante con valor—. Sí, les iba a contar por qué tenemos una manada. Pues verán, empezamos con un macho y cinco hembras. Éste —le dio unas palmadas al caballo que había aparecido en primer lugar— se llama *Tenebrus* y es mi favorito. Fue el primero que nació aquí, en el bosque...

—¿Se da cuenta de que el Ministerio de Magia ha catalogado a los thestrals como criaturas peligrosas? —dijo Umbridge en voz alta interrumpiendo a Hagrid.

A Harry se le encogió el corazón, pero Hagrid se limitó a chasquear la lengua.

—¡Qué va, estos animales no son peligrosos! Bueno, quizá te peguen un bocado si los fastidias mucho...

—«Parece... que... la... violencia... lo motiva» —murmuró la profesora Umbridge, y continuó escribiendo en sus notas.

—¡En serio, no son peligrosos! —dijo Hagrid, que se estaba poniendo un poco más nervioso—. Mire, los perros muerden cuando se los molesta, ¿no? Lo que pasa es que los thestrals tienen mala reputación por eso de la muerte. Antes la gente creía que eran de mal agüero, ¿verdad? Porque no lo entendían, claro.

La profesora Umbridge no hizo ningún comentario más; terminó de escribir la última nota, levantó la cabeza, miró a Hagrid y volvió a hablar lentamente y en voz alta:

—Continúe dando la clase, por favor. Yo voy a pasearme —con mímica hizo como que caminaba y Malfoy y Pansy Parkinson rieron a carcajadas, aunque sin hacer ruido— entre los alumnos —señaló a unos cuantos estudiantes— y les haré preguntas —añadió, señalándose la boca mientras movía los labios.

Hagrid se quedó mirándola; no se explicaba por qué la profesora Umbridge actuaba como si él no entendiera su idioma. Hermione tenía lágrimas de rabia en los ojos.

—¡Eres una arpía! —dijo por lo bajo mientras la bruja se acercaba a Pansy Parkinson—. Ya sé lo que pretendes, asquerosa, retorcida y malvada...

—Bueno... —continuó Hagrid haciendo un esfuerzo por recuperar el hilo de sus ideas—. Thestrals. Sí. Verán, los thestrals tienen un montón de virtudes...

—¿Te resulta fácil —le preguntó la profesora Umbridge a Pansy Parkinson con voz resonante— entender al profesor Hagrid cuando habla?

Pansy, como Hermione, tenía lágrimas en los ojos, pero las suyas eran de risa. Cuando contestó, apenas se la entendió porque, al mismo tiempo que hablaba, intentaba contener una carcajada.

—No..., porque..., bueno..., no pronuncia muy bien...

La profesora Umbridge escribió más notas. Las pocas zonas de la cara de Hagrid que no estaban amoratadas se pusieron rojas, pero intentó fingir que no había oído la respuesta de Pansy.

—Este..., sí, son muy buenos chicos, los thestrals. Bueno, una vez que estén domados, como éstos, nunca volverán a perderse. Tienen un sentido de la orientación increíble, sólo hay que decirles adónde quieres ir...

—Lo increíble es que esos caballos lo entiendan a él, desde luego —observó Malfoy en voz alta, y Pansy Parkinson tuvo otro ataque de risa. La profesora Umbridge les sonrió con indulgencia y luego se volvió hacia Neville.

—¿Tú puedes ver a los thestrals, Longbottom? —inquirió. Neville asintió con la cabeza—. ¿A quién has visto morir? —preguntó nuevamente con indiferencia.

—A... mi abuelo —contestó Neville.

—¿Y qué opinas de ellos? —continuó la profesora Umbridge, señalando con una mano pequeña y regordeta a los caballos, que ya habían arrancado una gran cantidad de carne a la res, dejándola reducida a los huesos.

—Pues... —dijo Neville, acongojado, y miró a Hagrid—. Pues... están... muy bien.

—«Los... alumnos... están... demasiado... intimidados... para... admitir... que... tienen... miedo» —murmuró la profesora Umbridge tomando otra nota en sus pergaminos.

—¡No! —protestó Neville—. ¡No, yo no tengo miedo!

—No pasa nada —dijo la profesora Umbridge, y le dio unas palmaditas en el hombro a Neville mostrando una sonrisa que pretendía ser de comprensión, aunque a Harry le pareció maliciosa—. Bueno, Hagrid —se volvió hacia él una vez más, y elevó el tono de voz—, creo que ya he recogido suficiente información. Recibirá —mediante signos hizo como que agarraba algo que estaba suspendido en el aire— los resultados de su supervisión —señaló sus notas— dentro de diez días.

Y levantó ambas manos, extendiendo mucho los dedos, y a continuación amplió más que nunca aquella sonrisa de sapo bajo el sombrero verde, se abrió paso entre los alumnos y dejó a Malfoy y a Pansy desternillándose de risa, a

Hermione, temblando de ira, y a Neville, muy confundido y disgustado.

—¡Es una repugnante, mentirosa y retorcida gárgola! —vociferaba Hermione media hora más tarde cuando regresaban al castillo por los senderos que habían abierto en la nieve a la ida—. Han visto lo que pretende, ¿no? Es esa fobia que les tiene a los híbridos. Intenta que parezca que Hagrid es una especie de trol idiota, y sólo porque tenía una madre giganta. ¡No hay derecho! La clase no ha estado nada mal. De acuerdo, si hubiera vuelto a traernos escregutos de cola explosiva... Pero los thestrals son prácticamente inofensivos; de hecho, tratándose de Hagrid, están muy bien.

—La profesora Umbridge dice que son peligrosos —apuntó Ron.

—Bueno, ya lo ha dicho Hagrid, saben cuidarse ellos solitos —repuso Hermione, impaciente—, y supongo que alguien como la profesora Grubbly-Plank no nos los enseñaría hasta que preparáramos los ÉXTASIS, pero lo cierto es que son interesantes, ¿verdad? Eso de que algunas personas puedan verlos y otras no... Me encantaría poder verlos.

—¿Ah, sí? —dijo Harry en voz baja.

Hermione comprendió que había metido la pata.

—Perdona, Harry... Lo siento mucho... No, claro que no... Qué estupidez acabo de decir.

—No pasa nada —replicó él—, no te preocupes.

—A mí me ha sorprendido que pudiera verlos tanta gente —comentó Ron—. Tres personas en una clase...

—Sí, Weasley, ¿y sabes qué hemos pensado nosotros? —preguntó una sarcástica voz. Malfoy, Crabbe y Goyle caminaban detrás de ellos, pero la nieve amortiguaba el ruido de sus pasos y no se habían dado cuenta—. Que, a lo mejor, si contemplaras cómo alguien estira la pata, podrías ver mejor la quaffle. ¿Qué te parece?

Malfoy, Crabbe y Goyle rieron a carcajadas y se separaron de ellos, encaminándose hacia el castillo. Cuando ya se habían alejado un poco se pusieron a cantar «A Weasley vamos a coronar». A Ron se le pusieron las orejas coloradas.

—No les hagan caso. Ignórenlos —les aconsejó Hermione; a continuación, sacó su varita mágica y volvió a hacer el encantamiento que producía aire caliente para abrir con él un camino en la capa de nieve intacta que los separaba de los invernaderos.

Llegó diciembre, y dejó más nieve y un verdadero alud de deberes para los alumnos de quinto año. Las obligaciones como prefectos de Ron y Hermione también se hacían más pesadas a medida que se aproximaba la Navidad. Los llamaron para que supervisaran la decoración del castillo («Intenta colgar una tira de espumillón por una punta cuando Peeves sujeta la otra y pretende estrangularte con ella», contó Ron), para que vigilaran a los de primero y a los de segundo, que tenían que quedarse dentro del colegio a la hora del recreo porque fuera hacía demasiado frío («Hay que ver lo descarados que son esos mocosos; nosotros no éramos tan maleducados cuando íbamos a primero», aseguró Ron), y para turnarse con Argus Filch para patrullar por los pasillos, pues el conserje sospechaba que el espíritu navideño podía traducirse en un brote de duelos de magos («Tiene estiércol en lugar de cerebro», dijo Ron, furioso). Estaban tan ocupados que Hermione tuvo que dejar de tejer gorros de elfo, y estaba muy nerviosa porque sólo le quedaba lana para hacer otros tres.

—¡No soporto pensar en esos pobres elfos a los que todavía no he liberado y que tendrán que quedarse aquí en Navidad porque no hay suficientes gorros!

Harry, que no había tenido valor para explicarle que Dobby tomaba todas las prendas que ella hacía, se inclinó aún más sobre su redacción de Historia de la Magia. De todos modos, no le apetecía pensar en la Navidad. Por primera vez desde que estudiaba en Hogwarts, le habría encantado pasar las vacaciones lejos del colegio. Entre la prohibición de jugar al quidditch y lo preocupado que estaba por si ponían a Hagrid en periodo de prueba, le estaba agarrando manía al colegio. Lo único que de verdad le hacía ilusión eran las reuniones del ED, y durante las vacaciones tendrían que suspenderlas, pues casi todos los miembros del grupo pasarían las Navidades con sus familias. Hermione se iba a esquiar con sus padres, lo cual a Ron le hizo mucha gracia, porque no sabía que los muggles se atan unas estrechas tiras de madera a los pies para deslizarse por las montañas. Ron se iba a La Madriguera. Harry pasó varios días tragándose la envidia que sentía, hasta que, cuando le preguntó cómo iría a su casa aquella Navidad, su amigo exclamó: «Pero ¡si tú también vienes! ¿No te lo había dicho? ¡Mi madre me escribió hace semanas y me dijo que te invitara!»

Hermione puso los ojos en blanco, pero a Harry la noticia le levantó mucho los ánimos. La perspectiva de pasar aquellos días en La Madriguera era verdaderamente maravillosa, aunque la estropeaba un poco el sentimiento de culpa que tenía por no poder pasar las vacaciones con Sirius. Se preguntaba si conseguiría convencer a la señora Weasley de que invitara a su padrino durante las fiestas. Sin embargo, había demasiados factores adversos: dudaba que Dumbledore permitiera a Sirius salir de Grimmauld Place, y no estaba seguro de que la señora Weasley quisiera invitar a su padrino porque ellos dos siempre estaban en desacuerdo. Sirius no había vuelto a comunicarse con Harry desde su última aparición en la chimenea, y a pesar de que el chico sabía que habría sido una imprudencia intentar ponerse en contacto con él, ya que la profesora Umbridge vigilaba constantemente, no le hacía ninguna gracia imaginar que Sirius estaría solo en la vieja casa de su madre, quién sabe si tirando del extremo de uno de esos regalos sorpresa que estallan al abrirlos, mientras Kreacher tiraba del otro.

Harry llegó con tiempo a la Sala de los Menesteres para la última reunión del ED antes de las vacaciones, y se alegró de ello porque, cuando las antorchas se encendieron, vio que Dobby se había tomado la libertad de decorar la sala con motivo de las Navidades; y se dio cuenta de que lo había hecho el elfo porque a nadie más se le habría ocurrido colgar un centenar de adornos dorados del techo, cada uno de los cuales iba acompañado de una fotografía de la cara de Harry y la leyenda «¡FELICES HARRYNAVIDADES!».

Cuando Harry descolgó el último adorno, la puerta se abrió con un chirrido y entró Luna Lovegood con su aire soñador de siempre.

—¡Hola! —dijo distraídamente, y echó una ojeada a lo que quedaba de la decoración—. Qué adornos tan bonitos. ¿Los has puesto tú?

—No —contestó Harry—, ha sido Dobby, el elfo doméstico.

—Muérdago —comentó Luna en el mismo tono soñador, señalando un ramito lleno de bayas blancas que Harry tenía casi encima de la cabeza. Él se apartó enseguida—. Bien hecho —comentó Luna muy seria—. Suele estar infestado de nargles.

Harry se libró de tener que preguntar a Luna qué eran los nargles porque en ese momento llegaron Angelina, Katie y Alicia. Las tres jadeaban y estaban muertas de frío.

—Bueno —dijo la primera sin mucho ánimo, quitándose la capa y dejándola en un rincón—, por fin los hemos reemplazado.

—¿Reemplazado? —inquirió Harry sin comprender.

—A ti, a Fred y a George —aclaró Angelina, impaciente—. ¡Tenemos otro buscador!

—¿Quién es?

—Ginny Weasley —dijo Katie.

Harry la miró boquiabierto.

—Sí, claro... —comentó Angelina, que luego sacó su varita y flexionó el brazo—, pero es muy buena, la verdad. No es que tenga nada contra ti, desde luego —añadió mirándolo con ganas de matarlo—, pero como tú no puedes jugar...

Harry se calló la respuesta que estaba deseando darle: ¿acaso se imaginaba que él no lamentaba su expulsión del equipo cien veces más que ella?

—¿Y los golpeadores? —preguntó intentando controlar su voz.

—Andrew Kirke y Jack Sloper —dijo Alicia sin entusiasmo—. No es que sean muy buenos, pero comparados con el resto de inútiles que se han presentado...

La llegada de Ron, Hermione y Neville puso fin a aquella deprimente conversación, y unos minutos más tarde la sala estaba lo bastante llena para impedir que Harry recibiera las incendiarias miradas de reproche de Angelina.

—Bueno —dijo Harry, y llamó a sus compañeros al orden—. He pensado que esta noche podríamos repasar lo que hemos hecho hasta ahora, porque ésta es la última reunión antes de las vacaciones, y no tiene sentido empezar nada nuevo antes de un descanso de tres semanas...

—¿No vamos a hacer nada nuevo? —preguntó Zacharias Smith en un contrariado susurro, aunque lo bastante alto para que lo oyeran todos—. Si lo llego a saber, no vengo.

—Pues mira, es una lástima que Harry no te lo haya dicho antes —replicó Fred.

Varios estudiantes rieron por lo bajo. Harry observó que Cho también reía y volvió a notar aquella sensación de vacío en el estómago, como si se hubiera saltado un escalón al bajar por una escalera.

—Practicaremos por parejas —siguió—. Empezaremos con el embrujo paralizante durante diez minutos; luego nos sentaremos en los cojines y volveremos a practicar los hechizos aturdidores.

Los alumnos, obedientes, se agruparon de dos en dos; Harry volvió a formar pareja con Neville. La sala se llenó enseguida de gritos intermitentes de *¡Impedimenta!* Uno de los integrantes de cada pareja se quedaba paralizado un minuto, y durante ese tiempo el compañero miraba alrededor para ver lo que hacían las otras parejas; luego recuperaban el movimiento y les tocaba a ellos practicar el embrujo.

Neville había mejorado hasta límites insospechables. Al cabo de un rato, Harry, después de recuperar la movilidad tres veces seguidas, le pidió a Neville que practicara con Ron y Hermione para que él pudiera pasearse por la sala y observar cómo lo hacían los demás. Al pasar junto a Cho, ella le sonrió; Harry resistió la tentación de pasar por su lado más veces.

Tras diez minutos de practicar el embrujo paralizante, esparcieron los cojines por el suelo y se dedicaron al hechizo aturdidor. Como no había suficiente espacio para que todos practicaran a la vez, la mitad del grupo estuvo observando a la otra un rato, y luego cambiaron. Harry se sentía muy orgulloso mientras los contemplaba. Ciertamente, Neville aturdió a Padma Patil en lugar de a Dean, al que estaba apuntando, pero tratándose de Neville podía considerarse un fallo menor, y todos los demás habían mejorado muchísimo.

Al cabo de una hora, Harry les dijo que pararan.

—Lo están haciendo muy bien —comentó, sonriente—. Cuando volvamos de las vacaciones, empezaremos a hacer cosas más serias; quizá el encantamiento *patronus*.

Hubo un murmullo de emoción y luego la sala empezó a quedarse vacía; los estudiantes se marchaban en grupos de dos y de tres, como de costumbre, y al salir por la puerta deseaban a Harry feliz Navidad. Éste, muy animado, ayudó a Ron y a Hermione a recoger los cojines, que amontonaron en un rincón. Ron y Hermione se fueron antes que Harry, que se rezagó un poco porque Cho todavía no se había ido, y él suponía que también le desearía unas felices fiestas.

—No, ve tú primero —oyó que le decía a su amiga Marietta, y el corazón le dio tal vuelco que pareció que se lo enviaba a la altura de la nuez.

Harry fingió que enderezaba el montón de cojines. Estaba casi seguro de que se habían quedado solos, y esperó a que Cho dijera algo. Pero lo que oyó fue un fuerte sollozo.

Se dio la vuelta y vio a Cho, plantada en medio de la sala, con lágrimas en los ojos.

—¿Qué...? —No sabía qué hacer. Cho estaba de pie y lloraba en silencio—. ¿Qué te pasa? —le preguntó Harry débilmente.

Cho movió la cabeza y se secó las lágrimas con la manga.

—Lo siento... —se excusó—. Supongo que... es que... aprender todas estas cosas... Me imagino... que si él las hubiera sabido... todavía estaría vivo.

El corazón de Harry volvió a dar un vuelco más violento de lo habitual, y fue a parar a un punto situado más o menos a la altura de su ombligo. Debió haberlo supuesto. Cho sólo quería hablar de Cedric.

—Él sabía hacer estas cosas —comentó Harry con aplomo—. Era muy bueno en defensa; si no, no habría llegado al centro de aquel laberinto. Pero si Voldemort se propone matarte, la tienes muy difícil.

Al oír el nombre de Voldemort, Cho hipó bruscamente, pero siguió mirando a Harry a los ojos, sin pestañear.

—Tú sobreviviste cuando sólo eras un bebé —dijo con un hilo de voz.

—Sí, tienes razón —admitió Harry cansinamente, y fue hacia la puerta—. Pero no sé por qué, no lo sabe nadie, de modo que no es nada de lo que pueda estar orgulloso.

—¡No, no te vayas! —exclamó Cho adoptando de nuevo una expresión llorosa—. Perdona que me haya puesto así... No me lo esperaba... —Volvió a hipar. Estaba muy guapa pese a que tenía los ojos rojos e hinchados. Harry se sentía inmensamente desgraciado. Se habría contentado con un simple «Feliz Navidad»—. Ya sé que tiene que ser horrible para ti que yo mencione a Cedric, porque tú lo viste morir... —continuó Cho, y volvió a secarse las lágrimas con la manga de la túnica—. Supongo que te gustaría olvidarlo. —Harry no dijo nada; Cho tenía razón, pero le parecía cruel confirmárselo—. Eres un profesor estupendo, Harry —añadió ella forzando una débil sonrisa—. Yo nunca había podido aturdir a nadie.

—Gracias —dijo él, abochornado.

Se miraron el uno al otro largo rato. Harry sentía un deseo incontrolable de salir corriendo de la sala, y al mismo tiempo era incapaz de mover los pies.

—Mira, muérdago —dijo Cho con voz queda, y señaló el techo.

—Sí —afirmó Harry. Tenía la boca seca—. Pero debe de estar lleno de nargles.

—¿Qué son nargles?

—No tengo ni idea —confesó Harry. Cho se le había acercado un poco más, y él sintió como si tuviera el cerebro bajo los efectos de un hechizo aturdidor—. Tendrás que preguntárselo a Luna.

Cho hizo un ruidito raro, entre un sollozo y una risa. Se había acercado todavía un poco más a él. Harry habría podido contar las pecas que tenía en la nariz.

—Me gustas mucho, Harry.

Él no podía pensar. Un cosquilleo se extendía por todo su cuerpo, paralizándole los brazos, las piernas y el cerebro.

Cho estaba demasiado cerca, y Harry veía las lágrimas que pendían de sus pestañas...

Media hora más tarde, Harry entró en la sala común y encontró a Hermione y a Ron en los mejores sitios junto a la chimenea; casi todos los demás se habían acostado. Hermione estaba escribiendo una carta larguísima; ya había llenado medio rollo de pergamino, que colgaba por el borde de la mesa. Ron estaba tumbado sobre la alfombrilla de la chimenea intentando terminar sus deberes de Transformaciones.

—¿Por qué has tardado tanto? —preguntó Ron cuando Harry se sentó en la butaca que había al lado de la de Hermione.

Harry no contestó. Estaba conmocionado. Por una parte quería contarles a sus amigos lo que acababa de suceder, pero por otra prefería llevarse aquel secreto a la tumba.

—¿Estás bien, Harry? —preguntó Hermione mirándolo con ojos escrutadores por encima del extremo de la pluma.

Harry se encogió de hombros con poco entusiasmo. La verdad era que no sabía si estaba bien o no.

—¿Qué pasa? —inquirió Ron, y se incorporó un poco apoyándose en el codo para verlo mejor—. ¿Te ha ocurrido algo?

Harry no estaba seguro de por dónde empezar, y tampoco estaba seguro de que quisiera explicárselo. Cuando por fin decidió no decir nada, Hermione tomó las riendas de la situación.

—¿Es Cho? —preguntó con seriedad—. ¿Te ha abordado después de la reunión?

Harry, muy sorprendido, asintió con la cabeza. Ron rió por lo bajo, pero paró cuando Hermione lo miró con severidad.

—¿Y... qué quería? —preguntó Ron fingiendo indiferencia.

—Pues... —empezó a decir Harry con voz ronca; luego se aclaró la garganta y lo intentó de nuevo—. Pues... ella...

—¿Se han besado? —inquirió Hermione bruscamente.

Ron se incorporó tan deprisa que derramó el tintero sobre la alfombra. Ignorando por completo el desastre, miró con interés a Harry.

—Bueno, ¿qué? —dijo.

Harry miró a Ron, que lo miraba a su vez entre risueño y curioso; luego dirigió la vista hacia Hermione, que tenía el entrecejo ligeramente fruncido, y asintió con la cabeza.

—¡Toma!

Ron hizo un ademán de triunfo con el puño y se puso a reír a carcajadas; unos estudiantes de segundo año de aspecto tímido que estaban más allá, junto a la ventana, se sobresaltaron. Harry esbozó una sonrisa de mala gana al ver que Ron se revolcaba sobre la alfombra. Hermione, por su parte, lanzó a Ron una mirada de profundo disgusto y siguió escribiendo su carta.

—¿Y qué? —preguntó Ron por fin mirando a su amigo—. ¿Cómo ha sido?

Harry reflexionó un momento.

—Húmedo —respondió sinceramente. Ron hizo un ruido que podía interpretarse tanto como expresión de júbilo como de asco, no estaba muy claro—. Porque ella estaba llorando —aclaró Harry.

—¡Ah! —dijo Ron, y su sonrisa se apagó un poco—. ¿Tan malo eres besando?

—No lo sé —contestó Harry, que no se lo había planteado, e inmediatamente lo asaltó la preocupación—. Quizá sí.

—Claro que no —intervino Hermione distraídamente sin dejar de escribir.

—¿Cómo lo sabes? —le preguntó Ron.

—Porque últimamente Cho se pasa el día llorando —respondió Hermione con toda tranquilidad—. En las comidas, en los baños... En todas partes.

—Y tú, Harry, creíste que unos besos la animarían, ¿no? —preguntó Ron, y sonrió burlonamente.

—Ron —dijo Hermione con gravedad mientras mojaba la punta de la pluma en el tintero—, eres el ser más insensible que he conocido en mi vida.

—¿Qué se supone que significa eso? —replicó Ron, indignado—. ¿Qué clase de persona llora mientras están besándola?

—Sí —dijo Harry con un dejo de desesperación—. ¿Quién?

Hermione los miró a los dos como si le dieran lástima.

—¿Es que no entienden cómo debe de sentirse Cho?

—No —contestaron Harry y Ron a la vez.

Hermione suspiró y dejó la pluma sobre la mesa.

—A ver, es evidente que está muy triste por la muerte de Cedric. Supongo que, además, está hecha un lío porque antes le gustaba Cedric y ahora le gusta Harry, y no puede decidir cuál de los dos le gusta más. Por otra parte, debe de sentirse culpable, porque a lo mejor cree que es un insulto a la memoria de Cedric besarse con Harry y esas cosas, y también debe de preocuparle qué dirá la gente si empieza a salir con Harry. De todos modos, lo más probable es que no esté segura de lo que siente por Harry, porque él estaba con Cedric cuando éste murió, así que todo es muy complicado y doloroso. ¡Ah, y por si fuera poco, teme que la echen del equipo de quidditch de Ravenclaw porque últimamente vuela muy mal!

Cuando Hermione terminó su discurso, se produjo un silencio de perplejidad. Entonces Ron dijo:

—Nadie puede sentir tantas cosas a la vez. ¡Explotaría!

—Que tú tengas la variedad de emociones de una cucharilla de té no significa que los demás seamos iguales —repuso Hermione con crueldad, y volvió a tomar su pluma.

—Fue ella la que empezó —explicó Harry—. Yo no habría... Vino hacia mí y... cuando me di cuenta, estaba llorando desconsoladamente. Yo no sabía qué hacer...

—No me extraña, Harry —comentó Ron, alarmado sólo de pensarlo.

—Lo único que tenías que hacer era ser cariñoso con ella —aclaró Hermione levantando la cabeza con impaciencia—. Lo fuiste, ¿verdad?

—Bueno —contestó Harry, y un desagradable calor se extendió por su cara—, más o menos... Le di unas palmaditas en la espalda... —Parecía que Hermione estaba conteniéndose con muchísima dificultad para no poner los ojos en blanco.

—Bueno, supongo que pudo ser peor. ¿Vas a volver a verla?

—Me imagino que sí. En las reuniones del ED, ¿no?

—Ya sabes a qué me refiero —contestó Hermione, impaciente.

Harry no dijo nada. Las palabras de su amiga le abrían un nuevo mundo de aterradoras posibilidades. Intentó imaginar que iba a algún sitio con Cho (a Hogsmeade, quizá) y que estaba a solas con ella durante varias horas seguidas. Después de lo que había pasado, lo lógico era que Cho esperase que le pidiera salir con él... Aquella idea hizo que el estómago se le encogiera dolorosamente.

—No te preocupes —continuó Hermione, que volvía a estar enfrascada en la redacción de su carta—, tendrás oportunidades de sobra para pedírselo.

—¿Y si Harry no quiere? —insinuó Ron, que había estado observando a su amigo con una expresión de perspicacia poco habitual en él.

—No seas tonto —repuso Hermione distraídamente—. Hace siglos que a Harry le gusta Cho, ¿verdad, Harry?

Él no contestó. Sí, Cho le gustaba desde hacía siglos, pero siempre que se había imaginado una escena en la que aparecían los dos, ella estaba divirtiéndose, y no llorando desconsoladamente sobre su hombro.

—Oye, ¿para quién es esa novela que estás escribiendo? —le preguntó Ron a Hermione mientras intentaba leer lo que había escrito en el trozo de pergamino que ya llegaba al suelo. Ella lo subió para que Ron no pudiera ver nada.

—Para Viktor —contestó.

—¿Viktor Krum?

—¿A cuántos Viktor más conocemos?

Ron no dijo nada, pero parecía contrariado. Permanecieron en silencio durante otros veinte minutos: Ron terminaba su redacción de Transformaciones entre resoplidos de impaciencia y tachaduras; Hermione escribía sin parar hasta que llegó al final del pergamino, que enrolló y selló con mucho cuidado; y Harry contemplaba el fuego deseando más que nunca que la cabeza de Sirius apareciera entre las llamas y le diera algún consejo sobre cómo comportarse con las chicas. Pero las llamas sólo crepitaban, cada vez más pequeñas, hasta que las brasas quedaron reducidas a cenizas; entonces Harry giró la cabeza y vio que, una vez más, se habían quedado solos en la sala común.

—Buenas noches —dijo entonces Hermione bostezando, y se marchó por la escalera de los dormitorios de las chicas.

—No sé qué habrá visto en Krum —comentó Ron cuando Harry y él subían la escalera de los chicos.

—Bueno —dijo Harry deteniéndose a pensarlo—. Es mayor que nosotros, ¿no? Y es un jugador internacional de quidditch...

—Sí, pero aparte de eso... —continuó Ron, que parecía exasperado—. No sé, es un protestón y un imbécil, ¿no?

—Un poco protestón sí es —admitió Harry, que seguía pensando en Cho.

Se quitaron las túnicas y se pusieron los pijamas en silencio. Dean, Seamus y Neville ya dormían. Harry dejó sus gafas en la mesilla y se acostó, pero no cerró las cortinas de su cama adoselada, sino que se quedó contemplando el trozo de cielo estrellado que se veía por la ventana que había junto a la cama de Neville. Si la noche anterior a aquella misma hora hubiera sabido que veinticuatro horas más tarde iba a besar a Cho Chang...

—Buenas noches —gruñó Ron, que dormía a la derecha de Harry.

—Buenas noches —repuso él.

Quizá la próxima vez..., si es que había una próxima vez..., ella estaría un poco más contenta. Debería haberle pedido salir; seguramente ella estaría esperando que lo hiciera, y en esos momentos debía de estar furiosa con él... ¿O estaría tumbada en la cama llorando por la muerte de Cedric? Harry no sabía qué pensar. Las explicaciones que le había dado Hermione sólo habían conseguido que todo pareciera más complicado en lugar de ayudarlo a entender lo que sucedía.

«Eso es lo que deberían enseñarnos aquí —pensó, y se movió hacia un lado—, cómo funciona el cerebro de las chicas... Sería mucho más útil que lo que nos enseñan en Adivinación, desde luego...»

Neville gimoteaba en sueños. Se oyó el lejano ulular de una lechuza.

Harry soñó que estaba otra vez en la sala del ED. Cho lo acusaba de haberla obligado a ir allí mediante engaños; decía que había prometido regalarle ciento cincuenta cromos de ranas de chocolate si se presentaba. Harry protestaba... Cho gritaba: «¡Mira, Cedric me dio cientos de cromos de ranas de chocolate!» Y sacaba puñados de cromos de la túnica y los lanzaba al aire. Entonces Cho se volvía hacia Hermione, que decía: «Es verdad, Harry, se lo prometiste...

Creo que será mejor que le regales otra cosa a cambio... ¿Qué te parece si le obsequias tu Saeta de Fuego?» Y Harry respondía que no podía darle su Saeta de Fuego a Cho porque la tenía la profesora Umbridge, y que todo aquello era absurdo, que él sólo había ido a la sala del ED para colgar unos adornos navideños que tenían la forma de la cabeza de Dobby...

Entonces el sueño cambió...

Harry notaba su cuerpo liso, fuerte y flexible. Se deslizaba entre unos relucientes barrotes de metal, sobre una fría y oscura superficie de piedra... Iba pegado al suelo y se arrastraba sobre el vientre... Estaba oscuro, y, sin embargo, él veía a su alrededor objetos brillantes de extraños y vivos colores. Giraba la cabeza... A primera vista el pasillo estaba vacío, pero no... Había un hombre sentado en el suelo, enfrente de él, con la barbilla caída sobre el pecho, y su silueta destacaba en la oscuridad...

Harry sacaba la lengua... Percibía el olor que desprendía aquel hombre, que estaba vivo pero adormilado, sentado frente a una puerta, al final del pasillo...

Harry se moría de ganas de morder a aquel hombre... Pero debía contener el impulso..., tenía cosas más importantes que hacer...

No obstante, el hombre se movía... Una capa plateada resbalaba de sus piernas cuando se ponía en pie de un brinco, y Harry veía cómo su oscilante y borrosa silueta se elevaba ante él; veía cómo el hombre sacaba una varita mágica de su cinturón... No tenía alternativa... Se elevaba del suelo y atacaba una, dos, tres veces, hundiéndole los colmillos al hombre, y notaba cómo sus costillas se astillaban entre sus mandíbulas y sentía el tibio chorro de sangre...

El hombre gritaba de dolor... y luego se quedaba callado... Se tambaleaba, se apoyaba en la pared... La sangre manchaba el suelo...

A Harry le dolía muchísimo la cicatriz... Le dolía como si su cabeza fuera a estallar...

—¡Harry! ¡HARRY! —Abrió los ojos. Estaba empapado de pies a cabeza en un sudor frío, las sábanas de la cama se le enrollaban alrededor del cuerpo como una camisa de fuerza, y sentía un intenso dolor en la frente, como si le estuvieran poniendo un atizador al rojo vivo—. ¡Harry!

Ron lo miraba muy asustado de pie junto a su cama, donde había también otras personas. Harry se sujetó la cabeza con ambas manos; el dolor lo cegaba... Giró hacia un lado y vomitó desde el borde del colchón.

—Está muy enfermo —dijo una voz aterrada—. ¿Llamamos a alguien?

—¡Harry! ¡Harry!

Tenía que contárselo a Ron, era muy importante que se lo contara... Respiró hondo con la boca abierta y se incorporó en la cama. Esperaba no vomitar otra vez; el dolor casi no lo dejaba ver.

—Tu padre —dijo entre jadeos—. Han... atacado... a tu padre.

—¡Qué! —exclamó Ron sin comprender.

—¡Tu padre! Lo han mordido. Es grave. Había sangre por todas partes...

—Voy a pedir ayuda —dijo la misma voz aterrada, y Harry oyó pasos que salían del dormitorio.

—Tranquilo, Harry —lo calmó un Ron titubeante—. Sólo..., sólo era un sueño...

—¡No! —saltó Harry, furioso; era fundamental que su amigo lo entendiera—. No era ningún sueño..., no era un sueño corriente... Yo estaba allí... y esa cosa... lo atacó.

Oyó que Seamus y Dean cuchicheaban, pero no le importó. El dolor de la frente estaba remitiendo un poco, aunque todavía sudaba y temblaba como si tuviera fiebre. Volvió a vomitar y Ron se apartó dando un salto hacia atrás.

—Estás enfermo, Harry —insistió con voz temblorosa—. Neville ha ido a pedir ayuda.

—¡Estoy bien! —dijo él con voz ahogada, y se limpió la boca con el pijama. Temblaba de modo incontrolable—. No me pasa nada, es por tu padre por quien tienes que preocuparte. Tenemos que averiguar dónde está... Está sangrando mucho... Yo era... Había una serpiente inmensa.

Intentó levantarse de la cama, pero Ron lo empujó contra ella; Dean y Seamus seguían hablando en susurros, allí cerca. Harry no supo si había pasado un minuto o diez; seguía allí sentado, temblando, y notaba que el dolor de la cicatriz remitía lentamente. Entonces oyó pasos que subían a toda prisa por la escalera y volvió a distinguir la voz de Neville.

—¡Aquí, profesora!

La profesora McGonagall entró corriendo en el dormitorio con su bata de cuadros escoceses y con las gafas torcidas sobre el puente de la huesuda nariz.

—¿Qué pasa, Potter? ¿Dónde te duele?

Harry nunca se había alegrado tanto de verla, pues lo que necesitaba en ese momento era a alguien que perteneciera a la Orden del Fénix, y no que lo mimaran ni le recetaran pociones inútiles.

—Es el padre de Ron —afirmó, y volvió a incorporarse—. Lo ha atacado una serpiente y está grave. Lo he visto todo.

—¿Qué quieres decir con eso de que lo has visto? —preguntó la profesora McGonagall juntando las oscuras cejas.

—No lo sé... Estaba durmiendo y de pronto estaba allí...

—¿Quieres decir que lo has soñado?

—¡No! —gritó Harry, enojado; ¿es que nadie lo entendía?—. Al principio estaba soñando, pero era un sueño completamente diferente, una tontería... Y de pronto esa imagen lo ha interrumpido. Era real, no me lo he imaginado. El señor Weasley estaba dormido en el suelo y lo atacaba una serpiente inmensa, había mucha sangre, se desmayaba, alguien tiene que averiguar dónde está... —La profesora McGonagall lo miraba a través de sus torcidas gafas como si le horrorizara lo que estaba viendo—. ¡Ni estoy mintiendo ni me he vuelto loco! —insistió Harry a voz en cuello—. ¡Le digo que lo he visto todo!

—Te creo, Potter —dijo la profesora McGonagall, cortante—. Ponte la bata. Vamos a ver al director.

22

Hospital San Mungo de Enfermedades y Heridas Mágicas

Harry se sintió tan aliviado al comprobar que la profesora McGonagall se lo tomaba en serio, que no vaciló: se levantó de inmediato de la cama y se puso la bata y las gafas.

—Tú también tendrías que venir, Weasley —indicó la profesora.

Salieron con ella del dormitorio, donde dejaron a Neville, Dean y Seamus, que no se atrevieron a abrir la boca, bajaron por la escalera de caracol hasta la sala común, salieron por el hueco del retrato y llegaron al pasillo de la Señora Gorda, iluminado por la luna. Harry tenía la impresión de que el pánico que se acumulaba en su interior podía desbordarse en cualquier momento; le habría gustado echar a correr y llamar a gritos a Dumbledore. El señor Weasley estaba desangrándose mientras ellos andaban tranquilamente por el pasillo; ¿y si aquellos colmillos (Harry hizo un esfuerzo para no pensar «mis colmillos») eran venenosos? Se cruzaron con la *Señora Norris*, que los miró con los ojos como lámparas y bufó débilmente, pero la profesora McGonagall dijo «¡Fuera!» y la gata se escabulló en las sombras. Al cabo de unos minutos llegaron a la gárgola de piedra que vigilaba la entrada del despacho de Dumbledore.

—¡Meigas Fritas! —exclamó la profesora McGonagall.

La gárgola cobró vida y se apartó hacia un lado, y la pared que tenía detrás se abrió dejando ver una escalera de piedra que se movía continuamente hacia arriba, como una escalera mecánica de caracol. Montaron los tres en la escalera móvil; la pared se cerró tras ellos con un ruido sordo y empezaron a ascender, describiendo cerrados círculos, hasta que llegaron a la brillante puerta de roble en la que sobresalía la aldaba de bronce que representaba un grifo.

Era más de medianoche, pero en el interior de la habitación se oían voces, como un agitado murmullo. Parecía que Dumbledore estaba reunido por lo menos con una docena de personas.

La profesora McGonagall llamó tres veces con la aldaba en forma de grifo y las voces cesaron inmediatamente, como si alguien las hubiera hecho callar pulsando un interruptor. La puerta se abrió sola, y la profesora precedió a Harry y a Ron hacia el interior.

El cuarto estaba en penumbra; los extraños instrumentos de plata que había sobre las mesas estaban quietos y silenciosos en lugar de zumbar y despedir bocanadas de humo, como solían hacer; los retratos de anteriores directores y directoras que cubrían las paredes dormitaban en sus marcos. Junto a la puerta, un espléndido pájaro rojo y dorado del tamaño de un cisne dormía en su percha con la cabeza bajo el ala.

—Ah, es usted, profesora McGonagall..., y..., ¡ah!

Dumbledore estaba sentado en una silla de respaldo alto detrás de su mesa, inclinado sobre la luz de las velas que iluminaban los papeles que tenía delante. Aunque llevaba una bata de color morado y dorado con espléndidos bordados sobre una camisa de dormir blanquísima, estaba completamente despierto y tenía los penetrantes ojos azul claro fijos en la profesora McGonagall.

—Profesor Dumbledore, Potter ha tenido..., bueno, una pesadilla —declaró la profesora—. Dice que...

—No era ninguna pesadilla —se apresuró a corregir Harry.

La profesora McGonagall miró al muchacho con el entrecejo fruncido.

—Está bien, Potter, cuéntaselo tú al director.

—Verá... Yo... estaba dormido, es cierto... —empezó a explicar Harry, y pese al terror que sentía y la desesperación por conseguir que Dumbledore lo entendiera, le molestó un poco que el director no lo mirara a él, sino que se examinara los dedos, que tenía entrelazados—. Pero no era un sueño corriente..., era verdadero... Vi cómo pasaba... —Inspiró hondo—. Al padre de Ron, el señor Weasley, lo ha atacado una serpiente gigantesca.

Las palabras resonaron en la habitación y resultaron un poco ridículas, incluso cómicas. Luego se produjo un silencio durante el cual Dumbledore se recostó en la silla y se quedó contemplando el techo con aire meditabundo. Ron, pálido y conmocionado, miró a Harry y luego al director.

—¿Cómo lo has visto? —le preguntó Dumbledore con serenidad, aunque seguía sin mirarlo.

—Pues... no lo sé —contestó Harry, muy enfadado. ¿Qué importancia tenía eso?—. Dentro de mi cabeza, supongo.

—No me has entendido —dijo Dumbledore con el mismo tono reposado—. Me refiero a si... ¿Recuerdas... dónde estabas situado cuando presenciaste el ataque? ¿Estabas de pie junto a la víctima o contemplabas la escena desde arriba?

Aquélla era una pregunta tan curiosa que Harry se quedó observando al director con la boca abierta; era como si él supiera...

—Yo era la serpiente —afirmó—. Lo vi todo desde la posición de la serpiente.

Hubo un nuevo momento de silencio; entonces Dumbledore, sin mirar a Ron, que todavía estaba blanco como la cera, preguntó con un tono de voz diferente, más brusco:

—¿Está Arthur gravemente herido?

—Sí —contestó Harry categóricamente.

¿Cómo podían ser todos tan duros de mollera? ¿No sabían lo que podía llegar a sangrar una persona cuando unos colmillos de ese tamaño le perforaban el costado? ¿Y por qué no tenía Dumbledore la cortesía de mirarlo a la cara?

Pero entonces el director se puso en pie tan deprisa que Harry se sobresaltó, y se dirigió a uno de los viejos retratos que estaba colgado muy cerca del techo.

—¡Everard! —dijo enérgicamente—. ¡Y tú también, Dilys!

Dos personajes que parecían sumidos en el más profundo de los sueños, un mago de rostro cetrino con un corto flequillo negro y una anciana bruja con largos tirabuzones plateados que estaba en el cuadro de al lado, abrieron de inmediato los ojos.

—¿Lo han oído? —les preguntó Dumbledore.

El mago asintió con la cabeza y la bruja dijo: «Por supuesto.»

—Es pelirrojo y lleva gafas —especificó Dumbledore—. Everard, tendrás que dar la alarma, asegúrate de que lo encuentran las personas adecuadas...

El mago y la bruja asintieron y se desplazaron hacia un lado de sus respectivos marcos, pero en lugar de aparecer en los cuadros contiguos (como solía ocurrir en Hogwarts), ninguno de los dos reapareció. En ese momento, en uno de los cuadros sólo había una cortina oscura como telón de fondo; en el otro, una bonita butaca de cuero. Harry se fijó en que muchos otros directores y directoras, pese a roncar y babear de forma muy convincente, lo observaban con disimulo sin levantar apenas los párpados, y de pronto comprendió quiénes eran los que estaban hablando cuando habían llamado a la puerta.

—Everard y Dilys fueron dos de los más célebres directores de Hogwarts —explicó Dumbledore, que pasó junto a Harry, Ron y la profesora McGonagall para acercarse al magnífico pájaro que dormía en la percha al lado de la puerta—. Tal es su renombre que ambos tienen retratos colgados en importantes instituciones mágicas. Como tienen libertad para moverse de uno a otro de sus propios retratos, podrán decirnos qué está pasando en otros sitios...

—Pero ¡el señor Weasley podría estar en cualquier parte! —exclamó Harry.

—Sentaos los tres, por favor —dijo Dumbledore ignorando por completo el comentario del chico—. Everard y Dilys quizá tarden unos minutos en regresar. Profesora McGonagall, ¿quiere acercar unas sillas?

La profesora McGonagall sacó la varita mágica del bolsillo de la bata y la agitó; de la nada aparecieron tres sillas de madera, con respaldo alto, muy diferentes de las cómodas butacas de tela de algodón estampada que Dumbledore había hecho aparecer durante la vista de Harry. Éste se sentó, pero giró la cabeza para mirar a Dumbledore. El director acariciaba con un dedo las doradas plumas de la cabeza de *Fawkes*, y el fénix despertó al momento. Levantó su hermosa cabeza y miró a Dumbledore con sus ojos brillantes y oscuros.

—Necesitaremos que nos avises —le dijo Dumbledore en voz baja al pájaro.

Hubo un fogonazo y el fénix desapareció.

Entonces Dumbledore se inclinó sobre uno de aquellos frágiles instrumentos de plata cuya función Harry nunca había conocido, lo llevó a su mesa, se sentó de cara a sus visitantes y dio unos golpecitos en él con la punta de la varita.

El instrumento cobró vida de inmediato y empezó a emitir unos rítmicos tintineos. Por el minúsculo tubo de plata que tenía en la parte superior empezaron a salir pequeñas bocanadas de un tenue humo verde. Dumbledore lo observaba atentamente con la frente arrugada. Tras unos segundos, las pequeñas bocanadas se convirtieron en un chorro de humo cada vez más denso que formaba espirales en el aire... Luego, en el extremo se formó una cabeza de serpiente que abría mucho la boca. Harry se preguntó si aquel instrumento estaría confirmando su historia: miró con avidez a Dumbledore en busca de alguna señal de que estaba en lo cierto, pero el director no levantó la cabeza.

—Naturalmente, naturalmente —murmuró Dumbledore, al parecer para sí, sin dejar de observar el chorro de humo y sin dar la más leve señal de sorpresa—. Pero ¿dividido en esencia?

Para Harry aquella pregunta no tenía ni pies ni cabeza. Sin embargo, la serpiente de humo se dividió al instante en dos serpientes, y ambas siguieron enroscándose y ondulando en la penumbra. Con gesto de amarga satisfacción, Dumbledore dio otro golpecito al instrumento con la varita: entonces el tintineo fue cesando hasta apagarse, y las serpientes de humo quedaron reducidas a una neblina informe que acabó esfumándose y desapareciendo por completo.

Dumbledore volvió a dejar el instrumento encima de la mesita de finas patas. Harry percibió que era observado por muchos de los directores de los retratos; entonces éstos, al darse cuenta de que Harry estaba mirándolos, volvieron a hacerse los dormidos. El chico quería preguntar para qué servía aquel extraño instrumento de plata, pero antes de que pudiera plantearlo se oyó un grito en lo alto de la pared, a su derecha: Everard había vuelto a su retrato, jadeando ligeramente.

—¡Dumbledore!

—¿Qué ha pasado? —preguntó éste enseguida.

—Grité hasta que alguien llegó corriendo —contó el mago secándose la frente con la cortina que tenía detrás— y le dije que había oído que algo se movía abajo. No estaban seguros de si debían creerme, pero fueron a comprobarlo. Ya sabes que allí abajo no hay retratos desde los cuales se pueda mirar. En fin, unos minutos más tarde lo subieron. No tiene buen aspecto, está cubierto de sangre. Corrí hasta el retrato de Elfrida Cragg para verlo bien cuando se marchaban...

—Muy bien —dijo Dumbledore, y Ron hizo un movimiento convulsivo—. Entonces supongo que Dilys lo habrá visto llegar...

Unos momentos después, la bruja de los tirabuzones plateados apareció también en su retrato; se sentó tosiendo en su butaca y afirmó:

—Sí, lo han llevado a San Mungo, Dumbledore... Han pasado por delante de mi retrato... Tiene mal aspecto...

—Gracias —dijo el director, quien luego miró a la profesora McGonagall y añadió—: Minerva, necesito que vaya a despertar a los otros hijos de Weasley.

—Ahora mismo voy. —La profesora McGonagall se dirigió rápidamente hacia la puerta y Harry miró de reojo a Ron, que parecía aterrado—. ¿Y... qué hay de Molly, Dumbledore? —preguntó la profesora deteniéndose frente a la puerta.

—De eso se encargará *Fawkes* cuando haya terminado de vigilar si se acerca alguien —determinó Dumbledore—. Pero quizá lo sepa ya, porque tiene ese estupendo reloj...

Harry comprendió que Dumbledore se refería al reloj que, en lugar de indicar la hora, indicaba el paradero y el estado de los diferentes miembros de la familia Weasley, y con una punzada de dolor pensó que la manecilla del señor Weasley estaría señalando el rótulo de «Peligro de muerte». Pero era muy tarde. Seguramente la señora Weasley estaría durmiendo, y no mirando el reloj. Harry sintió un escalofrío al recordar cómo el boggart de la señora Weasley había adoptado la forma del cuerpo sin vida del señor Weasley, a quien se le habían torcido las gafas y por cuya cara resbalaba la sangre... Pero el señor Weasley no moriría, no podía morir...

En ese momento Dumbledore hurgaba en un armario que Harry y Ron tenían detrás. Por fin dejó de revolver y apareció con una vieja y ennegrecida tetera que dejó con cuidado sobre su mesa. Entonces levantó la varita y murmuró: «*¡Portus!*» La tetera tembló brevemente y emitió un extraño resplandor azulado; luego dejó de estremecerse y se quedó tan negra como al principio.

Dumbledore se acercó a otro retrato, que representaba a un mago con pinta de listillo, con barba puntiaguda, al que habían pintado vestido de verde y plata, los colores de Slytherin; al parecer, dormía tan profundamente que no oyó la voz de Dumbledore cuando éste intentó despertarlo.

—Phineas. ¡Phineas!

Los personajes de los retratos que cubrían las paredes ya no se hacían los dormidos, sino que se movían por sus cuadros para ver lo que pasaba en la habitación. Al ver que el mago con pinta de listo seguía fingiendo que dormía, algunos lo llamaron también a gritos.

—¡Phineas! ¡Phineas! ¡PHINEAS!

Como ya no podía disimular más, dio un exagerado brinco y abrió mucho los ojos.

—¿Alguien me llama?

—Necesito que visites una vez más tu otro retrato, Phineas —le pidió Dumbledore—. Tengo un nuevo mensaje.

—¿Visitar mi otro retrato? —repitió Phineas con voz aflautada, y dio un largo y falso bostezo mientras recorría la habitación con la mirada y se fijaba en Harry—. ¡Ah, no, Dumbledore, esta noche estoy demasiado cansado!

A Harry la voz de Phineas le resultaba familiar, pero no sabía dónde la había oído. De pronto los retratos de las paredes estallaron en manifestaciones de protesta.

—¡Insubordinación, señor! —bramó un mago robusto de nariz encarnada, blandiendo los puños—. ¡Negligencia en el cumplimiento del deber!

—¡Estamos moralmente obligados a prestar servicio al actual director de Hogwarts! —gritó un anciano mago de aspecto frágil al que Harry identificó como el predecesor de Dumbledore, Armando Dippet—. ¡Debería darte vergüenza, Phineas!

—¿Lo convenzo, Dumbledore? —insinuó una bruja de ojos penetrantes que levantó una varita inusualmente gruesa parecida a una vara para dar azotes.

—Está bien, está bien —cedió Phineas mirando con aprensión la varita de la bruja—, aunque es posible que ya haya destrozado mi retrato, como ha hecho con los de la mayoría de la familia...

—Sirius sabe perfectamente que no tiene que destruir tu retrato —replicó Dumbledore, y de inmediato Harry supo dónde había oído antes la voz de Phineas: era la que salía del cuadro, en apariencia vacío, que había en su dormitorio de Grimmauld Place—. Tienes que decirle que Arthur Weasley está gravemente herido y que su esposa, hijos y Harry Potter llegarán en breve a su casa. ¿Lo has entendido?

—Arthur Weasley herido, esposa e hijos y Harry Potter invitados —repitió Phineas con aburrimiento—. Sí, sí..., muy bien...

Entonces se inclinó hacia un lado del retrato y desapareció de la vista en el preciso instante en que la puerta del despacho volvía a abrirse. Fred, George y Ginny entraron con la profesora McGonagall; los tres iban en pijama y despeinados, y parecían asustados.

—¿Qué pasa, Harry? —preguntó Ginny, que tenía aspecto de estar muerta de miedo—. La profesora McGonagall dice que has visto cómo atacaban papá...

—Su padre ha tenido un accidente mientras trabajaba para la Orden del Fénix —explicó Dumbledore antes de que Harry pudiera hablar—. Lo han llevado al Hospital San Mungo de Enfermedades y Heridas Mágicas. Los voy a enviar a casa de Sirius, que está mucho más cerca del hospital que La Madriguera. Allí se reunirán con su madre.

—¿Cómo vamos a ir? —preguntó Fred, muy afectado—. ¿Con polvos flu?

—No —respondió Dumbledore—. Ahora los polvos flu no son seguros, la Red está vigilada. Utilizarán un traslador. —Señaló la vieja tetera de aspecto inocente que había dejado encima de la mesa—. Estamos esperando el informe de Phineas Nigellus. Antes de enviaros quiero asegurarme de que no hay ningún peligro.

En ese momento se produjo un fogonazo en medio del despacho; cuando se apagó, apareció una pluma dorada que descendió flotando suavemente.

—Es el aviso de *Fawkes* —anunció Dumbledore, y agarró la pluma antes de que llegara al suelo—. La profesora Umbridge sabe que no están en sus camas... Minerva, vaya y entreténgala, cuéntele cualquier historia...

Acto seguido, la profesora McGonagall salió por la puerta en medio de un revuelo de cuadros escoceses.

—Dice que será un placer —afirmó una voz aburrida detrás de Dumbledore; Phineas había vuelto a aparecer ante el estandarte de Slytherin—. Mi tataranieto siempre ha tenido un gusto muy extraño para los huéspedes.

—Entonces, venid aquí —les dijo Dumbledore a Harry y a los Weasley—. Y rápido, antes de que llegue alguien más.

Harry y los demás se agruparon alrededor de la mesa del director.

—¿Todos han utilizado ya un traslador? —preguntó Dumbledore; los muchachos asintieron y estiraron una mano para tocar alguna parte de la ennegrecida tetera—. Muy bien. Entonces, cuando cuente tres, uno..., dos...

Sucedió en una milésima de segundo: en la pausa infinitesimal que hubo antes de que Dumbledore dijera «tres», Harry levantó la cabeza y miró al director (pues estaban muy cerca), cuyos ojos azules se desviaron desde el traslador hacia la cara del muchacho.

Inmediatamente, la cicatriz de Harry se puso a arder, como si se le hubiera abierto la vieja herida, y surgió dentro de él un odio espontáneo y no deseado, aunque horriblemente intenso, y tan potente que por un instante pensó que no había nada que deseara más en el mundo que golpear, morder e hincarle los colmillos al hombre que tenía delante...

—... tres.

Harry notó una fuerte sacudida en el estómago y el suelo desapareció bajo sus pies, pero seguía teniendo una mano pegada a la tetera; chocó contra los otros mientras salían despedidos a toda velocidad hacia delante, en medio de un torbellino de colores y una fuerte ráfaga de viento, arrastrados por la tetera... hasta que tocó bruscamente el suelo con los pies y se le doblaron las rodillas; la tetera cayó al suelo, y una voz cercana dijo:

—Ya están aquí esos mocosos traidores a la sangre. ¿Es verdad que su padre está muriéndose?

—¡FUERA! —gritó otra voz.

Harry se puso en pie y miró alrededor; habían llegado a la lúgubre cocina del sótano del número 12 de Grimmauld Place. Los únicos puntos de luz eran el fuego y una vela parpadeante que iluminaban los restos de una cena solitaria. Kreacher salía en aquel momento por la puerta que daba al vestíbulo; entonces giró la cabeza y les lanzó una mirada maliciosa al mismo tiempo que se colocaba bien el taparrabos. Sirius corría hacia ellos con gesto de preocupación. Iba sin afeitar y todavía llevaba puesta la ropa de calle; despedía un olorcillo a alcohol parecido al de Mundungus.

—¿Qué ha pasado? —preguntó, y estiró una mano para ayudar a Ginny a levantarse—. Phineas Nigellus me ha dicho que Arthur está gravemente herido.

—Pregúntaselo a Harry —sugirió Fred.

—Sí, yo también quiero enterarme —dijo George.

Los gemelos y Ginny miraban fijamente a Harry. Los pasos de Kreacher se habían detenido en la escalera.

—Fue... —empezó Harry; aquello era aún peor que contárselo a la profesora McGonagall y a Dumbledore—. Tuve una... especie de... visión...

Y les contó todo lo que había visto, pero alteró el relato, de modo que pareciera que lo había contemplado desde fuera, mientras la serpiente atacaba, y no con los ojos del reptil. Ron, que todavía estaba muy pálido, le lanzó una mirada fugaz, aunque no hizo ningún comentario. Cuando Harry hubo terminado, Fred, George y Ginny se quedaron observándolo con atención un momento. Harry no sabía si se lo imaginaba o no, pero le pareció detectar un destello acusador en sus ojos. Y si le iban a echar la culpa sólo por haber presenciado el ataque, se alegraba de no haberles contado que lo había visto desde el interior de la serpiente.

—¿Está nuestra madre aquí? —le preguntó Fred a Sirius.

—Seguramente ni siquiera sabe todavía lo que ha pasado —contestó Sirius—. Lo más importante era sacaros de Hogwarts antes de que la profesora Umbridge pudiera intervenir. Supongo que ahora Dumbledore estará contándoselo a Molly.

—Tenemos que ir a San Mungo —dijo Ginny con urgencia, y miró a sus hermanos, que, naturalmente, todavía iban en pijama—. Sirius, ¿puedes darnos unas capas o algo?

—¡Un momento, no pueden ir todavía a San Mungo! —la atajó Sirius.

—Claro que podemos ir a San Mungo si queremos —le contradijo Fred con testarudez—. ¡Es nuestro padre!

—¿Y cómo van a explicar que sabían que Arthur había sido atacado antes incluso de que lo supieran el hospital o su propia esposa?

—¿Qué importancia tiene eso? —preguntó George acaloradamente.

—¡Importa porque no queremos llamar la atención sobre el hecho de que Harry tiene visiones de cosas que ocurren a cientos de kilómetros de distancia! —repuso Sirius con enfado—. ¿Tienen idea de cómo interpretaría el Ministerio esa información?

Era evidente que a Fred y George no les importaba cómo lo interpretara el Ministerio. Ron, por su parte, seguía lívido y callado.

—Podría habérnoslo contado alguien más... —insinuó Ginny—, o podríamos habernos enterado por otra fuente que no fuera Harry.

—¿Ah, sí? ¿Por quién? —preguntó Sirius con impaciencia—. Escuchen, su padre ha resultado herido mientras trabajaba para la Orden, y las circunstancias ya son lo bastante sospechosas para que encima sus hijos lo sepan sólo unos segundos después de que haya ocurrido. Podrían perjudicar gravemente los intereses de la Orden...

—¡Nos tiene sin cuidado la maldita Orden! —gritó Fred.

—¡Nuestro padre se está muriendo! —añadió George.

—¡Su padre ya sabía dónde se metía y no va a agradecerles que le pongan las cosas más difíciles a la Orden! —replicó Sirius, tan furioso como ellos—. ¡Esto es lo que hay, y por eso no pertenecen a la Orden! ¡Ustedes no lo entienden, pero hay cosas por las que vale la pena morir!

—¡Qué fácil es decir eso estando encerrado aquí! —le espetó Fred—. ¡Yo no veo que tú arriesgues mucho el pellejo!

El poco color que le quedaba a Sirius en la cara se esfumó de golpe. Durante un momento pareció estar deseando pegarle una bofetada a Fred, pero cuando habló, lo hizo con una voz decidida y serena.

—Ya sé que es difícil, pero hemos de fingir que todavía no sabemos nada. Debemos quedarnos aquí, al menos hasta que tengamos noticias de su madre, ¿de acuerdo?

Fred y George seguían encolerizados. Ginny, en cambio, fue hacia la silla más cercana y se sentó en ella. Harry miró a Ron, que hizo un movimiento extraño, entre un gesto afirmativo con la cabeza y un encogimiento de hombros, y los dos se sentaron también. Los gemelos miraron con odio a Sirius durante un minuto más; luego se sentaron a ambos lados de Ginny.

—Así me gusta —dijo Sirius alentándolos—. Bueno, vamos a..., vamos a beber algo mientras esperamos. *¡Accio cerveza de mantequilla!*

Levantó la varita mágica mientras pronunciaba aquellas palabras, y media docena de botellas salieron de la despensa y fueron volando hacia ellos, se deslizaron por la mesa, esparciendo los restos de la cena de Sirius, y se detuvieron hábilmente delante de cada uno de ellos. Todos bebieron, y durante un rato sólo se oyeron el chisporroteo del fuego de la cocina y el ruido sordo de las botellas al dejarlas en la mesa.

Harry sólo bebía para tener algo que hacer con las manos. Por dentro notaba un horrible, abrasador y desbordante sentimiento de culpa. De no ser por él no estarían allí, sino en la cama, durmiendo. Y no le servía de consuelo recordar que, al dar la alarma, se había asegurado de que encontrarían al señor Weasley, porque para empezar había que tener en cuenta el detalle de que había sido él quien había atacado al señor Weasley.

«No seas estúpido, tú no tienes colmillos —se dijo intentando conservar la calma, aunque le temblaba la mano con que sujetaba la botella de cerveza de mantequilla—, tú estabas en la cama, no estabas atacando a nadie... Pero entonces, ¿qué ha pasado en el despacho de Dumbledore? —se preguntó—. Sentí como si quisiera atacarlo también a él...»

Dejó la botella sobre la mesa con un golpe inesperadamente fuerte, y la botella se volcó, pero nadie se dio cuenta. Entonces se produjo un fogonazo en el aire que iluminó los platos sucios que tenían delante, y mientras gritaban desconcertados, un rollo de pergamino cayó con un ruido sordo sobre la mesa, acompañado de una pluma de cola de fénix.

—¡*Fawkes!* —exclamó Sirius de inmediato, y agarró el pergamino—. Ésta no es la letra de Dumbledore... Debe de ser un mensaje de su madre... Tomen...

Le puso la carta en la mano a George, que la abrió con rapidez y leyó en voz alta: «Papá todavía está vivo. Salgo ahora para San Mungo. Quédense donde están. Les enviaré noticias en cuanto pueda. Mamá.»

George miró alrededor de la mesa.

—Todavía está vivo... —repitió lentamente—. Pero eso suena como si...

No tuvo que terminar la frase. Para Harry también sonaba como si el señor Weasley estuviera debatiéndose entre la vida y la muerte.

Ron, aún asombrosamente pálido, se quedó mirando el dorso de la carta de su madre como si allí fueran a aparecer unas palabras de consuelo para él. Fred le arrancó la hoja de pergamino a George y volvió a leer la carta; luego miró a Harry, quien notó que volvía a temblarle la mano sobre la botella de cerveza de mantequilla, y la sujetó más fuerte para detener el temblor.

Harry no recordaba que ninguna otra noche se le hubiera hecho tan larga como aquélla. Sirius propuso una vez, aunque sin mucha convicción, que fueran a acostarse, pero las miradas de repugnancia de los Weasley fueron suficiente respuesta. Se quedaron sentados en silencio alrededor de la mesa, observando cómo la mecha de la vela se hundía más y más en la cera líquida; de cuando en cuando se llevaban una botella a los labios, y sólo hablaban para controlar la hora, para preguntarse en voz alta qué estaría pasando o para tranquilizarse unos a otros diciéndose que si había malas noticias lo sabrían enseguida, porque la señora Weasley ya debía de haber llegado a San Mungo.

Fred se quedó dormido con la cabeza colgando sobre un hombro. Ginny estaba acurrucada como un gato en su silla, pero tenía los ojos abiertos; Harry veía la luz del fuego de la chimenea reflejada en ellos, y Ron permanecía sentado con la cabeza apoyada en las manos, aunque era imposible saber si estaba dormido o despierto. Harry y Sirius se miraban de vez en cuando, como dos intrusos en medio del dolor de una familia, esperando, esperando...

A las cinco y diez de la mañana, según el reloj de Ron, se abrió la puerta de la cocina y por ella entró la señora Weasley. Estaba extremadamente pálida, pero cuando todos se volvieron para mirarla, y Fred, Ron y Harry saltaron casi de sus sillas, ella forzó una frágil sonrisa.

—Se pondrá bien —afirmó con una débil voz que denotaba cansancio—. Ahora duerme. Más tarde podremos ir a verlo. Bill se ha tomado la mañana libre y está haciéndole compañía.

Fred se desplomó en la silla y se tapó la cara con las manos. George y Ginny se pusieron en pie, fueron corriendo hacia su madre y la abrazaron. Ron soltó una risotada temblorosa y se terminó la cerveza de mantequilla de un solo trago.

—¡A desayunar! —dijo Sirius en voz alta y con regocijo mientras se levantaba—. ¿Dónde está ese maldito elfo doméstico? ¡KREACHER! —Pero Kreacher no acudió a la llamada—. Bueno, da lo mismo —murmuró, y se puso a contar a las personas que tenía delante—. A ver, desayuno para... siete... Huevos con tocino, supongo, un poco de té, pan tostado...

Harry fue rápidamente hacia los fogones para ayudar. No quería inmiscuirse en la felicidad de sus amigos, y temía el momento en que la señora Weasley le pidiese que relatara su visión. Sin embargo, cuando acababa de agarrar unos platos del aparador, la señora Weasley se los quitó de las manos y lo abrazó.

—No quiero ni pensar qué habría pasado si no llega a ser por ti, Harry —dijo con voz apagada—. Quizá hubieran tardado horas en encontrar a Arthur, y entonces habría sido demasiado tarde, pero gracias a ti él está vivo y Dumbledore ha podido inventarse un buen pretexto para explicar que estuviera donde estaba; no te puedes imaginar los problemas que habría tenido de no ser así; mira lo que le ha ocurrido al pobre Sturgis...

Harry se sentía abrumadísimo por la gratitud de la señora Weasley, pero por suerte ella lo soltó enseguida; entonces la mujer se volvió hacia Sirius y le dio las gracias por haber cuidado de los niños aquella noche. Él contestó que estaba encantado de haber podido ayudar, y que esperaba que se quedaran todos allí mientras el señor Weasley estuviera internado en el hospital.

—Oh, Sirius, te lo agradezco muchísimo... Dicen que tendrá que quedarse un tiempo, y sería maravilloso estar cerca de él... Aunque eso quizá signifique que tengamos que pasar las Navidades aquí.

—¡Cuantos más, mejor! —exclamó Sirius con una sinceridad tan evidente que la señora Weasley lo miró sonriendo; luego se puso un delantal y empezó a ayudar a preparar el desayuno.

—Sirius —dijo Harry en voz baja porque ya no podía aguantar ni un minuto más—, ¿podemos hablar un momento... en privado? ¿Ahora?

Fue hacia la oscura despensa y Sirius lo siguió. Harry, sin más preámbulos, le contó a su padrino todos los detalles de la visión que había tenido, incluido el hecho de que él era la serpiente que había atacado al señor Weasley.

Cuando hizo una pausa para tomar aliento, Sirius le preguntó:

—¿Se lo has contado a Dumbledore?

—Sí —contestó Harry, impaciente—, pero él no me ha explicado qué significa. Bueno, la verdad es que ya no me explica nada.

—Estoy seguro de que si hubiera algo de lo que preocuparse te lo habría dicho —afirmó Sirius con determinación.

—Pero no se trata sólo de eso —murmuró Harry—. Sirius, creo..., creo que estoy volviéndome loco. En el despacho de Dumbledore, justo antes de que tomáramos el traslador..., durante un par de segundos me pareció que yo era una serpiente, me sentía como una serpiente. Me dolió muchísimo la cicatriz cuando miré a Dumbledore. ¡Quería atacarlo, Sirius!

Harry sólo veía una parte de la cara de su padrino; el resto quedaba en sombras.

—Debió de ser una secuela de la visión, nada más —opinó Sirius—. Todavía estabas pensando en el sueño o lo que fuera, y...

—No, no era eso —lo atajó Harry, y negó con la cabeza—, fue como si algo brotara en mi interior, como si hubiera una serpiente dentro de mí.

—Necesitas dormir —aseguró Sirius con firmeza—. Desayunarás, subirás a acostarte y después de comer podrás ir con los demás a ver a Arthur. Has sufrido una conmoción, Harry; te culpas por algo que sólo has presenciado, y es una gran suerte que lo presenciaras, porque si no Arthur podría haber muerto. Deja ya de preocuparte.

Y entonces le dio una palmada en el hombro y salió de la despensa, dejándolo solo en la oscuridad.

Todos excepto Harry pasaron el resto de la mañana durmiendo. Él subió al dormitorio que había compartido con Ron las últimas semanas del verano, pero mientras que su amigo se acostó y se durmió en cuestión de minutos, Harry se quedó sentado en la cama, vestido, y se apoyó en los fríos barrotes de metal de la cabecera sin hacer nada por ponerse cómodo; estaba decidido a no dormir, pues temía volver a convertirse en serpiente si lo hacía, y descubrir, al despertar, que había atacado a Ron o que había ido deslizándose por la casa para atacar a alguien más...

Cuando Ron despertó, Harry fingió haber disfrutado también de un sueño reparador. Sus baúles habían llegado desde Hogwarts mientras ellos comían, así que pudieron vestirse de muggles para ir a San Mungo. Todos, de nuevo excepto Harry, estaban muy contentos y parlanchines mientras se quitaban las túnicas y se ponían pantalones vaqueros y sudaderas. Cuando llegaron Tonks y Ojoloco para escoltarlos por Londres, los recibieron con regocijo y se rieron del bombín que Ojoloco llevaba torcido para que le tapara el ojo mágico, y le aseguraron sinceramente que Tonks, que volvía a llevar el cabello muy corto y de color rosa chillón, llamaría la atención en el metro menos que él.

Tonks mostró un gran interés por la visión de Harry del ataque que había sufrido el señor Weasley, pero a él no le interesaba hablar sobre eso ni lo más mínimo.

—En tu familia no hay antepasados videntes, ¿verdad? —inquirió con curiosidad cuando se sentaron juntos en el tren que traqueteaba hacia el centro de la ciudad.

—No —contestó Harry, que se acordó de la profesora Trelawney y se sintió insultado.

—No —repitió Tonks, pensativa—. No, claro, supongo que lo que tú haces no es profetizar, ¿verdad? Es decir, tú no ves el futuro, sino el presente... Es extraño, ¿no? Pero útil...

Harry no respondió; por fortuna, se apearon en la siguiente parada, una estación del centro de Londres, y gracias al lío que se produjo al salir del tren, se las ingenió para que Fred y George se colocaran entre él y Tonks, que marchaba a la cabeza. La siguieron hasta la escalera mecánica; Moody cerraba el grupo, llevaba el bombín calado, y una de sus nudosas manos, metida entre los botones del abrigo, sujetaba con fuerza la varita. Harry tenía la sensación de que el ojo que Moody llevaba tapado lo miraba constantemente. Intentando evitar nuevos interrogatorios sobre su sueño, le preguntó a Ojoloco dónde estaba escondido San Mungo.

—No está lejos de aquí —gruñó Moody cuando salieron al frío invernal de una calle ancha, llena de tiendas y de gente que hacía las compras navideñas. Empujó con suavidad a Harry para que se adelantara un poco y lo siguió de cerca; Harry sabía que el ojo de Moody giraba en todas direcciones bajo el torcido sombrero—. No resultó fácil encontrar un buen emplazamiento para un hospital. En el callejón Diagon no había ningún edificio lo bastante grande, y no podíamos ubicarlo bajo tierra, como el Ministerio, porque no habría sido saludable. Al final consiguieron un edificio por esta zona. La teoría era que así los magos podrían ir y venir y mezclarse con la muchedumbre.

Ojoloco agarró a Harry por un hombro para impedir que lo separaran del grupo unos compradores que, evidentemente, no tenían otro objetivo que entrar en una tienda cercana llena de artilugios eléctricos.

—Ya estamos —anunció Moody un momento más tarde.

Habían llegado frente a unos grandes almacenes de ladrillo rojo, enormes y anticuados, cuyo letrero rezaba: «Purge y Dowse, S.A.» El edificio tenía un aspecto destartalado y deprimente; en los escaparates sólo había unos cuantos maniquíes viejos con las pelucas torcidas, colocados de pie al azar y vestidos con ropa de diez años atrás, como mínimo. En todas las puertas, cubiertas de polvo, había grandes letreros que decían: «Cerrado por reformas.» Harry oyó cómo una robusta mujer, que iba cargada de bolsas de plástico llenas de lo que había comprado, le comentaba a su amiga al pasar: «Nunca he visto esta tienda abierta...»

—Muy bien —dijo Tonks, y les hizo señas para que se acercaran a un escaparate donde sólo había un maniquí de mujer particularmente feo. Casi se le habían caído las pestañas postizas e iba vestido con un *jumper* de nailon verde—. ¿Están preparados?

Todos asintieron y formaron un corro alrededor de Tonks. Moody le dio otro empujón a Harry entre los omoplatos para que siguiera adelante, y Tonks se inclinó hacia el cristal del escaparate observando el desastroso maniquí. El cristal se empañó con el vaho que le salía por la boca.

—¿Qué hay? —preguntó Tonks—. Hemos venido a ver a Arthur Weasley.

Harry pensó que resultaba absurdo que Tonks esperara que el maniquí la oyera hablar tan bajito a través de un cristal, sobre todo teniendo en cuenta el gran estruendo que hacían los autobuses al circular por detrás de ella y el bullicio de la calle llena de gente. Entonces cayó en que, de todos modos, los maniquíes no podían oír. Pero al cabo de un segundo, abrió la boca, asombrado, al ver que el maniquí movía brevemente la cabeza y les hacía señas con un dedo articulado, y que Tonks agarraba a Ginny y a la señora Weasley por los codos, atravesaba el cristal y desaparecía de la vista.

Fred, George y Ron las siguieron. Harry echó un vistazo al gentío que había en la calle: nadie parecía tener el menor interés por unos escaparates tan feos como los de Purge y Dowse, S.A., y nadie pareció darse cuenta tampoco de que seis personas acababan de desaparecer ante sus narices.

—Vamos —gruñó Moody, y le dio otro empujón en la espalda; juntos atravesaron una especie de cortina de agua fría, y salieron, secos y calentitos, al otro lado.

No había ni rastro de aquel lamentable maniquí ni del sitio en que había estado momentos antes. Se encontraron en lo que parecía una abarrotada sala de recepción, donde varias hileras de magos y brujas estaban sentados en desvencijadas sillas de madera; algunos tenían un aspecto completamente normal y leían con atención ejemplares viejos de *Corazón de bruja*; otros presentaban truculentas desfiguraciones, como trompas de elefante o más manos de la cuenta que les salían del pecho. La sala no estaba mucho más tranquila que la calle porque varios pacientes hacían ruidos extraños: una bruja de cara sudorosa, que estaba sentada en el centro de la primera fila y que se abanicaba con fuerza con un ejemplar de *El Profeta*, soltaba constantemente un silbido agudo mientras expulsaba vapor por la boca, y un mago mugriento, sentado en un rincón, producía un tañido semejante al de una campana cada vez que se movía; con cada tañido, la cabeza le vibraba de una manera espantosa y tenía que sujetársela por las orejas para que se estuviera quieta.

Unos magos y algunas brujas, ataviados con túnicas de color verde lima, se paseaban por las hileras de pacientes haciendo preguntas y tomando notas en pergaminos que llevaban agarrados por unos sujetapapeles, como los de la profesora Umbridge. Harry se fijó en el emblema que llevaban bordado en el pecho: una varita mágica y un hueso cruzados.

—¿Son médicos? —le preguntó a Ron en voz baja.

—¿Médicos? —repitió Ron con asombro—. ¿Esos muggles chiflados que cortan a la gente en pedazos? No, son sanadores.

—¡Por aquí! —gritó la señora Weasley para que la oyeran por encima de los nuevos tañidos del mago del rincón, y todos la siguieron hasta la cola que había ante una bruja rubia y regordeta que estaba sentada detrás de un mostrador donde un letrero decía: «Información.»

La pared que había detrás de la bruja estaba cubierta de anuncios y avisos donde se leían cosas como: «UN CALDERO LIMPIO IMPIDE QUE LAS POCIONES SE CONVIERTAN

EN VENENOS» y «LOS ANTÍDOTOS PUEDEN SER PELIGROSOS SI NO ESTÁN APROBADOS POR UN SANADOR CALIFICADO». También había un gran retrato de una bruja con tirabuzones plateados, con el rótulo:

Dilys Derwent
Sanadora de San Mungo 1722-1741
Directora del Colegio Hogwarts de Magia
y Hechicería 1741-1768

Dilys miraba con atención al grupo de los Weasley, como si los contara; cuando Harry levantó la vista, vio que ella le guiñaba discretamente un ojo, luego se iba hacia un lado de su retrato y desaparecía.

Entre tanto, en la cabecera de la cola un joven mago interpretaba una extraña danza e intentaba, entre gritos de dolor, explicar el apuro en que se encontraba a la bruja que había detrás del mostrador.

—Son estos..., ¡ay!..., zapatos que me regaló mi hermano... ¡Uy!... Se me están comiendo los..., ¡AY!..., pies, mire, deben de tener algún..., ¡AAAY!..., embrujo, y no puedo, ¡UUUY!, quitármelos —dijo saltando con un pie y luego con el otro, como si bailara sobre brasas ardiendo.

—Los zapatos no le impiden leer, ¿verdad? —dijo la bruja rubia señalando con fastidio un gran letrero que había a la izquierda de su mostrador—. Tiene que dirigirse a Daños Provocados por Hechizos, cuarta planta, como indica el directorio. ¡El siguiente!

El mago se apartó cojeando y brincando, y el grupo de los Weasley se acercó al mostrador. Harry leyó el directorio:

ACCIDENTES PROVOCADOS
POR ARTEFACTOS . . . . Planta baja
Explosiones de calderos,
detonaciones de varitas,
accidentes de escoba, etc.

HERIDAS PROVOCADAS
POR CRIATURAS . . . . Primera planta
Mordeduras, picaduras,
quemaduras, espinas clavadas, etc.

VIRUS MÁGICOS. . . . . Segunda planta
Enfermedades contagiosas
como viruela de dragón,
mal evanescente, escrofungulosis, etc.

ENVENENAMIENTOS PROVOCADOS
POR POCIONES Y PLANTAS . . . . Tercera planta
Sarpullidos, regurgitaciones,
risas incontrolables, etc.

DAÑOS PROVOCADOS
POR HECHIZOS . . . . Cuarta planta
Embrujos irreversibles, maleficios,
encantamientos mal realizados, etc.

SALÓN DE TÉ PARA VISITAS /
TIENDA DE REGALOS . . . . Quinta planta

SI NO ESTÁ SEGURO DE ADÓNDE DEBE DIRIGIRSE, NO PUEDE HABLAR CORRECTAMENTE O NO RECUERDA A QUÉ HA VENIDO, NUESTRA BRUJA RECEPCIONISTA SE ENCARGARÁ DE ORIENTARLO.

Un mago muy anciano y encorvado, que llevaba una trompetilla, se había colocado entonces en la cabecera de la cola.

—¡He venido a ver a Broderick Bode! —dijo casi sin aliento.

—Sala cuarenta y nueve, pero me temo que pierde el tiempo —respondió la bruja con desdén—. Está completamente loco. Sigue creyendo que es una tetera. ¡El siguiente!

Un mago que parecía muy atribulado sujetaba fuertemente a su hija pequeña por el tobillo mientras ella revoloteaba sobre la cabeza de su padre con unas alas inmensas, cubiertas de plumas, que le salían directamente de la parte de atrás de su mameluco.

—Cuarta planta —indicó la bruja con aburrimiento, sin preguntar nada, y el hombre desapareció por las puertas dobles que había junto al mostrador, sujetando a su hija como si fuera un globo de forma rara—. ¡Siguiente!

La señora Weasley había llegado por fin al mostrador.

—Hola —saludó—, esta mañana iban a cambiar de sala a mi marido, Arthur Weasley. ¿Podría decirnos...?

—¿Arthur Weasley? —repitió la bruja mientras pasaba un dedo por una larga lista que tenía delante—. Sí, primera planta, segunda puerta a la derecha, Sala Dai Llewellyn.

—Gracias —dijo la señora Weasley, y dirigiéndose a sus acompañantes, añadió—: Vamos.

La siguieron a través de las puertas dobles por un estrecho pasillo que había a continuación, en cuyas paredes colgaban más retratos de sanadores famosos, iluminado mediante globos de cristal llenos de velas que flotaban en el techo y parecían gigantescas pompas de jabón. Por las puertas por las que iban pasando entraban y salían constantemente brujas y magos ataviados con túnicas de color verde lima; un apestoso gas amarillo llegó hasta el pasillo cuando pasaron por delante de una de aquellas puertas, y de vez en cuando oían gemidos lejanos. Subieron por una escalera y llegaron al pasillo de Heridas Provocadas por Criaturas; en la segunda puerta de la derecha había un letrero que rezaba: «Peligro. Sala Dai Llewellyn: mordeduras graves.» Debajo había una tarjeta en un soporte metálico en el que habían escrito a mano: «Sanador responsable: Hipócrates Smethwyck. Sanador en prácticas: Augustus Pye.»

—Nosotros esperaremos fuera, Molly —dijo Tonks—. Arthur no querrá que entren demasiadas visitas a la vez... Primero deberían entrar sólo los familiares.

Ojoloco gruñó en señal de aprobación y se quedó apoyado en la pared del pasillo, mientras el ojo mágico le giraba en todas direcciones. Harry también se quedó fuera, pero la señora Weasley alargó un brazo y lo empujó por la puerta mientras le decía:

—No seas tonto, Harry, Arthur quiere darte las gracias.

Se trataba de una sala pequeña y muy sombría, pues la única ventana que había era estrecha y estaba en lo alto de la pared opuesta a la puerta. La luz procedía de unas cuantas de aquellas relucientes burbujas de cristal, que estaban agrupadas en el centro del techo. Las paredes estaban recubiertas de paneles de roble y en una de ellas había colgado un retrato de un mago con aspecto de malo que llevaba el rótulo: «Urquhart Rackharrow, 1612-1697, inventor de la maldición de expulsión de entrañas.»

Sólo había tres pacientes más. El señor Weasley ocupaba la cama del fondo de la sala, junto a la pequeña ventana. Harry se puso muy contento y sintió un gran alivio al ver que estaba apoyado en varios almohadones y que leía *El Profeta* aprovechando el único rayo de sol que caía sobre su cama. El señor Weasley levantó la cabeza cuando ellos entraron, y sonrió al comprobar quiénes eran.

—¡Hola! —los saludó, y dejó *El Profeta* a un lado—. Bill acaba de marcharse, Molly, ha tenido que volver al trabajo, pero me ha dicho que pasará a verte más tarde.

—¿Cómo te encuentras, Arthur? —preguntó la señora Weasley, y se inclinó para besar a su marido en la mejilla y lo miró con gesto de preocupación—. Todavía estás un poco paliducho.

—Me encuentro perfectamente —respondió el señor Weasley con tono alegre, y estiró su brazo sano para abrazar a Ginny—. Si pudieran quitarme los vendajes, estaría en perfectas condiciones para marcharme a casa.

—¿Por qué no pueden quitártelos, papá? —le preguntó Fred.

—Porque cada vez que lo intentan empiezo a sangrar a chorros —contestó el señor Weasley sin dar muestras de preocupación. Tomó su varita, que descansaba en la mesilla de noche, y la agitó para hacer aparecer seis sillas junto a su cama para que se sentaran todos—. Por lo visto en los colmillos de esa serpiente había un veneno muy raro que mantiene abiertas las heridas. Pero están seguros de que encontrarán el antídoto; dicen que han visto casos mucho peores que el mío, y entre tanto sólo tengo que tomarme una poción de reabastecimiento de sangre cada hora. Pero a ese tipo de ahí —añadió bajando la voz y señalando con la cabeza la cama de enfrente, donde un individuo con un horrible color enfermizo contemplaba el techo—... lo mordió un hombre lobo, pobrecillo. Eso no tiene remedio.

—¿Un hombre lobo? —repitió la señora Weasley en un susurro, alarmada—. ¿Y no es peligroso que esté en una sala compartida? ¿No debería estar en una habitación privada?

—Todavía faltan dos semanas para que haya luna llena —le recordó el señor Weasley en voz baja—. Esta mañana los sanadores han estado hablando con él y han intentado convencerlo de que podrá llevar una vida casi normal. Yo le he dicho, sin mencionar nombres, por supuesto, que conozco personalmente a un hombre lobo, un tipo muy agradable que se las ingenia muy bien.

—¿Y qué ha contestado él? —le preguntó George.

—Me ha respondido que si no me callaba me mordería —repuso el señor Weasley con pesar—. Y esa mujer de allí —añadió señalando la otra cama ocupada que estaba junto a la puerta— se niega a decirles a los sanadores qué bicho la mordió, lo cual nos indica que debió de ser algo que manejaba ilegalmente. Fuera lo que fuese, se llevó un buen pedazo de pierna, y cuando le retiran los vendajes huele que apesta.

—Bueno, papá, ¿vas a contarnos lo que pasó o no? —le preguntó Fred acercando más la silla a la cama.

—Pero si ya lo saben, ¿no? —repuso el señor Weasley, y miró con una elocuente sonrisa a Harry—. Es muy sencillo: como había tenido un día muy duro, me quedé dormido, ese bicho se me acercó sigilosamente y me mordió.

—¿Sale tu caso en *El Profeta*? —le preguntó Fred señalando el periódico que el señor Weasley había dejado a un lado.

—No, claro que no —respondió su padre con una sonrisa un tanto amarga—, el Ministerio no quiere que nadie sepa que una enorme y asquerosa serpiente me ha jo...

—¡Arthur! —le previno la señora Weasley.

—... me ha... jorobado —terminó el señor Weasley atropelladamente, aunque Harry estaba convencido de que no era eso lo que pensaba decir.

—¿Y dónde estabas cuando ocurrió, papá? —le preguntó George.

—Eso es asunto mío —respondió el señor Weasley, pero reprimió una sonrisa. Luego tomó *El Profeta*, volvió a abrirlo y dijo—: Cuando han llegado, estaba leyendo un artículo sobre la detención de Willy Widdershins. ¿Sabían que ha resultado que Willy estaba detrás de esos inodoros regurgitantes que me tuvieron de cabeza durante el verano? Uno de los embrujos le salió mal, el inodoro explotó y lo encontraron inconsciente en el suelo, entre los escombros, cubierto de pies a cabeza de...

—Cuando dices que estabas «de guardia» —lo interrumpió Fred hablando en voz baja—, ¿qué hacías exactamente?

—¡Ya has oído a tu padre —intervino la señora Weasley—, eso no es algo de lo que debamos hablar aquí! Sigue con lo de Willy Widdershins, Arthur.

—Bueno, no me pregunten cómo, pero el caso es que se salvó de que lo acusaran por lo de los inodoros —explicó el señor Weasley con gravedad—. Me imagino que debió de sobornar a alguien...

—Estabas vigilándola, ¿verdad? —insistió George con voz queda—. El arma, eso que busca Quien-tú-sabes, ¿no?

—¡Cállate, George! —le espetó su madre.

—Pues bien —prosiguió el señor Weasley subiendo la voz—, ahora a Willy lo han pillado vendiendo picaportes mordedores a los muggles, pero no creo que esta vez se libre fácilmente porque, según este artículo, a dos muggles les han seccionado varios dedos y están en San Mungo para someterse a un tratamiento urgente de restauración ósea y de modificación de memoria. ¡Imaginaos, muggles en San Mungo! Me encantaría saber en qué sala los tienen.

Miró con avidez a su alrededor, como si tuviera la esperanza de ver un letrero que lo indicara.

—¿No dijiste que Quien-tú-sabes tiene una serpiente, Harry? —preguntó Fred mirando a su padre para ver cómo reaccionaba—. Una serpiente enorme. La viste la noche que él regresó, ¿verdad?

—Basta —ordenó la señora Weasley con enojo—. Ojoloco y Tonks están esperando fuera, Arthur, quieren entrar a verte. Ustedes pueden esperar fuera, niños —añadió dirigiéndose a sus hijos y a Harry—. Después ya entrarán a despedirse. ¡Vamos!

Los chicos salieron al pasillo y Ojoloco y Tonks entraron en la sala y cerraron la puerta tras ellos. Fred arqueó las cejas.

—Bueno —dijo fríamente mientras hurgaba en los bolsillos—, como quieras. No nos cuentes nada.

—¿Buscas esto? —le preguntó George, que tenía en la mano una cosa que parecía una maraña de cuerdas de color carne.

—Me has leído el pensamiento —comentó su hermano con una sonrisa—. Vamos a ver si en San Mungo ponen encantamientos de impasibilidad en las puertas de las salas, ¿de acuerdo?

Los gemelos desenredaron la cuerda, separaron cinco orejas extensibles y las repartieron. Harry vaciló antes de tomar una.

—¡Vamos, Harry, tómala! Le has salvado la vida a nuestro padre. Si alguien tiene derecho a espiarlo, eres tú.

Sonriendo a su pesar, Harry agarró el extremo de la cuerda y se lo metió en la oreja, como habían hecho los gemelos.

—¡Adelante! —susurró Fred.

Las cuerdas de color carne empezaron a retorcerse como largos y delgados gusanos y se colaron por debajo de la puerta. Al principio Harry no oía nada; entonces se sobresaltó al oír a Tonks, que susurraba con tanta claridad como si estuviera a su lado.

—... registraron toda la zona, pero no encontraron la serpiente por ninguna parte. Es como si se hubiera esfumado después de atacarte, Arthur... Pero me extraña que Quien-ustedes-saben confiara en que la serpiente lograra entrar, ¿no?

—Supongo que la enviaría como vigía —gruñó Moody—, porque hasta ahora no ha tenido mucha suerte, ¿verdad? No, creo que intenta hacerse una idea más clara de qué es aquello a lo que se enfrenta, y si Arthur no hubiera estado allí, la bestia habría tenido mucho más tiempo para curiosear. ¿Y Potter dice que vio cómo ocurría todo?

—Sí —confirmó la señora Weasley. Su voz transmitía inquietud—. Y tengo la impresión de que Dumbledore casi estaba esperando que Harry viera algo así.

—Sí, bueno —repuso Moody—, hay algo raro en ese muchacho, eso lo sabemos todos.

—Dumbledore parecía preocupado por Harry cuando hablé con él esta mañana —añadió la señora Weasley en un susurro.

—Claro que está preocupado —gruñó Moody—. Potter ve cosas desde el interior de la serpiente de Quien-ustedes-saben. Evidentemente, el chico no se da cuenta de lo que eso significa, pero si Quien-ustedes-saben está poseyéndolo...

Harry se sacó la oreja extensible de la suya; el corazón le latía muy deprisa y le ardía la cara. Miró a los demás. Todos lo observaban con las cuerdas colgando de las orejas y un aspecto muy asustado.

—Claro que está preocupado —gruñó Moody—. Potter ve cosas desde el interior de la serpiente de Quien-ustedes-saben. Evidentemente, el chico no se da cuenta de lo que eso significa, pero si Quien-ustedes-saben está poseyéndolo...

Harry se sacó la oreja extensible de la suya; el corazón le latía muy deprisa y le ardía la cara. Miró a los demás. Todos lo observaban con las cuerdas colgando de las orejas y un aspecto muy asustado.

23

Navidad en la sala reservada

¿Era por eso por lo que Dumbledore ya no miraba a Harry a los ojos? ¿Acaso esperaba ver a Voldemort mirando a través de ellos? ¿Temía quizá que el verde intenso de los ojos de Harry se tornara de pronto rojo, y que sus pupilas se convirtieran en dos rendijas felinas? Harry recordó cómo en una ocasión la cara de serpiente de Voldemort había salido de la parte de atrás de la cabeza del profesor Quirrell, y se pasó una mano por la nuca, preguntándose qué ocurriría si Voldemort saliera de pronto de su cráneo.

Se sentía sucio, contaminado, como si llevara dentro un germen mortal; no era digno de ir sentado en un vagón de metro, de regreso del hospital, con gente inocente y limpia, cuyas mentes y cuyos cuerpos estaban libres del estigma de Voldemort... Él no sólo había visto la serpiente: él era la serpiente, ahora lo sabía...

Entonces se le ocurrió algo verdaderamente terrible, un recuerdo que surgió de su mente y que hizo que las entrañas se le retorcieran como si fueran serpientes.

«¿Qué busca, aparte de seguidores?»

«Cosas que sólo puede conseguir furtivamente... como un arma. Algo que no tenía la última vez.»

«Yo soy el arma —pensó Harry, y fue como si por sus venas corriera veneno en lugar de sangre, un veneno que lo dejó helado e hizo que rompiera a sudar mientras se mecía con el tren por un oscuro túnel—. Voldemort intenta utilizarme, por eso me ponen vigilantes adondequiera que voy, pero no es para protegerme, sino para proteger a los demás; lo que ocurre es que no funciona porque no pueden vigilarme constantemente dentro de Hogwarts... Anoche ataqué al señor Weasley, seguro que fui yo. Voldemort me obligó a hacerlo, podría estar dentro de mí ahora mismo escuchando lo que pienso...»

—¿Te encuentras bien, Harry, querido? —susurró la señora Weasley inclinándose sobre Ginny para hablar con él, mientras el tren traqueteaba por el túnel—. No tienes muy buen aspecto. ¿Estás mareado?

Todos lo miraban. Harry movió la cabeza enérgicamente y fijó la vista en un anuncio de una compañía de seguros.

—Harry, cariño, ¿seguro que estás bien? —insistió la señora Weasley, preocupada, cuando rodeaban la descuidada extensión de hierba que había en el centro de Grimmauld Place—. Estás tan pálido... ¿Seguro que has dormido esta mañana? Ahora subes a tu habitación y duermes un par de horitas antes de la cena, ¿de acuerdo?

Harry asintió; ya tenía una excusa para no tener que hablar con los demás, y eso era precisamente lo que él quería. En cuanto la señora Weasley abrió la puerta de la calle, Harry pasó a toda prisa por delante del paragüero con forma de pierna de trol, subió la escalera y fue al dormitorio que compartía con Ron.

Una vez allí empezó a pasearse por la habitación, por delante de las dos camas y del cuadro vacío de Phineas Nigellus. En su cerebro bullían preguntas y más ideas espantosas.

¿Cómo se había convertido en serpiente? A lo mejor era un animago... No, no podía ser, lo sabría... Quizá Voldemort fuera un animago... «Sí —pensó Harry—, eso encaja: Voldemort puede transformarse en serpiente, y cuando me posee, ambos nos transformamos... Aunque eso sigue sin explicar cómo llegué a Londres y regresé a mi cama en unos cinco minutos... Pero Voldemort es el mago más poderoso del mundo, aparte de Dumbledore; no creo que para él sea difícil transportar a alguien de ese modo.»

Y entonces lo acometió un sentimiento de pánico al pensar: «Pero esto es una locura, ¡si Voldemort me posee, ahora mismo le estoy proporcionando una clara visión del Cuartel General de la Orden del Fénix! Sabrá quién pertenece a la Orden y dónde está Sirius... Y he escuchado un montón de cosas que no debería haber escuchado, todo lo que Sirius me contó la primera noche que pasé aquí...»

Una cosa estaba clara: tenía que salir de Grimmauld Place cuanto antes. Pasaría la Navidad en Hogwarts con los demás; así al menos estarían a salvo durante las vacaciones... Pero no, eso no serviría de nada, en Hogwarts quedaba mucha gente a la que Voldemort podía atacar. ¿Y si la próxima vez les tocaba a Seamus, a Dean o a Neville? Dejó de dar vueltas por la habitación y se quedó contemplando el cuadro vacío de Phineas Nigellus. Notaba un peso cada vez mayor en lo hondo del estómago. No tenía alternativa: debía regresar a Privet Drive y separarse por completo de los otros magos.

Bueno, si debía hacerlo, pensó, no había por qué retrasar el momento. Hizo un esfuerzo descomunal para no pensar en cómo iban a reaccionar los Dursley cuando lo vieran en la puerta seis meses antes de lo que esperaban; fue hacia su baúl, cerró la tapa y echó la llave. Luego miró alrededor automáticamente buscando a *Hedwig*, pero entonces recordó que la lechuza se había quedado en Hogwarts. Mejor: así no tendría que cargar con su jaula. Tomó el baúl por un extremo y tiró de él hacia la puerta, cuando una voz sarcástica dijo:

—¿Qué haces? ¿Huyes?

Harry se dio la vuelta. Phineas Nigellus había aparecido en el lienzo de su retrato y estaba apoyado en el marco observándolo con una expresión divertida en la cara.

—No, no huyo —respondió Harry con aspereza, y tiró un poco más de su baúl hacia la puerta.

—Tenía entendido que para entrar en la casa de Gryffindor debías ser valiente —continuó Phineas mientras se acariciaba la puntiaguda barba—. Me da la impresión de que habrías estado mejor en mi casa. Nosotros, los de Slytherin, somos valientes, sí, pero no estúpidos. Si nos dan a elegir, por ejemplo, siempre preferimos salvar el pellejo.

—No es mi pellejo lo que intento salvar —repuso Harry, lacónico, y arrastró el baúl por encima de un trozo de alfombra muy retorcido y apolillado que había justo enfrente de la puerta.

—Ah, ya entiendo —comentó Phineas Nigellus, que seguía acariciándose la barba—, esto no es una huida cobarde, sino un acto noble. —Harry no le hizo caso. Tenía la mano sobre el picaporte cuando el mago añadió perezosamente—: Por cierto, tengo un mensaje para ti de parte de Albus Dumbledore.

Harry se dio la vuelta.

—¿Qué mensaje?

—«Quédate donde estás.»

—¡No me he movido! —exclamó Harry sin levantar la mano del picaporte—. Dime, ¿cuál es el mensaje?

—Acabo de dártelo, imbécil —le soltó Phineas Nigellus sin alterarse—. Dumbledore me ha ordenado que te diga: «Quédate donde estás.»

—¿Por qué? —preguntó Harry con impaciencia, y soltó el baúl—. ¿Por qué quiere que me quede aquí? ¿Qué más ha dicho?

—Nada más —respondió el mago, y arqueó una delgada y negra ceja, como si creyera que Harry era un impertinente.

El genio del muchacho afloró a la superficie como la cabeza de una serpiente asoma por encima de la hierba crecida. Estaba agotado, se sentía sumamente desconcertado, había experimentado terror, alivio y luego otra vez terror en las últimas doce horas, ¡y Dumbledore seguía sin hablar con él!

—Y ya está, ¿no? —dijo en voz alta—. ¡«Quédate donde estás»! ¡Eso fue lo único que me dijeron después de que me atacaran los dementores! ¡Quédate quieto mientras los adultos se encargan de solucionarlo, Harry! Pero ¡no vamos a molestarnos en explicarte nada porque tu diminuto cerebro no podría asimilarlo!

—¡Mira —añadió Phineas Nigellus hablando en voz aún más alta que Harry—, por eso precisamente odiaba ser profesor! Los jóvenes están convencidos de que tienen razón sobre todas las cosas. ¿No se te ha ocurrido pensar, miserable engreído, que podría haber un excelente motivo por el que el director de Hogwarts no te confía los detalles de sus planes? ¿Nunca te has parado a pensar, mientras te sentías tan injustamente tratado, que obedecer las órdenes de Dumbledore todavía no te ha causado ningún daño?

No. Claro que no; como todos los jóvenes, estás convencido de que eres el único que siente y piensa, el único que reconoce el peligro, el único lo bastante inteligente para darse cuenta de qué es lo que planea el Señor Tenebroso...

—Entonces, ¿es verdad que planea hacer algo relacionado conmigo? —preguntó Harry inmediatamente.

—¿He dicho yo eso? —comentó Phineas Nigellus mientras examinaba ociosamente sus guantes de seda—. Mira, si me disculpas, tengo cosas mejores que hacer que escuchar las elucubraciones de un adolescente... Que tengas un buen día.

Y se fue pisando fuerte hasta el borde del cuadro y se perdió de vista.

—¡Muy bien, vete! —gritó Harry al cuadro vacío—. ¡Y dale las gracias a Dumbledore de mi parte!

El lienzo permaneció en silencio. Harry, furioso, arrastró de nuevo el baúl hasta el pie de la cama, y luego se tumbó boca abajo sobre la apolillada colcha, con los ojos cerrados. Notaba el cuerpo pesado y dolorido.

Tenía la sensación de haber hecho un viaje de kilómetros y kilómetros... Parecía imposible que solo veinticuatro horas atrás Cho Chang se le hubiera acercado bajo el ramillete de muérdago... Estaba tan cansado... Le daba miedo dormirse... Pero no sabía cuánto tiempo iba a aguantar... Dumbledore le había dicho que se quedara... Eso debía de significar que tenía permiso para dormir... Pero tenía miedo... ¿Y si volvía a ocurrir?

Se hundía en las sombras...

Fue como si dentro de su cabeza hubiera un rollo de película que había estado esperando hasta ese momento para ponerse en marcha: caminaba por un pasillo vacío hacia una puerta lisa y negra, un pasillo de bastas paredes de piedra donde había colgadas antorchas; dejaba atrás una puerta abierta, a la izquierda, que daba a una escalera que descendía...

Estiraba el brazo y agarraba el picaporte de la puerta, pero no podía abrirla... Se quedaba mirándola, desesperado por entrar... Detrás de aquella puerta había algo que él deseaba con toda su alma... Un premio que superaba todos sus sueños... Si la cicatriz dejara de dolerle, quizá pudiera pensar con más claridad...

—Harry —dijo entonces la voz de Ron desde muy lejos—. Mamá dice que la cena está lista, pero que si quieres quedarte un rato más en la cama, te guardará un plato.

Harry abrió los ojos, pero Ron ya había salido del dormitorio.

«No quiere quedarse a solas conmigo —pensó—. Es lógico, después de lo que le ha oído decir a Moody.»

Dio por hecho que ninguno de ellos querría estar con él ahora que sabían lo que tenía dentro.

No bajaría a cenar; no quería imponerles su compañía. Así que se tumbó sobre el otro costado y, al cabo de un rato, se quedó dormido. Despertó mucho más tarde, a primera hora de la mañana; las tripas le dolían de hambre, y su amigo roncaba en la cama de al lado. Echó un vistazo a la habitación con los ojos entornados y vio la oscura silueta de Phineas Nigellus, que volvía a estar en su retrato, y se le ocurrió pensar que, seguramente, Dumbledore había enviado a Phineas Nigellus para que lo vigilara, por si él atacaba a alguien más.

Volvía a sentirse sucio. Casi se arrepentía de haber obedecido a Dumbledore... Al fin y al cabo, si la vida en Grimmauld Place iba a ser así a partir de entonces, quizá estuviera mejor en Privet Drive.

Aquella mañana todos se dedicaron a colgar adornos navideños. Harry no recordaba haber visto jamás a Sirius de tan buen humor: hasta cantaba villancicos, y parecía encantado de tener compañía para Navidad. Harry escuchaba la voz de su padrino, que llegaba hasta él desde el piso de abajo a través del suelo del helado salón donde estaba sentado solo, mientras contemplaba por la ventana el cielo, cada vez más blanco, que amenazaba nieve; sentía un sádico placer al dar a los otros la oportunidad de seguir hablando de él, como sin duda debían de estar haciendo. Cuando oyó que la señora Weasley lo llamaba tímidamente por la escalera, a la hora de comer, Harry subió unos pisos más y no le hizo caso.

Hacia las seis de la tarde sonó el timbre de la puerta y la señora Black se puso a gritar, como de costumbre. Harry, suponiendo que sería Mundungus o algún otro miembro de la Orden, se limitó a instalarse más cómodamente contra la pared de la habitación de *Buckbeak*, donde se había escondido, e intentó no prestar atención al hambre que tenía mientras le daba ratas muertas al hipogrifo. Sin embargo, se llevó una sorpresa cuando, unos minutos más tarde, alguien golpeó con fuerza la puerta.

—Sé que estás ahí dentro —dijo la voz de Hermione—. ¿Quieres salir, por favor? Tengo que hablar contigo.

—¿Qué haces aquí? —le preguntó Harry al abrir, mientras *Buckbeak* arañaba el suelo cubierto de paja en busca de algún trozo de rata que podría habérsele caído—. ¿No ibas a esquiar con tus padres?

—Verás, he de confesar que el esquí no es mi fuerte —le contó Hermione—. Así que he venido a pasar las Navidades aquí. —Tenía nieve en el pelo y la cara sonrosada por efecto del frío—. Pero no se lo digas a Ron. A él le he dicho que esquiar es estupendo porque no paraba de reír. Mis padres están un poco disgustados, pero les he dicho que los alumnos que se toman en serio los exámenes se quedan a estudiar en Hogwarts. Quieren que saque buenas notas, de modo que lo entenderán. Bueno —añadió con decisión—, vamos a tu dormitorio. La madre de Ron ha encendido la chimenea y te ha subido unos sándwiches.

Harry la siguió al segundo piso. Cuando entró en el dormitorio, se llevó una sorpresa al ver que Ron y Ginny los estaban esperando sentados en la cama de Ron.

—He venido en el autobús noctámbulo —dijo Hermione como quien no quiere la cosa, y se quitó la chaqueta antes de que Harry tuviera ocasión de hablar—. Ayer por la mañana a primera hora Dumbledore me contó lo que había pasado, pero no he podido marcharme del colegio hasta que el trimestre ha terminado oficialmente. La profesora Umbridge está furiosa porque se han largado dejándola con un palmo de narices, pese a que Dumbledore le dijo que el señor Weasley estaba en San Mungo y que les había dado permiso para que fueran a visitarlo. Así que... —Se sentó al lado de Ginny, y las dos chicas y Ron miraron a Harry—. ¿Cómo te encuentras? —le preguntó Hermione.

—Bien —contestó él fríamente.

—Vamos, Harry, no mientas —repuso ella con impaciencia—. Ron y Ginny me han comentado que desde que volvieron de San Mungo te has estado escondiendo de los demás.

—¡No me digas! —replicó Harry fulminando con la mirada a Ron y a Ginny. Ron se contempló los pies, pero Ginny continuó impertérrita y exclamó:

—¡Es verdad! ¡Ni siquiera nos miras!

—¡Son ustedes los que no me miran a mí! —protestó Harry, furioso.

—A lo mejor resulta que se turnan para mirarse y no coinciden nunca —sugirió Hermione con el amago de una sonrisa en los labios.

—Muy gracioso —le espetó Harry, y se dio la vuelta.

—Deja de hacerte el incomprendido, Harry —dijo su amiga con crudeza—. Mira, los demás me han contado lo que escucharon anoche con las orejas extensibles...

—¿Ah, sí? —gruñó Harry con las manos hundidas en los bolsillos mientras observaba cómo fuera caían gruesos copos de nieve—. Han estado hablando de mí, ¿no? Bueno, la verdad es que ya me estoy acostumbrando.

—Queríamos hablar contigo, Harry —dijo Ginny—, pero como desde que llegamos no has hecho más que esconderte...

—No quería que nadie hablara conmigo —admitió él, que cada vez se sentía más molesto.

—Pues ésa es una postura muy estúpida —replicó Ginny con enojo—, dado que yo soy la única persona que conoces que ha estado poseída por Quien-tú-sabes, y por lo tanto puedo explicarte lo que se siente.

Harry se quedó callado, asimilando el impacto de aquellas palabras. Entonces se dio la vuelta.

—No me acordaba de eso —se excusó.

—Pues tienes suerte —dijo Ginny fríamente.

—Lo siento —se disculpó Harry con sinceridad—. Entonces... ¿creen que estoy poseído?

—A ver, ¿recuerdas todo lo que has hecho? —le preguntó Ginny—. ¿O hay largos periodos en blanco de los que no recuerdas nada?

Harry se exprimió el cerebro.

—No —contestó tras una pausa.

—Entonces Quien-tú-sabes no te ha poseído nunca —dedujo Ginny con simplicidad—. Cuando me poseyó a mí, no recordaba lo que había hecho durante horas seguidas. De pronto me encontraba en un sitio y no tenía ni la más remota idea de cómo había llegado hasta allí.

Harry no se atrevía a creerla, y sin embargo, pese a su reticencia, el peso que lo abrumaba empezó a aligerarse.

—Pero ese sueño que tuve sobre tu padre y la serpiente...

—Ya has tenido sueños de ésos otras veces, Harry —terció Hermione—. El año pasado tenías visiones de lo que Voldemort se traía entre manos.

—Esta vez ha sido distinto —aseguró su amigo moviendo negativamente la cabeza—. Yo estaba dentro de aquella serpiente. Era como si yo fuera ella... ¿Y si Voldemort se las ingenió para transportarme a Londres?

—Algún día leerás *Historia de Hogwarts* —dijo Hermione con un tono de profundo fastidio— y quizá te enterarás de que dentro del colegio uno no puede aparecerse ni desaparecerse. Ni siquiera Voldemort podría hacerte salir volando de tu dormitorio, Harry.

—No te levantaste de la cama, Harry —intervino Ron—. Yo te vi retorciéndote en sueños, por lo menos durante un minuto, antes de que consiguiéramos despertarte.

Harry empezó a pasearse de nuevo por la habitación. Cavilaba. Lo que todos afirmaban no sólo resultaba consolador, sino que tenía sentido... Tomó sin darse cuenta un sándwich del plato que había encima de la cama y, hambriento, se lo metió entero en la boca.

«Resulta que no soy el arma», pensó Harry, quien de pronto sintió una gran alegría y un gran alivio, y le entraron ganas de ponerse también a cantar cuando oyeron a Sirius, que pasaba en ese momento por delante de su puerta hacia la habitación de *Buckbeak*, cantando *Hacia Belén va un hipogrifo* a pleno pulmón.

¿Cómo podía habérsele ocurrido la idea de regresar a Privet Drive por Navidad? La alegría que sentía Sirius por volver a tener la casa llena y, sobre todo, por volver a tener a Harry a su lado, era contagiosa. Había dejado de ser el huraño anfitrión del verano y en esos momentos parecía decidido a que se divirtieran tanto como se habrían divertido en Hogwarts, o quizá más, y por eso trabajó infatigablemente en el periodo previo al día de Navidad; lo limpió y lo decoró todo con la ayuda de los chicos, de modo que en Nochebuena, cuando fueron a acostarse, la casa estaba irreconocible. De las lámparas de cristal, anteriormente carentes de brillo, ya no colgaban telarañas, sino guirnaldas de acebo y serpentinas plateadas y doradas; había montoncitos de reluciente nieve mágica sobre las raídas alfombras; un gran árbol de Navidad, que había conseguido Mundungus y que estaba decorado con hadas de verdad, tapaba el árbol genealógico de la familia de Sirius; y hasta las cabezas reducidas de elfos domésticos de la pared del vestíbulo llevaban gorros y barbas de Papá Noel.

La mañana del día de Navidad, Harry despertó y encontró un montón de regalos a los pies de su cama. Ron ya había empezado a abrir los paquetes de su montón, aún más grande.

—¡Mira cuántos regalos nos han hecho este año! —exclamó a través de una nube de papel—. ¡Gracias por la brújula para escobas, es fabulosa! Supera el regalo de Hermione: un planificador de deberes...

Entonces Harry buscó entre sus regalos y encontró uno con la letra de Hermione. A él también le había regalado un libro que parecía una agenda, sólo que cada vez que lo abría por cualquier página gritaba cosas como: «¡No dejes para mañana lo que puedas hacer hoy!»

Sirius y Lupin, por su parte, le habían regalado una estupenda colección de libros titulada *Magia defensiva práctica y cómo utilizarla contra las artes oscuras*, con soberbias ilustraciones móviles en color de todos los maleficios y contraembrujos que describía. Harry hojeó el primer volumen con avidez; le encantó porque iba a resultarle muy útil para lo que tenía planeado en las reuniones del ED. Hagrid le había enviado una billetera marrón y peluda con unos colmillos que supuestamente eran un sistema antirrobo, aunque en realidad lo que hacían era que Harry se arriesgara a que le arrancaran un dedo cada vez que ponía dinero dentro. El regalo de Tonks era una pequeña maqueta de una Saeta de Fuego; Harry la hizo volar por la habitación y entonces lamentó no tener su escoba de tamaño real. Ron le había regalado una caja enorme de grageas de todos los sabores; el señor y la señora Weasley, el jersey tejido a mano de rigor y unos cuantos pastelillos de frutas secas, y Dobby, un cuadro francamente espantoso que Harry sospechó que había pintado el propio elfo. Acababa de colocarlo del revés para ver si de ese modo tenía mejor aspecto cuando, con un fuerte ¡crac!, Fred y George se aparecieron a los pies de su cama.

—¡Feliz Navidad! —exclamó George—. Pero no bajen hasta dentro de un rato.

—¿Por qué? —preguntó Ron.

—Porque mamá está llorando otra vez —contestó Fred con gravedad—. Percy le ha devuelto el jersey de Navidad.

—Sin ninguna nota —añadió George—. No ha preguntado cómo se encuentra papá, ni ha ido a visitarlo ni nada.

—Hemos intentado consolarla —prosiguió Fred, y rodeó la cama para ver el cuadro de Harry—. Le hemos dicho que Percy no es más que un montón de excrementos de rata podridos.

—Pero no ha funcionado —continuó George, que tomó una rana de chocolate—. Entonces Lupin ha tomado el relevo. Creo que será mejor que dejemos que él intente animarla antes de bajar a desayunar.

—Oye, ¿qué se supone que representa? —preguntó Fred escudriñando el cuadro de Dobby—. Parece un gibón con dos ojos negros.

—¡Es Harry! —exclamó George, y señaló el dorso del cuadro—. ¡Lo pone aquí!

—Es un buen retrato —opinó Fred sonriendo. Harry le lanzó su nueva agenda de deberes, que chocó contra la pared y cayó al suelo, desde donde gritó alegremente: «¡Si el trabajo has terminado puedes ir a comprarte un helado!»

Luego se levantaron y se vistieron. Desde arriba oían a los distintos habitantes de la casa deseándose Feliz Navidad unos a otros. Cuando bajaban por la escalera se encontraron con Hermione.

—Gracias por el libro, Harry —dijo ella alegremente—. ¡Hacía siglos que buscaba *Nueva teoría de numerología*! Y ese perfume es muy especial, Ron.

—Me alegro de que te haya gustado —repuso Ron—. Pero ¿para quién es eso? —añadió señalando el paquete cuidadosamente envuelto que Hermione llevaba en las manos.

—Para Kreacher —contestó ella, muy satisfecha.

—¡Espero que no sea ropa! —la previno Ron—. Ya sabes lo que dice Sirius: Kreacher sabe demasiado, no podemos darle la libertad.

—No, no es ropa —lo tranquilizó Hermione—, aunque si por mí fuera desde luego que le habría regalado algo para ponerse que no sea ese trapo viejo y mugriento. Es una colcha de parches. Pensé que alegraría un poco su dormitorio.

—¿Qué dormitorio? —preguntó Harry bajando la voz al pasar por delante del retrato de la madre de Sirius.

—Bueno, Sirius dice que en realidad no es un dormitorio, sino una especie de... guarida —contestó Hermione—. Por lo visto Kreacher duerme debajo de la caldera que hay en ese armario de la cocina.

Cuando llegaron al sótano, sólo encontraron a la señora Weasley. Estaba de pie frente a la cocina, y todos esquivaron la mirada cuando les deseó Feliz Navidad con la voz como si sufriera de un fuerte resfrío con jaqueca.

—¿Así que esto es el dormitorio de Kreacher? —dijo Ron mientras caminaba hacia una deslucida puerta que había en un rincón, frente a la despensa. Harry nunca la había visto abierta.

—Sí —confirmó Hermione, que ahora parecía un poco nerviosa—. Este..., creo que será mejor que llamemos.

Ron golpeó la puerta con los nudillos, pero no obtuvo respuesta.

—Debe de estar espiando por arriba —comentó, y sin pensárselo dos veces abrió la puerta—. ¡Puaj!

Harry se asomó al interior. Gran parte del armario lo ocupaba una enorme y anticuada caldera, pero en el reducido espacio que quedaba debajo de las tuberías, Kreacher se había construido algo que parecía un nido. Había un revoltijo de mantas y harapos viejos y apestosos amontonado en el suelo, y la pequeña marca que había en el centro indicaba el sitio donde el elfo se acurrucaba para dormir por las noches. Aquí y allá, entre la tela, había mendrugos de pan y pedazos de queso mohoso. En un rincón brillaban unos pequeños objetos y monedas que Harry imaginó que

Kreacher había salvado, como una urraca, de la purga que Sirius había hecho en la casa, y también había conseguido rescatar las fotografías familiares con marco de plata que su padrino había tirado aquel verano. Los cristales de los marcos estaban rotos, pero aun así las pequeñas figuras en blanco y negro que había dentro lo miraron con arrogancia, incluida la de la mujer morena de párpados caídos, Bellatrix Lestrange (Harry sintió una breve sacudida en el estómago), cuyo juicio Harry había visto en el pensadero de Dumbledore. Al parecer, esa fotografía era la favorita de Kreacher, pues la había colocado delante de todas las demás y había hecho una chapuza para arreglar el cristal con celo mágico.

—Creo que le voy a dejar el regalo aquí —dijo Hermione. Puso el paquete en medio del hueco de los trapos y de las mantas y cerró la puerta sin hacer ruido—. Ya lo encontrará más tarde.

—Por cierto —comentó Sirius al salir de la despensa con un enorme pavo mientras ellos cerraban la puerta del armario—, ¿alguien ha visto a Kreacher últimamente?

—Yo no lo he visto desde la noche en que volvimos aquí —contestó Harry—. Le ordenaste que saliera de la cocina.

—Sí... —repuso Sirius con el entrecejo fruncido—. Creo que ésa fue también la última vez que lo vi yo... Debe de estar escondido arriba.

—No puede haberse marchado, ¿verdad? —añadió Harry—. A lo mejor, cuando le dijiste que se largara, interpretó que querías que se marchara de la casa.

—No, no, los elfos domésticos no pueden marcharse a menos que les regalen ropa. Están atados a la casa de su familia —respondió Sirius.

—Pueden dejar la casa si de verdad quieren hacerlo —lo contradijo Harry—. Dobby se marchó de la casa de los Malfoy hace tres años para avisarme de que corría peligro. Después tuvo que autocastigarse, pero de todos modos lo hizo.

Sirius se quedó pensativo un momento, y luego dijo:

—Ya lo buscaré más tarde, supongo que lo encontraré arriba llorando a lágrima viva sobre los calzones largos de mi madre o algo así. Aunque podría haberse ahogado en el depósito de agua caliente. Pero no, no tendré tanta suerte.

Fred, George y Ron rieron; Hermione, en cambio, miró a Sirius con expresión de reproche.

Después de la comida de Navidad, los Weasley, Harry y Hermione planearon ir de nuevo a visitar al señor Weasley, escoltados por Ojoloco y Lupin. Mundungus llegó a tiempo para compartir con ellos el pudín de Navidad y los bizcochos borrachos; había «pedido prestado» un coche para la ocasión porque el metro no funcionaba ese día. Mundungus había realizado un hechizo en el coche para agrandarlo (Harry dudaba mucho que lo hubiera tomado con el consentimiento de su propietario), igual que habían hecho con el Ford Anglia de los Weasley. Aunque por fuera tenía las proporciones normales, dentro cabían cómodamente diez personas, incluido Mundungus, que iba al volante. La señora Weasley se lo pensó antes de entrar (Harry se dio cuenta de que ella seguía teniéndole poca simpatía a Mundungus y de que no le hacía ninguna gracia viajar sin magia), pero finalmente se impusieron el frío que hacía en la calle y las súplicas de sus hijos, y se sentó en el asiento trasero entre Fred y Bill de buen talante.

El viaje hasta San Mungo fue rápido porque había muy poco tráfico. Del mismo modo, había un discreto goteo de magos y de brujas que iban con disimulo por la calle desierta hacia el hospital. Harry y los demás salieron del coche y Mundungus estacionó en la esquina y se quedó esperándolos. Fueron caminando con toda tranquilidad hasta el escaparate donde estaba el maniquí vestido con el *jumper* de nailon verde, y una vez allí, uno a uno, atravesaron el cristal.

En la recepción reinaba una agradable atmósfera festiva: habían pintado de rojo y dorado las esferas de cristal que iluminaban San Mungo para que parecieran gigantescas y relucientes bolas de Navidad; había acebo colgado alrededor de las puertas, y en todos los rincones resplandecían unos relucientes árboles de Navidad blancos, cubiertos de nieve mágica y carámbanos de hielo y adornados con una brillante estrella de oro en lo alto. El vestíbulo no estaba tan abarrotado como la última vez que estuvieron allí, aunque hacia la mitad de la sala Harry tuvo que esquivar a una bruja que llevaba una mandarina metida en el orificio izquierdo de la nariz.

—Pelea familiar, ¿verdad? —dijo la bruja rubia que había detrás del mostrador con una sonrisita de suficiencia—. Son ustedes los terceros que veo hoy... Daños Provocados por Hechizos, cuarta planta.

Encontraron al señor Weasley sentado en la cama con los restos del pavo en una bandeja sobre el regazo y con expresión avergonzada.

—¿Va todo bien, Arthur? —le preguntó la señora Weasley cuando todos lo hubieron saludado y le hubieron dado sus regalos.

—Sí, sí, todo bien —contestó él, aunque no muy convencido—. Este..., no han... No habrán visto al sanador Smethwyck, ¿verdad?

—No —dijo la señora Weasley con recelo—. ¿Por qué?

—Por nada, por nada —contestó el señor Weasley quitándole importancia, y empezó a abrir los regalos—. Bueno, ¿lo han pasado bien? ¿Qué les han regalado por Navidad? ¡Oh, Harry, esto es maravilloso! —Acababa de abrir el regalo de Harry: un rollo de alambre fusible y un juego de destornilladores.

La señora Weasley no pareció quedar muy satisfecha con la respuesta de su marido, y cuando éste se inclinó para estrechar la mano de Harry, ella le miró el vendaje que llevaba debajo del pijama.

—Arthur —dijo con tono cortante, y su voz sonó como el chasquido de una ratonera—, te han cambiado los vendajes. ¿Por qué lo han hecho un día antes, Arthur? Me dijeron que no te los cambiarían hasta mañana.

—¿Qué? —dijo el señor Weasley, asustado, y se tapó con las sábanas hasta la barbilla—. No, no, no es nada, es que... —El señor Weasley se desinfló bajo la penetrante mirada de su esposa—. Mira, Molly, no te enfades, pero Augustus Pye tuvo una idea... Es el sanador en prácticas, ¿sabes?, un joven encantador, y muy interesado en la... humm... medicina complementaria... Ya sabes, esos remedios muggles... Bueno, se llaman «puntos», Molly, y dan muy buenos resultados en... en los muggles.

La señora Weasley emitió un ruido amenazador, entre un chillido y un gruñido. Lupin se alejó de la cama del señor Weasley y se acercó a la del hombre lobo, que no tenía visitas y contemplaba con nostalgia el corro que se había formado alrededor de su vecino. Bill murmuró que iba a ver si podía tomarse una taza de té, y Fred y George, sonriendo, se ofrecieron rápidamente para acompañar a su hermano.

—¿Me estás diciendo que has estado tonteando con remedios muggles? —mascullo la señora Weasley subiendo la voz con cada palabra que pronunciaba, sin darse cuenta, al parecer, de que las personas que la acompañaban se escabullían para ponerse a cubierto.

—Tonteando no, Molly, querida —respondió el señor Weasley con tono suplicante—, no es más que... algo que a Pye y a mí nos pareció oportuno probar... Sólo que, desgraciadamente... Bueno, con este tipo de heridas... no parece funcionar tan bien como esperábamos...

—¿Y eso qué quiere decir con exactitud?

—Pues..., bueno, no sé si sabes qué son los puntos...

—Suena como si hubieras intentado coserte la piel —repuso la señora Weasley, y soltó una risotada amarga—, pero no creo que tú seas tan estúpido, Arthur...

—Yo también me tomaría una taza de té —dijo Harry, y se puso en pie.

Hermione, Ron y Ginny casi echaron a correr hacia la puerta con él. Cuando ésta se cerró tras ellos, oyeron gritar a la señora Weasley:

—¿QUÉ QUIERE DECIR QUE MÁS O MENOS ES ESO?

—Típico de papá —comentó Ginny, moviendo la cabeza, cuando enfilaron el pasillo—. Puntos, ya me dirás...

—Pues funcionan muy bien con heridas no mágicas —dijo Hermione, imparcial—. Supongo que el veneno de la serpiente los disuelve o algo así. ¿Dónde estará el salón de té?

—En la quinta planta —indicó Harry al recordar el directorio que había detrás del mostrador de recepción.

Recorrieron el pasillo, pasaron por unas puertas dobles y encontraron una desvencijada escalera, a cuyos lados había otros retratos de sanadores de aspecto brutal. Mientras subían por ella, varios les dirigieron la palabra para diagnosticarles extrañas dolencias y proponerles espantosos remedios. Ron se ofendió muchísimo cuando un mago de la época medieval le gritó que era evidente que sufría un caso grave de spattergroit.

—¿Y se puede saber qué es eso? —le preguntó enfadado al sanador, que lo siguió pasando por seis retratos al mismo tiempo que apartaba a sus ocupantes.

—Una afección gravísima de la piel, joven amigo, que te la dejará más marcada y fea de lo que ya la tienes.

—¡Mucho cuidado con quien te metes! —le espetó Ron. Se le estaban poniendo las orejas coloradas.

—El único remedio que existe consiste en agarrar el hígado de un sapo, atárselo con fuerza alrededor del cuello, quedarse desnudo bajo la luna llena en un barril lleno de ojos de anguila...

—¡Yo no tengo spattergroit!

—Pues esas antiestéticas manchas que tienes en el rostro, joven amigo...

—¡Son pecas! —gritó Ron furioso—. ¡Vuelve a tu cuadro y déjame en paz!

Entonces miró a los demás, que hacían un esfuerzo para poner cara seria.

—¿Qué planta es ésta?

—Me parece que es la quinta —dijo Hermione.

—No, es la cuarta —rectificó Harry—, todavía nos queda una por...

Pero al llegar al rellano se paró en seco y se quedó mirando la pequeña ventana que había en las puertas dobles que señalaban el inicio de un pasillo que llevaba el letrero de «DAÑOS PROVOCADOS POR HECHIZOS». Un hombre los miraba con la cara pegada contra el cristal. Tenía el cabello rubio y ondulado, unos brillantes ojos azules y una amplia sonrisa ausente que dejaba ver unos dientes asombrosamente blancos.

—¡Vaya! —exclamó Ron, que también había visto a aquel individuo.

—¡Por las barbas de Merlín! —dijo de pronto Hermione, perpleja—. Pero ¡si es el profesor Lockhart!

Su antiguo profesor de Defensa Contra las Artes Oscuras abrió las puertas y echó a andar hacia ellos. Llevaba una larga camisa de dormir de color lila.

—¡Hola, muchachos! —los saludó—. Han venido a pedirme un autógrafo, ¿verdad?

—No ha cambiado mucho, ¿eh? —le susurró Harry por lo bajo a Ginny, que sonrió.

—¿Cómo..., cómo está, profesor? —le preguntó Ron.

Parecía que se sentía un poco culpable, porque había sido su varita estropeada la que había dañado hasta tal punto la memoria del profesor Lockhart que lo habían enviado a San Mungo. Pero Harry no sentía mucha lástima por el profesor, pues antes de que eso ocurriera, Lockhart había intentado borrarles permanentemente la memoria a Ron y a él.

—¡Muy bien, gracias! —respondió Lockhart, desbordante de entusiasmo, y sacó una maltratada pluma de pavo real de su bolsillo—. A ver, ¿cuántos autógrafos quieren? ¡Ahora ya puedo escribir con letra cursiva!

—Este..., ahora no queremos ninguno, gracias —contestó Ron, y miró arqueando las cejas a Harry, que preguntó:

—Profesor, ¿lo dejan pasearse por los pasillos? ¿No debería estar en una sala?

La sonrisa del rostro de Lockhart se esfumó poco a poco. El hombre se quedó mirando fijamente a Harry, y luego dijo:

—¿Nos conocemos?

—Pues... sí. Usted nos daba clases en Hogwarts, ¿no se acuerda?

—¿Clases? —repitió Lockhart un tanto agitado—. ¿Yo? ¿En serio? —Entonces la sonrisa volvió a aparecer en sus labios, tan de repente que los chicos casi se asustaron—. Seguro que les enseñé todo cuanto saben, ¿verdad? Bien, ¿y qué hay de esos autógrafos? ¿Les parece bien que les firme una docena? ¡Así podrán regalar unos cuantos a sus amiguitos y nadie se quedará sin uno!

Pero entonces una cabeza asomó por una puerta que había al fondo del pasillo y una voz dijo:

—Gilderoy, niño travieso, ¿ya te has escapado otra vez? —Una sanadora de aspecto maternal, que llevaba una corona de adornos navideños en el pelo, echó a andar por el pasillo sonriendo cariñosamente a Harry y a los demás—. ¡Oh, Gilderoy, pero si tienes visitas! ¡Qué maravilla, y el día de Navidad! ¿Saben qué? Nunca recibe visitas, pobrecillo, y no me lo explico porque es un encanto, ¿verdad, corazón?

—¡Les estoy firmando autógrafos! —explicó Gilderoy a la sanadora con una amplia sonrisa—. ¡Quieren un montón de autógrafos, dicen que no se irán sin ellos! ¡Espero tener suficientes fotografías!

—¿Han visto? —dijo la sanadora, y tomó a Lockhart por el brazo y le sonrió afectuosamente, como si fuera un niño precoz de dos años—. Antes era muy famoso; creemos que su afición por firmar autógrafos es una señal de que empieza a recuperar la memoria. ¿Quieren venir por aquí? Está en una sala reservada, ¿saben?; ha debido de escaparse mientras yo repartía los regalos de Navidad porque normalmente la puerta está cerrada... Pero ¡no es peligroso! En todo caso... —bajó la voz hasta reducirla a un susurro— podría ser un peligro para sí mismo, pobre angelito... No sabe quién es, y a veces sale y no recuerda el camino de regreso... Han sido muy amables al venir a visitarlo.

—Este... —dijo Ron señalando en vano el piso de arriba—, en realidad nosotros sólo... —Pero la sanadora les sonreía con expectación, y el débil murmullo de «íbamos a tomarnos una taza de té» se perdió en el aire. Los chicos se miraron sin poder hacer nada, y luego siguieron a Lockhart y a su sanadora por el pasillo—. No nos quedemos mucho rato, por favor —imploró Ron en voz baja.

La sanadora apuntó con la varita a la puerta de la Sala Janus Thickey y murmuró: *«¡Alohomora!»* La puerta se abrió, y la sanadora entró en la sala, precediendo a los demás y llevando sujeto con firmeza a Gilderoy por el brazo hasta que lo hubo sentado en una butaca, junto a su cama.

—Ésta es nuestra sala para los pacientes que tienen que pasar una larga temporada en el hospital —explicó a Harry, Ron, Hermione y Ginny en voz baja—. Es decir, para los que han sufrido daños por hechizos. Con un tratamiento intensivo de pociones y encantamientos curativos, y con algo de suerte, conseguimos que mejoren un poco, desde luego. Gilderoy, por ejemplo, empieza a recordar vagamente quién es; y también hemos apreciado una notable mejoría en el señor Bode: parece que está recobrando muy bien la capacidad del habla, aunque todavía no se expresa en ningún idioma que hayamos podido reconocer. Bueno, tengo que seguir repartiendo los regalos de Navidad. Los dejo con él para que puedan charlar tranquilamente.

Harry miró la sala, en la que había indicios inconfundibles de que era un hogar permanente para los enfermos.

Alrededor de las camas se veían muchos más efectos personales que en la sala del señor Weasley; el trozo de pared que abarcaba la cabecera de la cama de Gilderoy, por ejemplo, estaba empapelado con fotografías suyas en las que sonreía mostrando los dientes y saludaba con la mano a los recién llegados. Gilderoy había firmado muchas de aquellas fotografías con una letra deshilvanada e infantil. En cuanto la sanadora lo sentó en la butaca, Gilderoy tomó un montón de ellas y una pluma, y empezó a estampar su firma febrilmente.

—Puedes meterlas en sobres —le dijo a Ginny, y fue echándoselas en el regazo, una a una, a medida que terminaba de firmarlas—. No me han olvidado, qué va, todavía recibo muchas cartas de admiradores... Gladys Gudgeon me escribe una cada semana... Me encantaría saber por qué... —Hizo una pausa, con gesto de desconcierto; luego volvió a sonreír y siguió firmando con renovada energía—. Supongo que será sencillamente por lo guapo que soy...

En la cama de enfrente, un mago de rostro amarillento y un aire de profunda tristeza estaba tumbado contemplando el techo; murmuraba para sí y parecía que no se había dado cuenta de que alguien había entrado en la sala. Dos camas más allá había una mujer cuyo rostro estaba cubierto de pelo; Harry recordó que algo similar le había pasado a Hermione durante el segundo curso, aunque, por fortuna, en su caso los daños no habían sido permanentes. Al fondo de la sala, unas cortinas con estampado de flores tapaban dos camas para que los ocupantes y sus visitas tuvieran un poco de intimidad.

—Toma, Agnes —le dijo la sanadora alegremente a la mujer con la cara cubierta de pelo, y le entregó un montoncito de regalos de Navidad—. ¿Lo ves? ¡No se han olvidado de ti! Además, tu hijo ha enviado una lechuza para decir que esta noche vendrá a visitarte. ¿Estás contenta? —Agnes soltó unos fuertes ladridos—. Y mira, Broderick, te han enviado una planta y un calendario precioso con bonitas ilustraciones de un hipogrifo diferente en cada mes. Seguro que te animarán, ¿verdad? —afirmó la sanadora mientras se acercaba al hombre que yacía murmurando por lo bajo; puso una planta feísima con largos y oscilantes tentáculos en su mesilla de noche y colgó el calendario en la pared con un movimiento de su varita mágica—. Y... ¡Oh, señora Longbottom! ¿Ya se marcha?

Harry giró la cabeza con rapidez. Habían descorrido las cortinas que ocultaban las dos camas del fondo de la sala, y dos visitantes iban por el pasillo: una anciana bruja de aspecto imponente, que llevaba un largo vestido verde, una apolillada piel de zorro y un sombrero puntiagudo decorado con un buitre disecado; y detrás de ella, con aire profundamente deprimido, iba... Neville.

De pronto Harry comprendió quiénes debían de ser los pacientes de las camas del fondo. Miró alrededor con urgencia en busca de algo con lo que distraer a los demás, para que Neville pudiera salir de la sala sin ser visto y sin que le hicieran preguntas, pero Ron también había levantado la cabeza al oír el apellido «Longbottom», y antes de que Harry pudiera impedírselo, gritó: «¡Neville!»

Éste dio un brinco y se encogió, como si una bala hubiera pasado rozándole la cabeza.

—¡Somos nosotros, Neville! —exclamó Ron, muy contento, poniéndose en pie—. ¿Has visto...? ¡Lockhart está aquí! ¿A quién has venido a visitar tú?

—¿Son amigos tuyos, Neville, tesoro? —preguntó gentilmente la abuela de Neville, y se acercó a ellos.

Parecía que Neville deseaba estar en cualquier otro sitio. Un intenso rubor se estaba extendiendo por sus rollizas mejillas, y no se atrevía a mirar a los ojos a ninguno de sus compañeros.

—¡Ah, sí! —exclamó su abuela mirando fijamente a Harry, y le tendió una apergaminada mano con aspecto de garra para que él se la estrechara—. Sí, claro, ya sé quién eres. Neville siempre habla muy bien de ti.

—Gracias —repuso Harry, y le estrechó la mano. Neville no lo miró: se quedó observándose los pies mientras el rubor de su cara se iba haciendo más y más intenso.

—Y es evidente que ustedes dos son Weasley —continuó la señora Longbottom, y ofreció majestuosamente su mano primero a Ron y luego a Ginny—. Sí, conozco a sus padres, no mucho, desde luego, pero son buena gente, son buena gente... Y si no me equivoco, tú debes de ser Hermione Granger. —A Hermione le sorprendió mucho que la señora Longbottom supiera su nombre, pero de todos modos también le dio la mano—. Sí, Neville me lo ha contado todo sobre ti. Sé que lo has ayudado a salir de unos cuantos apuros, ¿verdad? Mi nieto es buen chico —afirmó mirando a Neville con severidad, como si lo evaluara, y lo señaló con su huesuda nariz—, pero me temo que no tiene el talento de su padre. —Y esta vez señaló con la cabeza las dos camas del fondo de la sala, lo que provocó que el buitre disecado oscilara peligrosamente.

—¿Cómo? —dijo Ron, perplejo. A Harry le habría gustado darle un pisotón, pero eso es algo que resulta mucho más difícil hacer sin que los demás se den cuenta cuando llevas pantalones vaqueros en lugar de túnica—. ¿Ese de allí es tu padre, Neville?

—¿Qué significa esto? —preguntó la señora Longbottom con brusquedad—. ¿No has hablado de tus padres a tus amigos, Neville? —Éste inspiró hondo, miró al techo y negó con la cabeza. Harry jamás había sentido tanta lástima por alguien, pero no se le ocurría ninguna forma de ayudar a Neville para salir de aquel apuro—. ¡No tienes nada de que avergonzarte! —exclamó la señora Longbottom con enojo—. ¡Deberías estar orgulloso, Neville, muy orgulloso! Tus padres no entregaron su salud y su cordura para que su único hijo se avergüence de ellos, ¿sabes?

—No me avergüenzo —replicó Neville con un hilo de voz. Seguía sin mirar a Harry y a los demás. Ron se había puesto de puntillas para mirar a los pacientes de las dos camas.

—¡Pues tienes una forma muy peculiar de demostrarlo! —le reprendió la señora Longbottom—. A mi hijo y a su esposa —prosiguió volviéndose con gesto altivo hacia Harry, Ron, Hermione y Ginny— los torturaron hasta la demencia los seguidores de Quien-ustedes-saben. —Hermione y Ginny se taparon la boca con las manos. Ron dejó de estirar el cuello para mirar a los padres de Neville y puso cara de pena—. Eran aurores, y muy respetados dentro de la comunidad mágica —continuó la señora Longbottom—. Ambos tenían dones extraordinarios, y... Sí, Alice, querida, ¿qué quieres?

La madre de Neville, en camisón, se acercaba caminando lentamente por el pasillo. Ya no tenía el rostro alegre y regordete que Harry había visto en la vieja fotografía de la primera Orden del Fénix que le había enseñado Moody. Ahora tenía la cara delgada y agotada, los ojos parecían más grandes de lo normal y el pelo se le había vuelto blanco, ralo y sin vida. Tal vez no quisiera decir nada, o quizá fuera incapaz de hablar, pero le hizo unas tímidas señas a Neville y le tendió algo con la mano.

—¿Otra vez? —dijo la señora Longbottom con un dejo de hastío—. Muy bien, Alice, querida, muy bien... Neville, tómalo, ¿quieres? —Pero Neville ya había estirado el brazo, y su madre le puso en la mano un envoltorio de Droobles, el mejor chicle para hacer globos—. Muy bonito, querida —añadió la abuela de Neville con una voz falsamente alegre, y dio unas palmadas en el hombro a su nuera.

Sin embargo, Neville dijo en voz baja:

—Gracias, mamá.

Su madre se alejó tambaleándose por el pasillo y tarareando algo. Neville miró a los demás con expresión desafiante, como si los retara a reírse, pero Harry no creía haber visto en su vida nada menos divertido que esa situación.

—Bueno, será mejor que volvamos —dijo la señora Longbottom con un suspiro, y se puso unos largos guantes verdes—. Ha sido un placer conocerlos. Neville, tira ese envoltorio a la papelera, tu madre ya debe de haberte dado suficientes para empapelar tu dormitorio.

Pero cuando se marchaban, Harry vio que Neville se metía el envoltorio del chicle en el bolsillo.

La puerta se cerró detrás de ellos.

—No lo sabía —comentó Hermione, que parecía a punto de llorar.

—Yo tampoco —dijo Ron con voz ronca.

—Ni yo —susurró Ginny.

Todos miraron a Harry.

—Yo sí —admitió él con tristeza—. Me lo contó Dumbledore, pero prometí que no se lo revelaría a nadie... Por eso fue por lo que enviaron a Bellatrix Lestrange a Azkaban, por utilizar la maldición *cruciatus* contra los padres de Neville hasta que perdieron la razón.

—¿Eso hizo Bellatrix Lestrange? —susurró Hermione, horrorizada—. ¿Esa mujer cuya fotografía Kreacher guarda en su cubil?

Se hizo un largo silencio que Lockhart interrumpió con voz enojada:

—¡Eh, no he aprendido a escribir con letra cursiva para nada!

24

Oclumancia

Resultó que Kreacher estaba escondido en el desván. Sirius dijo que lo había encontrado allí, cubierto de polvo, sin duda buscando más reliquias de la familia Black para llevarse a su armario. Pese a que Sirius parecía satisfecho con aquella historia, a Harry le produjo desasosiego. Tras su reaparición, Kreacher parecía de mejor humor; sus amargas murmuraciones habían cesado un tanto, y cumplía las órdenes que le daban con más docilidad de lo habitual, aunque en un par de ocasiones Harry sorprendió al elfo doméstico observándolo con ansiedad, pero éste desvió rápidamente la mirada al ver que Harry lo había descubierto.

Él no le comentó sus imprecisas sospechas a Sirius, cuya jovialidad se estaba evaporando deprisa porque ya habían acabado las Navidades. A medida que se acercaba la fecha del regreso de Harry a Hogwarts, Sirius cada vez se mostraba más propenso a lo que la señora Weasley llamaba «ataques de melancolía», durante los cuales se ponía taciturno y gruñón, y muchas veces se retiraba al cuarto de *Buckbeak*, donde pasaba horas enteras. Su malhumor se extendía por la casa y se filtraba por debajo de las puertas como un gas tóxico, de modo que los demás se contagiaban de él.

Harry no quería dejar otra vez a su padrino con la única compañía de Kreacher; de hecho, por primera vez en la vida, no le apetecía regresar a Hogwarts. Volver al colegio significaría colocarse una vez más bajo la tiranía de Dolores Umbridge, que sin duda se las habría ingeniado para que aprobaran otra docena de decretos durante su ausencia; ya no tenía las miras puestas en los partidos de quidditch porque lo habían suspendido; además, con toda probabilidad, los iban a cargar de deberes ahora que se acercaban los exámenes; y Dumbledore estaba más distante que nunca. Harry creía que, de no ser por el ED, habría suplicado a Sirius que lo dejara quedarse en Grimmauld Place y abandonar los estudios.

Entonces, el último día de las vacaciones, pasó una cosa que hizo que Harry le tuviera verdadero terror a su regreso al colegio.

—Harry, cariño —dijo la señora Weasley asomando la cabeza por la puerta del dormitorio que compartían él y Ron, donde ambos estaban jugando al ajedrez mágico, mientras Hermione, Ginny y *Crookshanks* los observaban—, ¿puedes bajar un momento a la cocina? El profesor Snape quiere hablar contigo.

Harry tardó un momento en asimilar lo que la señora Weasley acababa de decir; una de sus torres había iniciado una violenta pelea con un peón de Ron, y él la azuzaba con entusiasmo.

—Machácalo, ¡machácalo! ¡Sólo es un peón, idiota! Lo siento, señora Weasley, ¿qué decía?

—El profesor Snape, cariño. Te espera en la cocina. Quiere hablar contigo.

Harry abrió la boca, horrorizado, y miró a Ron, a Hermione y a Ginny, que lo miraban también con la boca abierta. *Crookshanks*, al que Hermione llevaba un cuarto de hora conteniendo con dificultad, saltó por fin sobre el tablero, y las fichas corrieron a ponerse a cubierto gritando como locas.

—¿Snape? —repitió Harry sin comprender.

—El profesor Snape, querido —lo corrigió la señora Weasley—. Baja, corre, dice que tiene prisa.

—¿De qué querrá hablar contigo? —le preguntó Ron, acobardado, cuando su madre salió de la habitación—. No has hecho nada, ¿verdad?

—¡Claro que no! —exclamó Harry, indignado, y se exprimió el cerebro pensando qué podía haber hecho para que Snape fuera a buscarlo a Grimmauld Place. ¿Habría sacado una T en sus últimos deberes?

Un par de minutos más tarde, Harry abrió la puerta de la cocina y encontró a Sirius y a Snape sentados a la larga mesa, cada uno con la vista fija en una dirección diferente. El silencio que reinaba en la habitación delataba la antipatía que sentían el uno por el otro. Sirius tenía una carta abierta delante, sobre la mesa.

Harry carraspeó para anunciar su presencia.

Snape giró la cabeza, con el rostro enmarcado por dos cortinas de grasiento y negro cabello.

—Siéntate, Potter.

—Mira —dijo Sirius en voz alta mientras se mecía sobre las patas traseras de la silla y hablaba mirando al techo—, preferiría que aquí no dieras órdenes, Snape. Ésta es mi casa, ¿sabes?

Un desagradable rubor tiñó el pálido rostro de Snape. Harry se sentó en una silla al lado de Sirius, frente a Snape.

—En realidad teníamos que vernos a solas, Potter —explicó Snape, y torció los labios para formar su característica sonrisa despectiva—, pero Black...

—Soy su padrino —aclaró Sirius subiendo aún más el tono de voz.

—He venido por orden de Dumbledore —prosiguió Snape, cuya voz, en cambio, cada vez se volvía más débil y mordaz—, pero quédate, Black, quédate. Ya sé que te gusta sentirte... implicado.

—¿Qué quieres decir con eso? —preguntó Sirius dejando que la silla volviera a caer sobre las cuatro patas con un fuerte golpe.

—Sencillamente, que estoy seguro de que debes de sentirte... frustrado por no poder hacer nada útil para la Orden —contestó Snape poniendo un delicado énfasis en la palabra «útil». Ahora le tocaba a Sirius ruborizarse. Los labios de Snape se torcieron de nuevo, esta vez triunfantes, cuando giró la cabeza y miró a Harry—. El director me envía, Potter, para decirte que quiere que este trimestre estudies Oclumancia.

—Que estudie ¿qué? —preguntó Harry, desconcertado.

La sarcástica sonrisa de Snape se pronunció aún más.

—Oclumancia, Potter. La defensa mágica de la mente contra penetraciones externas. Es una rama oscura de la magia, pero muy provechosa.

El corazón de Harry empezó a latir muy deprisa. ¿Defensa contra penetraciones externas? Pero si no estaba poseído, todos estaban de acuerdo en eso...

—¿Por qué tengo que estudiar Oclu..., como se llame eso? —balbuceó.

—Porque el director lo considera oportuno —respondió Snape llanamente—. Recibirás clases particulares una vez por semana, pero no le contarás a nadie lo que estás haciendo, y a la profesora Umbridge menos todavía. ¿Entendido?

—Sí. ¿Quién me va a dar las clases?

Snape arqueó una ceja y respondió:

—Yo.

Harry tuvo la horrible sensación de que se le deshacían las tripas. Clases particulares con Snape. ¿Qué había hecho él para merecer aquello? Giró rápidamente la cabeza buscando el apoyo de Sirius.

—¿Por qué no puede dárselas Dumbledore? —preguntó éste con tono agresivo—. ¿Por qué tienes que hacerlo tú?

—Supongo que porque el director tiene el privilegio de delegar las tareas menos agradables —repuso Snape con ironía—. Te aseguro que yo no le supliqué que me diera ese trabajo. —Se puso en pie—. Te espero el lunes a las seis en punto de la tarde, Potter. En mi despacho. Si alguien te pregunta, di que recibes clases particulares de pociones curativas. Nadie que te haya visto en mis clases podrá negar que las necesitas.

Se dio la vuelta para marcharse, y la negra capa de viaje ondeó tras él.

—Espera un momento —dijo Sirius, y se enderezó en la silla.

Snape se volvió para mirarlo, con la socarrona sonrisa en los labios.

—Tengo mucha prisa, Black. Yo no dispongo de tanto tiempo libre como tú.

—Entonces iré al grano —replicó Sirius levantándose. Era bastante más alto que Snape, y a Harry no se le escapó el detalle de que éste había cerrado la mano, dentro del bolsillo de la capa, sosteniendo en ella su varita mágica—. Si me entero de que estás utilizando las clases de Oclumancia para que Harry lo pase mal, tendrás que vértelas conmigo.

—¡Qué enternecedor! —se burló Snape—. Pero seguro que ya te has dado cuenta de que Potter se parece mucho a su padre.

—Sí, claro —afirmó Sirius con orgullo.

—En ese caso debes de saber que es tan arrogante, que las críticas simplemente rebotan contra él —dijo Snape con desfachatez.

Sirius empujó bruscamente su silla hacia atrás, pasó junto a la mesa y fue hacia donde estaba Snape mientras sacaba su varita. Snape también sacó la suya. Ambos se pusieron en guardia. Sirius estaba furioso; Snape, calculador, miraba la punta de la varita de su oponente sin dejar de examinarle el rostro.

—¡Sirius! —exclamó Harry, pero pareció que su padrino no lo había oído.

—Ya te he avisado, Quejicus —masculló Sirius, que tenía la cara apenas a un palmo de la de Snape—, no me importa que Dumbledore crea que te has reformado, pero yo no me lo trago...

—¿Y por qué no se lo dices a él? —repuso Snape en un susurro—. ¿Acaso temes que no se tome muy en serio los consejos de un hombre que lleva seis meses escondido en la casa de su madre?

—Dime, ¿qué tal está Lucius Malfoy? Supongo que estará encantado de que su perrito faldero trabaje en Hogwarts, ¿no?

—Hablando de perros —replicó Snape sin subir la voz—, ¿sabías que Lucius Malfoy te reconoció la última vez que te arriesgaste a hacer una pequeña excursión? Una idea muy inteligente, Black, dejarte ver en el andén de una estación... Eso te dio una excusa perfecta para no tener que salir de tu escondite en el futuro, ¿verdad?

Sirius levantó la varita.

—¡NO! —gritó Harry, que saltó por encima de la mesa e intentó interponerse entre los dos—. ¡No lo hagas, Sirius!

—¿Me estás llamando cobarde? —bramó Sirius, e intentó apartar a Harry, pero el chico no se movió de donde estaba.

—Pues sí, has acertado —contestó Snape.

—¡No te metas en esto, Harry! —gruñó Sirius, y lo empujó con la mano que tenía libre.

En ese momento, la puerta se abrió y la familia Weasley al completo, junto con Hermione, entró en la cocina; estaban todos muy contentos, y el señor Weasley, muy orgulloso, iba en medio vestido con un pijama de rayas y un impermeable.

—¡Estoy curado! —anunció alegremente sin dirigirse a nadie en particular—. ¡Completamente curado!

El señor Weasley y su familia se quedaron paralizados en el umbral observando la escena que tenían delante, que también había quedado interrumpida. Sirius y Snape miraban hacia la puerta, pero se apuntaban con las varitas a la cara, y Harry estaba inmóvil entre los dos, con un brazo extendido hacia cada uno de ellos, intentando separarlos.

—¡Por las barbas de Merlín! —exclamó el señor Weasley, y la sonrisa se borró de su cara—, ¿qué está pasando aquí?

Sirius y Snape bajaron las varitas. Harry miró primero a uno y luego a otro. Ambos tenían una expresión de profundo desprecio mutuo, y, sin embargo, la inesperada llegada de tantos testigos parecía haberles hecho recobrar la razón. Snape se guardó la varita en el bolsillo, se dio la vuelta, recorrió la habitación y pasó junto a los Weasley sin hacer ningún comentario. Al llegar a la puerta, se volvió y dijo:

—El lunes a las seis en punto de la tarde, Potter.

Y dicho esto, se marchó. Sirius, con la varita en la mano y el brazo rígido pegado al costado, se quedó mirando cómo se alejaba.

—¿Qué ha ocurrido? —volvió a preguntar el señor Weasley.

—Nada, Arthur —respondió Sirius, que respiraba entrecortadamente, como si acabara de correr una larga distancia—. Sólo ha sido una charla amistosa entre dos antiguos compañeros de colegio. —Sonrió haciendo un enorme esfuerzo y añadió—: Entonces... ¿ya estás curado? Ésa es una gran noticia, una noticia fabulosa.

—Sí, ¿verdad? —dijo la señora Weasley, y guió a su marido hacia una silla—. Al final el sanador Smethwyck consiguió que su magia funcionara, encontró un antídoto contra lo que la serpiente tenía en los colmillos, y Arthur ha aprendido la lección y no volverá a tontear con la medicina muggle, ¿verdad, cariño? —dijo con tono amenazador.

—Sí, Molly —repuso el señor Weasley mansamente.

La cena de aquella noche debería haber sido alegre, ya que el señor Weasley había regresado. Harry se dio cuenta de que Sirius intentaba animar el ambiente; sin embargo, cuando su padrino no se esforzaba por reír a carcajadas de los chistes de Fred y George, ni ofrecía más comida a todos, su rostro volvía a adoptar una expresión taciturna y melancólica. Entre Sirius y Harry estaban sentados Mundungus y Ojoloco, que habían ido a Grimmauld Place para felicitar al señor Weasley. Harry estaba deseando hablar con su padrino y decirle que no debía hacer caso a Snape, que éste lo estaba provocando deliberadamente, y que nadie creía que Sirius fuera un cobarde por obedecer las órdenes de Dumbledore y haberse quedado en Grimmauld Place. Pero no tuvo ocasión de hacerlo, y a veces, al ver la desagradable expresión de su padrino, Harry se preguntaba si se habría atrevido a exteriorizar lo que pensaba aunque hubiera tenido la oportunidad. Lo que sí hizo fue contarles a Ron y a Hermione, en voz baja, que iba a recibir clases particulares de Oclumancia con Snape.

—Dumbledore quiere que dejes de soñar con Voldemort —opinó Hermione de inmediato—. Supongo que te alegrarás de no tener más sueños de ésos, ¿verdad?

—¿Clases particulares con Snape? —repitió Ron, horrorizado—. ¡Yo preferiría tener las pesadillas!

Debían volver a Hogwarts en el autobús noctámbulo al día siguiente, escoltados una vez más por Tonks y Lupin, a quienes Harry, Ron y Hermione encontraron desayunando en la cocina al bajar de sus dormitorios por la mañana. Los adultos estaban conversando en voz baja cuando Harry abrió la puerta; al oír llegar a los chicos, giraron la cabeza, sobresaltados, y guardaron silencio.

Tras un desayuno rápido, todos se pusieron chaquetas y bufandas para protegerse del frío de aquella mañana gris del mes de enero. Harry notaba una desagradable opresión en el pecho; no quería despedirse de Sirius. Aquella separación le producía un profundo desasosiego porque no sabía cuándo volverían a verse, y tenía la sensación de que le correspondía decirle algo a su padrino para impedir que hiciera alguna tontería. Harry temía que la acusación de cobardía que le había lanzado Snape lo hubiera herido tan profundamente que estuviera planeando una imprudente salida de Grimmauld Place. Sin embargo, antes de que pudiera pensar qué podía decirle, Sirius le hizo señas para que se acercara.

—Quiero que te lleves esto —dijo con voz queda, y le puso en las manos un paquete mal envuelto del tamaño de un libro de bolsillo.

—¿Qué es? —preguntó Harry.

—Una forma de que yo sepa si Snape te lo hace pasar mal. ¡No, no lo abras aquí! —añadió Sirius mirando, cauteloso, a la señora Weasley, que intentaba convencer a los gemelos de que se pusieran unos mitones tejidos a mano—. Dudo mucho que Molly lo aprobara... Pero quiero que lo utilices si me necesitas, ¿de acuerdo?

—De acuerdo —dijo Harry guardándose el paquete en el bolsillo interior de la chaqueta, aunque sabía que nunca utilizaría aquello, fuera lo que fuese. No iba a ser él quien hiciera salir a su padrino de Grimmauld Place, donde estaba seguro, por muy mal que lo tratara Snape en las futuras clases de Oclumancia.

—Vamos, pues —dijo Sirius, y sonriendo forzadamente le dio una palmada en el hombro a su ahijado. Antes de que éste pudiera decir nada más, ya habían subido la escalera y se habían detenido ante la puerta de la calle, cerrada con candados y cerrojos, rodeados de los miembros de la familia Weasley.

—Adiós, Harry, cuídate mucho —se despidió la señora Weasley, y lo abrazó.

—Hasta pronto, Harry, ¡y vigila por si me ataca otra serpiente! —exclamó el señor Weasley cordialmente estrechándole la mano.

—Ya... Muy bien... —dijo Harry, distraído; era su última oportunidad para decirle a Sirius que tuviera cuidado.

Se dio la vuelta, miró a su padrino a los ojos y despegó los labios para hablar, pero, sin darle tiempo para que pudiera hacerlo, Sirius lo abrazó con un solo brazo y dijo ásperamente:

—Cuídate, Harry.

De inmediato, el chico se vio empujado al frío aire invernal; Tonks, que aquel día iba disfrazada de mujer alta y canosa, envuelta en ropa de tweed, lo apremiaba para que bajara los escalones.

La puerta del número 12 de Grimmauld Place se cerró de golpe tras ellos, y bajaron detrás de Lupin. Al llegar a la acera, Harry giró la cabeza. La casa empezó a encogerse rápidamente, mientras los edificios contiguos se extendían hacia los lados, comprimiéndola hasta hacerla desaparecer por completo. Un instante más tarde ya no estaba allí.

—Vamos, cuanto antes subamos al autobús, mejor —dijo Tonks, y a Harry le pareció detectar nerviosismo en la mirada que la bruja lanzó alrededor de la plaza. Lupin levantó el brazo derecho.

Entonces se oyó un «¡PUM!» y un autobús de tres pisos, de color morado intenso, apareció de la nada ante ellos, esquivando por un pelito la farola más cercana, que se apartó dando un salto hacia atrás.

Un joven delgado, lleno de granos y con orejas de soplillo, vestido con un uniforme también morado, saltó a la acera y dijo:

—Bienvenidos al...

—Sí, sí, ya lo sabemos, gracias —lo atajó Tonks—. Arriba, arriba...

Y empujó a Harry hacia los escalones; cuando pasó por delante del cobrador, éste miró al muchacho con los ojos desorbitados.

—¡Pero si es Harry...!

—Si gritas su nombre te echo una maldición amnésica —lo amenazó Tonks en voz baja, y empujó a Ginny y Hermione hacia la puerta del autobús.

—Siempre he querido viajar en este trasto —comentó Ron alegremente al subir al autobús con Harry, mirándolo todo.

La última vez que Harry había viajado en el autobús noctámbulo era de noche, y los tres pisos estaban llenos de camas metálicas. Pero entonces, a primera hora de la mañana, el interior estaba lleno de sillas, de diferentes formas, agrupadas desordenadamente junto a las ventanillas. Varias se habían volcado cuando el autobús frenó bruscamente frente a Grimmauld Place; unos cuantos magos y algunas brujas todavía se estaban levantando del suelo, rezongando, y una bolsa de compras había recorrido el autobús en toda su longitud: una desagradable mezcla de huevas de rana, cucarachas y natillas se había esparcido por el suelo.

—Veo que tendremos que separarnos —dijo Tonks con energía mientras miraba a su alrededor en busca de sillas vacías—. Fred, George y Ginny, sentaos en esas sillas del fondo... Remus irá con ustedes.

Tonks, Harry, Ron y Hermione subieron al último piso, donde había dos sillas vacías en la parte delantera del autobús y dos en el fondo. Stan Shunpike, el cobrador, siguió entusiasmado a Harry y a Ron hasta el fondo del autobús. Cuando Harry recorrió el pasillo, los pasajeros giraron la cabeza, y cuando se sentó, vio que todas las caras volvían a mirar al frente.

Mientras Harry y Ron entregaban a Stan once sickles cada uno, el autobús se puso en marcha y osciló peligrosamente. Dio una vuelta alrededor de Grimmauld Place con gran estruendo, subió y bajó varias veces de la acera, y entonces, con otro tremendo «¡PUM!», salieron despedidos hacia delante. La silla de Ron cayó, y *Pigwidgeon*, al que llevaba en el regazo, también salió despedido de su jaula, voló asustado y entre gorjeos hasta la parte delantera del autobús y se posó en el hombro de Hermione. Harry, que había evitado caerse agarrándose a un soporte para velas, miró por la ventanilla: iban a toda velocidad por lo que parecía una autopista.

—Estamos en las afueras de Birmingham —anunció Stan alegremente, contestando a la pregunta que Harry no había formulado, mientras Ron se levantaba del suelo—. ¿Va todo bien, Harry? El pasado verano vi varias veces tu nombre en el periódico, pero nunca decían nada bueno. Yo le dije a Ern: «Cuando nosotros lo conocimos no nos pareció que fuera un chiflado, ¿verdad? Eso te demuestra cómo te puedes equivocar con la gente.»

Les entregó los boletos y siguió mirando, embelesado, a Harry. Por lo visto, a Stan no le importaba que alguien estuviera chiflado con tal de que fuera lo bastante famoso para salir en el periódico. El autobús noctámbulo se bamboleó de forma alarmante, y adelantó incorrectamente por la izquierda a unos cuantos coches. Harry miró hacia la parte delantera del autobús y vio que Hermione se tapaba los ojos con las manos mientras *Pigwidgeon* oscilaba feliz sobre su hombro.

«¡PUM!»

Las sillas volvieron a resbalar hacia atrás y el autobús noctámbulo pasó de la autopista de Birmingham a una tranquila carretera rural llena de curvas muy cerradas. Los setos que bordeaban la carretera se apartaban cada vez que el autobús se subía a los arcenes. De allí pasaron a la calle principal de una ajetreada ciudad; luego a un viaducto rodeado de altas colinas; y por último, a una carretera azotada por el viento que discurría por una planicie situada a una considerable altitud, y cada vez que cambiaban de lugar sonaba un fuerte «¡PUM!».

—He cambiado de opinión —farfulló Ron levantándose del suelo por sexta vez—. No quiero volver a viajar en esta cosa nunca más.

—Después de esta parada ya viene Hogwarts —anunció Stan jovialmente mientras se balanceaba hacia ellos—. Esa mujer mandona que se ha sentado delante con su amiga nos ha dado una propina para que los llevemos primero a ustedes. Pero ahora vamos a dejar bajar a Madame Marsh... —entonces oyeron unas fuertes arcadas provenientes del piso de abajo, seguidas de un espantoso ruido de salpicaduras— porque no se encuentra muy bien.

Unos minutos más tarde, el autobús noctámbulo se detuvo con un fuerte chirrido de frenos ante un pequeño pub que se apartó de en medio para evitar una colisión. Oyeron cómo Stan ayudaba a la desventurada Madame Marsh a bajar del vehículo, y los murmullos de alivio del resto de los pasajeros del segundo piso. Luego el autobús se puso de nuevo en marcha y ganó velocidad, hasta que...

«¡PUM!»

En aquel momento pasaban por Hogsmeade, que estaba nevado. Harry alcanzó a ver la calle lateral donde se hallaba Cabeza de Puerco, y el letrero, con el dibujo de una cabeza de jabalí cortada, que chirriaba azotado por el viento invernal. Los copos de nieve chocaban contra el gran parabrisas del autobús. Por fin se detuvieron frente a las verjas de Hogwarts.

Lupin y Tonks los ayudaron a bajar con su equipaje, y después bajaron también para despedirse de ellos. Harry levantó la cabeza para contemplar los tres pisos del autobús noctámbulo y vio que todos los pasajeros los observaban con la nariz pegada a los cristales.

—En cuanto entren en los jardines estarán a salvo —dijo Tonks escudriñando la desierta carretera—. Que tengan un buen trimestre, ¿de acuerdo?

—Cuidaos mucho —les recomendó Lupin, y les estrechó la mano a todos, dejando a Harry para el final—. Escucha, Harry... —bajó la voz, mientras los demás se despedían de Tonks—, ya sé que no tragas a Snape, pero es un especialista en Oclumancia, y todos nosotros, incluido Sirius, queremos que aprendas a protegerte, así que trabaja mucho, ¿de acuerdo?

—Sí, bien —contestó él con gravedad mirando el rostro de Lupin, que estaba surcado de prematuras arrugas—. Hasta pronto.

Arrastrando sus baúles con gran esfuerzo, los seis subieron hacia el castillo por el resbaladizo camino. Hermione empezó a decir que quería tejer unos cuantos gorros de elfo antes de acostarse. Harry miró hacia atrás cuando llegaron a las puertas de roble; el autobús noctámbulo ya se había marchado, y dado lo que le esperaba al día siguiente a las seis, lamentó no continuar dentro del autobús.

Harry pasó casi todo el día siguiente temiendo que llegara la tarde. La clase de dos horas de Pociones no contribuyó en nada a disipar su temor, pues Snape estuvo más desagradable que nunca. Y aún lo deprimió más que los miembros del ED se le acercaran constantemente por los pasillos entre clase y clase para preguntarle, esperanzados, si aquella noche iba a celebrarse una reunión.

—Ya les comunicaré por el canal habitual cuándo será la próxima —decía Harry una y otra vez—, pero esta noche no puede ser, tengo clase de... pociones curativas.

—¿Tienes clases particulares de pociones curativas? —le preguntó con desdén Zacharias Smith, que había abordado a Harry en el vestíbulo después de comer—. ¡Madre mía, debes de ser malísimo! Snape no suele dar clases de refuerzo.

Smith se alejó con un aire irritantemente optimista, y Ron lo miró con odio.

—¿Quieres que le haga un embrujo? Desde aquí aún lo alcanzaría —se ofreció su amigo, que había levantado su varita y apuntaba a Smith entre los omoplatos.

—Déjalo —respondió Harry con desaliento—. Es lo que va a pensar todo el mundo, ¿no? Que soy un idiota perdi...

—¡Hola, Harry! —dijo una voz a sus espaldas. Harry se dio la vuelta y se encontró cara a cara con Cho.

—¡Oh! —exclamó él, y notó una desagradable sensación en el estómago—. ¡Hola!

—Nos encontrarás en la biblioteca —dijo entonces Hermione con firmeza al tiempo que agarraba a Ron por encima del codo y tiraba de él hacia la escalera de mármol.

—¿Cómo han ido las Navidades? —le preguntó Cho.

—Bueno, no han estado mal.

—Las mías han sido muy tranquilas —comentó la chica, que por algún extraño motivo parecía muy abochornada—. Este..., el mes que viene hay otra excursión a Hogsmeade, ¿has visto el cartel?

—¿Qué? ¡Ah, no! Todavía no he mirado el tablón de anuncios.

—Pues sí, será el día de San Valentín...

—Ajá —dijo Harry preguntándose por qué le contaba aquello—. Bueno, supongo que querrás...

—Sólo si tú quieres —repuso ella con entusiasmo.

Harry la miró sin comprender. Lo que él pensaba decir era «Supongo que querrás saber cuándo es la próxima reunión del ED», pero la respuesta de Cho no acababa de encajar.

—Yo..., pues... —balbuceó.

—Bien, si no quieres, no pasa nada —se apresuró a decir ella, muerta de vergüenza—. No te preocupes. Ya..., ya nos veremos.

Y se marchó. Harry se quedó allí plantado mirándola y exprimiéndose los sesos. Entonces las piezas encajaron.

—¡Cho! ¡Eh! ¡CHO!

Corrió tras ella y la alcanzó hacia la mitad de la escalera.

—Oye..., ¿quieres ir conmigo a Hogsmeade el día de San Valentín?

—¡Sí, claro! —exclamó Cho, roja como un tomate y con una sonrisa radiante.

—De acuerdo... Bueno... Entonces quedamos así —dijo Harry. Y con la sensación de que al fin y al cabo aquel día no iba a ser un completo desastre, echó a correr literalmente hacia la biblioteca para reunirse con Ron y Hermione antes de las clases de la tarde.

Sin embargo, a las seis, ni siquiera la satisfacción de haber pedido a Cho Chang que saliera con él logró aliviar los funestos sentimientos que se intensificaban a cada paso que Harry daba hacia el despacho de Snape.

Cuando llegó a la puerta, se detuvo y pensó que le habría gustado estar en cualquier otro sitio menos en aquél. Entonces respiró hondo, llamó y entró.

La oscura habitación estaba forrada de estanterías en las que había cientos de tarros de cristal con viscosos trozos de animales y de plantas suspendidos en pociones de diversos colores. En un rincón estaba el armario lleno de ingredientes de donde, en una ocasión, Snape había acusado a Harry (no sin motivos) de haber robado. Sin embargo, Harry dirigió la mirada hacia la mesa, encima de la cual había una vasija de piedra poco profunda con runas y símbolos grabados, iluminada con velas. Harry la reconoció al instante: era el pensadero de Dumbledore. No se explicaba qué demonios hacía aquel objeto allí, y pegó un brinco cuando la fría voz de Snape sonó en la oscuridad.

—Cierra la puerta después de entrar, Potter.

Harry obedeció, y tuvo la espantosa sensación de que se estaba encarcelando. Cuando volvió a girarse hacia la habitación, Snape se había colocado donde había luz y señalaba en silencio la silla que había delante de su mesa. Harry se sentó, y lo mismo hizo Snape, con los fríos y negros ojos clavados en el muchacho, sin pestañear; la aversión que sentía estaba grabada en cada una de las arrugas de su cara.

—Bueno, Potter, ya sabes por qué estás aquí —dijo—. El director me ha pedido que te enseñe Oclumancia. Espero que demuestres ser más hábil en eso que en Pociones.

—Sí —contestó Harry lacónicamente.

—Quizá ésta no sea una clase como las demás, Potter —prosiguió Snape, y entornó los ojos con malicia—, pero sigo siendo tu profesor, y por lo tanto debes llamarme siempre «señor» o «profesor».

—Sí..., señor.

—Veamos, Oclumancia... Como ya te dije en la cocina de tu querido padrino, esa rama de la magia impide que las intrusiones y las influencias mágicas penetren en la mente.

—¿Y por qué cree el profesor Dumbledore que necesito aprenderla, señor? —preguntó Harry mirando a los ojos a Snape, aunque dudaba que éste contestara a su pregunta.

Snape le sostuvo la mirada unos instantes y luego respondió con profundo desdén:

—Hasta tú deberías haberlo deducido, Potter. El Señor Tenebroso es sumamente hábil en Legeremancia...

—¿En qué? ¿Señor?

—Es la capacidad de extraer sentimientos y recuerdos de la mente de otra persona.

—¿Quiere eso decir que puede leer el pensamiento? —replicó rápidamente Harry, cuyos peores temores se estaban confirmando.

—Qué poca sutileza tienes, Potter —repuso Snape observándolo con aquellos ojos que emitían destellos—. No sabes apreciar los matices. Ése es uno de los defectos que te convierten en un inepto para la fabricación de pociones. —Snape hizo una breve pausa, al parecer para saborear el placer de insultar a Harry, y después continuó—. Sólo los muggles hablan de «leer el pensamiento». La mente no es ningún libro que uno pueda abrir cuando se le antoje o examinarlo cuando le apetezca. Los pensamientos no están grabados dentro del cráneo para que los analice cualquier invasor. La mente es una potencia muy compleja y con muchos estratos, Potter, o al menos así son la mayoría de las mentes. —Dibujó una sonrisa irónica—. Sin embargo, es cierto que aquellos que dominan el arte de la Legeremancia pueden, bajo determinadas condiciones, hurgar en la mente de sus víctimas e interpretar de forma correcta sus hallazgos. El Señor Tenebroso, por ejemplo, casi siempre sabe cuándo alguien le está mintiendo. Sólo los que dominan la Oclumancia saben bloquear los sentimientos y los recuerdos que delatarían su mentira, y de ese modo pueden decir falsedades en su presencia sin que él las detecte.

Explicara lo que explicase Snape, Harry seguía pensando que la Legeremancia era lo mismo que leer el pensamiento, y esa idea no le hacía ni pizca de gracia.

—Entonces, ¿él podría saber qué estoy pensando en este momento, señor?

—El Señor Tenebroso se encuentra a una considerable distancia de aquí, y los muros y los terrenos de Hogwarts están protegidos mediante numerosos y antiguos hechizos y encantamientos para asegurar la seguridad física y mental de aquellos que habitan detrás de ellos —respondió Snape—. El tiempo y el espacio son factores que hay que tener en cuenta cuando se trata de hacer magia, Potter. En general, el contacto visual es esencial para la Legeremancia.

—Entonces, ¿por qué tengo que estudiar Oclumancia?

Snape miró a Harry y se siguió el contorno de los labios con un largo y delgado dedo.

—Al parecer, Potter, a ti no se te aplican las reglas generales. Y también parece que la maldición que no consiguió matarte ha forjado una especie de conexión entre el Señor Tenebroso y tú. Todos los indicios apuntan a que en ocasiones, cuando tu mente está más relajada y vulnerable, como cuando duermes, por ejemplo, compartes los pensamientos y las emociones con el Señor Tenebroso. El director cree que no es conveniente que eso continúe ocurriendo. Quiere que te enseñe a cerrar tu mente al Señor Tenebroso.

El corazón de Harry volvía a latir muy deprisa. Nada de todo aquello cuadraba.

—Pero ¿por qué quiere evitarlo el profesor Dumbledore? —preguntó bruscamente—. No es que me guste, pero ha resultado útil, ¿no? Porque..., no sé, vi cómo la serpiente atacaba al señor Weasley, y si no lo hubiera visto, el profesor Dumbledore no habría podido salvarle la vida, ¿verdad, señor?

Snape miró fijamente a Harry unos instantes mientras se pasaba todavía un dedo por los labios. Cuando habló de nuevo, lo hizo lentamente, con mucha parsimonia, como si midiera cada una de sus palabras.

—Por lo visto el Señor Tenebroso no se ha percatado de la conexión que hay entre tú y él hasta hace muy poco. Hasta ahora parece que has estado experimentando sus emociones y compartiendo sus pensamientos sin que él se enterara. Sin embargo, la visión que tuviste poco antes de Navidad...

—¿La de la serpiente y el señor Weasley?

—No me interrumpas, Potter —repuso Snape con una voz amenazadora—. Como te iba diciendo, la visión que tuviste poco antes de Navidad representó una incursión tan poderosa en los pensamientos del Señor Tenebroso...

—¡Yo veía el interior de la cabeza de la serpiente, no el de la suya!

—¿No acabo de decirte que no me interrumpas, Potter?

Pero a Harry no le importaba que Snape se enfadara; por fin parecía estar llegando al fondo de aquel asunto; se había inclinado tanto hacia delante en la silla que, sin darse cuenta, estaba sentado en el borde, tenso como si se dispusiera a despegar.

—¿Cómo puede ser que viera con los ojos de la serpiente si son los pensamientos de Voldemort los que comparto?

—¡No pronuncies el nombre del Señor Tenebroso! —le espetó Snape.

Se produjo otro incómodo silencio y ambos se miraron con desprecio por encima del pensadero.

—El profesor Dumbledore pronuncia su nombre —dijo Harry con serenidad.

—Dumbledore es un mago extraordinariamente poderoso —murmuró Snape—. El hecho de que él se sienta lo bastante seguro para utilizar ese nombre no quiere decir que los demás... —Se frotó el antebrazo izquierdo, al parecer de forma inconsciente, justo en el sitio donde Harry sabía que tenía grabada a fuego la Marca Tenebrosa.

—Sólo quería saber por qué... —dijo Harry obligándose a adoptar un tono educado.

—Por lo visto visitaste la mente de la serpiente porque allí era donde estaba el Señor Tenebroso en ese momento concreto —gruñó Snape—. Él estaba poseyendo a la serpiente entonces, y por eso tú soñaste que también estabas dentro de ella.

—¿Y Vol..., él se dio cuenta de que yo estaba allí?

—Parece que sí —contestó Snape con frialdad.

—¿Cómo lo saben? —preguntó Harry con urgencia—. ¿Es eso algo que ha deducido el profesor Dumbledore o...?

—Te he dicho que me llames «señor» —lo reprendió Snape, que estaba rígido en la silla y cuyos ojos se habían reducido a dos estrechas rendijas.

—Sí, señor —dijo Harry, impaciente—, pero ¿ustedes cómo saben...?

—Basta con que lo sepamos —lo atajó Snape—. Lo que importa es que ahora el Señor Tenebroso está al corriente de que tienes acceso a sus pensamientos y a sus sentimientos. Del mismo modo ha deducido que es probable que el proceso funcione a la inversa; es decir, se ha dado cuenta de que él también podría tener acceso a tus pensamientos y a tus sentimientos...

—¿Y podría intentar que yo hiciera determinadas cosas? —inquirió Harry—. ¿Señor? —se apresuró a añadir.

—Es posible —respondió Snape con frialdad y con un tono indiferente—. Lo cual nos lleva de nuevo a la Oclumancia.

Snape sacó su varita mágica del bolsillo interior de la túnica y Harry se puso en tensión, pero el profesor se limitó a levantar la varita y a colocarse la punta en las grasientas raíces del cabello. Cuando la retiró, se desprendió una sustancia plateada que se extendió entre la sien y la varita, como una gruesa hebra de telaraña. Cuando Snape se apartó la varita de la sien, la hebra se rompió y cayó suavemente en el pensadero, donde se arremolinó con un reflejo blanco plateado, pero no era ni un gas ni un líquido. Snape se llevó la varita a la sien dos veces más y depositó la sustancia plateada en la vasija de piedra; entonces, sin ofrecer a Harry ninguna explicación sobre aquel procedimiento, levantó con cuidado el pensadero, lo dejó en un estante, lejos de donde estaban ellos, y volvió a colocarse frente a Harry varita en ristre.

—Levántate y saca tu varita, Potter. —Harry, nervioso, se puso en pie. Se miraban el uno al otro, separados por la mesa—. Puedes utilizar tu varita para intentar desarmarme, o defenderte de cualquier otra forma que se te ocurra —dijo el profesor.

—¿Y qué va a hacer usted? —preguntó Harry mirando con aprensión la varita de Snape.

—Voy a intentar penetrar en tu mente —contestó Snape con voz queda—. Vamos a ver si resistes. Me han dicho que ya has demostrado tener aptitudes para resistir la maldición *imperius*. Comprobarás que para esto se necesitan poderes semejantes... Prepárate. ¡*Legeremens!*

Snape había atacado antes de que Harry se hubiera preparado, antes incluso de que hubiera empezado a reunir cualquier fuerza de resistencia. El despacho dio vueltas ante sus ojos y desapareció; por su mente pasaban a toda velocidad imágenes y más imágenes, como una película parpadeante, tan intensa que le impedía ver su entorno.

Tenía cinco años, estaba mirando cómo Dudley montaba en su nueva bicicleta roja, y se moría de celos... Tenía nueve años, y *Ripper*, el bulldog, lo perseguía y lo obligaba a trepar a un árbol, y los Dursley lo contemplaban desde el jardín, bajo el árbol, y se reían de él... Estaba sentado bajo el Sombrero Seleccionador, que le decía que se encontraría muy a gusto en Slytherin... Hermione estaba tumbada en una cama de la enfermería, con la cara cubierta de grueso pelo negro... Un centenar de dementores se cernían sobre él detrás del oscuro lago... Cho Chang se acercaba a él bajo el ramillete de muérdago...

«No —dijo una voz dentro del cerebro de Harry cuando se le acercó el recuerdo de Cho—, eso no lo vas a ver, no lo vas a ver, es privado...»

Entonces notó una punzada de dolor en la rodilla. El despacho de Snape había vuelto a aparecer, y Harry se dio cuenta de que se había caído al suelo; una de sus rodillas había chocado contra una pata de la mesa, y eso era lo que le producía aquel dolor. Levantó la cabeza y miró al profesor, que había bajado la varita y se frotaba la muñeca, donde tenía un verdugón, como la marca de una quemadura.

—¿Pensabas hacerme un maleficio punzante? —preguntó Snape fríamente.

—No —respondió Harry con amargura al mismo tiempo que se levantaba del suelo.

—Ya me lo imaginaba —repuso Snape, y miró a Harry con desprecio—. Me has dejado llegar demasiado lejos. Has perdido el control.

—¿Ha visto todo lo que he visto yo? —preguntó el chico pese a que no estaba seguro de querer escuchar la respuesta.

—Fragmentos —dijo Snape haciendo una mueca con el labio—. ¿De quién era ese perro?

—De mi tía Marge —masculló Harry, que sentía el odio más profundo hacia Snape.

—Bueno, para tratarse de un primer intento, no ha estado tan mal como habría podido estar —dijo Snape, y volvió a levantar la varita—. Al final has conseguido pararme, aunque has malgastado tiempo y energía gritando. Tienes que conservar la concentración. Repéleme con el cerebro y no tendrás que recurrir a la varita mágica.

—¡Lo intento —exclamó Harry, furioso—, pero usted no me dice cómo tengo que hacerlo!

—Esos modales, Potter —lo reprendió Snape—. Bien, ahora quiero que cierres los ojos. —Harry le lanzó una mirada asesina antes de obedecer. No le hacía ninguna gracia quedarse allí plantado con los ojos cerrados, teniendo a Snape delante armado con una varita—. Vacía tu mente, Potter —le ordenó la fría voz de Snape—. Libérate de toda emoción...

Pero la rabia que sentía Harry hacia el profesor seguía latiendo en sus venas como si fuera veneno. ¿Liberarse de su rabia? Más fácil le habría resultado separar las piernas de su cuerpo...

—No lo estás haciendo, Potter... Necesitas más disciplina... Concéntrate... —Harry intentó vaciar su mente, intentó no pensar, ni recordar, ni sentir—. Volvamos a intentarlo... Voy a contar hasta tres: uno... dos... tres... *¡Legeremens!*

Un enorme dragón negro se erguía ante él... Su padre y su madre lo saludaban con la mano desde un espejo encantado... Cedric Diggory estaba tendido en el suelo mirándolo con los ojos vacíos...

—¡NOOOOOO!

Harry había vuelto a caer de rodillas, tenía la cara entre las manos y le dolía el cerebro, como si alguien hubiera intentado arrancárselo del cráneo.

—¡Levántate! —le ordenó Snape con aspereza—. ¡Levántate! No te esfuerzas, no opones resistencia. ¡Me estás dejando entrar en recuerdos que temes, me estás proporcionando armas!

Harry volvió a levantarse. El corazón le latía tan deprisa como si de verdad hubiera visto a Cedric muerto en el cementerio. Snape estaba aún más pálido de lo habitual, y más enfadado, aunque no tanto como Harry.

—Claro... que... me esfuerzo —dijo éste apretando los dientes.

—¡Te he dicho que te vacíes de toda emoción!

—¿Ah, sí? Pues mire, me cuesta un poco —gruñó Harry.

—¡Entonces serás una presa fácil para el Señor Tenebroso! —replicó Snape con crueldad—. ¡Los imbéciles que demuestran con orgullo sus sentimientos, que no saben controlar sus emociones o que se regodean con tristes recuerdos y se dejan provocar fácilmente, los débiles, en una palabra, la tienen muy difícil frente a sus poderes! ¡Penetrará en tu mente con absurda facilidad, Potter!

—Yo no soy débil —dijo él en voz baja; estaba tan furioso que creyó que en cualquier momento podría atacar a Snape.

—¡Pues demuéstralo! ¡Domínate! ¡Controla tu ira, impón disciplina a tu mente! ¡Lo intentaremos otra vez! ¡Prepárate! *¡Legeremens!*

Harry estaba observando a tío Vernon, que clavaba unas tablas en el buzón... Un centenar de dementores se deslizaban sobre el lago, en los jardines de Hogwarts, hacia él... Corría por un pasillo sin ventanas con el señor Weasley... Se acercaban a la sencilla puerta negra que había al final del pasillo... Harry creía que iba a entrar por ella... Pero el señor Weasley lo guiaba hacia la izquierda y lo hacía bajar por una escalera de piedra...

—¡YA LO SÉ! ¡LO SÉ!

Volvía a estar a cuatro patas en el suelo del despacho de Snape, y le dolía la cicatriz, pero la voz que acababa de salir por su boca denotaba triunfo. Se puso en pie y vio que Snape lo miraba fijamente con la varita levantada. Tenía la impresión de que esa vez Snape había detenido el hechizo antes incluso de que Harry hubiera intentado defenderse.

—¿Qué ha pasado, Potter? —le preguntó Snape mirándolo fijamente.

—Lo he visto —dijo Harry, jadeante—. Lo he recordado. Acabo de darme cuenta...

—¿Darte cuenta de qué? —inquirió Snape con brusquedad.

Harry no contestó de inmediato; todavía estaba saboreando lo que se le había ocurrido de pronto, mientras se frotaba la frente...

Llevaba meses soñando con un pasillo sin ventanas que terminaba en una puerta cerrada, y no se había percatado de que aquel lugar existía realmente. Pero en ese momento, al volver a contemplar el recuerdo, supo que lo que había soñado tantas veces era el pasillo que había recorrido con el señor Weasley el doce de agosto cuando iban a toda prisa hacia las salas del tribunal del Ministerio; era el pasillo que conducía al Departamento de Misterios, y el señor Weasley estaba allí la noche que lo atacó la serpiente de Voldemort.

Harry levantó la cabeza y miró a Snape.

—¿Qué hay en el Departamento de Misterios?

—¿Qué has dicho? —le preguntó Snape en voz baja, y Harry comprendió, con profunda satisfacción, que Snape se había puesto nervioso.

—He preguntado qué hay en el Departamento de Misterios, señor —repitió Harry.

—¿Y a qué viene esa pregunta? —dijo Snape lentamente.

—Pues viene a que llevo meses soñando con ese pasillo que acabo de ver —respondió Harry mientras escudriñaba el rostro de Snape, atento a su reacción—. Acabo de reconocerlo. Conduce al Departamento de Misterios... y creo que Voldemort quiere algo que hay...

—¡Te he dicho que no pronuncies el nombre del Señor Tenebroso! —Ambos se fulminaron con la mirada. A Harry volvió a dolerle la cicatriz, pero no le importó. Snape parecía turbado, pero cuando volvió a hablar dio la impresión de que intentaba mostrar indiferencia y despreocupación—. En el Departamento de Misterios hay muchas cosas, Potter, muy pocas de las cuales entenderías y ninguna de las cuales te incumbe. ¿Queda claro?

—Sí —respondió Harry, que seguía frotándose la cicatriz, que cada vez le dolía más.

—Quiero que vengas aquí el miércoles a la misma hora que hoy. Seguiremos trabajando.

—De acuerdo —repuso Harry muriéndose de ganas de salir del despacho de Snape y reunirse con Ron y Hermione.

—Quiero que todas las noches, antes de dormir, limpies tu mente de toda emoción; vacíala, ponla en blanco y relájala, ¿entendido?

—Sí —dijo Harry, que apenas lo escuchaba.

—Y te lo advierto, Potter... Si no has practicado, lo sabré...

—Bien —murmuró Harry. Agarró su mochila, se la colgó del hombro y fue rápidamente hacia la puerta del despacho. Al abrirla, giró la cabeza y miró a Snape, que estaba de espaldas y sacaba sus pensamientos del pensadero con la punta de la varita y los devolvía con cuidado al interior de su cabeza. Harry se marchó sin decir nada más y cerró la puerta con suavidad. Notaba un fuerte dolor pulsante en la cicatriz.

Harry encontró a Ron y Hermione en la biblioteca, haciendo los últimos deberes que la profesora Umbridge les había mandado. Había otros estudiantes, casi todos de quinto curso, sentados a las mesas cercanas, iluminadas con lámparas; tenían la nariz pegada a los libros y rasgueaban febrilmente con las plumas, mientras detrás de las ventanas con parteluz el cielo se iba oscureciendo poco a poco. Lo único que se oía, aparte del rasgueo de las plumas, eran los débiles crujidos de uno de los zapatos de la señora Pince mientras la bibliotecaria se paseaba amenazadoramente por los pasillos vigilando a los estudiantes que tocaban sus valiosos libros.

Harry tenía escalofríos; todavía le dolía la cicatriz y se sentía como si tuviera fiebre. Cuando se sentó frente a Ron y Hermione, se vio reflejado en la ventana que tenía delante; estaba muy pálido y la cicatriz de la frente destacaba más de lo normal.

—¿Cómo te ha ido? —le preguntó Hermione en un susurro, y al momento añadió con preocupación—: ¿Te encuentras bien, Harry?

—Sí, estoy bien... Bueno, no lo sé... —respondió él, impaciente, e hizo una mueca de dolor al notar otra punzada en la frente—. Escuchen, acabo de darme cuenta de una cosa...

Y les contó lo que acababa de ver y deducir.

—¿Estás diciendo..., estás insinuando... —susurró Ron cuando la señora Pince hubo pasado por su lado, produciendo ligeros crujidos al caminar— que el arma..., eso que busca Quien-tú-sabes..., está en el Ministerio de Magia?

—En el Departamento de Misterios, sí, estoy convencido —dijo Harry en voz baja—. Vi esa puerta cuando tu padre me acompañó a las salas del tribunal donde se celebró mi vista, y estoy seguro de que es la misma que él estaba vigilando cuando lo mordió la serpiente.

Hermione exhaló un largo y lento suspiro.

—Claro —dijo.

—Claro ¿qué? —inquirió Ron, alterado.

—Piensa un poco, Ron... Sturgis Podmore intentaba entrar por una puerta del Ministerio de Magia... ¡Debía de ser ésa, no puede tratarse de una coincidencia!

—¿Cómo iba a querer entrar Sturgis por esa puerta si está en nuestro bando? —objetó Ron.

—No lo sé —admitió Hermione—. Es un poco raro...

—¿Y qué hay en el Departamento de Misterios? —le preguntó Harry a Ron—. ¿Alguna vez ha mencionado algo tu padre?

—Sé que a los que trabajan allí los llaman los inefables —explicó Ron frunciendo el entrecejo—, porque en realidad nadie sabe qué hacen. Me parece un lugar extraño para guardar un arma.

—No, no tiene nada de extraño. Al revés: tiene mucho sentido —lo contradijo Hermione—. Debe de ser algo muy secreto que ha estado creando el Ministerio... ¿Seguro que te encuentras bien, Harry?

Éste acababa de pasarse ambas manos con fuerza por la frente, como si quisiera plancharla.

—Sí, estoy bien... —afirmó, y bajó las manos, que le temblaban—. Aunque estoy un poco... No me gusta mucho la Oclumancia.

—Cualquiera se sentiría débil si acabaran de atacar su mente un montón de veces seguidas —opinó Hermione, comprensiva—. Mira, volvamos a la sala común, allí estaremos más cómodos.

Pero la sala común estaba abarrotada de encantados alumnos que reían a carcajadas; Fred y George estaban haciendo una exhibición de su último artículo de broma.

—¡Sombreros acéfalos! —gritó George mientras Fred exhibía ante los estudiantes un sombrero puntiagudo decorado con una suave y sedosa pluma de color rosa—. ¡Dos galeones cada uno! ¡Miren a Fred!

Fred, sonriente, se puso el sombrero en la cabeza. Al principio no pasó nada, sólo que Fred tenía pinta de estúpido; pero a continuación sombrero y cabeza desaparecieron.

Varias chicas chillaron, pero los demás se desternillaban de risa.

—¡Y ahora...! —gritó George, y la mano de Fred tanteó un momento sobre sus hombros; entonces le volvió a aparecer la cabeza y él se quitó el sombrero con la pluma de color rosa.

—¿Cómo funcionarán esos sombreros? —se preguntó Hermione, que dejó un momento sus deberes y se puso a observar a los gemelos—. Evidentemente, se trata de algún tipo de hechizo de invisibilidad, pero hay que ser muy hábil para extender el campo de invisibilidad más allá de los límites del objeto encantado... Aunque me imagino que el encantamiento no debe de durar mucho.

Harry no hizo ningún comentario; estaba mareado.

—Esto tendré que hacerlo mañana —musitó, y guardó los libros que acababa de sacar de su mochila.

—¡Pues anótalo en tu planificador de deberes! —lo alentó Hermione—. ¡Así no lo olvidarás!

Harry y Ron se miraron al mismo tiempo que Harry metía la mano en su mochila, sacaba el planificador y lo abría con vacilación.

—«No lo dejes para más tarde o acabarás convertido en un tunante» —lo reprendió el libro mientras Harry anotaba los deberes de la profesora Umbridge. Hermione sonrió encantada.

—Creo que me voy a la cama —dijo Harry, que metió el planificador de deberes en la mochila y se propuso arrojarlo al fuego en cuanto tuviera una oportunidad.

Luego atravesó la sala común esquivando a George, que intentó ponerle un sombrero acéfalo, y llegó a la tranquila y fresca escalera de piedra que conducía a los dormitorios de los chicos. Volvía a estar mareado, como la noche que había tenido la visión de la serpiente, pero pensó que si se tumbaba un rato se le pasaría.

Abrió la puerta de su dormitorio, y en cuanto puso un pie dentro, notó un dolor tan intenso que creyó que alguien le había partido la cabeza por la mitad. No sabía dónde se encontraba, ni si estaba de pie o tumbado; ni siquiera sabía cómo se llamaba.

Unas risotadas de maníaco resonaban en sus oídos... Se sentía más feliz de lo que se había sentido en mucho tiempo... Radiante de alegría, eufórico, triunfante... Había pasado algo maravilloso...

—¿Harry? ¡HARRY!

Alguien le había pegado en la cara. En ese momento, aquella risa loca tenía como contrapunto un grito de dolor. La felicidad se estaba esfumando, pero la risa continuaba...

Abrió los ojos y se dio cuenta de que la salvaje risa salía de su propia boca. En cuanto lo comprendió, la risa se apagó. Harry estaba tirado en el suelo jadeando, tenía la vista fija en el techo, y la cicatriz de la frente le dolía muchísimo. Ron estaba inclinado sobre él, muy preocupado.

—¿Qué ha pasado? —le preguntó.

—No... lo sé... —contestó Harry entrecortadamente, y se incorporó—. Está muy contento..., muy contento...

—¿Te refieres a Quien-tú-sabes?

—Ha pasado algo bueno —murmuró Harry. Temblaba de pies a cabeza, igual que después de ver cómo la serpiente atacaba al señor Weasley, y estaba muy mareado—. Algo que él deseaba.

Pronunció aquellas palabras sin darse cuenta, igual que había sucedido en el vestidor de Gryffindor, como si un extraño hablara por su boca, y sin embargo sabía que eran ciertas. Respiró hondo varias veces confiando en no vomitarle encima a Ron. Se alegró mucho de que esa vez ni Dean ni Seamus estuvieran allí para ver lo que estaba sucediendo.

—Hermione me ha pedido que subiera a ver cómo estabas —dijo Ron en voz baja al mismo tiempo que ayudaba a Harry a levantarse—. Me ha dicho que debes de estar bajo de defensas después de que Snape haya estado hurgando en tu mente... Pero supongo que a la larga servirá de algo, ¿no?

Miró sin convicción a Harry mientras lo ayudaba a ir hasta su cama. Harry asintió, también sin convicción, y se desplomó sobre las almohadas. Le dolía todo el cuerpo por la cantidad de veces que había caído al suelo aquella tarde, y todavía le dolía la cicatriz. No podía dejar de pensar que su primera clase de Oclumancia le había debilitado la resistencia de la mente en lugar de fortalecerla, y se preguntó, con profunda inquietud, qué habría pasado para que lord Voldemort se sintiera más feliz de lo que se había sentido en catorce años.

25

El escarabajo, acorralado

A la mañana siguiente, Harry encontró la respuesta a su pregunta. Cuando llegó *El Profeta* de Hermione, ésta lo alisó, echó un vistazo a la primera plana y soltó un grito que hizo que todos los que estaban cerca se quedaran mirándola.

—¿Qué pasa? —preguntaron Harry y Ron a la vez.

Por toda respuesta, Hermione colocó el periódico sobre la mesa, delante de sus dos amigos, y señaló diez fotografías en blanco y negro que ocupaban la primera plana; eran las caras de nueve magos y una bruja. Algunas de las personas fotografiadas se burlaban en silencio; otras tamborileaban con los dedos en el borde inferior de la fotografía, con aire insolente. Cada fotografía llevaba un pie de foto con el nombre de la persona y el delito por el que había sido enviada a Azkaban.

«Antonin Dolohov, condenado por el brutal asesinato de Gideon y Fabian Prewett», rezaba el pie de foto de un mago con la cara larga, pálida y contrahecha, que miraba sonriendo burlonamente a Harry.

«Augustus Rookwood, condenado por filtrar secretos del Ministerio de Magia a Aquel-que-no-debe-ser-nombrado», rezaba el pie de foto de un individuo con la cara picada de viruela y el cabello grasiento, que estaba apoyado en el borde de su fotografía con pinta de aburrido.

Pero la foto que más llamó la atención de Harry fue la de la bruja, cuya cara había destacado entre las demás en cuanto él miró la página. Llevaba el cabello largo y era castaño, pero en la fotografía tenía aspecto de desgreñado y sucio, aunque él lo había visto bien arreglado, grueso y brillante. La bruja miraba a Harry fijamente con ojos de párpados caídos y una arrogante y desdeñosa sonrisa en los delgados labios. Como Sirius, conservaba vestigios de la antigua belleza que algo, quizá Azkaban, le había robado.

«Bellatrix Lestrange, condenada por torturar a Frank y Alice Longbottom hasta causarles una incapacidad permanente.»

Hermione le dio un codazo a Harry y señaló el titular que había encima de las fotografías, que Harry, concentrado en la imagen de Bellatrix, todavía no había leído.

FUGA EN MASA DE AZKABAN
EL MINISTERIO TEME QUE BLACK SEA EL «PUNTO DE REUNIÓN» DE ANTIGUOS MORTÍFAGOS

—¿Black? —dijo Harry en voz alta—. ¿No se...?

—¡Chissst! —susurró Hermione, alarmada—. ¡No hables tan alto, léelo y calla!

El Ministerio de Magia anunció ayer entrada la noche que se había producido una fuga en masa de Azkaban.

Cornelius Fudge, ministro de Magia, fue entrevistado en su despacho y confirmó que diez prisioneros de la sección de alta seguridad escaparon a primera hora de la noche pasada, y que ya ha informado al Primer Ministro muggle del carácter peligroso de esos individuos.

«Desgraciadamente, nos encontramos en la misma situación en que estábamos hace dos años y medio, cuando huyó el asesino Sirius Black —declaró Fudge ayer por la noche—. Y creemos que las dos fugas están relacionadas. Una huida de esta magnitud sugiere que los fugitivos contaron con ayuda del exterior, y hemos de recordar que Black, el primer preso que logró huir de Azkaban, sería la persona idónea para ayudar a otros a seguir sus pasos. Creemos también que esos individuos, entre los que se encuentra la prima de Black, Bellatrix Lestrange, han acudido a ofrecer apoyo a Black, al que han erigido líder. Sin embargo, estamos haciendo todo lo posible para capturar a los delincuentes, y pedimos a la comunidad mágica que permanezca alerta y actúe con prudencia. No hay que abordar a ninguno de estos individuos bajo ningún concepto.»

—Ya está, Harry —dijo Ron, atemorizado—. Por eso estaba tan contento anoche.

—No puedo creerlo —gruñó Harry—. ¡Fudge culpa de la fuga a Sirius!

—¿Qué otras posibilidades tiene? —comentó Hermione con amargura—. No puede decir: «Lo siento mucho, Dumbledore ya me advirtió que esto podía pasar, los vigilantes de Azkaban se han unido a lord Voldemort...» ¡Deja de gimotear, Ron! «... y ahora los peores partidarios de Voldemort se han fugado.» Hay que tener en cuenta que Fudge lleva seis meses diciendo a todo el mundo que Dumbledore y tú son unos mentirosos.

Hermione abrió el periódico y empezó a leer la crónica interior mientras Harry recorría el Gran Comedor con la mirada. No entendía por qué sus compañeros no parecían asustados ni comentaban por lo menos la espantosa noticia de la primera plana, aunque lo cierto era que muy pocos recibían el periódico todos los días, como Hermione. Allí estaban, hablando de los deberes, de quidditch y de los últimos cotilleos, a pesar de que fuera de aquellos muros otros diez mortífagos habían pasado a engrosar las filas de Voldemort.

Miró hacia la mesa de los profesores. Allí todo era diferente: Dumbledore y la profesora McGonagall estaban en plena conversación, y ambos parecían sumamente serios. La profesora Sprout tenía *El Profeta* apoyado en una botella de catsup y leía la primera plana con tanta concentración que no se había dado cuenta de que de la cuchara que tenía en suspenso delante de la boca caía un hilillo de yema de huevo que iba a parar a su regazo. Entre tanto, al final de la mesa, la profesora Umbridge atacaba un cuenco de avena. Por primera vez los saltones ojos de sapo de Dolores Umbridge no recorrían el Gran Comedor, tratando de descubrir a algún estudiante que no se estuviera portando bien. Tenía el entrecejo fruncido mientras engullía la comida, y de vez en cuando lanzaba una mirada maliciosa hacia el centro de la mesa, donde conversaban Dumbledore y la profesora McGonagall.

—¡Oh, no...! —exclamó Hermione, sorprendida, sin apartar los ojos del periódico.

—¿Y ahora qué? —preguntó rápidamente Harry; estaba muy nervioso.

—Es... horrible —dijo la chica, conmocionada. Dobló el periódico por la página diez y se lo pasó a sus amigos.

TRÁGICO FALLECIMIENTO DE UN FUNCIONARIO DEL MINISTERIO DE MAGIA

Anoche el Hospital San Mungo prometió llevar a cabo una investigación en toda regla, tras ser descubierto muerto en su cama el funcionario del Ministerio de Magia Broderick Bode, de 49 años, estrangulado por una planta. Los sanadores que acudieron en su ayuda no lograron reanimar al señor Bode, que unas semanas antes de su muerte había sufrido un accidente laboral.

La sanadora Miriam Strout, que estaba a cargo de la sala del señor Bode en el momento del incidente, ha sido suspendida de empleo aunque no de sueldo, pero ayer no quiso hacer declaraciones; no obstante, un mago portavoz del hospital declaró lo siguiente:

«San Mungo lamenta profundamente la muerte del señor Bode, cuya salud estaba mejorando notablemente antes de este trágico accidente.

»Existen estrictas directrices sobre los objetos decorativos permitidos en nuestras salas, pero al parecer la sanadora Strout, ocupada con las celebraciones navideñas, no reparó en el peligro que suponía la planta de la mesilla de noche del señor Bode. A medida que el paciente recuperaba el habla y la movilidad, la sanadora Strout lo animó a cuidar él mismo de la planta, sin saber que no era una inocente flor voladora, sino un esqueje de lazo del diablo que estranguló al señor Bode en cuanto éste, convaleciente, se acercó y lo tocó.

»Hasta el momento, San Mungo no ha podido explicar la presencia de la planta en la sala y ruega a cualquier mago o bruja que tenga alguna información que se ponga en contacto con el hospital.»

—Bode... —dijo Ron—. Bode. Me suena de algo...

—Lo vimos —comentó Hermione en voz baja—. En San Mungo, ¿no te acuerdas? Estaba en la cama de enfrente de Lockhart, tumbado, contemplando el techo. Y vimos cómo le llevaban el lazo del diablo. La sanadora dijo que era un regalo de Navidad.

Harry volvió a leer la crónica. El horror subía por su garganta como la bilis.

—¿Cómo puede ser que no reconociéramos el lazo del diablo? Hemos visto esa planta otras veces... Pudimos impedir que sucediera.

—¿Quién se imagina que van a meter un lazo del diablo en un hospital disfrazado de inocente planta de interior? —replicó Ron—. ¡Nosotros no tenemos la culpa; el responsable es el que la envió! Menudos imbéciles, ¿por qué no miraban lo que estaban comprando?

—¡Ron, por favor! —dijo Hermione con voz temblorosa—. No creo que nadie sea capaz de poner un lazo del diablo en un tiesto sin darse cuenta de que esa planta intenta matar a quien la toque. Esto..., esto ha sido un asesinato, y un asesinato muy inteligente... Si enviaron la planta de forma anónima, ¿cómo van a averiguar quién lo hizo?

Pero Harry no pensaba en el lazo del diablo. Estaba recordando que el día de la vista había bajado en ascensor a la novena planta del Ministerio y que un hombre de rostro cetrino se había subido en la planta del Atrio.

—Yo conocí a Bode —dijo despacio—. Lo vi en el Ministerio cuando fui allí con tu padre.

Ron se quedó con la boca abierta.

—¡Yo también he oído a papá hablar de él en casa! ¡Era un inefable! ¡Trabajaba en el Departamento de Misterios!

Se miraron un momento; entonces Hermione recuperó el periódico, lo cerró, observó con repugnancia la portada con las fotografías de los diez mortífagos fugados, y se puso en pie.

—¿Adónde vas? —le preguntó Ron, sorprendido.

—A enviar una carta —contestó Hermione, y se colgó la mochila del hombro—. Bueno, no sé si... Pero vale la pena intentarlo... Y soy la única que puede hacerlo.

—No soporto que se comporte así —refunfuñó Ron mientras él y Harry se levantaban también de la mesa y salían más despacio del Gran Comedor—. ¿Qué le costaría, por una vez, explicarnos lo que se propone? Sólo tardaría unos diez segundos más... ¡Eh, Hagrid!

Hagrid se hallaba de pie junto a las puertas por las que se accedía al vestíbulo, esperando a que pasara un grupo de alumnos de Ravenclaw. Todavía estaba muy magullado, como el día en que había regresado de su misión con los gigantes, y tenía un nuevo corte en el caballete de la nariz.

—¿Todo bien, chicos? —les preguntó intentando sonreír, aunque sólo consiguió una especie de dolorosa mueca.

—¿Y tú, Hagrid? ¿Estás bien? —inquirió Harry, y lo siguió cuando el guardabosques echó a andar pesadamente tras los alumnos de Ravenclaw.

—Sí, sí —contestó Hagrid con falsa ligereza; luego agitó una mano y estuvo a punto de dar un porrazo a la asustada profesora Vector, que pasaba en aquel momento junto a él—. Un poco ocupado, ya saben, lo de siempre: tengo que preparar las clases, hay un par de salamandras a las que se les están pudriendo las escamas... y estoy en periodo de prueba —murmuró.

—¿Que estás en periodo de prueba? —dijo Ron en voz alta, y unos cuantos estudiantes que pasaban por allí giraron la cabeza con curiosidad—. Lo siento... ¿Estás en periodo de prueba? —repitió en un susurro.

—Sí. Pero la verdad es que ya me lo imaginaba. No sé si se fijaron, pero la supervisión no dio muy buen resultado, ¿saben? En fin... —Soltó un hondo suspiro—. Será mejor que vaya a ponerles un poco más de chile en polvo a esas salamandras o dentro de poco se les van a caer las colas. Hasta luego, chicos...

Se alejó caminando con dificultad, salió por la puerta del castillo y bajó la escalera de piedra que conducía al húmedo jardín. Harry lo vio marchar y se preguntó cuántas malas noticias más sería capaz de soportar.

• • •

En los días posteriores, la noticia de que Hagrid estaba en periodo de prueba se extendió por el colegio, pero para indignación de Harry, casi nadie se mostró muy disgustado. De hecho, algunos estudiantes, entre los que destacaba Draco Malfoy, parecían contentísimos. Por otra parte, Harry, Ron y Hermione eran, por lo visto, los únicos que conocían o los únicos a los que les importaba la extraña muerte de un anónimo empleado del Departamento de Misterios, sucedida en el Hospital San Mungo. En esos días, en los pasillos sólo se hablaba de una cosa: de los diez mortífagos fugados, cuya historia se había propagado por Hogwarts filtrada por los pocos alumnos que leían los periódicos. Corrían rumores de que habían visto a algunos de los fugitivos en Hogsmeade, de que estaban escondidos en la Casa de los Gritos y de que iban a entrar en Hogwarts, como había hecho Sirius en una ocasión.

Los que procedían de familias de magos habían crecido oyendo pronunciar los nombres de aquellos mortífagos casi con el mismo temor que el de Voldemort; los crímenes que habían cometido en tiempos del reinado de terror de Voldemort eran legendarios. Entre los estudiantes de Hogwarts había familiares de sus víctimas, y en esos días se habían convertido sin pretenderlo en objeto de una horripilante fama indirecta: Susan Bones, cuyos tío, tía y primos habían muerto a manos de uno de los diez mortífagos, comentó muy triste, durante una clase de Herbología, que ya entendía perfectamente lo que debía de sentir Harry.

—Y no sé cómo lo aguantas, es espantoso —dijo sin rodeos mientras tiraba más estiércol de dragón de la cuenta en su bandeja de brotes de chasquichirridos, haciendo que éstos se retorcieran y chillaran, incómodos.

Era verdad que últimamente los estudiantes volvían a murmurar y a señalar a Harry cuando se cruzaban con él por los pasillos, aunque le pareció detectar un ligero cambio en el tono de voz de los que cuchicheaban. Éste ya no era de hostilidad, sino de curiosidad, y en un par de ocasiones alcanzó a oír fragmentos de conversaciones que indicaban que sus compañeros no estaban conformes con la versión que daba *El Profeta* sobre cómo y por qué diez mortífagos habían conseguido fugarse de la fortaleza de Azkaban. Confundidos y temerosos, parecía que esos escépticos recurrían a la única explicación alternativa que tenían: la que Harry y Dumbledore habían estado exponiendo desde el año anterior.

Y no era sólo el estado de ánimo de los alumnos lo que había cambiado; también era habitual encontrarse a dos o tres profesores hablando en susurros por los pasillos e interrumpiendo sus conversaciones en cuanto veían que se acercaba algún alumno.

—Es evidente que si la profesora Umbridge está en la sala de profesores, ya no pueden hablar con libertad allí —comentó Hermione en voz baja cuando un día ella, Harry y Ron se cruzaron con la profesora McGonagall, el profesor Flitwick y la profesora Sprout, que estaban apiñados frente al aula de Encantamientos.

—¿Crees que ellos saben algo más? —le preguntó Ron girando la cabeza para mirar a los tres profesores.

—Si saben algo, no nos lo van a contar, ¿verdad? —terció Harry, enfadado—. Con el decreto... ¿Por qué número vamos ya?

Y es que en los tablones de anuncios de las cuatro casas habían aparecido nuevos letreros a la mañana siguiente de que saltara la noticia de la fuga de Azkaban:

POR ORDEN DE LA SUMA INQUISIDORA
DE HOGWARTS

Se prohíbe a los profesores proporcionar a los alumnos cualquier información que no esté estrictamente relacionada con las asignaturas que cobran por impartir.

Esta orden se ajusta al Decreto de Enseñanza n.º 26.

Firmado:

Dolores Jane Umbridge
Suma Inquisidora

Este último decreto había sido objeto de gran número de bromas entre los estudiantes. Lee Jordan le comentó a la profesora Umbridge que, según la nueva norma, ella no estaba autorizada a regañar ni a Fred ni a George por jugar a los naipes explosivos en el fondo de la clase.

—¡Los naipes explosivos no tienen nada que ver con la Defensa Contra las Artes Oscuras, profesora! ¡Esa información no está relacionada con su asignatura!

Cuando Harry volvió a ver a Lee, reparó en que tenía una herida sangrante en el dorso de la mano, y le recomendó solución de murtlap.

Harry creyó que la fuga de Azkaban le daría una lección de humildad a la profesora Umbridge, o que tal vez se avergonzaría de la catástrofe que se había producido en las mismísimas narices de su querido Fudge. Sin embargo, parecía que sólo había intensificado su furioso deseo de tomar bajo su control todos los aspectos de la vida en Hogwarts. Se mostraba decidida, como mínimo, a conseguir un despido lo más pronto posible, y la única duda era quién iba a caer primero: la profesora Trelawney o Hagrid.

A partir de entonces, todas las clases de Adivinación y de Cuidado de Criaturas Mágicas se impartían en presencia de la profesora Umbridge y de sus hojas de pergamino, agarradas con el sujetapapeles. Acechaba junto al fuego en la perfumada sala de la torre, interrumpía los discursos de la profesora Trelawney, cada vez más histéricos, con difíciles preguntas sobre ornitomancia y heptomología, insistía en que predijera las respuestas de los alumnos antes de que ellos las dieran, y exigía que demostrara sus habilidades con la bola de cristal, las hojas de té y las runas. A Harry le parecía que, en cualquier momento, la profesora Trelawney se vendría abajo ante tanta presión. En varias ocasiones se la cruzó por los pasillos (un hecho muy inusual, pues ella solía quedarse en su habitación de la torre), y siempre iba murmurando por lo bajo, furiosa, se retorcía las manos, lanzaba aterradas miradas por encima del hombro y despedía un intenso olor a jerez para cocinar. De no haber estado tan preocupado por Hagrid, Harry habría sentido lástima por ella; pero si tenían que destituir a alguno de los dos, Harry tenía clarísimo quién quería que se quedara.

Desgraciadamente, éste no veía que Hagrid lo estuviera haciendo mejor que la profesora Trelawney. Desde antes de Navidad, él también parecía tener los nervios destrozados, pese a que por lo visto seguía los consejos de Hermione y no les había enseñado nada más peligroso que un crup (una criatura indistinguible de un Jack Russell terrier, salvo por la cola bífida). Durante las clases, Hagrid parecía extrañamente distraído y nervioso, perdía continuamente el hilo de lo que estaba diciendo, se equivocaba al formular las preguntas y no paraba de mirar, angustiado, a la profesora Umbridge. Además, se mostraba más distante que nunca con Harry, Ron y Hermione, y les había prohibido explícitamente que fueran a visitarlo después del anochecer.

—Si los encuentra, nos colgarán a todos —les advirtió de forma terminante, y como no querían hacer nada que pudiera poner en peligro su empleo, ellos se abstuvieron de bajar a la cabaña por la noche.

Harry tenía la impresión de que la profesora Umbridge lo estaba privando metódicamente de todo lo que hacía que su vida en Hogwarts resultara agradable: las visitas a la cabaña de Hagrid, las cartas de Sirius, su Saeta de Fuego y el quidditch. Y él se vengaba de la única forma en que podía: redoblando sus esfuerzos con el ED.

A Harry le alegró comprobar que la noticia de que otros diez mortífagos andaban sueltos había estimulado a los que participaban en las reuniones, incluso a Zacharias Smith, a esforzarse más que nunca, pero en quien más se notaba esa mejora era en Neville. La noticia de la fuga de la agresora de sus padres había operado en él un cambio extraño y hasta un poco alarmante. No había mencionado ni una sola vez su encuentro con Harry, Ron y Hermione en la sala reservada de San Mungo, y ellos, siguiendo su ejemplo, tampoco habían hecho ningún comentario al respecto. Tampoco había dicho nada sobre la fuga de Bellatrix y los otros mortífagos. De hecho, Neville casi nunca hablaba durante las reuniones del ED, pero trabajaba sin tregua en cada nuevo embrujo y contramaldición que Harry les enseñaba; arrugaba la regordeta cara en una mueca de concentración, en apariencia indiferente a las heridas o a los accidentes, y trabajaba más duro que ningún otro compañero. Mejoraba tan deprisa que resultaba desconcertante, y cuando Harry les enseñó el encantamiento escudo (un método para desviar pequeños embrujos y que rebotaran sobre el agresor), sólo Hermione consiguió ejecutarlo más deprisa que Neville.

A Harry le habría gustado progresar en Oclumancia tanto como Neville en las reuniones del ED. Las clases particulares de Harry con Snape, que habían empezado con mal pie, no habían mejorado nada. Más bien al contrario: Harry creía que cada vez lo hacía peor.

Antes de empezar a estudiar Oclumancia, la cicatriz le dolía ocasionalmente, la mayoría de las veces por la noche, o después de una de aquellas extrañas percepciones de los pensamientos o del estado anímico de Voldemort que experimentaba de cuando en cuando. Ahora, en cambio, la cicatriz le dolía casi constantemente, y muy a menudo sentía arrebatos de fastidio o de alegría que no estaban relacionados con lo que le estaba ocurriendo en ese momento, y siempre iban acompañados de una punzada especialmente dolorosa en la frente. Tenía la horrible sensación de que poco a poco se estaba convirtiendo en una especie de antena sintonizada para detectar las más leves fluctuaciones del humor de Voldemort, y estaba seguro de que podía determinar, sin equivocarse, que aquel aumento de su sensibilidad se había iniciado en la primera clase de Oclumancia con Snape. Es más, ahora, casi todas las noches soñaba que iba por el pasillo hacia la entrada del Departamento de Misterios, y en el sueño siempre acababa de pie, ansioso, ante la sencilla puerta negra.

—A lo mejor es como una enfermedad —sugirió Hermione, un tanto preocupada, cuando Harry se sinceró con ella y con Ron—. Un virus o algo así. Tiene que empeorar antes de empezar a mejorar.

—Las clases con Snape lo están agravando —aseguró Harry cansinamente—. Estoy harto de que me duela la cicatriz y de recorrer ese pasillo todas las noches. —Se frotó la frente con fastidio—. ¡Ojalá se abriera esa puerta porque estoy hasta la coronilla de quedarme allí plantado mirándola!

—No tiene ninguna gracia —opinó Hermione con aspereza—. Dumbledore no quiere que sueñes con ese pasillo; si no, no le habría pedido a Snape que te enseñara Oclumancia. Lo que tienes que hacer es esforzarte un poco más en las clases.

—¡Ya me esfuerzo! —protestó Harry, molesto—. Pruébalo un día y verás. A ver si a ti te gusta que Snape se meta dentro de tu cabeza... ¡Te aseguro que no es nada divertido!

—A lo mejor... —intervino Ron.

—A lo mejor ¿qué? —dijo Hermione con brusquedad.

—A lo mejor Harry no tiene la culpa de no poder cerrar su mente —repuso Ron, misterioso.

—¿Qué quieres decir? —le preguntó la chica.

—Pues que... quizá Snape en realidad no intente ayudar a Harry... —Éste y Hermione lo miraron con fijeza. Ron, por su parte, miraba elocuentemente a sus amigos—. Tal vez —prosiguió bajando un poco la voz— lo que intenta es abrir un poco más la mente de Harry... Ponérselo más fácil a Quien-ustedes-saben...

—Cállate, Ron —le espetó Hermione—. ¿Cuántas veces has sospechado de Snape y cuándo has tenido razón? Dumbledore confía en él, trabaja para la Orden, con eso tendría que bastarte.

—Era un mortífago —afirmó Ron con testarudez—. Y no tenemos pruebas de que verdaderamente se cambiara de bando.

—Dumbledore confía en él —repitió Hermione—. Y si nosotros no confiamos en Dumbledore, no podemos confiar en nadie.

Había tantas cosas por las que preocuparse y tanto que hacer (una cantidad asombrosa de deberes que muchas veces tenía a los estudiantes de quinto curso trabajando hasta pasada la medianoche, las sesiones secretas del ED y las clases particulares con Snape) que el mes de enero estaba pasando a una velocidad alarmante. Antes de que Harry se diera cuenta, había llegado febrero, con un tiempo más húmedo pero menos frío, y la perspectiva de la segunda excursión del año a Hogsmeade. Harry había tenido muy poco tiempo para conversar con Cho desde que acordaron ir juntos al pueblo, y de pronto se enfrentaba a la idea de pasar todo el día de San Valentín con ella.

La mañana del día 14 se vistió con especial esmero. Ron y él entraron a desayunar en el mismo momento en que llegaban las lechuzas con el correo. *Hedwig* no estaba allí (aunque Harry no la esperaba), pero Hermione estaba agarrando una carta del pico de una desconocida lechuza marrón cuando ellos se sentaron.

—¡Ya era hora! Si no hubiera llegado hoy... —comentó; a continuación, abrió con ansiedad el sobre y extrajo un pequeño trozo de pergamino. Leyó el mensaje a toda velocidad, y una expresión de triste placer apareció en su cara—. Oye, Harry —dijo, levantando la cabeza—, esto es muy importante. ¿Crees que podrías reunirte conmigo en Las Tres Escobas hacia mediodía?

—Pues... no lo sé —contestó Harry, vacilante—. A lo mejor Cho espera que pase todo el día con ella. Nunca hemos hablado de lo que íbamos a hacer.

—Bueno, si es necesario ven con ella —concedió Hermione con gravedad—. Pero ¿irás?

—Pues... sí, pero ¿por qué?

—Ahora no tengo tiempo para contártelo. Tengo que contestar cuanto antes esta carta.

Y sin dar más explicaciones, salió a toda prisa del Gran Comedor, con la carta en una mano y un pan tostado en la otra.

—¿Vienes? —le preguntó Harry a Ron, pero éste movió negativamente la cabeza con gesto tristón.

—No puedo ir a Hogsmeade; Angelina quiere entrenar todo el día. Como si fuera a servir para algo; somos el peor equipo que he visto en mi vida. Tendrías que ver a Sloper y a Kirke; son patéticos, incluso peores que yo. —Exhaló un hondo suspiro y agregó—: No sé por qué Angelina no me deja renunciar.

—Porque cuando estás en forma eres bueno —repuso Harry con irritación.

Le resultaba muy difícil mostrarse comprensivo con Ron, porque él habría dado cualquier cosa por jugar el siguiente partido contra Hufflepuff. Ron debió de intuirlo por el tono de voz de Harry, porque no volvió a mencionar el quidditch durante el desayuno, y cuando poco después se despidieron, lo hicieron con cierta frialdad. Ron se marchó al campo de quidditch, y Harry, tras intentar aplastarse el pelo mirándose en la parte de atrás de una cucharilla, salió al vestíbulo para reunirse con Cho, lleno de aprensión, y se preguntó de qué demonios iban a hablar.

Cho lo esperaba cerca de las puertas de roble del castillo. Estaba muy guapa, con el cabello recogido en una larga cola de caballo. Cuando caminaba hacia ella, Harry tuvo la impresión de que sus pies eran enormes comparados con el resto de su cuerpo, y de pronto no supo qué hacer con los brazos, que oscilaban estúpidamente a sus costados.

—¡Hola! —lo saludó Cho entrecortadamente.

—¡Hola! —repuso Harry. Se miraron un momento, y entonces él dijo—: Bueno..., pues..., ¿vamos?

—Sí, sí...

Se pusieron en la fila de estudiantes que esperaban la autorización de Filch para salir del castillo, mirándose de vez en cuando y sonriendo furtivamente, pero sin decirse nada. Harry sintió un gran alivio cuando salieron al exterior; se sentía mucho más cómodo andando en silencio que allí plantado sin saber qué cara poner. Hacía un día fresco y ventoso, y al pasar junto al estadio de quidditch, Harry vio a Ron y a Ginny, que volaban casi rozando las tribunas, y le dio una rabia tremenda no estar allí arriba con ellos.

—Lo echas mucho de menos, ¿verdad? —comentó Cho.

Harry giró la cabeza y vio que ella lo observaba.

—Sí —contestó Harry con un suspiro.

—¿Recuerdas la primera vez que nos enfrentamos, en tercero? —le preguntó Cho.

—Sí —respondió Harry sonriendo—. Me bloqueabas el paso continuamente.

—Y Wood te dijo que no fueras tan caballeroso y me derribaras de la escoba si era necesario —añadió Cho con una sonrisa en los labios—. Me han dicho que lo ha contratado el Pride of Portree, ¿es cierto?

—No, lo ha contratado el Puddlemere United; lo vi el año pasado en la Copa del Mundo.

—Ah, yo también te vi allí, ¿te acuerdas? Estábamos en el mismo campamento. Fue genial, ¿verdad?

Siguieron hablando de la Copa del Mundo de quidditch por el camino y después de cruzar las verjas. Harry no podía creer lo fácil que estaba resultando hablar con Cho (de hecho, no le costaba más que hablar con Ron o con Hermione), y cuando empezaba a sentirse alegre y seguro de sí mismo, un nutrido grupo de chicas de Slytherin, entre las que iba Pansy Parkinson, pasaron por su lado.

—¡Potter y Chang! —gritó Pansy entre un coro de risitas maliciosas—. Qué mal gusto tienes, Chang. ¡Al menos Diggory era guapo!

Las chicas aceleraron el paso, gritando y hablando en tono mordaz al mismo tiempo que dirigían exageradas miradas a Harry y a Cho, y dejaron un rastro de incómodo silencio. A Harry no se le ocurría nada más que decir sobre quidditch, y Cho, que se había ruborizado, se miraba los pies.

—¿Y... adónde quieres ir? —preguntó él cuando llegaron a Hogsmeade.

La calle principal estaba llena de estudiantes que paseaban tranquilamente por las aceras y contemplaban los escaparates de las tiendas.

—Ah, me da igual —respondió Cho encogiéndose de hombros—. Humm... ¿Y si echamos un vistazo por las tiendas o algo así?

Se encaminaron hacia Dervish y Banges. Habían colgado un gran letrero en el escaparate, y unos cuantos vecinos de Hogsmeade lo estaban leyendo. Se apartaron cuando se acercaron Harry y Cho, y él volvió a encontrarse ante las fotografías de los diez mortífagos fugados. «Por orden del Ministerio de Magia», según rezaba el cartel, se ofrecía una recompensa de mil galeones a cualquier mago o bruja que pudiera aportar alguna información que sirviera para capturar a alguno de los reclusos fotografiados.

—Qué raro —dijo Cho en voz baja mientras observaba las fotografías de los mortífagos—. ¿Te acuerdas de cuando se fugó Sirius Black? Había dementores buscándolo por todo Hogsmeade. Y ahora que se han escapado diez mortífagos, no hay dementores por ninguna parte...

—Sí —contestó Harry, y apartó la vista de la cara de Bellatrix Lestrange para echar una ojeada a ambos lados de la calle principal—. Sí, es muy raro.

No lamentaba que no hubiera dementores por allí cerca, pero, pensándolo bien, su ausencia era francamente significativa. No sólo habían dejado que se fugaran los mortífagos, sino que no se estaban tomando la molestia de buscarlos... Todo parecía indicar que era cierto que estaban fuera del control del Ministerio.

Las fotografías de los diez mortífagos fugados estaban colgadas en todos los escaparates por los que pasaron Harry y Cho. Cuando llegaron a La Casa de las Plumas, empezó a llover; unas frías y gruesas gotas de lluvia golpeaban a Harry en la cara y en la nuca.

—Humm..., ¿te apetece tomar un café? —propuso Cho con vacilación cuando la lluvia empezó a intensificarse.

—Sí —respondió Harry, y miró alrededor—. ¿Adónde vamos?

—Cerca de aquí hay un sitio muy agradable. ¿Nunca has oído hablar del salón de té de Madame Pudipié? —dijo con tono jovial, guiando a Harry por una calle lateral hasta llegar a un local que él no había visto hasta entonces.

Era un sitio pequeño y caluroso, donde todo parecía estar decorado con flecos y lazos. Harry se acordó del despacho de la profesora Umbridge y sintió un escalofrío.

—¿Verdad que es mono? —comentó Cho muy contenta.

—Humm..., sí... —mintió Harry.

—¡Mira, lo ha adornado con motivo del día de San Valentín! —observó Cho, y señaló unos querubines dorados, suspendidos sobre cada una de las mesitas redondas, que de vez en cuando lanzaban confeti de color rosa sobre sus ocupantes.

—¡Ah!

Se sentaron a la única mesa libre que quedaba, junto a la empañada ventana. Roger Davies, el capitán del equipo de quidditch de Ravenclaw, estaba sentado al lado de ellos con una chica rubia muy guapa. Estaban tomados de la mano. Aquella imagen hizo que Harry se sintiera incómodo, sobre todo cuando, al echar un vistazo al salón de té, reparó en que estaba lleno de parejas, y todas se agarraban de la mano. A lo mejor Cho esperaba que él hiciera lo mismo.

—¿Qué les traigo, queridos? —preguntó Madame Pudipié, una mujer muy robusta, peinada con un negro y reluciente moño, al pasar con dificultad entre su mesa y la de Roger Davies.

—Dos cafés, por favor —pidió Cho.

En el rato que siguió hasta que les sirvieron los cafés, Roger Davies y su novia habían empezado a besarse por encima del azucarero. Harry habría preferido que no lo hicieran porque tenía la impresión de que Davies estaba sentando un precedente con el que quizá Cho esperaba que Harry compitiera. Notaba un intenso calor en las mejillas e intentó mirar por la ventana, pero estaba demasiado empañada y no veía el exterior. Para retrasar el momento en que tendría que mirar a Cho, contempló el techo, fingiendo examinar la pintura, y entonces recibió en la cara un puñado de confeti que le había lanzado el querubín suspendido sobre su mesa.

Tras unos tensos minutos más, Cho mencionó a la profesora Umbridge. Harry se agarró al cable con alivio, y pasaron un rato agradable insultando a la profesora, pero aquel tema ya lo habían explotado tanto en las reuniones del ED que no duró mucho. Volvieron a quedarse callados. Harry oía los sorbetones procedentes de la mesa de al lado como si estuvieran amplificados, y, desesperado, buscó algo más que decir.

—Oye..., este..., ¿quieres ir conmigo a Las Tres Escobas a la hora de comer? He quedado allí con Hermione Granger.

Cho arqueó las cejas.

—¿Has quedado con Hermione Granger? ¿Hoy?

—Sí. Bueno, me ha pedido que me reúna con ella allí y le he dicho que iría. ¿Quieres ir conmigo? Hermione ha dicho que no le importaba.

—Ah, bueno... Muy amable por su parte.

Pero no parecía que Cho encontrara el gesto amable. Al contrario: su tono de voz era frío, y de pronto adoptó una expresión muy adusta.

Pasaron unos minutos más en silencio absoluto. Harry se estaba bebiendo el café tan deprisa que pronto necesitaría otra taza. A su lado, Roger Davies y su novia parecían estar pegados por los labios.

Cho tenía una mano posada sobre la mesa, junto a su taza de café, y Harry sentía una urgencia cada vez mayor por tomársela. «Hazlo —se dijo, y notó una oleada de pánico y emoción mezclados en su pecho—; estira el brazo y agárrale la mano.» Era asombroso que le costara mucho más estirar el brazo treinta centímetros y tocarle la mano a Cho que agarrar al vuelo una snitch que iba a toda velocidad...

Pero justo cuando movió la mano hacia delante, Cho retiró la suya de la mesa. En ese momento, ella miraba con expresión de ligero interés cómo Roger Davies besaba a su novia.

—¿Sabes qué? —dijo en voz baja—. Me pidió salir. Hace un par de semanas. Sí, Roger. Pero le dije que no.

Harry, que había agarrado el azucarero para justificar el repentino movimiento de su mano sobre la mesa, no entendía por qué Cho se lo estaba contando. Si le hubiera gustado estar sentada en la mesa de al lado y que Roger Davies la besara apasionadamente, ¿por qué había accedido a ir con él a Hogsmeade?

Harry no dijo nada. El querubín les lanzó otro puñado de confeti, y unos cuantos copos fueron a parar en los restos de café frío que Harry se disponía a beber.

—El año pasado vine aquí con Cedric —comentó Cho.

Harry tardó un segundo en asimilar lo que ella acababa de decir, y eso mismo fue lo que tardó en helársele la sangre. No podía creer que Cho quisiera hablar de Cedric entonces, rodeados como estaban de parejas que se besaban y con un querubín flotando sobre sus cabezas.

Cuando volvió a hablar, Cho lo hizo en voz mucho más alta.

—Hace siglos que quería preguntártelo... ¿Me..., me mencionó Cedric antes de morir?

—Pues... no —contestó Harry con voz queda—. No tuvo... tiempo para decir nada. Este..., ¿ves mucho quidditch durante las vacaciones? Eres seguidora de los Tornados, ¿verdad?

Harry habló con una voz falsamente jovial y a continuación comprobó, horrorizado, que Cho volvía a tener los ojos bañados en lágrimas, igual que después de la última reunión del ED antes de las Navidades.

—Mira —dijo, desesperado, acercando la cabeza a la de ella para que nadie más pudiera oírlo—, no hablemos de Cedric ahora... Hablemos de otra cosa...

Pero por lo visto no era eso lo que tenía que haber dicho.

—¡Pensé... —balbuceó Cho salpicando la mesa de lágrimas— pensé que tú... lo entenderías! ¡Necesito hablar de ello! ¡Y seguro que tú ta-también necesitas hablar! No sé, tú viste co-cómo pasó, ¿no?

Aquello parecía una pesadilla; todo estaba saliendo al revés. Hasta Roger Davies se despegó de su novia para girar la cabeza y mirar a la llorosa Cho.

—Bueno, he hablado de ello con Ron y Hermione —dijo Harry en un susurro—, pero...

—¡Ah, con Hermione Granger sí puedes hablar! —exclamó ella con voz estridente mientras las lágrimas seguían resbalando por sus mejillas. Otras parejas que también estaban besándose se separaron para observar a Cho y a Harry—. ¡Pero conmigo no! ¡Qui-quizá sería mejor que pa-pagáramos y fueras a reunirte co-con Hermione Granger, si eso es lo que estás deseando!

Harry se quedó mirándola absolutamente perplejo mientras ella agarraba una servilleta con flecos y se secaba las lágrimas.

—¡Cho! —dijo Harry con voz débil. Le habría gustado que Roger agarrara a su novia y empezara a besarla otra vez para que no los mirara como un pasmado a él y a Cho.

—¡Vete si quieres! —exclamó ésta, que ahora lloraba con la servilleta en la cara—. No sé por qué me pediste que saliera contigo si luego ibas a quedar con otras chicas... ¿A cuántas tienes que ver después de Hermione?

—¡Pero qué dices! —explotó Harry, aunque sintió tanto alivio al comprender por fin por qué estaba enfadada Cho, que se rió; y una milésima de segundo más tarde se dio cuenta de que aquello también había sido un error.

La chica se puso en pie de un brinco. En el salón de té reinaba un silencio absoluto y todos los observaban.

—Hasta la vista, Harry —se despidió Cho con dramatismo, e hipando ligeramente corrió hacia la puerta, la abrió de un tirón y salió a la calle bajo una intensa lluvia.

—¡Cho! —la llamó él, pero la puerta ya se había cerrado tras ella produciendo un melódico tintineo.

En el salón de té no se oía ni una mosca. Harry era el blanco de todas las miradas. Dejó un galeón sobre la mesa, se quitó el confeti de color rosa del pelo y salió a la calle en busca de Cho.

Llovía a cántaros, y Harry no la vio por ninguna parte. No entendía nada de lo que había pasado; hasta hacía media hora se llevaban de perlas.

«¡Mujeres! —masculló, enojado, chapoteando por la calle con las manos en los bolsillos—. ¿Para qué querría hablar de Cedric? ¿Por qué siempre saca un tema que hace que se convierta en una manguera viviente?»

Torció a la derecha y echó a correr bajo la lluvia; unos minutos más tarde entraba por la puerta de Las Tres Escobas. Sabía que era demasiado pronto para que Hermione hubiera llegado, pero pensó que probablemente encontraría a alguien allí con quien pasar el rato. Se apartó el pelo mojado moviendo la cabeza y miró alrededor. Hagrid estaba sentado solo en un rincón con aire taciturno.

—¡Hola, Hagrid! —lo saludó Harry tras abrirse paso entre las abarrotadas mesas, y acercó una silla a la de su amigo.

Éste se sobresaltó y lo miró como si apenas lo reconociera. Harry vio que tenía dos nuevos cortes en la cara y varios cardenales más.

—¡Ah, eres tú, Harry! ¿Estás bien?

—Sí, muy bien —mintió Harry; pero junto a su magullado y triste amigo tuvo la impresión de que en realidad él no tenía motivos para quejarse—. ¿Y tú? ¿Estás bien?

—¿Yo? Sí, claro, fenomenal, Harry, fenomenal.

Hagrid hundió la mirada en su jarra de peltre, del tamaño de un cubo grande, y suspiró. Harry no sabía qué decirle. Permanecieron un rato sentados en silencio. De repente Hagrid dijo:

—Tú y yo estamos en la misma situación, ¿no es cierto, Harry?

—Pues...

—Sí, ya lo decía yo... Ambos somos unos intrusos, por definirnos de alguna manera... —afirmó asintiendo con la cabeza sabiamente—. Y ambos somos huérfanos. Sí..., ambos huérfanos. —Bebió un enorme trago de la jarra—. Si tienes una familia decente todo cambia —prosiguió—. Mi padre era decente. Y tus padres eran decentes. Si no hubieran muerto, tu vida habría sido muy distinta, ¿verdad?

—Sí, supongo que sí —admitió Harry con cautela pensando que Hagrid estaba de un humor muy extraño.

—Familia —repitió Hagrid con tristeza—. Digan lo que digan, la sangre es importante...

Y se limpió un hilillo de sangre que le goteaba del ojo.

—Hagrid —lo interrumpió Harry sin poderse contener—, ¿dónde te haces todas esas heridas?

—¿Eh? —se extrañó Hagrid, sorprendido—. ¿Qué heridas?

—¡Todas ésas! —exclamó Harry señalándole la cara.

—Ah... Esto no son más que golpes y contusiones, Harry —contestó quitándole importancia—. Gajes del oficio. —Vació su jarra, la dejó en la mesa y se levantó—. Hasta luego, Harry. Cuídate.

Y dicho eso salió caminando pesadamente del pub, con gesto mustio, y desapareció bajo la lluvia torrencial. Harry lo vio marchar y se sintió mal. Hagrid se sentía desdichado y ocultaba algo, pero parecía decidido a rechazar cualquier ayuda. ¿Qué estaba pasando? Pero antes de que Harry pudiera seguir reflexionando sobre ello, oyó una voz que lo llamaba.

—¡Harry! ¡Aquí, Harry!

Hermione le hacía señas con una mano desde el otro extremo del pub. Harry se levantó y fue hacia ella atravesando el concurrido local. Cuando todavía estaba a varias mesas de distancia, se dio cuenta de que Hermione no estaba sola. Se hallaba sentada a una mesa con dos personas a las que jamás habría imaginado encontrar con ella: Luna Lovegood y nada más y nada menos que Rita Skeeter, ex reportera de *El Profeta* y una de las personas a las que Hermione más despreciaba en el mundo.

—¡Qué pronto has llegado! —exclamó su amiga mientras se apartaba para hacerle sitio—. Pensaba que estabas con Cho. ¡No esperaba que llegaras hasta al menos dentro de una hora!

—¿Con Cho? —saltó Rita de inmediato retorciéndose en la silla para mirar con avidez a Harry—. ¿Una chica?

Agarró su bolso de piel de cocodrilo y se puso a hurgar en él.

—¿A ti qué te importa que Harry haya salido con un centenar de chicas? —le dijo Hermione a la periodista con descaro—. No es asunto tuyo, así que guarda eso ahora mismo.

Rita se disponía a sacar una pluma de color verde amarillento de su bolso, pero lo cerró y puso una cara horrible, como si le hubieran hecho beber jugo fétido.

—¿Qué están tramando? —preguntó Harry, que se sentó y miró sin comprender a Rita, Luna y Hermione.

—Doña Perfecta estaba a punto de contármelo cuando has llegado tú —dijo la periodista, y dio un buen trago de su bebida—. Supongo que estoy autorizada a hablar con él, ¿no? —le espetó a Hermione.

—Sí, supongo que sí —repuso ella con frialdad.

A Rita no le sentaba nada bien el desempleo. Tenía el pelo lacio y despeinado y no llevaba los elaborados rizos de tiempo atrás. Se le había saltado el esmalte de las uñas de cinco centímetros de largo y a las gafas con alas les faltaban un par de joyas falsas. Dio otro gran trago de su bebida y dijo hablando por la comisura de la boca:

—¿Es guapa, Harry?

—Una palabra más sobre la vida amorosa de Harry y se anula el trato, te lo advierto —la amenazó Hermione.

—¿Qué trato? —preguntó Rita secándose la boca con el dorso de la mano—. Todavía no has mencionado ningún trato, señorita Repipi, sólo me dijiste que me presentara aquí. ¡Ah, un día de éstos...! —añadió con un estremecimiento.

—Sí, sí, un día de éstos te pondrás a escribir más historias horribles sobre Harry y sobre mí —comentó Hermione con indiferencia—. A ver si encuentras a alguien a quien le interese leerlas.

—Pues este año han publicado un montón de historias horribles sobre Harry sin mi ayuda —replicó Rita mirando al chico de soslayo por encima de sus gafas, y añadió—: ¿Cómo te ha sentado eso, Harry? ¿Te sientes traicionado? ¿Consternado? ¿Incomprendido?

—Está enfadado, como es lógico —repuso Hermione con voz fuerte y clara—. Porque le ha contado la verdad al ministro de Magia y el ministro es demasiado idiota para creerlo.

—De modo que sigues en tus trece, empeñado en que El-que-no-debe-ser-nombrado ha vuelto, ¿no? —dijo Rita bajando su copa y sometiendo a Harry a una penetrante mirada mientras acercaba una vez más un dedo hacia el cierre de su bolso de cocodrilo—. ¿Defiendes ese absurdo cuento que Dumbledore le ha explicado a todo el mundo de que Quien-tú-sabes ha regresado y que tú eres el único testigo?

—Yo no soy el único testigo —gruñó Harry—. También había allí una docena de mortífagos. ¿Quieres que te dé sus nombres?

—Me encantaría —dijo Rita en voz baja, y se puso a hurgar de nuevo en su bolso observando a Harry como si él fuera lo más hermoso que había visto jamás—. Lo publicaremos con un gran titular: «Potter acusa...» Y con el subtítulo: «Harry Potter identifica a los mortífagos que siguen entre nosotros.» Y entonces, bajo una gran fotografía tuya: «El trastornado adolescente que sobrevivió al ataque de Quien-ustedes-saben, Harry Potter, de 15 años, provocó un escándalo ayer al acusar a respetados y prominentes miembros de la comunidad mágica de ser mortífagos...» —Rita tenía ya la pluma a vuelapluma en la mano e iba a llevársela a la boca cuando se esfumó de su rostro la expresión de embeleso—. Pero claro —continuó bajando la pluma y fulminando con la mirada a Hermione—, Doña Perfecta no querrá que se publique esa historia, ¿no?

—Pues resulta —repuso Hermione con voz melosa— que eso es exactamente lo que quiere Doña Perfecta.

Rita se quedó mirándola. Y lo mismo hizo Harry. Luna, en cambio, se puso a cantar por lo bajo «A Weasley vamos a coronar» con aire ensimismado mientras removía su bebida con una cebollita de coctel pinchada en un palillo.

—¿Quieres que escriba una crónica sobre lo que Harry dice de Aquel-que-no-debe-ser-nombrado? —le preguntó Rita a Hermione con un hilo de voz.

—Sí, exacto. La verdadera historia. Con pelos y señales. Como la cuenta Harry. Te proporcionará todos los detalles, te dará los nombres de los mortífagos no identificados a los que vio allí, te dirá qué aspecto tiene ahora Voldemort... Vamos, contrólate —añadió con desdén, y lanzó una servilleta hacia el otro lado de la mesa, pues, al oír el nombre de Voldemort, Rita había dado tal respingo que había derramado la mitad de su copa de whisky de fuego y se había manchado la ropa.

La periodista secó su mugriento impermeable sin dejar de mirar atónita a Hermione. Entonces dijo lisa y llanamente:

—*El Profeta* no lo publicará. Por si no lo habías notado, nadie se traga ese cuento chino. Todo el mundo cree que Harry delira. Pero si me dejas escribir la historia desde esa perspectiva...

—¡Estamos hartos de historias sobre cómo Harry perdió la cabeza! —exclamó Hermione con enfado—. ¡De ésas ya tenemos demasiadas, gracias! ¡Quiero que le den una oportunidad de decir la verdad!

—No hay demanda para una historia así —repuso Rita con frialdad.

—Lo que quieres decir es que *El Profeta* no la publicará porque Fudge no lo permitirá —aclaró Hermione con fastidio.

Rita le lanzó una larga y dura mirada. Luego se inclinó hacia ella y afirmó con seriedad:

—De acuerdo, Fudge presiona a *El Profeta*, pero a fin de cuentas viene a ser lo mismo. No publicarán una historia que dé una imagen favorable de Harry. A nadie le interesa leerla. No está acorde con el humor del público. La gente ya está bastante preocupada con esta última fuga de Azkaban y no quiere pensar que Quien-ustedes-saben ha regresado.

—Entonces *El Profeta* sólo sirve para contar a la gente lo que quiere oír, ¿no? —remarcó Hermione en tono cáustico.

Rita volvió a enderezarse en la silla, con las cejas arqueadas, y se terminó de un trago la copa de whisky de fuego.

—A *El Profeta* sólo le interesa vender, so boba —le espetó.

—Mi padre opina que es un periódico malísimo —terció Luna, interviniendo inesperadamente en la conversación. Miraba a Rita con sus enormes y protuberantes ojos de chiflada mientras chupaba la cebollita de coctel—. Él publica historias importantes que cree que el público debe conocer. No le importa ganar dinero.

Rita miró a Luna con desdén.

—Supongo que tu padre dirigirá algún ridículo boletín informativo de pueblo, ¿no? Debe de publicar artículos como «Veinticinco maneras de mezclarse con los muggles» y las fechas de los próximos mercadillos.

—No —objetó Luna, y volvió a mojar la cebollita en su bebida, una tacita de infusión de alhelí—, es el director de *El Quisquilloso*.

Rita soltó tal resoplido que los clientes de una mesa cercana se volvieron, alarmados.

—Conque «historias importantes que cree que el público debe conocer», ¿eh? —dijo mordaz—. Podría abonar mi jardín con el contenido de ese periodicucho.

—Pues mira, ahora tienes una oportunidad para mejorar un poco su nivel —sugirió Hermione en tono agradable—. Luna dice que su padre no tiene inconveniente en aceptar la historia de Harry. La publicará él.

Rita se quedó mirando a ambas un momento, y luego soltó una fuerte carcajada.

—¿*El Quisquilloso*? —dijo riendo socarronamente—. ¿Creen que la gente se tomará a Harry en serio si su historia se publica en *El Quisquilloso*?

—Algunos no lo harán —admitió Hermione—. Pero la versión de *El Profeta* sobre la fuga de Azkaban tenía unas lagunas descomunales. Creo que mucha gente debe de estar preguntándose si hay otra explicación mejor de lo ocurrido, y si aparece una versión alternativa, aunque la publique un... —miró de soslayo a Luna—, un..., bueno, una revista fuera de lo corriente, creo que les interesará leerla.

Rita permaneció un rato callada, pero miraba perspicazmente a Hermione con la cabeza un poco ladeada.

—Está bien, supongamos durante un momento que lo hago —dijo de pronto—. ¿Cuánto me pagarían?

—Creo que mi padre no paga a la gente que escribe para su revista —comentó Luna con aire abstraído—. Escriben porque lo consideran un honor y, como es lógico, para ver su nombre publicado.

Rita Skeeter volvió a poner cara de tener la boca llena de jugo fétido, y de nuevo se dirigió a Hermione:

—¿Pretendes que haga esto gratis?

—Pues sí —contestó Hermione con calma, y bebió un sorbo de su bebida—. Si no, como muy bien sabes, informaré a las autoridades de que eres una animaga no registrada. Evidentemente, *El Profeta* te pagaría mucho dinero por una crónica sobre la vida en Azkaban escrita desde la propia prisión.

Daba la impresión de que a Rita le habría encantado meterle a Hermione por la nariz la sombrillita de papel que decoraba su copa.

—Supongo que no tengo alternativa, ¿no? —repuso Rita con voz ligeramente temblorosa. Abrió una vez más su bolso de cocodrilo, sacó un trozo de pergamino y levantó su pluma a vuelapluma.

—Mi padre se va a poner muy contento —comentó Luna alegremente mientras a Rita le temblaba un músculo de la mandíbula.

—¿Listo, Harry? —le preguntó Hermione volviéndose hacia él—. ¿Preparado para contar la verdad a todo el mundo?

—Supongo que sí —dijo él mientras Rita sostenía en equilibrio la pluma a vuelapluma sobre el trozo de pergamino que los separaba.

—Pues ya puedes disparar, Rita —sentenció Hermione con serenidad, y pescó una guinda del fondo de su copa.

26

Visto y no visto

Luna dijo que no sabía cuándo aparecería la entrevista de Rita con Harry en *El Quisquilloso*, pues su padre estaba esperando un largo e interesantísimo artículo basado en el testimonio de personas que recientemente habían visto snorkacks de cuernos arrugados.

—Como se pueden imaginar —explicó—, esa historia es muy importante, así que la de Harry quizá tenga que esperar al siguiente número.

Para Harry no fue una experiencia fácil hablar de la noche en que regresó Voldemort. Rita lo había presionado para sacarle hasta el último detalle, y él le había contado todo lo que recordaba, consciente de que aquélla era una oportunidad única para explicar la verdad. No sabía cómo reaccionaría la gente al leer la crónica. Imaginaba que serviría para que muchos se reafirmaran en la opinión de que estaba completamente loco, en parte porque su historia aparecería junto a una sarta de tonterías sobre los snorkacks de cuernos arrugados. Pero la fuga de Bellatrix Lestrange y de los otros mortífagos había despertado en Harry un deseo irrefrenable de hacer algo, funcionara o no...

—Estoy impaciente por saber lo que opina la profesora Umbridge de tus revelaciones a la prensa —le dijo Dean, atemorizado, el lunes por la noche durante la cena. Seamus, sentado al lado de Dean, engullía enormes cantidades de empanada de pollo con jamón, pero Harry se dio cuenta de que no se perdía detalle.

—Has hecho lo que tenías que hacer, Harry —terció Neville, que estaba sentado enfrente. Se veía muy pálido, pero añadió en voz baja—: Debió de ser... muy duro para ti hablar de todo eso, ¿verdad?

—Sí —musitó el chico—, pero la gente tiene que saber de qué es capaz Voldemort, ¿no?

—Claro; bueno, él y sus mortífagos —coincidió Neville asintiendo con la cabeza—. La gente debería saber...

Neville dejó la frase inacabada y siguió comiendo papas asadas. Seamus, por su parte, levantó la cabeza, pero cuando su mirada se encontró con la de Harry, bajó rápidamente la vista hacia su plato. Al cabo de un rato, Dean, Seamus y Neville se marcharon a la sala común; Harry y Hermione se quedaron en la mesa esperando a Ron, que todavía no había cenado por culpa del entrenamiento de quidditch.

Cho Chang entró en el comedor con su amiga Marietta. Harry sintió una desagradable sacudida en el estómago, pero ella no miró hacia la mesa de Gryffindor y se sentó de espaldas a él.

—Ah, se me olvidó preguntártelo —comentó Hermione con una sonrisa en los labios tras echar un vistazo a la mesa de Ravenclaw—, ¿cómo te fue en la cita con Cho? ¿Por qué volviste tan pronto?

—Pues fue..., fue... —respondió Harry al mismo tiempo que acercaba una bandeja de pastel de ruibarbo y se servía por segunda vez— un fracaso total, ya que me lo preguntas.

Y le contó lo que había pasado en el salón de té de Madame Pudipié.

—... y entonces —concluyó varios minutos más tarde, cuando desaparecieron las últimas migas de pastel— va y se levanta, ¿me oyes?, dice: «Hasta la vista, Harry» ¡y se larga corriendo! —Dejó la cuchara sobre la mesa y miró a Hermione—. ¿Tú entiendes algo?

Hermione lanzó una mirada a la nuca de Cho y suspiró.

—¡Ay, Harry! —exclamó con tristeza—. Lo siento, pero tienes muy poco tacto.

—¿Poco tacto? ¿Yo? —dijo Harry, indignado—. Pero si estábamos la mar de bien, y de repente me cuenta que Roger Davies le había pedido salir y que ella solía ir a aquel ridículo salón de té a besuquearse con Cedric. ¿Cómo crees que me sentó a mí eso?

—Verás —dijo Hermione adoptando un aire de paciencia infinita, como si estuviera explicándole a un niño pequeño e hipersensible que uno más uno son dos—, no debiste soltarle en plena cita que habías quedado conmigo.

—Pero..., pero —balbuceó Harry—, pero tú me pediste que nos reuniéramos allí a las doce y me dijiste que podía llevarla. ¿Cómo querías que lo hiciera sin decírselo?

—Tendrías que habérselo explicado de otro modo —aclaró Hermione sin abandonar aquel exasperante aire de superioridad—. Tendrías que haberle asegurado que te daba mucha rabia, pero que yo te había hecho prometer que irías a Las Tres Escobas, y que en realidad no tenías ninguna gana de ir allí porque preferías mil veces pasar todo el día con ella, pero desgraciadamente creías que no podías darme plantón; y tendrías que haberle pedido por favor que te acompañara, porque así podrías librarte antes de mí. Y no habría estado de más mencionar lo fea que me encuentras —añadió Hermione en el último momento.

—Pero si yo no te encuentro fea —repuso Harry, desconcertado.

Su amiga se rió.

—Eres peor que Ron, Harry. Bueno, peor no. —Suspiró, y en ese momento Ron entró en el comedor; iba lleno de salpicaduras de barro y estaba malhumorado—. Mira, a Cho le disgustó que hubieras quedado conmigo e intentó ponerte celoso. Lo hizo para averiguar hasta qué punto te gusta.

—¿Estás segura? —inquirió Harry al mismo tiempo que Ron se dejaba caer en el banco de enfrente y se acercaba todas las bandejas que tenía a su alcance—. ¿Y no habría sido más sencillo que me hubiera preguntado si ella me gusta más que tú?

—Las chicas no suelen hacer preguntas de ese tipo —le respondió Hermione.

—¡Pues deberían hacerlas! —exclamó Harry con vehemencia—. ¡Así yo habría podido decirle que me gusta, y ella no habría tenido que volver a ponerse a llorar por la muerte de Cedric!

—Yo no digo que lo que hizo fuera lo más sensato —puntualizó Hermione. Ginny acababa de llegar a la mesa de Gryffindor; también iba cubierta de barro y parecía tan contrariada como su hermano—. Sólo intento hacerte comprender lo que Cho sentía en aquel momento.

—Deberías escribir un libro —le dijo Ron a Hermione mientras cortaba las papas que se había puesto en el plato—. Tendrías que explicar todas las locuras que hacen las chicas para que los chicos pudiéramos entenderlas.

—Sí —dijo Harry con fervor, y miró hacia la mesa de Ravenclaw. Cho acababa de levantarse y, sin mirar hacia donde estaba él, salió del Gran Comedor. Harry, muy deprimido, miró a Ron y a Ginny—. Bueno, ¿qué tal ha ido el entrenamiento de quidditch?

—Ha sido una pesadilla —contestó Ron hoscamente.

—Vamos, vamos —dijo Hermione mirando a Ginny—, seguro que no ha sido tan...

—Ya lo creo —afirmó Ginny—. Ha sido desastroso. Al final Angelina estaba al borde de las lágrimas.

Después de cenar, Ron y Ginny fueron a darse un baño y Harry y Hermione regresaron a la concurrida sala común de Gryffindor y a su montón de deberes de rigor. Harry llevaba media hora peleando con un nuevo mapa celeste para la clase de Astronomía cuando aparecieron Fred y George.

—¿No están aquí ni Ron ni Ginny? —preguntó Fred, y miró alrededor mientras arrastraba una butaca; Harry negó con la cabeza, y entonces Fred dijo—: Mejor. Hemos estado viendo el entrenamiento. Los van a machacar. Sin nosotros son un completo desastre.

—Hombre, Ginny no lo hace mal del todo —intervino George, y se sentó junto a su gemelo—. La verdad es que no me explico que lo haga tan bien, porque nunca la hemos dejado jugar con nosotros.

—Tu hermana entra a hurtadillas en el cobertizo de las escobas del jardín desde que tiene seis años y vuela con sus escobas, por turnos, cuando no pueden verla —informó Hermione desde detrás de un inseguro montón de libros sobre la asignatura de Runas Antiguas.

—¡Ah! —exclamó George, ligeramente impresionado—. Bueno, eso lo explica todo.

—¿Ha parado Ron alguna bola? —preguntó Hermione asomando la cabeza por encima de la cubierta de *Jeroglíficos y logogramas mágicos.*

—Verás, el caso es que las para cuando cree que nadie lo mira —explicó Fred poniendo los ojos en blanco—, de modo que lo único que tenemos que hacer el sábado es pedir a los espectadores que se den la vuelta y hablen unos con otros cada vez que la quaffle llegue al extremo del campo donde está Ron. —Fred se levantó e, inquieto, fue hacia la ventana y desde allí contempló los oscuros jardines—. ¿Saben una cosa? El quidditch era lo único por lo que valía la pena quedarse en este colegio.

Hermione lo miró con severidad.

—¡Pronto tendrás exámenes!

—Ya te lo he dicho, los ÉXTASIS no nos preocupan —repuso Fred—. Los Surtidos Saltaclases ya están listos, hemos encontrado la manera de eliminar esos granos: basta con aplicarles un par de gotas de solución de murtlap. Lee fue quien nos lo recomendó.

George bostezó y miró desconsoladamente el nublado cielo nocturno.

—Me parece que no quiero ni ver ese partido. Si Zacharias Smith nos gana tendré que matarme.

—Querrás decir que tendrás que matarlo a él —lo corrigió Fred con firmeza.

—Eso es lo malo que tiene el quidditch —comentó Hermione, distraída, sin apartar la vista de su traducción de runas—, que crea muchas tensiones y enemistades entre las casas. —Levantó la cabeza para buscar su ejemplar del *Silabario del hechicero* y se dio cuenta de que Fred, George y Harry la miraban de hito en hito con una mezcla de asco e incredulidad en el rostro—. ¡Es cierto! —se defendió—. En realidad no es más que un juego, ¿no?

—Hermione —dijo Harry moviendo la cabeza con un gesto negativo—, eres un as con los sentimientos y esas cosas, pero de quidditch no tienes ni idea.

—Es posible —admitió ella de manera distraída, y siguió con su traducción—, pero al menos mi felicidad no depende de la habilidad de Ron como guardián.

Y pese a que Harry hubiera preferido saltar desde la torre de Astronomía antes que darle la razón a Hermione, habría dado un montón de galeones a cambio de que a él tampoco le interesara el quidditch después de ver el partido del sábado siguiente.

Lo mejor que podía decirse de aquel partido era que fue corto; los espectadores de Gryffindor sólo tuvieron que soportar veintidós minutos de martirio. No resultaba fácil decidir qué había sido lo peor, pero Harry creía que la palma se la disputaban la decimocuarta parada fallida de Ron, el momento en que Sloper no logró darle a la bludger y en cambio golpeó a Angelina en la boca con el bate, y el espectáculo que montó Kirke, que se puso a chillar y cayó de espaldas de su escoba, cuando Zacharias Smith salió zumbando hacia él con la quaffle. El milagro fue que Gryffindor sólo perdió por diez puntos: Ginny consiguió atrapar la snitch cuando la bola estaba debajo de las narices de Summerby, el buscador de Hufflepuff, de modo que el resultado final fue de doscientos cuarenta a doscientos treinta.

—¡Buena jugada! —le dijo Harry a Ginny un poco más tarde en la sala común, donde reinaba una atmósfera parecida a la de un funeral particularmente triste.

—He tenido suerte —replicó ella encogiéndose de hombros—. No era una snitch muy rápida, y Summerby está resfriado: ha estornudado y ha cerrado los ojos justo en el peor momento. Pero cuando tú vuelvas al equipo...

—Me han suspendido de por vida, Ginny.

—Te han suspendido mientras la profesora Umbridge siga en el colegio —lo corrigió ella—. No es lo mismo. En fin, cuando tú vuelvas, creo que me presentaré a las pruebas de cazador. Angelina y Alicia se marchan el año que viene, y de todos modos prefiero marcar goles a buscar. —Harry miró a Ron, que estaba encorvado en una esquina observándose las rodillas y llevaba una botella de cerveza de mantequilla colgando de una mano—. Angelina sigue sin dejarlo renunciar —le explicó Ginny como si le hubiera leído el pensamiento a su amigo—. Dice que está segura de que lo lleva en la sangre.

A Harry le caía bien Angelina por la fe que demostraba tener en Ron, pero al mismo tiempo pensaba que en el fondo le haría un favor si lo dejara abandonar el equipo. Ron había salido del terreno de juego en medio de otro atronador coro de «A Weasley vamos a coronar» entonado con verdadero entusiasmo por los de Slytherin, que ya eran los favoritos para ganar la Copa de quidditch.

Los gemelos se le acercaron.

—Ni siquiera he tenido valor para tomarle el pelo —comentó Fred mirando a su hermano Ron—. Y eso que... cuando se le escapó la decimocuarta... —Hizo unos aspavientos con los brazos, como si nadara al estilo perro—. Bueno, me lo guardo para las fiestas, ¿eh?

Poco después, Ron subió arrastrándose hasta el dormitorio. Harry, por respeto al estado de ánimo de su amigo, tardó un rato en subir a acostarse, para que pudiera hacerse el dormido si le apetecía. Y en efecto, cuando Harry entró en la habitación, Ron roncaba de un modo demasiado exagerado para ser del todo verosímil.

Harry se metió en la cama y se puso a pensar en el partido. Observarlo desde las gradas había resultado muy frustrante. La actuación de Ginny le había impresionado mucho, pero estaba seguro de que de haber jugado él habría logrado atrapar antes la snitch... Hubo un momento en que la pequeña bola alada revoloteó cerca del tobillo de Kirke; si Ginny no hubiera vacilado, habría podido conseguir que Gryffindor ganara, aunque hubiera sido por un pelito.

La profesora Umbridge había contemplado el partido sentada unas cuantas filas por debajo de Harry y Hermione. En un par de ocasiones, la profesora había girado la cabeza para mirarlo, y a él le había parecido que la enorme boca de sapo de la profesora se había dilatado en una sonrisa de regodeo. Aquel recuerdo hizo que Harry, tumbado a oscuras en su cama, se pusiera rojo de ira. Sin embargo, pasados unos minutos recordó que tenía que vaciar su mente de toda emoción antes de dormir, como Snape seguía ordenándole siempre al final de la clase de Oclumancia.

Lo intentó durante un momento, pero la imagen de Snape se superponía a la de la profesora Umbridge, y eso no hacía más que intensificar su profundo resentimiento. De ese modo, en lugar de vaciar su mente, se dio cuenta de que estaba concentrado en pensar lo mucho que odiaba a aquellos dos personajes. Los ronquidos de Ron fueron apagándose poco a poco, y los sustituyó el sonido de su lenta y acompasada respiración. Harry tardó mucho más que su amigo en conciliar el sueño; estaba físicamente cansado, pero le llevó un buen rato desconectar el cerebro.

Soñó que Neville y la profesora Sprout bailaban un vals en la Sala de los Menesteres mientras la profesora McGonagall tocaba la gaita. Él los observaba tranquilamente, hasta que decidía ir a buscar a los otros miembros del ED.

Pero cuando salía de la sala no se encontraba frente al tapiz de Barnabás *el Chiflado*, sino frente a una antorcha que ardía en un soporte, en una pared de piedra. Giraba con lentitud la cabeza hacia la izquierda, y allí, al final del pasillo sin ventanas, había una puerta negra y lisa.

Se dirigía hacia ella con una emoción cada vez mayor. Tenía la extraña sensación de que esa vez, por fin, iba a tener suerte y descubriría la forma de abrirla... Estaba a pocos palmos de ella y veía, con gran entusiasmo, que había una reluciente rendija de débil luz azulada que discurría por la parte de la derecha. La puerta estaba entreabierta. Estiraba un brazo para empujarla y...

Ron soltó un fuerte, bronco y genuino ronquido, y Harry despertó bruscamente con la mano derecha en alto y extendida en la oscuridad para abrir una puerta que estaba a cientos de kilómetros de distancia. Luego la dejó caer con una mezcla de decepción y culpabilidad. Era consciente de que no debía haber visto aquella puerta, pero al mismo tiempo lo consumía hasta tal punto la curiosidad por saber qué había detrás de ella que se enfadó con Ron. ¿No podía haber esperado un minuto más para soltar aquel ronquido?

El lunes por la mañana entraron en el Gran Comedor para desayunar en el preciso instante en que llegaban las lechuzas con el correo. Hermione no era la única que esperaba con avidez su ejemplar de *El Profeta*: casi todos los estudiantes estaban ansiosos por saber más noticias sobre los mortífagos fugitivos, quienes todavía no habían sido detenidos, pese a que muchas personas aseguraban haberlos visto. Entregó un knut a la lechuza que le dio el periódico, y lo desplegó apresuradamente mientras Harry se servía jugo de naranja; como sólo había recibido un mensaje en todo el curso, cuando la primera lechuza aterrizó con un golpe seco delante de él, creyó que se había equivocado.

—¿A quién buscas? —le preguntó apartando lánguidamente su jugo de naranja de debajo del pico de la lechuza, y se inclinó hacia delante para leer el nombre y la dirección del destinatario.

Harry Potter
Gran Comedor
Colegio Hogwarts

Harry frunció el entrecejo y se dispuso a tomar la carta, pero antes de que pudiera hacerlo, tres, cuatro y hasta cinco lechuzas más llegaron volando y se posaron al lado de la primera disputándose un sitio, al mismo tiempo que pisaban la mantequilla y tiraban el salero en sus intentos de entregarle, antes que las demás, la carta que llevaban.

—¿Qué está pasando aquí? —preguntó Ron, asombrado, mientras los demás ocupantes de la mesa de Gryffindor se inclinaban para mirar y siete lechuzas más aterrizaban entre las anteriores, chillando, ululando y agitando las alas.

—¡Harry! —exclamó Hermione, que a continuación hundió las manos en la masa de plumas y levantó una lechuza que llevaba un paquete largo y cilíndrico—. Creo que sé lo que esto significa. ¡Abre ésta primero!

Harry retiró el envoltorio de papel de color marrón y encontró un ejemplar fuertemente enrollado del número de marzo de *El Quisquilloso.* Lo desenrolló y vio su cara, que sonreía tímidamente en la portada. Sobre la imagen de Harry había unas grandes letras rojas que rezaban:

HARRY POTTER HABLA POR FIN:
«TODA LA VERDAD SOBRE
EL-QUE-NO-DEBE-SER-NOMBRADO
Y LA NOCHE QUE LO VI REGRESAR»

¿Te gusta? —le preguntó Luna, que se había acercado a la mesa de Gryffindor y se apretujaba en el banco entre

Fred y Ron—. Salió ayer. Le pedí a mi padre que te enviara un ejemplar gratuito. Supongo que todo esto —añadió señalando las lechuzas, que seguían buscando un lugar frente a Harry— son cartas de los lectores.

—Lo que me imaginaba —dijo Hermione con entusiasmo—. Harry, ¿te importa si...?

—No, hazlo —repuso él con expresión de desconcierto.

Ron y Hermione empezaron a abrir sobres.

—Ésta es de un tipo que cree que estás como una cabra —dijo Ron mientras leía la carta que había tomado—. Ah, bueno...

—Esta mujer te recomienda que hagas un tratamiento de hechizos de choque en San Mungo —comentó Hermione, decepcionada, y arrugó su carta.

—Pues ésta no está mal —afirmó Harry despacio, leyendo por encima una larga carta de una bruja de Paisley—. ¡Eh, dice que me cree!

—Éste está indeciso —terció Fred, que se había apuntado con entusiasmo a abrir cartas—. Dice que no cree que estés loco, pero que no le hace ninguna gracia pensar que Quien-ustedes-saben ha regresado y por eso ahora no sabe qué pensar. ¡Vaya, qué manera de malgastar el pergamino!

—¡A éste también lo has convencido, Harry! —exclamó Hermione, emocionada—. «Después de leer tu versión de la historia, he llegado a la conclusión de que *El Profeta* te ha tratado injustamente... Aunque no me guste pensar que El-que-no-debe-ser-nombrado ha regresado, no tengo más remedio que aceptar que dices la verdad...» ¡Es fantástico!

—Otro que cree que has perdido la cabeza —comentó Ron, y tiró una carta arrugada por encima del hombro—, pero ésta dice que la has convencido y que ahora piensa que eres un verdadero héroe; ¡hasta ha incluido una fotografía suya! ¡Vaya!

—¿Qué está pasando aquí? —preguntó una voz infantil y falsamente dulzona.

Harry, que tenía las manos llenas de sobres, levantó la cabeza. La profesora Umbridge estaba de pie, detrás de Fred y de Luna, y examinaba con sus saltones ojos de sapo el revoltijo de lechuzas y cartas que había encima de la mesa, enfrente de Harry. Y él se dio cuenta de que muchos estudiantes los observaban con avidez.

—¿A qué se debe que recibas tantas cartas, Potter? —le preguntó la profesora Umbridge lentamente.

—¿También es delito recibir correo? —inquirió Fred en voz alta.

—Ten cuidado, Weasley, o tendré que castigarte —respondió la bruja—. ¿Y bien, señor Potter?

Harry vaciló, pero no sabía cómo iba a mantener en secreto lo que había hecho; seguramente, sólo era cuestión de tiempo que un ejemplar de *El Quisquilloso* llegara a manos de la profesora Umbridge.

—La gente me escribe cartas porque me han hecho una entrevista —contestó Harry—. Sobre lo que pasó en junio.

Cuando pronunció esta frase, dirigió la vista hacia la mesa de los profesores sin saber por qué. Harry tuvo la extraña sensación de que un instante antes Dumbledore lo había estado observando, pero cuando miró al director lo vio enfrascado en una conversación con el profesor Flitwick.

—¿Una entrevista? —repitió la profesora Umbridge con una voz más aguda y alta que nunca—. ¿Qué quieres decir con eso?

—Quiero decir que una periodista me hizo preguntas y que yo las contesté. Mire...

Y le lanzó un ejemplar de *El Quisquilloso.* La profesora Umbridge lo agarró al vuelo y se quedó contemplando la portada. Inmediatamente, su blancuzco rostro se cubrió de desagradables manchas violetas.

—¿Cuándo has hecho esto? —le preguntó con voz ligeramente temblorosa.

—En la última excursión a Hogsmeade —contestó Harry.

La profesora lo miró rabiosa mientras la revista temblaba entre sus regordetes dedos.

—Se te han acabado los fines de semana en Hogsmeade, Potter —susurró—. ¿Cómo te atreves..., cómo has podido...? —Inspiró hondo—. He intentado mil veces enseñarte a no decir mentiras. Por lo visto todavía no has captado el mensaje. Cincuenta puntos menos para Gryffindor y otra semana de castigos.

Se marchó muy indignada, con el ejemplar de *El Quisquilloso* contra el pecho, y los estudiantes la siguieron con la mirada.

A media mañana aparecieron colgados enormes letreros por todo el colegio, no sólo en los tablones de anuncios, sino también en los pasillos y en las aulas.

POR ORDEN DE LA SUMA INQUISIDORA
DE HOGWARTS

Cualquier estudiante al que se sorprenda en posesión de la revista El Quisquilloso *será expulsado del colegio.*

Esta norma se ajusta al Decreto de Enseñanza n.º 27.

Firmado:

Dolores Jane Umbridge
Suma Inquisidora

Por algún extraño motivo, a Hermione se le iluminaba la cara cada vez que veía uno de esos letreros.

—¿Se puede saber por qué estás tan contenta? —le preguntó Harry.

—¡Ay, Harry! ¿No lo entiendes? —exclamó Hermione—. ¡Si algo puede haber hecho la profesora Umbridge para tener la certeza absoluta de que hasta el último estudiante de este colegio lea tu entrevista, es prohibirla!

Y por lo visto Hermione tenía razón. Hacia el final del día, aunque Harry no había visto ni un trocito de *El Quisquilloso* en todo el colegio, los alumnos hablaban entre sí de la entrevista. Harry oyó que cuchicheaban mientras esperaban en fila para entrar en las aulas, y que la comentaban a la hora de comer y durante las clases; además, Hermione le informó de que las chicas también hablaban de la noticia en los baños cuando ella entró allí un momento antes de la clase de Runas Antiguas.

—Entonces me han visto, y como saben que te conozco, me han bombardeado a preguntas —le contó con los ojos relucientes—. Y me parece que te creen, Harry, de verdad, ¡creo que por fin los has convencido!

Entre tanto, la profesora Umbridge recorría el colegio parando a los estudiantes al azar, y les exigía que se vaciaran los bolsillos y le enseñaran los libros; Harry sabía que lo que buscaba era ejemplares de *El Quisquilloso*, pero los alumnos le llevaban ventaja: habían embrujado las páginas de la entrevista de Harry para que parecieran fragmentos de libros de texto por si las leía alguien que no fuera ellos, o las habían borrado mediante magia, y esperaban el momento adecuado para leerlas. Al poco tiempo daba la impresión de que todo el alumnado había leído la entrevista.

Los profesores tenían prohibido mencionar la entrevista según el Decreto de Enseñanza n.º 26, por supuesto, pero aun así encontraron formas de expresar lo que opinaban de ella. La profesora Sprout concedió veinte puntos a Gryffindor cuando Harry le acercó una regadera; el profesor Flitwick le puso una caja de ratones de azúcar chillones en las manos al finalizar la clase de Encantamientos, y luego dijo: «¡Chissst!» y se alejó a toda prisa; y la profesora Trelawney lloró como una histérica durante la clase de Adivinación y anunció a la desconcertada clase, y a la profesora Umbridge, que la contemplaba con gesto de desaprobación, que no era cierto que Harry moriría prematuramente, sino que llegaría a ser muy viejo, se convertiría en ministro de Magia y tendría doce hijos.

Sin embargo, lo que hizo más feliz a Harry fue que al día siguiente Cho lo alcanzara por un pasillo cuando él se dirigía a la clase de Transformaciones, y antes de que se diera cuenta de lo que estaba pasando, Cho le tomara de la mano y le susurrara al oído: «Lo siento muchísimo. Esa entrevista es un verdadero acto de valentía. Me ha hecho llorar.»

Harry lamentó que Cho hubiera llorado por culpa de aquel tema, pero se alegraba mucho de que volvieran a ser amigos, y se puso aún más contento cuando Cho le dio un fugaz beso en la mejilla y se alejó corriendo. Y lo más increíble fue que, en cuanto Harry llegó al aula de Transformaciones, ocurrió algo francamente asombroso: Seamus se separó de la fila para hablar con él.

—Sólo quería decirte que te creo —masculló mirando la rodilla izquierda de Harry con los ojos entrecerrados—. Y que he enviado un ejemplar de esa revista a mi madre.

Y si algo hacía falta para redondear la felicidad de Harry, fue la reacción de Malfoy, Crabbe y Goyle. Los vio con las cabezas juntas a última hora de la tarde en la biblioteca; estaban con un chico enclenque que, según le dijo Hermione al oído, se llamaba Theodore Nott. Giraron la cabeza para mirar a Harry mientras él buscaba por las estanterías un libro sobre desaparición parcial que necesitaba: Goyle hizo crujir los nudillos, como si lo amenazara, y Malfoy le susurró algo sin duda malicioso a Crabbe. Harry sabía perfectamente por qué se comportaban así: él había identificado a sus respectivos padres como mortífagos.

—¡Y lo mejor de todo es que no pueden contradecirte porque tendrían que admitir que han leído el artículo! —dijo en voz baja Hermione, con regocijo, cuando abandonaban la biblioteca.

Por si fuera poco, a la hora de cenar, Luna le informó de que ningún otro número de *El Quisquilloso* se había agotado tan deprisa.

—¡Mi padre está haciendo una reimpresión! —le explicó a Harry con los ojos fuera de las órbitas—. ¡No puede creerlo; dice que a la gente le interesa más esta historia que la de los snorkacks de cuernos arrugados!

Aquella noche Harry recibió tratamiento de héroe en la sala común de Gryffindor. Fred y George, con gran osadía, le habían hecho un encantamiento de ampliación a la portada de *El Quisquilloso* y la habían colgado en la pared, de modo que la gigantesca cabeza de Harry presidía la reunión desde lo alto, y decía de vez en cuando cosas como: «LOS DEL MINISTERIO SON UNOS IMBÉCILES» o «CHÚPATE ÉSA, UMBRIDGE» con voz atronadora. Hermione no lo encontró muy divertido; dijo que le impedía concentrarse, y acabó acostándose temprano de lo fastidiada que estaba. Harry tuvo que reconocer, pasadas un par de horas, que el póster ya no resultaba tan gracioso, sobre todo cuando empezaron a agotarse los efectos del hechizo parlante y sólo gritaba palabras inconexas, como «CHÚPATE» y «UMBRIDGE», a intervalos cada vez más frecuentes y con una voz cada vez más alta. De hecho, aquellos gritos comenzaron a producirle dolor de cabeza, y la cicatriz volvía a molestarle mucho. Al final, pese a las exclamaciones de desilusión de los estudiantes que estaban sentados a su alrededor y que le pedían que reviviera su entrevista por enésima vez, Harry anunció que él también necesitaba acostarse pronto.

Cuando llegó al dormitorio lo encontró vacío. Apoyó un momento la frente en el frío cristal de la ventana que había junto a su cama, y eso le alivió un tanto el dolor. A continuación, se desvistió y se metió en la cama con la esperanza de que se le pasara. También estaba un poco mareado. Se tumbó sobre un costado, cerró los ojos y se quedó dormido casi al instante...

Estaba de pie en una habitación oscura con cortinas, iluminada con unas pocas velas, y agarraba con ambas manos el respaldo de una silla que tenía delante. Eran unas manos blancas de largos dedos, como si no hubieran visto la luz del sol durante años, y parecían enormes y pálidas arañas contra el oscuro terciopelo de la silla. Frente a ésta, bajo la luz que proyectaban las velas, estaba arrodillado un hombre que llevaba una túnica negra.

—Al parecer me han aconsejado mal —decía Harry con una voz fría y aguda, cargada de ira.

—Le ruego que me perdone, amo —respondía con voz ronca el hombre que se encontraba arrodillado en el suelo. La luz de las velas se reflejaba en su nuca. Estaba temblando.

—No te culpo a ti, Rookwood —afirmaba Harry, que seguía hablando con aquella voz fría y cruel.

Soltaba la silla, pasaba junto a ella y se acercaba al hombre que estaba encogido de miedo en el suelo, hasta situarse enfrente de él en la oscuridad, y miraba hacia abajo desde una altura mucho mayor de la habitual.

—¿Estás seguro de lo que dices, Rookwood? —preguntaba Harry.

—Sí, mi señor, sí... Yo trabajé en el Departamento después..., después de todo...

—Avery me dijo que Bode podría sacarla de allí.

—Bode jamás habría podido tomarla, amo... Bode debía de saber que no podía... Sin duda fue por eso por lo que se defendió tanto contra la maldición *imperius* que le echó Malfoy...

—Levántate, Rookwood —susurraba Harry.

El hombre arrodillado casi se caía con las prisas por obedecer. Tenía la cara picada de viruela y la luz de las velas daba relieve a las cicatrices. Al ponerse en pie permanecía un poco encorvado, como si se hubiera quedado a media reverencia, y lanzaba miradas aterradas a Harry.

—Has hecho bien contándome eso —decía Harry—. Muy bien... Por lo visto he malgastado meses urdiendo planes inútiles... Pero no importa, volveremos a empezar. Cuentas con la gratitud de lord Voldemort, Rookwood.

—Sí, mi señor —contestaba éste con voz ahogada y ronca, cargada de alivio.

—Voy a necesitar tu ayuda. Voy a necesitar toda la información que puedas conseguir.

—Por supuesto, mi señor, por supuesto... Haría cualquier cosa...

—Muy bien, ya puedes irte. Envíame a Avery. —Rookwood salía caminando hacia atrás, haciendo reverencias, y desaparecía por una puerta.

Harry, a solas en la habitación en penumbra, se volvía hacia la pared, donde había colgado un viejo espejo rajado y con manchas. Harry iba hacia él. Su reflejo se hacía más grande y más nítido en la oscuridad... Veía una cara más blanca que una calavera, unos ojos rojos con unas pupilas que parecían rendijas...

—¡NOOOOOO!

—¿Qué pasa? —preguntó una voz.

Harry agitó los brazos, desesperado, se enredó en los cortinajes y cayó de la cama. Durante unos segundos no supo dónde se hallaba; estaba convencido de que volvería a ver de inmediato la cara blanca que parecía una calavera, pero entonces, muy cerca de él, la voz de Ron dijo:

—¿Quieres dejar de comportarte como un loco para que pueda sacarte de aquí?

Ron arrancó las cortinas y Harry, tumbado boca arriba y sintiendo un intenso dolor en la cicatriz, vio a su amigo bajo la luz de la luna. Ron debía de estar a punto de acostarse porque tenía un brazo fuera de la túnica.

—¿Han vuelto a atacar a alguien? —preguntó Ron al mismo tiempo que ayudaba a Harry a levantarse—. ¿A mi padre? ¿Ha sido esa serpiente otra vez?

—No, todos están bien —contestó Harry de forma entrecortada y con la frente ardiendo—. Bueno, Avery no... Él está metido en un lío... Le dio una información equivocada... Voldemort está muy enfadado...

Harry soltó un gemido y se desplomó temblando en la cama mientras se frotaba la cicatriz.

—Pero ahora Rookwood va a ayudarlo... Vuelve a estar sobre la pista correcta...

—Pero ¿de qué estás hablando? —dijo Ron, muy asustado—. ¿Insinúas... que has visto a Quien-tú-sabes?

—Yo era Quien-tú-sabes —lo corrigió Harry, y extendió las manos en la oscuridad y se las acercó a la cara para comprobar que ya no eran de un blanco mortal y que no tenían aquellos largos dedos—. Estaba con Rookwood, es uno de los mortífagos que se fugaron de Azkaban, ¿te acuerdas? Rookwood acaba de decirle que Bode no habría podido hacerlo.

—¿Que no habría podido hacer qué?

—Sacar algo... Dijo que Bode debía de saber que no habría podido hacerlo... Bode estaba bajo la maldición *imperius*... Creo que dijo que se la había echado Malfoy.

—¿Embrujaron a Bode para sacar algo de algún sitio? Pero... Harry, tiene que ser...

—El arma —confirmó él terminando la frase de Ron—. Ya lo sé.

Entonces se abrió la puerta del dormitorio y entraron Dean y Seamus. Harry subió las piernas a la cama. No quería que se notara que había pasado algo raro, puesto que hacía muy poco que Seamus pensaba que Harry no estaba chiflado.

—¿Qué has dicho? —murmuró Ron acercando la cabeza a la de Harry y fingiendo que se servía un poco de agua de la jarra que había en su mesilla de noche—. ¿Que eras Quien-tú-sabes?

—Sí —afirmó Harry en voz baja.

Ron bebió un gran sorbo de agua que no necesitaba y Harry vio que se le derramaba por la barbilla y por el pecho.

—Harry —dijo mientras Dean y Seamus iban de aquí para allá haciendo ruido, quitándose las túnicas y hablando entre ellos—, tienes que contárselo...

—No tengo que contárselo a nadie —le contradijo su amigo de manera cortante—. No habría visto nada de todo eso si supiera hacer Oclumancia. Se supone que he aprendido a no tener esas visiones. Eso es precisamente lo que quieren.

Con el «quieren» se refería a Dumbledore. Se metió de nuevo en la cama y se tumbó sobre un costado, dándole la espalda a Ron; al cabo de un rato, oyó crujir el colchón de su amigo, que también se había acostado. Entonces a Harry empezó a arderle la cicatriz y mordió con fuerza la almohada para no hacer ningún ruido. Sabía que en algún lugar estaban castigando a Avery.

Al día siguiente, Harry y Ron esperaron hasta la hora del recreo para contarle a Hermione lo que había pasado; querían estar completamente seguros de que nadie los oiría. De pie en su rincón de siempre del frío y ventoso patio, Harry le relató su sueño con todos los detalles que pudo recordar. Cuando hubo terminado, su amiga no dijo nada durante unos momentos; se quedó mirando fijamente a Fred y George, que se paseaban sin cabeza por el otro extremo del patio mientras vendían los sombreros mágicos que llevaban escondidos debajo de las capas.

—Así que es por eso por lo que lo mataron —comentó entonces con voz queda, y apartó por fin la vista de los gemelos—. Cuando Bode intentaba robar esa arma, le ocurrió algo raro. Supongo que, para impedir que la toquen, debe de tener hechizos defensivos encima o alrededor de ella. Por eso Bode estaba en San Mungo, porque tenía el cerebro afectado y no podía hablar. Pero ¿se acuerdan de lo que nos dijo la sanadora? Aseguró que se estaba recuperando. Y ellos no podían arriesgarse a que se recuperara del todo, ¿no? Quiero decir que la conmoción o lo que fuera que sufrió Bode al tocar esa arma, seguramente provocó que la maldición *imperius* dejara de ejercer efecto sobre él. En cuanto recobrara la voz, explicaría lo que había estado haciendo, ¿verdad? Se habría sabido que lo habían enviado a robar el arma. A Lucius Malfoy debió de resultarle fácil echarle la maldición porque se pasa la vida en el Ministerio, ¿no es así?

—Hasta estaba por allí el día que se celebró mi vista —comentó Harry—. En el... Un momento —dijo lentamente—. ¡Aquel día estaba en el pasillo del Departamento de Misterios! Tu padre, Ron, comentó que era probable que estuviera intentando colarse allí abajo y averiguar qué había pasado en mi vista, pero ¿y si...?

—¡Sturgis! —exclamó Hermione con un grito ahogado de estupefacción.

—¿Cómo dices? —preguntó Ron sin comprender.

—¡A Sturgis Podmore lo detuvieron por intentar colarse por una puerta! —exclamó Hermione con voz entrecortada—. ¡Lucius Malfoy también debió de echarle una maldición a él! Apuesto algo a que lo hizo el día que tú lo viste allí, Harry. Sturgis llevaba la capa de Moody, ¿verdad? ¿Y si estaba plantado junto a la puerta, manteniéndose invisible, y Malfoy lo oyó moverse, o adivinó que había alguien allí, o sencillamente lanzó la maldición *imperius* para ver si por casualidad había un vigilante apostado en aquel lugar? Y en cuanto a Sturgis se le presentó una ocasión, probablemente cuando volvió a tocarle montar guardia, intentó entrar en el Departamento para robar el arma para Voldemort... Tranquilo, Ron... Pero lo descubrieron y lo enviaron a Azkaban... —Hermione miró fijamente a Harry—. ¿Y ahora Rookwood le ha explicado a Voldemort cómo conseguir el arma?

—No oí toda la conversación, pero eso fue lo que me pareció —confirmó Harry—. Rookwood trabajaba allí... ¿Y si Voldemort envía a Rookwood a robarla?

Hermione asintió con la cabeza, abstraída. De repente dijo:

—Pero no debiste ver nada de todo eso, Harry.

—¿Qué? —dijo él sin comprender.

—Se supone que estás aprendiendo a cerrar tu mente a esas cosas —comentó Hermione con severidad.

—Ya lo sé, pero...

—Mira, creo que deberíamos intentar olvidar lo que has visto —añadió Hermione con firmeza—. Y a partir de ahora también deberías poner un poco más de empeño en las clases de Oclumancia.

Harry se enfadó tanto con ella que no le dirigió la palabra durante el resto del día, que nuevamente resultó ser un asco. Cuando en los pasillos no se comentaba el tema de los mortífagos fugados, la gente se reía de la pésima actuación de los de Gryffindor en su partido contra Hufflepuff, y los de Slytherin cantaron «A Weasley vamos a coronar» tan fuerte y tan a menudo que antes de que el sol se pusiera, Filch, harto de la cancioncilla, la había prohibido.

La situación no mejoró con el paso de los días. Harry recibió otras dos D en Pociones; todavía estaba en ascuas por si despedían a Hagrid, y no podía dejar de pensar en el sueño en que él era Voldemort, aunque no volvió a hablar sobre ello ni con Ron ni con Hermione porque no quería que su amiga volviera a regañarlo. Le habría encantado hablar de aquel tema con Sirius, pero eso estaba descartado, así que intentó confinar el asunto a lo más recóndito de su mente.

Aunque, por desgracia, lo más recóndito de su mente había dejado de ser un lugar seguro.

—Levántate, Potter.

Un par de semanas después de soñar con Rookwood, Harry volvía a estar arrodillado en el suelo del despacho de Snape, intentando vaciar su mente. Snape acababa de obligarlo una vez más a revivir un caudal de recuerdos muy antiguos que él ni siquiera era consciente de conservar, y la mayoría estaban relacionados con humillaciones que le habían infligido Dudley y sus compinches en la escuela primaria.

—¿Qué era ese último recuerdo? —preguntó Snape.

—No lo sé —contestó Harry, y se puso en pie cansinamente. Cada vez le resultaba más difícil desenredar los recuerdos del torrente de imágenes y sonidos que Snape le hacía evocar—. ¿Ese en que mi primo intentaba que metiera los pies en el inodoro?

—No —dijo el profesor en voz baja—. Me refiero al del hombre arrodillado en medio de una habitación en penumbra.

—No es... nada —mintió Harry.

Snape taladró al muchacho con sus oscuros ojos, pero éste, recordando el comentario del profesor de que el contacto visual era indispensable para la Legeremancia, parpadeó y desvió la mirada.

—¿Qué hacen ese hombre y esa habitación dentro de tu cabeza, Potter? —insistió Snape.

—Sólo es... —balbuceó él mirando a todas partes menos a Snape—, sólo es... un sueño que tuve.

—¿Un sueño? —Hubo una pausa durante la cual Harry fijó la vista en una gran rana muerta que flotaba en un tarro lleno de un líquido de color morado—. Sabes por qué estamos aquí, ¿verdad, Potter? —le preguntó Snape con voz débil pero amenazadora—. Sabes por qué estoy sacrificando mi tiempo libre y realizo esta tediosa tarea, ¿no?

—Sí —contestó Harry fríamente.

—Recuérdame por qué estamos aquí, Potter.

—Para que pueda aprender Oclumancia —repuso él mientras miraba una anguila muerta, desafiante.

—Correcto, Potter. Y pese a lo torpe que eres —Harry miró con odio a Snape—, creía que después de más de dos meses de clases habrías progresado algo. ¿Cuántos sueños más sobre el Señor Tenebroso has tenido?

—Sólo ése —mintió.

—A lo mejor —prosiguió Snape entrecerrando ligeramente sus fríos y oscuros ojos—, a lo mejor resulta que te gusta tener esas visiones y esos sueños, Potter. Tal vez hacen que te sientas especial, importante...

—No —repuso Harry con las mandíbulas apretadas y los dedos fuertemente cerrados alrededor de su varita mágica.

—Me alegro, Potter —repuso Snape con frialdad—, porque no eres ni especial ni importante, y no te corresponde a ti averiguar qué dice el Señor Tenebroso a sus mortífagos.

—No, eso le corresponde a usted, ¿verdad? —le espetó Harry.

Lo dijo sin querer, las palabras salieron por su boca impulsadas por la rabia que sentía. Se miraron fijamente; Harry estaba convencido de que había ido demasiado lejos. Pero cuando Snape habló, lo hizo con una expresión curiosa, casi de satisfacción.

—Sí, Potter —afirmó, y sus ojos destellaron—. Ése es mi trabajo. Y ahora, si estás preparado, volveremos a empezar. —Snape levantó la varita y dijo—: Uno, dos, tres, *¡Legeremens!*

Un centenar de dementores se abatían sobre Harry cruzando el lago de los jardines de Hogwarts... Harry hizo una mueca de concentración... Cada vez estaban más cerca... Veía los oscuros agujeros que había bajo sus capuchas... Y, sin embargo, también veía a Snape enfrente de él, que lo observaba con atención al mismo tiempo que murmuraba por lo bajo... Y la imagen de Snape cada vez era más clara, y la de los dementores más débil...

Harry levantó su varita.

—*¡Protego!*

Snape se tambaleó, su varita saltó por los aires, lejos de Harry, y de pronto la mente del chico se llenó de recuerdos que no eran suyos: un hombre de nariz aguileña gritaba a una mujer que se encogía de miedo, mientras un niño de cabello oscuro lloraba en un rincón... Un adolescente de cabello grasiento estaba sentado, solo, en un oscuro dormitorio, y apuntaba al techo con su varita mágica para matar moscas... Una muchacha reía mientras un chico escuálido intentaba montar en una escoba que no paraba de dar sacudidas...

—¡BASTA!

Harry sintió como si lo hubieran empujado con fuerza por el pecho; dio unos pasos hacia atrás tambaleándose, chocó contra una de las estanterías que cubrían las paredes del despacho de Snape, y oyó que algo se rompía. El profesor temblaba ligeramente y estaba muy pálido.

Harry tenía la parte de atrás de la túnica mojada. Uno de los tarros que había en la estantería contra la que había chocado se había roto, y el elemento viscoso que había dentro giraba como un remolino en el líquido que se derramaba.

—*¡Reparo!* —exclamó Snape por lo bajo, y el tarro se selló de inmediato—. Bueno, Potter, veo que vas mejorando... —Jadeando ligeramente, Snape enderezó el pensadero en el que había vuelto a almacenar algunos de sus pensamientos antes de iniciar la clase, como si quisiera comprobar que seguían allí—. No recuerdo haberte dicho que utilizaras un encantamiento escudo, pero no cabe duda de que ha surtido efecto...

Harry no dijo nada, pues tenía la impresión de que decir algo podría resultar peligroso. Estaba seguro de que acababa de entrar en los recuerdos de Snape, y que había contemplado algunas escenas de su infancia. Resultaba desconcertante pensar que aquel niño, que lloraba mientras veía cómo sus padres se gritaban, se encontraba en esos momentos de pie ante él mirándolo con ojos llenos de odio.

—Volvamos a intentarlo —dijo Snape.

Harry se estremeció de miedo; estaba a punto de pagar por lo que acababa de pasar, estaba convencido de ello. Se colocaron de nuevo en sus posiciones, separados por la mesa. Harry temía que esa vez le costara mucho más vaciar su mente.

—Contaré hasta tres —le avisó Snape, y levantó la varita una vez más—. Uno, dos... —Harry no tuvo tiempo para prepararse e intentar vaciar su mente antes de que Snape gritara—: *¡Legeremens!*

Iba corriendo por el pasillo de paredes de piedra con antorchas hacia el Departamento de Misterios; la puerta negra cada vez era más grande. Corría tanto que iba a chocar contra ella; estaba a pocos palmos y volvía a ver aquella rendija de débil luz azulada.

¡La puerta se había abierto! Por fin había entrado por ella, y se encontraba en una sala circular de paredes y suelo negros, iluminada por velas de llama azul, y había más puertas a su alrededor. Tenía que seguir adelante, pero ¿cuál debía abrir?

—¡POTTER!

Harry abrió los ojos. Volvía a estar tumbado boca arriba, pero no recordaba cómo había llegado hasta allí; jadeaba como si de verdad hubiera atravesado corriendo el pasillo del Departamento de Misterios, hubiera entrado apresuradamente por la puerta negra y se hubiera encontrado en la sala circular.

—¡Explícate! —le ordenó Snape, que estaba plantado delante de él, furioso.

—No..., no sé qué ha pasado —respondió Harry con sinceridad al mismo tiempo que se levantaba. Tenía un chichón en la parte de atrás de la cabeza, del golpe que se había dado contra el suelo, y sentía como si tuviera fiebre—. Es la primera vez que lo veo. Ya se lo he dicho, he soñado otras veces con esa puerta, pero nunca se había abierto...

—¡No te esfuerzas lo suficiente! —Por algún extraño motivo, Snape parecía aún más enojado de lo que lo estaba hacía dos minutos, cuando Harry había visto los recuerdos del profesor—. Eres perezoso y descuidado, Potter, no me extraña que el Señor Tenebroso...

—¿Puede decirme una cosa, señor? —lo interrumpió Harry con renovado ímpetu—. ¿Por qué llama a Voldemort, Señor Tenebroso? Sólo he oído a los mortífagos llamarlo así.

Snape despegó los labios e hizo una mueca de desdén, pero entonces se oyó gritar a una mujer fuera del despacho. El profesor levantó la cabeza y miró hacia el techo.

—¿Qué demonios...? —masculló. Harry oyó ruidos amortiguados que provenían, al parecer, del vestíbulo. Snape miró alrededor, ceñudo—. ¿Has visto algo raro cuando venías hacia aquí, Potter?

Harry hizo un gesto negativo con la cabeza y la mujer volvió a gritar. Snape fue a grandes zancadas hacia la puerta del despacho, con la varita en ristre, y salió. Tras vacilar unos instantes, el chico lo siguió.

Los gritos, efectivamente, procedían del vestíbulo, y se hicieron más fuertes cuando Harry corrió hacia la escalera de piedra. Cuando llegó al vestíbulo, lo encontró abarrotado: los estudiantes habían salido en tropel del Gran Comedor, donde todavía se estaba sirviendo la cena, para ver qué pasaba; otros se habían amontonado en la escalera de mármol. Harry se abrió paso a empujones entre un grupo de alumnos de Slytherin, que eran muy altos, y vio que los curiosos habían formado un gran corro; algunos se veían asombrados, y otros, incluso aterrados. La profesora McGonagall se hallaba enfrente de Harry, al otro lado del vestíbulo, y daba la impresión de que lo que estaba viendo le producía un débil mareo.

La profesora Trelawney se encontraba de pie en medio del vestíbulo, sosteniendo la varita en una mano y una botella vacía de jerez en la otra, completamente enloquecida. Tenía el pelo parado, las gafas se le habían torcido, de modo que uno de los ojos aparecía más grande que el otro, y sus innumerables chales y bufandas le colgaban desordenadamente de los hombros causando la impresión de que se le habían descosido las costuras. En el suelo, junto a ella, había dos grandes baúles, uno de ellos volcado, como si se lo hubieran lanzado desde la escalera. La profesora Trelawney miraba fijamente, con gesto de terror, algo que Harry no distinguía, pero que al parecer estaba al pie de la escalera.

—¡No! —gritó la profesora Trelawney—. ¡NO! ¡Esto no puede ser! ¡No puede ser! ¡Me niego a aceptarlo!

—¿No se imaginaba que iba a pasar esto? —preguntó una voz aguda e infantil con un dejo de crueldad; Harry, que se había desplazado un poco hacia la derecha, vio que la aterradora visión de la profesora Trelawney no era ni más ni menos que la profesora Umbridge—. Pese a que es usted incapaz de predecir ni siquiera el tiempo que hará mañana, debió darse cuenta de que su lamentable actuación durante mis supervisiones, y sus nulos progresos, provocarían su despido.

—¡N-no p-puede! —bramó la profesora Trelawney, a quien las lágrimas le resbalaban por las mejillas por detrás de sus enormes gafas—. ¡No p-puede despedirme! ¡Llevo d-dieciséis años aquí! ¡Hogwarts es m-mi hogar!

—Era su hogar hasta hace una hora, en el momento en que el ministro de Magia firmó su orden de despido —la corrigió la profesora Umbridge, y Harry sintió asco al ver que el placer le ensanchaba aún más la cara de sapo mientras contemplaba cómo la profesora Trelawney, que lloraba desconsoladamente, se desplomaba sobre uno de sus baúles—. Así que haga el favor de salir de este vestíbulo. Nos está molestando.

Sin embargo, la profesora Umbridge se quedó donde estaba, regodeándose con la imagen de la profesora Trelawney, que gemía, se estremecía y se mecía hacia delante y hacia atrás sobre su baúl en el paroxismo del dolor. Harry oyó un sollozo amortiguado a su izquierda y giró la cabeza. Lavender y Parvati lloraban en silencio, tomadas del brazo. Luego oyó pasos. La profesora McGonagall había salido de entre los espectadores, había ido directamente hacia la profesora Trelawney y le estaba dando firmes palmadas en la espalda al mismo tiempo que se sacaba un gran pañuelo de la túnica.

—Toma, Sybill, toma... Tranquilízate... Suénate con esto... No es tan grave como parece... No tendrás que marcharte de Hogwarts...

—¿Ah, no, profesora McGonagall? —dijo la profesora Umbridge con una voz implacable, y dio unos pasos hacia delante—. ¿Y se puede saber quién la ha autorizado para hacer esa afirmación?

—Yo —contestó una voz grave.

Las puertas de roble se habían abierto de par en par. Los estudiantes que estaban más cerca de ellas se apartaron y Dumbledore apareció en el umbral. Harry no tenía ni idea de qué debía de haber estado haciendo el director en los jardines, pero tenía un aire imponente allí plantado, como si lo enmarcara una extraña neblina nocturna. Dumbledore dejó las puertas abiertas y avanzó, dando grandes zancadas a través del corro de curiosos, hacia la profesora Trelawney, quien seguía temblando y llorando sobre su baúl, con la profesora McGonagall a su lado.

—¿Usted, profesor Dumbledore? —se extrañó la profesora Umbridge con una risita particularmente desagradable—. Me temo que no ha comprendido bien la situación. Aquí tengo —dijo, y sacó un rollo de pergamino de la túnica— una orden de despido firmada por mí y por el ministro de Magia. Según el Decreto de Enseñanza número veintitrés, la Suma Inquisidora de Hogwarts tiene poder para supervisar, poner en periodo de prueba y despedir a cualquier profesor que en su opinión, es decir, la mía, no esté al nivel exigido por el Ministerio de Magia. He decidido que la profesora Trelawney no da el ancho, y la he despedido.

Para gran sorpresa de Harry, Dumbledore siguió sonriendo. Miró a la profesora Trelawney, que no dejaba de sollozar e hipar sobre su baúl, y dijo:

—Tiene usted razón, desde luego, profesora Umbridge. Como Suma Inquisidora, está en su perfecto derecho de despedir a mis profesores. Sin embargo, no tiene autoridad para echarlos del castillo. Me temo que la autoridad para hacer eso todavía la ostenta el director —dijo, e hizo una pequeña reverencia—, y yo deseo que la profesora Trelawney siga viviendo en Hogwarts.

Al escuchar las palabras de Dumbledore, la profesora Trelawney soltó una risita nerviosa que no logró disimular un hipido.

—¡No, no! ¡M-me m-marcharé, Dumbledore! M-me iré de Ho-Hogwarts y b-buscaré fortuna en otro lugar...

—No —dijo Dumbledore, tajante—. Yo deseo que usted permanezca aquí, Sybill. —Se volvió hacia la profesora McGonagall y añadió—: ¿Le importaría acompañar a Sybill arriba, profesora McGonagall?

—En absoluto —repuso ésta—. Vamos, Sybill, levántate...

La profesora Sprout salió apresuradamente de entre la multitud y agarró a la profesora Trelawney por el otro brazo. Juntas la guiaron hacia la escalera de mármol pasando por delante de la profesora Umbridge. El profesor Flitwick corrió tras ellas con la varita en ristre, gritó: «*¡Baúl locomotor!*», y el equipaje de la profesora Trelawney se elevó por los aires y la siguió escaleras arriba. El profesor Flitwick cerraba la comitiva.

La profesora Umbridge no se había movido, y miraba de hito en hito a Dumbledore, que continuaba sonriendo con benevolencia.

—¿Y qué piensa hacer cuando yo nombre a un nuevo profesor de Adivinación que necesitará las habitaciones de la profesora Trelawney? —le preguntó la profesora Umbridge en un susurro que se oyó por todo el vestíbulo.

—¡Ah, eso no supone ningún problema! —contestó Dumbledore en tono agradable—. Verá, ya he encontrado a un nuevo profesor de Adivinación, y resulta que prefiere alojarse en la planta baja.

—¿Que ha encontrado...? —repitió la profesora Umbridge con voz chillona—. ¿Que usted ha encontrado...? Permítame que le recuerde, profesor Dumbledore, que el Decreto de Enseñanza número veintidós...

—El Ministerio sólo tiene derecho a nombrar un candidato adecuado en el caso de que el director no consiga encontrar uno —la interrumpió Dumbledore—. Y me complace comunicarle que en esta ocasión lo he conseguido. ¿Me permite que se lo presente?

Entonces se dio la vuelta hacia las puertas, que seguían abiertas y dejaban pasar la neblina. Harry oyó ruido de cascos. Un murmullo de asombro recorrió el vestíbulo, y los que estaban más cerca de las puertas se apartaron rápidamente; algunos hasta tropezaron con las prisas por abrir camino al recién llegado.

A través de la niebla apareció un rostro que Harry ya había visto antes, una noche oscura y llena de peligros, en el Bosque Prohibido: tenía el cabello rubio, casi blanco, y los ojos de un azul espectacular; eran la cabeza y el torso de un hombre unidos al cuerpo de un caballo claro con la crin y la cola blancas.

—Le presento a Firenze —le dijo Dumbledore alegremente a la perpleja profesora Umbridge—. Creo que lo encontrará adecuado.

27

El centauro y el pitazo

—Supongo que ahora lamentarás haberte dado de baja de Adivinación, ¿verdad, Hermione? —comentó Parvati con una sonrisita de suficiencia.

Era la hora del desayuno, dos días después del despido de la profesora Trelawney, y Parvati se estaba rizando las pestañas con la varita y examinaba el resultado en la parte de atrás de una cuchara. Aquella mañana iban a tener la primera clase con Firenze.

—Pues no, la verdad —contestó Hermione con indiferencia mientras leía *El Profeta*—. Nunca me han gustado los caballos.

Pasó la página del periódico y echó un vistazo a las columnas.

—¡No es un caballo, es un centauro! —exclamó Lavender, indignada.

—Un centauro precioso, por cierto —añadió Parvati.

—Sí, pero sigue teniendo cuatro patas —comentó Hermione fríamente—. Además, ¿ustedes dos no estaban tan disgustadas porque habían despedido a la profesora Trelawney?

—¡Y lo estamos! —le aseguró Lavender—. Fuimos a verla a su despacho y le llevamos un ramo de narcisos, y no eran de esos que graznan como los de la profesora Sprout, sino unos muy bonitos.

—¿Cómo está? —preguntó Harry.

—No muy bien, pobrecilla —respondió Lavender con compasión—. Se puso a llorar y dijo que prefería marcharse para siempre del castillo a permanecer bajo el mismo techo que Dolores Umbridge, y no me extraña, porque la profesora Umbridge ha sido muy cruel con ella, ¿no les parece?

—Tengo la sospecha de que la profesora Umbridge no ha hecho más que empezar a ser cruel —dijo Hermione misteriosamente.

—Imposible —terció Ron, que se estaba zampando un gran plato de huevos con tocino—. No puede volverse peor de lo que es.

—Ya verás, intentará vengarse de Dumbledore por haber nombrado a un nuevo profesor sin consultarlo con ella —sentenció Hermione mientras cerraba el periódico—. Y más aún tratándose de un semihumano. ¿Se fijaron en la cara que puso al ver a Firenze?

Después de desayunar, Hermione fue a su clase de Aritmancia, y Harry y Ron siguieron a Parvati y Lavender al vestíbulo, pues tenían clase de Adivinación.

—¿No hemos de subir a la torre norte? —preguntó Ron, desconcertado, al ver que Parvati no subía por la escalera de mármol.

La chica lo miró desdeñosamente por encima del hombro.

—¿Cómo quieres que Firenze suba por esa escalerilla? Ahora las clases de Adivinación se imparten en el aula once. Ayer pusieron una nota en el tablero de anuncios.

El aula once estaba en la planta baja, en el pasillo que salía del vestíbulo, al otro lado del Gran Comedor. Harry sabía que era una de las aulas que no se utilizaban con regularidad, y que por eso en ella reinaba cierto aspecto de descuido, como en un clóset o en un almacén. Por ese motivo, cuando entró detrás de Ron y se encontró en medio del claro de un bosque, se quedó momentáneamente atónito.

—Pero ¿qué...?

El suelo del aula estaba cubierto de musgo y en él crecían árboles; las frondosas ramas se abrían en abanico hacia el techo y las ventanas, y la habitación estaba llena de sesgados haces de una débil luz verde salpicada de sombras. Los alumnos que ya habían llegado al aula estaban sentados en el suelo, apoyaban la espalda en los troncos de los árboles o en piedras, y se abrazaban las rodillas o tenían los brazos cruzados firmemente sobre el pecho. Todos parecían muy nerviosos. En medio del claro, donde no había árboles, estaba Firenze.

—Harry Potter —lo saludó el centauro y extendió una mano al verlo entrar.

—Ho-hola —contestó él, y le estrechó la mano al centauro, que lo miró sin parpadear con aquellos asombrosos ojos azules suyos, pero no le sonrió—. Me alegro de verte.

—Y yo a ti —repuso Firenze inclinando su rubia cabeza—. Estaba escrito que volveríamos a encontrarnos.

Harry reparó en que Firenze tenía la sombra de un cardenal con forma de herradura en el pecho. Al volverse para sentarse con el resto de los alumnos en el suelo del aula, vio que todos lo miraban sobrecogidos; al parecer, les había impresionado mucho que tuviera tan buenas relaciones con Firenze, ante quien se sentían profundamente intimidados.

Tan pronto como se cerró la puerta y el último estudiante se hubo sentado en un tocón junto a la papelera, Firenze hizo un amplio movimiento con un brazo abarcando la sala.

—El profesor Dumbledore ha tenido la amabilidad de arreglar esta aula para nosotros imitando mi hábitat natural —les explicó Firenze cuando todos estuvieron instalados—. Yo habría preferido impartir estas clases en el Bosque Prohibido, que hasta el lunes pasado era mi hogar, pero no ha sido posible...

—Perdone..., humm..., señor —dijo Parvati entrecortadamente levantando una mano—, ¿por qué no ha sido posible? Ya hemos estado allí con Hagrid y no nos da miedo.

—No es una cuestión del valor de los alumnos, sino de mi situación. No puedo regresar al bosque. Mi manada me ha desterrado.

—¿Su manada? —se extrañó Lavender con un tono que denotaba confusión, y Harry comprendió que se estaba imaginando un rebaño de vacas—. ¿Qué...? ¡Ah! —Entonces lo entendió—. ¿Hay más como usted? —preguntó, atónita.

—¿Los crió Hagrid, como a los thestrals? —inquirió Dean con interés. Firenze giró lentamente la cabeza hasta posar la mirada en Dean, quien se dio cuenta inmediatamente de que había hecho un comentario muy ofensivo—. Bueno..., no quería... Es decir..., lo siento —se disculpó con un hilo de voz.

—Los centauros no somos sirvientes ni juguetes de los humanos —declaró Firenze sin alterarse. Se produjo una pausa, y entonces Parvati volvió a levantar la mano.

—Perdone, señor, ¿por qué lo han desterrado los otros centauros?

—Porque he accedido a trabajar para el profesor Dumbledore —respondió Firenze—. Ellos lo consideran una traición a nuestra especie.

Entonces Harry recordó cómo, casi cuatro años atrás, el centauro Bane había insultado a Firenze por dejar que Harry montara en él para ponerse a salvo llamándolo «vulgar mula». Harry también se preguntó si habría sido Bane quien había pegado una coz a Firenze en el pecho.

—Empecemos —dijo el centauro.

Agitó su larga y blanca cola, levantó una mano hacia el toldo de hojas que tenían sobre las cabezas y luego la bajó lentamente. La luz de la sala se atenuó inmediatamente, de modo que parecía que estaban sentados en el claro de un bosque al anochecer, y aparecieron estrellas en el techo. Hubo exclamaciones y gritos contenidos de asombro, y Ron dijo en voz alta: «¡Caramba!»

—Tumbaos en el suelo —les indicó Firenze con voz sosegada— y observad el cielo. En él está escrito, para los que saben ver, el destino de nuestras razas. —Harry se echó sobre la espalda y miró al techo. Una titilante estrella roja le hacía guiños desde lo alto—. Ya sé que en la clase de Astronomía han estudiado los nombres de los planetas y de sus lunas —prosiguió Firenze con voz queda—, y que han trazado la trayectoria de las estrellas por el firmamento. Los centauros llevamos siglos desentrañando los misterios de esos movimientos. Nuestros hallazgos nos han demostrado que el futuro se puede vislumbrar en el cielo...

—¡La profesora Trelawney nos daba Astrología! —exclamó Parvati levantando la mano—. Marte causa accidentes, quemaduras y cosas así, y cuando forma un ángulo con Saturno, como ahora —trazó un ángulo recto en el aire—, significa que hay que extremar las precauciones al manejar cosas calientes...

—Eso son tonterías de los humanos —dijo Firenze con serenidad. La mano de Parvati descendió con languidez—. Daños triviales, pequeños accidentes humanos —continuó el centauro, y sus cascos se oyeron sobre el húmedo musgo del suelo—. En el contexto del universo, esas cosas no tienen más relevancia que los correteos de las hormigas, y no les afectan los movimientos planetarios.

—La profesora Trelawney... —empezó a decir Parvati, dolida e indignada.

—... es un ser humano —la atajó Firenze escuetamente—. Y por lo tanto está cegada y coartada por las limitaciones de su especie.

Harry ladeó ligeramente la cabeza para mirar a Parvati, que parecía muy ofendida, como muchos de sus compañeros.

—Quizá Sybill Trelawney pueda predecir, no lo sé —prosiguió Firenze, y Harry volvió a oír el susurro de su cola mientras se paseaba ante ellos—, pero en general pierde el tiempo con esas estupideces halagadoras que los humanos llaman «leer el futuro». En cambio, yo estoy aquí para explicarles la sabiduría de los centauros, que es impersonal e imparcial. Nosotros buscamos en el cielo las grandes corrientes del mal y los cambios que a veces están escritos en él. Podemos tardar cien años en estar seguros de lo que estamos viendo. —Firenze señaló la estrella roja que Harry tenía justo encima—. En la década pasada vimos indicios de que los magos vivían un periodo de calma entre dos guerras. Marte, el rey de la guerra, brilla intensamente sobre nosotros, lo cual sugiere que la batalla podría volver a estallar pronto. Los centauros podemos intentar predecir cuándo sucederá quemando ciertas hierbas y hojas, y observando el humo y las llamas...

Fue la clase más inusual a la que Harry había asistido jamás. Quemaron salvia y malva dulce en el suelo, y Firenze los invitó a buscar ciertas formas y algunos símbolos en el acre humo que se desprendía de las hierbas, pero no pareció que le preocupara ni lo más mínimo que ninguno de los alumnos viera los signos que él describía. Contó que los humanos no eran muy buenos en aquel arte y que los centauros habían tardado muchos años en dominarlo; concluyó diciendo que de todos modos era una tontería poner demasiada fe en aquellas cosas, porque hasta los centauros se equivocaban a veces al interpretarlas. Firenze no se parecía a ningún profesor humano que Harry hubiera tenido hasta entonces. Daba la impresión de que su prioridad no era enseñarles lo que él sabía, sino hacerles comprender que nada, ni siquiera los conocimientos de los centauros, era infalible.

—No es muy categórico, ¿verdad? —comentó Ron en voz baja mientras apagaban el fuego de la malva dulce—. A mí no me importaría saber algo más sobre esa guerra que está a punto de estallar.

Sonó la campana que había en el pasillo, junto a la puerta del aula, y todos se sobresaltaron; Harry había olvidado por completo que todavía se encontraban dentro del castillo y habría jurado que estaba en el Bosque Prohibido. Los alumnos salieron en fila con cara de perplejidad.

Harry y Ron se disponían a seguir a sus compañeros cuando Firenze dijo:

—Harry Potter, un momento, por favor.

Harry se dio la vuelta. El centauro avanzó un poco hacia él y Ron vaciló.

—Puedes quedarte —le dijo Firenze—. Pero cierra la puerta, por favor.

Ron se apresuró a obedecer.

—Harry Potter, eres amigo de Hagrid, ¿verdad? —le preguntó el centauro.

—Sí —respondió él.

—Entonces dale este aviso de mi parte: sus intentos no están dando resultado. Más le valdría abandonar.

—¿Sus intentos no están dando resultado? —repitió Harry sin comprender.

—Y más le valdría abandonar —puntualizó Firenze asintiendo con la cabeza—. Si pudiera avisaría yo mismo a Hagrid, pero me han desterrado; no sería prudente por mi parte acercarme demasiado al bosque precisamente ahora. Hagrid ya tiene bastantes problemas, y sólo le faltaría una batalla de centauros.

—Pero... ¿qué es lo que intenta hacer Hagrid? —preguntó Harry con inquietud.

Firenze miró a Harry sin inmutarse.

—Últimamente Hagrid me ha prestado gran ayuda —contestó Firenze—, y hace mucho tiempo que se ganó mi respeto por el cuidado que dedica a todas las criaturas vivientes. No voy a revelar su secreto. Pero hay que hacerle entrar en razón. Sus intentos no están dando resultado. Díselo, Harry Potter. Que pases un buen día.

La felicidad que Harry había sentido tras la publicación de la entrevista en *El Quisquilloso* ya se había evaporado. El grisáceo mes de marzo dejó paso a un borrascoso abril, y la vida de Harry parecía haberse convertido de nuevo en una larga serie de preocupaciones y problemas.

La profesora Umbridge había seguido asistiendo a todas las clases de Cuidado de Criaturas Mágicas, de modo que a Harry le había resultado muy difícil transmitir a Hagrid la advertencia de Firenze. Por fin, un día consiguió hacerlo fingiendo que había perdido su ejemplar de *Animales fantásticos y dónde encontrarlos* y volvió sobre sus pasos cuando ya había terminado la clase. Al dar el mensaje de Firenze a Hagrid, éste lo miró un momento con los hinchados y amoratados ojos como si se hubiera sorprendido. Pero luego recobró la compostura.

—Firenze es un gran tipo —afirmó con brusquedad—, pero de esto no entiende nada. Mis intentos están dando muy buenos resultados.

—¿Qué te traes entre manos, Hagrid? —le preguntó Harry poniéndose serio—. Tienes que andarte con cuidado porque la profesora Umbridge ya ha despedido a la profesora Trelawney, y si quieres saber mi opinión, creo que no va a haber quien la pare. Si se entera de que estás haciendo algo que no deberías, te va a...

—Hay cosas más importantes que conservar el empleo —lo interrumpió Hagrid, aunque, cuando lo dijo, le temblaron ligeramente las manos y se le cayó al suelo un cuenco lleno de excrementos de knarl—. No sufras por mí, Harry. Y ahora vete, sé bueno.

Harry no tuvo más remedio que dejar a Hagrid recogiendo el estiércol del suelo de su cabaña, pero mientras se dirigía hacia el castillo se sintió muy desanimado.

Entre tanto, los TIMOS cada vez estaban más cerca, algo que los profesores y Hermione seguían recordando a los alumnos. Todos los de quinto estaban más o menos estresados, pero Hannah Abbott fue la primera en recibir una pócima calmante de la señora Pomfrey, después de echarse a llorar durante la clase de Herbología y afirmar, entre sollozos, que era demasiado tonta para aprobar los exámenes y que quería marcharse cuanto antes del colegio.

Harry estaba convencido de que, de no haber sido por las reuniones del ED, se habría sentido terriblemente desgraciado. A veces tenía la sensación de que sólo vivía para las horas que pasaba en la Sala de los Menesteres; allí trabajaba duro, pero al mismo tiempo se divertía muchísimo y se enorgullecía al contemplar a los otros miembros del ED y comprobar cuánto habían progresado. En ocasiones Harry se preguntaba cómo reaccionaría la profesora Umbridge cuando los miembros del ED recibieran un «Extraordinario» en sus TIMOS de Defensa Contra las Artes Oscuras.

Por fin habían empezado a trabajar en los encantamientos *patronus*, que todos estaban deseando practicar pese a que, como Harry insistía en recordarles, no era lo mismo lograr que un *patronus* apareciera en medio de un aula intensamente iluminada y sin estar bajo ninguna amenaza, que conseguir que apareciera si se tenían que enfrentar a algo similar a un dementor.

—Sí, pero no seas aguafiestas —dijo Cho alegremente mientras contemplaba su plateado *patronus* con forma de cisne, que volaba por la Sala de los Menesteres durante la última reunión antes de las vacaciones de Pascua—. ¡Son tan bonitos!

—Lo que importa no es que sean bonitos —repuso Harry pacientemente—, sino que te protejan. Lo que necesitamos es un boggart o algo parecido; así fue como aprendí yo: tuve que invocar un *patronus* mientras el boggart se hacía pasar por un dementor.

—¡Uy, qué miedo! —comentó Lavender, que disparaba bocanadas de humo por el extremo de su varita—. ¡Y yo sigo... sin... conseguirlo! —añadió con enfado.

Neville también tenía problemas. Estaba muy concentrado, pero de la punta de su varita sólo salían unas débiles volutas de humo plateado.

—Tienes que pensar en algo alegre —le recordó Harry.

—Ya lo intento —dijo Neville, desanimado; se estaba esforzando tanto que el sudor brillaba en su redonda cara.

—¡Mira, Harry, creo que lo estoy logrando! —gritó Seamus, a quien Dean había llevado por primera vez a una reunión del ED—. ¡Mira...! ¡Oh, ha desaparecido! Pero ¡era una cosa peluda, Harry!

El *patronus* de Hermione, una reluciente nutria plateada, retozaba a su alrededor.

—Son bonitos, ¿verdad? —comentó la chica mirando al animal con cariño.

En ese momento la puerta de la Sala de los Menesteres se abrió y volvió a cerrarse. Harry se dio la vuelta para ver quién había entrado, pero no vio a nadie. Tardó un instante en darse cuenta de que los alumnos que estaban cerca de la puerta se habían quedado callados. Entonces algo le tiró de la túnica a la altura de las rodillas. Miró hacia abajo y se llevó una sorpresa al ver a Dobby, el elfo doméstico, que lo contemplaba desde debajo de los ocho gorros de lana que no se quitaba ni para dormir.

—¡Hola, Dobby! —exclamó Harry—. ¿Qué haces? ¿Qué pasa?

El elfo lo miraba con ojos desorbitados; estaba temblando de miedo. Los miembros del ED que estaban más cerca de Harry se habían quedado mudos y todos contemplaban a Dobby. Los pocos *patronus* que los alumnos habían conseguido se disolvieron en una neblina plateada, y la habitación quedó mucho más oscura que antes.

—Harry Potter, señor... —chilló el elfo, que temblaba de pies a cabeza—. Harry Potter, señor... Dobby ha venido a avisarlo..., pero a los elfos domésticos les han advertido que no digan...

Se lanzó de cabeza contra la pared. Harry, que conocía bien la costumbre de Dobby de autocastigarse, intentó sujetarlo, pero el elfo rebotó en la piedra, protegido por sus ocho gorros. Hermione y algunas chicas soltaron gritos de miedo y pena.

—¿Qué ha pasado, Dobby? —le preguntó Harry mientras lo agarraba por el delgado brazo y lo apartaba de cualquier cosa con la que pudiera intentar hacerse daño.

—Harry Potter, ella..., ella...

Dobby se golpeó fuertemente la nariz con el puño que tenía libre y Harry se lo sujetó también.

—¿Quién es «ella», Dobby?

Aunque Harry creía saber de quién se trataba; sólo había una persona que podría inspirarle tanto temor a Dobby. El elfo levantó la cabeza, lo miró poniéndose un poco bizco y movió los labios, pero sin articular ningún sonido.

—¿La profesora Umbridge? —preguntó Harry, horrorizado. Dobby asintió, y a continuación intentó golpearse la cabeza contra las rodillas de Harry, pero él estiró los brazos y lo mantuvo alejado de su cuerpo—. ¿Qué pasa con ella, Dobby? ¿Estás insinuando que ha descubierto esta..., que nosotros..., el ED? —Leyó la respuesta en el afligido rostro del elfo. Como Harry seguía sujetándole las manos, Dobby intentó darse una patada y cayó al suelo de rodillas—. ¿Viene hacia acá? —inquirió Harry rápidamente.

Dobby soltó un alarido y exclamó:

—¡Sí, Harry Potter, sí!

Harry se enderezó y echó un vistazo a los inmóviles y aterrados alumnos que miraban al elfo, que no paraba de retorcerse.

—¿Y QUÉ ESPERAN? —gritó—. ¡CORRAN!

Entonces todos salieron disparados hacia la puerta, formando una marabunta, y empezaron a marcharse precipitadamente de la sala. Harry los oyó correr por los pasillos y confió en que tuvieran la prudencia de no intentar llegar hasta sus dormitorios. Sólo eran las nueve menos diez; ojalá se refugiaran en la biblioteca o en la lechucería, que quedaban más cerca...

—¡Vamos, Harry! —gritó Hermione desde el centro del grupo de alumnos que peleaban por salir.

Harry levantó en brazos a Dobby, que todavía intentaba lastimarse, y corrió con él para unirse a sus compañeros.

—Dobby, esto es una orden: baja a la cocina con los otros elfos, y si ella te pregunta si me has avisado, miente y di que no —dijo Harry—. ¡Y te prohíbo que te hagas daño! —añadió, y cuando por fin cruzó el umbral, soltó al elfo y cerró la puerta tras él.

—¡Gracias, Harry Potter! —chilló Dobby, y echó a correr a toda velocidad.

Harry miró a derecha e izquierda; los otros corrían tanto que sólo alcanzó a ver un par de talones que doblaban cada una de las esquinas del pasillo antes de desaparecer; él se dirigió velozmente hacia la derecha; un poco más allá había un baño de chicos, y si conseguía llegar hasta él podría fingir que había estado allí todo el tiempo...

—¡AAAYYY!

Algo se había enroscado en sus tobillos, y Harry cayó estrepitosamente al suelo y resbaló boca abajo unos dos metros antes de detenerse. Oyó que alguien reía detrás de él. Se colocó boca arriba y vio a Malfoy escondido en un nicho, bajo un espantoso jarrón con forma de dragón.

—¡Embrujo zancadilla, Potter! —dijo—. ¡Eh, profesora! ¡PROFESORA! ¡Ya tengo a uno!

La profesora Umbridge apareció jadeando por un extremo del pasillo, pero con una sonrisa de placer en los labios.

—¡Es él! —exclamó con júbilo al ver a Harry en el suelo—. ¡Excelente, Draco, excelente! ¡Muy bien! ¡Cincuenta puntos para Slytherin! Voy a sacarlo de aquí... ¡Levántate, Potter! —Harry se puso en pie y los miró con odio a los dos. Jamás había visto tan feliz a la profesora Umbridge, que lo agarró fuertemente por un brazo y se volvió, sonriendo de oreja a oreja, hacia Malfoy—. Corre a ver si atrapas a unos cuantos más, Draco —le ordenó—. Di a los demás que busquen en la biblioteca, a ver si encuentran a alguien que se haya quedado sin aliento. Miren en los baños, la señorita Parkinson puede encargarse del de las chicas. ¡Deprisa! Y tú —añadió adoptando un tono aún más amenazador de lo habitual, mientras Malfoy se alejaba—, tú vas a venir conmigo al despacho del director, Potter.

Al cabo de unos minutos estaban frente a la gárgola de piedra. A Harry le habría gustado saber a cuántos más habían atrapado. Pensó en Ron (la señora Weasley iba a matarlo) y en cómo se sentiría Hermione si la expulsaban antes de que pudiera hacer sus TIMOS. Y aquélla había sido la primera reunión de Seamus... Y Neville estaba mejorando tanto...

—¡Meigas Fritas! —entonó la profesora Umbridge; la gárgola de piedra se apartó de un brinco, la pared que había detrás se abrió y Harry y la bruja subieron por la escalera móvil de piedra.

Enseguida llegaron a la brillante puerta con la aldaba en forma de grifo, pero la profesora Umbridge no se tomó la molestia de llamar, sino que entró directamente en el despacho dando grandes zancadas y sin soltar a Harry.

El despacho estaba lleno de gente. Dumbledore se encontraba sentado detrás de su mesa, con expresión serena y con las yemas de los largos dedos juntas. La profesora McGonagall estaba de pie, inmóvil, a su lado, con un aspecto muy tenso. Cornelius Fudge, ministro de Magia, se balanceaba hacia delante y hacia atrás sobre las puntas de los pies, junto al fuego, inmensamente complacido, al parecer, con la situación; Kingsley Shacklebolt y un mago de aspecto severo con pelo canoso, áspero y muy corto, al que Harry no reconoció, estaban situados a ambos lados de la puerta, como dos guardianes, y Percy Weasley, pecoso y con gafas, como siempre, andaba nervioso de un lado para otro junto a la pared con una pluma y un grueso rollo de pergamino en las manos, preparado para tomar notas.

Esa noche los retratos de antiguos directores y directoras no se hacían los dormidos. Todos estaban alerta y muy serios observando lo que ocurría en el despacho. Cuando entró Harry, unos cuantos saltaron a los cuadros vecinos e hicieron comentarios al oído de sus ocupantes.

Harry se soltó de la profesora Umbridge en cuanto la puerta se cerró tras ellos. Cornelius Fudge lo fulminó con la mirada; la expresión de su rostro transmitía una especie de cruel satisfacción.

—Vaya, vaya —dijo.

Harry respondió con la mirada más asesina de que fue capaz. El corazón le latía con violencia en el pecho, pero tenía la mente fría y clara.

—Potter volvía a la torre Gryffindor —explicó la profesora Umbridge. Había un dejo de indecente emoción en su voz, el mismo placer cruel que Harry había detectado en la voz de la bruja mientras veía llorar a lágrima viva a la profesora Trelawney en el vestíbulo—. Malfoy lo ha acorralado.

—¿Ah, sí? —dijo Fudge, agradecido—. Que no me olvide de decírselo a Lucius. Bueno, Potter... Supongo que ya sabes por qué estás aquí.

Harry estaba decidido a responder con un desafiante «Sí»; había despegado los labios y estaba a punto de pronunciar aquella palabra cuando vio la cara de Dumbledore. El director no miraba directamente a Harry, sino que tenía los ojos fijos en un punto situado sobre sus hombros, pero cuando el muchacho lo observó, el director movió un milímetro la cabeza hacia uno y otro lado.

Harry se corrigió justo a tiempo:

—S... No.

—¿Cómo dices? —preguntó Fudge.

—No —repitió Harry con firmeza.

—¿No sabes por qué estás aquí?

—No, no lo sé —declaró Harry.

Fudge miró con incredulidad a la profesora Umbridge. Harry aprovechó aquel momento de distracción del ministro para desviar fugazmente la mirada hacia Dumbledore, quien, con los ojos fijos en la alfombra, hizo un levísimo movimiento afirmativo con la cabeza y un breve guiño.

—De modo que no tienes ni idea de por qué la profesora Umbridge te ha traído a este despacho —prosiguió Fudge con una voz cargada de sarcasmo—. ¿No eres consciente de haber violado ninguna norma del colegio?

—¿Norma del colegio? —se extrañó Harry—. No.

—¿Ni ningún decreto ministerial? —puntualizó Fudge con enojo.

—Que yo sepa, no —contestó él con suavidad.

El corazón seguía latiéndole muy deprisa. Valía la pena decir aquellas mentiras sólo para observar cómo a Fudge le aumentaba la presión sanguínea, pero Harry no veía cómo demonios iba a salirse con la suya; si alguien le había dado el pitazo a la profesora Umbridge y le había hablado del ED, él, que era el líder, ya podía empezar a preparar su baúl.

—¿Entonces no sabes que hemos descubierto una organización estudiantil ilegal en este colegio? —continuó Fudge con una voz cargada de profunda ira.

—No, no lo sabía —aseguró Harry fingiendo inocencia y sorpresa; pero la expresión de su cara no resultaba muy convincente.

—Creo, señor ministro —intervino la profesora Umbridge con voz melosa—, que ahorraríamos tiempo si fuera a buscar a nuestra informadora.

—Sí, sí, claro —afirmó Fudge, y miró maliciosamente a Dumbledore mientras la bruja salía del despacho—. No hay nada como un buen testigo, ¿verdad, Dumbledore?

—Nada, Cornelius —replicó el director con gravedad, e inclinó la cabeza.

Esperaron unos minutos, y durante ese tiempo nadie miró a nadie; entonces Harry oyó que la puerta se abría detrás de él. La profesora Umbridge entró en el despacho y pasó por su lado, sujetando por el hombro a Marietta, la amiga de pelo rizado de Cho, que se tapaba la cara con las manos.

—No tengas miedo, querida, no pasa nada —le aseguró la profesora Umbridge con ternura, dándole unas palmaditas en la espalda—. Tranquila, tranquila. Has hecho lo que tenías que hacer. El ministro está muy contento contigo. Le dirá a tu madre lo bien que te has portado. La madre de Marietta, señor ministro —añadió dirigiéndose a Fudge—, es Madame Edgecombe, del Departamento de Transportes Mágicos, Oficina de la Red Flu. Ha sido ella quien nos ha ayudado a vigilar las chimeneas de Hogwarts.

—¡Estupendo, estupendo! —exclamó Fudge, entusiasmado—. De tal palo, tal astilla, ¿eh? Bueno, querida, mírame, no seas tímida. Cuéntanos qué es lo que... ¡Gárgolas galopantes!

Cuando Marietta levantó la cabeza, Fudge pegó un salto hacia atrás, horrorizado, y estuvo a punto de caer al fuego de la chimenea. Maldijo en voz alta y le tuvo que dar un pisotón al dobladillo de su capa, que había empezado a humear. Marietta soltó un gemido y se levantó el cuello de la túnica hasta la altura de los ojos, pero todos habían visto ya que tenía la cara completamente desfigurada por una apretada franja de pústulas moradas que le cubrían la nariz y las mejillas formando la palabra «SOPLONA».

—Ahora no te preocupes por los granos, querida —dijo la profesora Umbridge con impaciencia—. Quítate la túnica de la boca y cuéntale al ministro... —Pero Marietta emitió otro amortiguado gemido y movió con energía la cabeza haciendo un gesto negativo—. Está bien, boba, ya se lo contaré yo —le espetó la profesora, quien volvió a dibujar su repugnante sonrisa y dijo—: Verá, señor ministro, la señorita Edgecombe ha venido a mi despacho esta noche, poco después de la cena, y me ha comunicado que tenía que contarme una cosa. Me ha dicho que si iba a una sala secreta que hay en el séptimo piso, conocida como la Sala de los Menesteres, descubriría algo que me convenía saber. Le he formulado unas cuantas preguntas y ella ha reconocido que allí iba a celebrarse una especie de reunión. Desgraciadamente, en ese preciso instante ha entrado en funcionamiento este maleficio —señaló con desdén la cara tapada de Marietta—, y al verse la cara en mi espejo, la niña se ha alterado tanto que no ha podido explicarme nada más.

—Muy bien —dijo Fudge, y dirigió a Marietta una mirada que pretendía ser amable y paternal—, has sido muy valiente, querida, yendo a contárselo a la profesora Umbridge. Has hecho precisamente lo que tenías que hacer. Y ahora, ¿quieres explicarme qué ha pasado en esa reunión? ¿Cuál era su propósito? ¿Quién participaba en ella? —Pero Marietta, que tenía los ojos muy abiertos y cara de susto, se negó a hablar y se limitó a negar de nuevo con la cabeza—. ¿No tenemos ningún contraembrujo para esto? —le preguntó Fudge a la profesora Umbridge, impaciente, señalando el rostro de Marietta—. ¿Para que podamos hablar con libertad?

—Todavía no lo he encontrado —admitió de mala gana la profesora Umbridge, y Harry se sintió orgulloso del dominio que Hermione tenía de los embrujos—. Pero no importa que la niña no quiera hablar. Yo puedo relatar el resto de la historia. Como recordará, señor ministro, en octubre le envié un informe en el que explicaba que Potter se había reunido con unos cuantos compañeros suyos en el pub Cabeza de Puerco de Hogsmeade...

—¿Y qué pruebas tiene de eso? —la interrumpió la profesora McGonagall.

—Tengo el testimonio de Willy Widdershins, Minerva, que casualmente se encontraba en el pub en ese momento. Iba vendado de pies a cabeza, no lo niego, pero eso no le impedía oír —respondió la profesora Umbridge con petulancia—. Oyó todo lo que dijo Potter y se apresuró a venir al colegio para contarme...

—¡Ah, de modo que por eso no lo procesaron por poner los inodoros regurgitantes! —se indignó la profesora

McGonagall arqueando las cejas—. ¡Qué gran ejemplo del funcionamiento de nuestro sistema judicial!

—¡Escándalo! ¡Corrupción! —bramó el retrato del mago corpulento de nariz roja que estaba colgado en la pared detrás de la mesa de Dumbledore—. ¡En mis tiempos el Ministerio no hacía tratos con pequeños delincuentes, no, señor!

—Gracias, Fortescue, ya basta —dijo Dumbledore con voz queda.

—El propósito de la reunión de Potter con esos estudiantes —continuó la profesora Umbridge— era convencerlos de que entraran a formar parte de una asociación ilegal, cuyo objetivo era estudiar hechizos y maldiciones que el Ministerio ha catalogado de inapropiados para su edad...

—Creo que comprobará que en eso se equivoca, Dolores —terció Dumbledore con serenidad mientras la miraba por encima de las gafas de media luna, que se le apoyaban hacia la mitad de la torcida nariz.

Harry observó al director. No veía cómo Dumbledore iba a salvarlo de aquel lío; si era verdad que Willy Widdershins había oído todo lo que él había dicho en Cabeza de Puerco, no tenía escapatoria.

—¡Ajá! —explotó Fudge, que volvía a balancearse sobre la punta de los pies—. ¡Sí, oigamos el último cuento chino pensado para sacarle las castañas del fuego a Potter! Adelante, Dumbledore, adelante... Willy Widdershins mintió, ¿no? ¿O era el gemelo de Potter el que estaba en Cabeza de Puerco aquel día? ¿O esta vez hay también una sencilla explicación en la que intervienen una inversión en el tiempo, un muerto que resucita y un par de dementores invisibles?

Percy Weasley soltó una sonora carcajada.

—¡Muy bueno, señor ministro, muy bueno! —exclamó.

A Harry le habría encantado pegarle una patada. Entonces percibió, para su gran asombro, que Dumbledore también sonreía discretamente.

—Cornelius, no voy a negar, y estoy seguro de que Harry tampoco, que él estuvo en Cabeza de Puerco aquel día, ni que intentaba reclutar a estudiantes para formar un grupo para aprender hechizos y maldiciones. Me limitaba a señalar que Dolores se equivoca al afirmar que el grupo era ilegal en ese momento. Si haces memoria recordarás que el decreto ministerial que prohibía toda asociación estudiantil no entró en vigor hasta dos días después de que Harry celebrara esa reunión en Hogsmeade, y por lo tanto en Cabeza de Puerco no se violó ninguna norma.

Percy se quedó como si le hubieran tirado un cubo de agua helada por la cabeza. Fudge, por su parte, se quedó inmóvil a medio balanceo con la boca abierta.

La profesora Umbridge fue la primera en recuperarse.

—Todo eso está muy bien, señor director —dijo con una dulce sonrisa—, pero ya han pasado casi seis meses desde la entrada en vigor del Decreto de Enseñanza número veinticuatro. Aunque la primera reunión no fuera ilegal, sí lo han sido las que se han celebrado posteriormente.

—Bueno —admitió Dumbledore mirándola con educación e interés por encima de los entrelazados dedos—, lo serían, en efecto, si hubieran continuado después de la entrada en vigor del decreto. ¿Tiene usted alguna prueba de que esas reuniones hayan seguido celebrándose?

Mientras Dumbledore hablaba, Harry oyó un murmullo detrás de él y como si Kingsley susurrara. Habría jurado que también notaba algo que le rozaba el costado, algo muy suave, como una corriente de aire o un ala, pero miró hacia abajo y no vio nada.

—¿Alguna prueba? —repitió la profesora Umbridge con aquella espantosa y ancha sonrisa de sapo—. ¿Acaso no nos ha estado escuchando, Dumbledore? ¿Por qué cree que hemos llamado a la señorita Edgecombe?

—Ah, ¿es que puede hablarnos ella de seis meses de reuniones? —preguntó Dumbledore arqueando las cejas—. Tenía la impresión de que sólo nos estaba informando sobre una reunión que se celebraba esta noche.

—Señorita Edgecombe —se apresuró a decir la profesora Umbridge—, dinos desde cuándo se celebran esas reuniones, querida. Si quieres puedes limitarte a negar o a afirmar con la cabeza, estoy segura de que eso no hará que te salgan más granos. ¿Se han celebrado regularmente durante los seis últimos meses? —A Harry se le encogió el estómago. Ya estaba, habían llegado a un callejón sin salida, y ni siquiera Dumbledore iba a poder deshacer aquella sólida prueba en su contra—. Di sí o no con la cabeza, querida —le indicó persuasivamente la profesora Umbridge a Marietta—. Ánimo, eso no reactivará el embrujo.

Todos los presentes miraron la parte superior de la cara de Marietta. Sólo se le veían los ojos, entre la túnica levantada y el rizado flequillo. Quizá fuera un efecto de la luz del fuego de la chimenea, pero sus ojos tenían una expresión ausente. Y entonces, para gran sorpresa de Harry, Marietta negó con la cabeza.

La profesora Umbridge miró rápidamente a Fudge y luego volvió a mirar a Marietta.

—Creo que no has entendido bien la pregunta, ¿verdad, querida? Te estoy preguntando si has asistido a esas reuniones durante los seis últimos meses. Sí, ¿verdad? —Marietta volvió a negar con la cabeza—. ¿Qué quieres decir con ese gesto? —inquirió la profesora Umbridge con mal genio.

—A mí me parece que está clarísimo —terció la profesora McGonagall con aspereza—. Que no ha habido reuniones secretas en los seis últimos meses. ¿Es eso correcto, señorita Edgecombe?

Marietta asintió.

—Pero ¡esta noche ha habido una reunión! —gritó furiosa la profesora Umbridge—. ¡Ha habido una reunión en la Sala de los Menesteres, tú misma me lo has dicho, Edgecombe! Y Potter era el jefe, ¿no?, Potter la organizó, Potter... ¿Por qué sigues negando con la cabeza, niña?

—Bueno, normalmente, cuando alguien mueve la cabeza de un lado a otro significa «No» —apuntó la profesora McGonagall con frialdad—. Así que, a menos que la señorita Edgecombe esté utilizando un lenguaje de signos que los humanos todavía no conocemos...

La profesora Umbridge agarró a Marietta por los hombros, la hizo girar para colocarla frente a ella y empezó a zarandearla con brusquedad. Dumbledore se puso en pie de inmediato con la varita levantada; Kingsley dio un paso adelante y la profesora Umbridge soltó a la chica y se apartó de ella agitando las manos, como si se las hubiera quemado.

—No puedo permitir que maltrate a mis alumnos, Dolores —afirmó Dumbledore, que, por primera vez, parecía enfadado.

—Haga el favor de calmarse, Madame Umbridge —dijo Kingsley con su lenta y grave voz—. Supongo que no querrá meterse en problemas, ¿no?

—Sí —respondió la profesora Umbridge, jadeante, y levantó la cabeza hacia la altísima figura de Kingsley—. Es decir, no... Tiene razón, Shacklebolt, es que... he perdido el control.

Marietta se había quedado exactamente donde la profesora Umbridge la había soltado. No parecía alterada por el repentino ataque de la profesora ni aliviada porque la hubiera soltado; seguía sujetando el cuello de su túnica bajo sus ojos ausentes, y miraba fijamente hacia delante.

De pronto Harry tuvo una sospecha relacionada con el susurro de Kingsley y con aquella cosa que había notado pasar a su lado.

—Dolores —dijo Fudge, como si intentara zanjar definitivamente el asunto—, la reunión de esta noche, la que estamos seguros de que se ha celebrado...

—Sí —repuso la profesora Umbridge serenándose—, sí... Bueno, la señorita Edgecombe me avisó y yo me dirigí de inmediato al séptimo piso, acompañada por ciertos alumnos dignos de confianza, para sorprender a los que participaban en la reunión. Sin embargo, al parecer se les previno de mi visita, porque, cuando llegamos al séptimo piso, los vimos correr por los pasillos en todas direcciones. Pero no importa. Tengo sus nombres, pues pedí a la señorita Parkinson que entrara en la Sala de los Menesteres para ver si se habían dejado algo allí. Necesitábamos pruebas, y la sala nos las ha proporcionado. —Harry vio, horrorizado, cómo la profesora Umbridge se sacaba del bolsillo la lista de nombres que habían colgado en la pared de la Sala de los Menesteres, y se la entregaba a Fudge—. En cuanto vi el nombre de Potter en la lista comprendí cuál era el asunto —añadió con voz queda.

—Excelente —dijo Fudge, y exhibió una sonrisa de oreja a oreja—. Excelente, Dolores. Y... ¡rayos y truenos! —Miró a Dumbledore, que seguía de pie junto a Marietta, con la varita en la mano aunque sin apretarla—. ¿Ha visto cómo se llaman? —comentó Fudge en voz baja—. «Ejército de Dumbledore.»

El director estiró un brazo y tomó el trozo de pergamino de las manos de Fudge. Dio un vistazo al título que Hermione había escrito meses atrás y durante un momento pareció quedarse sin habla. Pero luego levantó la cabeza con una sonrisa en los labios.

—Bueno, el juego ha terminado —afirmó con sencillez—. ¿Quiere una confesión mía firmada, Cornelius, o bastará con una declaración ante estos testigos?

Harry vio que la profesora McGonagall y Kingsley se miraban. El miedo se reflejaba en sus caras. Y él no entendía qué estaba pasando, como tampoco parecía entenderlo Fudge.

—¿Una declaración? —repitió el ministro lentamente—. Pero ¿qué...?

—Ejército de Dumbledore, Cornelius —dijo el director sin dejar de sonreír mientras agitaba la lista de nombres ante la cara de Fudge—. Ejército de Potter no. Ejército de Dumbledore.

—Pero..., pero... —De pronto el rostro de Fudge se iluminó. Dio un paso hacia atrás, horrorizado, gritó y volvió a apartarse de un brinco del fuego—. ¿Usted? —susurró mientras volvía a patear su chamuscada capa.

—Exacto —afirmó Dumbledore con tono amable.

—¿Usted organizó esto?

—Así es —confirmó Dumbledore.

—¿Reclutó a estos alumnos para..., para su ejército?

—Esta noche teníamos que celebrar la primera reunión —afirmó Dumbledore asintiendo con la cabeza—. Únicamente para preguntarles si les interesaría unirse a mí. Ahora me doy cuenta de que cometí un error al invitar a la señorita Edgecombe, por supuesto.

Marietta asintió. Fudge la miró, y luego volvió a mirar a Dumbledore inspirando profundamente.

—¡Entonces es cierto que ha estado conspirando contra mí! —chilló.

—En efecto —admitió Dumbledore con desenfado.

—¡NO! —gritó Harry. Kingsley le lanzó una mirada de advertencia y la profesora McGonagall abrió amenazadoramente los ojos, pero Harry acababa de comprender qué estaba a punto de hacer Dumbledore, y no podía permitirlo—. ¡No, profesor Dumbledore!

—Cállate, Harry, o me temo que tendré que hacerte salir de mi despacho —le advirtió el director sin alterarse.

—¡Sí, cállate, Potter! —rugió Fudge, que todavía se comía a Dumbledore con los ojos con una mezcla de deleite y horror—. Vaya, vaya, he venido a Hogwarts creyendo que iba a expulsar a Potter, y resulta que...

—Resulta que me detiene a mí —acabó la frase Dumbledore, sonriente—. Es como perder un knut y encontrar un galeón, ¿verdad?

—¡Weasley! —gritó Fudge temblando de placer—. Weasley, ¿lo ha apuntado todo, todo lo que Dumbledore ha dicho, su confesión? ¿Lo tiene todo?

—¡Sí, señor, creo que sí, señor! —contestó Percy con ímpetu. Tenía la nariz salpicada de tinta de lo rápido que había tomado las notas.

—¿Lo de que intentaba formar un ejército contra el Ministerio y que se proponía desestabilizarme?

—¡Sí, señor, lo tengo, sí! —confirmó Percy, y revisó sus notas con regocijo.

—Muy bien —dijo Fudge, radiante de alegría—, entonces haga una copia de sus notas, Weasley, y mándela cuanto antes a *El Profeta*. ¡Si enviamos una lechuza rápida podrán publicarla en la edición de la mañana! —Percy salió a toda prisa del despacho y cerró la puerta tras él. Entonces el ministro se volvió hacia Dumbledore—. ¡Ahora lo escoltarán hasta el Ministerio, donde será formalmente acusado, y luego lo enviarán a Azkaban, donde permanecerá hasta el día del juicio!

—¡Ah, sí! —repuso el director sin alterarse—. Sí. Ya pensé que podíamos tropezarnos con ese problema.

—¿Problema? —se extrañó Fudge, cuya voz todavía vibraba de alegría—. ¡Yo no veo ningún problema, Dumbledore!

—Pues bien —prosiguió éste como si se disculpara—, me temo que yo sí.

—¿Ah, sí?

—Verá, se trata únicamente de que parece engañarse usted pensando que voy a..., ¿cuál es la expresión?..., entregarme sin oponer resistencia. Eso es, me temo que no voy a entregarme sin oponer resistencia, Cornelius. No tengo ninguna intención de ser enviado a Azkaban. Podría fugarme de allí, por supuesto, pero qué pérdida de tiempo, y francamente, se me ocurren un montón de cosas que preferiría hacer en lugar de eso.

El rostro de la profesora Umbridge cada vez estaba más colorado; era como si se estuviera llenando de agua hirviendo. Fudge miró a Dumbledore con cara de tonto, como si acabaran de asestarle un porrazo y no pudiera creer del todo lo que había pasado. Emitió un ruidito ahogado y se volvió hacia Kingsley y hacia el individuo de pelo canoso, áspero y corto, que era el único de los que se hallaban en el despacho que había permanecido callado hasta entonces; este hombre le dedicó un gesto tranquilizador a Fudge y dio un paso adelante separándose de la pared. Harry vio que se llevaba disimuladamente una mano hacia un bolsillo.

—No seas necio, Dawlish —dijo Dumbledore con cordialidad—. Estoy seguro de que eres un excelente auror, pues creo recordar que sacaste «Extraordinario» en todos tus ÉXTASIS, pero si intentas... llevarme por la fuerza, tendré que hacerte daño.

El hombre que se llamaba Dawlish parpadeó como un tonto y volvió a mirar a Fudge, pero esta vez en busca de una señal sobre lo que debía hacer a continuación.

—Así que pretende enfrentarse a Dawlish, a Shacklebolt, a Dolores y a mí sin ayuda de nadie —dijo Fudge con desdén tras recuperarse—, ¿no es eso, Dumbledore?

—¡No, por las barbas de Merlín! —repuso el director, sonriente—. A menos que sea usted lo bastante estúpido para obligarme a hacerlo.

—¡No se enfrentará a ustedes sin ayuda de nadie! —intervino la profesora McGonagall en voz alta, y metió una mano dentro de su túnica.

—¡Ya lo creo, Minerva! —exclamó Dumbledore con vehemencia—. ¡Hogwarts la necesita!

—¡Basta de tonterías! —gritó Fudge, y sacó también su varita—. ¡Dawlish! ¡Shacklebolt! ¡Aprésenlo!

Un rayo de luz plateada recorrió la sala; se oyó una explosión, parecida a un disparo, y el suelo tembló; una mano agarró a Harry por el pescuezo y lo obligó a tumbarse en el suelo al mismo tiempo que estallaba un segundo destello de luz plateada; varios retratos gritaron, *Fawkes* chilló y una nube de polvo llenó el despacho. Harry, que estaba tosiendo, vio una oscura figura que caía al suelo con fuerte estrépito ante él; se oyó un chillido y un topetazo, y alguien gritó «¡No!»; entonces se oyeron también otros sonidos: ruido de cristales rotos, un frenético correteo, un gruñido... y silencio.

Harry giró la cabeza con dificultad para saber quién era el que lo estaba estrangulando, y vio a la profesora McGonagall agachada a su lado; los había tirado al suelo a él y a Marietta para que no se hicieran daño. Todavía había polvo flotando en el aire, y les caía suavemente sobre la cabeza. Harry, que jadeaba un poco, distinguió una figura muy alta que avanzaba hacia ellos.

—¿Están todos bien? —preguntó Dumbledore.

—¡Sí! —contestó la profesora McGonagall, que se puso en pie y levantó a Harry y a Marietta.

El polvo se estaba dispersando y entonces empezaron a observar el caos que se había producido en el despacho: la mesa de Dumbledore estaba volcada, así como las mesitas de patas delgadas, y los instrumentos plateados habían quedado hechos añicos. Fudge, Umbridge, Kingsley y Dawlish se hallaban tumbados, inmóviles, en el suelo. *Fawkes*, el fénix, volaba describiendo círculos sobre ellos y cantaba débilmente.

—Por desgracia, he tenido que alcanzar a Kingsley con el maleficio, porque de otro modo habría resultado muy sospechoso —dijo Dumbledore en voz baja—. Ha sido muy hábil al modificar la memoria de la señorita Edgecombe cuando todos miraban hacia otro lado. ¿Querrá darle las gracias de mi parte, Minerva? Bueno, no tardarán en despertar, y será mejor que no sepan que hemos podido comunicarnos. Deben comportarse como si no hubiera pasado el tiempo, como si sólo hubieran caído al suelo un momento; ellos no recordarán...

—¿Adónde va a ir, Dumbledore? —le preguntó en un susurro la profesora McGonagall—. ¿A Grimmauld Place?

—No, no —respondió Dumbledore con una amarga sonrisa en los labios—. No me marcho para esconderme. Fudge pronto lamentará haberme echado de Hogwarts, se lo prometo.

—Profesor Dumbledore... —dijo Harry.

No sabía por dónde empezar: si por decirle cuánto sentía haber organizado el ED y haber causado tantos problemas, o por cómo lamentaba que tuviera que marcharse para evitar que lo expulsaran a él. Pero Dumbledore se le adelantó antes de que pudiera decirle nada.

—Escúchame bien, Harry —dijo con urgencia—. Debes estudiar Oclumancia con todo tu empeño, ¿entendido? Haz lo que te diga el profesor Snape, y practica todas las noches antes de dormir para que puedas cerrar tu mente a esos malos sueños. Pronto entenderás por qué, pero debes prometerme... —Dawlish empezaba a moverse. Entonces Dumbledore agarró a Harry por una muñeca—. Recuerda, cierra tu mente... —Pero cuando los dedos del director sujetaron la muñeca de Harry, éste notó una punzada de dolor en la cicatriz de la frente y volvió a sentir aquel terrible deseo de atacarlo, de morderlo, de herirlo—. Pronto lo entenderás —susurró Dumbledore.

En ese momento *Fawkes* trazó un último círculo por el despacho y descendió sobre el director. Dumbledore soltó a Harry, levantó una mano y asió la larga y dorada cola del fénix. Se produjo un fogonazo y ambos desaparecieron.

—¿Dónde está? —bramó Fudge incorporándose—. ¡¿Dónde está?!

—¡No lo sé! —gritó Kingsley, y se levantó del suelo.

—¡No puede haberse desaparecido! —gritó la profesora Umbridge—. ¡Nadie puede aparecerse ni desaparecerse dentro del recinto del colegio!

—¡La escalera! —gritó Dawlish, y se precipitó hacia la puerta; la abrió y salió por ella, seguido de cerca por Kingsley y la profesora Umbridge.

Fudge titubeó, aunque luego se puso lentamente en pie y se quitó el polvo de la ropa. Hubo un largo y tenso silencio.

—Bueno, Minerva —dijo el ministro con crueldad, alisándose la manga de la camisa que se le había roto—, me temo que éste es el fin de su amigo Dumbledore.

—¿Eso cree? —replicó con desprecio la profesora McGonagall.

Fudge fingió no haberla oído y echó un vistazo al destrozado despacho. Unos cuantos retratos lo abuchearon; uno o dos hasta le hicieron gestos groseros.

—Será mejor que lleve a esos dos a la cama —aconsejó Fudge dirigiéndose de nuevo a la profesora McGonagall, y señaló con la cabeza a Harry y Marietta.

La profesora no respondió nada, pero los guió hacia la puerta. Cuando ésta se cerró tras ellos, Harry oyó la voz de Phineas Nigellus, que decía:

—¿Sabe qué le digo, señor ministro? Discrepo de Dumbledore en muchos aspectos, pero no podrá negar que tiene clase...

28

El peor recuerdo de Snape

POR ORDEN DEL MINISTERIO DE MAGIA

Dolores Jane Umbridge (Suma Inquisidora) sustituye a Albus Dumbledore como Director del Colegio Hogwarts de Magia y Hechicería.

Esta orden se ajusta al Decreto de Enseñanza n.º 28.

Firmado:

Cornelius Oswald Fudge
ministro de Magia

Los carteles habían aparecido en el colegio durante la noche, pero eso no explicaba cómo era posible que todo el mundo, sin exceptuar a nadie en el castillo, supiera que Dumbledore había burlado a dos aurores, a la Suma Inquisidora, al ministro de Magia y a su asistente junior, y había escapado. Fuera a donde fuese, Harry comprobaba que el único tema de conversación era la huida de Dumbledore, y pese a que algunos de los detalles se habían modificado al volverlos a contar (Harry oyó cómo una alumna de segundo le aseguraba a otra que Fudge estaba internado en el Hospital San Mungo con una calabaza por cabeza), resultaba sorprendente lo preciso que era el resto de la información que tenían. Todos sabían, por ejemplo, que Harry y Marietta habían sido los únicos estudiantes que habían presenciado la escena en el despacho de Dumbledore, pero como Marietta estaba en la enfermería, Harry se vio asediado por sus compañeros, que le pedían un relato de primera mano.

—Dumbledore no tardará en volver —aseguró Ernie Macmillan con aplomo cuando regresaban de Herbología, tras escuchar atentamente la historia de Harry—. Cuando estábamos en segundo, no consiguieron alejarlo de aquí mucho tiempo, y esta vez tampoco lo conseguirán. El Fraile Gordo me ha dicho —adoptó un tono confidencial y bajó la voz, de modo que Harry, Ron y Hermione tuvieron que acercarse más a él para oírlo— que anoche la profesora Umbridge trató de entrar en el despacho del director después de buscar a Dumbledore por todos los rincones del castillo y los jardines. Pero la gárgola no se apartó de la puerta. El despacho se había cerrado para impedirle la entrada. —Ernie sonrió con suficiencia—. Por lo visto hizo un berrinche de miedo.

—Sí, seguro que le habría encantado sentarse en el despacho del director —dijo Hermione con rabia mientras subían la escalera de piedra hacia el vestíbulo—. No soporto la prepotencia con que trata a los demás profesores, la muy estúpida, engreída y arrogante...

—A ver, Granger, ¿cómo termina esa frase? —Draco Malfoy salió deslizándose por detrás de la puerta, seguido de Crabbe y Goyle. La malicia iluminaba su pálido y anguloso rostro—. Me temo que tendré que descontarle unos cuantos puntos a Gryffindor y a Hufflepuff —sentenció arrastrando las palabras.

—Los prefectos no les pueden quitar puntos a sus colegas, Malfoy —saltó Ernie de inmediato.

—Ya sé que los prefectos no pueden descontarse puntos unos a otros —dijo Malfoy desdeñosamente. Crabbe y Goyle rieron por lo bajo—. Pero los miembros de la Brigada Inquisitorial...

—¡¿La qué?! —exclamó Hermione con aspereza.

—La Brigada Inquisitorial, Granger —repitió Malfoy, y señaló una «B» y una «I» diminutas y plateadas que llevaba en la túnica, debajo de la insignia de prefecto—. Un selecto grupo de estudiantes que apoyan al Ministerio de Magia, cuidadosamente seleccionados por la profesora Umbridge. Los miembros de la Brigada Inquisitorial tienen autoridad para descontar puntos. Así que, Granger, a ti te voy a quitar cinco por hacer comentarios groseros sobre nuestra nueva directora. Macmillan, cinco puntos menos por llevarme la contraria. Y a ti otros cinco porque me caes mal, Potter. Weasley, llevas la camisa fuera de los pantalones, tendré que quitarte cinco puntos por eso. Ah, sí, se me olvidaba, eres una sangre sucia, Granger: diez puntos menos.

Ron sacó su varita mágica, pero Hermione lo apartó y susurró:

—¡Quieto!

—Una actitud muy prudente, Granger —musitó Malfoy—. Nueva directora, nuevas reglas... Pórtense bien, Pipipote, Rey Weasley...

Y dicho eso se alejó riendo a carcajadas con Crabbe y Goyle.

—Está alardeando —dijo Ernie muy afligido—. No puede ser que esté autorizado a descontar puntos... Eso sería ridículo..., desmontaría por completo el sistema de prefectos.

Pero Harry, Ron y Hermione habían girado automáticamente la cabeza hacia los gigantescos relojes de arena que, instalados en nichos a lo largo de la pared que tenían detrás, registraban los puntos de las casas. Aquella mañana Gryffindor y Ravenclaw iban empatados en cabeza. Mientras ellos miraban, unas cuantas gemas ascendieron, con lo que disminuyeron las que había en la parte inferior de los relojes de ambas casas. El único reloj de arena que no cambió fue el de Slytherin, lleno de esmeraldas.

—Lo han visto, ¿verdad? —comentó Fred.

Él y George habían bajado por la escalera de mármol y se reunieron con Harry, Ron, Hermione y Ernie frente a los relojes de arena.

—Malfoy acaba de descontarnos cincuenta puntos —explicó Harry, furioso, mientras unas cuantas gemas más pasaban de la parte inferior a la superior del reloj de arena de Gryffindor.

—Sí, Montague también ha intentado jugárnosla en el recreo —aseguró George.

—¿Qué quieres decir con eso de que lo ha intentado? —preguntó rápidamente Ron.

—No ha podido pronunciar todas las palabras —explicó Fred— porque lo hemos metido de cabeza en el armario evanescente del primer piso.

Hermione estaba horrorizada.

—¡Ahora sí que se han metido en un buen lío!

—No hasta que Montague reaparezca, y pueden pasar semanas. No sé adónde lo hemos enviado —comentó Fred, impasible—. Además... hemos decidido que ya no nos importa meternos en líos.

—¿Les ha importado alguna vez?

—Claro que sí —respondió George—. Nunca nos han expulsado, ¿no?

—Siempre hemos sabido cuándo teníamos que parar —añadió Fred.

—A veces nos hemos pasado un poquito de la raya... —admitió su gemelo.

—Pero siempre hemos parado antes de causar un verdadero caos —dijo Fred.

—¿Y ahora? —inquirió Ron, vacilante.

—Pues ahora... —empezó George.

—... que no está Dumbledore... —siguió Fred.

—... creemos que un poco de caos... —continuó George.

—... es precisamente lo que necesita nuestra querida nueva directora —concluyó Fred.

—¡No lo hagan! —susurró Hermione—. ¡No lo hagan, de verdad! ¿No ven que le encantaría tener un pretexto para expulsarlos?

—Veo que no lo has entendido, Hermione —dijo Fred sonriente—. Ya no nos importa que nos expulsen. Nos marcharíamos ahora mismo por nuestro propio pie si no estuviéramos decididos a hacer algo por Dumbledore. Bueno —miró su reloj—, la fase uno está a punto de empezar. Yo en su lugar entraría en el Gran Comedor, y así los profesores sabrán que no han tenido nada que ver.

—Nada que ver ¿con qué? —se extrañó Hermione, alarmada.

—Ya lo verás —contestó George—. Y ahora, corran.

Los gemelos se dieron la vuelta y se perdieron entre la multitud que descendía por la escalera hacia el comedor. Ernie, muy desconcertado, murmuró algo acerca de unos deberes de Transformaciones que no había terminado y se escabulló.

—Miren, creo que deberíamos largarnos de aquí —opinó Hermione con nerviosismo—, por si acaso...

—De acuerdo —admitió Ron, y los tres se encaminaron hacia las puertas del Gran Comedor, pero cuando Harry apenas había vislumbrado el techo de aquel día, por el que se deslizaban unas nubes blancas, alguien le dio unos golpecitos en el hombro, y, al girarse, casi chocó contra la cara de Filch, el conserje. Harry se apresuró a dar unos cuantos pasos hacia atrás; a Filch era mejor verlo desde lejos.

—La directora quiere verte, Potter —dijo el hombre con una sarcástica sonrisa.

—No he sido yo —repuso Harry maquinalmente preguntándose qué podía ser eso que planeaban Fred y George. Los carrillos de Filch temblaron, sacudidos por una risa silenciosa.

—Tienes remordimientos de conciencia, ¿eh? —comentó entre resuellos—. Sígueme.

Harry miró a Ron y Hermione, que parecían preocupados, y luego se encogió de hombros y siguió a Filch por el vestíbulo, contra la marea de estudiantes hambrientos.

Filch estaba de un buen humor poco habitual en él; tarareaba con la boca cerrada mientras subían por la escalera de mármol. Cuando llegaron al primer rellano, el conserje dijo:

—Las cosas están cambiando, Potter.

—Ya lo he notado —repuso Harry con frialdad.

—Sí... Llevo años diciéndole a Dumbledore que es demasiado blando con ustedes —le contó el conserje chasqueando la lengua con desprecio—. Ustedes, pequeñas bestias inmundas, nunca habrían tirado bombas fétidas si yo hubiera estado autorizado a azotarlos hasta dejarlos en carne viva, ¿verdad que no? A nadie se le habría ocurrido lanzar discos voladores con colmillos por los pasillos si yo hubiera podido colgarlos por los tobillos en mi despacho, ¿verdad que no? Pero cuando entre en vigor el Decreto de Enseñanza número veintinueve, Potter, podré hacer todas esas cosas... Y la nueva directora ha pedido al ministro que firme una orden para expulsar a Peeves. Sí, ya lo creo, las cosas van a ser muy diferentes por aquí ahora que ella está al mando...

Era evidente que la profesora Umbridge había hecho todo lo posible para ganarse la simpatía de Filch, pensó Harry, y lo peor era que seguramente el conserje resultaría un arma muy útil; podía decirse que nadie conocía como él los escondites y los pasadizos secretos del colegio, después de los gemelos Weasley.

—Ya hemos llegado —indicó Filch sonriendo con malicia a Harry mientras daba tres golpes en la puerta del despacho de la profesora Umbridge y la abría—. Le traigo a Potter, señora.

El despacho de la profesora Umbridge, con el que Harry ya estaba familiarizado tras sus numerosos castigos, estaba igual que siempre. La única excepción era el enorme bloque de madera que había en la parte delantera de su mesa, con unas letras doradas que rezaban: «DIRECTORA.» Además, la Saeta de Fuego de Harry y las Barredoras de Fred y George estaban atadas con cadenas, a su vez aseguradas con candados, a una sólida barra de hierro que había en la pared, detrás de la mesa, y al verlas Harry sintió una punzada de dolor.

La profesora Umbridge estaba sentada detrás de la mesa, muy ocupada escribiendo en un trozo de su pergamino rosa, pero levantó la cabeza y mostró una amplia sonrisa al verlos entrar.

—Gracias, Argus —dijo con dulzura.

—De nada, señora, de nada —repuso Filch, que se inclinó todo lo que le permitió su reumatismo y salió caminando hacia atrás.

—Siéntate —le indicó a Harry la profesora Umbridge de manera cortante señalando una silla.

El chico se sentó y la profesora siguió escribiendo. Harry se fijó en los feos gatitos que retozaban en los platos que la profesora Umbridge tenía colgados en la pared, y se preguntó qué nueva y espeluznante sorpresa le tendría preparada.

—Bueno —dijo por fin la profesora mientras dejaba la pluma encima de la mesa. Parecía un sapo a punto de engullir una mosca especialmente sabrosa—. ¿Qué te apetece beber?

—¿Cómo dice? —preguntó Harry, convencido de que no había oído bien.

—¿Qué te apetece beber, Potter? —repitió ella, ampliando aún más su sonrisa—. ¿Té? ¿Café? ¿Jugo de calabaza?

Cada vez que nombraba una bebida, daba una sacudida con su corta varita mágica, y una taza o un vaso aparecían sobre su mesa.

—Nada, gracias —contestó Harry.

—Quiero que tomes algo conmigo —insistió la profesora con una voz peligrosamente dulce—. Elige.

—Bueno..., pues té —decidió él encogiéndose de hombros.

La profesora Umbridge se levantó, se colocó de espaldas a Harry y, con mucha parsimonia, añadió leche a la taza. Entonces pasó junto a la mesa, con la taza en la mano, sonriendo con una ternura siniestra.

—Toma —dijo, y le dio la taza—. Bébetelo antes de que se enfríe, ¿de acuerdo? Muy bien, Potter... Me ha parecido oportuno mantener una breve charla contigo después de los lamentables sucesos ocurridos anoche. —Harry no dijo nada. La profesora Umbridge volvió a sentarse en su silla y esperó. Se produjo una larga pausa, que la bruja interrumpió diciendo con jovialidad—. Pero ¡si no te estás bebiendo el té!

Harry se llevó la taza a los labios y de repente la bajó. Uno de los horribles gatitos pintados de la profesora Umbridge tenía unos enormes y redondos ojos azules, como el ojo mágico de *Ojoloco* Moody, y a Harry le dio por pensar qué diría Ojoloco si se enteraba de que él había bebido té ofrecido por un enemigo declarado.

—¿Qué pasa? —preguntó la profesora Umbridge, que seguía observándolo—. ¿Quieres azúcar?

—No —respondió Harry.

Volvió a llevarse la taza a los labios y fingió que bebía un sorbo, aunque mantuvo la boca firmemente cerrada. La sonrisa de la profesora Umbridge se ensanchó.

—Así me gusta —susurró—. Estupendo. Veamos... —Se inclinó un poco hacia delante—. ¿Dónde está Albus Dumbledore?

—No tengo ni idea —respondió Harry sin vacilar.

—Bebe, bebe —lo animó la profesora Umbridge sin dejar de sonreír—. Dejémonos de juegos infantiles, Potter. Sé perfectamente que sabes adónde ha ido. Dumbledore y tú están juntos en este asunto desde el principio. Piensa en tus intereses, Potter...

—No sé dónde está.

Harry fingió que volvía a beber.

—Está bien —aceptó la profesora Umbridge, contrariada—. En ese caso, haz el favor de decirme dónde está Sirius Black.

Harry notó una opresión en el estómago. Le tembló la mano con que sujetaba la taza de té, que repiqueteó contra el platillo. Se llevó una vez más la taza a la boca, con los labios apretados, y unas gotas de líquido caliente se derramaron por su túnica.

—No lo sé —aseguró, quizá precipitadamente.

—Permíteme recordarte, Potter —comentó la profesora Umbridge—, que fui yo quien estuvo a punto de atrapar al criminal Black en la chimenea de Gryffindor en octubre. Sé perfectamente que estaba hablando contigo, y si tuviera alguna prueba, ninguno de los dos andaría suelto ahora, te lo advierto. Te lo preguntaré una vez más, Potter, ¿dónde está Sirius Black?

—Ni idea —aseguró Harry en voz alta—. No tengo ni la más remota idea.

Se miraron fijamente, tanto rato que Harry sintió que le lloraban los ojos. Entonces la profesora Umbridge se levantó.

—Muy bien, Potter, esta vez confiaré en tu palabra, pero te lo advierto: el Ministerio me respalda. Todos los canales de comunicación de entrada y salida del colegio están vigilados. Hay un regulador de la Red Flu que vigila todas las chimeneas de Hogwarts, excepto la mía, por supuesto. Mi Brigada Inquisitorial abre y lee todo el correo lechucil que entra y sale del castillo. Y el señor Filch vigila todos los pasadizos secretos de entrada y salida del castillo. Si encuentro la más mínima prueba de que...

¡PUM!

El suelo del despacho tembló. La profesora Umbridge se desplazó hacia un lado y se sujetó a la mesa, impresionada.

—¿Qué ha sido eso?

Miraba hacia la puerta. Harry aprovechó la ocasión para vaciar la taza de té, casi llena, en el jarrón de flores secas que tenía más cerca. Oía que la gente corría y gritaba varios pisos más abajo.

—¡Vuelve al comedor, Potter! —gritó la profesora Umbridge levantando la varita y saliendo muy deprisa del despacho. Harry le dio unos segundos de ventaja y salió tras ella para ver cuál era el origen de tanto alboroto.

No le costó mucho averiguarlo. Un piso más abajo reinaba un caos absoluto. Alguien (y Harry tenía una idea bastante cercana de quién se trataba) había hecho explotar lo que parecía un enorme cajón de fuegos artificiales encantados.

Por los pasillos revoloteaban dragones compuestos de chispas verdes y doradas que despedían fogonazos y producían potentes explosiones; girándulas de color rosa fosforito de un metro y medio de diámetro pasaban zumbando como platillos volantes; cohetes con largas colas de brillantes estrellas plateadas rebotaban contra las paredes; las bengalas escribían palabrotas en el aire; los petardos explotaban como minas allá donde Harry mirara, y en lugar de consumirse y apagarse poco a poco, esos milagros pirotécnicos parecían adquirir cada vez más fuerza y energía.

Filch y la profesora Umbridge estaban de pie, petrificados, en mitad de la escalera. Mientras Harry contemplaba el espectáculo, una de las girándulas más grandes por lo visto decidió que lo que necesitaba era más espacio para maniobrar, y fue dando vueltas hacia donde estaban la profesora Umbridge y el conserje, emitiendo un siniestro «¡Iiiiiuuuuu!». Ambos gritaron de miedo y se agacharon, y la girándula salió volando por la ventana que tenían detrás y fue a parar a los jardines. Entre tanto, varios dragones y un enorme murciélago de color morado, que humeaba amenazadoramente, aprovecharon que había una puerta abierta al final del pasillo para escapar por ella hacia el segundo piso.

—¡Corra, Filch, corra! —gritó la profesora Umbridge—. ¡Si no hacemos algo se dispersarán por todo el colegio! *¡Desmaius!*

Un chorro de luz roja salió del extremo de su varita y fue a parar contra uno de los cohetes. En lugar de quedarse parado en el aire, éste explotó con tanta fuerza que hizo un agujero en el cuadro de una bruja de aspecto bobalicón, retratada en medio de un prado; la bruja corrió a refugiarse justo a tiempo, y apareció unos segundos más tarde apretujada en el cuadro de al lado, donde un par de magos que jugaban a las cartas se levantaron rápidamente para dejarle sitio.

—¡No los aturda, Filch! —gritó furiosa la profesora Umbridge, como si el conjuro lo hubiera pronunciado él.

—¡Como usted diga, señora! —exclamó resollando el conserje, quien siendo un squib jamás habría podido aturdir aquellos fuegos artificiales. Corrió hacia un armario cercano, sacó de él una escoba y empezó a golpear con ella los fuegos artificiales. Unos segundos más tarde, la parte delantera de la escoba estaba en llamas.

Harry ya había visto suficiente; riendo, se agachó cuanto pudo, corrió hacia una puerta que sabía que estaba un poco más allá, oculta detrás de un tapiz, y entró por ella. Allí encontró a Fred y George, que, escondidos, escuchaban los gritos de la profesora Umbridge y de Filch e intentaban contener la risa.

—Impresionante —admitió Harry en voz baja sonriendo—. Verdaderamente impresionante. El doctor Filibuster va a tener que cerrar su negocio, seguro...

—Gracias —susurró George, y se secó las lágrimas de risa de la cara—. Ay, espero que ahora intente un hechizo desvanecedor... Se multiplican por diez cada vez que lo intentas.

Aquella tarde los fuegos artificiales siguieron ardiendo y extendiéndose por el colegio. Pese a que ocasionaron graves trastornos, sobre todo los petardos, a los otros profesores no pareció importarles mucho.

—¡Vaya! —exclamó la profesora McGonagall con sarcasmo cuando uno de los dragones entró en su clase y se puso a volar describiendo círculos y lanzando sonoros estallidos y llamaradas—. Señorita Brown, ¿le importaría ir al despacho de la directora e informarle de que un dragón se ha escapado y ha entrado en nuestra aula?

El resultado de aquel desbarajuste fue que la profesora Umbridge se pasó la primera tarde como directora corriendo por el colegio y acudiendo a los llamamientos de los otros profesores, ninguno de los cuales parecía capaz de echar de su aula a los fuegos artificiales sin su ayuda. Cuando sonó la última campana y volvían a la torre de Gryffindor con sus mochilas, Harry vio con inmensa satisfacción que la profesora Umbridge, completamente despeinada y cubierta de hollín, salía tambaleándose y sudorosa del aula del profesor Flitwick.

—¡Muchas gracias, profesora! —decía el profesor Flitwick con su aguda vocecilla—. Me habría librado yo mismo de las bengalas, por supuesto, pero no estaba seguro de si tenía autoridad para hacerlo.

Y radiante de alegría, le dio con la puerta de la clase en las narices.

Aquella noche Fred y George fueron los héroes de la sala común de Gryffindor. Hasta Hermione se abrió paso entre la emocionada multitud para felicitarlos.

—Han sido unos fuegos artificiales maravillosos —dijo con admiración.

—Gracias —repuso George, sorprendido y complacido—. Son los Magifuegos Salvajes Weasley. El único problema es que hemos gastado todas nuestras existencias; ahora tendremos que volver a empezar desde cero.

—Pero ha valido la pena —añadió Fred mientras anotaba los pedidos que le hacían los vociferantes alumnos de Gryffindor—. Si quieres apuntarte en la lista de espera, Hermione, la Magicaja Sencilla vale cinco galeones, y la Deflagración Deluxe, veinte...

Hermione volvió a la mesa donde estaban sentados Harry y Ron, que observaban sus mochilas como si tuvieran la esperanza de que sus deberes salieran de ellas y empezaran a hacerse solos.

—¿Por qué no nos tomamos una noche libre? —les propuso Hermione alegremente, y un cohete con cola plateada pasó zumbando al otro lado de la ventana—. Al fin y al cabo, las vacaciones de Pascua empiezan el viernes, ya tendremos tiempo para estudiar.

—¿Te encuentras bien? —le preguntó Ron mirándola con incredulidad.

—Ahora que lo dices —contestó Hermione, muy contenta—, ¿saben una cosa? Creo que me siento un poco... rebelde.

Harry seguía oyendo los lejanos estallidos de los petardos que se habían escapado, cuando él y Ron subieron a acostarse una hora más tarde; y cuando se estaba desvistiendo, una bengala pasó flotando junto a la torre y dibujó claramente la palabra «CACA».

Harry se metió en la cama bostezando. Se había quitado las gafas y cada vez que pasaba un cohete al otro lado de la ventana veía un bello y misterioso rastro borroso, como nubes chispeantes contra el negro cielo. Se tumbó sobre un costado y se preguntó qué pensaría la profesora Umbridge de su primer día en el puesto de Dumbledore, y cómo reaccionaría Fudge al enterarse de que el colegio se había pasado casi toda la jornada en el caos más absoluto. Harry cerró los ojos y sonrió...

Parecía que las explosiones y los silbidos de los fuegos artificiales, que habían salido disparados hacia los jardines, cada vez eran más lejanos... O quizá fuera que él se alejaba a toda velocidad de ellos...

Había ido a parar al pasillo que conducía al Departamento de Misterios. Corría hacia la puerta negra... «Que se abra, que se abra...»

La puerta se abría. Harry estaba dentro de la sala circular rodeada de puertas... La cruzaba, ponía la mano sobre una puerta idéntica y ésta se abría hacia dentro...

Ahora estaba en una habitación larga y rectangular donde se oía un extraño chasquido mecánico. En las paredes había motas de luz que se movían, pero Harry no se detenía a investigar de dónde provenían... Tenía que continuar...

Había una puerta al fondo..., y ésta también se abría cuando Harry la tocaba...

Ahora se hallaba en una habitación en penumbra, alta y espaciosa como una iglesia, donde sólo había hileras y más hileras de altísimas estanterías, llenas de pequeñas y polvorientas esferas de cristal soplado. Harry estaba emocionado, y el corazón le latía muy deprisa... Sabía adónde tenía que ir... Echaba a correr, pero sus pasos no hacían ruido en el enorme y desierto recinto...

Había algo en aquella habitación que él deseaba más que nada en el mundo...

Algo que él quería... o que alguien más quería...

Le dolía la cicatriz...

¡PUM!

Harry despertó al instante, aturdido y furioso. Se oían risas en el dormitorio.

—¡Genial! —exclamó Seamus, cuya silueta se destacaba contra la ventana—. Creo que una girándula ha chocado contra un cohete y se han fusionado, ¡no se lo pierdan!

Harry oyó que Ron y Dean se levantaban de la cama para verlo mejor. Él se quedó quieto y callado mientras remitía el dolor de la cicatriz y se le pasaba la decepción. Le parecía que le habían privado de un placer fabuloso en el último momento... Esa vez había estado muy cerca.

En esos momentos, unos relumbrantes cochinillos alados de color rosa y plateado volaban al otro lado de las ventanas de la torre de Gryffindor. Harry se quedó tumbado escuchando los gritos de admiración de los alumnos de su casa en los dormitorios de abajo, pero se le encogió el estómago al recordar que al día siguiente tenía clase de Oclumancia.

Harry pasó todo el día siguiente temiendo qué iba a decirle Snape si se enteraba de hasta dónde se había adentrado en el Departamento de Misterios en su último sueño. Se dio cuenta, arrepentido, de que no había practicado Oclumancia ni una sola vez desde la última clase, pero habían pasado demasiadas cosas desde que Dumbledore se había marchado; estaba seguro de que no habría podido vaciar su mente aunque lo hubiera intentado. Sin embargo, dudaba que Snape aceptara eso como excusa.

Aquel día intentó practicar un poco durante las clases, pero no sirvió de nada. Hermione no paraba de preguntarle qué le ocurría cada vez que él se quedaba callado intentando alejar de su mente toda emoción y todo pensamiento, aunque había que reconocer que poner la mente en blanco en clase, mientras los profesores los acribillaban a preguntas de repaso, no era lo más adecuado.

Después de la cena, Harry se dirigió al despacho de Snape preparado para lo peor. Sin embargo, cuando cruzaba el vestíbulo, Cho se le acercó corriendo.

—Aquí —indicó Harry, contento de tener un motivo para retrasar su reunión con Snape, y le señaló el rincón del vestíbulo donde estaban los gigantescos relojes de arena. El de Gryffindor ya estaba casi vacío—. ¿Estás bien?

No te habrá preguntado la profesora Umbridge nada sobre el ED, ¿verdad?

—No, no —respondió Cho—. No, era sólo que..., bueno, sólo quería decirte... Harry, jamás pensé que Marietta iba a ser una soplona...

—Sí —repuso él con aire taciturno. Lamentaba que Cho no hubiera elegido a sus amigas con más cuidado; no lo consolaba mucho saber que Marietta todavía estaba en la enfermería y que la señora Pomfrey no había conseguido hacer desaparecer ni un solo grano de su cara.

—En el fondo es una persona encantadora —comentó Cho—. Pero cometió un error...

Harry la miró sin dar crédito a sus oídos.

—¿Una persona encantadora que cometió un error? Pero ¡si nos ha traicionado a todos, incluida tú!

—Bueno, no nos ha pasado nada, ¿verdad? —replicó Cho, suplicante—. Es que su madre trabaja para el Ministerio, y a ella le resulta muy difícil...

—¡El padre de Ron también trabaja para el Ministerio! —saltó Harry, furioso—. Y por si no lo habías notado, él no lleva escrito «soplón» en la cara.

—Eso no ha estado nada bien por parte de Hermione Granger —opinó Cho con dureza—. Debió decirnos que había embrujado esa lista...

—Pues yo creo que fue una idea excelente —replicó Harry con frialdad. Cho se ruborizó y se le pusieron los ojos brillantes.

—¡Ah, sí, se me olvidaba! Claro, si fue idea de tu querida Hermione...

—No te pongas a llorar otra vez —la previno Harry.

—¡No iba a ponerme a llorar! —gritó Cho.

—Bueno, está bien. Ya tengo bastantes problemas.

—¡Pues ve y ocúpate de ellos! —le espetó Cho, furiosa; luego se dio la vuelta y se alejó.

Harry bajó la escalera hacia la mazmorra de Snape. Estaba que echaba chispas, y sabía por experiencia que a Snape le resultaría mucho más fácil entrar en su mente si llegaba enfadado y resentido, pero aun así, antes de alcanzar la puerta de la mazmorra, no fue capaz de pensar en nada más que en unas cuantas cosas que debería haberle dicho a Cho sobre Marietta.

—Llegas tarde, Potter —se quejó Snape fríamente cuando Harry cerró la puerta tras él.

El profesor estaba de pie de espaldas a Harry, retirando algunos pensamientos de su mente, como de costumbre, y colocándolos con cuidado en el pensadero de Dumbledore. Dejó la última hebra plateada en la vasija de piedra y se volvió para mirar a Harry.

—Bueno —dijo—. ¿Has practicado?

—Sí —mintió Harry fijando la vista en una de las patas de la mesa de Snape.

—Ahora lo veremos, ¿no? —comentó éste con voz queda—. Saca la varita, Potter. —Harry se colocó en la posición de siempre, frente al profesor, entre éste y su mesa. Estaba muy enfadado con Cho y muy preocupado por lo que Snape pudiera sacar de su mente—. Contaré hasta tres —anunció Snape perezosamente—. Uno, dos...

Pero de pronto se abrió la puerta y Draco Malfoy entró atropelladamente en el despacho.

—Profesor Snape, señor... ¡Oh, lo siento!

Malfoy se quedó mirando a Snape y a Harry, sorprendido.

—No pasa nada, Draco —lo tranquilizó el hombre, y bajó la varita—. Potter ha venido a repasar pociones curativas.

Harry no había visto a Malfoy tan contento desde el día en que la profesora Umbridge se presentó para supervisar la clase de Hagrid.

—No lo sabía —masculló mirando con gesto burlón a Harry, que se había puesto muy colorado. Habría dado cualquier cosa por gritarle la verdad a Malfoy, o mejor aún, por echarle una buena maldición.

—¿Qué ocurre, Draco? —preguntó Snape.

—Es la profesora Umbridge, señor. Han encontrado a Montague, señor, ha aparecido dentro de un baño del cuarto piso.

—¿Cómo llegó allí?

—No lo sé, señor. Está un poco aturdido.

—Está bien, está bien. Potter —dijo Snape—, continuaremos la clase mañana por la noche.

Y tras pronunciar esas palabras Snape salió pisando fuerte del despacho. Cuando el profesor estaba de espaldas, Malfoy miró a Harry y, moviendo los labios sin emitir ningún sonido, dijo: «¿Pociones curativas?»; luego siguió a Snape.

Harry, que hervía de rabia, se guardó la varita mágica en la túnica y se dispuso a abandonar el despacho. Al menos tenía veinticuatro horas más para practicar; sabía que debía estar agradecido por haberse salvado por un pelito, aunque fuera a costa de que Malfoy le contara a todo el colegio que necesitaba clases particulares de pociones curativas.

Sin embargo, cuando ya estaba a punto de marcharse, vio una mancha de luz temblorosa que danzaba en el marco de la puerta. Se detuvo y se quedó mirándola, y recordó algo... Entonces cayó en la cuenta: se parecía un poco a las luces que había visto en el sueño de la noche anterior, cuando entró en la segunda habitación, durante su incursión en el Departamento de Misterios.

Se dio la vuelta. La luz provenía del pensadero, que estaba encima de la mesa de Snape. Su contenido, de un blanco plateado, fluía y se arremolinaba. Los pensamientos de Snape... Lo que el profesor no quería que Harry viera si el chico le rompía accidentalmente las defensas...

Harry se quedó mirando el pensadero, muerto de curiosidad. ¿Qué era aquello que Snape tanto quería ocultarle?

Las luces plateadas temblaban en la pared. El muchacho avanzó un par de pasos hacia la mesa dándole vueltas al asunto. ¿Y si lo que Snape estaba decidido a ocultarle era información acerca del Departamento de Misterios?

Harry miró hacia la puerta; el corazón le latía más fuerte y más deprisa que nunca. ¿Cuánto podía tardar Snape en rescatar a Montague del baño? ¿Volvería después directamente al despacho o acompañaría a Montague a la enfermería? Seguro que lo acompañaba... Montague era el capitán del equipo de quidditch de Slytherin, y Snape querría asegurarse de que se encontraba bien.

Harry siguió andando hacia el pensadero, se plantó delante de él y observó su contenido. Vaciló un momento aguzando el oído, y luego volvió a sacar la varita mágica. No se oía nada ni en el despacho ni en el pasillo, así que dio un ligero golpe en el pensadero con la punta de su varita.

La sustancia plateada empezó a arremolinarse muy deprisa. Harry se inclinó sobre ella y vio que se había vuelto transparente. Una vez más, estaba mirando desde arriba el interior de una sala, a través de una ventana circular que había en el techo... Entonces comprendió que, a menos que se equivocara, lo que estaba viendo era el Gran Comedor.

Estaba empañando con el aliento la superficie de los pensamientos de Snape... Tenía la sensación de que su cerebro esperaba algo... Sería una locura hacer lo que estaba tan tentado de hacer... Temblaba... Snape podía regresar en cualquier momento... Pero Harry pensó en la cara de enfado de Cho y en el gesto burlón de Malfoy, y un coraje imprudente se apoderó de él.

Inspiró hondo y hundió la cara en la superficie de los pensamientos de Snape. Inmediatamente, el suelo del despacho dio una sacudida y Harry cayó de cabeza dentro del pensadero.

Se precipitaba en una fría oscuridad, girando con furia sobre sí mismo, y entonces...

Estaba de pie en medio del Gran Comedor, pero las cuatro mesas de las casas habían desaparecido, y en su lugar había más de un centenar de mesitas, orientadas hacia el mismo sitio, y en cada una de ellas, sentado con la cabeza gacha, había un estudiante que escribía en un rollo de pergamino. Sólo se oía el rasgueo de las plumas y, de vez en cuando, un susurro cuando alguien colocaba bien el trozo de pergamino. Era evidente que se trataba de un examen.

El sol entraba a raudales por las altas ventanas y caía sobre las cabezas de los alumnos, arrancándoles destellos dorados, cobrizos y castaños. Harry miró atentamente a su alrededor. Snape tenía que estar por allí... Ese recuerdo era suyo...

Y, en efecto, allí estaba, sentado a una mesa colocada detrás de Harry. Éste se quedó mirándolo. El adolescente Snape tenía un aire pálido y greñudo, como una planta que no ha visto mucho la luz. Su cabello, lacio y grasiento, caía sobre la mesa; y mientras escribía, tenía la ganchuda nariz pegada al trozo de pergamino. Harry se colocó detrás de Snape y leyó el título de la hoja del examen: «DEFENSA CONTRA LAS ARTES OSCURAS. TIMO.»

Así pues, Snape debía de tener quince o dieciséis años, más o menos la edad que tenía Harry. Su mano iba rápidamente de un borde al otro del pergamino; había escrito como mínimo treinta centímetros más que sus vecinos, y eso que su letra era minúscula y muy apretada.

—¡Cinco minutos más!

Harry se sobresaltó al oír aquella voz. Giró la cabeza y vio la parte superior de la cabeza del profesor Flitwick, que se movía entre las mesas, a escasa distancia. El profesor pasaba junto a un muchacho de cabello negro y despeinado... Muy negro y muy despeinado...

Harry se desplazó tan deprisa que, de haber sido sólido, habría derribado varias mesas. Pero se deslizó como en un sueño, atravesó dos hileras de mesas y enfiló un pasillo. La espalda del muchacho de cabello negro se acercó y... El chico empezó a enderezarse; dejó la pluma encima de la mesa, tomó la hoja de pergamino y se puso a releer lo que había escrito.

Harry se colocó frente a la mesa y miró a su padre a la edad de quince años.

Sintió una fuerte emoción y se le hizo un nudo en la garganta. Era como si se estuviera mirando a sí mismo, pero con algunas diferencias evidentes. Los ojos de James eran castaños, la nariz, un poco más larga que la de Harry, y no había ninguna cicatriz en la frente, pero ambos tenían la misma cara delgada, la misma boca, las mismas cejas; James tenía también el mismo remolino que Harry en la coronilla, las manos podrían haber sido las de su hijo, y Harry estaba seguro de que, cuando su padre se levantara, comprobaría que medían más o menos lo mismo.

James dio un gran bostezo y se pasó la mano por el pelo, despeinándoselo aún más. Entonces, tras echar un vistazo hacia donde estaba el profesor Flitwick, giró la cabeza y sonrió a un muchacho que estaba sentado cuatro mesas más atrás.

Harry volvió a sentirse embargado por la emoción al ver a Sirius haciéndole a James una señal de aprobación con el pulgar. Sirius estaba cómodamente repantigado, y se mecía sobre las patas traseras de la silla. Era muy atractivo; el oscuro cabello le tapaba los ojos con una elegante naturalidad que ni James ni Harry habrían conseguido, y una chica que estaba sentada detrás de él lo miraba expectante, aunque Sirius no parecía haber reparado en ese detalle. Y dos asientos más allá del de la chica (Harry notó un placentero cosquilleo en el estómago) estaba Remus Lupin. Estaba muy pálido (¿se acercaba la luna llena?) y muy concentrado en el examen; mientras releía sus respuestas, se rascaba la barbilla con el extremo de la pluma, con el entrecejo ligeramente fruncido.

Eso significaba que Colagusano también debía de estar por allí... Y, en efecto, Harry no tardó en dar con él: un chico menudo con cabello castaño claro y nariz puntiaguda. Colagusano parecía nervioso, se mordía las uñas, tenía la vista fija en la hoja de pergamino y no paraba de mover los pies. De vez en cuando, miraba con ansiedad la hoja del examen de su vecino. Harry se quedó observando a Colagusano un momento y luego volvió a mirar a James, que ahora garabateaba en un trozo de pergamino de borrador. Había dibujado una snitch y estaba escribiendo las letras «L. E.» ¿Qué significaban?

—¡Dejen las plumas, por favor! —chilló el profesor Flitwick—. ¡Tú también, Stebbins! ¡Por favor, quédense sentados en sus sitios mientras yo recojo las hojas! *¡Accio!*

Más de un centenar de rollos de pergamino salieron volando por los aires, se lanzaron hacia los extendidos brazos del profesor Flitwick y lo hicieron caer hacia atrás. Varios estudiantes rieron. Un par de alumnos de las primeras mesas se levantaron, sujetaron al profesor por los codos y lo ayudaron a levantarse.

—Gracias, gracias —dijo jadeando—. ¡Muy bien, ya pueden irse todos!

Harry miró a su padre, que había tachado rápidamente las iniciales «L. E.» que había estado adornando, se había puesto en pie de un brinco, había guardado su pluma y su hoja de preguntas en la mochila y se la había colgado del hombro, y esperaba que Sirius se le acercara.

Harry miró alrededor y vio a Snape no lejos de allí; iba entre las mesas hacia las puertas del vestíbulo, y seguía repasando la hoja de preguntas del examen. Cargado de espaldas pero anguloso, tenía unos andares agitados que recordaban a una araña, y su grasiento cabello se movía alrededor de su rostro.

Un grupo de chicas parlanchinas separaban a Snape de James y los demás, y colocándose en medio, Harry consiguió no perder de vista a Snape mientras aguzaba el oído para escuchar lo que decían su padre y sus amigos.

—¿Te ha gustado la pregunta número diez, Lunático? —preguntó Sirius cuando salieron al vestíbulo.

—Me ha encantado —respondió Lupin enérgicamente—. «Enumere cinco características que identifican a un hombre lobo.» Una pregunta estupenda.

—¿Crees que las habrás puesto todas? —preguntó a su vez James fingiendo preocupación.

—Creo que sí —repuso Lupin muy serio, mientras se unían a la multitud que se apiñaba alrededor de las puertas, impaciente por salir a los soleados jardines—. Pero me habría bastado con tres. Uno: está sentado en mi silla. Dos: lleva puesta mi ropa. Tres: se llama Remus Lupin...

Colagusano fue el único que no rió.

—Yo he puesto la forma del hocico, las pupilas y la cola con penacho —comentó con ansiedad—, pero no me acordaba de qué más...

—¡Mira que eres tonto, Colagusano! —exclamó James con impaciencia—. Te paseas con un hombre lobo una vez al mes y no...

—Baja la voz —suplicó Lupin.

Harry, nervioso, volvió a girar la cabeza. Snape seguía cerca, absorto todavía en las preguntas de su examen, pero aquél era su recuerdo, y Harry estaba seguro de que si Snape decidía tomar otro camino cuando salieran a los jardines, él no podría seguir a su padre. Sin embargo, cuando James y sus tres amigos echaron a andar por la ladera de césped hacia el lago, vio con gran alivio que Snape los seguía. Todavía iba repasando la hoja de preguntas, y al parecer no tenía un destino fijo. Harry caminaba un poco por delante de él y así podía continuar observando a James y a los demás.

—Bueno, el examen estaba facilísimo —oyó que decía Sirius—. Me sorprendería mucho que no me pusieran un «Extraordinario».

—A mí también —añadió James, que se metió la mano en el bolsillo y sacó una indómita snitch dorada.

—¿De dónde has sacado eso?

—La he robado —afirmó James sin darle importancia. Empezó a jugar con la snitch, dejándola volar hasta que se alejaba unos treinta centímetros, y luego la atrapaba; sus reflejos eran excelentes. Colagusano lo contemplaba admirado.

Se detuvieron bajo la sombra del haya que había a orillas del lago, donde Harry, Ron y Hermione habían pasado un domingo terminando sus deberes, y se tumbaron en la hierba. Harry giró la cabeza una vez más y vio, complacido, que Snape también se había sentado en la hierba, bajo la densa sombra de unos matorrales. Seguía repasando la hoja del TIMO, de modo que Harry también se sentó en la hierba, entre el haya y los matorrales, y de ese modo observaba a su padre y a sus tres amigos. El sol hacía brillar la lisa superficie del lago, a cuya orilla se habían instalado el grupo de risueñas chicas que acababan de salir del Gran Comedor; se habían quitado los zapatos y los calcetines y se estaban refrescando los pies en el agua.

Lupin había sacado un libro y se había puesto a leer. Sirius miraba a los estudiantes que se paseaban por los jardines, con un aire un tanto altivo y aburrido, pero con elegancia. James seguía jugando con la snitch, y cada vez dejaba que se alejase un poco más; la pelota siempre estaba a punto de escapar, pero él la atrapaba en el último momento. Colagusano lo observaba con la boca abierta. Cada vez que James la atrapaba de una manera particularmente difícil, él soltaba un grito de asombro y aplaudía. Tras cinco minutos, Harry se preguntó por qué su padre no le decía a Colagusano que se controlara, pero parecía que a James le gustaba que le prestaran tanta atención. Harry se fijó en que su padre tenía la costumbre de desordenarse el cabello, como si quisiera impedir que ofreciera un aspecto demasiado pulido, y también miraba continuamente a las chicas que se habían sentado a orillas del lago.

—Guarda eso, ¿quieres? —acabó diciéndole Sirius cuando James atrapó la snitch de un modo magnífico y Colagusano lo vitoreó—, antes de que Colagusano se haga pipí encima de la emoción.

Colagusano se ruborizó ligeramente, pero James sonrió.

—Si tanto te molesta... —dijo, y se guardó la pelota en el bolsillo. Harry tuvo la certeza de que Sirius era la única persona por la que James habría dejado de presumir.

—Me aburro —comentó Sirius—. ¡Ojalá hubiera luna llena!

—¿Te aburres? —se extrañó Lupin desde detrás de su libro—. Todavía nos queda Transformaciones; si te aburres puedes preguntarme la lección. Toma... —Y le pasó su libro.

Pero Sirius soltó un resoplido y dijo:

—No necesito el libro, me lo sé de memoria.

—Esto te animará, Canuto —comentó James en voz baja—. Mira quién está allí...

Sirius giró la cabeza y se quedó muy quieto, como un perro que ha olfateado un conejo.

—Fantástico —dijo con voz queda—. Quejicus.

Harry se volvió para ver a quién estaba mirando Sirius.

Snape se había levantado y estaba guardando la hoja del TIMO en su mochila. Cuando salió de la sombra de los matorrales y echó a andar por la extensión de césped, Sirius y James se pusieron en pie.

Lupin y Colagusano permanecieron sentados: Lupin seguía con la vista fija en el libro, aunque no movía los ojos y entre sus cejas había aparecido una pequeña arruga; Colagusano miraba a Sirius y a James y luego a Snape con avidez y expectación.

—¿Todo bien, Quejicus? —preguntó James en voz alta.

Snape reaccionó tan deprisa que dio la impresión de que estaba esperando un ataque: soltó su mochila, metió la mano dentro de su túnica y cuando empezó a levantar la varita, James gritó:

—*¡Expelliarmus!*

La varita de Snape saltó por los aires y cayó con un ruido sordo en la hierba, detrás de él. Sirius soltó una carcajada.

—*¡Impedimenta!* —exclamó éste señalando con su varita a Snape, que tropezó y cayó al suelo cuando se lanzaba a recoger su varita.

Muchos estudiantes se habían vuelto para mirar. Algunos se habían levantado y se acercaban poco a poco. Unos parecían preocupados; otros, divertidos.

Snape estaba tirado en el suelo, jadeante. James y Sirius avanzaron hacia él con las varitas levantadas; James giraba de vez en cuando la cabeza para mirar a las chicas que había sentadas al borde del lago. Colagusano también se había puesto en pie y había pasado junto a Lupin para ver mejor.

—¿Cómo te ha ido el examen, Quejiquis? —preguntó James.

—Me he fijado en él, tenía la nariz pegada al pergamino —aseguró Sirius con maldad—. Su hoja debe de estar llena de manchas de grasa; no van a poder leer ni una palabra.

Varios estudiantes que estaban mirando rieron; era evidente que Snape no tenía muchos amigos. Colagusano rió con estridencia. Snape, por su parte, intentaba levantarse, pero el embrujo todavía duraba, de modo que forcejeaba como si estuviera atado con cuerdas invisibles.

—Esperen... y verán —dijo entrecortadamente contemplando con profundo odio a James—. ¡Esperen... y verán!

—¿Qué veremos? —preguntó Sirius impávido—. ¿Qué vas a hacer, Quejiquis, limpiarte los mocos en nuestra ropa?

Snape soltó un torrente de palabrotas mezcladas con maleficios, pero como su varita había ido a parar a tres metros de él, no pasó nada.

—Vete a lavar esa boca —le espetó James—. *¡Fregotego!*

Inmediatamente empezaron a salir rosadas pompas de jabón de la boca de Snape; la espuma le cubría los labios, le provocaba arcadas y hacía que se atragantara...

—¡DÉJENLO EN PAZ!

James y Sirius giraron la cabeza. Inmediatamente, James se llevó la mano que tenía libre a la cabeza y se revolvió el cabello.

Era una de las chicas de la orilla del lago. Tenía una poblada mata de cabello rojo oscuro que le llegaba hasta los hombros, y unos ojos almendrados de un verde asombroso, iguales que los de Harry.

Era la madre de Harry.

—¿Qué tal, Evans? —la saludó James con un tono de voz mucho más agradable, grave y maduro.

—Déjenlo en paz —repitió Lily. Miraba a James sin disimular una profunda antipatía—. ¿Qué les ha hecho?

—Bueno —respondió James, e hizo como si reflexionara acerca de la pregunta—, es simplemente que existe, no sé si me explico...

Muchos estudiantes que se habían acercado rieron, incluidos Sirius y Colagusano, pero Lupin, que seguía en apariencia concentrado en su libro, no se rió, y tampoco lo hizo Lily.

—Te crees muy gracioso —afirmó ella con frialdad—, pero no eres más que un sinvergüenza arrogante y bravucón, Potter. Déjalo en paz.

—Lo dejaré en paz si sales conmigo, Evans —replicó rápidamente James—. Vamos, sal conmigo y no volveré a apuntar a Quejiquis con mi varita.

A sus espaldas, el efecto del embrujo paralizante estaba remitiendo y Snape se arrastraba con lentitud hacia su varita, escupiendo espuma de jabón.

—No saldría contigo ni aunque tuviera que elegir entre tú y el calamar gigante —le aseguró Lily.

—Mala suerte, Cornamenta —exclamó Sirius con viveza, y se volvió hacia Snape—. ¡Eh!

Demasiado tarde: Snape apuntaba con su varita a James; se produjo un destello de luz, un tajo apareció en la cara de James y la túnica se le manchó de sangre. James giró rápidamente sobre sí mismo: hubo otro destello, y Snape quedó colgado por los pies en el aire; la túnica le tapó la cabeza y dejó al descubierto unas delgadas y pálidas piernas y unos calzoncillos grisáceos.

Muchos de los curiosos vitorearon a James; Sirius, James y Colagusano rieron a carcajadas.

Lily, cuya expresión de rabia había vacilado un instante, como si fuera a sonreír, gritó:

—¡Bájenlo!

—Como quieras —convino James, y apuntó hacia arriba con su varita.

Snape cayó al suelo como un montón de ropa arrugada. Se desenredó de la túnica y se puso rápidamente en pie, con la varita en la mano, pero Sirius exclamó *«¡Petrificus totalus!»* y Snape volvió a caer de bruces, rígido como una tabla.

—¡DÉJENLO EN PAZ! —gritó Lily, que ahora también enarbolaba su varita. James y Sirius la miraron con cautela.

—Por favor, Evans, no me obligues a echarte un maleficio —protestó James con seriedad.

—¡Pues retírale la maldición!

James exhaló un hondo suspiro, se volvió hacia Snape y pronunció la contramaldición.

—Ya está —dijo mientras Snape se ponía trabajosamente en pie—. Has tenido suerte de que Evans estuviera aquí, Quejicus...

—¡No necesito la ayuda de una asquerosa sangre sucia como ella!

Lily parpadeó y, fríamente, dijo:

—Bien, la próxima vez no me meteré donde no me llaman. Y por cierto —añadió—, yo que tú me lavaría los calzoncillos, Quejicus.

—¡Pídele disculpas a Evans! —le gritó James a Snape, apuntándolo amenazadoramente con la varita.

—No quiero que lo obligues a pedirme disculpas —le gritó Lily a James—. Tú eres tan detestable como él.

—¿Qué? —gritó James—. ¡Yo jamás te llamaría... eso que tú sabes!

—Siempre estás desordenándote el pelo porque crees que queda bien que parezca que acabas de bajarte de la escoba, vas presumiendo por ahí con esa estúpida snitch, te pavoneas y echas maleficios a la gente por cualquier tontería... Me sorprende que tu escoba pueda levantarse del suelo, con lo que debe de pesar tu enorme cabeza. ¡Me das ASCO! —exclamó, y dio media vuelta y se marchó de allí a buen paso.

—¡Evans! —le gritó James—. ¡Eh, EVANS!

Pero Lily no miró hacia atrás.

—¿Qué mosca le ha picado? —dijo James intentando en vano fingir que era una pregunta hecha al azar, y que en realidad no le importaba.

—Leyendo entre líneas, yo diría que te encuentra un poco creído, amigo mío —apuntó Sirius.

—Está bien —aceptó James con gesto de fastidio—. Está bien... —Entonces se produjo otro destello y Snape volvió a colgar por los pies en el aire—. ¿Quién quiere ver cómo le quito los calzoncillos a Snape?

Pero Harry no llegó a saber si James le quitó los calzoncillos a Snape o no, pues una mano se había cerrado alrededor de su brazo con la fuerza de unas tenazas. El chico hizo una mueca de dolor y giró la cabeza para ver quién lo estaba sujetando, y vio, con horror, al Snape adulto de pie detrás de él, lívido de rabia.

—¿Te diviertes?

Harry notó que se elevaba por el aire; los soleados jardines se evaporaban a su alrededor; subía flotando por una gélida oscuridad, y la mano de Snape seguía sujetándolo con fuerza por el brazo. Entonces, con la sensación de que caía en picada, como si hubiera dado una voltereta en el aire, sus pies dieron contra el suelo de piedra de la mazmorra de Snape, y se encontró de nuevo plantado ante el pensadero que había encima de la mesa del oscuro despacho del que, en la actualidad, era su profesor de Pociones.

—¿Y bien? —preguntó Snape; le apretaba tanto el brazo que a Harry empezó a dormírsele la mano—. ¿Te lo has pasado bien, Potter?

—N-no —contestó Harry al mismo tiempo que intentaba liberar su brazo.

Snape daba miedo: le temblaban los labios, estaba blanco como el papel y enseñaba los dientes.

—Tu padre era un tipo muy gracioso, ¿verdad? —dijo el profesor, y zarandeó a Harry hasta que le resbalaron las gafas por la nariz.

—Yo... no...

Snape empujó a Harry con todas sus fuerzas y éste cayó estrepitosamente contra el suelo de la mazmorra.

—¡No le cuentes a nadie lo que has visto! —bramó Snape.

—No —repuso Harry, y se levantó tan lejos como pudo de Snape—. No, claro que no...

—¡Largo de aquí! ¡No quiero volver a verte jamás en este despacho!

Y cuando Harry salía disparado hacia la puerta, un tarro de cucarachas muertas se estrelló sobre su cabeza. Abrió la puerta de un tirón, echó a correr por el pasillo y no paró hasta que estuvo a tres pisos de distancia de Snape. Entonces se apoyó en la pared jadeando y se frotó el magullado brazo.

No le apetecía volver tan pronto a la torre de Gryffindor, ni contarles a Ron y a Hermione lo que acababa de ver. Si se sentía horrorizado y desdichado no era porque Snape le hubiera gritado ni porque le hubiera lanzado un tarro de cucarachas, sino porque él sabía qué experimentaba uno cuando lo humillaban en medio de un corro de curiosos, y sabía exactamente qué había sentido Snape cuando su padre se había burlado de él; a juzgar por lo que acababa de ver, su padre había sido tan arrogante como Snape siempre le había dado a entender.

29

Orientación académica

—Pero ¿por qué ya no tienes clases particulares de Oclumancia? —preguntó Hermione con expresión ceñuda.

—Ya te lo he dicho —murmuró Harry—. Snape cree que ahora que he aprendido los conceptos básicos puedo seguir estudiando por mi cuenta.

—¿Quiere eso decir que ya no tienes sueños raros? —inquirió Hermione con escepticismo.

—Bueno, tengo bastantes menos —respondió Harry sin mirar a su amiga.

—¡Pues no creo que Snape deba interrumpir las clases hasta estar completamente seguro de que puedes controlarlos! —exclamó la chica, indignada—. Harry, creo que deberías volver a su despacho y preguntarle...

—No —repuso Harry, tajante—. Déjalo, Hermione, ¿quieres?

Era el primer día de las vacaciones de Pascua, y Hermione, como de costumbre, había pasado gran parte del tiempo haciendo horarios de repaso para los tres amigos. Harry y Ron no habían puesto objeciones: eso era más fácil que discutir con ella, y de todos modos quizá los horarios resultaran útiles.

Ron se llevó una sorpresa al ver que sólo faltaban seis semanas para los exámenes.

—¿Cómo puede ser que eso te sorprenda? —le preguntó Hermione mientras tocaba cada cuadradito del horario de Ron con su varita para que se pintara de un color diferente según la asignatura.

—No lo sé —admitió Ron—. Han pasado muchas cosas.

—Toma, ya quedó —dijo Hermione, y le entregó su horario—. Si lo sigues al pie de la letra, no tendrás problemas.

Ron lo contempló con desánimo, pero de pronto su rostro se iluminó.

—¡Me has dejado una noche libre cada semana!

—Para los entrenamientos de quidditch —aclaró Hermione.

La sonrisa se borró de la cara de Ron.

—¿Qué sentido tiene que entrenemos? —comentó, desalentado—. Tenemos las mismas posibilidades de ganar la Copa de quidditch este año que las de mi padre de ser nombrado ministro de Magia.

Hermione no dijo nada; observaba a Harry, que miraba sin ver la pared opuesta de la sala común mientras *Crookshanks* le tocaba una mano con la pata para que le acariciara las orejas.

—¿Qué pasa, Harry?

—¿Qué? —reaccionó él rápidamente—. Nada.

De inmediato tomó su ejemplar de *Teoría de defensa mágica* y fingió que buscaba algo en el índice. *Crookshanks* se rindió al no tener resultados y se escondió bajo la butaca de Hermione.

—Antes he visto a Cho —comentó la chica tanteando el terreno—. Ella también parecía muy triste. ¿Se han vuelto a pelear?

—¿Qué? Ah, sí, nos hemos peleado —respondió Harry, quien agradeció la excusa que le brindaba Hermione.

—¿Por qué?

—Por su amiga Marietta, la soplona —contestó Harry.

—¡Y no te culpo! —terció Ron apartando la mirada de su horario de repaso—. Si no hubiera sido por ella...

Ron se puso a despotricar contra Marietta Edgecombe, lo cual a Harry le resultó muy útil: lo único que tenía que hacer era poner cara de enojo, asentir con la cabeza y decir «sí» y «eso» cada vez que Ron paraba para tomar aliento, y entre tanto podía recordar lo que había visto en el pensadero, aunque le hiciera sentirse sumamente desdichado.

Tenía la impresión de que el recuerdo de aquella escena lo estaba carcomiendo por dentro. Siempre había estado tan seguro de que sus padres eran unas personas maravillosas que nunca había creído lo que afirmaba Snape sobre el carácter de su padre. ¿Acaso no le habían asegurado personas como Hagrid y Sirius que su padre era un tipo fenomenal? («Sí, claro, pero mira cómo era Sirius —dijo una vocecilla impertinente dentro de la cabeza de Harry—. Era igual de ruin que él, ¿no?») Sí, en una ocasión había oído decir a la profesora McGonagall que su padre y Sirius eran los alborotadores del colegio, pero los había descrito como precursores de los gemelos Weasley, y Harry no podía imaginar que Fred y George colgaran a alguien por los pies sólo para divertirse... A menos que odiaran de verdad a esa persona; quizá se lo habrían hecho a Malfoy, o a alguien que de verdad se lo mereciera...

Harry intentó demostrarse a sí mismo que Snape se había merecido el trato que había recibido de James; pero ¿acaso Lily no había preguntado: «¿Qué les ha hecho?»; y James había contestado: «Es simplemente que existe, no sé si me explico»? ¿Y acaso James no había empezado la broma sólo porque Sirius había dicho que se aburría? Harry recordaba que, cuando estaban en Grimmauld Place, Lupin había comentado que Dumbledore lo había nombrado prefecto con la esperanza de que ejerciera cierto control sobre James y Sirius... Pero, en el pensadero, Lupin se había quedado sentado y no había hecho nada para impedir el enfrentamiento...

Harry se acordaba una y otra vez de que Lily había intervenido; su madre sí era una persona decente. Sin embargo, el recuerdo de la expresión de la cara de Lily cuando le gritaba a James lo inquietaba tanto como todo lo demás; era evidente que odiaba a James, y Harry no se explicaba cómo habían acabado casándose. En un par de ocasiones, hasta se preguntó si James la habría obligado a...

Durante casi cinco años la imagen de su padre había sido para él una fuente de consuelo e inspiración. Siempre que alguien comentaba que se parecía a James, él se sentía orgulloso. Pero en aquellos momentos..., en aquellos momentos se sentía indiferente y triste cuando pensaba en él.

A medida que avanzaba la semana de Pascua, el tiempo se hizo más ventoso, soleado y cálido, pero Harry estaba atrapado dentro del castillo, como el resto de los alumnos de quinto y séptimo, sin más ocupación que repasar e ir y venir de la biblioteca. Harry fingía que su malhumor no tenía más causa que la proximidad de los exámenes, y como sus compañeros de Gryffindor también estaban hartos de estudiar, nadie puso en duda su excusa.

—Estoy hablando contigo, Harry. ¿No me oyes?

—¿Eh?

Giró la cabeza. Ginny Weasley, muy despeinada, se había sentado a su lado en la mesa de la biblioteca, adonde Harry había ido solo. Era un domingo por la noche; Hermione había vuelto a la torre de Gryffindor para repasar Runas Antiguas, y Ron tenía entrenamiento de quidditch.

—¡Ah, hola! —exclamó Harry, y acercó los libros hacia sí—. ¿Por qué no estás entrenando?

—El entrenamiento ha terminado —respondió Ginny—. Ron ha tenido que llevar a Jack Sloper a la enfermería.

—¿Por qué?

—Bueno, no estamos seguros, pero creemos que se ha golpeado él mismo con el bate. —Suspiró profundamente—. En fin... Ha llegado un paquete. Acaba de pasar por el nuevo detector de la profesora Umbridge.

Levantó una caja envuelta con papel marrón y la puso encima de la mesa; era evidente que la habían desenvuelto y la habían vuelto a envolver con descuido. En el papel había una nota escrita con tinta roja que rezaba: «Inspeccionado y aprobado por la Suma Inquisidora de Hogwarts.»

—Son huevos de Pascua que nos envía mi madre —dijo Ginny—. Hay uno para ti, toma...

Le dio un bonito huevo de chocolate decorado con pequeñas snitchs glaseadas que, según el envoltorio, contenía una bolsa de meigas fritas. Harry se quedó mirándolo y de pronto sintió que se le hacía un nudo en la garganta.

—¿Te encuentras bien, Harry? —le preguntó Ginny en voz baja.

—Sí, sí, estoy bien —contestó Harry con brusquedad. El nudo de la garganta era doloroso. No entendía por qué un huevo de Pascua lo hacía sentir de ese modo.

—Últimamente estás muy deprimido —insistió Ginny—. ¿Sabes qué? Estoy segura de que si hablaras con Cho...

—No es con Cho con quien quiero hablar —la atajó Harry.

—Pues ¿con quién? —inquirió Ginny mirándolo atentamente.

—Con...

Harry miró alrededor para asegurarse de que nadie escuchaba. La señora Pince se hallaba bastante lejos, pues estaba retirando de una estantería un montón de libros para Hannah Abbott, que parecía agobiadísima.

—Me muero de ganas de hablar con Sirius —masculló—. Pero sé que no puedo.

Ginny siguió mirándolo con atención. Harry desenvolvió su huevo de Pascua, no porque le apeteciera comérselo, sino más bien por hacer algo, rompió un pedazo grande y se lo metió en la boca.

—Bueno —dijo Ginny, y también tomó un trozo de huevo—, si tantas ganas tienes, supongo que podríamos encontrar la forma de que hablaras con él.

—No digas tonterías. Eso es imposible mientras la profesora Umbridge vigile las chimeneas y abra nuestro correo.

—Lo bueno de crecer con Fred y George es que acabas pensando que cualquier cosa es posible si tienes suficiente coraje —repuso Ginny con aire pensativo.

Harry la miró. Quizá fuera el efecto del chocolate (Lupin siempre le había aconsejado que comiera un poco tras un encuentro con dementores), o sencillamente porque, por fin, había expresado en voz alta el deseo que llevaba una semana entera ardiendo en su interior, pero de pronto se sintió más animado.

—PERO ¿QUÉ ESTÁN HACIENDO?

—¡Vaya! —susurró Ginny, y se puso en pie de un brinco—. Se me había olvidado...

La señora Pince se abalanzó sobre ellos con su arrugado rostro descompuesto de la ira.

—¡Chocolate en la biblioteca! —gritó—. ¡Fuera! ¡Fuera! ¡FUERA!

Y, agitando la varita, hizo que los libros, la mochila y el tintero de Harry los siguieran a él y a Ginny hasta la puerta de la biblioteca, y que por el camino los golpearan varias veces en la cabeza.

Para subrayar la importancia de los próximos exámenes, una serie de folletos, prospectos y anuncios relacionados con varias carreras mágicas aparecieron encima de las mesas de la torre de Gryffindor poco después de que las vacaciones finalizasen, y en el tablón de anuncios colgaron un letrero que decía:

ORIENTACIÓN ACADÉMICA

Todos los alumnos de quinto curso tendrán, durante la primera semana del trimestre de verano, una breve entrevista con el jefe de su casa para hablar de las futuras carreras. Las fechas y las horas de las entrevistas individuales se indican a continuación.

Harry revisó la lista y vio que la profesora McGonagall lo esperaba en su despacho el lunes a las dos y media, lo cual significaba que se saltaría casi toda la clase de Adivinación. Harry y los otros alumnos de quinto habían pasado una parte considerable del último fin de semana de las vacaciones de Pascua leyendo la información sobre diferentes carreras que habían dejado en la torre para que los alumnos la examinaran.

—Bueno, la Sanación no me atrae —comentó Ron la última noche de las vacaciones. Estaba enfrascado en la lectura de un folleto en cuya portada se veía el emblema del hueso y de la varita cruzados de San Mungo—. Aquí pone que necesitas como mínimo una «S» en los TIMOS de Pociones, Herbología, Transformaciones, Encantamientos y Defensa Contra las Artes Oscuras. No son exigentes ni nada, ¿eh?

—Bueno, ten en cuenta que es una profesión de mucha responsabilidad —observó Hermione, que estudiaba minuciosamente un folleto de color naranja titulado: «¿CREES QUE TE GUSTARÍA TRABAJAR EN RELACIONES CON LOS MUGGLES?»—. Para especializarte en relaciones con los muggles no es necesario estar muy bien calificado; sólo te piden un TIMO de Estudios Muggles. Mira lo que dice aquí: «¡Son mucho más importantes tu entusiasmo, tu paciencia y tu sentido del humor!»

—Te aseguro que para relacionarse con mi tío hay que tener algo más que sentido del humor —intervino Harry con desánimo—. Un buen sentido del escondite, por ejemplo. —Estaba leyendo un folleto sobre la banca mágica—. Escuchen esto: «¿Buscas una carrera interesante que incluya viajes, aventuras y sustanciosas bonificaciones en metálico relacionadas con experiencias peligrosas? Pues plantéate si quieres trabajar para Gringotts, el Banco Mágico, que recluta a rompedores de maldiciones y les ofrece emocionantes oportunidades en el extranjero.» Pero piden Aritmancia; ¡tú podrías hacerlo, Hermione!

—No me interesa mucho la banca —repuso ella con vaguedad, pues estaba leyendo otro folleto titulado: «¿TIENES LO QUE HAY QUE TENER PARA ENTRENAR A TROLS DE SEGURIDAD?»

—¡Eh! —le susurró alguien al oído a Harry. Giró la cabeza y vio que Fred y George se les habían unido—. Ginny ha venido a hablarnos de ti —dijo Fred, y estiró las piernas sobre la mesa que tenían delante provocando que varios folletos sobre carreras relacionadas con el Ministerio de Magia cayeran al suelo—. Dice que necesitas comunicarte con Sirius.

—¿Qué? —saltó Hermione, y dejó quieta en el aire la mano con que se disponía a tomar el folleto titulado: «TRIUNFA EN EL DEPARTAMENTO DE ACCIDENTES Y CATÁSTROFES EN EL MUNDO DE LA MAGIA.»

—Sí —confirmó Harry con tono desenfadado—, sí, me gustaría...

—No seas ridículo —terció Hermione, que se enderezó y lo miró como si no pudiera creer lo que estaba oyendo—. ¿Cómo vas a hacerlo si la profesora Umbridge hurga en las chimeneas y registra a todas las lechuzas?

—Verás, es que hemos pensado que podríamos encontrar la forma de burlar su vigilancia —explicó George, desperezándose, con una sonrisa en los labios—. Se trata simplemente de organizar una maniobra de distracción. Mira, no sé si te habrás fijado en que hemos estado muy tranquilos durante las vacaciones de Pascua...

—¿Qué sentido tenía alterar el tiempo de ocio? —continuó Fred—. Ninguno, nos dijimos. Y por supuesto, habríamos molestado a los estudiantes que estaban repasando, y por nada del mundo querríamos hacer eso. —Miró a Hermione con cara de mojigato. A ella le sorprendió que los gemelos hubieran tenido tanta consideración—. Pero a partir de mañana empieza otra vez la fiesta —prosiguió enérgicamente—. Y ya que tenemos pensado causar un poco de alboroto, ¿por qué no hacerlo de modo que Harry pueda aprovechar la ocasión para charlar con Sirius?

—Sí, pero de todos modos —dijo Hermione como si le estuviera contando algo muy simple a una persona muy obtusa—, aunque consigan distraer a la profesora Umbridge, ¿cómo se supone que va a hablar Harry con Sirius?

—En el despacho de la profesora Umbridge —contestó él en voz baja.

Llevaba dos semanas pensándolo y no se le había ocurrido ninguna alternativa. La propia profesora Umbridge le había dicho que la única chimenea que no estaba vigilada era la de su despacho.

—¿Te has vuelto loco? —replicó Hermione con voz queda.

Ron había dejado de leer un folleto en el que ofrecían puestos de trabajo en la industria del cultivo de hongos y escuchaba la conversación con recelo.

—Creo que no —contestó Harry, y se encogió de hombros.

—¿Y cómo piensas entrar allí, para empezar?

Harry estaba preparado para contestar aquella pregunta.

—Con la navaja de Sirius —dijo.

—¿Con qué?

—Hace dos Navidades, Sirius me regaló una navaja que abre cualquier cerradura. Así que, aunque la profesora Umbridge haya encantado la puerta para que no funcione el *Alohomora*, como imagino que habrá hecho...

—¿Qué opinas tú de esto? —le preguntó Hermione a Ron, y de inmediato Harry recordó cómo la señora Weasley había apelado a su marido durante la primera cena en Grimmauld Place.

—No lo sé —contestó Ron. Al parecer, Hermione lo había pescado desprevenido al pedirle su opinión—. Si Harry quiere hacerlo, es asunto suyo, ¿no?

—Así hablan los buenos amigos y los Weasley —afirmó Fred, y dio unas fuertes palmadas a Ron en la espalda—. Muy bien. Hemos pensado hacerlo mañana, después de las clases, porque provocaríamos un impacto máximo si todo el mundo estuviera en los pasillos. Harry, lo soltaremos en el ala este, no sé exactamente dónde, y la obligaremos a salir de su despacho. Calculo que podemos garantizarte... unos veinte minutos, ¿verdad? —añadió mirando a George.

—Sí, seguro —confirmó éste.

—¿En qué consiste la maniobra de distracción? —preguntó Ron.

—Ya lo verás, hermanito —dijo Fred mientras él y su gemelo se levantaban—. Sólo tienes que estar en el pasillo de Gregory *el Adulador* mañana a eso de las cinco.

Al día siguiente Harry se despertó temprano, casi tan nervioso como el día de su vista disciplinaria en el Ministerio de Magia. Lo que lo angustiaba no era únicamente la perspectiva de entrar en el despacho de la profesora Umbridge y utilizar su chimenea para hablar con Sirius, aunque por supuesto ese hecho habría sido suficiente, sino que, además, aquel día Harry estaría cerca de Snape por primera vez desde que el profesor lo había echado de su despacho.

Tras permanecer un rato tumbado en la cama, pensando en el día que tenía por delante, Harry se levantó sin hacer ruido y fue hasta la ventana que había junto a la cama de Neville. Miró por ella y vio que hacía una mañana francamente espléndida. El cielo estaba de un azul claro, neblinoso y opalino. Justo delante de la ventana por la que miraba Harry, se encontraba la altísima haya bajo la que su padre había atormentado a Snape. No estaba seguro de qué podría decirle Sirius para explicar la escena que había visto en el pensadero, pero estaba impaciente por escuchar la versión de su padrino sobre lo ocurrido, conocer cualquier factor atenuante que pudiera haber habido, cualquier excusa, por pequeña que fuera, para justificar el comportamiento de su padre...

De pronto Harry vio que algo se movía en los límites del Bosque Prohibido. Aguzó la vista y distinguió a Hagrid, que salía de entre los árboles. Le pareció que cojeaba. Mientras Harry lo observaba, el guardabosques fue haciendo eses hasta la puerta de su cabaña y se metió dentro. El chico se quedó varios minutos contemplando la cabaña. Hagrid no volvió a aparecer, pero empezó a salir humo por la chimenea; no podía estar muy malherido si todavía era capaz de echarle leña al fuego.

Harry se apartó de la ventana, regresó junto a su baúl y empezó a vestirse.

Ante la perspectiva de entrar por la fuerza en el despacho de la profesora Umbridge, Harry no esperaba que aquél fuera a ser un día tranquilo, pero no había contado con que Hermione lo acosara constantemente para disuadirlo de lo que planeaba hacer a las cinco. Por primera vez, Hermione estuvo tan distraída como Harry y Ron en la clase de Historia de la Magia del profesor Binns, y susurraba sin parar advertencias que Harry hacía todo lo posible por ignorar.

—... y si te encuentra allí dentro, aparte de expulsarte, se imaginará que has estado hablando con *Hocicos*, y esta vez seguro que te obliga a beberte el Veritaserum y contestar a sus preguntas...

—Hermione —dijo Ron con voz contenida e indignada—, ¿quieres hacer el favor de dejar de regañar a Harry y escuchar a Binns, o voy a tener que tomar yo mismo apuntes?

—¡Pues podrías tomar apuntes, para variar, no te morirías!

Cuando llegaron a las mazmorras, Harry y Ron ya no le dirigían la palabra a Hermione. Ella, sin dejarse amilanar, aprovechó el silencio de sus amigos para soltarles un torrente continuo de graves advertencias, pronunciadas con ímpetu en un susurro ininterrumpido que hizo que Seamus se pasara cinco minutos revisando su caldero, pues creía que tenía alguna fuga.

Snape, por su parte, había decidido actuar como si Harry fuera invisible. Como es lógico, éste ya estaba acostumbrado a esa táctica, pues era una de las favoritas de tío Vernon, y en el fondo se alegraba de no tener que soportar nada peor. De hecho, comparado con los insultos y las burlas de Snape que normalmente debía aguantar, le parecía que el nuevo enfoque suponía una pequeña mejora; además, se llevó una grata sorpresa al comprobar que si lo dejaban tranquilo era capaz de preparar un filtro vigorizante sin grandes problemas. Al finalizar la clase, metió un poco de su poción en una botella, la tapó con un tapón de corcho y la llevó a la mesa de Snape para que el profesor le pusiera nota. Había calculado que como mínimo conseguiría una «S».

Cuando acababa de darse la vuelta, oyó el ruido de algo que se rompía. Malfoy soltó una fuerte carcajada, Harry giró sobre los talones y vio que su botella estaba hecha añicos en el suelo, y que Snape lo miraba a él regodeándose.

—¡Vaya! —dijo el profesor en voz baja—. Otro cero, Potter.

Harry estaba tan indignado que no podía hablar. Volvió junto a su caldero dando grandes zancadas con la intención de llenar otra botella con poción y obligar a Snape a calificarlo de nuevo, pero vio con horror que el resto del contenido había desaparecido.

—¡Lo siento! —exclamó Hermione, tapándose la boca con las manos—. Lo siento muchísimo, Harry. ¡Creía que habías terminado y lo he limpiado!

Harry ni siquiera pudo contestar. Cuando sonó la campana, salió corriendo de la mazmorra, sin mirar atrás, y se aseguró de encontrar sitio entre Neville y Seamus a la hora de comer, para que Hermione no empezara a darle la lata otra vez sobre su intención de utilizar el despacho de la profesora Umbridge.

Cuando llegó a la clase de Adivinación estaba tan malhumorado que había olvidado que tenía una entrevista de orientación académica con la profesora McGonagall, y no lo recordó hasta que Ron le preguntó por qué no había ido al despacho de la profesora. Harry subió a toda prisa y sólo llegó unos minutos tarde.

—Lo siento, profesora —se excusó mientras cerraba la puerta—. Se me había olvidado.

—No importa, Potter —repuso la bruja con brusquedad, pero, mientras ella hablaba, alguien hizo un ruido con la nariz en un rincón. Harry miró hacia allí.

La profesora Umbridge estaba sentada con un sujetapapeles sobre la rodilla; llevaba una blusa con un recargado cuello con encajes y una sonrisa petulante en los labios.

—Siéntate, Potter —le indicó la profesora McGonagall lacónicamente, a quien le temblaron un poco las manos cuando barajó los folletos que había esparcidos por su mesa.

Harry se sentó de espaldas a la profesora Umbridge e hizo cuanto pudo para fingir que no oía el rasgueo de la pluma sobre el pergamino.

—Bueno, Potter, esta reunión es para hablar sobre las posibles carreras que hayas pensado que te gustaría estudiar, y para ayudarte a decidir qué asignaturas deberías cursar en sexto y en séptimo —le explicó la profesora McGonagall—. ¿Has pensado ya qué te apetecería hacer cuando salgas de Hogwarts?

—Pues... —empezó Harry.

El rasgueo de la pluma que oía detrás no le dejaba concentrarse.

—¿Qué? —le preguntó la profesora McGonagall.

—Pues... he pensado que a lo mejor podría ser auror —masculló Harry.

—Para eso necesitarías muy buenas notas —replicó la profesora McGonagall; a continuación sacó un pequeño folleto de color oscuro de debajo del montón que cubría su mesa y lo abrió—. Piden cinco ÉXTASIS como mínimo, y por lo que veo no aceptan notas inferiores a «Supera las expectativas». Además, te obligan a someterte a una serie de rigurosas pruebas de personalidad y aptitudes en la Oficina de Aurores. Es una carrera difícil, Potter, sólo aceptan a los mejores. Es más, creo que hace tres años que no aceptan a nadie. —En ese momento la profesora Umbridge emitió una débil tosecilla, como si quisiera comprobar lo discretamente que era capaz de toser. La profesora McGonagall no le hizo caso—. Supongo que querrás saber qué asignaturas tendrías que estudiar, ¿verdad? —prosiguió elevando un poco la voz.

—Sí —respondió Harry—. Supongo que... Defensa Contra las Artes Oscuras.

—Naturalmente —confirmó la profesora McGonagall con tono resuelto—. Y también te aconsejaría... —La profesora Umbridge volvió a toser, esta vez un poco más fuerte. La profesora McGonagall cerró los ojos un momento, volvió a abrirlos y siguió como si tal cosa—. También te aconsejaría que estudiaras Transformaciones, porque en su trabajo los aurores necesitan a menudo transformarse y destransformarse. Y he de decirte, Potter, que en mis clases de ÉXTASIS no acepto a ningún alumno que no haya conseguido como mínimo un «Supera las expectativas» en el TIMO. Si no me equivoco, de momento tú tienes una media de «Aceptable», de modo que tendrás que ponerte a estudiar en serio antes de los exámenes si quieres continuar con esa asignatura. También deberías estudiar Encantamientos, que siempre son muy útiles, y Pociones. Sí, Potter, Pociones —añadió, y esbozó una brevísima sonrisa—. El estudio de las pociones y de los antídotos es fundamental para los aurores. Y debes saber que el profesor Snape no acepta a ningún alumno que no haya conseguido un «Extraordinario» en su TIMO, así que... —La profesora Umbridge soltó la tos más pronunciada hasta el momento—. ¿Quiere una pastilla para la tos, Dolores? —preguntó con aspereza la profesora McGonagall sin mirar a su colega.

—No, muchas gracias —contestó ésta con aquella sonrisa tonta que tanto odiaba Harry—. Sólo me preguntaba si le importaría que hiciera una brevísima interrupción, Minerva.

—No, no me importaría. Adelante —indicó la profesora McGonagall apretando los dientes.

—Me estaba preguntando si el señor Potter tiene temperamento de auror —comentó la profesora Umbridge con dulzura.

—¿Ah, sí? —dijo la profesora McGonagall con altivez—. Bueno, Potter —continuó, como si la interrupción no se hubiera producido—, si de verdad quieres ser auror, te recomiendo que te concentres en alcanzar el nivel requerido en Transformaciones y en Pociones. Veo que el profesor Flitwick siempre te ha puesto «Aceptable» o «Supera las expectativas» en los dos últimos años, de modo que tu nivel de Encantamientos debe de ser satisfactorio.

En cuanto a Defensa Contra las Artes Oscuras, siempre has sacado buenas notas; el profesor Lupin, particularmente, creía que tú... ¿Seguro que no quiere una pastilla para la tos, Dolores?

—¡Oh, no, Minerva! Gracias, pero no la necesito —dijo con la misma sonrisa tonta la profesora Umbridge, que había vuelto a toser aún más fuerte—. Es sólo que por lo visto no tiene usted delante las últimas calificaciones de Harry en Defensa Contra las Artes Oscuras. Estoy segura de que le he pasado una nota.

—¿Se refiere a esto? —preguntó la profesora McGonagall con tono de repugnancia, y sacó una hoja de pergamino de color rosa de entre las solapas de la carpeta del expediente de Harry. La miró con las cejas un poco arqueadas y volvió a guardarla en su sitio sin hacer ningún comentario—. Sí, Potter, como iba diciendo, el profesor Lupin opinaba que demostrabas tener excelentes aptitudes para la asignatura, y como podrás suponer, para ser auror...

—¿No ha entendido mi nota, Minerva? —la interrumpió la profesora Umbridge con tono meloso. Esta vez se le había olvidado toser.

—Claro que la he entendido —respondió la profesora McGonagall, pero apretó tanto los dientes que apenas se distinguieron sus palabras.

—Bueno, pues entonces no me explico... Me temo que no comprendo cómo puede dar falsas esperanzas a Potter de que...

—¿Falsas esperanzas? —repitió la profesora McGonagall, que seguía resistiéndose a mirar a la profesora Umbridge—. Ha sacado muy buenas notas en todos sus exámenes de Defensa Contra las Artes Oscuras...

—Lamento muchísimo tener que contradecirla, Minerva, pero como verá en mi nota, Harry ha obtenido unos resultados muy bajos en sus clases conmigo...

—Me parece que debería ser más clara —la atajó la profesora McGonagall, y se volvió por fin para mirar a los ojos a la profesora Umbridge—. Ha sacado muy buenas notas siempre que se ha examinado con un profesor competente.

La sonrisa de la profesora Umbridge se borró de su rostro con la rapidez con que explota una bombilla. Se recostó en el respaldo de su asiento, dio la vuelta a la hoja de pergamino que tenía en el sujetapapeles y empezó a escribir a toda velocidad dirigiendo los saltones ojos de un margen al otro de la página. La profesora McGonagall se volvió hacia Harry; resoplaba y echaba chispas por los ojos.

—¿Alguna pregunta, Potter?

—Sí —contestó él—. ¿En qué consisten esas pruebas de personalidad y aptitudes que hace el Ministerio si se consigue suficientes ÉXTASIS?

—Verás, tendrás que demostrar que eres capaz de reaccionar correctamente ante la presión y cosas por el estilo —explicó la profesora McGonagall—; que eres perseverante y entregado, porque el curso de auror dura tres años más; y que dominas la Defensa práctica. Eso supone que tendrás que seguir estudiando mucho una vez que salgas del colegio, así que, a menos que estés dispuesto a...

—Creo que también sabrá —la interrumpió la profesora Umbridge con aspereza— que el Ministerio revisa los antecedentes de los aspirantes a aurores. Sus antecedentes penales.

—... a menos que estés dispuesto a seguir haciendo exámenes después de salir de Hogwarts, deberías buscar otra...

—Y eso significa que este chico tiene tantas posibilidades de llegar a auror como Dumbledore de volver a este colegio.

—Entonces tiene muchas posibilidades —respondió la profesora McGonagall.

—Potter tiene antecedentes penales —le recordó la profesora Umbridge.

—A Potter lo absolvieron de todos los cargos —afirmó la profesora McGonagall, subiendo aún más el tono de voz.

La profesora Umbridge se puso en pie. Era tan baja que no se notó mucho que lo hacía, pero su cursilería había dejado paso a una ira desbocada que hizo que su ancha y blanda cara adoptara una expresión siniestra.

—¡Potter no tiene ni la más remota posibilidad de llegar a ser auror! —sentenció.

La profesora McGonagall se levantó también, y en su caso sí se notó la diferencia, pues era mucho más alta que la profesora Umbridge.

—¡Voy a ayudarte a ser auror aunque sea lo último que haga en esta vida, Potter! —aseguró con rotundidad—. ¡Aunque tenga que darte clases particulares todas las noches! ¡Me encargaré de que alcances los resultados requeridos!

—¡El Ministerio de Magia jamás dará empleo a Harry Potter! —replicó la profesora Umbridge a voz en cuello.

—¡Es muy posible que cuando Potter esté preparado para entrar en el Ministerio ya haya otro ministro! —bramó la profesora McGonagall.

—¡Ajá! —gritó la profesora Umbridge apuntando a la profesora McGonagall con un dedo regordete—. ¡Sí! ¡Eso, eso, eso! ¡Claro! Eso es lo que usted quiere, ¿verdad, Minerva McGonagall? ¡Quiere que Albus Dumbledore sustituya a Cornelius Fudge! Cree que ocupará mi puesto, ¿verdad? ¡Subsecretaria del ministro y, por si fuera poco, directora del colegio!

—Está loca de atar —masculló la profesora McGonagall con profundo desdén—. Potter, ya hemos terminado la consulta sobre orientación académica.

Harry se colgó la mochila del hombro y salió muy deprisa de la habitación, sin atreverse a mirar a la profesora Umbridge. Mientras recorría el pasillo, siguió oyendo a las dos mujeres, que se gritaban una a otra.

La profesora Umbridge seguía respirando como si acabara de correr una maratón cuando entró pisando fuerte en la clase de Defensa Contra las Artes Oscuras de aquella tarde.

—Espero que hayas pensado mejor eso que planeas hacer, Harry —susurró Hermione en cuanto abrieron los libros por el capítulo treinta y cuatro, «Respuesta pacífica y negociación»—. La profesora Umbridge ya está de muy mal humor...

De vez en cuando Dolores Umbridge lanzaba miradas de odio a Harry, que mantenía la cabeza agachada y no apartaba la vista de su ejemplar de *Teoría de defensa mágica*, mirándolo sin ver nada, mientras pensaba...

Se imaginaba la reacción de la profesora McGonagall si lo sorprendían entrando ilegalmente en el despacho de la profesora Umbridge sólo unas horas después de que ella hubiera dado la cara por él. Nada le impedía volver a la torre de Gryffindor y confiar en que durante las vacaciones de verano algún día se le presentara la ocasión de pedir a Sirius que le explicara la escena que había visto en el pensadero... Nada, salvo que la idea de adoptar esa sensata actitud hacía que notara como si tuviera el estómago lleno de plomo... Y, además, estaban Fred y George, que ya habían preparado la maniobra de distracción, por no mencionar la navaja que Sirius le había regalado, y que en esos momentos llevaba en la mochila junto con la capa invisible de su padre.

Pero lo cierto era que si lo sorprendían...

—¡Dumbledore se ha sacrificado para que no tengas que marcharte del colegio, Harry! —le susurró Hermione levantando su libro y escondiéndose detrás para que la profesora Umbridge no le viera la cara—. ¡Y si consigues que te expulsen hoy, todo habrá sido en vano!

Podía abandonar el plan y aprender a vivir, sencillamente, con el recuerdo de lo que su padre había hecho un día de verano, hacía más de veinte años...

Y entonces se acordó de Sirius en la chimenea de la sala común de Gryffindor...

«No te pareces a tu padre tanto como yo creía. Para James el riesgo habría sido lo divertido.»

Pero ¿todavía quería parecerse a su padre?

—¡No lo hagas, Harry, por favor! —le suplicó Hermione con voz de angustia mientras sonaba la campana que anunciaba el final de la clase.

Harry no dijo nada; no sabía qué hacer.

Ron, por su parte, parecía decidido a no manifestar su opinión y a no ofrecer consejos; ni siquiera miraba a Harry a la cara, aunque, cuando Hermione abrió la boca para intentar una vez más disuadir a su amigo, Ron dijo en voz baja:

—Déjalo ya, ¿quieres? Harry es mayorcito para tomar sus propias decisiones.

El corazón de Harry latía muy deprisa cuando salió del aula. Cuando estaba más o menos en la mitad del pasillo oyó los lejanos pero inconfundibles sonidos de una maniobra de distracción. Se oían gritos y chillidos que, procedentes de más arriba, resonaban por todas partes; los alumnos que salían de las aulas se paraban en seco y miraban con temor hacia el techo...

La profesora Umbridge abandonó precipitadamente la clase, tan aprisa como le permitían sus cortas piernas. Sacó su varita mágica y echó a correr en dirección opuesta a la de Harry: era ahora o nunca.

—¡Por favor, Harry! —le suplicó Hermione débilmente.

Pero Harry ya había tomado una decisión; se colgó mejor la mochila y rompió a correr esquivando a los alumnos que se precipitaban en dirección opuesta para ver qué era aquel alboroto del ala este.

Harry llegó al pasillo del despacho de la profesora Umbridge y lo encontró vacío. Se escondió detrás de una armadura, cuyo yelmo giró chirriando para mirarlo; abrió su mochila, agarró la navaja de Sirius y se puso la capa invisible. Entonces salió arrastrándose lenta y cuidadosamente de detrás de la armadura y recorrió el pasillo hasta llegar frente a la puerta de la profesora Umbridge.

Introdujo la hoja de la navaja mágica en el resquicio de la puerta y la movió con suavidad hacia arriba y hacia abajo; luego la retiró. Se oyó un débil chasquido, y la puerta se abrió. Harry entró en el despacho, cerró rápidamente tras él y miró alrededor.

No se movía nada salvo aquellos horribles gatitos que seguían retozando en los platos que había colgados en la pared, encima de las escobas confiscadas.

Harry se quitó la capa invisible, fue con aire resuelto hasta la chimenea y sólo tardó unos segundos en encontrar lo que buscaba: una cajita llena de relucientes polvos flu. A continuación se agachó ante la chimenea, que estaba apagada; le temblaban las manos. Era la primera vez que hacía aquello, aunque creía que sabía cómo funcionaba. Metió la cabeza en la chimenea, agarró un buen pellizco de polvos y los tiró sobre los troncos ordenadamente apilados que tenía debajo. Los polvos explotaron al instante y provocaron unas llamas de color verde esmeralda.

—¡Número doce de Grimmauld Place! —dijo Harry con voz fuerte y clara.

Fue una de las sensaciones más extrañas que jamás había experimentado. Había viajado mediante polvos flu en otras ocasiones, desde luego, pero siempre había sido el cuerpo entero lo que le había girado y girado en medio de las llamas por la red de chimeneas mágicas que se extendía por el país. Esta vez, en cambio, las rodillas de Harry permanecían firmes sobre el frío suelo del despacho de la profesora Umbridge, y sólo la cabeza le volaba a toda velocidad por el fuego de color esmeralda...

Y entonces, tan bruscamente como había empezado a suceder, la cabeza dejó de darle vueltas. Harry, que se sentía muy mareado y como si llevara una bufanda muy caliente alrededor de la cabeza, abrió los ojos y vio que miraba desde la chimenea de la cocina de Grimmauld Place hacia la larga mesa de madera, donde había un hombre sentado leyendo detenidamente una hoja de pergamino.

—¿Sirius?

El hombre se sobresaltó y miró alrededor. No era Sirius, sino Lupin.

—¡Harry! —Estaba absolutamente desconcertado—. ¿Qué haces tú...? ¿Qué ha pasado? ¿Va todo bien?

—Sí —contestó él—. Sólo quería... Bueno, me apetecía charlar un poco con Sirius.

—Voy a buscarlo —dijo Lupin, y se puso en pie sin cambiar aquella cara de absoluta perplejidad—. Ha subido a buscar a Kreacher, que al parecer ha vuelto a esconderse en el desván...

Harry vio cómo Lupin salía a toda prisa de la cocina. Ahora no podía mirar otra cosa que no fueran las patas de las sillas y la mesa. Se preguntó por qué su padrino nunca había comentado lo incómodo que era hablar desde la chimenea; empezaban a dolerle las rodillas a causa del prolongado contacto con el duro suelo de piedra del despacho de la profesora Umbridge.

Lupin regresó unos minutos más tarde con Sirius.

—¿Qué pasa? —preguntó éste con apremio, apartándose el largo y oscuro cabello de los ojos y sentándose frente a la chimenea para ponerse a la altura de Harry. Lupin se arrodilló también; parecía muy preocupado—. ¿Estás bien? ¿Necesitas ayuda?

—No —contestó Harry—, no pasa nada... Sólo quería hablar... de mi padre.

Sirius y Lupin intercambiaron una mirada de desconcierto, pero Harry no tenía tiempo para sentirse avergonzado ni abochornado; cada vez le dolían más las rodillas y calculaba que ya debían de haber pasado cinco minutos desde el inicio de la maniobra de distracción; George sólo le había garantizado veinte. Por lo tanto, abordó inmediatamente el tema de lo que había visto en el pensadero.

Cuando hubo terminado, ni Sirius ni Lupin dijeron nada durante un rato, pero después Lupin dijo con voz queda:

—No quisiera que juzgaras a tu padre por lo que viste allí, Harry. Sólo tenía quince años...

—¡Yo también tengo quince años! —protestó Harry.

—Mira, Harry —intervino Sirius con tono apaciguador—, James y Snape se odiaron a muerte desde el día que se vieron por primera vez, sentían aversión mutua, eso lo entiendes, ¿verdad? Creo que James tenía todo lo que a Snape le habría gustado tener: amigos, era bueno jugando al quidditch... Era bueno en casi todo. Y Snape no era más que un bicho raro que se volvía loco por las artes oscuras, y James siempre odió las artes oscuras, Harry, eso te lo puedo asegurar.

—Sí, pero atacó a Snape sin motivo, sólo porque..., bueno, sólo porque tú dijiste que te aburrías —concluyó con un dejo de disculpa en la voz.

—No me enorgullezco de ello —se apresuró a decir su padrino.

Lupin miró de soslayo a Sirius y dijo:

—Mira, Harry, lo que tienes que entender es que tu padre y Sirius eran los mejores del colegio en todo. Los demás pensaban que eran insuperables, y si a veces se dejaban llevar un poco...

—Si a veces éramos unos impertinentes arrogantes, querrás decir —lo corrigió Sirius.

Lupin sonrió.

—Se despeinaba el pelo continuamente —comentó Harry, apenado.

Sirius y Lupin rieron.

—Se me había olvidado que tenía esa costumbre —comentó Sirius cariñosamente.

—¿Estaba jugando con la snitch? —preguntó Lupin.

—Sí —respondió Harry, y vio con estupor cómo Sirius y Lupin sonreían con nostalgia—. Pero... me pareció que era un poco idiota.

—¡Pues claro que era un poco idiota! —admitió Sirius—. ¡Todos lo éramos! Bueno, Lunático no tanto —añadió con justicia mirando a Lupin.

Pero éste negó con la cabeza.

—¿Les dije alguna vez que dejaran tranquilo a Snape? ¿Tuve alguna vez el valor de comentarles que creía que se estaban pasando de la raya?

—No, pero... —replicó Sirius—. A veces conseguías que nos avergonzáramos de nosotros mismos, y eso ya era algo.

—¡Y no paraba de mirar a las chicas que había en la orilla del lago para ver si ellas lo miraban a él! —prosiguió Harry, obstinado. Ya que había ido hasta allí, decidió soltar todo lo que tenía en la cabeza.

—Sí, bueno, siempre hacía el ridículo cuando veía a Lily —afirmó Sirius encogiéndose de hombros—. Cuando ella estaba cerca, James no podía evitar hacerse el importante.

—¿Cómo puede ser que mi madre se casara con él? —preguntó Harry muy afligido—. ¡Lo odiaba!

—No, no lo odiaba —respondió Sirius.

—Empezó a salir con él en séptimo —concretó Lupin.

—Cuando a James ya se le habían bajado un poco los humos —añadió Sirius.

—Y ya no echaba maleficios a la gente para divertirse —dijo Lupin.

—¿Tampoco a Snape?

—Bueno, Snape era un caso especial —admitió Lupin—. Verás, él tampoco desaprovechaba jamás la oportunidad de echar una maldición a James, y lo lógico era que James se defendiera, ¿no?

—¿Y a mi madre no le importaba?

—La verdad es que no se enteraba —repuso Sirius—. Como podrás imaginar, James no se llevaba a Snape a sus citas con Lily para embrujarlo delante de ella. —Sirius miró con el entrecejo fruncido a Harry, que todavía no parecía convencido—. Mira —dijo—, tu padre era el mejor amigo que jamás he tenido, y una buena persona. Mucha gente se comporta como si fuera idiota cuando tiene quince años. Pero James maduró con el tiempo.

—Está bien —aceptó Harry, apesadumbrado—. Es que nunca pensé que podría sentir lástima por Snape.

—Oye, por cierto —terció Lupin, y frunció un poco el entrecejo—, ¿cómo reaccionó Snape cuando se enteró de que habías visto todo eso?

—Me dijo que no volvería a enseñarme Oclumancia —contestó Harry con indiferencia—, como si yo fuera a echar de menos las...

—¿CÓMO DICES? —gritó Sirius haciendo que Harry se sobresaltara y aspirara un montón de cenizas.

—¿Lo dices en serio, Harry? —le preguntó Lupin—. ¿Ha dejado de darte clases?

—Sí —contestó él, muy sorprendido por lo que consideraba una reacción exagerada—. Pero no pasa nada, no me importa, en realidad me alegro...

—¡Voy para allá ahora mismo! ¡Se va a enterar! —gritó Sirius con vehemencia, e hizo el amago de levantarse, pero Lupin lo agarró por un brazo y lo obligó a sentarse.

—¡Si hay que decirle algo a Snape, me encargo yo! —aclaró Lupin con firmeza—. Pero Harry, antes que nada, tienes que ir a hablar con Snape y decirle que de ningún modo debe dejar de darte clases. Cuando lo sepa Dumbledore...

—¡No puedo decirle eso, me mataría! —exclamó Harry, escandalizado—. Ustedes no lo vieron cuando salí del pensadero.

—¡Harry, ahora lo más importante es que aprendas Oclumancia! —aseguró Lupin con severidad—. ¿Me has entendido? ¡No hay nada más importante!

—Está bien, está bien —dijo el chico, confuso y enfadado—. Intentaré decirle algo, pero no va a ser...

Se quedó callado. Había oído unos pasos a lo lejos.

—¿Qué es eso? ¿Está bajando Kreacher por la escalera?

—No —contestó Sirius mirando hacia atrás—. Debe de ser alguien en tu lado.

A Harry le dio un vuelco el corazón.

—¡Más vale que me vaya! —dijo apresuradamente, y sacó la cabeza de la chimenea de Grimmauld Place. Durante unos instantes tuvo la sensación de que le giraba sobre los hombros; entonces se encontró arrodillado delante de la chimenea del despacho de la profesora Umbridge, con la cabeza en su sitio, mientras contemplaba cómo las llamas de color esmeralda parpadeaban hasta apagarse.

—¡Rápido, rápido! —oyó que decía una voz jadeante al otro lado de la puerta del despacho—. Ah, la ha dejado abierta...

Harry se lanzó a tomar su capa invisible, y acababa de cubrirse con ella cuando Filch irrumpió en el despacho. Parecía contentísimo por algo y hablaba solo, febrilmente, mientras cruzaba la habitación; abrió un cajón de la mesa de la profesora Umbridge y empezó a revolver los papeles que había dentro.

—Permiso para dar azotes... Permiso para dar azotes... Por fin podré hacerlo... Llevan años buscándoselo...

Sacó un trozo de pergamino, lo besó y fue rápidamente hacia la puerta, arrastrando los pies, con la hoja de pergamino abrazada contra el pecho.

Harry se puso en pie y, tras asegurarse de que tenía su mochila y de que la capa invisible lo cubría por completo, abrió la puerta sin vacilar y salió corriendo del despacho detrás de Filch, que renqueaba a una velocidad insólita en él.

Cuando estuvo en el piso inferior al del despacho de la profesora Umbridge, Harry creyó que ya no corría peligro si volvía a hacerse visible. Por tanto, se quitó la capa, la guardó en su mochila y siguió adelante. Se oían gritos y movimiento provenientes del vestíbulo. Bajó a toda velocidad la escalera de mármol y encontró al colegio en pleno reunido allí.

La situación era muy parecida a la del día que despidieron a la profesora Trelawney. Los estudiantes estaban de pie formando un gran corro a lo largo de las paredes (Harry se fijó en que algunos estaban cubiertos de una sustancia que parecía jugo fétido); además de alumnos, también había profesores y fantasmas. Entre los curiosos destacaban los miembros de la Brigada Inquisitorial, que parecían muy satisfechos de sí mismos, y Peeves, que cabeceaba suspendido en el aire, desde donde contemplaba a Fred y George, que se hallaban sentados en el suelo en medio del vestíbulo. Era evidente que acababan de atraparlos.

—¡Muy bien! —gritó triunfante la profesora Umbridge, que sólo estaba unos cuantos escalones más abajo que Harry y contemplaba a sus presas desde arriba—. ¿Les parece muy gracioso convertir un pasillo del colegio en un pantano?

—Pues sí, la verdad —contestó Fred, que miraba a la profesora sin dar señal alguna de temor.

Filch, que casi lloraba de felicidad, se abrió paso a empujones hasta la profesora Umbridge.

—Ya tengo el permiso, señora —anunció con voz ronca mientras agitaba el trozo de pergamino que Harry le había visto sacar de la mesa de la profesora Umbridge—. Tengo el permiso y tengo las fustas preparadas. Déjeme hacerlo ahora, por favor...

—Muy bien, Argus —repuso ella—. Ustedes dos —prosiguió sin dejar de mirar a los gemelos—, van a saber lo que les pasa a los alborotadores en mi colegio.

—¿Sabe qué le digo? —replicó Fred—. Me parece que no. —Miró a su hermano y añadió—: Creo que ya somos mayorcitos para estar internos en un colegio, George.

—Sí, yo también tengo esa impresión —coincidió George con desparpajo.

—Ya va siendo hora de que pongamos a prueba nuestro talento en el mundo real, ¿no? —le preguntó Fred.

—Desde luego —contestó George.

Y antes de que la profesora Umbridge pudiera decir ni una palabra, los gemelos Weasley levantaron sus varitas y gritaron juntos:

—*¡Accio escobas!*

Harry oyó un fuerte estrépito a lo lejos, miró hacia la izquierda y se agachó justo a tiempo. Las escobas de Fred y George, una de las cuales arrastraba todavía la pesada cadena y la barra de hierro con que la profesora Umbridge las había atado a la pared, volaban a toda velocidad por el pasillo hacia sus propietarios; torcieron hacia la izquierda, bajaron la escalera como una exhalación y se pararon en seco delante de los gemelos. El ruido que hizo la cadena al chocar contra las losas de piedra del suelo resonó por el vestíbulo.

—Hasta nunca —le dijo Fred a la profesora Umbridge, y pasó una pierna por encima de la escoba.

—Sí, no se moleste en enviarnos ninguna postal —añadió George, y también montó en su escoba.

Fred miró a los estudiantes que se habían congregado en el vestíbulo, que los observaban atentos y en silencio.

—Si a alguien le interesa comprar un pantano portátil como el que han visto arriba, nos encontrará en Sortilegios

Weasley, en el número noventa y tres del callejón Diagon —dijo en voz alta.

—Hacemos descuentos especiales a los estudiantes de Hogwarts que se comprometan a utilizar nuestros productos para deshacerse de esa vieja bruja —añadió George señalando a la profesora Umbridge.

—¡DETÉNGANLOS! —chilló la mujer, pero ya era demasiado tarde.

Cuando la Brigada Inquisitorial empezó a cercarlos, Fred y George dieron un pisotón en el suelo y se elevaron a más de cuatro metros, mientras la barra de hierro oscilaba peligrosamente un poco más abajo. Fred miró hacia el otro extremo del vestíbulo, donde estaba suspendido el *poltergeist*, que cabeceaba a la misma altura que ellos, por encima de la multitud.

—Hazle la vida imposible por nosotros, Peeves.

Y Peeves, a quien Harry jamás había visto aceptar una orden de un alumno, se quitó el sombrero con cascabeles de la cabeza e hizo una ostentosa reverencia al mismo tiempo que los gemelos daban una vuelta al vestíbulo en medio de un aplauso apoteósico de los estudiantes y salían volando por las puertas abiertas hacia una espléndida puesta de sol.

30

Grawp

La historia del vuelo hacia la libertad de Fred y George se contó tantas veces en los días siguientes que Harry comprendió que pronto se convertiría en una de las leyendas de Hogwarts. Al cabo de una semana, los que lo habían presenciado estaban casi convencidos de que habían visto a los gemelos lanzar bombas fétidas desde sus escobas a la profesora Umbridge antes de salir disparados hacia los jardines. Inmediatamente después de su partida, muchos alumnos se plantearon seguir los pasos de los gemelos Weasley. Harry oyó a varios hacer comentarios como: «Te aseguro que hay días en que me montaría en mi escoba y me largaría de aquí» o «Una clase más como ésta y creo que hago un Weasley».

Fred y George se habían asegurado de que nadie se olvidara de ellos demasiado deprisa. Para empezar, no habían dejado instrucciones para lograr que el pantano, que todavía inundaba el pasillo del quinto piso del ala este, desapareciera. La profesora Umbridge y Filch habían intentado retirarlo de allí por diversos medios, pero ninguno había dado resultado. Finalmente acordonaron la zona, y Filch, aunque rechinaba los dientes muerto de rabia, tenía que encargarse de llevar a los alumnos en un bote hasta las aulas. Harry no tenía ninguna duda de que profesores como Flitwick o McGonagall habrían hecho desaparecer el pantano en un abrir y cerrar de ojos, pero, como había ocurrido en el caso de los Magifuegos Salvajes Weasley, al parecer preferían que la profesora Umbridge pasara apuros.

Por otra parte, no había que olvidar los dos enormes agujeros con forma de escoba que habían hecho las Barredoras de Fred y George en la puerta del despacho de la profesora Umbridge al ir a reunirse con sus dueños. Filch puso una puerta nueva y se llevó la Saeta de Fuego de Harry a las mazmorras, donde se rumoreaba que la profesora Umbridge había puesto un trol de seguridad para vigilarla. Sin embargo, los problemas de Dolores Umbridge no acababan ahí.

Inspirados por el ejemplo de los gemelos Weasley, un gran número de estudiantes aspiraban a ocupar el cargo vacante de jefe de alborotadores. Pese a la nueva puerta del despacho de la profesora Umbridge, alguien consiguió deslizar en la estancia un escarbato de hocico peludo que no tardó en destrozar el lugar en su búsqueda de objetos relucientes, saltó sobre la profesora cuando ésta entró en la habitación e intentó roer los anillos que llevaba en los regordetes dedos. Además, por los pasillos se tiraban tantas bombas fétidas que los alumnos adoptaron la nueva moda de hacerse encantamientos casco-burbuja antes de salir de las aulas, porque así podían respirar aire no contaminado, aunque eso les diera un aspecto muy peculiar: parecía que llevaban la cabeza metida en una pecera.

Filch rondaba por los pasillos con un látigo en la mano, ansioso por atrapar granujas, pero el problema era que había tantos que el conserje no sabía adónde mirar. La Brigada Inquisitorial hacía todo lo posible por ayudarlo, pero a sus miembros les ocurrían cosas extrañas sin parar. Warrington, del equipo de quidditch de Slytherin, se presentó en la enfermería con una afección de la piel tan espantosa que parecía que lo habían recubierto de copos de maíz; Pansy Parkinson, para gran alegría de Hermione, se perdió todas las clases del día siguiente porque le habían salido cuernos.

Entre tanto, se hizo patente la cantidad de Surtidos Saltaclases que Fred y George habían conseguido vender antes de marcharse de Hogwarts. En cuanto la profesora Umbridge entraba en el aula, los alumnos que había allí reunidos se desmayaban, vomitaban, tenían fiebre altísima o empezaban a sangrar por ambos orificios nasales. La profesora, que chillaba de rabia y frustración, intentó detectar el origen de aquellos síntomas, pero los alumnos, testarudos, insistían en que padecían «umbridgitis». Tras castigar a cuatro clases sucesivas y no conseguir desvelar su secreto, la profesora no tuvo más remedio que abandonar su búsqueda y dejar que los alumnos, entre desmayos, sudores, vómitos y hemorragias, salieran a montones de la clase.

Pero ni siquiera los consumidores de Surtidos Saltaclases podían competir con Peeves, el gran maestro del descalabro, quien parecía haberse tomado muy en serio las palabras de despedida de Fred. Volaba por el colegio riendo desenfrenadamente, tumbaba mesas, atravesaba pizarras, volcaba estatuas y jarrones... En dos ocasiones encerró a la *Señora Norris* en una armadura, de donde fue rescatada, mientras maullaba como una histérica, por el enfurecido conserje. Peeves rompía faroles y apagaba velas, hacía malabarismos con antorchas encendidas sobre las cabezas de los alarmados estudiantes, lograba que ordenados montones de hojas de pergamino cayeran en las chimeneas o salieran volando por las ventanas; inundó el segundo piso al arrancar todos los grifos de los lavabos, tiró una bolsa de tarántulas en medio del Gran Comedor a la hora del desayuno y, cuando le apetecía descansar un poco, pasaba horas flotando detrás de la profesora Umbridge y haciendo fuertes pedorretas cada vez que ella abría la boca para decir algo.

Ningún miembro del profesorado parecía dispuesto a ayudar a la nueva directora. Es más, una semana después de la partida de Fred y George, Harry vio que la profesora McGonagall pasaba junto a Peeves, que estaba muy entretenido aflojando una lámpara de araña, y habría jurado que oyó que le decía al *poltergeist* sin apenas mover los labios: «Se desenrosca hacia el otro lado.»

Por si fuera poco, Montague todavía no se había recuperado de su estancia en el baño; seguía desorientado y aturdido, y un martes por la mañana vieron a sus padres subiendo por el camino muy enfadados.

—¿No deberíamos decir algo? —propuso Hermione con preocupación mientras pegaba la mejilla a la ventana del aula de Encantamientos para ver cómo el señor y la señora Montague entraban en el castillo—. Sobre lo que le pasó. Por si eso ayuda a la señora Pomfrey a curarlo.

—Claro que no. Ya se recuperará —respondió Ron con indiferencia.

—Bueno, más problemas para la profesora Umbridge, ¿no? —comentó Harry, satisfecho.

Ron y él dieron unos golpecitos a las tazas de té que intentaban encantar con sus varitas mágicas. A la de Harry le salieron cuatro patas muy cortas que no llegaban a la mesa y que se retorcían en vano en el aire. A la de Ron le salieron cuatro patas delgadísimas que mantuvieron la taza apoyada en la mesa con mucha dificultad, temblaron unos segundos y entonces se doblaron, con lo que la taza cayó y se partió por la mitad.

—*¡Reparo!* —exclamó Hermione rápidamente, y arregló la taza de Ron con una sacudida de su varita—. Todo eso está muy bien, pero ¿y si Montague queda mal para siempre?

—¿Y a mí qué? —replicó Ron con fastidio mientras su taza volvía a incorporarse sobre las delgadas patas, temblando y tambaleándose—. Montague no debió intentar descontarle todos esos puntos a Gryffindor, ¿no te parece? Si tanto te apetece preocuparte por alguien, preocúpate por mí.

—¿Por ti? —se extrañó ella, y agarró su taza cuando ésta salió correteando alegremente por la mesa con sus cuatro robustas patitas de estilo chino y la colocó de nuevo en su sitio—. ¿Por qué voy a preocuparme por ti?

—Porque cuando la próxima carta de mi madre logre atravesar todos los controles de la profesora Umbridge, voy a pasarla muy mal —dijo amargamente Ron, que sujetaba su taza mientras las cuatro frágiles patas intentaban con dificultad aguantar su peso—. No me sorprendería nada que me hubiera enviado otro vociferador.

—Pero si...

—Ya verás cómo, según ella, yo tengo la culpa de que Fred y George se hayan marchado —afirmó Ron con tristeza—. Mi madre dirá que yo debí impedírselo, que debí agarrarme del extremo de sus escobas y colgarme de ellas, o algo así. Sí, seguro que me echa la culpa a mí.

—Pues mira, si lo hace será muy injusta contigo. ¡Tú no podías hacer nada! Pero estoy segura de que no lo hará.

Si es cierto que tienen un local en el callejón Diagon, deben de llevar años planeando esto.

—Sí, pero eso también me preocupa. ¿Cómo han conseguido el local? —se preguntó Ron, y golpeó su taza con la varita con tanta fuerza que las patas volvieron a doblarse y la taza se derrumbó ante él—. Es un poco raro, ¿no? Necesitarán montones de galeones para pagar el alquiler de un local en el callejón Diagon. Mi madre querrá saber qué han hecho para reunir tanto oro.

—Tienes razón, yo tampoco me lo explico —comentó Hermione, y dejó que su taza de té corriera describiendo círculos perfectos alrededor de la de Harry, cuyas patitas regordetas seguían sin alcanzar la superficie de la mesa—. A lo mejor Mundungus los ha convencido de que vendan artículos robados o algo peor.

—No, no lo ha hecho —saltó Harry.

—¿Cómo lo sabes? —le preguntaron a la vez Ron y Hermione.

—Porque... —Harry vaciló, pero tenía la impresión de que había llegado el momento de confesar. No tenía sentido seguir guardando silencio si con eso alguien iba a sospechar que Fred y George eran unos delincuentes—. Porque el oro se lo di yo. En junio del año pasado les di el premio del Torneo de los tres magos.

Los tres se quedaron callados. Entonces la taza de Hermione salió corriendo hacia el borde de la mesa, cayó al suelo y se hizo añicos.

—¡Harry! ¡No puede ser! —gritó ella.

—Sí —afirmó Harry, desafiante—. ¿Y sabes una cosa? Que no me arrepiento. Yo no necesitaba ese oro y ellos van a triunfar con su tienda de artículos de broma.

—¡Esto es genial! —intervino Ron, emocionado—. ¡Tú tienes la culpa de todo, Harry, mi madre no podrá acusarme de nada! ¿Me dejas que se lo diga?

—Sí, supongo que lo mejor que puedes hacer es contárselo —contestó Harry—, sobre todo si cree que tus hermanos están recibiendo dinero de la venta de calderos robados o algo semejante.

Hermione no abrió la boca durante el resto de la clase, pero Harry intuía que el autocontrol de su amiga no podía durar mucho. Y no se equivocaba: cuando salieron del castillo, a la hora del recreo, y se paseaban por el patio bajo el débil sol de mayo, Hermione miró fijamente a Harry y despegó los labios con aire muy decidido.

Pero Harry la interrumpió antes de que empezara a hablar.

—No te molestes en darme la lata, ya está hecho —dijo con firmeza—. Fred y George tienen el oro, aunque por lo que parece han debido de gastar bastante. Y no puedo pedirles que me lo devuelvan, ni quiero hacerlo. Así que no pierdas el tiempo, Hermione.

—¡No iba a decirte nada sobre Fred y George! —replicó ella, dolida. Ron soltó un resoplido de incredulidad y Hermione lo miró con ganas de matarlo—. ¡Es la verdad! —protestó, furiosa—. ¡Lo que iba a preguntarle a Harry es cuándo piensa ir a hablar con Snape y pedirle que siga dándole clases de Oclumancia!

Harry no supo qué contestar. Tras agotar el tema de la espectacular partida de Fred y George, y había que reconocer que eso les había llevado varias horas, Ron y Hermione quisieron saber cómo le había ido a Harry con Sirius. Como Harry no les había confesado el motivo por el que había querido hablar con su padrino, no sabía qué decir a sus amigos; acabó explicándoles únicamente que Sirius quería que Harry reanudara las clases de Oclumancia. Y desde que lo hizo no había dejado de lamentarlo, porque Hermione se resistía a abandonar el tema y seguía sacándolo cuando Harry menos lo esperaba.

—No me vengas con el cuento de que has dejado de tener esos sueños tan raros —le dijo Hermione a continuación—, porque Ron me ha comentado que anoche volviste a hablar mientras dormías.

Harry miró furioso a Ron, quien tuvo el acierto de mostrarse avergonzado de sí mismo.

—Únicamente murmuraste un poco —dijo intentando reparar el daño—. Decías: «Sólo un poquito más.»

—Soñé que jugaban al quidditch —mintió Harry despiadadamente—. Quería que estiraras un poco más el brazo para atrapar la quaffle.

A Ron se le pusieron las orejas coloradas y Harry sintió una especie de placer vengativo: no había soñado nada de eso, por supuesto.

La noche pasada había vuelto a recorrer el pasillo del Departamento de Misterios. Había cruzado la sala circular, había atravesado la habitación llena de tintineos y luces parpadeantes y había vuelto a entrar en aquella enorme y tenebrosa sala llena de estanterías donde se almacenaban polvorientas esferas de cristal.

Había ido derecho hacia la estantería número noventa y siete, había torcido a la izquierda y había corrido por el pasillo... Debió de ser entonces cuando dijo en voz alta: «Sólo un poquito más», porque notaba que su conciencia intentaba despertar. Y antes de llegar al final del pasillo, se había encontrado de nuevo tumbado, contemplando el dosel de su cama.

—Supongo que intentas aislar tu mente, ¿no? —dijo Hermione al mismo tiempo que lo atravesaba con una mirada que echaba chispas—. Y supongo también que sigues practicando Oclumancia.

—Claro que sí —contestó Harry fingiendo que encontraba insultante aquella pregunta, pero no miró a su amiga a la cara. La verdad era que sentía tanta curiosidad por saber qué era lo que se ocultaba en aquella sala repleta de esferas cubiertas de polvo que estaba encantado de que los sueños continuaran.

El problema era que como sólo faltaba un mes para los exámenes y Harry dedicaba todo su tiempo libre a repasar, tenía la mente tan saturada de información que, al meterse en la cama, le resultaba muy difícil conciliar el sueño; y cuando por fin se dormía, la mayoría de las noches sólo llegaban a su abrumado cerebro sueños estúpidos relacionados con los exámenes. También sospechaba que una parte de la mente (esa que a menudo hablaba con la voz de Hermione) se sentía culpable cuando se colaba en aquel pasillo que terminaba frente a la puerta negra, e intentaba despertarlo antes de que pudiera llegar al final del trayecto.

—¿Te has detenido a pensar que si Montague no se recupera antes de que Slytherin juegue contra Hufflepuff aún tendríamos alguna posibilidad de ganar la Copa? —comentó Ron, que todavía tenía las orejas ardiendo y coloradas.

—Sí, supongo —contestó Harry, aliviado con el cambio de tema.

—Porque mira, hemos ganado un partido y hemos perdido otro; si Slytherin perdiera contra Hufflepuff el sábado que viene...

—Sí, tienes razón —respondió Harry sin saber de qué estaban hablando, pues Cho Chang acababa de cruzar el patio con paso decidido y sin mirarlo.

El partido que cerraría la temporada de quidditch, Gryffindor contra Ravenclaw, iba a celebrarse el último fin de semana de mayo. Y pese a que Hufflepuff había ganado por poco a Slytherin en el último encuentro, Gryffindor no tenía muchas esperanzas de ganar, debido principalmente (aunque nadie se lo decía, por supuesto) a la pésima actuación de Ron como guardián. Sin embargo, él parecía haber encontrado un nuevo optimismo.

—Hombre, peor no puedo hacerlo, ¿no creen? —les planteó con gravedad a Harry y a Hermione durante el desayuno el día del partido—. Ahora no tengo nada que perder, ¿no?

—¿Sabes qué? —dijo poco después Hermione, mientras Harry y ella bajaban al campo de quidditch en medio de una exacerbada multitud—. Creo que Ron lo hará mejor ahora que no están ni Fred ni George. La verdad es que nunca han fomentado mucho su autoestima. —Luna Lovegood los adelantó; llevaba una cosa que parecía un águila viva encima de la cabeza—. ¡Vaya, no me acordaba! —exclamó Hermione contemplando el águila, que agitaba las alas mientras Luna pasaba sin inmutarse al lado de un grupo de alumnos de Slytherin, que la señalaban y reían—. Hoy juega Cho, ¿verdad?

Harry, que no había olvidado ese detalle, se limitó a gruñir.

Se sentaron en la penúltima fila de las gradas. Hacía un día templado y despejado; Ron no podía quejarse, y Harry confió, pese a tenerlo todo en contra, en que Ron no diera motivos a los de Slytherin para que se pusieran a corear: «A Weasley vamos a coronar.»

Como era costumbre, Lee Jordan, que estaba muy alicaído desde que Fred y George se habían marchado del colegio, comentaba el partido. Mientras los dos equipos salían al terreno de juego, fue nombrando a los jugadores sin el entusiasmo de siempre.

—... Bradley... Davies... Chang —anunció, y cuando Cho saltó al campo, Harry tuvo la impresión de que su estómago daba una voltereta hacia atrás, o como mínimo una sacudida.

La débil brisa agitaba el negro y reluciente cabello de Cho. Harry ya no estaba seguro respecto de sus sentimientos hacia ella; lo único que sabía era que no soportaría más discusiones. Tanto era así que al ver a Cho charlando animadamente con Roger Davies mientras los jugadores se preparaban para montar en sus escobas, sólo sintió una pizca de celos.

—¡Allá van! —gritó Lee—. Davies atrapa inmediatamente la quaffle, el capitán de Ravenclaw en posesión de la quaffle, esquiva a Johnson, esquiva a Bell, esquiva también a Spinnet... ¡Va directo hacia la portería! Se dispone a lanzar y, y... —Lee soltó una palabrota—. Y marca.

Harry y Hermione gimieron con el resto de alumnos de Gryffindor. Como era de esperar, los alumnos de Slytherin, sentados al otro lado de las gradas, empezaron a cantar:

Weasley no atrapa las pelotas
y por el aro se le cuelan todas...

—Harry —dijo una voz ronca al oído del chico—. Hermione...

Harry giró la cabeza y vio la enorme y barbuda cara de Hagrid, que asomaba entre los asientos. Por lo visto había recorrido toda la hilera, porque los alumnos de primero y de segundo curso, que estaban sentados detrás de Harry y Hermione, parecían aplastados y despeinados. Por algún extraño motivo, Hagrid estaba doblado por la cintura, como si no quisiera que alguien lo viera, aunque de cualquier modo sobresalía más de un metro entre los demás.

—Escuchen —susurró—, ¿pueden venir conmigo? Ahora, mientras todos ven el partido.

—¿Tan urgente es, Hagrid? —preguntó Harry—. ¿No puedes esperar a que acabe el encuentro?

—No. No, Harry, tiene que ser ahora, mientras todo el mundo mira hacia el otro lado. Por favor.

A Hagrid le sangraba un poco la nariz y tenía ambos ojos amoratados. Harry no lo había visto tan de cerca desde que regresó al colegio, y le pareció que se veía sumamente angustiado.

—Claro —repuso Harry al momento—. Claro que vamos contigo.

Hermione y él recorrieron su hilera de asientos provocando las protestas de los estudiantes que tuvieron que levantarse para dejarlos pasar. Los de la fila de Hagrid no se quejaban: sólo intentaban ocupar el mínimo espacio posible.

—Les agradezco mucho, de verdad —dijo Hagrid cuando llegaron a la escalera. Siguió mirando alrededor, nervioso, mientras bajaban hacia el jardín—. Espero que no hayan visto que nos marchamos.

—¿Te refieres a la profesora Umbridge? —le preguntó Harry—. Tranquilo, seguro que no nos ha visto. Está sentada con toda su brigada, ¿no te has fijado? Debe de imaginarse que pasará algo durante el partido.

—Sí, bueno, un poco de alboroto no nos vendría mal —comentó Hagrid, y se detuvo al llegar al pie de las gradas para asegurarse de que la extensión de césped que las separaba de su cabaña estaba desierta—. Así dispondríamos de más tiempo.

—¿Qué ocurre, Hagrid? —inquirió Hermione mirándolo con cara de preocupación mientras corrían por la hierba hacia el límite del bosque.

—Bueno, enseguida lo verás —contestó Hagrid, y miró hacia atrás cuando estalló una gran ovación en el estadio—. Eh, acaba de marcar alguien, ¿no?

—Seguro que ha sido Ravenclaw —afirmó Harry, apesadumbrado.

—Estupendo..., estupendo —murmuró Hagrid, distraído—. Me alegro...

Harry y Hermione tuvieron que correr para alcanzar a su amigo, que avanzaba por la ladera a grandes zancadas y de vez en cuando miraba hacia atrás. Cuando llegaron a su cabaña, Hermione torció automáticamente hacia la izquierda, donde estaba la puerta. Pero Hagrid pasó de largo y siguió hasta el límite del bosque, y una vez allí tomó una ballesta que estaba apoyada en el tronco de un árbol. Cuando se dio cuenta de que los chicos ya no estaban a su lado, se dio la vuelta.

—Hemos de entrar ahí —dijo, e hizo una seña con la enmarañada cabeza.

—¿En el bosque? —se extrañó Hermione, atónita.

—Sí —confirmó Hagrid—. ¡Vamos, deprisa, antes de que nos vean!

Harry y Hermione se miraron y se pusieron a cubierto entre los árboles, detrás de Hagrid, que seguía adentrándose en la verde penumbra con la ballesta al hombro. Los chicos corrieron para alcanzarlo.

—¿Por qué vas armado, Hagrid? —le preguntó Harry.

—Sólo es por precaución —respondió, encogiendo sus fornidos hombros.

—El día que nos enseñaste los thestrals no llevabas la ballesta —observó tímidamente Hermione.

—Sí, bueno, porque aquel día no íbamos a adentrarnos tanto —explicó Hagrid—. Además, eso fue antes de que Firenze se marchara del bosque, ¿verdad?

—¿Qué tiene que ver que Firenze se haya marchado? —preguntó Hermione con curiosidad.

—Que ahora los otros centauros están furiosos conmigo —repuso Hagrid en voz baja, y miró alrededor—. Antes éramos..., bueno, no diré que amigos, pero nos llevábamos bien. Ellos se ocupaban de sus asuntos y yo de los míos, pero siempre venían si yo quería hablar con ellos. Ahora todo ha cambiado. —Y dio un profundo suspiro.

—Firenze dijo que están enfadados porque él aceptó trabajar para Dumbledore —comentó Harry, y tropezó con una raíz que sobresalía del suelo, pues iba distraído observando el perfil de su amigo.

—Sí —asintió Hagrid con pesar—. Bueno, enojados es poco. Yo diría condenadamente rabiosos. Creo que si no llego a intervenir habrían matado a coces a Firenze.

—¿Lo atacaron? —se sorprendió Hermione.

—Sí —afirmó Hagrid con brusquedad al mismo tiempo que apartaba unas ramas bajas para abrirse paso—. Se le echó encima la mitad de la manada.

—¿Y tú los paraste? —quiso saber Harry, asombrado e impresionado—. ¿Tú solo?

—Pues claro, no podía quedarme allí plantado viendo cómo lo mataban, ¿no? Fue una suerte que pasara por allí, la verdad... ¡Y Firenze debería haberlo recordado antes de enviarme estúpidas advertencias! —añadió acalorada e inesperadamente. Harry y Hermione se miraron con cara de susto, pero Hagrid frunció el entrecejo y no dio más explicaciones—. En fin —prosiguió, respirando más ruidosamente de lo habitual—, desde aquel día los otros centauros están furiosos conmigo, y lo malo es que tienen mucha influencia en el bosque. Son las criaturas más astutas que hay por aquí.

—¿Por eso hemos venido, Hagrid? —inquirió Hermione—. ¿Por los centauros?

—¡Ah, no! —respondió él, y negó con la cabeza—. No, no es por ellos. Bueno, ellos podrían complicar aún más las cosas, desde luego, pero esperen un poco y me entenderán.

Dejó aquel indescifrable comentario en el aire y siguió adelante; cada paso que daba Hagrid equivalía a tres pasos de los chicos, de modo que les costaba trabajo seguirlo.

A medida que se adentraban en el Bosque Prohibido la maleza iba invadiendo el camino y los árboles cada vez crecían más juntos, así que estaba tan oscuro como al anochecer. Habían llegado mucho más allá del claro donde Hagrid les había enseñado los thestrals, pero Harry no empezó a inquietarse hasta que de pronto Hagrid se apartó de la senda y comenzó a caminar entre los árboles hacia el tenebroso corazón del bosque.

—¡Hagrid! —exclamó el muchacho mientras atravesaba unas zarzas llenas de picos por las que su amigo había pasado sin grandes dificultades, al mismo tiempo que recordaba claramente lo que le había pasado una vez que se apartó del camino del bosque—. ¿Adónde vamos?

—Un poco más allá —contestó él mirándolo por encima del hombro—. Vamos, Harry, ahora hemos de avanzar juntos.

Costaba mucho trabajo seguir el ritmo de Hagrid al haber tantas ramas y tantos espinos por entre los que él pasaba sin inmutarse, como si fueran telarañas, pero en cambio a Harry y a Hermione se les enganchaban en las túnicas, y a veces se les enredaban hasta tal punto que tenían que parar varios minutos para soltárselos. Al poco rato, Harry tenía la zona descubierta de brazos y piernas llena de pequeños cortes y rasguños. Se habían adentrado tanto en el bosque que, de vez en cuando, lo único que Harry veía de Hagrid en la penumbra era una inmensa silueta negra delante de él. En medio de aquel denso silencio, cualquier sonido parecía amenazador. El crujido de una ramita al partirse resonaba con intensidad, y hasta el más débil susurro, aunque lo hubiera hecho un inocente gorrión, conseguía que Harry escudriñara la oscuridad tratando de descubrir a un enemigo. De pronto reparó en que era la primera vez que se alejaba tanto por el bosque sin encontrar ningún tipo de criatura, e interpretó esa ausencia como un mal presagio.

—Hagrid, ¿no podríamos encender las varitas? —propuso Hermione en voz baja.

—Bueno, sí —susurró Hagrid—. En realidad... —Entonces paró en seco y se dio la vuelta; Hermione chocó contra él y cayó hacia atrás. Harry la sujetó justo antes de que diera contra el suelo—. Quizá sería conveniente que nos detuviéramos un momento, para que pueda... ponerlos al corriente —sugirió—. Antes de que lleguemos a donde vamos.

—¡Genial! —exclamó Hermione mientras Harry la ayudaba a enderezarse.

Ambos murmuraron: *¡Lumos!*, y las puntas de sus varitas se encendieron. El rostro de Hagrid surgió de la penumbra, entre los dos vacilantes haces de luz, y Harry comprobó una vez más que su amigo estaba nervioso y afligido.

—Bueno —empezó Hagrid—, veamos... El caso es que... —Inspiró hondo—. Bueno, hay muchas posibilidades de que me despidan cualquier día de éstos —expuso.

Harry y Hermione se miraron y luego miraron a Hagrid.

—Pero si has aguantado hasta ahora —comentó Hermione tímidamente—, ¿qué te hace pensar que...?

—La profesora Umbridge cree que fui yo quien metió ese escarbato en su despacho.

—¿Lo hiciste? —le preguntó Harry sin poder contenerse.

—¡No, claro que no! —contestó Hagrid, indignado—. Pero ella cree que cualquier cosa relacionada con criaturas mágicas tiene que ver conmigo. Ya saben que ha estado buscando una excusa para librarse de mí desde que regresé a Hogwarts. Yo no quiero marcharme, por supuesto, pero si no fuera por..., bueno, el carácter excepcional de lo que estoy a punto de revelarles, me marcharía ahora mismo, antes de que a ella se le presente la ocasión de echarme delante de todo el colegio, como hizo con la profesora Trelawney.

Harry y Hermione hicieron signos de protesta, pero Hagrid los desechó agitando una de sus enormes manos.

—No es el fin del mundo; cuando salga de aquí, tendré ocasión de ayudar a Dumbledore y puedo resultarle muy útil a la Orden. Y ustedes contarán con la profesora Grubbly-Plank, así que no tendrán problemas para... para aprobar los exámenes. —La voz le tembló hasta quebrarse—. No se preocupen por mí —se apresuró a añadir cuando Hermione le hizo una caricia en un brazo. Luego Hagrid sacó su inmenso pañuelo de lunares del bolsillo de su chaleco y se enjugó las lágrimas con él—. Miren, no les estaría soltando este sermón si no fuera necesario. Verán, si me voy..., bueno, no puedo marcharme sin... sin contárselo a alguien... porque... porque necesito que me ayuden. Y Ron también, si quiere.

—Pues claro que te ayudaremos —soltó Harry enseguida—. ¿Qué quieres que hagamos?

Hagrid se sorbió la nariz y dio unas palmadas a Harry en el hombro, con tanta fuerza que el chico salió impulsado hacia un lado y chocó contra un árbol.

—Ya sabía que dirían que sí —comentó Hagrid tapándose la cara con el pañuelo—, pero no..., nunca... olvidaré... Bueno, vamos... Ya falta poco... Tengan cuidado porque por aquí hay ortigas...

Continuaron andando en silencio otros cinco minutos; cuando Harry abrió la boca para preguntar si faltaba mucho, Hagrid extendió el brazo derecho indicándoles que debían parar.

—Muy despacito —indicó con voz queda—. Sin hacer ruido...

Avanzaron con sigilo y de pronto Harry vio que se encontraban frente a un gran y liso montículo de tierra, tan alto como Hagrid; sintió terror al comprender que debía de ser la guarida de algún animal gigantesco. El montículo, a cuyo alrededor los árboles habían sido arrancados de raíz, se alzaba sobre un terreno desprovisto de vegetación y rodeado de montones de troncos y de ramas que formaban una especie de valla o barricada detrás de la cual se hallaban los tres amigos.

—Duerme —dijo Hagrid en voz baja.

Harry oyó claramente un ruido sordo, rítmico, que parecía el de un par de inmensos pulmones en funcionamiento. Miró de reojo a Hermione, que contemplaba el montículo con la boca entreabierta; era evidente que estaba muerta de miedo.

—Hagrid —dijo la chica en un susurro apenas audible por encima del ruido que hacía la criatura durmiente—, ¿quién es? —A Harry le sorprendió aquella pregunta. Si la hubiera formulado él, habría dicho «¿Qué es?»—. Hagrid, nos dijiste... —continuó Hermione, cuya varita mágica temblaba en su mano—, ¡nos dijiste que ninguno quiso venir contigo!

Harry miró a Hagrid y de repente lo entendió todo; luego dirigió de nuevo la mirada hacia el montículo al mismo tiempo que soltaba un ahogado grito de horror.

El montículo de tierra, al que habrían podido subir fácilmente los tres, ascendía y descendía lentamente al compás de la profunda y resoplante respiración. Aquella masa informe no era ningún montículo. No podía ser más que la curvada espalda de...

—Bueno, no, él no quería venir —aclaró Hagrid, presa de la desesperación—. Pero ¡tenía que traerlo conmigo, Hermione, tenía que traerlo!

—Pero ¿por qué? —preguntó Hermione, que parecía a punto de llorar—. ¿Por qué..., qué...? ¡Oh, Hagrid!

—Pensé que si lo traía aquí —continuó el guardabosques, que también parecía al borde de las lágrimas— y le enseñaba buenos modales... podría presentárselo a todo el mundo y demostrar que es inofensivo.

—¿Inofensivo, dices? —chilló Hermione, y Hagrid se puso a hacer frenéticos ademanes para que se callase, pues la enorme criatura que tenían ante ellos, aún dormida, había soltado un fuerte gruñido y había cambiado de postura—. Ha sido él quien te ha hecho esas heridas, ¿verdad? ¡Te ha estado pegando todo este tiempo!

—¡No es consciente de la fuerza que tiene! —aseguró Hagrid muy convencido—. Y está mejorando, ya no pelea tanto como antes...

—¡Ahora lo entiendo! ¡Por eso tardaste dos meses en llegar a casa! —comentó Hermione—. Oh, Hagrid, ¿por qué lo trajiste si él no quería venir? ¿No habría sido más feliz si se hubiera quedado con su gente?

—No lo dejaban vivir, Hermione, se metían con él por lo pequeño que es.

—¿Pequeño? —se extrañó la chica—. ¿Has dicho pequeño?

—No podía dejarlo allí, Hermione —afirmó Hagrid. Las lágrimas resbalaban por su magullada cara y se perdían entre los pelos de su barba—. Es que... ¡es mi hermano!

Hermione se quedó mirando a Hagrid, boquiabierta.

—Cuando dices «hermano» —intervino Harry—, ¿quieres decir...?

—Bueno, hermanastro —se corrigió—. Resulta que cuando dejó a mi padre, mi madre estuvo con otro gigante y tuvo a Grawp...

—¿Grawp? —repitió Harry.

—Sí..., bueno, así es como suena cuando él pronuncia su nombre —explicó Hagrid con nerviosismo—. No sabe mucho nuestra lengua... He intentado enseñarle un poco, pero... En fin, por lo visto mi madre no le tenía más cariño del que me tenía a mí. Verán, para las gigantas lo más importante es tener hijos grandotes, y él siempre ha sido tirando a enclenque, para ser un gigante. Sólo mide cinco metros.

—¡Sí, claro, pequeñísimo! —opinó Hermione con sarcasmo y un dejo de histeria—. ¡Minúsculo!

—Todo el mundo lo maltrataba; comprenderán que no podía abandonarlo...

—¿Estaba de acuerdo Madame Maxime en traerlo? —preguntó Harry.

—Bueno, ella comprendía que para mí era muy importante —contestó Hagrid mientras se retorcía las enormes manos—. Pero... pero pasados unos días se hartó de él, he de reconocerlo... Así que nos separamos en el viaje de regreso. Sin embargo, ella me prometió que no se lo contaría a nadie.

—¿Cómo demonios te las ingeniaste para traerlo hasta aquí sin que los vieran? —inquirió Harry.

—Bueno, por eso tardé tanto. Sólo podíamos viajar de noche y por zonas agrestes y deshabitadas. Cuando le interesa, avanza muy deprisa, ya lo creo, pero él quería volver con los suyos.

—¡Ay, Hagrid! ¿Por qué no lo dejaste marchar? —se lamentó Hermione dejándose caer en un árbol arrancado y tapándose la cara con las manos—. ¡Explícame qué piensas hacer ahora con un gigante violento que ni siquiera ha venido aquí voluntariamente!

—Mira, «violento» es un poco exagerado —puntualizó Hagrid, que seguía retorciéndose las manos con nerviosismo—. Reconozco que alguna vez ha intentado pegarme, cuando estaba de mal humor, pero está mejorando mucho, está mucho más tranquilo.

—Entonces ¿para qué son esas cuerdas? —quiso saber Harry.

Acababa de fijarse en unas cuerdas del grosor de árboles jóvenes, sujetas a los troncos de los árboles cercanos más anchos; las cuerdas conducían hasta Grawp, que estaba acurrucado en el suelo, de espaldas a ellos.

—¿Tienes que mantenerlo necesariamente atado? —preguntó Hermione con un hilo de voz.

—Bueno, sí... —admitió Hagrid, que continuaba muy nervioso—. Es que..., ya les he dicho, no controla su fuerza.

En ese momento Harry entendió por qué había visto tan pocas criaturas en aquella parte del bosque.

—¿Y qué quieres que hagamos Harry, Ron y yo? —inquirió Hermione con aprensión.

—Cuidar de él —respondió Hagrid con voz ronca—. Cuando yo me vaya.

Harry y Hermione se miraron con congoja. Harry se dio cuenta, alarmado, de que había prometido a Hagrid que haría lo que le pidiera.

—¿Qué..., qué implica exactamente «cuidar de él»? —balbuceó Hermione.

—¡Tranquila, no tendrán que darle de comer ni nada de eso! —aclaró Hagrid—. Él se busca su propia comida sin ninguna dificultad. Caza pájaros, ciervos... No, lo que necesita es compañía. Si yo supiera que alguien sigue ayudándolo un poco, enseñándole nuestro idioma... ¿Me explico?

Harry no dijo nada, pero dirigió la mirada hacia el gigantesco bulto que yacía dormido en el suelo frente a ellos. A diferencia de Hagrid, que simplemente parecía un ser humano mayor de lo normal, Grawp era deforme. Lo que Harry había tomado por una inmensa piedra cubierta de musgo, a la izquierda del montículo de tierra, era en realidad la cabeza de Grawp. Casi perfectamente redonda y cubierta de una espesa mata de pelo muy rizado del color de los helechos, era mucho más grande en relación con el cuerpo que una cabeza humana. El borde de una oreja, grande y carnosa, asomaba en lo alto de la cabeza, que parecía aposentada, como la de tío Vernon, directamente sobre los hombros, sin que apenas hubiera cuello en medio. La espalda, cubierta por una especie de sucio blusón marrón hecho de pieles de animal cosidas burdamente, era muy ancha; y mientras Grawp dormía, se le tensaban un poco las costuras. El gigante tenía las piernas enroscadas bajo el cuerpo. Harry le vio las plantas de los enormes, sucios y descalzos pies, grandes como dos trineos, que reposaban uno encima del otro sobre el terroso suelo del bosque.

—Quieres que le enseñemos a hablar... —dijo Harry con voz apagada.

Ya entendía qué significaba la advertencia de Firenze: «Sus intentos no están dando resultado. Más le valdría abandonar.» Lógicamente, las otras criaturas que habitaban en el bosque debían de haber oído los vanos esfuerzos de Hagrid de enseñar a hablar a Grawp.

—Sí, sólo tendrán que darle un poco de conversación —comentó Hagrid esperanzado—. Porque me imagino que cuando pueda hablar con la gente, entenderá mejor que todos lo queremos y que nos encantaría que se quedara aquí.

Harry miró a Hermione, que le devolvió la mirada entre los dedos que le tapaban la cara.

—Casi preferiría que hubiera vuelto *Norberto*, ¿tú no? —le comentó a Hermione, y ella soltó una risita nerviosa.

—Entonces, ¿lo harán? —les preguntó Hagrid, que no había captado el significado de lo que Harry acababa de decir.

—Sí, lo... —respondió Harry, que ya se había comprometido—. Lo intentaremos.

—Sabía que podía contar contigo, Harry —repuso Hagrid, y sonrió con los ojos llorosos mientras volvía a secarse la cara con el pañuelo—. Y no quisiera que esto les afecte demasiado... Ya sé que tienen exámenes... Si tan sólo pudieran acercarse hasta aquí con tu capa invisible una vez por semana y charlaran un rato con él... Bueno, voy a despertarlo para presentarlos...

—¡No! —exclamó Hermione dando un respingo—. No, Hagrid, no lo despiertes, de verdad, no hace falta...

Pero Hagrid ya había pasado por encima del enorme tronco que tenían delante y se dirigía hacia Grawp. Cuando estaba a unos tres metros de él, agarró una larga rama del suelo, volvió la cabeza y sonrió a sus amigos para tranquilizarlos; luego golpeó la espalda del gigante.

Éste soltó un rugido que resonó por el silencioso bosque; los pájaros que estaban posados en las copas de los árboles echaron a volar, gorjeando, y se alejaron de allí. Entre tanto, frente a Harry y Hermione, el gigantesco Grawp se levantaba del suelo, que tembló cuando apoyó una inmensa mano en él para darse impulso y ponerse de rodillas. Después giró la cabeza para ver quién lo había despertado.

—¿Estás bien, Grawpy? —le preguntó Hagrid con una voz que pretendía ser alegre, y retrocedió con la larga rama en alto, preparado para volver a pegar a Grawp—. ¿Qué tal has dormido? ¿Bien?

Harry y Hermione retrocedieron cuanto pudieron, pero sin perder de vista al gigante. Grawp se arrodilló entre dos árboles que todavía no había arrancado. Los chicos, estupefactos, contemplaron su cara, increíblemente grande: parecía una luna llena gris que relucía en la penumbra del claro. Era como si hubieran tallado sus facciones en una gran esfera de piedra: la nariz era pequeña, gruesa y deforme; la boca, torcida y llena de dientes amarillos e irregulares del tamaño de ladrillos; los ojos, pequeños para tratarse de un gigante, eran de un color marrón verdoso, como el barro, y en aquellos momentos los tenía entornados a causa del sueño. Grawp se llevó los sucios nudillos, cada uno del tamaño de una pelota de críquet, a los ojos, se los frotó enérgicamente y luego, sin previo aviso, se puso en pie con una velocidad y una agilidad asombrosas.

—¡Madre mía! —oyó Harry exclamar a Hermione, que permanecía pegada a él.

Los árboles a los que estaban atados los extremos de las cuerdas que sujetaban las muñecas y los tobillos de Grawp crujieron amenazadoramente. El gigante medía como mínimo cinco metros, como les había comentado Hagrid. Adormilado, Grawp miró alrededor, estiró una mano del tamaño de una sombrilla, tomó un nido de pájaros de las ramas superiores de un altísimo pino y lo volcó a la vez que emitía un gruñido de desagrado por no haber encontrado dentro ningún pájaro; los huevos cayeron como granadas al suelo y Hagrid se cubrió la cabeza con los brazos para protegerse.

—Mira, Grawpy —gritó el guardabosques mirando con aprensión hacia arriba por si caían más huevos—, he traído a unos amigos míos para presentártelos. Ya te hablé de ellos, ¿recuerdas? ¿Recuerdas que te dije que quizá tuviera que irme de viaje y dejarte a su cargo unos días? ¿Te acuerdas, Grawpy?

Pero Grawp se limitó a soltar otro débil gruñido; resultaba difícil saber si estaba escuchando a Hagrid o si ni siquiera reconocía los sonidos que emitía el guardabosque al hablar. Había agarrado con la mano la copa del pino y tiraba del árbol hacia sí por el puro placer de ver hasta dónde rebotaba cuando lo soltaba.

—¡No hagas eso, Grawpy! —lo regañó Hagrid—. Así es como has arrancado todos los demás... —Y, efectivamente, Harry vio cómo el suelo empezaba a resquebrajarse alrededor de las raíces del árbol—. ¡Te he traído compañía! —gritó Hagrid—. ¡Mira, amigos! ¡Mira hacia abajo, payasote, te he traído a unos amigos!

—No, Hagrid, por favor —gimió Hermione, pero el guardabosques ya había levantado otra vez la rama y golpeó con fuerza a Grawp.

El gigante soltó la copa del árbol, que osciló peligrosamente y arrojó sobre Hagrid un aluvión de agujas de pino, y miró hacia abajo.

—¡Éste es Harry, Grawp! —gritó Hagrid, y fue corriendo hacia donde estaban los chicos—. ¡Harry Potter! Vendrá a verte si yo tengo que marcharme, ¿entendido?

El gigante acababa de percatarse de la presencia de Harry y Hermione, que vieron, atemorizados, cómo Grawp agachaba la colosal cabeza y los miraba con cara de sueño.

—Y ésta es Hermione, ¿de acuerdo? —Hagrid vaciló. Se volvió hacia ella y dijo—: ¿Te importa que él te llame Hermy? Es que para él es un nombre difícil de recordar.

—No, no me importa —chilló Hermione.

—¡Ésta es Hermy, Grawp! ¡Vendrá a hacerte compañía! Qué bien, ¿verdad? Tendrás dos amiguitos para... ¡NO, GRAWPY!

De pronto la mano de Grawp salió lanzada hacia Hermione, pero Harry agarró a su amiga, tiró de ella hacia atrás y la escondió tras un árbol. La mano de Grawp rozó el tronco, y cuando se cerró sólo atrapó aire.

—¡ERES UN NIÑO MALO, GRAWPY! —gritó Hagrid mientras Hermione se abrazaba a Harry temblando y gimoteando—. ¡MUY MALO! ¡ESO NO SE..., AY!

Harry asomó la cabeza por detrás del árbol y vio a Hagrid tumbado boca arriba, con una mano sobre la nariz. Grawp, que al parecer había perdido el interés, se había enderezado y volvía a tirar del pino para ver hasta dónde llegaba.

—Bueno... —dijo Hagrid con voz nasal; luego se puso en pie al tiempo que con una mano se tapaba la sangrante nariz y con la otra recogía su ballesta—. Bueno, ya está, ya los he presentado, así cuando vuelvan él los reconocerá. Sí, bueno...

Levantó la cabeza y miró a Grawp, que tiraba del pino con una expresión de placer e indiferencia en aquella cara que parecía una roca; las raíces crujían a medida que las arrancaba del suelo.

—Bueno, creo que ya fue suficiente por hoy —afirmó Hagrid—. Ahora..., ahora podemos regresar, ¿de acuerdo?

Harry y Hermione asintieron con la cabeza. Hagrid volvió a colocarse la ballesta sobre el hombro y, sin dejar de apretarse la nariz, los guió por entre los árboles.

Caminaban en silencio; ni siquiera hicieron ningún comentario cuando oyeron un estruendo a lo lejos, señal de que finalmente Grawp había arrancado el pino. Hermione iba muy tensa y muy pálida. A Harry no se le ocurría nada que decir. ¿Qué demonios pasaría cuando alguien se enterara de que Hagrid había escondido a Grawp en el Bosque Prohibido? Y por si fuera poco, había prometido que Ron, Hermione y él continuarían con los intentos totalmente inútiles de civilizar al gigante. ¿Cómo podía pensar Hagrid, pese a su inmensa capacidad para engañarse a sí mismo y creer que monstruos con colmillos eran adorables e inofensivos, que Grawp llegaría a estar preparado para convivir con seres humanos?

—Quietos —dijo de pronto Hagrid cuando Harry y Hermione lo seguían con dificultad por una zona de exuberantes matas de centinodia. A continuación, sacó una flecha del carcaj que llevaba colgado del hombro y cargó la ballesta. Harry y Hermione levantaron sus varitas mágicas; ahora que habían dejado de andar, ellos también oían moverse algo cerca de allí—. ¡Vaya! —exclamó Hagrid en voz baja.

—Me parece recordar que te advertimos que ya no serías bien recibido aquí, Hagrid —sentenció una profunda voz masculina.

Por un instante, el torso desnudo de un hombre pareció que flotaba hacia ellos a través de la verdosa y veteada penumbra; pero entonces vieron que su cintura se fundía con el cuerpo de un caballo, cuyo pelaje era marrón. El centauro tenía un rostro imponente de pómulos muy marcados y largo cabello negro. Iba armado, igual que Hagrid: llevaba colgados del hombro un arco y un carcaj lleno de flechas.

—¿Cómo estás, Magorian? —lo saludó Hagrid con cautela.

Se oyeron susurros entre los árboles que había detrás del centauro, y entonces aparecieron otros cuatro o cinco congéneres. Harry reconoció la barba y el cuerpo negros de Bane, a quien había visto casi cuatro años atrás, la misma noche que vio por primera vez a Firenze. Sin embargo, Bane no dio muestras de reconocerlo.

—Creo que acordamos lo que haríamos si este humano volvía a entrar en el bosque, ¿verdad? —puntualizó Bane con un desagradable tono de voz.

—¿Ahora me llamas «este humano»? —replicó Hagrid, molesto—. ¿Sólo porque intenté impedir que cometieran un asesinato?

—No debiste entrometerte, Hagrid —replicó Magorian—. Nuestros métodos no son como los suyos, ni tampoco nuestras leyes. Firenze nos ha traicionado y nos ha deshonrado.

—No sé por qué dices eso —repuso Hagrid con impaciencia—. No ha hecho más que ayudar a Albus Dumbledore...

—Firenze se ha convertido en esclavo de los humanos —afirmó un centauro gris de rostro severo surcado de arrugas.

—¡Esclavo! —exclamó Hagrid en tono mordaz—. Sólo le está haciendo un favor a Dumbledore, nada...

—Está revelando nuestra sabiduría y nuestros secretos a los humanos —concretó Magorian sin alterarse—. Esa ignominia no tiene perdón.

—Si tú lo dices... —replicó Hagrid encogiéndose de hombros—, pero personalmente creo que cometes un grave error.

—Igual que tú, humano —le espetó Bane—, por entrar en nuestro bosque cuando te advertimos que...

—Escúchame bien —lo interrumpió Hagrid, enojado—: si no te importa, preferiría que no lo llamaras «nuestro bosque». Tú no eres nadie para decidir quién puede entrar aquí y quién no.

—Ni tú, Hagrid —intervino Magorian, impasible—. Hoy te dejaré pasar porque vas acompañado de tus jóvenes...

—¡No son suyos! —lo corrigió Bane con desprecio—. ¡Son alumnos, Magorian, del colegio! Seguramente ya se habrán beneficiado de las enseñanzas del traidor Firenze.

—De todos modos —prosiguió Magorian con calma—, matar potros es un crimen terrible; nosotros no hacemos daño a inocentes. Hoy puedes pasar, Hagrid. Pero, a partir de ahora, mantente alejado de este lugar. Perdiste la amistad de los centauros cuando ayudaste al traidor Firenze a huir de nosotros.

—¡No pienso mantenerme alejado del bosque porque me lo manden un puñado de mulas viejas como ustedes! —protestó Hagrid a voz en cuello.

—¡Hagrid —exclamó Hermione con voz chillona, muerta de miedo, mientras Bane y el centauro gris piafaban—, vámonos, por favor!

Hagrid echó a andar, pero aún tenía la ballesta cargada y seguía mirando fijamente a Magorian.

—¡Sabemos qué es lo que guardas en el bosque, Hagrid! —le gritó Magorian mientras los centauros desaparecían de la vista—. ¡Y nuestra tolerancia tiene límites!

Hagrid, que parecía dispuesto a ir derecho hacia donde estaba Magorian, giró la cabeza.

—¡Lo tolerarán mientras esté aquí porque este bosque es tan suyo como de ustedes! —gritó mientras Harry y Hermione tiraban con todas sus fuerzas de su chaleco de piel de topo en un intento de impedir que siguiera avanzando.

Hagrid miró hacia abajo con el entrecejo fruncido; al ver a los dos tirando de su chaleco puso cara de sorpresa, pues al parecer acababa de notar que iba arrastrándolos.

—Tranquilos, chicos —dijo; se dio la vuelta y reemprendió el camino, y Harry y Hermione lo siguieron jadeando—. ¡Malditas mulas!

—Hagrid —comentó Hermione, casi sin aliento, mientras sorteaban la zona de ortigas por donde habían pasado en el camino de ida—, si los centauros no quieren que los humanos entremos en el bosque, no sé cómo Harry y yo vamos a poder...

—Bah, ya has oído lo que han dicho —respondió Hagrid restándole importancia—, no harían daño a unos potros..., quiero decir, a unos niños. Además, no podemos permitir que esas mulas nos mangoneen.

—Has hecho bien en intentarlo —animó Harry por lo bajo a la alicaída Hermione.

Finalmente llegaron al camino y, tras unos minutos más, comprobaron que los árboles ya no crecían tan juntos. Entonces volvieron a divisar fragmentos de cielo azul y oyeron gritos y vítores a lo lejos.

—¿Qué ha sido eso? ¿Otro gol? —preguntó Hagrid, y se detuvo entre los árboles cuando el estadio de quidditch apareció ante su vista—. ¿O será que ha terminado el partido?

—No lo sé —respondió Hermione con tristeza.

Harry vio que su amiga ofrecía muy mal aspecto: tenía la melena llena de hojas y de ramitas, la cara y los brazos estaban cubiertos de arañazos, y había varios desgarrones en su túnica. Imaginó que él no debía de tener una pinta mucho mejor.

—¡Eh, creo que ha terminado! —exclamó Hagrid, que seguía mirando hacia el estadio con los ojos entornados—. ¡Miren, ya empieza a salir gente, si se dan prisa podrán mezclarse entre el público y nadie se enterará de que no han estado ahí!

—Buena idea —dijo Harry—. Bueno..., hasta luego, Hagrid.

—No puedo creerlo —musitó Hermione con voz temblorosa en cuanto estuvieron lo bastante lejos de Hagrid para que él no pudiera oírlos—. No puedo creerlo. No puedo creerlo, de verdad.

—Tranquilízate —le aconsejó Harry.

—¿Que me tranquilice? —se extrañó ella, sofocada—. ¡Un gigante! ¡Un gigante en el bosque! ¡Y pretende que nosotros le enseñemos nuestro idioma! ¡Suponiendo, claro, que podamos burlar a una manada de centauros asesinos al entrar y al salir! ¡No... puedo... creerlo!

—¡Todavía no tenemos que hacer nada! —afirmó Harry en voz baja para tranquilizarla mientras se mezclaban con una marea de alumnos de Hufflepuff que iban charlando hacia el castillo—. No nos ha pedido que hagamos nada a menos que lo echen, y cabe la posibilidad de que eso no llegue a ocurrir.

—¡Harry, por favor! —chilló Hermione, furiosa, y se paró en seco; los alumnos que iban detrás de ella tuvieron que esquivarla para pasar—. Claro que lo van a echar, y si quieres que te diga la verdad, después de lo que acabamos de ver no podemos culpar a la profesora Umbridge.

Harry lanzó una mirada fulminante a su amiga, cuyos ojos se llenaron lentamente de lágrimas.

—No lo dirás en serio —dijo Harry en voz baja.

—No, bueno, está bien, no, no lo he dicho en serio —balbuceó Hermione, enfadada, y se secó las lágrimas—. Pero ¿quieres decirme por qué Hagrid tiene que complicarse tanto la vida y complicárnosla a nosotros?

—No lo sé...

A Weasley vamos a coronar.
A Weasley vamos a coronar.

La quaffle consiguió parar.
A Weasley vamos a coronar...

—Y me encantaría que dejaran de cantar esa estúpida canción —añadió Hermione con desánimo—. ¿No se han regodeado ya bastante con el sufrimiento de Ron? —Una marea de estudiantes subía por la ladera desde el campo de quidditch—. Bien, entremos antes de que lleguen los de Slytherin —suplicó.

Weasley las para todas
y por el aro no entra ni una pelota.
Por eso los de Gryffindor tenemos que cantar:
a Weasley vamos a coronar.

—Hermione... —dijo Harry, vacilante.

La canción cada vez sonaba más fuerte, pero no provenía del grupo de alumnos de Slytherin, vestidos de color verde y plateado, sino de una masa de alumnos, vestidos de rojo y dorado, que subía lentamente hacia el castillo; un par de ellos llevaban sobre los hombros a un tercero.

A Weasley vamos a coronar.
A Weasley vamos a coronar.
La quaffle consiguió parar.
A Weasley vamos a coronar...

—No... —susurró Hermione con voz queda.

—¡SÍ! —exclamó Harry.

—¡HARRY! ¡HERMIONE! —gritó Ron, que enarbolaba la copa de plata de quidditch y estaba loco de alegría—. ¡LO HEMOS CONSEGUIDO! ¡HEMOS GANADO!

Cuando Ron pasó por delante de ellos, Harry y Hermione sonrieron muy contentos a su amigo. Los estudiantes se agolparon junto a la puerta del castillo y Ron se golpeó la cabeza contra el dintel, pero los que lo llevaban en hombros se resistían a bajarlo. Sin dejar de cantar, la muchedumbre entró apretujadamente en el vestíbulo y se perdió de vista. Harry y Hermione, que continuaban sonriendo, la vieron marchar, hasta que dejaron de oírse las últimas notas de «A Weasley vamos a coronar». Entonces se miraron y sus sonrisas se desvanecieron.

—Nos guardaremos la noticia para mañana, ¿de acuerdo? —propuso Harry.

—De acuerdo —convino Hermione cansinamente—. No tengo ninguna prisa.

Luego subieron juntos la escalera de piedra. Al llegar a las puertas del castillo, ambos miraron instintivamente hacia el Bosque Prohibido. Harry no estaba seguro de si se lo había imaginado, pero le pareció vcr a lo lejos una pequeña bandada de pájaros que echaban a volar sobre las copas de los árboles, como si alguien hubiera arrancado de raíz el árbol en el que estaban posados.

31

Timos

La euforia que embargaba a Ron por haber contribuido a que Gryffindor ganara la Copa de quidditch era tal que al día siguiente no conseguía concentrarse en nada. Lo único que le apetecía era hablar sobre el partido, así que a Harry y Hermione les resultó muy difícil encontrar el momento adecuado para hablarle de Grawp. La verdad es que no pusieron mucho empeño, pues ninguno de los dos quería ser el que devolviera a Ron a la realidad de una forma tan cruel. Como de nuevo hacía un día templado y despejado, lo convencieron de que fuera a repasar con ellos bajo el haya que había junto a la orilla del lago, donde había menos posibilidades de que los oyeran que en la sala común. Al principio a Ron no le hizo mucha gracia la idea (lo estaba pasando en grande en la sala común de Gryffindor, donde cada vez que alguien pasaba a su lado le daba unas palmadas en la espalda, por no mencionar los espontáneos cantos de «A Weasley vamos a coronar»), pero al cabo de un rato admitió que le sentaría bien un poco de aire fresco.

Esparcieron sus libros bajo la sombra del haya y se sentaron en la hierba mientras Ron les describía su primera parada del partido por enésima vez.

—Bueno, verán, Davies ya me había marcado un tanto, así que no estaba muy seguro de mí mismo, pero no sé, cuando Bradley vino hacia mí, como salido de la nada, pensé: «¡Tú puedes hacerlo!» Y tuve un segundo para decidir hacia qué lado me lanzaba, porque parecía que Bradley apuntaba hacia el aro de gol de la derecha, mi derecha, es decir, su izquierda, pero de pronto tuve la corazonada de que sólo estaba haciendo una finta, así que me arriesgué y me lancé hacia la izquierda, es decir, hacia su derecha, y... Bueno, ya vieron lo que pasó —concluyó con modestia, y aunque no hacía ninguna falta se echó el pelo hacia atrás para que pareciera que se lo había alborotado el viento. Miró alrededor para ver si la gente que tenían más cerca (un grupito de cuchicheantes alumnos de tercero de Hufflepuff) lo habían oído—. Y cinco minutos más tarde, cuando Chambers se me acercó... ¿Qué pasa? —preguntó Ron, que se había interrumpido a media frase al ver la expresión del rostro de Harry—. ¿De qué te ríes?

—No me río —se apresuró a contestar su amigo, y bajó la vista hacia sus apuntes de Transformaciones al tiempo que intentaba borrar la sonrisa de sus labios. La verdad era que Harry acababa de recordar a otro jugador de quidditch de Gryffindor que un día también se alborotó el cabello, sentado bajo aquella misma haya—. Es que estoy contento de que hayamos ganado.

—Sí —afirmó Ron lentamente saboreando sus palabras—, hemos ganado. ¿Te fijaste en la cara de Chang cuando Ginny atrapó la snitch justo debajo de sus narices?

—Seguro que se puso a llorar —comentó Harry con amargura.

—Sí, pero más de rabia que de otra cosa... —Ron frunció levemente el entrecejo—. Pero ¿viste cómo tiraba la escoba cuando llegó al suelo?

—Pues... —balbuceó Harry.

—Mira, Ron, la verdad es que no, no lo vimos —confesó Hermione tras suspirar profundamente. Dejó el libro que tenía en las manos y miró a Ron como si se disculpara—. De hecho, lo único que Harry y yo vimos del partido fue el primer gol de Davies.

En ese momento, el pelo de Ron, cuidadosamente desordenado, pareció ponerse mustio de la desilusión.

—¿No vieron el partido? —preguntó débilmente mirando primero al uno y luego a la otra—. ¿No vieron ninguno de mis paradones?

—Pues... no —repuso Hermione, y extendió una mano hacia él en un gesto apaciguador—. Nosotros no nos habríamos ido por nada del mundo, Ron, pero no tuvimos más remedio.

—¿Ah, sí? —dijo Ron, que se estaba poniendo muy colorado—. ¿Y cómo es eso?

—Fue Hagrid —intervino Harry—. Decidió contarnos por qué anda cubierto de heridas desde que regresó de su misión con los gigantes. Quería que lo acompañáramos al bosque; no teníamos elección, ya sabes cómo se pone de pesado. Pues bien...

Le contaron la historia en cinco minutos, y pasado ese tiempo la indignación de Ron había sido reemplazada por una expresión de absoluta incredulidad.

—¿Que se trajo uno y lo escondió en el bosque?

—Sí —confirmó Harry con gravedad.

—No —dijo Ron, como si con aquella palabra pudiera invalidar la afirmación de Harry—. No, no puede ser.

—Pues es —aseguró Hermione con firmeza—. Grawp mide unos cinco metros, se divierte arrancando pinos de seis metros y me conoce —dio un resoplido— como «Hermy».

Ron soltó una risita nerviosa.

—¿Y dicen que Hagrid pretende que nosotros...?

—Le enseñemos nuestro idioma, sí —sentenció Harry.

—Se ha vuelto loco —concluyó Ron, sobrecogido.

—Sí —coincidió Hermione con cara de fastidio; pasó una página de *Transformación, nivel intermedio* y se quedó mirando, rabiosa, una serie de diagramas que representaban a una lechuza que se convertía en unos anteojos de teatro—. Sí, empiezo a pensar que eso es lo que le sucede. Pero, desgraciadamente, hizo que Harry y yo lo prometiéramos.

—Pues tendrán que faltar a su promesa, así de sencillo —replicó Ron con vehemencia—. Pero ¿cómo se le ocurre...? Tenemos exámenes, y nos faltó esto —levantó una mano y juntó casi el pulgar y el índice— para que nos expulsaran del colegio. Además..., ¿se acuerdan de *Norberto*? ¿Se acuerdan de Aragog? ¿Alguna vez hemos salido bien parados después de relacionarnos con alguno de los monstruos amigos de Hagrid?

—Ya lo sé, pero es que... se lo prometimos —repuso Hermione con voz queda.

Ron volvió a aplastarse el pelo. Parecía preocupado.

—Bueno —comentó con un suspiro—, a Hagrid todavía no lo han despedido, ¿no? Si ha aguantado hasta ahora, quizá aguante hasta final de curso y no tengamos que acercarnos a Grawp.

Los jardines del castillo relucían bajo la luz del sol como si acabaran de pintarlos; el cielo, sin una nube, se sonreía a sí mismo en la lisa y brillante superficie del lago; y una suave brisa rizaba de vez en cuando las satinadas y verdes extensiones de césped. Había llegado el mes de junio, pero para los alumnos de quinto curso eso sólo significaba una cosa: que se les habían echado encima los TIMOS.

Los profesores ya no les ponían deberes y las clases estaban íntegramente dedicadas a repasar los temas que ellos creían que con mayor probabilidad aparecerían en los exámenes. Aquella atmósfera de febril laboriosidad casi había conseguido apartar de la mente de Harry cualquier otra cosa que no fueran los TIMOS, aunque a veces, durante las clases de Pociones, se preguntaba si Lupin le habría dicho a Snape que debía seguir dándole clases particulares de Oclumancia. Si lo había hecho, Snape había ignorado a Lupin igual que a Harry, aunque a él eso no le importaba: ya estaba bastante ocupado y nervioso sin las clases adicionales de Snape, y por suerte Hermione se encontraba demasiado absorta últimamente para darle la lata con las clases de Oclumancia; su amiga pasaba mucho rato murmurando para sí, y llevaba varios días sin tejer ninguna prenda para elfos.

Sin embargo, Hermione no era la única persona que se comportaba de forma extraña a medida que los TIMOS se iban acercando. Ernie Macmillan había adoptado la molesta costumbre de interrogar a sus compañeros sobre las técnicas de estudio que empleaban.

—¿Cuántas horas al día crees que dedicas a repasar? —preguntó con una chispa de locura en los ojos a Harry y Ron mientras hacían cola para entrar en la clase de Herbología.

—No lo sé —contestó Ron—. Unas cuantas.

—¿Más o menos de ocho?

—Creo que menos —repuso Ron un tanto alarmado.

—Yo, ocho —aseguró Ernie hinchando el pecho—. Ocho o nueve. Estudio una hora todos los días antes del desayuno. Mi promedio son ocho horas. El fin de semana, si estoy inspirado, llego hasta diez. El lunes hice nueve y media. El martes no estuve tan fino: sólo conseguí llegar a siete y cuarto. Y el miércoles...

Harry se alegró muchísimo de que la profesora Sprout los hiciera entrar en aquel momento en el invernadero número tres, lo que obligó a Ernie a interrumpir su recital.

Entre tanto, Draco Malfoy había encontrado otra manera de provocar el pánico.

—Lo que importa no es lo que hayas estudiado —oyeron que les decía a Crabbe y Goyle en voz alta frente al aula de Pociones unos días antes de que empezaran los exámenes—, sino si estás bien relacionado. Mira, mi padre es íntimo amigo de la jefa del Tribunal de Exámenes Mágicos, Griselda Marchbanks, ha ido varias veces a cenar a mi casa y todo...

—¿Creen que eso es verdad? —les susurró muy alarmada Hermione a Harry y Ron.

—Aunque lo sea, nosotros no podemos hacer nada —contestó Ron con pesimismo.

—Yo no lo creo —opinó Neville, que estaba detrás de ellos—. Porque Griselda Marchbanks es amiga de mi abuela, y nunca ha mencionado a los Malfoy.

—¿Cómo es, Neville? —le preguntó de inmediato Hermione—. ¿Es muy estricta?

—La verdad es que se parece bastante a mi abuela —admitió Neville con voz apagada.

—Pero al menos el hecho de conocerla no te perjudicará, ¿no? —intentó animarlo Ron.

—Bah, no creo que tenga ninguna importancia —repuso Neville más apesadumbrado todavía—. Mi abuela siempre le dice a la profesora Marchbanks que no soy tan buen mago como mi padre... Y, bueno, ya vieron cómo está la situación en San Mungo...

Neville fijó la vista en el suelo. Harry, Ron y Hermione se miraron unos a otros, pero no supieron qué decir. Era la primera vez que Neville admitía que se habían encontrado en el hospital de los magos.

Entre tanto, un próspero mercado negro de artículos para facilitar la agilidad mental y la concentración y para combatir el sueño había nacido entre los alumnos de quinto y séptimo. Harry y Ron estuvieron tentados de comprar una botella de elixir cerebral Baruffio que les ofreció un alumno de sexto de Ravenclaw, Eddie Carmichael, quien aseguró que ese remedio era el único responsable de los nueve «Extraordinarios» que había sacado en los TIMOS del curso anterior y les ofrecía medio litro por sólo doce galeones. Ron aseguró a Harry que le devolvería el dinero en cuanto salieran de Hogwarts y consiguiera un empleo, pero, antes de que pudieran cerrar el trato, Hermione le había confiscado la botella a Carmichael y había tirado el contenido por un inodoro.

—¡Se la íbamos a comprar, Hermione! —protestó Ron.

—No seas estúpido —gruñó ella—. Para el caso podías haberle comprado a Harold Dingle su polvo de garra de dragón.

—¿Polvo de garra de dragón? —preguntó Ron, interesadísimo.

—Olvídalo, ya no queda —contestó Hermione—. También lo he confiscado. ¿No sabes que nada de eso funciona?

—¡El polvo de garra de dragón sí funciona! —la contradijo Ron—. Dicen que es increíble: estimula mucho el cerebro, y durante unas horas te vuelves de lo más ingenioso. Vamos, Hermione, déjame probar un pellizquito, no puede ser malo...

—Ya lo creo que puede ser malo —aseguró Hermione con severidad—. Le he echado un vistazo y en realidad son excrementos de doxy secos.

Aquella información calmó un poco las ansias de Harry y de Ron por tomar estimulantes cerebrales.

Durante la siguiente clase de Transformaciones, recibieron los horarios de los exámenes y las normas de funcionamiento de los TIMOS.

—Como verán —explicó la profesora McGonagall a la clase mientras los alumnos copiaban de la pizarra las fechas y las horas de sus exámenes—, sus TIMOS están repartidos en dos semanas consecutivas. Harán los exámenes teóricos por la mañana y los prácticos por la tarde. El examen práctico de Astronomía lo harán por la noche, como es lógico.

»Debo advertirles que hemos aplicado los más estrictos encantamientos antitrampa a las hojas de examen. Las plumas autorrespuesta están prohibidas en la sala de exámenes, igual que las recordadoras, los puños para copiar de quita y pon y la tinta autocorrectora. Lamento tener que decir que cada año hay al menos un alumno que cree que puede burlar las normas impuestas por el Tribunal de Exámenes Mágicos. Espero que este año no sea nadie de Gryffindor. Nuestra nueva... directora... —al pronunciar esa palabra, la profesora McGonagall puso la misma cara que ponía tía Petunia cuando contemplaba una mancha particularmente tenaz— ha pedido a los jefes de las casas que adviertan a sus alumnos que si hacen trampas serán severamente castigados porque, como es lógico, los resultados de sus exámenes dirán mucho de la eficacia del nuevo régimen que la directora ha impuesto en el colegio... —La profesora McGonagall soltó un pequeño suspiro y Harry vio cómo se le inflaban las aletas de la afilada nariz. Aun así, ése no es motivo para que no lo hagan lo mejor que puedan. Tienen que pensar en su futuro.

—Por favor, profesora, díganos —dijo Hermione, que había levantado la mano—, ¿cuándo sabremos los resultados?

—Se les enviará una lechuza en el mes de julio —contestó la profesora McGonagall.

—Estupendo —comentó Dean Thomas en voz baja pero audible—. Así no tendremos que preocuparnos hasta las vacaciones.

Harry se imaginó sentado en su dormitorio de Privet Drive seis semanas más tarde, esperando los resultados de sus TIMOS. Bueno, pensó, al menos aquel verano seguro que recibiría una carta.

Su primer examen, Teoría de Encantamientos, estaba programado para el lunes por la mañana. El domingo después de comer, Harry accedió a preguntarle la lección a Hermione, pero enseguida lo lamentó: su amiga estaba muy nerviosa y no paraba de quitarle el libro de las manos para comprobar si había contestado correctamente a la pregunta, y al final le dio un fuerte golpe en la nariz con el afilado borde de *Últimos avances en encantamientos*.

—¿Por qué no estudias tú sola? —le propuso Harry con firmeza, y le devolvió el libro con los ojos llorosos.

Mientras tanto, Ron leía los apuntes de Encantamientos de aquel curso y del anterior, tapándose los oídos con los índices y moviendo los labios sin emitir ningún sonido; Seamus Finnigan estaba tumbado boca arriba en el suelo y recitaba la definición del encantamiento sustancial mientras Dean comprobaba si había acertado con ayuda del *Libro reglamentario de hechizos, 5º curso*; y Parvati y Lavender, que practicaban encantamientos de locomoción básicos, intentaban que sus plumas hicieran carreras alrededor del borde de la mesa.

Aquella noche reinaba un ambiente muy apagado durante la cena. Harry y Ron no hablaban mucho, pero comían con ganas, pues habían estudiado con intensidad todo el día. Hermione, por su parte, dejaba una y otra vez el tenedor y el cuchillo y escondía la cabeza debajo de la mesa, donde tenía la mochila, para sacar un libro o comprobar un dato o alguna cifra. Mientras Ron le decía que si no comía como era debido no podría pegar ojo en toda la noche, a Hermione le resbaló de los temblorosos dedos el tenedor, que fue a parar sobre el plato y produjo un fuerte tintineo.

—¡Ay, madre! —exclamó ella por lo bajo mirando hacia el vestíbulo—. ¿Son ellos? ¿Son los examinadores?

Harry y Ron se dieron rápidamente la vuelta en el banco. Más allá de las puertas abiertas del Gran Comedor vieron a la profesora Umbridge de pie con un pequeño grupo de brujas y magos que se veían muy ancianos. Harry se alegró al ver que la profesora Umbridge parecía muy nerviosa.

—¿Vamos a verlos más de cerca? —propuso Ron.

Harry y Hermione asintieron con la cabeza, y los tres se apresuraron hacia las puertas del vestíbulo, pero caminaron más despacio después de cruzar el umbral para pasar lentamente junto a los examinadores. Harry pensó que la profesora Marchbanks debía de ser la bruja bajita y encorvada con la cara tan arrugada que parecía que la hubieran cubierto de telarañas; la profesora Umbridge se dirigía a ella con deferencia. Por lo visto la profesora Marchbanks estaba un poco sorda y contestaba a la profesora Umbridge en voz muy alta, teniendo en cuenta que sólo las separaba un palmo.

—¡Hemos tenido buen viaje, hemos tenido buen viaje, ya lo hemos hecho muchas veces! —respondía con impaciencia—. ¡Bueno, últimamente no he tenido noticias de Dumbledore! —añadió, y escudriñó el vestíbulo como si albergara esperanzas de que éste apareciera de pronto del interior de un armario para guardar escobas—. Supongo que no tiene ni idea de dónde está.

—No, ni idea —contestó la profesora Umbridge, y lanzó una mirada torva a Harry, Ron y Hermione, que se habían quedado al pie de la escalera de mármol mientras Ron fingía que se ataba los cordones de un zapato—. Pero me atrevería a decir que el Ministerio de Magia dará con él muy pronto.

—¡Lo dudo! —gritó la diminuta profesora Marchbanks—. ¡No lo encontrarán si Dumbledore no quiere que lo encuentren! Se lo digo yo... Lo examiné personalmente de Transformaciones y Encantamientos cuando hizo sus ÉXTASIS... Hacía unas cosas con la varita que yo jamás había visto hacer.

—Sí, bueno... —balbuceó la profesora Umbridge mientras Harry, Ron y Hermione arrastraban los pies por la escalera con toda la parsimonia de que eran capaces—, déjeme que le enseñe la sala de profesores. Seguro que le apetece tomar una taza de té después de un viaje tan largo.

Fue una noche incómoda. Todo el mundo intentaba repasar un poco más en el último momento, aunque no parecía que nadie avanzara mucho. Harry se acostó temprano, pero permaneció despierto durante lo que a él le parecieron horas. Recordó su entrevista sobre orientación académica con la profesora McGonagall, y cómo ésta había afirmado, enfurecida, que lo ayudaría a ser auror aunque eso fuera lo último que hiciera en la vida. Ahora que había llegado el momento de examinarse, lamentaba no haber dicho que tenía un objetivo más fácil de alcanzar. Sabía que no era el único que no podía conciliar el sueño, pero ninguno de sus compañeros de dormitorio comentaba nada, y al final, uno a uno, se fueron quedando dormidos.

Al día siguiente tampoco ningún alumno de quinto curso habló demasiado durante el desayuno. Parvati practicaba conjuros por lo bajo mientras el salero que tenía delante daba sacudidas; Hermione releía *Últimos avances en encantamientos* a tal velocidad que sus ojos se veían borrosos; y Neville no paraba de dejar caer su tenedor y su cuchillo y de volcar el tarro de mermelada de naranja.

Cuando terminó el desayuno, los alumnos de quinto y de séptimo se congregaron en el vestíbulo mientras los demás estudiantes subían a sus aulas; entonces, a las nueve y media, los llamaron clase por clase para que entraran de nuevo en el Gran Comedor, que entonces ofrecía el mismo aspecto que Harry había visto en el pensadero cuando su padre, Sirius y Snape hacían sus TIMOS; habían retirado las cuatro mesas de las casas y en su lugar habían puesto muchas mesas individuales, encaradas hacia la de los profesores, desde donde los miraba la profesora McGonagall, que permanecía de pie. Cuando todos se hubieron sentado y se hubieron callado, la profesora McGonagall dijo:

—Ya pueden empezar. —Y dio la vuelta a un enorme reloj de arena que había sobre la mesa que tenía a su lado, en la que también había plumas, tinteros y rollos de pergamino de repuesto.

Harry, a quien el corazón le latía muy deprisa, le dio la vuelta a su hoja (tres filas hacia la derecha y cuatro asientos hacia delante, Hermione ya había empezado a escribir) y leyó la primera pregunta: a) Nombre el conjuro para hacer volar un objeto. b) Describa el movimiento de varita que se requiere.

Harry recordó fugazmente cómo un garrote se elevaba y caía produciendo un fuerte ruido sobre la dura cabeza de un trol... Sonriendo, se inclinó sobre el papel y empezó a escribir.

—Bueno, no ha estado del todo mal, ¿verdad? —comentó Hermione en el vestíbulo, nerviosa, dos horas más tarde. Todavía llevaba en la mano la hoja con las preguntas del examen—. Aunque no creo que me haya hecho justicia en encantamientos regocijantes, no tuve suficiente tiempo. ¿Han puesto el contraencantamiento del hipo? Yo no estaba segura de si debía ponerlo, me parecía excesivo... Y en la pregunta número veintitrés...

—No seas pesada, Hermione —dijo Ron severamente—, sabes de sobra que no nos gusta repasar todas las preguntas, ya tuvimos bastante con responderlas una vez.

Los alumnos de quinto comieron con el resto de los estudiantes (las cuatro mesas de las casas habían vuelto a aparecer a la hora de la comida) y luego entraron en masa en la pequeña cámara que había junto al Gran Comedor, donde tenían que esperar a que los avisaran para hacer el examen práctico. Los llamaban en reducidos grupos y por orden alfabético; los que se quedaban atrás murmuraban conjuros y practicaban movimientos de varita, metiéndosela de vez en cuando los unos a los otros en un ojo o dándose con ella golpes en la espalda sin querer.

Por fin llamaron a Hermione, quien, temblorosa, salió de la cámara con Anthony Goldstein, Gregory Goyle y Daphne Greengrass. Los alumnos que ya se habían examinado no regresaban a esa sala, así que Harry y Ron no supieron cómo le había ido a su amiga.

—Seguro que lo hace bien. ¿Te acuerdas de cuando sacó un ciento doce por ciento en un examen de Encantamientos? —dijo Ron.

Diez minutos más tarde, el profesor Flitwick llamó a: «Parkinson, Pansy; Patil, Padma; Patil, Parvati; Potter, Harry.»

—Buena suerte —le deseó Ron por lo bajo. Harry entró en el Gran Comedor asiendo tan fuerte su varita que le temblaba la mano.

—El profesor Tofty está libre, Potter —le indicó con su voz chillona el profesor Flitwick, que se hallaba de pie junto a la puerta. Y señaló al examinador más anciano y más calvo, que estaba sentado detrás de una mesita, en un rincón alejado, a escasa distancia de la profesora Marchbanks, quien por su parte examinaba a Draco Malfoy.

—Potter, ¿verdad? —preguntó el profesor Tofty consultando sus notas, y miró a Harry por encima de sus quevedos al verlo acercarse—. ¿El famoso Potter?

Con el rabillo del ojo Harry vio claramente cómo Malfoy le lanzaba una mirada mordaz; la copa de vino que éste estaba haciendo levitar cayó al suelo y se hizo añicos. Harry no pudo contener una sonrisa; a su vez, el profesor Tofty le sonrió como si quisiera animarlo.

—Eso es —dijo con su temblorosa voz—, no tienes por qué ponerte nervioso. Bueno, me gustaría que tomaras esta huevera y la hicieras dar unas cuantas volteretas.

Harry salió del examen con la impresión de que, en general, lo había hecho bastante bien. El encantamiento levitatorio le salió mucho mejor que a Malfoy, aunque lamentaba haber confundido el encantamiento de cambio de color con el de crecimiento, haciendo que la rata que tenía que poner de color naranja se hinchara de forma asombrosa hasta alcanzar el tamaño de un tejón, antes de que pudiera rectificar su error. Se alegró de que en ese momento Hermione no estuviera en el comedor, y después no se lo comentó. En cambio, a Ron podía explicárselo; por su parte, Ron había logrado que un plato se convirtiera en una enorme seta y no tenía ni idea de cómo había pasado.

Aquella noche no tuvieron tiempo para relajarse; después de cenar, subieron directamente a la sala común y se pusieron a repasar para el examen de Transformaciones que tenían al día siguiente. Harry fue a acostarse con la cabeza llena de complicados ejemplos y teorías de hechizos.

Por la mañana, Harry olvidó la definición de hechizo permutador en su examen escrito, pero le pareció que en el examen práctico habría podido irle mucho peor. Al menos consiguió hacer desaparecer por completo su iguana mediante un hechizo desvanecedor, en tanto que la pobre Hannah Abbott, que se examinaba en la mesa de al lado, perdía el control y convertía su hurón en una bandada de flamencos. Tuvieron que interrumpir los exámenes durante diez minutos hasta que capturaron a todas las aves y las desalojaron del comedor.

El miércoles hizo el examen de Herbología (si no tenía en cuenta el pequeño mordisco que recibió de un geranio colmilludo, Harry creía que lo había hecho muy bien), y luego, el jueves, Defensa Contra las Artes Oscuras. Aquel día Harry se convenció por primera vez de que había aprobado. No tuvo ninguna dificultad con las preguntas escritas, y durante el examen práctico disfrutó especialmente realizando los contraembrujos y los hechizos defensivos delante de la profesora Umbridge, que lo miraba con frialdad desde cerca de las puertas que daban al vestíbulo.

—¡Bravo! —exclamó el profesor Tofty, que volvía a examinar a Harry, cuando éste realizó a la perfección un hechizo repulsor de boggarts—. ¡Excelente! Bueno, creo que eso es todo, Potter... A menos que... —El hombre se inclinó un poco hacia delante—. Mi buen amigo Tiberius Ogden me ha dicho que sabes hacer un *patronus*. Si quieres subir la nota...

Harry alzó su varita, miró directamente a la profesora Umbridge y se imaginó que la echaban del colegio.

—*¡Expecto patronum!*

Su ciervo plateado salió del extremo de la varita mágica y recorrió el comedor a medio galope. Los examinadores giraron la cabeza para verlo, y cuando se disolvió en una neblina plateada, el profesor Tofty aplaudió con entusiasmo con sus nudosas manos, surcadas de venas.

—¡Excelente! —gritó—. ¡Muy bien, Potter, ya puedes marcharte!

Al pasar junto a la profesora Umbridge, Harry y ella se miraron. Una desagradable sonrisa se insinuaba en las comisuras de la ancha y flácida boca de la profesora, pero a Harry no le importó. A menos que se equivocara mucho (y por si así era, no pensaba decírselo a nadie), acababa de conseguir un «Extraordinario» en el TIMO de Defensa Contra las Artes Oscuras.

El viernes, Harry y Ron no tenían ningún examen, mientras que Hermione se presentaba al de Runas Antiguas, y como tenían todo el fin de semana por delante, se permitieron el lujo de no estudiar. Sentados junto a la ventana abierta, por la que entraba una cálida brisa estival, bostezaban y se desperezaban mientras jugaban al ajedrez mágico. A lo lejos, Harry veía a Hagrid, que daba una clase donde se iniciaba el bosque. Estaba intentando adivinar qué criaturas estudiaban los alumnos (dedujo que debían de ser unicornios porque los chicos se mantenían un poco apartados) cuando se abrió el hueco del retrato y Hermione entró muy malhumorada en la sala común.

—¿Cómo te ha ido el examen de Runas? —le preguntó Ron sin parar de bostezar.

—He traducido mal «ehwaz» —dijo Hermione, furiosa—. Significa «asociación», y no «defensa». Lo he confundido con «eihwaz».

—Bueno —comentó Ron perezosamente—, eso es sólo un pequeño error, no creo que...

—¡Cállate, Ron! —saltó Hermione—. Podría ser el error que marcara la diferencia entre un aprobado y un reprobado. Además, alguien ha puesto otro escarbato en el despacho de la profesora Umbridge. No sé cómo habrán conseguido colarlo por la puerta nueva, pero el caso es que ha entrado, y la profesora Umbridge está que se sube por las paredes. Al parecer, el escarbato ha intentado pegarle un mordisco en la pierna.

—¡Genial! —exclamaron Harry y Ron a la vez.

—¡No tiene nada de genial! —los contradijo Hermione acaloradamente—. Ella cree que el responsable es Hagrid, ¿no se acuerdan? ¡Y no queremos que lo despidan!

—Hagrid está dando una clase, no puede culparlo a él —argumentó Harry señalando la ventana.

—¡Harry, a veces eres tan ingenuo!... ¿De verdad crees que la profesora Umbridge esperará a tener pruebas? —preguntó Hermione, que parecía decidida a estar de un humor de perros, y se fue con la cabeza erguida hacia su dormitorio, cerrando de un portazo.

—¡Qué chica tan encantadora y tan dulce! —comentó Ron en voz baja a la vez que daba un empujoncito a su reina para que atacara a uno de los caballos de Harry.

Hermione estuvo de mal humor casi todo el fin de semana, aunque a sus amigos no les costó mucho ignorarlo, pues durante gran parte del sábado y del domingo repasaron Pociones para el examen del lunes; era la prueba que Harry más temía y estaba seguro de que significaría el desmoronamiento de su ilusión de llegar a ser auror. Como era de esperar, encontró difícil el examen escrito, aunque creía que había contestado correctamente a la pregunta sobre la poción multijugos y había sabido describir con precisión sus efectos, pues la había tomado ilegalmente en su segundo año en Hogwarts.

El examen práctico de la tarde no resultó tan espantoso como Harry había imaginado. Snape no estuvo presente, y Harry se sintió mucho más relajado que cuando preparaba sus pociones. Neville, que estaba sentado muy cerca de Harry, también parecía más tranquilo de lo que éste lo había visto jamás durante las clases de Pociones.

Cuando la profesora Marchbanks dijo: «Sepárense de sus calderos, por favor. El examen ha terminado», Harry tapó su botella de muestra con la sensación de que quizá no sacase muy buena nota, pero al menos, con un poco de suerte, evitaría reprobar.

—Sólo nos quedan cuatro exámenes —observó Parvati Patil, suspirando de cansancio, cuando regresaban a la sala común de Gryffindor.

—¡Sólo! —repuso Hermione con exasperación—. ¡A mí me queda el de Aritmancia, que seguramente es la asignatura más difícil de todas!

Nadie se atrevió a replicar, así que no pudo desahogar su ira sobre ninguno de sus compañeros y tuvo que contentarse con regañar a unos alumnos de primero por reír demasiado alto en la sala común.

Harry se había propuesto esmerarse al máximo en el examen de Cuidado de Criaturas Mágicas del martes para no hacer quedar mal a Hagrid. El examen práctico tuvo lugar por la tarde en la extensión de césped que había junto al límite del Bosque Prohibido, donde los estudiantes tuvieron que identificar correctamente al knarl escondido entre una docena de erizos (el truco consistía en ofrecer leche a todos por turnos; los knarls, que son unas criaturas muy desconfiadas cuyas púas tienen propiedades mágicas, se ponían furiosos ante lo que interpretaban como un intento de envenenarlos). Después tuvieron que demostrar que sabían manejar correctamente un bowtruckle, dar de comer y limpiar a un cangrejo de fuego sin sufrir quemaduras de consideración, y elegir, de entre una amplia variedad de alimentos, la dieta que pondrían a un unicornio enfermo.

Harry veía que Hagrid miraba, nervioso, por la ventana de su cabaña. Cuando la examinadora de Harry, que esta vez era una bruja bajita y regordeta, le sonrió y le dijo que ya podía irse, Harry le hizo a su amigo una breve seña de aprobación con los pulgares antes de volver al castillo.

El examen teórico de Astronomía del miércoles por la mañana le salió bastante bien. Harry no estaba seguro de haber recordado correctamente los nombres de todas las lunas de Júpiter, pero al menos sabía que ninguna estaba cubierta de pelo. Como para hacer la prueba práctica de

Astronomía tenían que esperar a que anocheciera, dedicaron la tarde al examen de Adivinación.

Éste, se mirara por donde se mirara, le salió muy mal: no vio ni una sola imagen en movimiento en la bola de cristal, tan lisa como la superficie de su mesa; perdió por completo la cabeza durante la lectura de las hojas de té y dijo que le parecía que en breve la profesora Marchbanks conocería a un redondo, oscuro y empapado extraño; y para rematar la faena confundió la línea de la vida con la de la cabeza en la palma de la mano de la examinadora y le comunicó que debería haber muerto el martes anterior.

—Bueno, ése ya sabíamos que lo reprobaríamos —comentó Ron con pesimismo mientras subían la escalera de mármol.

A Harry le consoló mucho saber que su amigo le había contado con todo detalle al examinador que veía a un hombre feísimo con una verruga en la nariz que había aparecido en su bola de cristal, y que cuando levantó la cabeza se dio cuenta de que había estado describiendo el reflejo del examinador.

—No debimos matricularnos en esa estúpida asignatura —comentó Harry.

—Bueno, al menos ahora podremos dejarla.

—Sí. Y ya no tendremos que fingir que nos interesa lo que pasa cuando Júpiter y Urano hacen demasiadas migas.

—Y a partir de ahora no me importará que mis hojas de té digan: «Vas a morir, Ron, vas a morir.» Las voy a tirar a la basura sin miramientos.

Harry rió, y en ese momento Hermione llegó corriendo y los alcanzó. Harry paró de reír al instante, por si eso molestaba a su amiga.

—Bueno, me parece que el de Aritmancia me ha salido bien —comentó, y Harry y Ron suspiraron aliviados—. Aún tenemos tiempo para repasar los mapas celestes antes de la cena, y luego...

A las once, cuando llegaron a la torre de Astronomía, comprobaron que hacía una noche tranquila y despejada, perfecta para la observación de los astros. La plateada luz de la luna bañaba los jardines y soplaba una fresca brisa. Cada alumno montó su telescopio, y cuando la profesora

Marchbanks dio la orden, empezaron a rellenar el mapa celeste en blanco que les habían repartido.

El profesor Tofty y la profesora Marchbanks se paseaban entre los alumnos, vigilando mientras éstos anotaban la posición exacta de las estrellas y de los planetas que observaban. Sólo se oía el susurro del pergamino al cambiarlo de posición, el ocasional chirrido de un telescopio al ajustarlo sobre su trípode, y el rasgueo de las plumas. Al cabo de una hora y media, los rectángulos de luz dorada que se proyectaban sobre los jardines fueron desapareciendo conforme se apagaban las luces en el castillo.

Pero cuando Harry estaba completando la constelación de Orión en su mapa celeste, las puertas del castillo se abrieron, justo debajo del parapeto donde se encontraba él, y la luz se esparció por los escalones de piedra hasta alcanzar el césped. Harry miró hacia abajo, fingiendo que ajustaba un poco la posición de su telescopio, y vio unas cinco o seis alargadas siluetas que avanzaban por la hierba iluminada; entonces se cerraron las puertas y el césped se convirtió de nuevo en un mar de oscuridad.

Harry volvió a pegar el ojo al telescopio y lo enfocó para examinar Venus. Luego dirigió la vista hacia su mapa para anotar la posición del planeta, pero algo lo distrajo; se quedó quieto, con la pluma suspendida sobre la hoja de pergamino, miró hacia los oscuros jardines entrecerrando los ojos, y vio a media docena de personas que caminaban por ellos. Si aquellas figuras no hubieran estado en movimiento, y si la luz de la luna no hubiera hecho que les brillara la coronilla, Harry no habría podido distinguirlas del oscuro suelo por el que andaban. Incluso desde aquella distancia, al chico le pareció reconocer los andares de la figura más baja, que al parecer era la que guiaba al grupo.

No se le ocurría ninguna razón por la que la profesora Umbridge hubiera salido a pasear por los jardines pasada la medianoche, y menos aún acompañada de otras cinco personas. Entonces alguien tosió detrás de él, y Harry recordó que estaba en medio de un examen. Se le había olvidado por completo la posición de Venus. Pegó el ojo al telescopio, la encontró de nuevo e iba a anotar su posición en el mapa cuando, atento a cualquier ruido extraño, oyó unos golpecitos lejanos que resonaron por los desiertos jardines, seguidos inmediatamente por los amortiguados ladridos de un perro.

Levantó la cabeza; el corazón le latía muy deprisa. Había luz en las ventanas de la cabaña de Hagrid, y las siluetas de las personas a las que había visto cruzar la extensión de césped se destacaban contra ellas. Se abrió la puerta y entonces Harry vio claramente a seis figuras muy bien definidas que cruzaban el umbral. La puerta volvió a cerrarse y ya no se oyó nada más.

Harry estaba muy trastornado. Miró a su alrededor para comprobar si Ron o Hermione habían visto lo mismo, pero en ese momento la profesora Marchbanks caminaba hacia él, y como no quería que pareciera que intentaba copiar el examen de algún compañero, se apresuró a inclinarse sobre su mapa celeste y fingió que escribía, cuando en realidad miraba por encima del parapeto hacia la cabaña de Hagrid. En ese instante las figuras se movían detrás de las ventanas de la cabaña y tapaban la luz.

Sentía los ojos de la profesora Marchbanks clavados en su nuca; pegó de nuevo el ojo al telescopio y lo dirigió hacia la luna, pese a que hacía una hora que había anotado su posición; pero cuando la profesora Marchbanks pasó de largo, Harry oyó un rugido procedente de la lejana cabaña que resonó en la oscuridad y llegó hasta lo alto de la torre de Astronomía. Varios alumnos que Harry tenía cerca se separaron de sus telescopios y miraron hacia la cabaña de Hagrid.

El profesor Tofty volvió a toser.

—Chicos, chicas, intenten concentrarse —dijo en voz baja. Casi todos los alumnos siguieron escudriñando el cielo con sus telescopios. Harry echó un vistazo a la izquierda. Hermione miraba, petrificada, hacia la cabaña de Hagrid—. Ejem..., veinte minutos... —anunció el profesor Tofty.

Hermione pegó un brinco y volvió a concentrarse de inmediato en su mapa celeste; Harry dirigió la mirada hacia el suyo y vio que había escrito «Marte» donde debía haber escrito «Venus», así que se apresuró a corregir el error.

Entonces se oyó un fuerte ¡PUM! que procedía de los jardines y varios estudiantes exclamaron: «¡Ay!» al golpearse la cara con el extremo de la mira de sus telescopios cuando se apresuraron a observar lo que estaba pasando abajo.

La puerta de la cabaña de Hagrid se había abierto, y la luz que salía de dentro les permitió verlo con bastante claridad: una figura de gran tamaño rugía y enarbolaba los puños, rodeada de seis personas, las cuales intentaban aturdirlo a juzgar por los finos rayos de luz roja que proyectaban hacia él.

—¡No! —gritó Hermione.

—¡Señorita! —exclamó escandalizado el profesor Tofty—. ¡Esto es un examen!

Pero ya nadie prestaba atención a los mapas celestes. Todavía se veían haces de luz roja junto a la cabaña de Hagrid, aunque parecían rebotar en él; el guardabosques aún estaba en pie y a Harry le pareció que no había dejado de defenderse. Por los jardines resonaban gritos y un hombre bramó: «¡Sé razonable, Hagrid!»

—¿Razonable? —rugió él—. ¡Maldita sea, Dawlish, no me llevarán así!

Harry vio la silueta de *Fang*, que intentaba defender a su amo y saltaba repetidamente sobre los magos que rodeaban a Hagrid, hasta que el rayo de un hechizo aturdidor alcanzó al animal, que cayó al suelo. Hagrid soltó un furioso aullido y agarró al culpable y lo lanzó por los aires; el hombre recorrió unos tres metros volando y no volvió a levantarse. Hermione soltó un grito de horror, tapándose la boca con ambas manos; Harry miró a Ron y vio que su amigo también estaba muy asustado. Ninguno de los tres había visto jamás a Hagrid enfadado de verdad.

—¡Miren! —gritó Parvati, que se había apoyado en el parapeto y señalaba las puertas del castillo, que habían vuelto a abrirse; la luz iluminaba de nuevo el oscuro jardín, y una silueta cruzaba la extensión de césped.

—¡Por favor, chicos! —exclamó el profesor Tofty, muy alterado—. ¡Sólo les quedan dieciséis minutos!

Pero nadie le hizo caso: todos observaban a la persona que en ese momento corría hacia la cabaña de Hagrid, donde se estaba librando la batalla.

—¿¡Cómo se atreven!? —gritaba la solitaria figura mientras corría—. ¿¡Cómo se atreven!?

—¡Es la profesora McGonagall! —susurró Hermione.

—¡Déjenlo en paz! ¡He dicho que lo dejen en paz! —repetía la profesora McGonagall en la oscuridad—. ¿Con qué derecho lo atacan? Él no ha hecho nada, nada que justifique este...

Hermione, Parvati y Lavender gritaron a la vez, pues las figuras que había junto a la cabaña de Hagrid lanzaron al menos cuatro rayos aturdidores contra la profesora McGonagall. A medio camino entre la cabaña y el castillo, los rayos chocaron contra ella; en un primer momento, la profesora se iluminó y desprendió un brillo de un extraño color rojo; luego se despegó del suelo, cayó con fuerza sobre la espalda y no volvió a moverse.

—¡Gárgolas galopantes! —gritó el profesor Tofty, que también parecía haber olvidado por completo el examen—. ¡Eso no es una advertencia! ¡Es un comportamiento vergonzoso!

—¡COBARDES! —bramó Hagrid; su voz llegó con claridad hasta lo alto de la torre, y varias luces volvieron a encenderse dentro del castillo—. ¡MALDITOS COBARDES! ¡TOMA ESTO! ¡Y ESTO!

—¡Ay, madre! —gimió Hermione.

Hagrid intentó dar un par de fuertes golpes a los agresores que tenía más cerca, a quienes, a juzgar por cómo se derrumbaron, dejó inconscientes. Pero luego Harry vio que Hagrid se doblaba por la cintura, como si finalmente el hechizo lo hubiera vencido. Sin embargo, se equivocaba: al cabo de un instante, Hagrid volvía a estar de pie y llevaba algo que parecía un saco a la espalda. Entonces Harry se dio cuenta de que se había colocado sobre los hombros el cuerpo inerte de *Fang*.

—¡Deténganlo! ¡Sujétenlo! —gritaba la profesora Umbridge, pero el único ayudante que le quedaba se mostraba muy reacio a ponerse al alcance de los puños de Hagrid; empezó a retroceder, tan deprisa que tropezó con uno de sus inconscientes colegas y también cayó al suelo.

Hagrid, mientras tanto, se había dado la vuelta y había echado a correr con *Fang* sobre los hombros. La profesora Umbridge le echó un último hechizo aturdidor, pero no dio en el blanco; y Hagrid, corriendo a toda velocidad hacia las lejanas verjas, desapareció en la oscuridad.

Hubo un largo minuto de silencio; los alumnos, temblorosos y boquiabiertos, contemplaban los jardines. Entonces la débil voz del profesor Tofty anunció:

—Humm..., cinco minutos, chicos.

Harry estaba impaciente porque terminara el examen, pese a que sólo había llenado dos terceras partes de su mapa. Cuando por fin se agotó el tiempo, Ron y Hermione guardaron de cualquier manera los telescopios en sus fundas y bajaron todo lo deprisa que pudieron por la escalera de caracol. Ningún alumno había ido a acostarse; todos estaban hablando con gran excitación y en voz alta al pie de la escalera sobre lo que acababan de presenciar.

—¡Qué mujer tan perversa! —exclamó entrecortadamente Hermione, a la que al parecer le costaba hablar debido a la rabia—. ¡Mira que intentar detener a Hagrid en plena noche!

—Es evidente que quería evitar otra escena como la de la profesora Trelawney —explicó sabiamente Ernie Macmillan, que se había abierto paso entre los alumnos para unirse a Harry, Ron y Hermione.

—Cómo se ha defendido Hagrid, ¿eh? —observó Ron pese a que parecía más asustado que impresionado—. ¿Cómo es que todos los hechizos rebotaban en él?

—Debe de ser su sangre de gigante —repuso Hermione con voz temblorosa—. Es muy difícil aturdir a un gigante, son muy resistentes, como los trols... Pero pobre profesora McGonagall... ¡Ha recibido cuatro rayos aturdidores en el pecho! Y no es muy joven que digamos, ¿verdad?

—Espantoso, espantoso —añadió Ernie moviendo con pomposidad la cabeza—. Bueno, voy a acostarme. Buenas noches a todos.

Los chicos que había alrededor de los tres amigos empezaron a dispersarse, pero ellos siguieron hablando con agitación sobre lo que acababan de ver.

—Al menos no han conseguido llevarse a Hagrid a Azkaban —comentó Ron—. Supongo que habrá ido a reunirse con Dumbledore, ¿no?

—Supongo que sí —replicó Hermione, llorosa—. ¡Qué horror, estaba convencida de que Dumbledore no tardaría en volver al colegio, pero ahora nos hemos quedado también sin Hagrid!

Regresaron a la sala común de Gryffindor y la encontraron llena de gente. El alboroto que se había armado en los jardines había despertado a varias personas, que no habían dudado en despertar también a sus compañeros. Seamus y Dean, que habían llegado antes que Harry, Ron y Hermione, estaban relatando a todos lo que habían visto y oído desde lo alto de la torre de Astronomía.

—Pero ¿por qué tenía que despedir a Hagrid ahora? —preguntó Angelina Johnson—. ¡Su caso es diferente del de la profesora Trelawney, él había mejorado mucho este año!

—La profesora Umbridge odia a los semihumanos —le recordó Hermione con amargura, y se dejó caer en una butaca—. Estaba decidida a hacer todo lo posible para que echaran a Hagrid.

—Y además creía que Hagrid le ponía escarbatos en el despacho —intervino Katie Bell.

—¡Ostras! —exclamó Lee Jordan, y se tapó la boca con una mano—. Era yo el que le ponía escarbatos en el despacho. Fred y George me dejaron un par. Los hacía levitar y entrar por la ventana.

—Lo habría despedido de todos modos —terció Dean—. Hagrid está demasiado cerca de Dumbledore.

—Eso es verdad —coincidió Harry, y se sentó en una butaca junto a la de Hermione.

—Espero que la profesora McGonagall se encuentre bien —dijo Lavender con lágrimas en los ojos.

—La han subido al castillo, lo hemos visto por la ventana del dormitorio —apuntó Colin Creevey—. No tenía buen aspecto.

—Seguro que la señora Pomfrey la curará —dijo Alicia Spinnet con firmeza—. Hasta ahora nunca ha fallado.

La sala común no se vació hasta casi las cuatro de la madrugada. Harry no tenía ni gota de sueño; la imagen de Hagrid corriendo hasta perderse en la oscuridad lo perseguía; estaba tan furioso con la profesora Umbridge que no se le ocurría ningún castigo lo bastante cruel para ella, aunque la sugerencia de Ron de ofrecérsela a una caja de hambrientos escregutos de cola explosiva para que se la comieran no estaba del todo mal. Finalmente se quedó dormido ideando venganzas horribles y se levantó tres horas más tarde con la sensación de no haber descansado nada.

El último examen, el de Historia de la Magia, no tendría lugar hasta la tarde. A Harry le habría encantado volver a la cama después de desayunar, pero contaba con la mañana para repasar un poco más, así que en lugar de acostarse se sentó con la cabeza entre las manos junto a la ventana de la sala común, intentando no quedarse dormido, mientras leía por encima la montaña de apuntes de un metro de alto que Hermione le había dejado.

Los alumnos de quinto curso entraron en el Gran Comedor a las dos en punto y se sentaron frente a las hojas de examen. Harry estaba agotado. Sólo deseaba una cosa: que terminara aquel examen, porque así podría irse a dormir; y al día siguiente Ron y él bajarían al campo de quidditch (Harry volaría con la escoba de Ron) y celebrarían que ya no tenían que repasar más.

—Den la vuelta a las hojas —indicó la profesora Marchbanks desde su mesa, colocada frente a las de los alumnos, y giró el gigantesco reloj de arena—. Pueden empezar.

Harry se quedó mirando fijamente la primera pregunta. Pasados unos segundos, cayó en la cuenta de que no había entendido ni una palabra; había una avispa zumbando distraída contra una de las altas ventanas. Lenta, tortuosamente, Harry empezó por fin a escribir la respuesta.

Le costaba mucho recordar los nombres y confundía con frecuencia las fechas. Decidió saltarse la pregunta número cuatro («En su opinión, ¿qué hizo la legislación sobre varitas en el siglo XVIII: contribuyó a un mejor control de las revueltas de duendes o las permitió?»), y contestarla si tenía tiempo cuando hubiera terminado de responder las demás. Probó con la pregunta número cinco («¿Cómo se infringió el Estatuto del Secreto en 1749 y qué medidas se tomaron para impedir que volviera a ocurrir?»), pero sospechaba que había dejado fuera varios puntos importantes: le parecía recordar que los vampiros participaban en algún momento de la historia.

Siguió buscando una pregunta que pudiera contestar sin vacilar y sus ojos se detuvieron en la número diez: «Describa las circunstancias que condujeron a la formación de la Confederación Internacional de Magos y explique por qué los magos de Liechtenstein se negaron a formar parte de ella.»

«Esto lo sé», se dijo Harry, aunque notaba que tenía el cerebro aletargado y torpe. Podía visualizar un título escrito con la letra de Hermione: «La formación de la Confederación Internacional de Magos.» Había leído esos apuntes aquella misma mañana.

Empezó a escribir, levantando de vez en cuando la vista para mirar el reloj de arena que la profesora Marchbanks tenía encima de su mesa. Harry estaba sentado justo detrás de Parvati Patil, cuyo largo pelo castaño caía por detrás del respaldo de su silla. En un par de ocasiones, Harry se encontró mirando con fijeza las diminutas luces doradas que brillaban en la melena de Parvati cada vez que ella movía ligeramente la cabeza, y tuvo que cambiar un poco de posición la suya para salir del ensimismamiento.

«... el Jefe Supremo de la Confederación Internacional de Magos fue Pierre Bonaccord, pero la comunidad mágica de Liechtenstein protestó contra su nombramiento porque...»

Alrededor de Harry las plumas rasgueaban el pergamino como ratas que corretean y escarban en sus madrigueras. Notaba el calor del sol en la nuca. ¿Qué había hecho Bonaccord para ofender a los magos de Liechtenstein? Harry creía recordar que tenía algo que ver con los trols... Volvió a clavar los ojos en la parte de atrás de la cabeza de Parvati. Le habría gustado practicar la Legeremancia y abrir una ventana en la nuca de su compañera para descubrir qué habían tenido que ver los trols con la ruptura de Pierre Bonaccord y Liechtenstein...

Harry cerró los ojos y se tapó la cara con las manos para descansar la vista. Bonaccord quería prohibir la caza de trols y otorgarles derechos..., pero Liechtenstein tenía desavenencias con una tribu de trols de montaña especialmente brutales... Sí, eso era.

Entonces abrió los ojos, pero al fijarlos en el blanco resplandeciente del pergamino, le dolieron y se le empañaron. Lentamente, Harry escribió dos líneas sobre los trols; entonces leyó lo que había escrito hasta el momento. Su respuesta no era muy extensa ni muy detallada, y, sin embargo, estaba seguro de que Hermione tenía un montón de hojas de apuntes sobre la Confederación.

Volvió a cerrar los ojos e intentó visualizar las páginas de Hermione, intentó recordar... La Confederación se había reunido por primera vez en Francia, sí, eso ya lo había escrito...

Los duendes querían asistir, pero no se lo habían permitido... Eso también lo había puesto...

Y ningún representante de Liechtenstein quiso tomar parte en la reunión...

«Piensa», se dijo, con la cara tapada, mientras a su alrededor las plumas rasgueaban redactando respuestas interminables, y la arena del reloj de la profesora Marchbanks caía lentamente...

Caminaba otra vez por el oscuro y frío pasillo que conducía al Departamento de Misterios, con paso firme y resuelto; a veces corría un poco, decidido a llegar por fin a su destino... La puerta se abría, como las veces anteriores, y Harry volvía a encontrarse en la sala circular con muchas puertas...

La cruzaba andando por el suelo de piedra y entraba por una segunda puerta... Veía motas de luz danzarina en las paredes y en el suelo, y oía aquel extraño ruido mecánico, pero no había tiempo para investigar, tenía que darse prisa...

Iba corriendo hasta la tercera puerta, que se abría fácilmente, igual que las demás...

Volvía a encontrarse en la habitación del tamaño de una catedral llena de estanterías y esferas de cristal... El corazón le latía muy deprisa... Esta vez iba a entrar... Cuando llegaba al pasillo número noventa y siete torcía a la izquierda y corría por él entre dos hileras de estanterías...

Pero al final del pasillo había una figura en el suelo, una figura negra que se retorcía como un animal herido... A Harry se le contraía el estómago de miedo, de emoción...

Una voz salía por su boca, una voz fría y aguda, vacía de humanidad...

—Tómala... Vamos, bájala... Yo no puedo tocarla, pero tú sí...

La figura negra que había en el suelo se movía un poco. Harry veía cómo una mano blanca de largos dedos cerrados alrededor de una varita se alzaba al final de su propio brazo..., y entonces oía que aquella fría y aguda voz decía: «*¡Crucio!*»

El hombre que estaba en el suelo gritaba de dolor, intentaba levantarse pero caía hacia atrás y se retorcía. Harry reía. Levantaba la varita, la maldición dejaba de actuar y la figura se quedaba inmóvil gimiendo.

—Lord Voldemort espera...

Muy despacio, el hombre que estaba en el suelo levantaba un poco los hombros, aunque los brazos le temblaban, y miraba hacia arriba. Tenía la cara demacrada y manchada de sangre, contraída de dolor y, sin embargo, desafiante...

—Tendrás que matarme —susurraba Sirius.

—Al final lo haré, indudablemente —decía la fría voz—. Pero antes la tomarás para mí, Black... ¿Crees que lo que has sentido es dolor? Piénsalo bien..., nos quedan muchas horas por delante y nadie te oirá gritar...

Pero alguien gritaba cuando Voldemort bajaba de nuevo la varita; alguien gritaba y caía de lado desde una mesa hasta el frío suelo de piedra; Harry despertó al golpearse contra el suelo. Todavía gritaba, le ardía la cicatriz, y el Gran Comedor apareció a su alrededor.

32

Por la chimenea

—No quiero ir... No necesito ir a la enfermería... No quiero...

Harry farfullaba e intentaba soltarse del profesor Tofty, que lo miraba muy preocupado tras ayudarlo a salir al vestíbulo, con un montón de estudiantes curiosos alrededor.

—Me... me encuentro bien, señor —balbuceó Harry secándose el sudor de la cara—. De verdad... Me quedé dormido y... y he tenido una pesadilla...

—¡Es la presión de los exámenes! —aseguró el anciano mago, comprensivo, dándole unas débiles palmaditas en el hombro—. ¡Suele pasar, joven, suele pasar! Bébete un vaso de agua fría y quizá puedas volver al Gran Comedor. El examen casi ha terminado, pero a lo mejor quieres acabar de pulir tu última respuesta, ¿qué te parece?

—Sí —contestó Harry, desesperado—. O sea..., no..., ya he hecho... todo lo que podía, creo...

—Muy bien, muy bien —repuso el anciano mago con amabilidad—. Voy a recoger tu examen, y te sugiero que vayas a descansar un poco.

—Sí, voy a descansar un poco —dijo Harry asintiendo enérgicamente con la cabeza—. Muchas gracias.

En cuanto el anciano mago desapareció por el umbral y entró en el Gran Comedor, Harry subió a toda prisa la escalera de mármol, corrió por los pasillos (iba tan deprisa que, al verlo pasar, los personajes de los retratos murmuraban reproches e imprecaciones), siguió subiendo escaleras y finalmente irrumpió como un huracán por las puertas de la enfermería; la señora Pomfrey, que le estaba administrando un líquido azul y brillante a Montague, gritó alarmada.

—¿Qué significa esto, Potter?

—Necesito ver a la profesora McGonagall —gritó Harry, que jadeaba y sentía un fuerte dolor en el tórax—. ¡Es urgente!

—La profesora McGonagall no está aquí, Potter —dijo la señora Pomfrey con tristeza—. La han trasladado a San Mungo esta mañana. ¡Cuatro hechizos aturdidores de lleno en el pecho, a su edad! Es un milagro que no la mataran.

—¿No está... aquí? —repitió Harry, horrorizado.

Entonces sonó la campana y el chico oyó el clásico estruendo de los alumnos al salir en tropel de las aulas en los pisos de arriba y abajo. Se quedó muy quieto mirando a la señora Pomfrey. El terror se estaba apoderando de él por momentos.

No quedaba nadie a quien pudiera contárselo. Dumbledore se había ido, Hagrid se había ido, pero él siempre había contado con que la profesora McGonagall estuviera allí, irascible e inflexible, sí, pero siempre digna de confianza, ofreciendo su sólida presencia...

—No me extraña que estés conmocionado, Potter —continuó la señora Pomfrey, comprensiva e indignada—. ¡Como si alguno de ellos hubiera podido aturdir a Minerva McGonagall en igualdad de condiciones y a la luz del día! Cobardía, eso es lo que es, vil cobardía. Si no me preocupara lo que podría sucederles a los alumnos si yo no estuviera aquí, dimitiría para manifestar mi protesta.

—Sí —repuso Harry, atontado.

Se alejó de la enfermería sin saber adónde iba y echó a andar por el bullicioso pasillo, zarandeado por la multitud; el pánico se extendía por su cuerpo como un gas venenoso, la cabeza le daba vueltas y no se le ocurría qué podía hacer...

«Ron y Hermione», dijo una voz dentro de su cabeza.

Echó a correr de nuevo, apartando a los alumnos a empujones, sin prestar atención a sus quejas. Bajó dos pisos, y cuando estaba en lo alto de la escalera de mármol, vio que sus amigos corrían hacia él.

—¡Harry! —exclamó Hermione enseguida; parecía muy asustada—. ¿Qué ha pasado? ¿Te encuentras bien? ¿Estás enfermo?

—¿Dónde estabas? —inquirió Ron.

—Vengan conmigo —contestó Harry—. ¡Vamos, tengo que contarles una cosa!

Los guió por el pasillo del primer piso mientras asomaba la cabeza en varias aulas hasta que al final encontró una vacía; entró en ella y cerró la puerta en cuanto Ron y Hermione hubieron entrado también. Harry se apoyó en la puerta y miró a sus amigos.

—Voldemort tiene a Sirius.

—¿Qué?

—¿Cómo lo...?

—Lo he visto. Ahora mismo. Cuando me he quedado dormido en el examen.

—Pero... pero ¿dónde? ¿Cómo? —preguntó Hermione, que se había puesto muy pálida.

—No sé cómo —respondió Harry—. Pero se exactamente dónde. En el Departamento de Misterios hay una sala con un montón de hileras de estanterías llenas de pequeñas esferas de cristal, y ellos están al final del pasillo número noventa y siete... Voldemort intenta utilizar a Sirius para conseguir eso que quiere tomar de allí dentro... Está torturándolo. ¡Dice que acabará matándolo! —Harry se dio cuenta de que le temblaban la voz y las rodillas, así que se acercó a una mesa y se sentó, tratando de serenarse—. ¿Cómo vamos a ir hasta allí? —les preguntó a sus amigos.

Hubo un momento de silencio. Entonces Ron balbuceó:

—¿Ir ha... hasta allí?

—¡Ir al Departamento de Misterios para rescatar a Sirius! —dijo Harry en voz alta.

—Pero Harry... —empezó Ron con un hilo de voz.

—¿Qué? ¡Qué! —exclamó Harry, impaciente.

No entendía por qué Ron y Hermione lo miraban con la boca abierta, como si les estuviera preguntando algo que no tuviera sentido.

—Harry —dijo Hermione con una voz que delataba su miedo—, Harry, ¿cómo... cómo quieres que Voldemort haya entrado en el Ministerio de Magia sin que nadie lo haya descubierto?

—¿Y yo qué sé? —bramó él—. ¡Lo que importa ahora es cómo vamos a entrar nosotros allí!

—Pero... Harry, piénsalo bien —continuó Hermione, y dio un paso hacia él—, son las cinco de la tarde... El Ministerio de Magia debe de estar lleno de empleados... ¿Cómo quieres que Voldemort y Sirius hayan entrado allí sin ser vistos? Harry..., deben de ser los dos magos más buscados del mundo... ¿Crees que podrían entrar en un edificio lleno de aurores sin que detectaran su presencia?

—¡No lo sé, Voldemort debe de haber utilizado una capa invisible o algo así! —gritó Harry—. Además, el Departamento de Misterios siempre ha estado completamente vacío cuando he ido...

—Tú nunca has ido allí, Harry —afirmó Hermione con serenidad—. Sólo has soñado que ibas.

—¡Lo que yo tengo no son sueños normales y corrientes! —le gritó Harry, levantándose y dando también él un paso hacia Hermione. Le habría gustado agarrarla por los hombros y zarandearla—. Entonces, ¿cómo explicas lo del padre de Ron? ¿Qué fue aquello? ¿Cómo supe lo que le había pasado?

—En parte tiene razón —intervino Ron mirando a Hermione.

—¡Pero eso es tan..., tan inverosímil! —insistió Hermione, desesperada—. Harry, ¿cómo quieres que Voldemort haya atrapado a Sirius si él no se ha movido de Grimmauld Place?

—Quizá Sirius no pudo aguantar más y salió a tomar un poco el aire —apuntó Ron con gesto de preocupación—. Se moría de ganas de salir de esa casa...

—Pero ¿por qué, por qué demonios iba a querer Voldemort que Sirius tomara el arma o lo que sea? —preguntó Hermione.

—¡No lo sé, podría haber montones de razones! —le gritó Harry—. A lo mejor se trata simplemente de que a Voldemort no le importa ver a Sirius herido...

—¿Saben qué? —dijo Ron en voz baja—. Se me acaba de ocurrir una cosa. El hermano de Sirius era un mortífago, ¿verdad? ¡Quizá él le revelase a Sirius el secreto de cómo conseguir el arma!

—¡Sí, y por eso Dumbledore estaba empeñado en que Sirius no saliera de la casa! —exclamó Harry.

—Miren, lo siento —gritó Hermione—, pero nada de lo que dicen tiene sentido, y no tenemos pruebas de nada, no tenemos pruebas de que Voldemort y Sirius estén siquiera...

—¡Harry los ha visto, Hermione! —intervino Ron volviéndose hacia ella.

—De acuerdo —cedió ella por fin, asustada pero decidida—, sólo quiero decir una cosa...

—¿Qué?

—¡Mira, Harry, no lo interpretes como una crítica! Pero es verdad que... estás un poco..., un poco... ¿No crees que estás un poco obsesionado con la idea de..., de... salvar a la gente?

Harry se quedó mirándola.

—¿Qué quieres decir con eso?

—Pues... que... —Hermione estaba aún más acongojada— Quiero decir que... el año pasado, por ejemplo, en el lago... durante el Torneo... no debiste... Es decir, tú no tenías por qué salvar a aquella chica, Delacour... Te dejaste llevar por... —Una oleada de rabia inundó a Harry; ¿cómo se le ocurría a Hermione recordarle ahora aquel error garrafal?—. Mira, estuviste muy bien y todo eso —prosiguió su amiga, acobardada por la mirada de Harry—, todo el mundo creyó que lo que hiciste fue fabuloso...

—Tiene gracia —replicó Harry con voz temblorosa—, porque recuerdo perfectamente que Ron dijo que había perdido el tiempo haciéndome el héroe... ¿Es eso lo que piensas que estoy haciendo ahora? ¿Crees que quiero volver a hacerme el héroe?

—¡No, no, no! —contestó Hermione, aterrada—. ¡Eso no es lo que quiero decir!

—¡Bueno, pues suelta ya lo que quieras decir, porque estamos perdiendo el tiempo! —gritó Harry.

—Lo que intento decirte es que... ¡Voldemort te conoce, Harry! ¡Llevó a Ginny a la Cámara Secreta porque sabía que tú irías a buscarla allí, es lo que suele hacer, sabe que tú eres el tipo de persona que...! ¡Sabe que irías a socorrer a Sirius! ¿Y si sólo intenta que tú vayas al Departamento de Mis...?

—¡Hermione, no importa que sólo lo haya hecho para engañarme, se han llevado a la profesora McGonagall a San Mungo, en Hogwarts ya no queda nadie de la Orden a quien podamos contárselo, y si no vamos, podemos dar por muerto a Sirius!

—Pero Harry, ¿y si tu sueño sólo ha sido... eso, un sueño?

Harry soltó un rugido de frustración y Hermione dio un paso hacia atrás, alarmada.

—¡No lo entiendes! —gritó Harry—. ¡No tengo pesadillas, no son sólo sueños! ¿Para qué crees que eran las clases de Oclumancia, por qué crees que Dumbledore quería impedir que viera esas cosas? Porque son VERDAD, Hermione. Voldemort ha atrapado a Sirius, ¡yo lo he visto! Y no lo sabe nadie más, y eso significa que somos los únicos que podemos salvarlo, y si tú no quieres hacerlo, me parece muy bien, pero yo voy a ir, ¿entendido? Y si no recuerdo mal, no pusiste objeciones a mi obsesión por salvar a la gente cuando eras tú a la que tenía que salvar de los dementores, ni... —se volvió hacia Ron— cuando tuve que salvar a tu hermana del basilisco...

—¡Yo nunca me he quejado! —saltó Ron acaloradamente.

—Pero si tú mismo lo has dicho, Harry —insistió Hermione con vehemencia—, Dumbledore quería que aprendieras a cerrar tu mente a esas cosas; si hubieras practicado Oclumancia como es debido nunca habrías visto est...

—SI PIENSAS QUE VOY A HACER COMO QUE NO HE VISTO NADA...

—¡Sirius te dijo que lo más importante era que aprendieras a cerrar tu mente!

—PUES MIRA, SEGURO QUE OPINARÍA OTRA COSA SI SUPIERA LO QUE ACABO DE...

De pronto se abrió la puerta del aula y Harry, Ron y Hermione se volvieron rápidamente. Ginny entró con aire de curiosidad, seguida de Luna, que, como de costumbre, parecía estar allí por error.

—¡Hola! —saludó Ginny, vacilante—. Hemos reconocido la voz de Harry. ¿Por qué gritabas?

—No es asunto tuyo —contestó él con aspereza.

Ginny arqueó las cejas.

—No tienes por qué emplear ese tono conmigo —repuso fríamente—. Sólo quería saber si podía ayudar en algo.

—Pues no, no puedes —le espetó Harry.

—Eres bastante maleducado, ¿sabes? —comentó Luna con serenidad.

Harry soltó una palabrota y se dio la vuelta. No le apetecía nada hablar con Luna Lovegood.

—Espera —saltó de pronto Hermione—. Espera... Harry, ellas pueden ayudarte. —Harry y Ron miraron a Hermione—. Escuchen —dijo ella con urgencia—, Harry, tenemos que saber si es verdad que Sirius ha salido del cuartel general.

—Ya te lo he dicho, lo he visto...

—¡Por favor, Harry, te lo suplico! —exclamó Hermione, desesperada—. Déjanos comprobar si Sirius se ha marchado de su casa antes de salir en estampida hacia Londres. Si no está en Grimmauld Place, te juro que no haré nada para impedir que vayas. Iré contigo, haré... lo que sea para ayudarte a salvarlo.

—¡Voldemort está torturando a Sirius AHORA MISMO! —gritó Harry—. No podemos perder más tiempo.

—Pero todo esto podría ser una trampa de Voldemort, Harry, tenemos que comprobarlo.

—¿Cómo? —preguntó Harry—. ¿Cómo vamos a comprobarlo?

—Tendremos que utilizar la chimenea de la profesora Umbridge e intentar hablar con él —propuso Hermione, pese a que aquella idea la aterraba—. Volveremos a despistar a la profesora Umbridge, pero necesitaremos alguien que vigile, y ahí es donde pueden ayudarnos Ginny y Luna.

Pese a que todavía no había entendido del todo lo que estaba pasando, Ginny dijo inmediatamente:

—Sí, cuenten con nosotras.

Y Luna inquirió:

—¿Cuando dices «Sirius», te refieres a Stubby Boardman?

Nadie le contestó.

—Bien —le respondió Harry en tono agresivo a Hermione—. Bien, si se te ocurre una forma de hacerlo deprisa, estoy de acuerdo, pero si no, me voy ahora mismo al Departamento de Misterios.

—¿Al Departamento de Misterios? —preguntó Luna con un dejo de sorpresa—. Pero ¿cómo piensas ir hasta allí?

Harry la ignoró una vez más.

—Muy bien —continuó Hermione mientras se retorcía las manos y se paseaba entre los pupitres—. Muy bien... Bueno, uno de nosotros tiene que ir a buscar a la profesora Umbridge y... y conseguir que vaya hacia otro lado, alejarla de su despacho. Podríamos decirle, no sé, que Peeves ha hecho alguna de las suyas...

—De eso me encargo yo —se ofreció Ron—. Le diré que Peeves está destrozando el departamento de Transformaciones o algo así; está muy lejos de su despacho. Ahora que lo pienso, si me lo encuentro por el camino podría convencer a Peeves de que lo haga.

—Bien —dijo con la frente fruncida mientras seguía paseándose arriba y abajo; el hecho de que Hermione no pusiera reparos a que se destrozara el departamento de Transformaciones indicaba la gravedad de la situación—. También tendremos que mantener a los estudiantes lejos de su despacho mientras forzamos la puerta, porque si no alguno de Slytherin podría ir a contarlo.

—Luna y yo podemos montar guardia en cada uno de los extremos del pasillo —propuso Ginny—, y avisar a la gente de que no entre en él porque alguien ha soltado gas agarrotador. —A Hermione le sorprendió la rapidez con que a Ginny se le había ocurrido aquella mentira; Ginny se encogió de hombros y añadió—: Fred y George pensaban hacerlo antes de marcharse.

—Bien —dijo Hermione—. Entonces, Harry, tú y yo nos pondremos la capa invisible y entraremos en el despacho, y podrás hablar con Sirius...

—¡Te digo que no está allí, Hermione!

—Bueno, podrás... comprobar si Sirius está en casa o no mientras yo vigilo. No creo que debas quedarte allí solo, pues Lee ya ha demostrado que la ventana es un punto débil porque coló los escarbatos por ella.

Pese a la rabia y la impaciencia que sentía, Harry reconoció el ofrecimiento de Hermione de acompañarlo al despacho de la profesora Umbridge como una muestra de solidaridad y lealtad.

—Está bien, gracias —murmuró.

—Bueno, aunque hagamos todo lo que hemos dicho, no creo que consigamos más de cinco minutos —comentó Hermione un poco aliviada después de que Harry hubiera aprobado su plan—; no hemos de olvidarnos de Filch ni de esa maldita Brigada Inquisitorial.

—Tendré suficiente con cinco minutos —aseguró Harry—. Y ahora, vamos...

—¿Ya? —dijo Hermione, sorprendida.

—¡Pues claro! —estalló Harry con enojo—. ¿Qué creías, que íbamos a esperar hasta después de la cena o algo así? ¡Hermione, Voldemort está torturando a Sirius en estos precisos momentos, mientras nosotros estamos aquí charlando!

—Está bien. Ve a buscar la capa invisible, yo te espero al final del pasillo de la profesora Umbridge, ¿de acuerdo?

Harry no contestó: salió a todo correr del aula y empezó a abrirse camino entre la marea de estudiantes que llenaban los pasillos. Dos pisos más arriba se cruzó con Seamus y Dean, que lo saludaron alegremente y le comunicaron que habían organizado una fiesta en la sala común para celebrar el final de los exámenes. Harry no les hizo ni caso. Se coló por el hueco del retrato mientras ellos seguían discutiendo sobre cuántas cervezas de mantequilla tenían que comprar en el mercado negro, y luego salió otra vez por el retrato, con la capa invisible y la navaja de Sirius en la mochila, sin que ellos se dieran ni cuenta.

—Harry, ¿quieres contribuir con un par de galeones? Harold Dingle dice que puede conseguirnos un poco de whisky de fuego...

Pero Harry ya había echado a correr por el pasillo, y un par de minutos más tarde saltaba los últimos escalones para reunirse con Ron, Hermione, Ginny y Luna, que estaban apiñados al final del pasillo de la profesora Umbridge.

—Ya lo tengo todo —dijo entrecortadamente—. ¿Están preparados?

—Ron, tú ve a distraer a la profesora Umbridge —le ordenó Hermione en un susurro, pues en ese momento pasaba a su lado un ruidoso grupo de alumnos de sexto—; Ginny, Luna, empiecen a alejar a la gente del pasillo... Harry y yo nos pondremos la capa y esperaremos hasta que todo esté despejado.

Ron se marchó con paso decidido y los demás pudieron ver su reluciente pelo rojo hasta que llegó al final del pasillo; entre tanto Ginny, con su llamativa melena, se alejó en dirección opuesta, asomando entre el tumulto de estudiantes que llenaban el pasillo, seguida de la rubia Luna.

—Ven aquí —murmuró Hermione, tirando de Harry por la muñeca hasta un hueco donde la cabeza de piedra de un mago medieval, feísimo, hablaba sola sobre una columna—. ¿Seguro que estás bien, Harry? Todavía te veo muy pálido.

—Sí, estoy bien —afirmó él, y sacó la capa invisible de la mochila.

La verdad era que le dolía la cicatriz, pero no tanto como para pensar que Voldemort ya le hubiera asestado un golpe mortal a Sirius; el día que Voldemort castigó a Avery le había dolido muchísimo más...

—Vamos —dijo, y se echó la capa invisible por encima tapando también a Hermione. Ambos se quedaron escuchando atentamente tratando de aislarse del sermón en latín del busto que tenían delante.

—¡Por aquí no pueden pasar! —decía Ginny a los alumnos—. Lo siento, tendrán que dar la vuelta por la escalera giratoria porque alguien ha soltado gas agarrotador en este pasillo.

Oyeron que algunos se quejaban, y una voz antipática dijo:

—Yo no veo gas por ninguna parte.

—Porque es incoloro —contestó Ginny con un convincente tono de exasperación—, pero si quieres pasar, adelante, así tendremos tu cuerpo como prueba para el siguiente idiota que no nos crea.

Poco a poco la multitud fue dispersándose. Por lo visto, la noticia del gas agarrotador se había difundido y la gente ya no intentaba pasar por aquel pasillo. Cuando la zona quedó prácticamente vacía, Hermione dijo en voz baja:

—Creo que ésta es la máxima tranquilidad que podremos conseguir, Harry. ¡Vamos!

Y echaron a andar cubiertos con la capa. Luna estaba de pie, de espaldas a ellos, al final del pasillo. Al pasar junto a Ginny, Hermione susurró:

—Bien hecho... No olvides la señal...

—¿Cuál es la señal? —murmuró Harry cuando se acercaban a la puerta del despacho de la profesora Umbridge.

—Si ven acercarse a la profesora Umbridge se pondrán a cantar «A Weasley vamos a coronar» —le contó Hermione mientras Harry introducía la hoja de la navaja de Sirius en la rendija que había entre la puerta y el marco. La cerradura se abrió enseguida, y los chicos entraron en el despacho.

Los estridentes gatitos disfrutaban del sol de la tarde que calentaba sus platos, pero por lo demás el despacho estaba vacío y silencioso como la última vez. Hermione suspiró aliviada.

—Temía que hubiera añadido alguna otra medida de seguridad después del segundo escarbato —comentó.

Se quitaron la capa y Hermione se dirigió deprisa hacia la ventana y se quedó de pie junto a ella escudriñando los jardines con la varita en ristre. Harry, por su parte, corrió hacia la chimenea, tomó el tarro de polvos flu, echó un pellizco dentro y consiguió que aparecieran unas llamas de color esmeralda. Se arrodilló rápidamente, metió la cabeza en el fuego y gritó:

—¡Número doce de Grimmauld Place!

La cabeza empezó a girarle como si acabara de bajarse de una atracción de feria, aunque las rodillas permanecían firmemente plantadas en el frío suelo del despacho. Harry cerró con fuerza los ojos para protegerlos del remolino de ceniza, y cuando todo dejó de dar vueltas, los abrió y ante él apareció la larga y fría cocina de Grimmauld Place.

No había nadie allí. Harry ya se lo había imaginado, pero aun así no estaba preparado para el pánico y el terror que lo invadieron cuando se encontró ante la desierta habitación.

—¿Sirius? —gritó—. ¿Estás ahí, Sirius? —Su voz resonó en la cocina, pero nadie le contestó. Únicamente oyó un débil susurro a la derecha de la chimenea—. ¿Quién hay ahí? —preguntó, aunque creía que debía de ser tan sólo un ratón.

Entonces apareció Kreacher, el elfo doméstico. Parecía muy satisfecho por algo, pese a que debía de haberse lastimado gravemente ambas manos, porque las llevaba bien vendadas.

—La cabeza de Potter ha aparecido en la chimenea —informó a la vacía cocina al tiempo que lanzaba furtivas miradas de triunfo a Harry—. ¿A qué habrá venido, se pregunta Kreacher?

—¿Dónde está Sirius, Kreacher? —inquirió Harry.

El elfo doméstico chasqueó la lengua.

—El amo ha salido, Harry Potter.

—¿Adónde ha ido? ¡Adónde ha ido, Kreacher! —Por toda respuesta, el elfo soltó una risotada que pareció un cacareo—. ¡Te lo advierto! —gritó Harry, consciente de que desde su posición no podía castigar a Kreacher—. ¿Dónde está Lupin? ¿Y Ojoloco? ¿Dónde están todos?

—¡Kreacher se ha quedado solo en la casa! —informó el elfo con regocijo; a continuación, dio la espalda a Harry y echó a andar lentamente hacia la puerta que había al fondo de la cocina—. Kreacher cree que ahora irá a charlar un rato con su dueña, sí, hace mucho tiempo que no puede hacerlo, el amo de Kreacher se lo impedía...

—¿Adónde ha ido Sirius? —le gritó Harry—. ¿Ha ido al Departamento de Misterios, Kreacher?

Éste paró en seco. Harry sólo veía la parte de atrás de su calva entre el bosque de patas de sillas que tenía delante.

—El amo nunca dice al pobre Kreacher adónde va —contestó el elfo.

—¡Pero tú lo sabes! ¿Verdad? ¡Tú sabes dónde está!

Se produjo un breve silencio; entonces el elfo rió socarronamente.

—¡El amo nunca regresará del Departamento de Misterios! —afirmó alegremente—. ¡Kreacher y su dueña se han quedado solos otra vez! —exclamó, y siguió andando y se escabulló por la puerta que conducía al vestíbulo.

—¡Te voy a...!

Pero antes de que pudiera concretar su amenaza, Harry notó un fuerte dolor en la coronilla; tragó un montón de ceniza y, atragantándose, notó que lo arrastraban hacia atrás a través de las llamas, hasta que, con espantosa brusquedad, se encontró mirando la ancha y pálida cara de la profesora Umbridge, que lo había sacado de la chimenea tirándole del pelo y en ese momento le echaba el cuello hacia atrás cuanto podía, como si fuera a degollarlo.

—¿Creías que después de dos escarbatos —dijo en un susurro tirando un poco más de la cabeza de Harry, de modo que éste se quedó contemplando el techo— iba a permitir que otra inmunda y carroñera criatura entrara en mi despacho sin que yo lo supiera? Cuando entró el último, puse hechizos sensores de sigilo en la puerta de mi despacho, idiota. Quítale la varita —le gritó a alguien a quien Harry no podía ver, y notó que una mano hurgaba en el bolsillo interior de su túnica y sacaba su varita—. Y no te olvides de ella. —Harry oyó una refriega junto a la puerta y comprendió que a Hermione también se la habían arrebatado—. Quiero saber qué hacían en mi despacho —dijo la profesora Umbridge agitando el puño con que le sujetaba el pelo a Harry, de modo que éste se tambaleó.

—¡Quería... recuperar mi Saeta de Fuego! —repuso Harry con voz ronca.

—Mentira. —La profesora volvió a zarandearlo—. Tu Saeta de Fuego está custodiada en las mazmorras, como sabes muy bien, Potter. Tenías la cabeza dentro de mi chimenea. ¿Con quién te estabas comunicando?

—Con nadie —contestó Harry, e intentó soltarse, notando cómo varios cabellos se le desprendían del cuero cabelludo.

—¡Mentira! —gritó la profesora Umbridge.

Le dio un empujón, y Harry chocó contra la mesa. Ahora veía a Hermione, a quien Millicent Bulstrode inmovilizaba contra la pared. Malfoy estaba apoyado en el alféizar de la ventana sonriendo mientras lanzaba la varita mágica de Harry al aire y la recuperaba con una mano.

A continuación se produjo un alboroto al otro lado de la puerta, y entonces entraron varios corpulentos alumnos de Slytherin que arrastraban a Ron, Ginny, Luna y, para sorpresa de Harry, Neville, a quien Crabbe había hecho una llave y llevaba tan sujeto por el cuello que parecía a punto de ahogarse. Los habían amordazado a los cuatro.

—Los tenemos a todos —anunció Warrington, y empujó bruscamente a Ron hacia el centro del despacho—. Éste —dijo hincándole un grueso dedo a Neville en el pecho— ha intentado impedir que agarrara a ésa —señaló a Ginny, que pretendía pegar patadas en la espinilla a la robusta alumna de Slytherin que la sujetaba—, así que lo hemos traído también.

—Estupendo —dijo la profesora Umbridge mientras contemplaba los forcejeos de Ginny—. Muy bien, veo que dentro de poco ya no quedará ni un solo Weasley en Hogwarts.

Malfoy, adulador, rió con ganas. Umbridge dibujó su ancha y displicente sonrisa y se sentó en una butaca de tela de algodón estampada; miraba a sus prisioneros pestañeando, como un sapo sobre un macizo de flores.

—Muy bien, Potter —comenzó—. Has colocado vigilantes alrededor de mi despacho y has enviado a ese payaso —señaló con la cabeza a Ron, y Malfoy rió aún más fuerte— para que me dijera que el *poltergeist* estaba provocando el caos en el departamento de Transformaciones cuando yo sabía perfectamente que estaba manchando de tinta las miras de todos los telescopios del colegio, porque el señor Filch acababa de informarme de ello. Es evidente que te interesaba mucho hablar con alguien. ¿Con quién? ¿Con Albus Dumbledore? ¿O con ese híbrido, Hagrid? No creo que se tratara de la profesora McGonagall porque tengo entendido que todavía está demasiado enferma para hablar con nadie.

Malfoy y otros miembros de la Brigada Inquisitorial rieron al oír aquel comentario. Harry sentía tanta rabia y tanto odio que temblaba de pies a cabeza.

—No es asunto suyo. Yo puedo hablar con quien me dé la gana —gruñó.

El blandengue rostro de la profesora Umbridge se tensó un poco.

—Muy bien —continuó con su dulce voz, más falsa y más peligrosa que nunca—. Muy bien, señor Potter... Le he ofrecido la posibilidad de contármelo voluntariamente y la ha rechazado. No tengo otra alternativa que obligarlo. Draco, ve a buscar al profesor Snape.

Malfoy se guardó la varita de Harry en el bolsillo de la túnica y salió del despacho con la sonrisa en los labios, pero Harry apenas se fijó en él. Acababa de darse cuenta de una cosa; no podía creer que hubiera sido tan estúpido para olvidarlo. Había creído que en el colegio ya no quedaba ningún miembro de la Orden, nadie que pudiera ayudarlo a salvar a Sirius, pero se había equivocado. Aún había un miembro de la Orden del Fénix en Hogwarts: Snape.

En aquel momento, en el despacho sólo se oían los inquietos movimientos y los forcejeos de Ron y sus compañeros, a los que los alumnos de Slytherin intentaban dominar. A Ron le sangraba el labio y estaba manchando la alfombra de la profesora Umbridge mientras intentaba librarse de la llave que le hacía Warrington en el cuello; Ginny, por su parte, trataba de pisarle los pies a la alumna de sexto que la agarraba con fuerza por ambos brazos; Neville cada vez estaba más morado e intentaba soltarse del cuello los brazos de Crabbe; y Hermione procuraba en vano apartar a Millicent Bulstrode. Luna, en cambio, estaba de pie junto a su captora, sin oponer resistencia, y miraba distraídamente por la ventana como si todo aquello la aburriera muchísimo.

Harry volvió a mirar a la profesora Umbridge, que lo observaba atentamente. Sin embargo, él mantuvo una expresión insondable cuando se oyeron pasos que se acercaban por el pasillo y Draco entró de nuevo en el despacho y le aguantó la puerta a Snape.

—¿Quería verme, directora? —preguntó éste, y miró a las parejas de forcejeantes alumnos con un gesto de absoluta indiferencia.

—¡Ah, profesor Snape! —exclamó la profesora Umbridge sonriendo de oreja a oreja y poniéndose de nuevo en pie—. Sí, necesito otra botella de Veritaserum. Cuanto antes, por favor.

—Le di la última botella que tenía para que interrogara a Potter —contestó Snape observándola con frialdad a través de sus grasientas cortinas de pelo negro—. No la gastaría toda, ¿verdad? Ya le indiqué que bastaba con tres gotas.

La profesora Umbridge se ruborizó.

—Supongo que podrá preparar más, ¿no? —dijo, y su voz se volvió aún más infantil y más dulce, como ocurría siempre que se ponía furiosa.

—Desde luego —contestó Snape haciendo una mueca con los labios—. Tarda todo un ciclo lunar en madurar, así que la tendrá dentro de un mes.

—¿Un mes? —chilló la profesora Umbridge inflándose como un sapo—. ¿Un mes, ha dicho? ¡La necesito esta noche, Snape! ¡Acabo de encontrar a Potter utilizando mi chimenea para comunicarse con alguien!

—¿Ah, sí? —dijo Snape, y por primera vez mostró interés y giró la cabeza para mirar a Harry—. Bueno, no me sorprende. Potter nunca se ha mostrado inclinado a obedecer las normas del colegio.

Los fríos y oscuros ojos de Snape taladraron los de Harry, que le sostuvo la mirada sin pestañear concentrándose en lo que había visto en su sueño, con la esperanza de que Snape pudiera leerle la mente y comprendiera...

—¡Quiero interrogarlo! —gritó la profesora Umbridge fuera de sí, y Snape dirigió la vista al enfurecido y tembloroso rostro de la directora—. ¡Quiero que me proporcione una poción que lo obligue a decirme la verdad!

—Ya se lo he dicho —repuso Snape con toda tranquilidad—. No me queda ni una gota de Veritaserum. A menos que quiera envenenar a Potter, y le aseguro que si lo hiciera yo lo comprendería, no puedo ayudarla. El único problema es que la mayoría de los venenos actúan tan deprisa que la víctima no tiene mucho tiempo para confesar.

Snape giró de nuevo la cabeza hacia Harry, que seguía mirándolo fijamente para intentar comunicarse sin palabras.

«Voldemort tiene a Sirius en el Departamento de Misterios —pensó—. Voldemort tiene a Sirius...»

—¡Está usted en periodo de prueba! —bramó la profesora Umbridge, y Snape volvió a mirarla con las cejas ligeramente arqueadas—. ¡Se niega a colaborar! ¡Me ha decepcionado, profesor Snape; Lucius Malfoy siempre habla muy bien de usted! ¡Salga inmediatamente de mi despacho!

Snape hizo una irónica reverencia y se dio la vuelta para marcharse. Harry sabía que aquélla era su última oportunidad de informar a la Orden de lo que estaba pasando.

—¡Tiene a Canuto! —gritó—. ¡Tiene a Canuto en el sitio donde la guardan!

Snape se paró con una mano sobre el picaporte de la puerta.

—¿Canuto? —chilló la profesora Umbridge mirando ávidamente a Harry y luego a Snape—. ¿Quién es Canuto? ¿Dónde guardan qué? ¿Qué ha querido decir, Snape?

Snape se volvió y miró a Harry con expresión inescrutable. Harry no supo si le había entendido o no, pero no se atrevió a ser más explícito delante de la profesora Umbridge.

—No tengo ni idea —respondió Snape sin inmutarse—. Potter, cuando quiera que me grites disparates como ése, te daré un brebaje bocazas. Y Crabbe, haz el favor de no apretar tanto. Si Longbottom se ahoga tendré que rellenar un montón de aburridos formularios, y me temo que también tendré que mencionarlo en tu informe si algún día solicitas un empleo.

Cerró la puerta tras él haciendo un ruidito seco, y Harry se quedó más confuso que antes, pues Snape era su última esperanza. Luego miró a la profesora Umbridge, que parecía sentirse igual que él; la mujer respiraba agitadamente, llena de rabia y de frustración.

—Muy bien —dijo, y sacó su varita mágica—. Muy bien... No me queda otra alternativa. Este asunto va más allá de la disciplina escolar, es un tema de seguridad del Ministerio... Sí, sí...

Era como si intentara convencerse de algo. Cambiaba constantemente el peso del cuerpo de una pierna a otra, nerviosa, y observaba a Harry mientras se golpeaba la palma de una mano con la varita y respiraba entrecortadamente. Harry se sentía indefenso sin su varita mágica.

—No me gusta nada tener que hacer esto, Potter, pero me has obligado —afirmó la profesora Umbridge, que no paraba de moverse—. A veces las circunstancias justifican el empleo de... Estoy segura de que el ministro comprenderá que no tuve otro remedio... —Malfoy la observaba con avidez—. Seguro que la maldición *cruciatus* te hará hablar —sentenció la profesora Umbridge con voz queda.

—¡No! —gritó Hermione—. ¡Es ilegal, profesora Umbridge! —Pero la mujer no le prestó atención. Tenía en la cara una expresión cruel, ansiosa y emocionada que Harry no había visto hasta entonces. La profesora Umbridge alzó la varita—. ¡El ministro no aprobará que viole la ley, profesora Umbridge! —volvió a gritar Hermione.

—Si Cornelius no se entera, no pasará nada —repuso la profesora jadeando ligeramente mientras apuntaba con la varita a distintas partes del cuerpo de Harry intentando decidir, al parecer, dónde le dolería más—. Cornelius nunca llegó a saber que fui yo quien envió a los dementores contra Potter el verano pasado, pero de todos modos le encantó tener una excusa para expulsarlo del colegio.

—¿Fue usted? —preguntó Harry atónito—. ¿Usted me envió a los dementores?

—Alguien tenía que actuar —respondió la profesora Umbridge, y su varita apuntó directamente a la frente de Harry—. Todos decían que había que hacerte callar como fuera, que había que desacreditarte, pero yo fui la única que hizo algo... Sólo que tú te las ingeniaste para librarte, ¿verdad, Potter? Pero hoy no va a ocurrir lo mismo, ya lo verás... —Inspiró hondo y gritó—: *¡Cru...!*

—¡NO! —chilló entonces Hermione, a quien Millicent Bulstrode continuaba sujetando—. ¡No! ¡Harry, tendremos que contárselo!

—¡Nada de eso! —bramó él fulminando con la mirada a lo poco del cuerpo de Hermione que alcanzaba a ver.

—¡Tendremos que hacerlo, Harry! Va a obligarte de todos modos, así que ¿qué sentido tiene?

Y Hermione se puso a llorar débilmente sobre la parte de atrás de la túnica de Millicent Bulstrode. Ésta dejó de aplastarla contra la pared de inmediato y se apartó de ella con asco.

—¡Vaya, vaya! —exclamó la profesora Umbridge, triunfante—. ¡Doña Preguntitas nos va a dar algunas respuestas! ¡Adelante, niña, adelante!

—¡Her... mione..., no! —gritó Ron a través de la mordaza.

Ginny miraba con atención a Hermione, como si fuera la primera vez que la veía. Neville, que todavía estaba medio asfixiado, la miraba también. Pero Harry acababa de darse cuenta de algo. Pese a que Hermione sollozaba desesperadamente y se tapaba la cara con las manos, no había derramado ni una sola lágrima.

—Lo... lo siento, pe... perdónenme —balbuceó la chica—, pe... pero no puedo so... soportarlo...

—¡Está bien, niña, tranquila! —dijo la profesora Umbridge, que agarró a Hermione por los hombros y la sentó en la butaca. Se inclinó sobre ella y añadió—: A ver, ¿con quién se estaba comunicando Potter hace un momento?

—Bueno —contestó Hermione, y tragó saliva—, intentaba hablar con el profesor Dumbledore.

Ron se quedó petrificado, con los ojos como platos; Ginny dejó de intentar pisotear a su captora; y hasta Luna adoptó una expresión de leve sorpresa. Por fortuna, la profesora Umbridge y sus secuaces tenían toda la atención concentrada exclusivamente en Hermione y no repararon en aquellos sospechosos indicios.

—¿Con Dumbledore? —repitió la profesora Umbridge, entusiasmada—. ¿Acaso saben dónde está?

—¡Bueno, no! —sollozó Hermione—. Hemos probado en el Caldero Chorreante, en el callejón Diagon, en Las Tres Escobas y hasta en Cabeza de Puerco...

—¿Cómo puedes ser tan idiota? ¡Dumbledore no estaría sentado en un pub mientras lo busca el Ministerio en pleno! —gritó la profesora Umbridge, y la decepción se reflejó en todas las flácidas arrugas de su rostro.

—¡Es que..., es que necesitábamos decirle algo muy importante! —gimió Hermione, que seguía tapándose la cara; Harry comprendió que ese gesto no era de angustia, sino de disimulo.

—¿Ah, sí? —dijo la profesora Umbridge volviendo a animarse—. ¿Y qué era eso que querían decirle?

—Pues queríamos decirle que..., que..., ¡que ya está lista! —balbuceó Hermione.

—¿Lista? —se extrañó la profesora, que volvió a sujetar a Hermione por los hombros y la zarandeó ligeramente—. ¿Qué es lo que está listo, niña?

—El... el arma.

—¿El arma? ¿Qué arma? —preguntó la profesora, cuyos ojos se salían de las órbitas a causa de la emoción—. ¿Han desarrollado algún método de resistencia? ¿Un arma que pudieran emplear contra el Ministerio? Por orden de Dumbledore, claro...

—¡S... s... sí —farfulló Hermione—, pero cuando se marchó todavía no la habíamos terminado y a... a... ahora nosotros la hemos terminado solos, y te... te... teníamos que encontrarlo para decírselo!

—¿De qué tipo de arma se trata? —preguntó con aspereza la profesora Umbridge mientras sujetaba con fuerza a Hermione por los hombros con sus regordetes dedos.

—No... no... nosotros no lo entendemos del todo —respondió Hermione sorbiéndose ruidosamente la nariz—. So... sólo hicimos lo que el profesor Dumbledore nos di... dijo que debíamos hacer.

La profesora Umbridge se enderezó. Estaba exultante de alegría.

—Llévame a donde está el arma —le ordenó.

—No quiero enseñársela... a ellos —contestó Hermione con voz chillona mirando a los alumnos de Slytherin entre los dedos.

—No eres nadie para imponer condiciones —le espetó la profesora Umbridge.

—Está bien —repuso Hermione, que volvía a sollozar con la cara tapada—. ¡Está bien, que la vean, y espero que la utilicen contra usted! ¡Sí, mire, invite a un montón de gente a venir a verla! Le... le estará bien empleado... ¡Sí, me encantaría que to... todo el colegio supiera do... dónde está, y co... cómo emplearla, así, si vuelve usted a molestar a alguien, podrán... deshacerse de usted!

Esas palabras causaron un fuerte impacto en la profesora Umbridge: miró rápida y recelosamente a su Brigada Inquisitorial, y sus saltones ojos se detuvieron un momento en Malfoy, que era demasiado lento para disimular la expresión de entusiasmo y codicia que iluminaba su cara.

La profesora Umbridge volvió a mirar con detenimiento a Hermione, y entonces dijo con una voz que pretendía ser maternal:

—Está bien, querida, iremos tú y yo solas... y nos llevaremos también a Potter, ¿de acuerdo? ¡Vamos, levántate!

—Profesora —intervino Malfoy—, profesora Umbridge, creo que algunos miembros de la Brigada deberían acompañarla para vigilar que...

—Soy una funcionaria del Ministerio perfectamente capacitada, Malfoy, ¿de verdad crees que no puedo defenderme yo sola de dos adolescentes sin varita mágica? —lo atajó con aspereza Dolores Umbridge—. Además, no parece que esa arma de la que habla la señorita Granger sea algo que deban ver unos colegiales. Permanecerán aquí hasta que yo regrese y se asegurarán de que ninguno de éstos —señaló a Ron, Ginny, Neville y Luna— escape.

—Como usted diga —aceptó Malfoy a regañadientes.

—Ustedes dos irán delante de mí y me enseñarán el camino —les ordenó la profesora Umbridge a Harry y Hermione apuntándolos con su varita—. Adelante.

33

Pelea y huida

Harry no tenía ni idea de qué era lo que planeaba Hermione; en realidad ni siquiera sabía si tenía algún plan. Salió detrás de ella del despacho de la profesora Umbridge y la siguió por el pasillo, consciente de que resultaría muy sospechoso que se notara que él no sabía adónde iban, así que no intentó hablar con ella. La profesora Umbridge los seguía tan de cerca que Harry percibía cómo respiraba.

Hermione bajó por la escalera que conducía al vestíbulo. Se oían voces y ruido de cubiertos y platos provenientes del Gran Comedor; Harry no podía creer que seis metros más allá hubiera gente cenando tranquilamente, que celebraba el final de los exámenes sin nada de qué preocuparse...

Hermione salió por las puertas de roble del castillo y bajó la escalera de piedra, donde la recibió la templada y agradable brisa de la tarde. El sol estaba poniéndose por detrás de las copas de los árboles del Bosque Prohibido, y mientras Hermione caminaba decidida por la extensión de césped, seguida de Harry (la profesora Umbridge tenía que correr para seguirles el ritmo), las largas y oscuras sombras del bosque ondulaban sobre la hierba detrás de ellos como si fueran capas.

—Está escondida en la cabaña de Hagrid, ¿verdad? —aventuró la profesora Umbridge, impaciente, al oído de Harry.

—Claro que no —repuso Hermione en tono mordaz—. Hagrid podría haberla puesto en marcha accidentalmente.

—Sí —dijo la profesora asintiendo con la cabeza; su emoción iba en aumento—. Sí, claro, seguro que la habría puesto en marcha, ese híbrido es un bruto.

La mujer rió y Harry sintió un irrefrenable impulso de darse la vuelta y agarrarla por el cuello, pero se contuvo. Sentía un dolor palpitante en la cicatriz, aunque aún no le ardía como si la tuviera al rojo, como sabía que ocurriría si Voldemort se dispusiera a matar.

—Bueno, ¿dónde está? —preguntó la profesora con un dejo de incertidumbre en la voz al ver que Hermione seguía caminando a grandes zancadas hacia el bosque.

—En el bosque, ¿dónde quiere que esté? —contestó la chica, y señaló los frondosos árboles—. Había que guardarla en un sitio donde los estudiantes no pudieran encontrarla por casualidad, ¿no le parece?

—Sí, claro —concedió la profesora Umbridge, aunque parecía un poco preocupada—. Claro, claro... Muy bien, pues... Vayan ustedes dos delante.

—Si hemos de ir nosotros delante, ¿puede prestarnos su varita? —preguntó Harry.

—Nada de eso, señor Potter —repuso la profesora Umbridge con falsa ternura, y le clavó la punta en la espalda—. Me temo que el Ministerio valora mucho más mi vida que la de ustedes dos.

Cuando llegaron bajo la sombra que proyectaban los primeros árboles, Harry intentó captar la mirada de Hermione, pues entrar en el bosque sin varitas le parecía algo mucho más imprudente que todo lo que habían hecho aquella tarde. Sin embargo, Hermione se limitó a lanzar a la profesora Umbridge una mirada de desprecio y se metió sin vacilar entre los árboles; caminaba tan deprisa que la profesora Umbridge se veía en apuros para seguirla a causa de lo cortas que eran sus piernas.

—¿Está muy lejos? —preguntó la bruja cuando la túnica se le enganchó en unas zarzas.

—Sí, ya lo creo —contestó Hermione—. Sí, está muy bien escondida.

Los recelos de Harry iban en aumento. Su amiga no había tomado el camino que habían seguido para ir a visitar a Grawp, sino el que él había recorrido tres años atrás, que conducía a la guarida del monstruo Aragog. Hermione no había ido con él en aquella ocasión, y Harry dudaba que su amiga conociera el peligro que acechaba al final de aquel camino.

—Oye, ¿estás segura de que es por aquí? —le preguntó, lanzándole una clara indirecta.

—Sí, sí —respondió ella en tono férreo, pisando la maleza y haciendo lo que Harry consideró un ruido exagerado. Detrás de ellos, la profesora Umbridge tropezó con un árbol joven caído. Ninguno de los dos se detuvo para ayudarla a levantarse; Hermione siguió andando y gritó volviendo un poco la cabeza—: ¡Ya falta menos!

—Baja la voz, Hermione —murmuró Harry, y aceleró el paso para alcanzarla—. Alguien podría oírnos...

—Eso es precisamente lo que quiero, que nos oigan —repuso Hermione en voz baja mientras la profesora Umbridge intentaba darles alcance sin preocuparse por el ruido que hacía—. Ya verás...

Siguieron caminando un buen rato, hasta que se adentraron tanto en el bosque que la tupida cúpula de árboles impedía el paso de la luz. Harry tenía la sensación que ya había experimentado otras veces en el bosque: que lo observaban unos ojos invisibles.

—¿Falta mucho? —preguntó la profesora Umbridge con enojo.

—¡No, ya falta poco! —gritó Hermione cuando entraban en un claro húmedo y oscuro—. Sólo un poquito...

Entonces una flecha surcó el aire y se clavó en el tronco de un árbol, produciendo un ruido sordo, justo por encima de la cabeza de Hermione. De pronto oyeron ruido de cascos; Harry notó que el suelo del bosque temblaba y la profesora Umbridge soltó un grito y se abrazó a Harry para que le sirviera de escudo.

Él, sin embargo, se soltó y se dio la vuelta. Entonces vio cerca de cincuenta centauros que salían de todos los rincones, con los arcos cargados y levantados, apuntándolos a los tres. Harry, Hermione y la profesora Umbridge retrocedieron hacia el centro del claro; la profesora emitía leves gemidos de terror. Harry miró de reojo a Hermione, que exhibía una sonrisa triunfante.

—¿Quién eres? —preguntó una voz.

Harry miró hacia la izquierda. El centauro de pelaje marrón, Magorian, se había separado del círculo que los demás formaban alrededor de los intrusos y caminaba hacia ellos con el arco levantado. A la derecha de Harry, la profesora Umbridge seguía gimoteando y apuntaba al centauro que se le estaba acercando con la varita, que le temblaba violentamente en la mano.

—Te he preguntado quién eres, humana —repitió Magorian con brusquedad.

—¡Soy Dolores Umbridge! —contestó la profesora con una voz chillona que delataba su miedo—. ¡Subsecretaria del ministro de Magia y directora y Suma Inquisidora de Hogwarts!

—¿Eres del Ministerio de Magia? —inquirió Magorian mientras los centauros que los rodeaban se movían inquietos.

—¡Exacto —exclamó la profesora Umbridge con voz aún más chillona—, así que mucho cuidado! Según las leyes aprobadas por el Departamento de Regulación y Control de las Criaturas Mágicas, cualquier ataque de híbridos como ustedes contra seres humanos...

—¿Cómo nos has llamado? —gritó un centauro negro de aspecto feroz a quien Harry reconoció como Bane. A su alrededor, los demás murmuraban furiosos y tensaban las cuerdas de sus arcos.

—¡No los llame así! —chilló Hermione, indignada, pero la profesora Umbridge hizo como si no la hubiera oído. Sin dejar de apuntar con su temblorosa varita a Magorian, continuó:

—La ley Quince B establece claramente que: «Cualquier ataque de una criatura mágica dotada de inteligencia cuasihumana, y por lo tanto considerada responsable de sus actos...»

—¿«Inteligencia cuasihumana»? —repitió Magorian mientras Bane y otros centauros rugían de rabia y piafaban—. ¡Lo que acabas de decir es un grave insulto para nosotros, humana! Afortunadamente, nuestra inteligencia sobrepasa con creces la suya.

—¿Qué hacen en nuestro bosque? —bramó el centauro gris de rostro severo al que Harry y Hermione habían visto en su última incursión en el bosque—. ¿A qué han venido?

—¿Su bosque, dices? —replicó la profesora Umbridge, que ahora temblaba no sólo de miedo, sino también de indignación—. Permíteme recordarte que si viven aquí es únicamente porque el Ministerio de Magia les ha cedido ciertas tierras...

Inmediatamente, una flecha pasó volando tan cerca de la cabeza de Dolores Umbridge que le arrancó unos cuantos pelos; la profesora soltó un grito desgarrador y se llevó las manos a la cabeza mientras varios centauros proferían gritos de aprobación y otros reían escandalosamente. El sonido de sus fuertes relinchos, que resonaba en el claro apenas iluminado, y la imagen de sus cascos piafando resultaban muy inquietantes.

—¿De quién dices que es este bosque, humana? —rugió Bane.

—¡Repugnantes híbridos! —gritó ella sin quitarse las manos de la cabeza—. ¡Bestias! ¡Animales incontrolados!

—¡Cállese! —le gritó Hermione, pero era demasiado tarde: la profesora Umbridge apuntó con su varita a Magorian y gritó:

—*¡Incárcero!*

Unas cuerdas que parecían gruesas serpientes saltaron por los aires y se enroscaron con fuerza alrededor del torso del centauro, sujetándole los brazos: éste soltó un grito de cólera y se encabritó, intentando liberarse, mientras los otros centauros cargaban contra la profesora Umbridge.

Harry agarró a Hermione y la tiró al suelo; él se tumbó también boca abajo y sintió un momento de pánico al oír los cascos de los centauros que tronaban a su alrededor, pero éstos saltaban por encima de ellos, gritando y aullando de rabia.

—¡Noooo! —oyeron gritar a la profesora Umbridge—. ¡Noooo! ¡Soy la subsecretaria..., no pueden..., suéltenme, bestias inmundas..., noooo!

Harry vio un destello de luz roja y comprendió que la profesora Umbridge había intentado aturdir a uno de los centauros; entonces la bruja gritó con todas sus fuerzas. Harry alzó un poco la cabeza y vio que Bane había levantado del suelo a la profesora tomándola por la parte de atrás de la túnica. La mujer se agitaba y vociferaba, muerta de miedo, y se le cayó la varita de la mano; entonces a Harry le dio un vuelco el corazón. Si pudiera alcanzarla...

Harry estiró un brazo, pero justo en ese momento el casco de un centauro descendió sobre la varita, que se partió limpiamente por la mitad.

—¡Ahora! —rugió una voz junto a la oreja del chico, y un fuerte y peludo brazo apareció de la nada y lo levantó del suelo. A Hermione también la habían levantado.

Por encima de los lomos y de las cabezas de los corcoveantes centauros de diversas tonalidades, Harry vio cómo Bane se llevaba a la profesora Umbridge y desaparecía con ella entre los árboles. La profesora no paraba de chillar, pero su voz se fue haciendo cada vez más débil hasta que el estruendo de cascos que los rodeaba ahogó sus gritos y dejaron de oírla.

—¿Qué hacemos con éstos? —preguntó el centauro gris de rostro severo que sujetaba a Hermione.

—Son jóvenes —respondió una voz lenta y lúgubre detrás de Harry—. Nosotros no atacamos a los potros.

—Pero ellos son los que la han traído hasta aquí, Ronan —replicó el centauro que sujetaba con firmeza a Harry—. Y no son tan jóvenes... Éste casi ha alcanzado la edad adulta.

Zarandeó a Harry, a quien tenía tomado por el cuello de la túnica.

—¡Por favor —suplicó Hermione—, no nos hagan daño, por favor, nosotros no pensamos como ella, no somos empleados del Ministerio de Magia! Sólo hemos venido aquí porque confiábamos en que ustedes nos librarían de esa mujer.

Harry, al ver la expresión del centauro gris que sujetaba a Hermione, se dio cuenta de inmediato de que su amiga había cometido un grave error al decir aquello. El centauro echó la cabeza hacia atrás, piafando con furia, y bramó:

—¿Lo ves, Ronan? ¡Ya tienen la arrogancia de los de su raza! Pretendían que les hiciéramos el trabajo sucio, ¿no es así, niña humana? ¡Pretendían utilizarnos como esclavos para que alejáramos a sus enemigos, como unos obedientes perros de caza!

—¡No! —chilló Hermione, horrorizada—. ¡Por favor, no he querido decir eso! Sólo confiábamos en que pudieran..., pudieran..., ayudarnos...

Pero en lugar de arreglar la situación estaba estropeándola aún más.

—¡Nosotros no ayudamos a los humanos! —gruñó el centauro que sujetaba a Harry; luego retrocedió un poco y los pies de Harry se separaron un momento del suelo—. Nosotros somos otra raza y estamos orgullosos de ello. ¡No vamos a permitir que salgan de aquí y alardeen de habernos utilizado como criados!

—¡Nosotros nunca haríamos eso! —gritó Harry—. Ya sabemos que no han hecho lo que han hecho porque nosotros queríamos que...

Pero nadie lo escuchaba.

Un centauro con barba que estaba detrás de los demás gritó:

—¡Han venido aquí sin que nadie se los pidiera, deben pagar las consecuencias!

Aquellas palabras fueron recibidas con un rugido de aprobación, y un centauro de pelaje pardo gritó:

—¡Llevémoslos con la mujer!

—¡Han dicho que no hacen daño a inocentes! —replicó Hermione, por cuyas mejillas resbalaban ahora lágrimas auténticas—. Nosotros no hemos hecho nada malo, no hemos utilizado amenazas ni varitas, lo único que queremos es volver al colegio, por favor, déjennos marchar...

—¡No todos somos como el traidor Firenze, niña humana! —gritó el centauro gris, y sus compañeros volvieron a soltar relinchos de aprobación—. ¿Acaso creías que no éramos más que unos bonitos caballos parlantes? ¡Somos un pueblo antiquísimo que no permitirá invasiones de magos ni insultos! Nosotros no reconocemos sus leyes, no reconocemos su presunta superioridad, somos...

Pero Harry y Hermione no oyeron qué más eran los centauros, porque en aquel instante se oyó un crujido tan fuerte en el borde del claro que todos, los chicos y los cincuenta centauros que allí se encontraban, se dieron la vuelta. El centauro que sujetaba a Harry lo dejó caer al suelo y tomó su arco y su carcaj. A Hermione también la habían soltado, y Harry corrió hacia ella en el momento en que dos gruesos troncos de árbol se separaban y la monstruosa figura de Grawp, el gigante, aparecía entre ellos.

Los centauros que estaban más cerca de Grawp retrocedieron; el claro se había convertido en un bosque de arcos listos para disparar: todas las flechas apuntaban hacia arriba, hacia la enorme y grisácea cara que los contemplaba desde debajo del tupido dosel de ramas. Grawp tenía la torcida boca entreabierta formando una mueca estúpida; los amarillentos dientes, del tamaño de ladrillos, destacaban en la penumbra, y los ojos sin brillo y del color del lodo del gigante se entrecerraron cuando miró a las criaturas que tenía a sus pies. De los tobillos le colgaban unas cuerdas rotas.

Grawp abrió un poco más la boca y dijo:

—Jagi.

Harry no sabía ni qué significaba «jagi» ni en qué lengua había hablado el gigante, pero no le importaba; simplemente contemplaba los pies de Grawp, que eran casi tan largos como el cuerpo entero de Harry. Hermione agarró a su amigo por un brazo; los centauros, por su parte, se habían quedado callados y observaban al gigante, que movía de un lado a otro la inmensa y redonda cabeza mientras seguía mirando entre ellos como si buscara algo que se le hubiera caído.

—¡Jagi! —repitió con insistencia.

—¡Vete de aquí, gigante! —gritó Magorian—. ¡No eres bien recibido entre nosotros!

Aquellas palabras no impresionaron ni lo más mínimo a Grawp. Se enderezó un poco (los centauros tensaron aún más los arcos) y gritó:

—¡JAGI!

Unos cuantos centauros parecían preocupados. Hermione, en cambio, soltó un grito ahogado.

—¡Harry! —susurró—. ¡Creo que intenta decir «Hagrid»!

Entonces Grawp se fijó en los dos únicos humanos que había en medio de aquel mar de centauros. Agachó un poco más la cabeza y los miró fijamente. Harry notó que Hermione temblaba cuando el gigante abrió una vez más la boca y pronunció con una voz grave y atronadora:

—Hermy.

—¡Ay, madre! —exclamó Hermione, que parecía a punto de desmayarse, y apretó tanto el brazo de Harry que empezó a dormírsele—. ¡Se... se acuerda de mí!

—¡HERMY! —rugió Grawp—. ¿DÓNDE JAGI?

—¡No lo sé! —gimoteó Hermione, aterrada—. ¡Lo siento, Grawp, no lo sé!

—¡GRAWP QUIERE JAGI!

El gigante bajó una de las inmensas manos. Hermione gritó con todas sus fuerzas, dio unos cuantos pasos hacia atrás y se cayó. Harry, que no llevaba consigo su varita, se preparó para dar puñetazos, patadas, mordiscos o lo que hiciera falta, pero la mano pasó rozándolo y derribó a un centauro blanco como la nieve.

Eso era precisamente lo que los centauros estaban esperando. Los dedos extendidos de Grawp se encontraban a un palmo de Harry cuando cincuenta flechas salieron volando hacia el cuerpo del gigante y le acribillaron la enorme cara, le hicieron gritar de ira y de dolor y consiguieron que se enderezara mientras se frotaba la cara con las manazas rompiendo las astas de las flechas, aunque así se le clavaban aún más las puntas.

Grawp se puso a vociferar y a golpear el suelo con sus inmensos pies, y los centauros se dispersaron; unos goterones de sangre, del tamaño de pedruscos, cayeron sobre Harry mientras éste ayudaba a levantarse a Hermione; luego ambos echaron a correr tan deprisa como pudieron para refugiarse bajo los árboles. Una vez allí se volvieron para mirar; Grawp trataba de agarrar a los centauros a ciegas mientras la sangre resbalaba por su cara; los centauros salieron en estampida hacia los árboles del otro lado del claro. Harry y Hermione vieron cómo Grawp soltaba otro rugido de ira y los perseguía, derribando más árboles a su paso.

—¡Oh, no! —dijo Hermione con un hilo de voz; temblaba tanto que se le doblaban las rodillas—. Eso ha sido horrible. Y Grawp podría matarlos a todos.

—Pues a mí me da igual, la verdad —confesó Harry con amargura.

El ruido de los centauros alejándose al galope y el del gigante, que los perseguía dando tumbos, fue haciéndose cada vez más débil. Mientras lo escuchaba, Harry sintió otra fuerte punzada en la cicatriz y lo invadió una oleada de terror.

Habían perdido mucho tiempo, y en aquellos momentos la posibilidad de rescatar a Sirius era aún más remota que cuando Harry había tenido la visión. Harry no sólo había perdido su varita, sino que además estaban en medio del Bosque Prohibido sin ningún medio de transporte.

—Un plan muy inteligente —le espetó a Hermione, pues necesitaba descargar parte de su rabia—. Muy inteligente. ¿Y ahora qué hacemos?

—Tenemos que volver al castillo —contestó Hermione con voz débil.

—¡Cuando lleguemos allí, seguramente Sirius ya estará muerto! —replicó Harry, y pegó una patada a un árbol que tenía cerca.

Entonces se oyeron unos chillidos en la copa del árbol; Harry miró hacia arriba y vio a un enojado bowtruckle que lo amenazaba con sus largos dedos.

—Sin nuestras varitas no podemos hacer nada —comentó Hermione, desanimada, y volvió a levantarse—. De todos modos, Harry, ¿cómo pensabas llegar hasta Londres?

—Sí, eso mismo nos preguntábamos nosotros —dijo una voz conocida detrás de ella.

Harry y Hermione se juntaron instintivamente y escudriñaron la espesura.

Entonces vieron aparecer a Ron, y corriendo detrás de él, a Ginny, Neville y Luna. Todos ofrecían un aspecto lamentable: Ginny tenía unos largos arañazos en una mejilla, Neville llevaba el ojo derecho amoratado, y a Ron le sangraba el labio más que nunca, pero parecían muy satisfechos de sí mismos.

—Bueno —dijo Ron apartando una rama baja. Llevaba la varita mágica de Harry en la mano—, ¿se les ocurre algo?

—¿Cómo lograron escapar? —preguntó Harry, atónito, al tiempo que agarraba su varita.

—Con un par de rayos aturdidores, un encantamiento de desarme y un bonito embrujo paralizante, obra de Neville —contestó Ron sin darle importancia mientras le devolvía también a Hermione su varita mágica—. Pero Ginny ha sido la que más se ha lucido: le ha hecho a Malfoy el maleficio de los mocomurciélagos; ha sido genial, tenía toda la cara cubierta de gargajos. Desde la ventana hemos visto que venían hacia el bosque y los hemos seguido. ¿Qué le han hecho a la profesora Umbridge?

—Se la han llevado —respondió Harry—. Una manada de centauros.

—¿Y a ustedes los han dejado aquí? —preguntó Ginny estupefacta.

—No, los ha ahuyentado Grawp —contestó Harry.

—¿Quién es Grawp? —preguntó Luna con mucho interés.

—El hermano pequeño de Hagrid —respondió Ron—. Bueno, ahora eso no importa. Harry, ¿qué averiguaste en la chimenea? ¿Tiene Quien-tú-sabes a Sirius o...?

—Sí —afirmó Harry, y notó otra fuerte punzada en la cicatriz—, y estoy seguro de que Sirius todavía está vivo, pero no sé cómo vamos a ir hasta allí para ayudarlo.

Todos se quedaron en silencio con aspecto de estar bastante asustados; el problema al que se enfrentaban parecía insuperable.

—Tendremos que ir volando, ¿no? —soltó Luna con un tono realista que Harry nunca le había oído emplear.

—De acuerdo —contestó Harry con fastidio, y se volvió hacia ella—. En primer lugar, olvídate del «tendremos», porque tú no vas a ninguna parte, y en segundo lugar, Ron es el único que tiene una escoba que no esté custodiada por un trol de seguridad, de modo que...

—¡Yo también tengo una escoba! —saltó Ginny.

—Sí, pero tú no vienes —la atajó Ron.

—¡Perdona, pero a mí me importa tanto como a ti lo que le pase a Sirius! —protestó Ginny, y apretó las mandíbulas, con lo que de pronto resaltó su parecido con Fred y George.

—Eres demasiado... —empezó a decir Harry, pero Ginny lo interrumpió con fiereza.

—Tengo tres años más de los que tenías tú cuando te enfrentaste a Quien-tú-sabes por la piedra filosofal, y gracias a mí Malfoy está atrapado en el despacho de la profesora Umbridge defendiéndose de unos gigantescos mocos voladores.

—Sí, pero...

—Todos pertenecíamos al ED —intervino Neville con serenidad—. ¿No se trataba de prepararnos para pelear contra Quien-tú-sabes? Pues ésta es la primera ocasión que tenemos de actuar. ¿O es que todo aquello no era más que un juego?

—No, claro que no... —contestó Harry impaciente.

—Entonces nosotros también deberíamos ir —razonó Neville—. Podemos ayudar.

—Es verdad —coincidió Luna, y sonrió.

Harry miró a Ron. Sabía que su amigo estaba pensando exactamente lo mismo que él: si hubiera podido elegir entre los miembros del ED para que unos cuantos lo acompañaran a rescatar a Sirius, aparte de Ron, Hermione y él mismo, jamás se le habría ocurrido escoger ni a Ginny, ni a Neville, ni a Luna.

—Bueno, no importa —dijo Harry con frustración—, porque de todos modos todavía no sabemos cómo vamos a ir...

—Creía que eso ya lo habíamos decidido —terció Luna consiguiendo que Harry se desesperara aún más—. ¡Volando!

—Mira —dijo Ron, que ya no podía contenerse—, tú quizá puedas volar sin escoba, pero a los demás no nos crecen alas cada vez que...

—Hay otras formas de volar —puntualizó Luna.

—Sí, claro, ahora nos dirás que podemos volar en un scorky de cuernos escarolados o como se llame, ¿no? —dijo Ron.

—Los snorkacks de cuernos arrugados no pueden volar —aclaró Luna muy circunspecta—, pero ésos sí, y Hagrid dice que siempre encuentran el lugar al que quiere ir la persona que los monta. —Y Luna señaló hacia el bosque.

Harry se dio la vuelta. Entre dos árboles había dos thestrals que observaban a los chicos como si entendieran cada palabra de la conversación que estaban manteniendo. Los blancos ojos de los animales relucían fantasmagóricos.

—¡Claro! —susurró, y se acercó a ellos.

Los thestrals movieron la cabeza con forma de dragón y agitaron las largas y negras crines; Harry estiró un brazo, ilusionado, y acarició el reluciente cuello del que tenía más cerca. ¿Cómo podía haberlos encontrado feos?

—¿Qué son, esa especie de caballos? —preguntó Ron con aire vacilante, dirigiendo la mirada hacia un punto situado más o menos a la izquierda del thestral que Harry estaba acariciando—. ¿Esos que no puedes ver a menos que hayas presenciado cómo alguien estira la pata?

—Sí —contestó Harry.

—¿Cuántos hay?

—Sólo dos.

—Pues necesitamos tres —sentenció Hermione, que todavía estaba un poco agitada pero decidida a pesar de todo.

—Cuatro, Hermione —la corrigió Ginny con el entrecejo fruncido.

—Creo que en realidad somos seis —aclaró Luna con calma, y contó a sus compañeros.

—¡No digan tonterías, no podemos ir todos! —gritó Harry—. Miren, ustedes tres —señaló a Neville, Ginny y Luna— no tienen nada que ver con esto, ustedes no... —Los aludidos volvieron a protestar. Harry sintió otro pinchazo en la cicatriz, más doloroso esta vez. Cada minuto que perdían era valiosísimo; no tenía tiempo para discutir—. Bien, de acuerdo. Ustedes lo han querido —dijo con aspereza—. Pero si no encontramos más thestrals no podremos...

—Tranquilo, vendrán más —sentenció con aplomo Ginny, que, como su hermano, miraba con los ojos entrecerrados en la dirección equivocada, creyendo que era allí donde estaban los animales.

—¿Por qué piensas eso?

—Porque, por si no te habías dado cuenta, Hermione y tú están cubiertos de sangre —explicó Ginny fríamente—, y Hagrid utiliza carne cruda para atraer a los thestrals. Supongo que por ese motivo han venido esos dos.

Entonces Harry notó que algo tiraba débilmente de su túnica y giró la cabeza: el thestral que tenía más cerca le lamía la manga, que estaba empapada de la sangre de Grawp.

—De acuerdo —dijo; se le acababa de ocurrir una idea genial—. Ron y yo tomaremos estos dos e iremos por delante; Hermione puede quedarse aquí con ustedes tres y así atraerá más thestrals...

—¡Yo no pienso quedarme atrás! —chilló Hermione, furiosa.

—No hará falta —afirmó Luna, sonriente—. Mira, ya llegan más... Deben de apestar...

Harry se volvió y vio que seis o siete thestrals avanzaban entre los árboles, con las enormes alas coriáceas plegadas y pegadas al cuerpo, y los ojos brillando en la oscuridad. Ahora no tenía excusa.

—Está bien —aceptó a regañadientes—. Elijan uno cada uno y móntenlos.

34

El Departamento de Misterios

Harry enredó fuertemente la mano en la crin del thestral que tenía más cerca, puso un pie sobre un tocón y se subió con torpeza al sedoso lomo del animal. El thestral no se resistió, pero torció la cabeza hacia un lado, mostrando los colmillos, e intentó seguir lamiendo la túnica de Harry.

Éste encontró la manera de apoyar las rodillas detrás de las articulaciones de las alas, con lo que se sentía más seguro; luego se volvió y miró a sus compañeros. Neville se había subido al lomo de otro thestral e intentaba pasarle una pierna por encima. Luna ya se había montado de lado en el suyo, y se estaba arreglando la túnica como si hiciera aquello a diario. Ron, Hermione y Ginny, en cambio, seguían de pie y sin moverse, boquiabiertos y mirando a los demás.

—¿Qué pasa? —preguntó Harry.

—¿Cómo quieres que los montemos? —dijo Ron con voz queda—. Si nosotros no podemos ver a esos bichos...

—¡Ah, es muy fácil! —comentó Luna; se bajó solícitamente de su thestral y fue hacia donde estaban Ron, Hermione y Ginny—. Vengan aquí...

Los guió hacia donde se hallaban los otros thestrals y, uno a uno, los fue ayudando a montar. Los tres parecían muy nerviosos mientras Luna les enredaba una mano en la crin del animal y les decía que se sujetaran con fuerza; luego Luna volvió a montar en su corcel.

—Esto es una locura —murmuró Ron palpando con la mano que tenía libre el cuello de su caballo—. Es una locura... Si al menos pudiera verlo...

—Yo en tu lugar no me quejaría de que siga siendo invisible —sentenció Harry siniestramente—. ¿Están preparados? —Todos asintieron, y Harry vio cinco pares de rodillas apretándose bajo las túnicas—. A ver... —Miró la parte de atrás de la reluciente y negra cabeza de su thestral y tragó saliva—. Bueno, pues... Ministerio de Magia, entrada para visitas, Londres —indicó, vacilante—. No sé si... sabrás...

Al principio el thestral de Harry no se movió, pero poco después desplegó las alas con un contundente movimiento que casi derribó al chico; el caballo se agachó un poco e inmediatamente salió disparado hacia arriba; subía tan deprisa y de forma tan vertical que Harry tuvo que sujetarse con brazos y piernas a su cuerpo para no resbalar hacia atrás por la huesuda grupa. Cerró los ojos y pegó la cara a la sedosa crin del thestral, y ambos subieron volando entre las ramas más altas de los árboles y se elevaron hacia una puesta de sol de color rojo sangre.

Harry no recordaba haber volado jamás a tanta velocidad; el animal pasó como una centella por encima del castillo, batiendo apenas las grandes alas; el fresco viento azotaba el rostro de Harry que, con los ojos entrecerrados, miró hacia atrás y vio a sus cinco compañeros volando tras él. Todos iban pegados cuanto podían al cuello de sus monturas para protegerse de la estela que dejaba el thestral de Harry.

Dejaron atrás los terrenos de Hogwarts y sobrevolaron Hogsmeade; Harry veía montañas y valles a sus pies. Como estaba oscureciendo, distinguió también pequeños grupos de luces de otros pueblos, y luego una sinuosa carretera que discurría entre colinas y por la que circulaba un solo coche...

—¡Qué cosa tan rara! —oyó que Ron decía tras él, y trató de imaginar lo que debía sentirse al volar a semejante altura y a tal velocidad en un medio de transporte invisible.

Se puso el sol, y el cielo, salpicado de diminutas estrellas plateadas, se tiñó de color morado; al poco rato las luces de las ciudades de muggles eran lo único que les daba una idea de lo lejos que estaban del suelo y de lo rápido que se desplazaban. Harry rodeaba fuertemente el cuello de su thestral con ambos brazos. Le habría gustado ir aún más deprisa. ¿Cuánto tiempo había pasado desde que vio a Sirius tumbado en el suelo del Departamento de Misterios? ¿Y cuánto tiempo podría seguir aguantando su padrino las torturas de Voldemort? Lo único de lo que Harry estaba seguro era de que Sirius no había hecho lo que Voldemort quería que hiciera, y de que no había muerto, porque estaba convencido de que cualquiera de esos dos desenlaces habría conseguido que sintiera el júbilo o la furia de Voldemort correr por su cuerpo, y habría hecho que la cicatriz le doliera tanto como le había dolido la noche en que fue atacado el señor Weasley.

Siguieron volando por un cielo cada vez más oscuro; Harry notaba la cara fría y rígida y tenía las piernas entumecidas de tanto apretarlas contra las ijadas del thestral, pero no se atrevía a cambiar de postura por si resbalaba... El ruido del viento en los oídos lo ensordecía, y el frío aire nocturno le secaba y le helaba la boca. Ya no sabía qué distancia habían recorrido, pero tenía toda su fe puesta en el animal que lo llevaba, que seguía surcando el cielo con decisión, sin apenas mover las alas.

Si llegaban demasiado tarde...

«Todavía está vivo, todavía lucha, puedo sentirlo...»

Si Voldemort llegaba a la conclusión de que Sirius no iba a ceder...

«Yo lo sabría...»

Harry sintió una sacudida en el estómago; de pronto la cabeza del thestral apuntó hacia abajo y Harry resbaló unos centímetros hacia delante por el cuello del animal. Al fin habían empezado a descender. Entonces le pareció oír un chillido a sus espaldas y se arriesgó a girar la cabeza, pero no vio caer a nadie... Supuso que el cambio de dirección había tomado desprevenidos a los demás, igual que a él.

En esos momentos, unas brillantes luces de color naranja se hacían cada vez más grandes y más redondas por todas partes; veían los tejados de los edificios, las hileras de faros que parecían ojos de insectos luminosos, y los rectángulos de luz amarilla que proyectaban las ventanas. De repente Harry tuvo la impresión de que se precipitaban hacia el suelo; se agarró al thestral con todas sus fuerzas y se preparó para recibir un fuerte impacto, pero el caballo se posó en el suelo suavemente, como una sombra, y Harry se apeó del lomo. Miró alrededor y vio la calle con el contenedor rebosante y la cabina telefónica destrozada, ambos descoloridos, bajo el resplandor anaranjado de las farolas.

Ron aterrizó cerca de Harry y cayó inmediatamente de su thestral.

—Nunca más —murmuró poniéndose en pie. Luego echó a andar con la intención de apartarse de su caballo, pero como no podía verlo chocó contra sus cuartos traseros y estuvo a punto de caer otra vez al suelo—. Nunca más... Ha sido el peor...

En ese instante, Hermione y Ginny aterrizaron a ambos lados de Ron: bajaron de sus monturas con algo más de gracia que él, aunque con expresiones de alivio similares por tocar al fin suelo firme; Neville bajó de un salto temblando de pies a cabeza, y Luna desmontó suavemente.

—¿Y ahora qué hacemos? —le preguntó ésta a Harry con interés, como si todo aquello fuera una divertida excursión.

—Por aquí —indicó él. Agradecido, acarició un poco a su thestral, y después guió rápidamente a sus compañeros hasta la desvencijada cabina telefónica y abrió la puerta—. ¡Vamos! —los apremió al ver que los demás vacilaban.

Ron y Ginny entraron, obedientes; Hermione, Neville y Luna se apretujaron y los siguieron; Harry echó un vistazo a los thestrals, que se habían puesto a hurgar entre la basura del contenedor, y se metió en la cabina detrás de Luna.

—¡El que esté más cerca del teléfono, que marque seis, dos, cuatro, cuatro, dos! —ordenó.

El que estaba más cerca era Ron, así que levantó un brazo y lo inclinó con un gesto forzado para llegar hasta el disco del teléfono. Cuando el disco recuperó la posición inicial, una fría voz femenina resonó dentro de la cabina.

—Bienvenidos al Ministerio de Magia. Por favor, diga su nombre y el motivo de su visita.

—Harry Potter, Ron Weasley, Hermione Granger —dijo Harry muy deprisa—, Ginny Weasley, Neville Longbottom, Luna Lovegood... Hemos venido a salvar a una persona, a no ser que el Ministerio se nos haya adelantado.

—Gracias —replicó la voz—. Visitantes, recojan las identificaciones y colóquenselas en un lugar visible de la ropa.

Media docena de identificaciones se deslizaron por la rampa metálica en la que normalmente caían las monedas devueltas. Hermione las tomó y, sin decir nada, se las pasó a Harry por encima de la cabeza de Ginny; Harry leyó lo que venía puesto en la primera: «Harry Potter, Misión de Rescate.»

—Visitantes del Ministerio, tendrán que someterse a un cacheo y entregar sus varitas mágicas para que queden registradas en el mostrador de seguridad, que está situado al fondo del Atrio.

—¡Muy bien! —respondió Harry en voz alta, y volvió a sentir otra punzada en la cicatriz—. ¿Ya podemos pasar?

El suelo de la cabina telefónica se estremeció y la acera empezó a ascender detrás de las ventanas de cristal; los thestrals, que seguían hurgando en el contenedor, se perdieron de vista; la cabina quedó completamente a oscuras y, con un chirrido sordo, empezó a hundirse en las profundidades del Ministerio de Magia.

Una franja de débil luz dorada les iluminó los pies y, tras ensancharse, fue subiendo por sus cuerpos. Harry flexionó las rodillas, sostuvo su varita en alto como pudo, pese a lo apretujado que estaba, y miró a través del cristal para ver si había alguien esperándolos en el Atrio, pero parecía que se hallaba completamente vacío. La luz era más tenue que la que había durante el día, y no ardía ningún fuego en las chimeneas empotradas en las paredes, aunque cuando la cabina se detuvo con suavidad, Harry vio que los símbolos dorados seguían retorciéndose sinuosamente en el techo azul eléctrico.

—El Ministerio de Magia les desea buenas noches —dijo la voz de mujer.

La puerta de la cabina telefónica se abrió y Harry salió a trompicones de ella, seguido de Neville y Luna. Lo único que se oía en el Atrio era el ininterrumpido susurro del agua de la fuente dorada, donde los chorros que salían de las varitas del mago y de la bruja, del extremo de la flecha del centauro, de la punta del sombrero del duende y de las orejas del elfo doméstico seguían cayendo en el estanque que rodeaba las estatuas.

—¡Vamos! —indicó Harry en voz baja, y los seis echaron a correr por el vestíbulo guiados por él; pasaron junto a la fuente y se dirigieron hacia la mesa donde se sentaba el mago de seguridad que el día de la vista disciplinaria había pesado la varita de Harry; sin embargo, en aquel momento la mesa se hallaba vacía.

Harry estaba seguro de que allí debía haber alguien encargado de la seguridad, e interpretó su ausencia como un mal presagio, con lo que su aprensión aumentó mientras cruzaban las verjas doradas que conducían al vestíbulo de los ascensores. Harry pulsó el botón y un ascensor apareció tintineando ante ellos casi de inmediato. La reja dorada se abrió produciendo un fuerte ruido metálico, y los chicos entraron precipitadamente en el ascensor. Harry pulsó el botón con el número nueve; la reja volvió a cerrarse con estrépito y el ascensor empezó a descender, traqueteando y tintineando de nuevo. El día que fue al Ministerio con el señor Weasley, Harry no se había dado cuenta de lo ruidosos que eran los ascensores; estaba convencido de que el ruido alertaría a todos los encargados de seguridad del edificio, pero cuando el ascensor se detuvo, la voz de mujer anunció: «Departamento de Misterios», y la reja se abrió. Los chicos salieron al pasillo, donde sólo vieron moverse las antorchas más cercanas, cuyas llamas vacilaban movidas por la corriente de aire provocada por el ascensor.

Harry se volvió hacia la puerta negra. Tras meses y meses soñando con ella, por fin la veía.

—¡Vamos! —volvió a susurrar, y guió a sus compañeros por el pasillo; Luna iba pegada a él y miraba alrededor con la boca entreabierta—. Bueno, escuchen —dijo Harry, y se detuvo otra vez a dos metros de la puerta—. Quizá... quizá dos de nosotros deberían quedarse aquí para... para vigilar y...

—¿Y cómo vamos a avisarte si viene alguien? —le preguntó Ginny alzando las cejas—. Podrías estar a kilómetros de aquí.

—Nosotros vamos contigo, Harry —declaró Neville.

—Sí, Harry, vamos —dijo Ron con firmeza.

Harry no quería llevárselos a todos, pero le pareció que no tenía alternativa. Se volvió hacia la puerta y echó a andar... Como había ocurrido en su sueño, la puerta se abrió y Harry siguió adelante, y los demás cruzaron el umbral tras él.

Se encontraron en una gran sala circular. Todo era de color negro, incluidos el suelo y el techo; alrededor de la negra y curva pared había una serie de puertas negras idénticas, sin picaporte y sin distintivo alguno, situadas a intervalos regulares, e, intercalados entre ellas, unos candelabros con velas de llama azul. La fría y brillante luz de las velas se reflejaba en el reluciente suelo de mármol causando la impresión de que tenían agua negra bajo los pies.

—Que alguien cierre la puerta —pidió Harry en voz baja.

En cuanto Neville obedeció su orden, Harry lamentó haberla dado. Sin el largo haz de luz que llegaba del pasillo iluminado con antorchas que habían dejado atrás, la sala quedó tan oscura que al principio sólo vieron las temblorosas llamas azules de las velas y sus fantasmagóricos reflejos en el suelo.

En su sueño, Harry siempre había cruzado con decisión aquella sala hasta llegar a la puerta que estaba justo enfrente de la entrada y había seguido andando. Pero allí había cerca de una docena de puertas. Mientras contemplaba las que tenía delante, intentando decidir cuál debía abrir, se oyó un fuerte estruendo y las velas empezaron a desplazarse hacia un lado. La pared circular estaba rotando.

Hermione se aferró al brazo de Harry como si temiera que el suelo también fuera a moverse, pero no lo hizo. Durante unos segundos, mientras la pared giraba, las llamas azules que los rodeaban se desdibujaron y trazaron una única línea luminosa que parecía de neón; entonces, tan repentinamente como había empezado, el estruendo cesó y todo volvió a quedarse quieto.

Harry tenía unas franjas de color azul grabadas en la retina; era lo único que veía.

—¿Qué ha sido eso? —preguntó Ron con temor.

—Creo que ha sido para que no sepamos por qué puerta hemos entrado —dijo Ginny en voz baja.

Harry admitió enseguida que Ginny tenía razón: identificar la puerta de salida habría sido tan difícil como localizar una hormiga en aquel suelo negro como el azabache; además, la puerta por la que tenían que continuar podía ser cualquiera de las que los rodeaban.

—¿Cómo vamos a salir de aquí? —preguntó Neville con inquietud.

—Eso ahora no importa —contestó Harry, enérgico. Pestañeó intentando borrar las líneas azules de su visión y sujetó su varita más fuerte que nunca—, ya pensaremos cómo salir de aquí cuando hayamos encontrado a Sirius.

—¡Ahora no se te ocurra llamarlo! —se apresuró a decir Hermione; pero Harry no necesitaba aquel consejo, pues su instinto le recomendaba hacer el menor ruido posible.

—Entonces, ¿por dónde vamos, Harry? —preguntó Ron.

—No lo... —empezó a decir él. Luego tragó saliva—. En los sueños entraba por la puerta que hay al final del pasillo, viniendo desde los ascensores, y pasaba a una habitación oscura, o sea, esta habitación; luego entraba por otra puerta que daba a un cuarto lleno de una especie de... destellos. Tendremos que probar algunas puertas —decidió—. Cuando vea lo que hay detrás sabré cuál es la correcta. ¡Vamos!

Se dirigió hacia la puerta que tenía enfrente y los demás lo siguieron de cerca; puso la mano izquierda sobre su fría y brillante superficie, levantó la varita, preparado para atacar en el momento en que se abriera, y empujó.

La puerta se abrió con facilidad.

En contraste con la oscuridad de la primera habitación, aquella sala, larga y rectangular, parecía mucho más luminosa; del techo colgaban unas lámparas suspendidas de cadenas doradas, aunque Harry no vio las luces destellantes que había visto en sus sueños. La sala estaba casi vacía: sólo había unas cuantas mesas y, en medio de la habitación, un enorme tanque de cristal, lo bastante grande para que los seis nadaran en él, lleno de un líquido verde oscuro en el que se movían perezosamente a la deriva unos cuantos objetos de un blanco nacarado.

—¿Qué son esas cosas? —murmuró Ron.

—No lo sé —contestó Harry.

—¿Son peces? —aventuró Ginny.

—¡Gusanos aquavirius! —exclamó Luna, emocionada—. Mi padre me dijo que el Ministerio estaba criando...

—No —la atajó Hermione con un tono de voz extraño, acercándose al tanque para mirar a través del cristal—. Son cerebros.

—¿Cerebros?

—Sí... ¿Qué estarán haciendo con ellos?

Harry se acercó también al tanque. Y, en efecto, ahora que los veía de cerca no tenía ninguna duda. Brillaban con una luz tenue, se sumergían en el líquido verde y volvían a emerger; parecían coliflores pegajosas.

—¡Vámonos! —dijo Harry—. Aquí no es, tendremos que probar otra puerta.

—Aquí también hay puertas —observó Ron señalando las paredes. Harry se desanimó: aquel sitio era enorme.

—En mi sueño yo cruzaba esa habitación oscura y entraba en otra —explicó—. Creo que deberíamos retroceder e intentarlo desde allí.

Así que volvieron apresuradamente a la sala oscura y circular; en ese momento, las espeluznantes formas de los cerebros nadaban ante los ojos de Harry en lugar de las llamas azules de las velas.

—¡Esperen! —exclamó Hermione cuando Luna se disponía a cerrar la puerta de la habitación de los cerebros—. *¡Flagrate!*

Hizo un dibujo en el aire con la varita mágica y una X roja, luminosa como el fuego, apareció en la puerta. Tan pronto como ésta volvió a cerrarse tras ellos, oyeron otra vez un fuerte estruendo, y la pared empezó a girar muy deprisa, pero ahora veían una línea roja y borrosa además de la línea azul; cuando todo volvió a quedarse quieto, la equis seguía encendida marcando la puerta que ya habían abierto.

—Buena idea —comentó Harry—. Bien, vamos a probar ésta...

Una vez más, Harry caminó con decisión hacia la puerta que tenía delante y la empujó, con la varita en ristre, mientras sus compañeros lo seguían de cerca.

Entraron en otra habitación, más grande que la anterior, rectangular y débilmente iluminada, cuyo centro estaba hundido y formaba un enorme foso de piedra de unos seis metros de profundidad. Los chicos estaban de pie en el banco más alto de lo que parecían unas gradas de piedra que discurrían alrededor de la sala y descendían como en un anfiteatro, similares a las de la sala del tribunal en la que el Wizengamot había juzgado a Harry. En el centro del foso, sin embargo, en lugar de la silla con cadenas había una tarima de piedra sobre la que se alzaba un arco, asimismo de piedra, que parecía tan antiguo, resquebrajado y a punto de desmoronarse que a Harry le sorprendió que se tuviera en pie. El arco, que no se apoyaba en nada, tenía colgada una andrajosa cortina; era una especie de velo negro que, pese a la quietud del ambiente, ondeaba un poco, como si acabaran de tocarlo.

—¿Hay alguien ahí? —preguntó Harry, y bajó de un salto al siguiente banco de las gradas. Nadie le contestó, pero el velo siguió ondeando.

—¡Cuidado! —susurró Hermione.

Harry bajó los bancos uno a uno hasta que llegó al suelo de piedra del foso. Sus pasos resonaban con fuerza mientras caminaba hacia la tarima. El arco, acabado en punta, parecía mucho más alto desde donde estaba en ese momento que cuando lo contemplaba desde arriba. El velo seguía agitándose suavemente, como si alguien acabara de pasar a su lado.

—¿Sirius? —se atrevió a decir Harry, pero en voz más baja, ya que estaba muy cerca.

Tenía la extraña sensación de que había alguien de pie detrás del velo, al otro lado del arco. Agarró con fuerza su varita y fue rodeando lentamente la tarima, pero detrás no había nadie; lo único que se veía era la otra cara del raído velo negro.

—¡Vámonos! —exclamó Hermione, que había descendido unos cuantos bancos—. No es esta habitación, Harry, vámonos.

Hermione parecía asustada, mucho más asustada que en la habitación del tanque donde flotaban los cerebros, y, sin embargo, Harry pensó que el arco encerraba una extraña belleza, pese a lo viejo que era. Además, el velo que ondeaba suavemente lo intrigaba; estaba tentado de subir a la tarima y rozarlo.

—Vámonos, Harry, ¿de acuerdo? —insistió Hermione.

—Sí —cedió él, pero no se movió. Acababa de percibir algo. Se oían débiles susurros, murmullos que provenían del otro lado del velo—. ¿Qué dices? —preguntó Harry en voz alta, y sus palabras resonaron por las gradas de piedra.

—¡Nadie ha dicho nada, Harry! —exclamó Hermione, que había bajado hasta donde estaba él.

—He oído susurrar a alguien detrás del velo —aseguró su amigo, apartándose de ella y examinando el velo con el entrecejo fruncido—. ¿Eres tú, Ron?

—Estoy aquí, Harry —contestó Ron, que también había bajado al fondo del foso.

—¿No lo oyen? —preguntó Harry, pues los susurros y los murmullos cada vez eran más intensos; sin proponérselo, puso un pie sobre la tarima.

—Yo lo oigo —dijo Luna con un hilo de voz; también había bajado y contemplaba el velo—. ¡Ahí dentro hay gente!

—¿Qué significa «ahí dentro»? —inquirió Hermione, que bajó de un salto desde el último banco de las gradas. Parecía mucho más enfadada de lo que la ocasión requería—. No puede haber nadie «ahí dentro», eso sólo es un arco, no hay sitio para que haya nadie. ¡Basta, Harry, vámonos! —Lo agarró por el brazo y tiró de él, pero Harry se resistió—. ¡Hemos venido a buscar a Sirius, Harry! —le recordó con voz chillona, cargada de tensión.

—Sirius —repitió Harry sin dejar de contemplar, hipnotizado, el sinuoso velo negro—. Sí... —De pronto el cerebro le volvió a funcionar con normalidad: Sirius, capturado, atado y torturado, y él estaba contemplando aquel arco... Retrocedió alejándose de la tarima y apartó los ojos del velo—. ¡Vámonos! —dijo.

—Precisamente eso era lo que intentaba... ¡Bueno, da lo mismo, vámonos! —exclamó Hermione, y rodeó la tarima.

Los demás la siguieron. Al llegar al otro lado, vio que Ginny y Neville también contemplaban el velo, aparentemente alucinados. Sin decir nada, Hermione asió a Ginny por el brazo, y Ron agarró a Neville; los arrastraron hacia el primer banco de piedra y subieron hasta lo alto de las gradas.

—¿Qué crees que puede ser ese arco? —le preguntó Harry a Hermione cuando llegaron todos a la oscura sala circular.

—No lo sé, pero, sea lo que sea, es peligroso —contestó Hermione enérgicamente, y volvió a trazar una equis luminosa sobre la puerta.

Una vez más, la pared giró y volvió a quedarse quieta. Harry se acercó a otra puerta al azar y empujó. La puerta no se abrió.

—¿Qué pasa? —inquirió Hermione.

—Está... cerrada... —contestó Harry, y apoyó todo su peso sobre la puerta, pero ésta no cedió ni un milímetro.

—Entonces debe de ser ésta, ¿no? —concluyó Ron, emocionado, e intentó ayudar a Harry a abrirla—. ¡Tiene que serlo!

—¡Apártense! —les ordenó Harry. Apuntó con la varita hacia donde habría estado la cerradura de haber sido aquélla una puerta normal y dijo—: *¡Alohomora!* —Pero no sucedió nada—. ¡La navaja de Sirius! —exclamó después, y la sacó del interior de su túnica y la deslizó por el resquicio que había entre la puerta y la pared.

Los otros observaban expectantes mientras Harry deslizaba la navaja desde arriba hasta abajo, la retiraba y luego volvía a empujar la puerta con el hombro. Pero ésta seguía firmemente cerrada. Es más, cuando Harry miró la navaja, vio que la hoja se había fundido.

—Bueno, esta habitación la dejamos —afirmó Hermione muy decidida.

—Pero ¿y si es la que buscamos? —aventuró Ron contemplando la puerta con una mezcla de aprensión y curiosidad.

—No puede serlo; en sus sueños Harry podía entrar por todas las puertas —argumentó Hermione, y trazó otra equis de fuego mientras Harry se guardaba el mango de la navaja de Sirius, ya inservible, en el bolsillo.

—¿Tienen idea de qué puede haber ahí dentro? —preguntó Luna, intrigada, al tiempo que la pared empezaba a girar otra vez.

—Blibbers maravillosos, sin duda —contestó Hermione en voz baja, y Neville soltó una risita nerviosa.

La pared se detuvo y Harry, cada vez más desesperado, abrió de un empujón la siguiente puerta.

—¡Es ésta!

Lo supo al instante por la hermosa, danzarina y centelleante luz que había dentro. Cuando sus ojos se adaptaron al resplandor, vio unos relojes que brillaban sobre todas las superficies; eran grandes y pequeños, de pie y de sobremesa, y estaban colgados en los espacios que había entre las estanterías de libros o reposaban sobre las mesas; era por eso por lo que un intenso e incesante tintineo llenaba aquella habitación, como si por ella desfilaran miles de minúsculos pies. La fuente de la luz era una altísima campana de cristal que había al fondo de la sala.

—¡Por aquí!

A Harry le latía muy deprisa el corazón porque sabía que iban por buen camino; guió a sus compañeros por el reducido espacio que había entre las filas de mesas y se dirigió, como había hecho en su sueño, hacia la fuente de la luz: la campana de cristal, tan alta como él, que estaba sobre una mesa y en cuyo interior se arremolinaba una fulgurante corriente de aire.

—¡Oh, miren! —exclamó Ginny conforme se acercaban a la campana de cristal, y señaló su interior.

Flotando en la luminosa corriente del interior había un diminuto huevo que brillaba como una joya. Al ascender, el huevo se resquebrajó y se abrió, y de dentro salió un colibrí que fue transportado hasta lo alto de la campana, pero al ser atrapado de nuevo por el aire, sus plumas se empaparon y se enmarañaron; luego, cuando descendió hasta la base de la campana, volvió a quedar encerrado en su huevo.

—¡No se detengan! —dijo Harry con aspereza, porque Ginny parecía dispuesta a quedarse allí mirando cómo el colibrí volvía a salir del huevo.

—¡Pues tú te has entretenido un buen rato contemplando ese arco viejo! —protestó Ginny, pero siguió a Harry hasta la única puerta que había detrás de la campana de cristal.

—Es ésta —repitió Harry. El corazón le latía con tal violencia que apenas podía hablar—. Es por aquí...

Echó un vistazo a sus compañeros; todos llevaban la varita en la mano y de pronto habían adoptado una expresión muy seria y vigilante. Harry se colocó frente a la puerta, que se abrió en cuanto la empujó.

Habían encontrado lo que buscaban: una sala de techo elevadísimo, como el de una iglesia, donde no había más que hileras de altísimas estanterías llenas de pequeñas y polvorientas esferas de cristal. Éstas brillaban débilmente, bañadas por la luz de unos candelabros dispuestos a intervalos a lo largo de las estanterías. Las llamas de las velas, como las de la habitación circular que habían dejado atrás, eran azules. En aquella sala hacía mucho frío.

Harry avanzó con sigilo y escudriñó uno de los oscuros pasillos que había entre dos hileras de estanterías. No oyó nada ni vio señal alguna de movimiento.

—Dijiste que era el pasillo número noventa y siete —susurró Hermione.

—Sí —confirmó Harry, y miró hacia el extremo de la estantería que tenía más cerca. Debajo del candelabro con velas de llama azulada vio una cifra plateada: cincuenta y tres.

—Creo que tenemos que ir hacia la derecha —apuntó Hermione mientras miraba con los ojos entornados la siguiente hilera—. Sí, ésa es la cincuenta y cuatro...

—Tengan las varitas preparadas —les advirtió Harry.

El grupo avanzó con lentitud girando la cabeza hacia atrás a medida que recorría los largos pasillos de estanterías, cuyos extremos quedaban casi completamente a oscuras. Había unas diminutas y amarillentas etiquetas pegadas bajo cada una de las esferas de cristal que reposaban en los estantes. Algunas despedían un extraño resplandor acuoso; otras estaban tan apagadas como una bombilla fundida.

Pasaron por la estantería número ochenta y cuatro..., por la ochenta y cinco... Harry aguzaba el oído, atento al más leve sonido que indicara movimiento, Sirius podía estar amordazado, o inconsciente, o... «Podría estar muerto», dijo espontáneamente una vocecilla en su cabeza.

«Lo habría sentido —se dijo Harry, que notaba los latidos del corazón en la garganta—, lo habría sabido...»

—¡Noventa y siete! —susurró entonces Hermione.

Se apiñaron alrededor del final de la estantería y miraron hacia el fondo del pasillo correspondiente. Allí no había nadie.

—Está al final de todo —dijo Harry, y notó que tenía la boca un poco seca—. Desde aquí no se ve bien.

Y los guió entre las dos altísimas estanterías llenas de esferas de cristal, algunas de las cuales relucían débilmente cuando ellos pasaban por delante.

—Tendría que estar por aquí cerca —afirmó Harry en voz baja, convencido de que cada paso que daba era el último, y de que iba a ver la irregular silueta de Sirius sobre el oscuro suelo—. Podríamos tropezar con él en cualquier momento...

—Harry... —murmuró Hermione, vacilante, pero él no se molestó en contestar. Ahora tenía la boca como el cartón.

—Por aquí... Estoy seguro... —repitió. Habían llegado al final de la estantería, donde había otro candelabro. Allí no había nadie. Sólo se percibía un silencio resonante y misterioso, cargado del polvo que había en aquel lugar—. Podría estar... —susurró Harry con voz ronca escudriñando el siguiente pasillo—. O quizá... —Corrió a mirar en el siguiente.

—Harry... —insistió Hermione.

—¿Qué? —gruñó él.

—Me parece... que Sirius no está aquí.

Nadie dijo nada. Harry se resistía a mirar a sus compañeros. Se sentía muy angustiado. No entendía por qué Sirius no estaba allí. Tenía que estar allí. Allí era donde Harry lo había visto...

Recorrió el espacio que había al final de las filas de estanterías y miró entre ellas. Ante sus ojos se sucedían pasillos y más pasillos, pero todos estaban vacíos. Corrió hacia el otro lado pasando junto a sus amigos, que lo observaban sin hacer comentarios. No había rastro de Sirius por ninguna parte, ni señales de que se hubiera producido allí alguna pelea.

—¡Harry! —exclamó entonces Ron.

—¿Qué?

Harry no quería oír a su amigo; no quería oírle decir que aquella aventura había sido una estupidez y que tenían que regresar a Hogwarts; le ardían las mejillas y lo único que deseaba era quedarse un rato escondido en aquel lugar, a oscuras, antes de enfrentarse a la claridad del Atrio y a las miradas acusadoras de sus amigos...

—¿Has visto esto? —le preguntó Ron.

—¿Qué? —repitió Harry, pero esta vez con interés: tenía que ser alguna señal de que Sirius había estado en esa habitación, una pista. Se acercó a donde estaban los demás, un poco más allá de la hilera número noventa y siete, pero sólo vio a Ron, que examinaba atentamente las esferas de cristal que había en la estantería.

—¿Qué ocurre? —inquirió Harry con desánimo.

—Lleva..., lleva tu nombre —contestó Ron.

Harry se acercó un poco más. Ron señalaba una de las pequeñas esferas de cristal que relucía con una débil luz interior, aunque estaba cubierta de polvo y parecía que nadie la había tocado durante años.

—¿Mi nombre? —se extrañó Harry.

Se acercó a la estantería. Como no era tan alto como Ron, tuvo que estirar el cuello para leer la etiqueta amarillenta que estaba pegada en el estante, justo debajo de una de las esferas. Había una fecha de unos dieciséis años atrás escrita con trazos finos, y debajo la siguiente inscripción:

S.P.T. a A.P.W.B.D.
Señor Tenebroso
y (?) Harry Potter

Harry se quedó mirando la etiqueta.

—¿Qué es? —preguntó Ron con inquietud—. ¿Por qué está escrito ahí tu nombre? —Echó un vistazo a las otras etiquetas de aquel estante—. Mi nombre no está —observó con perplejidad—. Ni los de ustedes.

—Creo que no deberías tocarla, Harry —opinó Hermione al ver que Harry estiraba un brazo.

—¿Por qué no? —repuso él—. Tiene algo que ver conmigo, ¿no?

—No lo hagas, Harry —dijo de pronto Neville. Harry lo miró. El redondo rostro de su compañero estaba cubierto de sudor. Daba la impresión de que ya no podía aguantar más misterio.

—Lleva mi nombre —insistió Harry.

Y con la vaga sensación de que estaba cometiendo una imprudencia, puso las manos alrededor de la polvorienta bola de cristal. Esperaba encontrarla fría, pero no fue así.

Al contrario, era como si hubiera estado expuesta al sol durante horas, o como si el resplandor interior la calentara. Intuyendo que estaba a punto de suceder algo extraordinario, casi deseando que pasara algo emocionante que al menos justificara el largo y peligroso viaje, Harry levantó la bola de cristal y la miró fijamente.

Pero no pasó nada. Los demás se colocaron alrededor de Harry y contemplaron la esfera mientras él le quitaba el polvo.

Y entonces, a sus espaldas, una voz que arrastraba las palabras dijo:

—Muy bien, Potter. Ahora date la vuelta, muy despacio, y dame eso.

35

Detrás del velo

Los rodearon unas siluetas negras salidas de la nada, que les cerraron el paso a derecha e izquierda; varios pares de ojos brillaban detrás de las rendijas de unas máscaras, y una docena de varitas encendidas les apuntaban directamente al corazón; Ginny soltó un grito de horror.

—Dame eso, Potter —repitió la voz de Lucius Malfoy, que había estirado un brazo con la palma de la mano hacia arriba. Harry sintió un espantoso vacío en el estómago. Estaban atrapados, y los doblaban en número—. Dame eso —ordenó Malfoy una vez más.

—¿Dónde está Sirius? —preguntó Harry.

Varios mortífagos rieron; una áspera voz de mujer surgió de entre las oscuras figuras, hacia la izquierda de Harry, y sentenció con tono triunfante:

—¡El Señor Tenebroso nunca se equivoca!

—No, nunca —apostilló Malfoy con voz queda—. Y ahora, entrégame la profecía, Potter.

—¡Quiero saber dónde está Sirius!

—«¡Quiero saber dónde está Sirius!» —se burló la mujer que estaba a su izquierda. Ella y el resto de los mortífagos se habían acercado más a Harry y a sus amigos, de los que ahora sólo los separaban unos palmos, y la luz de sus varitas deslumbraba a Harry.

—Sé que lo han capturado —afirmó él tratando de no hacer caso de la creciente sensación de pánico que notaba en el pecho, el terror que había estado combatiendo desde que habían puesto un pie en el pasillo de la estantería número noventa y siete—. Está aquí. Sé que está aquí.

—El bebé se ha despertado asustado y ha confundido el sueño con la realidad —dijo la mujer imitando la voz de un niño pequeño. Harry notó que Ron, que estaba a su lado, se movía.

—No hagas nada —murmuró Harry—. Todavía no...

La mujer que lo había imitado soltó una ruidosa carcajada.

—¿Lo han oído? ¿Lo han oído? ¡Está dando instrucciones a los otros niños, como si pensara atacarnos!

—¡Ah, tú no conoces a Potter tan bien como yo, Bellatrix! —exclamó Malfoy quedamente—. Tiene complejo de héroe; el Señor Tenebroso ya lo sabe. Y ahora dame la profecía, Potter.

—Sé que Sirius está aquí —insistió Harry pese a que el pánico le oprimía el pecho y le costaba respirar—. ¡Sé que lo han capturado!

Unos cuantos mortífagos volvieron a reír, aunque la mujer fue la que rió más fuerte.

—Ya va siendo hora de que aprendas a distinguir la vida de los sueños, Potter —dijo Malfoy—. Dame la profecía inmediatamente, o empezaremos a usar las varitas.

—Adelante —lo retó Harry, y levantó su varita mágica hasta la altura del pecho.

En cuanto lo hizo, las cinco varitas de Ron, Hermione, Neville, Ginny y Luna se alzaron a su alrededor. El nudo que Harry sentía en el estómago se apretó aún más. Si de verdad Sirius no estaba allí, habría conducido a sus amigos a la muerte para nada...

Pero los mortífagos no atacaron.

—Entrégame la profecía y nadie sufrirá ningún daño —aseguró Malfoy fríamente.

Ahora le tocaba reír a Harry.

—¡Sí, claro! —exclamó—. Yo le doy esta... profecía, ¿no? Y ustedes nos dejan irnos a casa, ¿verdad?

Tan pronto como Harry terminó la frase, la mortífaga chilló:

—*¡Accio prof...!* —Pero Harry estaba preparado, y gritó: «*¡Protego!*» antes de que ella hubiera terminado de pronunciar su hechizo; la esfera de cristal le resbaló hasta las yemas de los dedos, aunque consiguió sujetarla—. ¡Vaya, el pequeño Potter sabe jugar! —dijo la mortífaga fulminando a Harry con la mirada tras las rendijas de su máscara—. Muy bien, pues entonces...

—¡TE HE DICHO QUE NO! —le gritó Lucius Malfoy a la mujer—. ¡Si la rompes...!

Harry se exprimía el cerebro. Los mortífagos querían aquella polvorienta esfera de cristal. A él, sin embargo, no le interesaba. Lo único que le interesaba era sacar a sus amigos de allí con vida y asegurarse de que ninguno de ellos pagara cara su estupidez...

La mujer dio un paso hacia delante, separándose de sus compañeros, y se quitó la máscara. Azkaban había dejado su huella en el rostro de Bellatrix Lestrange, demacrado y marchito como una calavera, aunque lo avivaba un resplandor fanático y febril.

—¿Vamos a tener que aplicarte nuestros métodos de persuasión? —preguntó mientras su tórax ascendía y descendía rápidamente—. Como quieras. Tomen a la más pequeña —ordenó a los mortífagos que tenía detrás—. Que vea cómo torturamos a su amiguita. Yo me encargo.

Harry notó que los demás se apiñaban alrededor de Ginny; él dio un paso hacia un lado y se colocó justo delante de ella, abrazado a la esfera.

—Si quiere atacar a alguno de nosotros tendrá que romper esto —le advirtió—. No creo que su amo se ponga muy contento si la ve regresar sin ella, ¿no? —La mujer no se movió; se limitó a mirar fijamente a Harry mientras se mojaba los labios con la punta de la lengua—. Por cierto —continuó Harry—, ¿qué profecía es ésa?

No se le ocurría otra cosa que hacer que seguir hablando. El brazo de Neville se apretaba contra el suyo, y Harry lo notaba temblar; también percibía la acelerada respiración de otro de sus amigos en la nuca. Confiaba en que todos estuvieran esforzándose por encontrar una manera de salir de aquel apuro, porque él tenía la mente en blanco.

—¿Que qué profecía es ésa? —repitió Bellatrix, y la sonrisa burlona se borró de sus labios—. ¿Bromeas, Potter?

—No, no bromeo —respondió Harry, que pasó la mirada de un mortífago a otro buscando un punto débil, un hueco que les permitiera escapar—. ¿Para qué la quiere Voldemort?

Varios mortífagos soltaron débiles bufidos.

—¿Te atreves a pronunciar su nombre? —susurró Bellatrix.

—Sí —contestó Harry, y sujetó con fuerza la bola de cristal por si Bellatrix volvía a intentar arrebatársela—. Sí, no tengo ningún problema en decir Vol...

—¡Cierra el pico! —le ordenó Bellatrix—. Cómo te atreves a pronunciar su nombre con tus indignos labios, cómo te atreves a mancillarlo con tu lengua de sangre mestiza, cómo te atreves...

—¿Sabía usted que él también es un sangre mestiza? —preguntó Harry con temeridad. Hermione soltó un débil gemido—. Me refiero a Voldemort. Sí, su madre era bruja, pero su padre era muggle. ¿Acaso les ha contado que es un sangre limpia?

—*¡DESMA...!*

—¡NO!

Un haz de luz roja había salido del extremo de la varita mágica de Bellatrix Lestrange, pero Malfoy lo había desviado; el hechizo de Malfoy hizo que el de Bellatrix diera contra un estante, a un palmo hacia la izquierda de donde estaba Harry, y varias esferas de cristal se rompieron.

Dos figuras, de un blanco aperlado como fantasmas y etéreas como el humo, se desplegaron entre los trozos de cristal roto que habían caído al suelo, y ambas empezaron a hablar; sus voces se sobreponían una a otra, de modo que entre los gritos de Malfoy y Bellatrix sólo se oían fragmentos de la conversación.

—... el día del solsticio llegará un nuevo... —decía la figura de un anciano con barba.

—¡NO LO ATAQUES! ¡NECESITAMOS LA PROFECÍA!

—Se ha atrevido..., se atreve —chilló Bellatrix con incoherencia—. Este repugnante sangre mestiza... Míralo, ahí plantado...

—¡ESPERA HASTA QUE TENGAMOS LA PROFECÍA! —bramó Malfoy.

—... y después no habrá ninguno más... —dijo la figura de una mujer joven.

Las dos figuras que habían salido de las esferas rotas se disolvieron en el aire. Lo único que quedaba de ellas y de sus antiguos receptáculos eran unos trozos de cristal en el suelo. Sin embargo, aquellas figuras le habían dado una idea a Harry. El problema era cómo transmitírsela a los demás.

—No me han explicado ustedes todavía qué tiene de especial esta profecía que pretenden que les entregue —dijo para ganar tiempo mientras desplazaba lentamente un pie hacia un lado, buscando el de alguno de sus compañeros.

—No te hagas el listo con nosotros, Potter —le previno Malfoy.

—No me hago el listo —replicó él mientras concentraba la mente tanto en la conversación como en el tanteo del suelo. Y entonces encontró un pie y lo pisó. Una brusca inhalación a sus espaldas le indicó que se trataba del de Hermione.

—¿Qué? —susurró ella.

—¿Dumbledore nunca te ha contado que el motivo por el que tienes esa cicatriz estaba escondido en las entrañas del Departamento de Misterios? —inquirió Malfoy con sorna.

—¿Cómo? —se extrañó Harry, y por un momento se olvidó de su plan—. ¿Qué dice de mi cicatriz?

—¡¿Qué?! —susurró Hermione con impaciencia.

—¿Cómo puede ser? —continuó Malfoy regodeándose maliciosamente; los mortífagos volvieron a reír, y Harry aprovechó la ocasión para susurrarle a Hermione, sin apenas mover los labios:

—Destrocen... las estanterías...

—¿Dumbledore nunca te lo ha contado? —repitió Malfoy—. Claro, eso explica por qué no viniste antes, Potter, el Señor Tenebroso se preguntaba por qué...

—... cuando diga «ya»...

—... no viniste corriendo cuando él te mostró en tus sueños el lugar donde estaba escondida. Creyó que te vencería la curiosidad y que querrías escuchar las palabras exactas...

—¿Ah, sí? —dijo Harry. Entonces oyó, o más bien notó, cómo detrás de él Hermione pasaba el mensaje a los demás, y siguió hablando para distraer a los mortífagos—. Entiendo, y quería que viniera a buscarla, ¿verdad? ¿Por qué?

—¿Por qué? —repitió Malfoy, incrédulo y admirado—. Porque las únicas personas a las que se les permite retirar una profecía del Departamento de Misterios, Potter, son aquellas a las que se refiere la profecía, como descubrió el Señor Tenebroso cuando envió a otros a robarla.

—¿Y por qué quería robar una profecía que hablaba de mí?

—De los dos, Potter, hablaba de los dos... ¿Nunca te has preguntado por qué el Señor Tenebroso intentó matarte cuando eras un bebé?

Harry miró fijamente las rendijas detrás de las que brillaban los grises ojos de Malfoy. ¿Era esa profecía la causa de que hubieran muerto sus padres, la causa de que él tuviera la cicatriz con forma de rayo en la frente? ¿Tenía la respuesta a esas preguntas en las manos?

—¿Que alguien formuló una profecía sobre Voldemort y sobre mí? —preguntó con un hilo de voz mirando a Lucius Malfoy, y sus dedos se apretaron contra la caliente esfera de cristal que tenía en las manos. No era mucho más grande que una snitch, y todavía estaba cubierta de polvo—. ¿Y me ha hecho venir a buscarla para él? ¿Por qué no vino y la tomó él mismo?

—¿Tomarla él mismo? —chilló Bellatrix mezclando las palabras con una sonora carcajada—. ¿Cómo iba a entrar el Señor Tenebroso en el Ministerio de Magia, precisamente ahora que no quieren admitir que ha regresado? ¿Cómo iba a mostrarse el Señor Tenebroso ante los aurores, ahora que pierden tan generosamente el tiempo buscando a mi querido primo?

—Claro, y les obliga a ustedes a hacer el trabajo sucio, ¿no? —se burló Harry—. Del mismo modo que envió a Sturgis a robarla, y a Bode, ¿verdad?

—Muy bien, Potter, muy bien... —dijo Malfoy lentamente—. Pero el Señor Tenebroso sabe que no eres ton...

—¡YA! —gritó entonces Harry.

—*¡REDUCTO!* —gritaron cinco voces distintas detrás de Harry.

Cinco maldiciones salieron volando en cinco direcciones distintas, y las estanterías que tenían enfrente recibieron los impactos; la altísima estructura se tambaleó al tiempo que estallaban cientos de esferas de cristal y las figuras de un blanco aperlado se desplegaban en el aire y se quedaban flotando; sus voces resonaban, procedentes de un misterioso y remoto pasado, entre el torrente de cristales rotos y madera astillada que caía al suelo.

—¡CORRAN! —gritó Harry mientras las estanterías oscilaban peligrosamente y seguían cayendo esferas de cristal.

Agarró a Hermione por la túnica y tiró de ella hacia delante, a la vez que se cubría la cabeza con un brazo para protegerse de los trozos de madera y cristal que se les echaban encima. Un mortífago arremetió contra ellos en medio de la nube de polvo, y Harry le dio un fuerte codazo en la cara enmascarada; todos chillaban, se oían gritos de dolor y un fuerte estruendo, y las estanterías se derrumbaron en medio del misterioso eco de los fragmentos de profecías liberadas de las esferas.

Harry se dio cuenta de que tenía espacio libre para salir y vio que Ron, Ginny y Luna pasaban corriendo a su lado con los brazos sobre la cabeza; una cosa dura le golpeó en la mejilla, pero Harry agachó la cabeza y echó a correr. Una mano lo agarró por el hombro; entonces Harry oyó a Hermione gritar: «*¡Desmaius!*», y la mano lo soltó inmediatamente.

Estaban al final del pasillo número noventa y siete; Harry torció a la derecha y salió corriendo a toda velocidad mientras oía pasos a su espalda y la voz de Hermione, que apremiaba a Neville. Delante de Harry, la puerta por la que habían entrado estaba entreabierta, y él veía la centelleante luz de la campana de cristal. Agarrando con fuerza la profecía, pasó disparado por el umbral y esperó a que sus compañeros también lo cruzaran antes de cerrar.

—*¡Fermaportus!* —gritó Hermione casi sin aliento, y la puerta se selló y produjo un extraño ruido de succión.

—¿Dónde... dónde están los demás? —preguntó Harry jadeando.

Creía que Ron, Luna y Ginny iban delante de ellos, y que estarían esperándolos en aquella habitación, pero allí no había nadie.

—¡Deben de haberse equivocado de camino! —susurró Hermione con el terror reflejado en la cara.

—¡Escuchen! —exclamó Neville.

Detrás de la puerta que acababan de sellar se oían gritos y pasos; Harry pegó una oreja para escuchar, y oyó que Lucius Malfoy gritaba:

—Dejen a Nott, ¡he dicho que lo dejen! Sus heridas no serán nada para el Señor Tenebroso comparadas con perder esa profecía. ¡Jugson, ven aquí, tenemos que organizarnos! Iremos por parejas y haremos un registro, y no lo olviden: no hagan daño a Potter hasta que tengamos la profecía, pero a los demás pueden matarlos si es necesario. ¡Bellatrix, Rodolphus, vayan por la izquierda! ¡Crabbe, Rabastan, por la derecha! ¡Jugson, Dolohov, por esa puerta de ahí enfrente! ¡Macnair y Avery, por aquí! ¡Rookwood, por allí! ¡Mulciber, ven conmigo!

—¿Qué hacemos? —le preguntó Hermione a Harry temblando de pies a cabeza.

—Bueno, lo que no vamos a hacer es quedarnos aquí plantados esperando a que nos encuentren —contestó Harry—. Alejémonos de esta puerta.

Corrieron procurando no hacer ruido, pasaron junto a la brillante campana de cristal que contenía el pequeño huevo que se abría y se volvía a cerrar, y se dirigieron hacia la puerta del fondo que conducía a la sala circular. Cuando casi habían llegado, Harry oyó que algo grande y pesado chocaba contra la puerta que Hermione había sellado mediante un encantamiento.

—¡Aparta! —dijo una áspera voz—. *¡Alohomora!*

La puerta se abrió y Harry, Hermione y Neville se escondieron debajo de unas mesas. Enseguida vieron acercarse el dobladillo de las túnicas de dos mortífagos que caminaban deprisa.

—Quizá hayan salido al vestíbulo —señaló la voz áspera.

—Mira debajo de las mesas —sugirió otra voz.

Harry observó que los mortífagos doblaban las rodillas, así que sacó la varita de debajo de la mesa y gritó:

—*¡DESMAIUS!*

Un haz de luz roja dio contra el mortífago que tenía más cerca; éste cayó hacia atrás, chocó contra un reloj de pie y lo derribó. El segundo mortífago, sin embargo, se había apartado de un salto para esquivar el hechizo de Harry y apuntaba con su varita a Hermione, que salía arrastrándose de debajo de la mesa para poder apuntar mejor.

—*¡Avada...!*

Entonces Harry se lanzó por el suelo y agarró por las rodillas al mortífago, que perdió el equilibrio y no pudo apuntar a Hermione. Neville volcó una mesa con las prisas por ayudar, y apuntando con furia al mortífago que forcejeaba con Harry, gritó:

—*¡EXPELLIARMUS!*

La varita de Harry y la del mortífago saltaron de sus manos y fueron volando hacia la entrada de la Sala de las Profecías; Harry y su oponente se pusieron en pie y corrieron tras ellas; el mortífago iba delante, pero Harry le pisaba los talones, y Neville iba detrás, horrorizado por lo que acababa de hacer.

—¡Apártate, Harry! —gritó Neville, dispuesto a reparar el daño causado.

Harry se lanzó hacia un lado y su compañero volvió a apuntar y gritó:

—*¡DESMAIUS!*

El haz de luz roja pasó justo por encima del hombro del mortífago y fue a parar contra una vitrina que había en la pared, llena de relojes de arena de diferentes formas; la vitrina cayó al suelo y se quebró, y trozos de cristal saltaron por los aires; luego se levantó, como accionada por un resorte, y se pegó de nuevo a la pared, perfectamente reparada; pero a continuación cayó de nuevo y se hizo añicos.

El mortífago, mientras tanto, había tomado su varita, que estaba en el suelo junto a la brillante campana de cristal. Cuando el individuo se dio la vuelta, Harry se escondió detrás de otra mesa, y como al mortífago se le había movido la máscara y no veía nada, se la quitó con la mano que tenía libre y gritó:

—*¡DES...!*

—*¡DESMAIUS!* —bramó entonces Hermione, que los había alcanzado.

Esa vez el haz de luz roja golpeó en medio del pecho al mortífago, que se quedó paralizado con los brazos en alto;

entonces la varita se le cayó al suelo y él se derrumbó hacia atrás sobre la campana de cristal. Harry creyó que oiría un fuerte ¡CLONC! cuando el mortífago chocara contra el sólido cristal de la campana y resbalara por ella hasta desplomarse en el suelo, pero, en lugar de eso, la cabeza del hombre atravesó la superficie de la campana como si ésta fuera una pompa de jabón, y quedó tirado boca arriba sobre la mesa con la cabeza dentro de la campana llena de aquella relumbrante corriente de aire.

—*¡Accio varita!* —gritó Hermione, y la varita de Harry salió volando de un oscuro rincón y fue a parar a la mano de la chica, que se la lanzó a su amigo.

—Gracias —dijo él—. Bueno, hemos de salir de...

—¡Cuidado! —exclamó Neville, horrorizado. Miraba la cabeza del mortífago, que seguía en el interior de la campana de cristal.

Los tres volvieron a levantar sus varitas, pero ninguno atacó: se quedaron contemplando, boquiabiertos y aterrados, lo que le ocurría a la cabeza de aquel hombre: se encogía muy deprisa y se estaba quedando calva; el negro cabello y la barba rala se replegaban hacia el interior del cráneo; las mejillas se volvían lisas, y el cráneo, redondeado, y se cubría de una pelusilla como de piel de melocotón...

En aquel momento, el grueso y musculoso cuello del mortífago sostenía una cabeza de recién nacido, y el hombre intentaba levantarse; pero mientras los chicos lo observaban, estupefactos, la cabeza volvió a aumentar de tamaño y empezó a crecerle pelo en el cuero cabelludo y en la barbilla...

—Es el Tiempo —dijo Hermione, atemorizada—. El Tiempo...

El mortífago volvió a mover la fea cabeza intentando despejarse, pero antes de que pudiera levantarse, se le empezó a encoger otra vez hasta adoptar de nuevo la forma de la de un recién nacido...

Entonces oyeron gritar a alguien en una habitación cercana; luego, un estrépito y un chillido.

—¿RON? —gritó Harry, y apartó rápidamente la vista de la monstruosa transformación que tenía lugar ante ellos—. ¿GINNY? ¿LUNA?

—¡Harry! —gritó Hermione.

El mortífago había sacado la cabeza de la campana de cristal. Ofrecía un aspecto grotesco, pues su diminuta cabeza de bebé berreaba escandalosamente mientras agitaba los gruesos brazos en todas direcciones, y estuvo a punto de darle un golpe a Harry, que se agachó justo a tiempo. Harry levantó su varita mágica, pero para su sorpresa Hermione le sujetó el brazo.

—¡No puedes hacer daño a un bebé!

No había tiempo para discutir; Harry volvía a oír pasos, cada vez más fuertes, provenientes de la Sala de las Profecías, y comprendió, aunque demasiado tarde, que había cometido un error al gritar, porque había delatado su posición.

—¡Vamos! —dijo.

Dejaron al mortífago con cabeza de bebé tambaleándose detrás de ellos, y salieron por la puerta que estaba abierta en el otro extremo de la habitación, y que conducía a la sala circular negra.

Cuando habían recorrido la mitad de la habitación, a través de la puerta abierta Harry vio a otros dos mortífagos que entraban corriendo por la puerta negra e iban hacia ellos; entonces giró hacia la izquierda, entró precipitadamente en un despacho pequeño, oscuro y abarrotado, y en cuanto hubieron entrado Hermione y Neville, cerró.

—*¡Ferma...!* —empezó a decir Hermione, pero antes de que pudiera terminar el hechizo, la puerta se abrió de par en par y los dos mortífagos irrumpieron en el despacho.

Ambos gritaron triunfantes:

—*¡IMPEDIMENTA!*

Harry, Hermione y Neville cayeron hacia atrás; Neville se derrumbó sobre una mesa y desapareció de la vista; Hermione cayó sobre una estantería y recibió una cascada de gruesos libros encima; Harry se golpeó la parte posterior de la cabeza contra la pared de piedra que tenía detrás: unas luces diminutas aparecieron ante sus ojos y por un momento se quedó demasiado aturdido y mareado para reaccionar.

—¡YA LOS TENEMOS! —gritó el mortífago que estaba más cerca de él—. ¡ESTÁN EN UN DESPACHO QUE HAY EN...!

—*¡Silencius!* —gritó Hermione, y el hombre se quedó sin voz. Siguió moviendo los labios detrás del agujero de la máscara que tenía sobre la boca, pero no emitió ningún sonido. El otro mortífago lo apartó bruscamente.

—*¡Petrificus totalus!* —gritó Harry cuando el segundo mortífago levantaba su varita. Los brazos y las piernas del hombre se pegaron y cayó de bruces sobre la alfombra que Harry tenía a sus pies, rígido como una tabla e incapaz de moverse.

—Bien hecho, Ha...

Pero el mortífago al que Hermione acababa de dejar mudo dio un repentino latigazo con la varita y un haz de llamas de color morado atravesó el pecho de Hermione. La chica soltó un débil: «¡Oh!» de sorpresa, se le doblaron las rodillas y se derrumbó.

—¡HERMIONE!

Harry se arrodilló a su lado mientras Neville salía de debajo de la mesa y se arrastraba rápidamente hacia ella, con la varita en ristre. El mortífago lanzó una patada hacia la cabeza de Neville en cuanto éste se asomó, rompiendo por la mitad la varita del chico y acertándole en la cara. Neville soltó un aullido de dolor y retrocedió tapándose la boca y la nariz con ambas manos. Harry se volvió con la varita en alto y vio que el mortífago se había quitado la máscara y lo apuntaba; Harry reconoció la larga, pálida y contrahecha cara que había visto en *El Profeta*: era Antonin Dolohov, el mago que había matado a los Prewett.

Dolohov sonrió burlonamente. Con la mano que tenía libre, apuntó a la profecía que Harry seguía apretando en la mano; luego lo apuntó a él y seguidamente a Hermione. Aunque ya no podía hablar, el significado de aquellos gestos no podía estar más claro: «Dame la profecía, o correrás la misma suerte que ella...»

—¡Como si no nos fueran a matar de todos modos en cuanto les entregue esto! —exclamó Harry.

Harry percibía un zumbido de pánico en el cerebro que le impedía pensar; tenía una mano sobre el hombro de Hermione, que todavía estaba caliente, aunque no se atrevía a mirarla a la cara. «Que no esté muerta, que no esté muerta, si se muere será culpa mía...»

—¡Haz lo que sea, Harry —urgió Neville con fiereza desde debajo de la mesa, y se quitó las manos del rostro, dejando al descubierto la nariz rota y la sangre que le chorreaba por la boca y la barbilla—, pero no se la des!

Entonces se oyó un estrépito detrás de la puerta y Dolohov giró la cabeza: el mortífago con cara de bebé había aparecido berreando en el umbral y seguía agitando desesperadamente los enormes puños mientras golpeaba todo lo que encontraba a su paso. Harry no desperdició aquella oportunidad.

—*¡PETRIFICUS TOTALUS!* —gritó.

El hechizo golpeó a Dolohov antes de que éste pudiera neutralizarlo, y cayó hacia delante sobre su compañero, ambos rígidos como tablas e incapaces de moverse ni un milímetro.

—Hermione —dijo Harry entonces, zarandeándola, mientras el mortífago con cabeza de recién nacido se alejaba de nuevo dando tumbos—. Despierta, Hermione...

—¿Qué le ha hecho? —preguntó Neville; salió arrastrándose de debajo de la mesa y se arrodilló al otro lado de Hermione. Al chico le chorreaba sangre por la nariz, que se hinchaba por momentos.

—No lo sé...

Neville tomó una de las muñecas de Hermione.

—Todavía tiene pulso, Harry, estoy seguro.

Harry sintió una oleada de alivio, tan intensa que al principio se mareó.

—¿Está viva?

—Sí, creo que sí.

Se callaron un momento; Harry aguzó el oído por si se oían más pasos, pero sólo percibió los gemidos y los topetazos del mortífago con cabeza de bebé en la habitación de al lado.

—Neville, no estamos muy lejos de la salida —dijo Harry en un susurro—, estamos justo al lado de la sala circular... Si consiguieras llegar hasta allí y encontrar la puerta de salida antes de que lleguen más mortífagos, podrías llevar a Hermione por el pasillo hasta el ascensor... Y entonces podrías buscar a alguien..., dar la alarma...

—¿Y qué vas a hacer tú? —preguntó Neville secándose la sangrante nariz con la manga y mirando ceñudo a su compañero.

—Yo tengo que encontrar a los otros —contestó Harry.

—Quiero ayudarte a buscarlos —repuso Neville con firmeza.

—Pero Hermione...

—Podemos llevarla con nosotros —propuso Neville sin vacilar—. Puedo llevarla yo, tú eres más hábil con la varita...

Se incorporó y agarró a Hermione por un brazo, sin dejar de mirar con fiereza a Harry, que todavía dudaba; entonces Harry la agarró por el otro brazo y ayudó a Neville a colgarse el cuerpo inerte de Hermione sobre los hombros.

—Espera —dijo Harry recuperando del suelo la varita de Hermione y poniéndosela a Neville en la mano—, será mejor que tomes esto.

Neville apartó de una patada los trozos de su varita y echaron a andar despacio hacia la puerta.

—Mi abuela me matará —afirmó Neville con voz pastosa escupiendo sangre al hablar—, ésa era la varita de mi padre.

Harry asomó cautelosamente la cabeza por la puerta y echó un vistazo alrededor. El mortífago con cabeza de bebé chillaba y se daba golpes contra todo, derribaba relojes de pie y volcaba mesas; se desgañitaba y parecía confuso, mientras la vitrina seguía cayendo, destrozándose y reparándose por sí sola una y otra vez, por lo que Harry dedujo que debía de contener giratiempos.

—No nos verá —susurró—. Vamos, pégate a mí...

Salieron con sigilo del despacho y fueron hacia la puerta que conducía a la sala circular negra, que parecía completamente desierta. Avanzaron unos pasos; Neville se tambaleaba un poco a causa del peso de Hermione. La puerta de la Estancia del Tiempo se cerró tras ellos y la pared empezó a rotar otra vez. Harry estaba un poco mareado del golpe que se había dado en la cabeza, así que entornó los ojos y notó que oscilaba ligeramente, hasta que la pared dejó de moverse. Entonces vio que las equis luminosas que Hermione había trazado en las puertas habían desaparecido, y se le cayó el alma a los pies.

—¿Tú por dónde crees que...?

Pero antes de que pudieran decidir por qué puerta iban a intentar salir, se abrió de par en par una que había a la derecha y por ella salieron despedidas tres personas dando traspiés.

—¡Ron! —exclamó Harry, y corrió hacia ellos—. Ginny... ¿Están todos...?

—Harry —dijo Ron con una risita; se abalanzó sobre él, lo agarró por la túnica y lo miró como si no pudiera enfocar bien su cara—, estás aquí. ¡Ji, ji, ji! ¡Qué raro estás, Harry, vas muy despeinado!

Ron estaba muy pálido y le goteaba una sustancia oscura por una comisura de la boca. Entonces se le doblaron las rodillas, y como todavía estaba agarrado a la túnica de Harry, obligó a éste a inclinarse por la cintura como si hiciera una reverencia.

—Ginny —dijo Harry con temor—. ¿Qué ha pasado?

Pero Ginny movió la cabeza de un lado a otro y resbaló por la pared hasta quedar sentada en el suelo, al tiempo que jadeaba y se sujetaba un tobillo.

—Creo que se ha roto el tobillo; he oído un crujido —susurró Luna, que se había agachado a su lado; era la única que parecía ilesa—. Cuatro mortífagos nos han perseguido hasta una habitación oscura llena de planetas; era un sitio muy raro, a veces nos quedábamos flotando en la oscuridad.

—¡Hemos visto Urano de cerca, Harry! —exclamó Ron, que seguía riendo débilmente—. ¿Me has oído, Harry? Hemos visto Urano. ¡Ji, ji, ji!

Una burbuja de sangre se infló en la comisura de la boca de Ron, por donde le goteaba aquella sustancia oscura, y explotó poco después.

—Uno de los mortífagos ha agarrado a Ginny por el tobillo —prosiguió Luna—; he utilizado la maldición reductora y le he lanzado a Plutón a la cara, pero...

Luna señaló a Ginny, que respiraba entrecortadamente y mantenía los ojos cerrados.

—¿Y a Ron qué le ha pasado? —preguntó Harry atemorizado; su amigo seguía riendo tontamente, colgado de la túnica de Harry.

—No sé qué le han hecho —respondió Luna con tristeza—, pero se comporta de una forma muy extraña; me ha costado trabajo traerlo hasta aquí.

—Harry —continuó Ron sin parar de reír, y tiró de él hacia abajo hasta que la oreja de éste le quedó a la altura de la boca—, ¿sabes quién es ésta, Harry? Es Lunática, Lunática Lovegood, ¡ji, ji, ji!

—Tenemos que salir de aquí como sea —dijo Harry con firmeza—. Luna, ¿puedes ayudar a Ginny?

—Sí —contestó la chica, y se colocó la varita mágica detrás de una oreja. A continuación, rodeó a Ginny por la cintura y la levantó del suelo.

—¡Sólo me duele un poco el tobillo, puedo levantarme yo sola! —protestó Ginny, pero al cabo de un momento se cayó hacia un lado y tuvo que sujetarse a Luna. Harry se colocó el brazo de Ron sobre los hombros, como meses atrás había hecho con el de Dudley, y miró a su alrededor: tenían una posibilidad entre doce de encontrar la salida correcta a la primera.

Arrastró a Ron hacia una puerta, y estaban sólo a unos palmos de alcanzarla cuando otra se abrió de repente en el lado opuesto de la sala y por ella entraron tres mortífagos. Bellatrix Lestrange iba a la cabeza.

—¡Están aquí! —gritó la mortífaga.

Los mortífagos lanzaron varios hechizos aturdidores; Harry entró apresuradamente por la puerta que tenía enfrente, se liberó sin miramientos de Ron y volvió sobre sus pasos para ayudar a Neville a que entrara a Hermione. Cruzaron todos el umbral justo a tiempo para cerrarle la puerta en las narices a Bellatrix.

—*¡Fermaportus!* —gritó Harry, y oyó cómo tres cuerpos, al otro lado, chocaban contra la puerta.

—¡No importa! —exclamó una voz de hombre—. ¡Hay otras entradas! ¡LOS TENEMOS, ESTÁN AQUÍ!

Harry se dio la vuelta; volvían a estar en la Estancia de los Cerebros, y efectivamente, también allí había varias puertas. Enseguida oyó pasos en la sala circular: otros mortífagos llegaban para sumarse a los primeros.

—¡Luna, Neville, ayúdenme!

Los tres recorrieron la habitación y sellaron una a una las puertas; Harry chocó contra una mesa y rodó por encima de ella con las prisas por llegar a la siguiente puerta.

—*¡Fermaportus!*

Se oían pasos que corrían por detrás de las puertas, y de vez en cuando algún cuerpo se lanzaba con fuerza contra una de ellas y la hacía crujir y temblar; Luna y Neville, mientras tanto, encantaban las puertas de la pared de enfrente. Entonces, cuando Harry llegó al final de la habitación, oyó que Luna gritaba:

—¡*Ferma*... aaaaaaah!

Se volvió y la vio saltar por los aires mientras cinco mortífagos entraban en la habitación por la puerta que ella no había logrado cerrar a tiempo. Luna chocó contra una mesa, resbaló por su superficie y cayó al suelo por el otro lado, donde se quedó desmadejada, tan quieta como Hermione.

—¡Detengan a Potter! —chilló Bellatrix, y corrió hacia él; Harry la esquivó y salió disparado hacia el otro extremo de la habitación; estaría a salvo mientras los mortífagos temieran destrozar la profecía.

—¡Eh! —gritó Ron, que se había puesto en pie y avanzaba dando tumbos hacia Harry, sin parar de reír—. ¡Eh, Harry, ahí hay cerebros, ji, ji, ji! Qué raro, ¿verdad, Harry?

—Quítate de en medio, Ron, agáchate...

Pero Ron apuntaba al tanque con su varita.

—En serio, Harry, son cerebros. Mira, *¡accio cerebro!*

La escena se detuvo momentáneamente. Harry, Ginny, Neville y los mortífagos se dieron la vuelta instintivamente para observar el tanque, y vieron que un cerebro salía como un pez volador del líquido verde: en un primer momento se quedó suspendido en el aire, pero a continuación se dirigió volando hacia Ron, mientras giraba sobre sí mismo, y unas cintas de algo que parecían imágenes en movimiento salieron despedidas de él, desenrollándose como rollos de película.

—¡Ji, ji, ji! Mira, Harry —dijo Ron contemplando cómo el cerebro desparramaba sus llamativas tripas por el aire—. Ven a tocarlo, Harry, seguro que tiene un tacto genial...

—¡NO, RON!

Harry ignoraba qué podía pasar si Ron tocaba los tentáculos de pensamiento que volaban detrás del cerebro, pero estaba convencido de que no podía ser nada bueno. Corrió enseguida hacia donde se encontraba su amigo, pero éste ya había atrapado el cerebro con ambas manos.

En cuanto entraron en contacto con su piel, los tentáculos empezaron a enroscarse en los brazos de Ron como si fueran cuerdas.

—Harry, mira lo que está pasan... No... no... no me gusta... No... basta... ¡Basta!

Las delgadas cintas se enrollaron alrededor del tórax de Ron, que tiraba de ellas, pero sin lograr impedir que el cerebro se aferrara a él como un pulpo.

—*¡Diffindo!* —gritó Harry tratando en vano de cortar los tentáculos que se enrollaban con fuerza alrededor del cuerpo de Ron ante sus ojos. Éste cayó al suelo e intentó librarse de sus ataduras.

—¡Lo va a asfixiar, Harry! —gritó Ginny, que seguía en el suelo sin poder moverse por culpa del tobillo roto. Entonces un haz de luz roja salió de la varita de uno de los mortífagos y le dio de lleno en la cara. Ginny se desplomó hacia un lado y quedó inconsciente.

—*¡DESMAIUS!* —gritó Neville mientras agitaba la varita de Hermione hacia los mortífagos que se aproximaban—. *¡DESMAIUS, DESMAIUS!*

Pero no pasó nada.

Otro mortífago lanzó un hechizo aturdidor a Neville y falló por un pelito. En ese momento, Harry y Neville eran los únicos que seguían luchando contra cinco mortífagos, dos de los cuales les lanzaban haces de luz plateada como flechas que no daban en el blanco, pero dejaban cráteres en la pared, detrás de los chicos. Bellatrix Lestrange echó a correr hacia Harry, que salió disparado levantando la mano con la que sujetaba la profecía y se dirigió hacia el otro extremo de la habitación; lo único que se le ocurría era alejar a los mortífagos de sus amigos.

Por lo visto su plan había funcionado: los mortífagos lo persiguieron y derribaron sillas y mesas, pero sin atreverse a atacarlo por si dañaban la profecía, y Harry salió a toda velocidad por la única puerta que seguía abierta, aquella por la que habían entrado los mortífagos, confiando en que Neville se quedase con Ron y encontrase la forma de librarlo del cerebro. Entró en la siguiente habitación e inmediatamente notó que el suelo desaparecía bajo sus pies...

Cayó rodando por los altos escalones de piedra, rebotó en cada uno de ellos hasta llegar al final y allí sufrió un fuerte impacto que le cortó la respiración. Quedó tumbado boca arriba en el foso donde se alzaba el arco sobre su tarima.

Las risas de los mortífagos resonaban en la sala. Harry miró hacia arriba y vio que los cinco que lo habían perseguido desde la Estancia de los Cerebros bajaban hacia donde él se hallaba, mientras muchos mortífagos más entraban por diferentes puertas y empezaban a saltar de una grada a otra. Harry se levantó del suelo, aunque le temblaban tanto las piernas que apenas lo sostenían. Aún tenía la profecía, intacta, en la mano izquierda, y la varita fuertemente agarrada con la derecha. Era un milagro que la esfera de cristal no se hubiera roto. Retrocedió mientras miraba a su alrededor intentando mantener a todos los mortífagos dentro de su campo visual. Entonces dio con la parte de atrás de las piernas contra algo sólido: había llegado a la tarima donde estaba el arco. Sin girarse, subió a ella.

Los mortífagos se habían quedado quietos y lo miraban. Algunos jadeaban tanto como Harry. Había uno que sangraba mucho; Dolohov, libre ya de la maldición de la inmovilidad total, reía socarronamente mientras apuntaba a la cara de Harry con su varita mágica.

—Se acabó la carrera, Potter —dijo Lucius Malfoy arrastrando las palabras, y se quitó la máscara—. Ahora sé bueno y entrégame la profecía.

—¡Deje... deje marchar a los demás y se la daré! —exclamó Harry, desesperado.

Unos cuantos mortífagos rieron.

—No estás en situación de negociar, Potter —replicó Lucius Malfoy, y el placer que sentía hizo que el rubor coloreara su pálido rostro—. Verás, nosotros somos diez, y tú estás solo... ¿Acaso Dumbledore no te ha enseñado a contar?

—¡No está solo! —gritó una voz en la parte más alta de la sala—. ¡Todavía me tiene a mí!

A Harry le dio un vuelco el corazón: Neville bajaba como podía hacia ellos por los escalones de piedra, con la varita mágica de Hermione firmemente agarrada con la mano temblorosa.

—No, Neville, no... Vuelve con Ron...

—*¡DESMAIUS!* —volvió a gritar Neville apuntando uno a uno a los mortífagos con la varita—. *¡DESMAIUS! ¡DESMA...!*

Uno de los mortífagos más corpulentos agarró a Neville por detrás, le sujetó los brazos y lo inmovilizó. Neville forcejeaba y daba patadas; los mortífagos reían.

—Ése es Longbottom, ¿verdad? —preguntó Lucius Malfoy con desdén—. Bueno, tu abuela ya está acostumbrada a perder a miembros de la familia a favor de nuestra causa... Tu muerte no la sorprenderá demasiado.

—¿Longbottom? —repitió Bellatrix, y una sonrisa verdaderamente repugnante se dibujó en su descarnado rostro—. Vaya, yo tuve el placer de conocer a tus padres, chico.

—¡Ya lo sé! —rugió Neville, y forcejeó con tanto ímpetu para intentar soltarse de su captor que el mortífago gritó:

—¡Que alguien lo aturda!

—No, no, no —repitió Bellatrix, que estaba extasiada; miró arrebatada a Harry y luego a Neville—. No, vamos a ver cuánto tarda Longbottom en derrumbarse como sus padres... A menos que Potter quiera entregarnos la profecía.

—¡NO SE LA DES! —bramó Neville, que estaba fuera de sí, dando patadas y retorciéndose mientras Bellatrix se le acercaba con la varita en alto—. ¡NO SE LA DES POR NADA DEL MUNDO, HARRY!

Bellatrix levantó la varita y exclamó:

—*¡Crucio!*

Neville soltó un aullido y encogió las piernas hacia el pecho, de modo que el mortífago que lo sujetaba tuvo que mantenerlo en el aire unos instantes. Luego el hombre soltó a Neville, que cayó al suelo mientras se retorcía y chillaba de dolor.

—¡Eso no ha sido más que un aperitivo! —exclamó Bellatrix al tiempo que levantaba de nuevo la varita. Neville dejó de chillar y se quedó tumbado a sus pies, sollozando. La mortífaga se dio la vuelta y miró a Harry—. Y ahora, Potter, danos la profecía o tendrás que contemplar la lenta muerte de tu amiguito.

Esta vez Harry no tuvo que pensar: no le quedaba alternativa. Estiró el brazo y les tendió la profecía, que se había calentado con el calor de sus manos. Lucius Malfoy se adelantó para tomarla.

Pero entonces, de repente, en la parte más elevada de la sala se abrieron dos puertas y cinco personas entraron corriendo en la sala: Sirius, Lupin, Moody, Tonks y Kingsley.

Malfoy se volvió y levantó la varita, pero Tonks ya le había lanzado un hechizo aturdidor. Harry no esperó a ver si había dado en el blanco, sino que saltó de la tarima y se apartó con rapidez. Los mortífagos estaban completamente distraídos con la aparición de los miembros de la Orden, que los acribillaban a hechizos desde arriba mientras descendían por las gradas hacia el foso. Entre cuerpos que corrían y destellos luminosos, Harry vio que Neville se arrastraba por el suelo, así que esquivó otro haz de luz roja y se tiró a tierra para llegar hasta donde estaba su amigo.

—¿Estás bien? —le gritó mientras un hechizo pasaba rozándoles la cabeza.

—Sí —contestó Neville, e intentó incorporarse.

—¿Y Ron?

—Creo que está bien. Cuando lo he dejado seguía peleando con el cerebro.

En ese momento, un hechizo dio contra el suelo entre ellos dos, produjo una explosión y dejó un cráter justo donde Neville tenía la mano hasta unos segundos antes. Ambos se alejaron de allí arrastrándose; pero entonces un grueso brazo salió de la nada, agarró a Harry por el cuello y tiró de él hacia arriba. Harry apenas tocaba el suelo con las puntas de los pies.

—¡Dámela! —le gruñó una voz al oído—. ¡Dame la profecía!

El hombre le apretaba el cuello con tanta fuerza que Harry no podía respirar. Con los ojos llorosos, vio que Sirius se batía con un mortífago a unos tres metros de distancia; Kingsley peleaba contra dos a la vez; Tonks, que todavía no había llegado al pie de las gradas, le lanzaba hechizos a Bellatrix. Por lo visto nadie se había dado cuenta de que Harry estaba muriéndose. Entonces dirigió la varita mágica hacia atrás, hacia el costado de su agresor, pero no le quedaba aliento para pronunciar un conjuro y el hombre buscaba con la mano que tenía libre la mano de Harry que sujetaba la profecía.

—¡AAAAHHHH! —oyó de pronto.

Neville también había surgido de la nada e, incapaz de pronunciar un hechizo, le había clavado con todas sus fuerzas la varita de Hermione al mortífago en una de las rendijas de la máscara. El hombre soltó a Harry de inmediato y profirió un aullido de dolor. Harry se dio la vuelta, lo miró y dijo, casi sin aliento:

—*¡DESMAIUS!*

El mortífago se desplomó hacia atrás y la máscara le resbaló por la cara: era Macnair, el que había intentado matar a *Buckbeak*. Tenía un ojo hinchado e inyectado en sangre.

—¡Gracias! —le dijo Harry a Neville, y enseguida tiró de él hacia sí, pues Sirius y su mortífago pasaban a su lado dando bandazos y peleando tan encarnizadamente que sus varitas no eran más que una mancha borrosa.

Entonces Harry tocó con el pie algo redondo y duro y resbaló. Al principio creyó que se le había caído la profecía, pero entonces vio que el ojo mágico de Moody rodaba por el suelo.

Su propietario estaba tumbado sobre un costado sangrando por la cabeza, y su agresor arremetía en ese momento contra Harry y Neville: era Dolohov, a quien el júbilo crispaba el alargado y pálido rostro.

—*¡Tarantallegra!* —gritó apuntando con la varita a Neville, cuyas piernas empezaron de pronto a bailar una especie de frenético zapateado que le hizo perder el equilibrio y caer de nuevo al suelo—. Bueno, Potter...

Entonces realizó con la varita el mismo movimiento de estocada que había utilizado con Hermione, pero Harry gritó:

—*¡Protego!*

Notó que algo que parecía un cuchillo desafilado le golpeaba la cara; el impacto lo empujó hacia un lado y fue a caer sobre las convulsas piernas de Neville, aunque el encantamiento escudo había detenido en gran medida el hechizo.

Dolohov volvió a levantar la varita.

—*¡Accio profe...!* —exclamó, pero entonces Sirius surgió de improviso, empujando a Dolohov con el hombro y desplazándolo varios metros.

La esfera había vuelto a resbalar hasta las yemas de los dedos de Harry, pero él había conseguido sostenerla. En esos momentos, Sirius y Dolohov peleaban; sus varitas brillaban como espadas, y por sus extremos salían chispas despedidas.

Dolohov llevó la varita hacia atrás para repetir aquel movimiento de estocada que había empleado contra Harry y Hermione, pero entonces Harry se levantó de un brinco y gritó:

—*¡Petrificus totalus!*

Una vez más, las piernas y los brazos de Dolohov se juntaron y el mortífago cayó hacia atrás desplomándose en el suelo con un fuerte estruendo.

—¡Bien hecho! —gritó Sirius, y le hizo agachar la cabeza al ver que un par de hechizos aturdidores volaban hacia ellos—. Ahora quiero que salgas de...

Volvieron a agacharse, pues un haz de luz verde había pasado rozando a Sirius. Harry vio que Tonks se precipitaba desde la mitad de las gradas, y su cuerpo inerte golpeó los bancos de piedra mientras Bellatrix, triunfante, volvía al ataque.

—¡Harry, sujeta bien la profecía, toma a Neville y corre! —gritó Sirius, y fue al encuentro de Bellatrix. Harry no vio lo que pasó a continuación, pero ante su vista apareció Kingsley que, aunque se tambaleaba, estaba peleando con Rookwood, quien ya no llevaba la máscara y tenía el marcado rostro al descubierto. Otro haz de luz verde pasó rozándole la cabeza a Harry, que se lanzó hacia Neville...

—¿Puedes tenerte en pie? —le chilló al oído mientras las piernas de su amigo se sacudían y se retorcían incontroladamente—. Ponme un brazo alrededor de los hombros...

Neville obedeció, y Harry tiró de él. Las piernas de Longbottom seguían moviéndose en todas direcciones y no lo sostenían; entonces un hombre se abalanzó sobre ellos y ambos cayeron hacia atrás. Neville se quedó boca arriba agitando las piernas como un escarabajo que se ha dado la vuelta, y Harry, con el brazo izquierdo levantado, intentó impedir que se rompiera la pequeña bola de cristal.

—¡La profecía! ¡Dame la profecía, Potter! —gruñó la voz de Lucius Malfoy en su oído, y Harry sintió la punta de una varita clavándosele entre las costillas.

—¡No! ¡Suélteme! ¡Neville! ¡Tómala, Neville!

Harry echó a rodar la esfera y Neville giró sobre la espalda, la atrapó y se la sujetó con fuerza contra el pecho.

Malfoy apuntó con la varita a Neville, pero Harry lo apuntó a él con la suya por encima del hombro y gritó:

—*¡Impedimenta!*

Malfoy cayó derribado de espaldas y Harry se levantó, se dio la vuelta y vio cómo Malfoy chocaba contra la tarima sobre la que Sirius y Bellatrix se batían en duelo. Malfoy volvió a apuntar con la varita a Harry y Neville, pero antes de que pudiera tomar aliento para atacar, Lupin, de un salto, se había colocado entre Lucius y los dos chicos.

—¡Harry, recoge a los otros y sal de aquí!

Harry agarró a Neville de la túnica por un hombro y lo subió al primer banco de piedra de las gradas; las piernas de su compañero se sacudían, daban patadas y no lo sostenían en pie; Harry tiró de nuevo de él con todas sus fuerzas y subieron otro escalón...

Entonces un hechizo golpeó el banco de piedra donde Harry tenía apoyados los pies; el banco se vino abajo y Harry cayó al escalón inferior. Neville también cayó al suelo, sin dejar de agitar las piernas, y se metió la profecía en el bolsillo.

—¡Vamos! —gritó Harry, desesperado, tirando de la túnica de Neville—. Intenta empujar con las piernas...

Dio otro fuerte tirón y la túnica de Neville se descosió por la costura izquierda. La pequeña esfera de cristal soplado se le salió del bolsillo y, antes de que alguno de los dos pudiera atraparla, Neville la golpeó sin querer con un pie. La profecía saltó por los aires unos tres metros y chocó contra el escalón inferior. Harry y Neville se quedaron mirando el lugar donde se había roto, horrorizados por lo que acababa de pasar, y vieron que una figura de un blanco aperlado con ojos inmensos se elevaba flotando. Ellos dos eran los únicos que la veían. Harry observó que la figura movía la boca, pero con la cantidad de golpes, gritos y aullidos que se producían a su alrededor, no pudo oír ni una sola palabra de lo que decía. Finalmente, la figura dejó de hablar y se disolvió en el aire.

—¡Lo siento, Harry! —gritó Neville, muy angustiado, y siguió agitando las piernas—. Lo siento, Harry, no quería...

—¡No importa! —gritó él—. Intenta mantenerte en pie, hemos de salir de...

—¡Dumbledore! —exclamó entonces Neville, sudoroso, mirando embelesado por encima del hombro de Harry.

—¿Qué?

—¡DUMBLEDORE!

Harry se volvió y dirigió la vista hacia donde miraba su amigo. Justo encima de ellos, enmarcado por el umbral de la Estancia de los Cerebros, estaba Albus Dumbledore, con la varita en alto, pálido y encolerizado. Harry sintió una especie de descarga eléctrica que recorrió cada partícula de su cuerpo. ¡Estaban salvados!

Dumbledore bajó a toda prisa los escalones pasando junto a Neville y Harry, que ya no pensaban en salir de allí. Dumbledore había llegado al pie de las gradas cuando los mortífagos que estaban más cerca se percataron de su presencia y avisaron a gritos a los demás. Uno de ellos intentó huir trepando como un mono por los escalones del lado opuesto a donde se encontraban. Sin embargo, el hechizo de Dumbledore lo hizo retroceder con una facilidad asombrosa, como si lo hubiera pescado con una caña invisible.

Sólo había una pareja que seguía luchando; al parecer no se habían dado cuenta de que había llegado Dumbledore. Harry vio que Sirius esquivaba el haz de luz roja de Bellatrix y se reía de ella.

—¡Vamos, tú sabes hacerlo mejor! —le gritó Sirius, y su voz resonó por la enorme y tenebrosa habitación.

El segundo haz le acertó de lleno en el pecho.

Él no había dejado de reír del todo, pero abrió mucho los ojos, sorprendido.

Harry soltó a Neville, aunque sin darse cuenta de que lo hacía. Volvió a bajar por las gradas y sacó su varita mágica al tiempo que Dumbledore también se daba vuelta hacia la tarima.

Dio la impresión de que Sirius tardaba una eternidad en caer: su cuerpo se curvó describiendo un majestuoso círculo, y en su caída hacia atrás atravesó el raído velo que colgaba del arco.

Harry vio la expresión de miedo y sorpresa del deteriorado rostro de su padrino, antes apuesto, mientras caía por el viejo arco y desaparecía detrás del velo, que se agitó un momento como si lo hubiera golpeado una fuerte ráfaga de viento y luego quedó como al principio.

Entonces Harry oyó el grito de triunfo de Bellatrix Lestrange, pero comprendió que no significaba nada: Sirius sólo había caído a través del arco y aparecería al otro lado en cuestión de segundos...

Sin embargo, Sirius no reapareció.

—¡SIRIUS! —gritó Harry—. ¡SIRIUS!

Harry había llegado al fondo del foso respirando entrecortadamente. Sirius debía estar tras el velo; Harry iría y lo ayudaría a levantarse...

Pero cuando llegó al suelo y corrió hacia la tarima, Lupin lo rodeó con los brazos y lo retuvo.

—No puedes hacer nada, Harry...

—¡Vamos a buscarlo, tenemos que ayudarlo, sólo ha caído al otro lado del arco!

—Es demasiado tarde, Harry.

—No, todavía podemos alcanzarlo... —Harry luchó con todas sus fuerzas, pero Lupin no lo soltaba.

—No puedes hacer nada, Harry, nada. Se ha ido.

36

El único al que temió

—¡No se ha ido! —bramó Harry.

No lo creía; no quería creerlo. Harry seguía forcejeando con Lupin con toda la fuerza que le quedaba, pero Lupin no lo entendía: había gente escondida detrás de aquella especie de cortina. Harry la había oído susurrar la primera vez que había entrado en la habitación. Sirius estaba escondido, sencillamente, estaba oculto detrás del velo...

—¡SIRIUS! —gritó—. ¡SIRIUS!

—No puede volver, Harry —insistió Lupin; la voz se le quebraba mientras intentaba retener al chico—. No puede volver, porque está m...

—¡NO ESTÁ MUERTO! —rugió Harry—. ¡SIRIUS!

Alrededor de Harry reinaba una gran agitación y surgían destellos de nuevos hechizos; pero era un bullicio sin sentido. Aquel ruido no tenía ningún significado para él porque ya no le importaban las maldiciones desviadas que pasaban volando a su lado, no le importaba nada; lo único que le interesaba era que Lupin dejara de fingir que Sirius, que estaba al otro lado del viejo velo tan sólo a unos palmos de ellos, no saldría de allí en cualquier momento, echándose hacia atrás el pelo negro, deseoso de volver a entrar en combate.

Lupin alejó a Harry de la tarima, pero él, que no apartaba los ojos del arco, no entendía por qué Sirius lo hacía esperar tanto, y empezaba a enfadarse...

Sin embargo, mientras seguía intentando soltarse de Lupin, a Harry se le ocurrió pensar que hasta entonces su padrino nunca lo había hecho esperar. Su padrino siempre lo había arriesgado todo para verlo, para ayudarlo. La única explicación posible a que Sirius no saliese de detrás del arco cuando Harry lo llamaba a voz en cuello, como si su vida dependiera de ello, era que no podía regresar, que era verdad que estaba...

Dumbledore tenía a casi todos los otros mortífagos agrupados en el centro de la sala, aparentemente inmovilizados mediante cuerdas invisibles; *Ojoloco* Moody había cruzado la sala arrastrándose hasta donde estaba caída Tonks e intentaba reanimarla; detrás de la tarima todavía se producían destellos de luz, gruñidos y gritos: Kingsley avanzó hacia adelante para relevar a Sirius en el duelo con Bellatrix.

—Harry...

Neville había bajado uno a uno los bancos de piedra hasta llegar a donde estaba su compañero, que ya no peleaba con Lupin, quien de todos modos seguía sujetándole el brazo, por si acaso.

—Harry..., lo siento mucho... —dijo Neville. Todavía agitaba las piernas de modo incontrolable—. Ese hombre..., Sirius Black..., ¿era amigo tuyo?

Harry asintió con la cabeza.

—Ven aquí —le indicó Lupin a Neville con voz queda, y apuntando con la varita a sus piernas, dijo—: *¡Finite!* —Así cesó el efecto del hechizo. Neville por fin pudo poner los pies en el suelo y sus piernas dejaron de moverse. Lupin estaba muy pálido—. Vamos..., vamos a buscar a los demás. ¿Dónde están, Neville?

Mientras preguntaba eso, Lupin fue apartándose del arco. Daba la impresión de que cada palabra que pronunciaba le causaba un profundo dolor.

—Están todos allí —afirmó Neville—. A Ron lo ha atacado un cerebro, pero creo que está bien. Y Hermione continúa inconsciente, pero le hemos encontrado el pulso...

Entonces se oyó un fuerte golpetazo y un grito detrás de la tarima. Harry vio que Kingsley caía al suelo aullando de dolor: Bellatrix Lestrange empezó a huir, pero Dumbledore se volvió y le lanzó un hechizo que ella desvió para luego comenzar a subir por las gradas...

—¡No, Harry! —gritó Lupin, pero él ya se había soltado de Lupin, que había bajado la guardia.

—¡HA MATADO A SIRIUS! —rugió Harry—. ¡HA SIDO ELLA! ¡VOY A MATARLA!

Echó a correr y trepó por los bancos de piedra; todos lo llamaban, pero no les hizo caso. El borde de la túnica de Bellatrix se perdió de vista, pero Harry entró tras la mortífaga en la sala del tanque de cerebros...

Bellatrix giró la cabeza, lanzó una maldición y el tanque se elevó por los aires y se inclinó. Harry quedó empapado de la apestosa poción que había dentro, y los cerebros cayeron sobre él y empezaron a desplegar sus largos tentáculos de colores, pero entonces gritó: *«¡Wingardium leviosa!»*, y se alejaron de él por el aire. Resbalando y dando traspiés, el chico se precipitó hacia la puerta; saltó por encima de Luna, que gemía en el suelo; por encima de Ginny, que dijo: «Harry, ¿qué...?»; por encima de Ron, que soltó una débil risita; y por encima de Hermione, que seguía inconsciente. Abrió de un tirón la puerta que daba a la sala circular negra y vio que Bellatrix desaparecía por una de las puertas. Harry alcanzó a distinguir, más allá de la figura de la mujer, el pasillo que conducía a los ascensores.

Echó a correr de nuevo, pero la mortífaga había cerrado al salir y la pared ya había comenzado a rotar. Una vez más, Harry se vio rodeado de los haces de luz azul de los candelabros.

—¿Dónde está la salida? —gritó, desesperado, cuando la pared volvió a detenerse—. ¡Dónde está la salida!

Fue como si la habitación estuviera esperando que Harry formulara aquella pregunta. La puerta que tenía justo detrás se abrió de par en par, y Harry vio el pasillo de los ascensores que se extendía ante él, con las antorchas encendidas pero vacío. Atravesó la puerta rápidamente...

Entonces oyó que un poco más allá un ascensor traqueteaba; recorrió veloz el pasillo, dobló la esquina y dio un puñetazo en el botón para llamar otro ascensor. Éste descendió produciendo un ruido metálico; luego la reja se abrió, Harry se metió dentro y golpeó el botón del Atrio. Las puertas se cerraron y el ascensor empezó a subir...

Harry salió antes de que la reja se hubiera abierto por completo y observó lo que lo rodeaba. Bellatrix casi había llegado al ascensor de la cabina telefónica, que estaba al final del vestíbulo, pero miró hacia atrás cuando Harry iba a toda velocidad hacia ella, y entonces le lanzó otro hechizo. Harry se escondió detrás de la Fuente de los Hermanos Mágicos: el hechizo pasó rozándolo y, al dar contra las rejas de oro labrado que había al fondo del Atrio, produjo un sonido de campanas. No se oían más pasos. Bellatrix había dejado de correr. Harry se agachó detrás de las estatuas y aguzó el oído.

—¡Sal, pequeño Harry, sal! —gritó Bellatrix imitando una voz infantil que rebotó contra el brillante suelo de madera—. ¿Para qué me buscas, si no? ¡Creía que habías venido para vengar a mi querido primo!

—¡Así es! —chilló Harry, y su respuesta se repitió por la sala como un eco fantasmagórico: «¡Así es! ¡Así es! ¡Así es!»

—¡Aaaah! ¿Lo querías mucho, pequeño Potter?

Harry notó que lo invadía un odio que jamás había sentido; de un salto salió de detrás de la fuente y bramó:

—*¡Crucio!*

Bellatrix gritó: el hechizo la había derribado, pero no se retorcía ni chillaba de dolor como había hecho Neville. Volvió a levantarse, jadeante; había parado de reír. Harry se refugió otra vez detrás de la fuente dorada. El contrahechizo de la mortífaga dio en la cabeza del apuesto mago, que se desprendió de la estatua y fue a parar unos seis metros más allá, arañando el suelo de madera.

—Nunca habías empleado una maldición imperdonable, ¿verdad, chico? —gritó Bellatrix, que había abandonado aquella entonación infantil—. ¡Tienes que sentirlas, Potter! Tienes que desear de verdad causar dolor, disfrutar con ello. La rabia sin más no me hará mucho daño. Voy a enseñarte cómo se hace, ¿de acuerdo? Voy a darte una lección...

Harry caminaba sigilosamente hacia el otro lado de la fuente cuando Bellatrix gritó: *«¡Crucio!»*, y tuvo que agacharse otra vez, mientras uno de los brazos del centauro, el que sostenía el arco, saltaba por los aires y aterrizaba con un fuerte estrépito en el suelo, a poca distancia de la dorada cabeza del mago.

—¡No vas a poder conmigo, Potter! —bramó la mortífaga. Harry oyó que ella se movía hacia la derecha para apuntarle bien; mientras tanto, él rodeó la estatua en la dirección opuesta y se agachó detrás de las patas del centauro manteniendo la cabeza a la altura de la del elfo doméstico—. Era y sigo siendo la servidora más leal del Señor Tenebroso. Él me enseñó las artes oscuras, y conozco hechizos poderosísimos con los que tú, patético mocoso, no puedes ni soñar en competir...

—*¡Desmaius!* —gritó Harry.

Había llegado, paso a paso, hasta donde estaba el duende, que sonreía al recién decapitado mago, y había apuntado a la espalda de Bellatrix mientras ella se asomaba por el otro lado de la fuente. La mortífaga reaccionó tan deprisa que Harry apenas tuvo tiempo de agacharse.

—*¡Protego!* —El haz de luz roja del hechizo aturdidor de Harry rebotó y se dirigió contra él. Harry retrocedió para protegerse detrás de la fuente, y una de las orejas del duende saltó por los aires—. ¡Te voy a dar una oportunidad, Potter! —gritó Bellatrix—. ¡Entrégame la profecía, lánzamela rodando por el suelo, y quizá te perdone la vida!

—¡Pues tendrá que matarme porque ya no la tengo! —chilló Harry, y mientras pronunciaba aquellas palabras notó un intenso dolor en la frente; volvía a arderle la cicatriz, y sintió que lo invadía un sentimiento de ira que no estaba relacionado con su propia rabia—. ¡Y él lo sabe! —añadió Harry soltando una risotada que no tenía nada que envidiar a las de Bellatrix—. ¡Su querido amigo Voldemort sabe que la profecía se ha perdido! No creo que esté muy contento con usted, ¿eh?

—¿Cómo? ¿Qué dices? —chilló la mortífaga, y por primera vez su voz transmitía miedo.

—¡La profecía se ha roto cuando intentaba ayudar a Neville a subir las gradas! ¿Cómo cree que le sentará eso a Voldemort?

Notaba fuertes punzadas en la cicatriz; le dolía tanto que se le estaban llenando los ojos de lágrimas...

—¡ESO ES MENTIRA! —exclamó Bellatrix gritando, pero ahora Harry percibía el terror detrás de la rabia—. ¡LA TIENES TÚ, POTTER, Y VAS A DÁRMELA AHORA MISMO! *¡Accio profecía! ¡ACCIO PROFECÍA!*

Harry volvió a reír porque sabía que eso la pondría furiosa, pero su dolor de cabeza aumentaba de tal modo que creyó que le estallaría el cráneo. Mostró una mano vacía por detrás del duende, al que sólo le quedaba una oreja, la movió y la escondió rápidamente cuando la mortífaga le lanzó otro haz de luz roja.

—¡No tengo nada! —gritó Harry—. ¡No tengo nada que entregarle! La profecía se ha roto y nadie ha oído lo que ha dicho, ¡explíqueselo a su amo!

—¡No! —aulló ella—. ¡No es verdad, estás mintiendo! ¡LO HE INTENTADO, AMO, LO HE INTENTADO! ¡NO ME CASTIGUE!

—¡Gasta saliva inútilmente! —exclamó Harry, y cerró fuertemente los ojos para combatir el dolor de la cicatriz, más espantoso que nunca—. ¡Él no puede oírla!

—¿Ah, no, Potter? —dijo una voz fría y aguda.

Harry abrió los ojos.

Alto, delgado, tocado con una capucha negra, el aterrador rostro con rasgos de serpiente era blanco y demacrado, y unos ojos rojos con sendas rendijas por pupilas miraban atentamente a Harry... Lord Voldemort había aparecido en medio del vestíbulo y apuntaba con su varita al muchacho, que se había quedado petrificado.

—¿Qué dices, que has roto mi profecía? —preguntó Voldemort con voz queda observando a Harry con ojos rojos y despiadados—. No, Bella, no miente... Veo la verdad mirándome desde dentro de su despreciable mente... Meses de preparación, meses de esfuerzo..., y mis mortífagos han dejado que Harry Potter vuelva a desbaratar mis planes...

—¡Lo siento, amo, no lo sabía, yo estaba peleando con el animago Black! —gimoteó Bellatrix, y se arrodilló a los pies de Voldemort mientras él se le acercaba lentamente—. Amo, debería saber que...

—Cállate, Bella —le ordenó Voldemort con crueldad—. Enseguida me encargaré de ti. ¿Acaso crees que he entrado en el Ministerio de Magia para escuchar tus penosas disculpas?

—Pero amo... Él está aquí, está abajo...

Voldemort no le prestó atención.

—A ti no tengo nada más que decirte, Potter —dijo sin inmutarse—. Ya me has fastidiado bastante, llevas demasiado tiempo incordiándome. *¡AVADA KEDAVRA!*

Harry ni siquiera había abierto la boca para defenderse; tenía la mente en blanco y apuntaba al suelo con la varita que sujetaba con la mano que le colgaba inerte a un lado.

Pero la estatua dorada del mago sin cabeza de la fuente había cobrado vida, y saltó al suelo desde su pedestal y se colocó entre Harry y Voldemort. El hechizo rebotó en su pecho cuando la estatua extendió los brazos para proteger a Harry.

—¿Qué...? —gritó Voldemort mirando a su alrededor. Y entonces susurró—: ¡Dumbledore!

Harry miró hacia atrás con el corazón desbocado. Dumbledore estaba de pie frente a las rejas doradas.

Voldemort levantó la varita y otro haz de luz verde golpeó a Dumbledore, que se dio la vuelta y desapareció en medio del revuelo de su capa. Al cabo de un segundo, apareció de nuevo detrás de Voldemort y agitó la varita apuntando a lo que quedaba de la fuente. Las otras estatuas también cobraron vida. La estatua de la bruja corrió hacia Bellatrix, que se puso a gritar y a lanzarle hechizos que rebotaban en el pecho de la estatua; ésta se abalanzó sobre la mortífaga y finalmente la inmovilizó contra el suelo. Entre tanto, el duende y el elfo doméstico se escabulleron hasta las chimeneas empotradas a lo largo de la pared, y el centauro, que ya sólo tenía un brazo, salió al galope hacia Voldemort, que desapareció y volvió a aparecer junto a la fuente. La estatua del mago empujó a Harry hacia atrás y lo apartó de la refriega, mientras Dumbledore avanzaba hacia Voldemort y el centauro galopaba en torno a ellos.

—Has cometido una estupidez viniendo aquí esta noche, Tom —dijo Dumbledore con serenidad—. Los aurores están en camino...

—¡Pero cuando lleguen, yo me habré ido y tú estarás muerto! —le espetó Voldemort. Luego lanzó otra maldición asesina a Dumbledore, pero no dio en el blanco, sino que, al golpear la mesa del mago de seguridad, le prendió fuego.

Dumbledore también usó su varita, y fue tal la potencia del hechizo que emanó de ella que, pese a estar protegido por su dorado guardián, a Harry se le pusieron los pelos de punta cuando el rayo pasó a su lado. Esa vez, Voldemort se vio obligado a crear un reluciente escudo de plata para desviarlo. El hechizo, fuera el que fuese, no le produjo daños visibles al escudo, aunque le arrancó una fuerte nota parecida al sonido de un gong, francamente estremecedor.

—¿No quieres matarme, Dumbledore? —le preguntó Voldemort asomando los entrecerrados y rojos ojos por encima del borde del escudo—. Estás por encima de esa crueldad, ¿verdad?

—Ambos sabemos que existen otras formas de destruir a un hombre, Tom —respondió Dumbledore, impasible, y siguió caminando hacia Voldemort como si no temiera absolutamente nada, como si no tuviera ningún motivo para interrumpir su paseo por el vestíbulo—. Reconozco que quitarte la vida no bastaría para satisfacerme...

—¡No hay nada peor que la muerte, Dumbledore! —gruñó Voldemort.

—Te equivocas —replicó Dumbledore, que continuaba acercándose a Voldemort y hablaba con despreocupación, como si discutieran tranquilamente aquel asunto mientras se tomaban una copa. Harry se asustó al ver que Dumbledore caminaba como si tal cosa, expuesto, desprotegido; quería gritarle algo para prevenirlo, pero su decapitado guardián seguía empujándolo hacia la pared y le impedía cualquier intento de asomarse por detrás de él—. De hecho, tu incapacidad para comprender que hay cosas mucho peores que la muerte siempre ha sido tu mayor debilidad.

Otro haz de luz verde surgió de detrás del escudo de plata. Esta vez fue el centauro manco, que galopaba delante de Dumbledore, el que recibió el impacto y se hizo añicos, pero, antes de que los fragmentos llegaran al suelo, Dumbledore echó hacia atrás su varita y la sacudió como si blandiera un látigo. Una larga y delgada llama salió de la punta y se enroscó alrededor de Voldemort, abrazando también el escudo. Por un instante pareció que Dumbledore había ganado, pero entonces la cuerda luminosa se convirtió en una serpiente que soltó a Voldemort de inmediato y se dio la vuelta, siseando furiosa, para enfrentarse a Dumbledore.

Voldemort desapareció, y la serpiente echó hacia atrás la parte del cuerpo que tenía levantada del suelo, preparada para atacar.

Hubo un fogonazo en el aire, por encima de Dumbledore, y en ese preciso momento reapareció Voldemort: estaba de pie en el pedestal, en el centro de la fuente donde hasta hacía poco se alzaban las cinco estatuas.

—¡Cuidado! —gritó Harry.

Pero mientras él gritaba, otro haz de luz verde salió despedido de la varita de Voldemort hacia Dumbledore, y la serpiente atacó...

Entonces *Fawkes* descendió en picada ante Dumbledore, abrió mucho el pico y se tragó todo el haz de luz verde: estalló en llamas y cayó al suelo, pequeño, encogido e incapaz de volar. De inmediato, Dumbledore blandió su varita y describió un largo y fluido movimiento: la serpiente, que había estado a punto de clavarle los colmillos, saltó por los aires y quedó reducida a una voluta de humo negro, y el agua de la fuente se alzó formando una especie de capullo de cristal fundido y cubrió a Voldemort.

Durante un instante lo único que se vio de él fue una oscura, borrosa y desdibujada figura sin rostro que se estremecía sobre el pedestal; era evidente que intentaba librarse de aquella sofocante masa...

Pero de pronto desapareció, y el agua cayó con gran estruendo en la fuente, se derramó por el borde e inundó el suelo.

—¡AMO! —gritó Bellatrix.

Convencido de que todo había terminado y de que Voldemort había decidido huir, Harry intentó salir de detrás de la estatua que lo protegía, pero Dumbledore le ordenó con voz atronadora:

—¡Quédate donde estás, Harry!

Dumbledore parecía asustado por primera vez. Pero Harry no entendía por qué: en el vestíbulo sólo estaban ellos dos, Bellatrix, que seguía sollozando, atrapada bajo la estatua de la bruja, y *Fawkes* convertido en cría de fénix que graznaba débilmente en el suelo.

Entonces a Harry se le abrió la cicatriz y comprendió que estaba muerto: sentía un dolor inconcebible, un dolor insoportable...

Ya no se hallaba en el vestíbulo, sino atrapado en el abrazo de una criatura de ojos rojos, tan fuertemente enroscada a su alrededor que Harry no sabía dónde terminaba su cuerpo y dónde empezaba el de la criatura: estaban fusionados, unidos por el dolor, y no había escapatoria...

Y cuando la criatura habló, utilizó la boca de Harry, que atenazado por un dolor descomunal notó cómo se movía su mandíbula:

—Mátame ahora, Dumbledore... —Cegado y moribundo, deseando soltarse con cada centímetro de su cuerpo, Harry percibió que la criatura volvía a utilizarlo—. Si la muerte no es nada, Dumbledore, mata al chico...

«Que pare este dolor —pensó Harry—. Que nos mate. Acabe ya, Dumbledore. La muerte no es nada comparada con esto... Así volveré a ver a Sirius...»

El corazón de Harry se llenó de emoción, y entonces el abrazo de la criatura se aflojó y cesó el dolor. Harry se encontró tumbado boca abajo en el suelo, sin las gafas, temblando como si estuviera tendido sobre hielo y no sobre madera.

Resonaban voces por el vestíbulo, muchas más de las que debía haber... Harry abrió los ojos y vio sus gafas tiradas junto al talón de la estatua sin cabeza que lo había protegido, que en ese momento estaba tumbada boca arriba, resquebrajada e inmóvil. Se puso las gafas y levantó un poco la cabeza, y entonces descubrió la torcida nariz de Dumbledore a pocos centímetros de la suya.

—¿Estás bien, Harry?

—Sí —contestó él, aunque temblaba tanto que no podía mantener erguida la cabeza—. Sí, estoy... ¿Dónde está Voldemort? ¿Dónde...? ¿Quiénes son ésos, qué...?

El Atrio estaba lleno de gente; en el suelo se reflejaban las llamas de color verde esmeralda que habían prendido en todas las chimeneas de una de las paredes; y un torrente de brujas y de magos salía por ellas. Cuando Dumbledore lo ayudó a ponerse en pie, Harry vio las pequeñas estatuas de oro del elfo doméstico y del duende, que guiaban a un atónito Cornelius Fudge.

—¡Estaba aquí! —gritó un individuo ataviado con una túnica roja y peinado con coleta que señalaba un montón de trozos dorados que había en el otro extremo del vestíbulo, donde unos momentos antes había estado atrapada Bellatrix—. ¡Lo he visto con mis propios ojos, señor Fudge, le juro que era Quien-usted-sabe, ha agarrado a una mujer y se ha desaparecido!

—¡Lo sé, Williamson, lo sé, yo también lo he visto! —farfulló Fudge, que llevaba un pijama bajo la capa a rayas delgadas y jadeaba como si acabara de correr una maratón—. ¡Por las barbas de Merlín! ¡Aquí! ¡Aquí, en el mismísimo Ministerio de Magia! ¡Por todos los diablos, parece mentira! ¡Caramba! ¿Cómo es posible?

—Si baja al Departamento de Misterios, Cornelius —sugirió Dumbledore, que parecía satisfecho con el estado en que Harry se encontraba y dio unos pasos hacia delante; al hacerlo, varios de los recién llegados se percataron de su presencia (unos cuantos levantaron las varitas; otros se quedaron pasmados; las estatuas del elfo y del duende aplaudieron, y Fudge se llevó tal susto que sus zapatillas se levantaron un palmo del suelo)—, encontrará a unos cuantos mortífagos fugados retenidos en la Cámara de la Muerte, inmovilizados mediante un embrujo antidesaparición, que esperan a que decida qué hacer con ellos.

—¡Dumbledore! —exclamó Fudge con perplejidad—. Usted... aquí... Yo...

Entonces miró salvajemente a los aurores que lo acompañaban y quedó clarísimo que estaba a punto de gritar: «¡Deténganlo!»

—¡Cornelius, estoy dispuesto a luchar contra sus hombres y volver a ganar! —anunció Dumbledore con voz atronadora—. Pero hace sólo unos minutos con sus propios ojos ha visto pruebas de que llevo un año diciéndole la verdad. ¡Lord Voldemort ha regresado, y en cambio hace doce meses que está usted persiguiendo al hombre equivocado; ya es hora de que empiece a usar la cabeza!

—Yo... no... Bueno... —balbuceó Fudge, y miró alrededor como si esperara que alguien le dijera lo que tenía que hacer. Como nadie decía nada, añadió—: ¡Muy bien! ¡Dawlish! ¡Williamson! Bajen al Departamento de Misterios a ver... Dumbledore, usted... usted tendrá que contarme exactamente... La Fuente de los Hermanos Mágicos, ¿qué ha pasado? —añadió con una especie de gemido contemplando el suelo del Atrio, por donde estaban esparcidos los restos de las estatuas de la bruja, el mago y el centauro.

—Ya hablaremos de eso cuando haya enviado a Harry a Hogwarts —dijo Dumbledore.

—¿A Harry? ¿Harry Potter?

Fudge se dio bruscamente la vuelta y se quedó contemplando a Harry, que todavía estaba pegado contra la pared, junto a la estatua caída que lo había protegido durante el duelo entre Dumbledore y Voldemort.

—¿Qué hace él aquí? —preguntó el ministro—. ¿Qué... qué significa esto?

—Se lo explicaré todo cuando Harry haya regresado al colegio —repitió Dumbledore.

Y entonces se apartó de la fuente y se encaminó hacia el lugar donde había caído la cabeza dorada del mago. La señaló con la varita y musitó: *«Portus.»* La cabeza emitió un resplandor dorado y tembló ruidosamente contra el suelo de madera durante unos segundos, y luego volvió a quedarse quieta.

—¡Un momento, Dumbledore! —gritó Fudge mientras aquél recogía la cabeza del suelo e iba hacia Harry—. ¡No tiene autorización para utilizar ese traslador! ¡No puede hacer esas cosas delante del ministro de Magia como si..., como si...! —exclamó, pero se le entrecortó la voz cuando Dumbledore lo miró autoritariamente por encima de sus gafas de media luna.

—Quiero que dé la orden de echar a Dolores Umbridge de Hogwarts —sentenció Dumbledore—. Quiero que diga a sus aurores que dejen de buscar a mi profesor de Cuidado de Criaturas Mágicas para que pueda volver a su trabajo. Voy a darle... —Dumbledore sacó un reloj con doce manecillas del bolsillo y lo consultó— media hora de mi tiempo esta noche; creo que con eso bastará para repasar los puntos más importantes de lo que ha ocurrido aquí. Después tendré que regresar a mi colegio. Si necesita usted más ayuda de mí, no dude en consultarme en Hogwarts, por favor. Me llegarán todas las cartas dirigidas al director.

Fudge miraba a Dumbledore con unos ojos más desorbitados que nunca; tenía la boca abierta y su redondeado rostro estaba cada vez más sonrosado bajo el desordenado cabello gris.

—Yo..., usted...

Dumbledore le dio la espalda.

—Toma este traslador, Harry. —Le tendió la dorada cabeza de la estatua y Harry le puso una mano encima, sin importarle lo que pudiera ocurrir a continuación ni adónde iría—. Me reuniré contigo dentro de media hora —le aseguró Dumbledore quedamente—. Uno, dos, tres...

Harry volvió a notar aquella sensación de que tiraban de un gancho por detrás de su ombligo y el lustroso suelo de madera desapareció bajo sus pies. El Atrio, Fudge y Dumbledore se habían esfumado, y él volaba en un torbellino de sonido y color.

37

La profecía perdida

Al tocar el suelo con los pies, a Harry se le doblaron ligeramente las rodillas y la cabeza del mago dorado cayó con un golpe metálico. Entonces echó un vistazo a su alrededor y se percató de que había llegado al despacho de Dumbledore.

Durante la ausencia del director, todo se había reparado. Los delicados instrumentos de plata estaban de nuevo sobre las mesas de patas finas y echaban humo y zumbaban discretamente. Los directores y las directoras dormían en sus retratos y apoyaban la cabeza en los respaldos de los sillones o el borde de los cuadros. Harry se acercó a la ventana: una línea de color verde pálido que recorría el horizonte indicaba que no tardaría en amanecer.

El silencio y la quietud, interrumpidos tan sólo por algún que otro gruñido o resoplido de un retrato durmiente, le resultaban insoportables. Tanto era así que si lo que lo rodeaba hubiera podido reflejar sus sentimientos, los cuadros habrían estado gritando de dolor. Se paseó por el tranquilo y bonito despacho, respirando entrecortadamente e intentando no pensar, pero tenía que pensar, no había escapatoria...

Él tenía la culpa de que Sirius hubiera muerto; todo era culpa suya. Si no hubiera sido tan estúpido para caer en la trampa de Voldemort, si no hubiera estado tan convencido de que lo que había visto en su sueño era real, o si se hubiera planteado la posibilidad, como había dicho Hermione, de que Voldemort confiara en la afición de Harry a hacerse el héroe...

Era insufrible, no quería pensar en ello, no podía aguantarlo. Dentro de él había un terrible vacío que no deseaba sentir ni examinar, un oscuro agujero donde antes estaba Sirius, un agujero del que Sirius se había desvanecido; no deseaba estar solo con aquel enorme y silencioso vacío, no lo soportaba...

Detrás de él, un cuadro soltó un sonoro ronquido y una voz impasible dijo:

—¡Ah, Harry Potter!

Phineas Nigellus dio un enorme bostezo y estiró los brazos mientras contemplaba a Harry con sus pequeños pero vivaces ojos.

—¿Qué te trae a estas horas de la mañana? —le preguntó Phineas—. Se supone que en este despacho sólo puede entrar el legítimo director. ¿Acaso te ha enviado Dumbledore? Ah, no me digas que... —Volvió a bostezar, y un leve escalofrío le recorrió el cuerpo—. ¿He de llevarle otro mensaje al inútil de mi tataranieto?

Harry no podía hablar. Phineas Nigellus no sabía que Sirius estaba muerto, y él era incapaz de decírselo. Contarlo en voz alta supondría convertir la muerte de su padrino en algo definitivo, absoluto, irreparable.

Unos cuantos retratos más empezaron a moverse. El terror que le producía la idea de que lo interrogaran impulsó a Harry a cruzar la habitación a grandes zancadas y a llevar una mano al picaporte de la puerta.

Pero ésta no se abrió. Harry estaba encerrado.

—Supongo que esto significa que Dumbledore volverá a estar pronto entre nosotros —aventuró el mago corpulento de nariz roja que colgaba en la pared, detrás de la mesa del director. Harry se dio la vuelta y vio que el mago lo observaba con mucho interés. El chico asintió y tiró otra vez del picaporte sin volverse, pero la puerta seguía cerrada—. Cuánto me alegro —comentó el mago—. Nos hemos aburrido mucho sin él. —Se acomodó en el sitial en que lo habían retratado y sonrió benignamente a Harry—. Dumbledore tiene muy buena opinión de ti, como ya debes de saber —continuó—. Sí, ya lo creo. Te tiene en gran estima.

El sentimiento de culpa que llenaba el agujero que Harry tenía en el pecho, una especie de monstruoso y pesado parásito, empezó a retorcerse y contorsionarse. Harry ya no podía más, no soportaba ser quien era. Nunca se había sentido tan atrapado por su propia mente y por su propio cuerpo, y nunca había deseado con tanta intensidad ser otra persona o tener cualquier otra identidad.

Entonces unas llamas de color verde esmeralda prendieron en la chimenea vacía y Harry se apartó de un brinco de la puerta y contempló al hombre que giraba en el fuego. Cuando la alta figura de Dumbledore salió de entre las llamas, los magos y las brujas de las paredes despertaron con brusquedad, y muchos de ellos dieron gritos de bienvenida.

—Gracias —dijo Dumbledore con voz queda.

Al principio no miró a Harry, sino que se dirigió hacia la percha que había junto a la puerta, sacó de un bolsillo interior de su túnica a *Fawkes*, que ahora era un pájaro pequeño, feo y sin plumas, y lo colocó con cuidado en la bandeja de suaves cenizas que había bajo el palo dorado donde solía posarse el ave cuando estaba totalmente desarrollada.

—Bueno, Harry —dijo Dumbledore apartándose al fin del fénix—, supongo que te alegrará saber que ninguno de tus amigos sufrirá secuelas por lo ocurrido esta noche.

Harry intentó decir: «Estupendo», pero por su boca no salió ningún sonido. Tenía la impresión de que Dumbledore estaba recordándole los problemas que había causado, y aunque el mago lo miraba por fin a los ojos, y pese a que su expresión era amable y no parecía acusadora, Harry no podía sostenerle la mirada.

—La señora Pomfrey está curándolos —añadió Dumbledore—. Es posible que Nymphadora Tonks tenga que pasar un tiempo en San Mungo, pero todo indica que se recuperará por completo.

Harry se contentó con asentir con la cabeza mientras contemplaba la alfombra, cada vez más clara a medida que el cielo se iluminaba. Estaba seguro de que los retratos escuchaban con atención cada palabra que decía Dumbledore, y de que debían de preguntarse dónde habían estado Harry y el director, y por qué había habido heridos.

—Sé cómo te sientes, Harry —afirmó Dumbledore con serenidad.

—No, no lo sabe —negó él con un tono de voz inusitadamente impetuoso, pues la ira estaba acumulándose en su interior. Dumbledore no sabía nada sobre sus sentimientos.

—¿Lo ve, Dumbledore? —dijo Phineas Nigellus con malicia—. No pierda el tiempo intentando comprender a los estudiantes porque ellos lo detestan. Prefieren sentirse terriblemente incomprendidos, deleitarse en la autocompasión, sufrir con...

—Ya basta, Phineas —le ordenó el director.

Harry le dio la espalda a éste y se quedó observando el estadio de quidditch que se distinguía a lo lejos, por la ventana. Sirius había aparecido allí en una ocasión, bajo la forma del peludo perro negro, para ver jugar a Harry. Seguro que lo había hecho para comprobar si era tan bueno como lo había sido James, pero Harry nunca se lo había preguntado.

—No deberías avergonzarte de lo que sientes, Harry —oyó que decía Dumbledore—. Más bien al contrario. El hecho de que puedas sentir un dolor como ése es tu mayor fortaleza.

Harry notaba que las llamas de la ira lo quemaban por dentro: ardían en aquel terrible vacío y avivaban su deseo de hacer daño al director por su serenidad y sus palabras huecas.

—¿Mi mayor fortaleza? —repitió Harry con voz temblorosa mientras contemplaba con atención el estadio de quidditch, aunque en realidad no lo veía—. Usted no tiene ni idea, usted no sabe...

—¿Qué es lo que no sé? —le preguntó Dumbledore con calma.

Aquello fue demasiado. Harry se volvió temblando de rabia.

—No quiero hablar de cómo me siento, ¿está claro?

—¡Que sufras así demuestra que todavía eres un hombre, Harry! Ese dolor significa que eres un ser humano.

—¡PUES ENTONCES NO QUIERO SER UN SER HUMANO! —rugió Harry.

Y agarró el delicado instrumento de plata de la mesita de patas finas que tenía a su lado y lo lanzó hacia el otro extremo de la habitación; el instrumento se hizo mil pedazos al estrellarse contra la pared. Varios retratos soltaron gritos de enfado y miedo, y el de Armando Dippet exclamó: «¡Francamente...!»

—¡NO ME IMPORTA! —les gritó Harry, y luego agarró un lunascopio y lo arrojó a la chimenea—. ¡ESTOY HARTO, YA HE VISTO SUFICIENTE, QUIERO TERMINAR CON ESTO, QUIERO SALIR, YA NO ME IMPORTA...!

Y a continuación agarró la mesa sobre la que había estado el instrumento y la lanzó también. La mesa se rompió y las patas salieron rodando en varias direcciones.

—Sí te importa —sentenció Dumbledore. Ni había pestañeado ni había hecho el más mínimo movimiento para impedir que Harry destrozara su despacho. La expresión de su rostro era tranquila, casi indiferente—. Te importa tanto que tienes la sensación de que vas a desangrarte de dolor.

—¡NO! —gritó Harry, tan fuerte que creyó que se le desgarraría la garganta, y le entraron ganas de abalanzarse sobre Dumbledore y destrozarlo a él también; de arañar su anciana y tranquila cara, zarandearlo, herirlo, hacerle sentir una milésima parte del horror que sentía él.

—Sí, ya lo creo que sí —insistió Dumbledore aún con mayor serenidad—. Ya no sólo has perdido a tu madre y a tu padre, sino también lo más parecido a un padre que tenías. Claro que te importa.

—¡USTED NO SABE CÓMO ME SIENTO! —bramó Harry—. ¡USTED ESTÁ AHÍ TAN...!

Pero las palabras ya no bastaban, romper cosas ya no lo ayudaba; quería correr, quería correr sin parar y no mirar atrás, quería estar en algún sitio donde no pudiera ver aquellos ojos de color azul claro que lo miraban fijamente, aquel anciano rostro de espeluznante tranquilidad. Corrió hacia la puerta, agarró otra vez el picaporte y tiró de él.

Pero la puerta no se abría.

—Déjeme salir —dijo volviéndose hacia Dumbledore. Harry continuaba temblando de pies a cabeza.

—No —respondió el director.

Se observaron unos segundos.

—Déjeme salir —repitió Harry.

—No —repitió Dumbledore.

—Si no me deja salir..., si me retiene aquí..., si no me deja...

—Puedes seguir destrozando mis cosas —repuso Dumbledore sin alterarse—. Tengo demasiadas.

El director dio la vuelta a su mesa y se sentó en su silla, desde donde siguió observando a Harry.

—Déjeme salir —insistió éste con una voz fría y casi tan serena como la de Dumbledore.

—No hasta que me dejes hablar.

—¿Cree usted..., cree que quiero..., cree que me importa un...? ¡NO QUIERO OÍR NI UNA PALABRA DE LO QUE TENGA QUE DECIRME!

—Me escucharás —aseguró Dumbledore—. Porque no estás tan furioso conmigo como deberías estarlo. Si vas a pegarme, como sé que estás a punto de hacer, me gustaría habérmelo ganado del todo.

—Pero ¿qué dice...?

—Yo tengo la culpa de que Sirius haya muerto —afirmó Dumbledore con claridad—. O mejor dicho, casi toda la culpa, porque no voy a ser tan arrogante para atribuirme la responsabilidad absoluta. Sirius era un hombre valiente, inteligente y enérgico, y los hombres como él no suelen contentarse con quedarse sentados en su casa, escondidos, cuando creen que otros corren peligro. Sin embargo, no debiste creer ni por un instante que era necesario que acudieras al Departamento de Misterios esta noche. Harry, si yo hubiera sido sincero contigo, que es lo que debería haber hecho, habrías sabido hace mucho tiempo que Voldemort intentaría engañarte e incitarte a ir al Departamento de Misterios; de ese modo no habrías caído en su trampa ni habrías ido allí esta noche. Y Sirius no habría tenido que ir a buscarte. De eso soy el único culpable. —Harry seguía de pie con una mano encima del picaporte, aunque no se daba cuenta. Sin respirar apenas, observaba y escuchaba a Dumbledore, pero sin comprender del todo lo que estaba oyendo—. Siéntate, por favor —le indicó el director. No era una orden sino una petición.

Harry vaciló, pero finalmente cruzó con lentitud la habitación, llena de ruedas dentadas de plata y fragmentos de madera, y se sentó enfrente de Dumbledore, al otro lado de su mesa.

—¿Debo deducir que mi tataranieto, el último Black, ha muerto? —preguntó con lentitud Phineas Nigellus, que se hallaba a la izquierda de Harry.

—Sí, Phineas —confirmó Dumbledore.

—No lo creo —repuso Phineas con brusquedad.

Harry giró la cabeza a tiempo de ver cómo Phineas salía de su retrato, y comprendió que había ido a visitar el otro en el que él aparecía, el que estaba colgado en Grimmauld Place. Seguramente iría de retrato en retrato llamando a Sirius por toda la casa...

—Te debo una explicación, Harry —comenzó Dumbledore—. La explicación de los errores de un anciano, pues ahora me doy cuenta de que lo que he hecho y no he hecho contigo lleva el sello de los defectos de la edad. Los jóvenes no pueden saber cómo piensan ni cómo sienten los ancianos, pero los ancianos cometemos un error si olvidamos qué significa ser joven... Y por lo visto, últimamente yo lo he olvidado.

Estaba saliendo el sol; se veía un trocito de un deslumbrante tono anaranjado sobre las montañas, y por encima de él el cielo relucía, aunque parecía descolorido. La luz caía sobre Dumbledore, sobre sus cejas y su barba plateadas y sobre las profundas arrugas de su cara.

—Hace quince años —continuó—, cuando vi la cicatriz de tu frente, imaginé lo que debía de significar. Supuse que representaba la señal de la conexión que se había forjado entre Voldemort y tú.

—Eso ya me lo ha contado, profesor —aseguró Harry con rotundidad. No le importaba ser maleducado. Ya no le importaba nada.

—Sí —se disculpó Dumbledore—. Sí, pero es necesario empezar hablando de tu cicatriz porque, poco después de que te reincorporaras al mundo mágico, se hizo patente que yo tenía razón, y que tu cicatriz te avisaba cuando Voldemort estaba cerca de ti, o cuando sentía una fuerte emoción.

—Ya lo sé —dijo Harry cansinamente.

—Y esa capacidad tuya de detectar la presencia de Voldemort, incluso cuando está enmascarado, y de saber lo que siente cuando se despiertan sus emociones, se ha hecho cada vez más pronunciada desde que Voldemort regresó a su propio cuerpo y recuperó todos sus poderes. —Harry ni siquiera se molestó en asentir con la cabeza. Eso también lo sabía—. Más recientemente —prosiguió Dumbledore— empezó a preocuparme que Voldemort pudiera notar que existía esa conexión entre ustedes dos. Y, en efecto, llegó un momento en que tú te adentraste tanto en la mente y en los pensamientos de Voldemort que él se percató de tu presencia. Me refiero, por supuesto, a la noche en que presenciaste la agresión que sufrió el señor Weasley.

—Ya, Snape me lo dijo —murmuró Harry.

—El profesor Snape, Harry —lo corrigió Dumbledore con delicadeza—. Pero ¿no te preguntaste por qué no te lo conté yo personalmente? ¿Por qué no te enseñé yo Oclumancia? ¿Por qué ni siquiera te he mirado durante meses?

Harry levantó la cabeza. Ahora se daba cuenta de que Dumbledore parecía triste y cansado.

—Sí —masculló—. Sí, claro que me lo pregunté.

—Verás, creía que Voldemort no podía tardar mucho en intentar entrar en tu mente para manipular y dirigir tus pensamientos, y no quería ofrecerle más alicientes para hacerlo. Estaba convencido de que si se daba cuenta de que nuestra relación era, o había sido alguna vez, algo más que la mera relación entre alumno y director, aprovecharía esa oportunidad para utilizarte como un medio para espiarme. Me asustaba pensar en cómo podría manejarte, o en la posibilidad de que intentara poseerte. Harry, creo que tenía razón cuando suponía que Voldemort se habría servido de ti de ese modo. En las pocas ocasiones en que tú y yo tuvimos contacto directo, me pareció ver una sombra de él en tus ojos...

Harry recordó la sensación de que una serpiente dormida se había despertado en su interior, dispuesta a atacar, cuando él y Dumbledore se habían mirado a la cara.

—El objetivo de Voldemort al poseerte, como ha demostrado esta noche, no habría sido mi destrucción, sino la tuya. Cuando te poseyó brevemente, hace un rato, él confiaba en que yo te sacrificaría para quitarle a él la vida. Así que, como ves, lo que yo intentaba al distanciarme de ti, Harry, era protegerte. Un error de anciano...

Dumbledore suspiró profundamente. Harry dejaba que las palabras resbalaran sobre él. Le habría interesado mucho que le hubiera dado esas explicaciones unos meses atrás, pero ahora no tenían sentido comparadas con el profundo abismo que se había abierto en su interior por la pérdida de Sirius; nada de todo aquello importaba ya...

—Sirius me dijo que habías sentido a Voldemort despierto dentro de ti la noche que tuviste la visión del ataque a Arthur Weasley. Comprendí de inmediato que mis peores temores eran ciertos: Voldemort se había dado cuenta de que podía utilizarte. En un intento de armarte contra sus intentos de introducirse en tu mente, pedí al profesor Snape que te enseñara Oclumancia.

Dumbledore hizo una pausa. Harry contemplaba la luz del sol, que resbalaba lentamente por la lustrosa superficie de la mesa del director e iluminaba un tintero de plata y una hermosa pluma escarlata. Harry sabía que los retratos de las paredes estaban despiertos y escuchaban cautivados el discurso de Dumbledore; de vez en cuando oía el frufrú de una túnica, un carraspeo. Sin embargo, Phineas Nigellus aún no había regresado.

—El profesor Snape descubrió que llevabas meses soñando con la puerta del Departamento de Misterios —continuó Dumbledore—. Desde que recuperó su cuerpo, Voldemort estaba obsesionado, como es lógico, con la posibilidad de escuchar la profecía; y cuando pensaba en la puerta, tú también lo hacías, aunque no sabías qué significaba.

»Y entonces viste en sueños a Rookwood, quien hasta antes de su detención trabajaba en el Departamento de Misterios, mientras le decía a Voldemort lo que él ya sabía: que las profecías guardadas en el Ministerio de Magia estaban fuertemente protegidas. Sólo las personas a las que se refieren pueden tomarlas de esas estanterías sin enloquecer. Así pues, sólo había dos alternativas: o el propio Voldemort tendría que entrar en el Ministerio de Magia arriesgándose a ser visto por fin, o tendrías que tomarla tú por él. Por lo tanto, que dominaras la Oclumancia se convirtió en un asunto de mayor urgencia aún.

—Pero no la dominé —murmuró Harry. Lo dijo en voz alta intentando así aligerar el peso de su sentimiento de culpa: una confesión aliviaría sin duda parte de la terrible presión que le oprimía el pecho—. Ni practiqué ni le di importancia; y podría haber dejado de tener esos sueños; Hermione insistía en que practicara; si lo hubiera hecho, él no habría podido mostrarme adónde tenía que ir, y... Sirius no... Sirius no... —Algo estaba brotando en la mente de Harry: una necesidad de justificarse, de explicar—. ¡Traté de comprobar si era verdad que tenía a Sirius, fui al despacho de la profesora Umbridge, hablé con Kreacher por la chimenea y él me dijo que Sirius no estaba allí, que se había ido!

—Kreacher te mintió —afirmó Dumbledore con serenidad—. Tú no eres su amo, él podía mentirte sin necesidad de autocastigarse siquiera. Kreacher quería que fueras al Ministerio de Magia.

—¿Él... él me envió allí a propósito?

—Sí. Me temo que Kreacher lleva meses sirviendo a más de un amo.

—¿Cómo? —se extrañó Harry sin comprender—. Pero si hace años que no sale de Grimmauld Place.

—Kreacher aprovechó su oportunidad poco después de Navidad —le explicó Dumbledore—, cuando Sirius, por lo visto, le gritó que se «largara». Él le tomó la palabra a tu padrino, e interpretó aquella expresión como una orden de salir de Grimmauld Place. Así que fue a casa del único miembro de la familia Black por el que todavía sentía algún respeto: Narcisa, prima de Black, hermana de Bellatrix y esposa de Lucius Malfoy.

—¿Cómo sabe usted todo eso? —le preguntó Harry. El corazón le latía muy deprisa y se sentía mareado. Recordaba haber estado preocupado por la ausencia de Kreacher durante las Navidades, y recordaba también que el elfo había aparecido de repente en el desván...

—Kreacher me lo contó todo anoche —contestó Dumbledore—. Verás, cuando le diste aquel críptico mensaje al profesor Snape, él comprendió que habías tenido una visión de Sirius atrapado en las profundidades del Departamento de Misterios. El profesor Snape hizo lo mismo que tú: intentó ponerse rápidamente en contacto con Sirius. Debería aclarar que los miembros de la Orden del Fénix disponen de métodos de comunicación más fiables que la chimenea del despacho de Dolores Umbridge. El profesor Snape comprobó que tu padrino estaba vivo y a salvo en Grimmauld Place.

»Sin embargo, al ver que no regresabas de tu incursión en el Bosque Prohibido con Dolores Umbridge, el profesor Snape se preocupó, pues tú debías de seguir creyendo que lord Voldemort mantenía cautivo a Sirius, y alertó de inmediato a varios miembros de la Orden. —Dumbledore suspiró profundamente de nuevo y prosiguió—. Alastor Moody, Nymphadora Tonks, Kingsley Shacklebolt y Remus Lupin estaban en el cuartel general cuando el profesor Snape estableció contacto. Todos acordaron ir enseguida en tu ayuda. El profesor Snape pidió que Sirius se quedara en el cuartel general, pues necesitaba que alguien permaneciera allí para contarme a mí lo ocurrido, dado que yo llegaría a Grimmauld Place en cualquier momento. Entre tanto, el profesor Snape tenía intención de buscarte en el bosque.

»Pero Sirius no quiso quedarse atrás mientras los demás acudían en tu ayuda. Delegó en Kreacher la tarea de contarme lo sucedido. Así pues, cuando llegué a Grimmauld Place, poco después de que todos hubieran salido hacia el Ministerio, fue el elfo quien me contó, riendo a carcajadas, adónde había ido Sirius.

—¿Riendo? —preguntó Harry con voz apagada.

—Sí, ya lo creo. Verás, Kreacher no podía traicionarnos completamente. Pese a no ser guardián de los secretos de la Orden, no podía revelar nuestro paradero a los Malfoy ni contarles los planes confidenciales de la Orden que le habían prohibido revelar. Estaba atado por los encantamientos de su raza, es decir, no podía desobedecer una orden directa de su amo, Sirius. Pero dio a Narcisa cierta información que para Voldemort fue muy valiosa, aunque a Sirius debió de parecerle lo suficientemente sabida para que no se le ocurriera prohibirle a Kreacher que la repitiera.

—¿Qué información era ésa? —inquirió Harry.

—Que la persona que más quería Sirius en el mundo eras tú, y que tú lo considerabas a él una mezcla de padre y hermano —contestó Dumbledore—. Voldemort ya estaba enterado, por supuesto, de que Sirius pertenecía a la Orden y de que tú sabías dónde estaba; pero la información de Kreacher le hizo comprender que por quien no dudarías jamás en arriesgar la vida era por Sirius Black.

Harry tenía los labios resecos y entumecidos.

—Entonces... cuando anoche le pregunté a Kreacher si Sirius estaba allí...

—Los Malfoy, siguiendo sin duda las instrucciones de Voldemort, le habían dicho a Kreacher que tenía que hallar la forma de mantener alejado a Sirius después de que tú hubieras tenido la visión de que Voldemort estaba torturándolo. Así, si decidías comprobar si Sirius estaba en la casa o no, Kreacher tendría que fingir que no estaba. Ayer el elfo hirió a *Buckbeak*, el hipogrifo, y cuando tú apareciste en la chimenea, Sirius estaba arriba curándolo.

Harry tenía la sensación de que no le entraba aire en los pulmones y su respiración era rápida y entrecortada.

—¿Y Kreacher le contó todo eso... riendo? —dijo con voz ronca.

—No quería contármelo, pero soy lo bastante hábil en Legeremancia para saber cuándo me están mintiendo, y... lo persuadí para que me explicara toda la historia antes de salir hacia el Departamento de Misterios.

—Y pensar que Hermione siempre nos decía que teníamos que ser amables con él —susurró Harry apretando los puños sobre las rodillas.

—Ella tenía razón, Harry. Cuando instalamos nuestro cuartel general en el número doce de Grimmauld Place, advertí a Sirius que debía tratar a Kreacher con amabilidad y respeto, y también le dije que Kreacher podía ser peligroso para nosotros. Creo que Sirius no me tomó muy en serio; nunca consideró al elfo un ser con sentimientos tan complejos como los de los humanos...

—No culpe a... No hable... de Sirius... como si... —Harry no podía respirar bien, y por eso no articulaba las palabras con precisión; la rabia, que había disminuido un poco, volvía a arder en él: no permitiría que Dumbledore criticara a su padrino—. Kreacher es un mentiroso..., un ser repugnante... Se merecía...

—Kreacher es lo que los magos hemos hecho que sea, Harry —razonó Dumbledore—. Sí, debemos tenerle lástima. Su existencia ha sido tan desgraciada como la de tu amigo Dobby. Estaba obligado a obedecer a Sirius porque tu padrino era el último miembro de la familia a la que estaba esclavizado, pero no sentía una lealtad sincera hacia él. Y pese a todos los defectos de Kreacher, hay que reconocer que Sirius no hizo nada para que su vida resultara más agradable.

—¡NO HABLE ASÍ DE SIRIUS! —gritó Harry. Se había levantado, enfurecido, y estaba a punto de abalanzarse sobre Dumbledore, que no había entendido en absoluto a Sirius, ni lo valiente que había sido, ni lo mucho que había sufrido—. ¿Y Snape? —le espetó Harry—. De él no dice nada, ¿verdad? Cuando le dije que Voldemort tenía a Sirius se limitó a burlarse de mí, como de costumbre.

—Harry, sabes perfectamente que delante de Dolores Umbridge el profesor Snape no podía hacer otra cosa que simular que no te tomaba en serio —respondió Dumbledore sin vacilar—, pero, como ya te he explicado, en cuanto pudo informó a la Orden de lo que tú le habías dicho. Fue él quien dedujo adónde habías ido cuando no regresaste del bosque. También fue él quien le dio a la profesora Umbridge un Veritaserum falso cuando ella intentaba obligarte a revelarle el paradero de Sirius.

Harry hizo caso omiso de aquella información; le producía un tremendo placer culpar a Snape porque eso aliviaba su propio sentimiento de culpa, y quería oír a Dumbledore darle la razón.

—Snape... Snape... provocaba a Sirius... Daba a entender que era un cobarde por quedarse en la casa...

—Sirius era demasiado maduro e inteligente para permitir que lo hirieran tan débiles insultos.

—¡Snape dejó de darme clases de Oclumancia! ¡Me echó de su despacho!

—Lo sé, lo sé —admitió Dumbledore con pesar—. Ya he dicho que cometí un error al no enseñarte yo mismo, aunque entonces estaba seguro de que nada podía ser más peligroso que abrir tu mente a Voldemort si te hallabas en mi presencia...

—Snape no hizo más que empeorar las cosas, la cicatriz siempre me dolía más después de las clases con él... —Harry recordó las opiniones de Ron sobre el tema e insistió—. ¿Cómo sabe que no intentaba debilitarme aún más, facilitarle el camino a Voldemort para que entrara en mi...?

—Confío en Severus Snape —se limitó a decir Dumbledore—. Pero olvidé, otro error de anciano, que hay heridas tan profundas que nunca llegan a cicatrizar. Creí que el profesor Snape podría superar sus sentimientos hacia tu padre, pero es evidente que me equivoqué.

—Y eso está bien, ¿no? —gritó Harry ignorando las expresiones de pavor y los murmullos de desaprobación de los retratos de las paredes—. Snape puede odiar a mi padre, pero Sirius no puede odiar a Kreacher, ¿verdad?

—Sirius no odiaba a Kreacher —le corrigió Dumbledore—. Lo consideraba un criado que no merecía ni respeto ni atención. A veces la indiferencia y la frialdad causan mucho más daño que la aversión declarada. La fuente que hemos destruido esta noche era una mentira. Nosotros, los magos, llevamos demasiado tiempo maltratando a nuestro prójimo y abusando de él, y ahora estamos sufriendo las consecuencias.

—¿INSINÚA QUE SIRIUS MERECÍA LO QUE LE PASÓ? —gritó Harry.

—Yo no he dicho eso, ni me lo oirás decir jamás —repuso Dumbledore, impasible—. Sirius no era un hombre cruel y en general era amable con los elfos domésticos, pero no sentía ningún afecto por Kreacher porque el elfo le recordaba la casa que tanto había odiado.

—¡Sí, claro que la odiaba! —saltó Harry con la voz quebrada; le dio la espalda a Dumbledore y se apartó de la mesa. Ahora el sol iluminaba toda la habitación, y los ojos de los retratos siguieron a Harry, que caminaba sin percatarse de lo que hacía, sin ver siquiera el despacho—. Usted lo obligó a permanecer encerrado en aquella casa, pero él la odiaba, por eso anoche quiso salir de allí.

—Yo sólo intentaba mantener a Sirius con vida —aclaró Dumbledore con serenidad.

—¡A la gente no le gusta que la encierren! —replicó Harry furioso al tiempo que se daba la vuelta y se enfrentaba a Dumbledore—. A mí me hizo usted lo mismo el verano pasado...

Dumbledore cerró los ojos y se tapó la cara con sus manos de largos dedos. Harry se quedó observándolo, pero aquella inusitada muestra de agotamiento, o de tristeza, o de lo que fuera, no lo ablandó. Al contrario: estaba todavía más rabioso con Dumbledore por dar muestras de debilidad y porque era injusto que mostrara flaqueza cuando Harry quería hacerle culpable.

Dumbledore bajó las manos y miró a Harry a través de las gafas de media luna.

—Ha llegado el momento de que te explique lo que debí explicarte hace cinco años, Harry. Siéntate, por favor.

Voy a contártelo todo. Sólo te pido que tengas un poco de paciencia. Cuando haya terminado, tendrás ocasión de gritarme, de hacer lo que quieras. No te lo impediré.

Harry lo miró un instante con rabia; luego volvió junto a la silla que había enfrente de Dumbledore y se sentó.

El director contempló brevemente los iluminados jardines a través de la ventana y luego volvió a dirigirse a él.

—Harry, hace cinco años llegaste a Hogwarts sano y salvo, como yo había planeado y previsto. Bueno, quizá no tan sano y salvo. Habías sufrido. Yo sabía que sufrirías cuando te dejé ante la puerta de la casa de tus tíos. Sabía que estaba condenándote a diez oscuros y difíciles años. —Hizo una pausa, pero Harry no dijo nada—. Te preguntarás, y con motivo, por qué tenía que ser así. ¿Por qué no podía haberte acogido una familia de magos? Muchos lo habrían hecho de buen grado, y habría sido para ellos un placer y un honor criarte como a un hijo.

»La respuesta es que mi prioridad era mantenerte con vida. Estabas en peligro, un peligro de cuya gravedad quizá sólo yo fuera consciente. Sólo hacía unas horas que Voldemort había sido derrotado, pero sus seguidores, y muchos de ellos son tan terribles como él, todavía andaban sueltos y estaban desesperados y encolerizados. Además, yo tenía que tomar una decisión respecto a los años venideros. ¿Acaso creía que Voldemort se había marchado para siempre? No. No sabía si tardaría diez, veinte o cincuenta años en regresar, pero estaba convencido de que lo haría, y también estaba seguro, conociéndolo como lo conozco, de que no descansaría hasta haberte matado.

»Sabía que los conocimientos de magia de Voldemort eran más amplios quizá que los de ningún otro mago vivo. Asimismo sabía que ni los más complejos y potentes hechizos o encantamientos protectores serían invencibles el día que él regresara con todo su poder.

»Pero también sabía cuál era su punto débil. Así que tomé una decisión. Estarías protegido por una antiquísima magia que él conoce, desprecia y, por lo tanto, siempre ha subestimado, en su propio perjuicio. Me refiero, por supuesto, al hecho de que tu madre muriera para salvarte. Ella te dio una prolongada protección que él no esperaba, una protección que fluye por tus venas hasta hoy. Así que puse toda mi confianza en la sangre de tu madre. Te entregué a su hermana, su único familiar vivo.

—Mi tía no me quiere —saltó Harry—. No le importa...

—Pero te acogió —lo interrumpió Dumbledore—. Quizá te acogiera a regañadientes, con rabia, de mala gana, contra su voluntad, pero de todos modos te acogió, y al hacerlo selló el encantamiento que yo te había hecho. El sacrificio de tu madre convirtió el vínculo de sangre en el escudo más fuerte que yo podía ofrecerte.

—Sigo sin...

—Mientras puedas llamar hogar al sitio donde habita la sangre de tu madre, allí Voldemort no podrá tocarte ni hacerte ningún daño. Él derramó la sangre de tu madre, pero ésta sigue viva en ti y en tu tía. Así que la sangre de tu madre se convirtió en tu refugio. De hecho, sólo tienes que regresar con tus tíos una vez al año, y en esa casa él no podrá hacerte daño mientras puedas considerarla tu hogar. Tu tía está al corriente de todo porque le expliqué lo que yo había hecho en una carta que deposité junto a ti cuando te dejé en su puerta. Ella sabe que tenerte en su casa es lo que te ha mantenido con vida estos quince años.

—Un momento —dijo Harry—. Espere un momento. —Se enderezó en la silla mirando fijamente a Dumbledore—. Usted le envió aquel vociferador. Usted le dijo que recordara... ¡Era su voz!

—Creí que quizá necesitara que le recordaran el pacto que había sellado al acogerte —respondió Dumbledore agachando ligeramente la cabeza—. Sospeché que el ataque de los dementores le habría hecho pensar en los peligros que suponía tenerte como hijo adoptivo.

—Así fue. Bueno, a mi tío más que a ella. Él quería echarme de casa, pero cuando llegó el vociferador, ella... ella dijo que debía quedarme. —Harry miró el suelo un momento y luego añadió—: Pero ¿qué tiene eso que ver con...?

No podía pronunciar el nombre de Sirius.

—Después, hace cinco años —prosiguió Dumbledore como si no hubiera hecho ninguna pausa en su relato—, llegaste a Hogwarts, quizá ni tan contento ni tan bien alimentado como a mí me habría gustado, pero al menos vivo y con buena salud. No eras ningún príncipe mimado, sino un niño todo lo normal que yo podía esperar que fueras, dadas las circunstancias. Hasta ese instante mi plan estaba funcionando.

»Y entonces... Bueno, seguro que recuerdas los sucesos de tu primer año en Hogwarts tan claramente como yo. Aceptaste de una forma magnífica el reto al que te enfrentabas, y pronto, mucho más pronto de lo que yo había imaginado, te encontraste cara a cara con Voldemort. Volviste a sobrevivir. Y no sólo eso. Impediste que él recuperara su poder y su fuerza, y así retrasaste su regreso. Luchaste como un hombre. El orgullo que sentí por ti... no puede expresarse con palabras.

»Sin embargo, mi maravilloso plan tenía un fallo —reconoció Dumbledore—. Un fallo evidente que yo sabía, ya entonces, que podía hacer que todo fracasara. Y aun así, sabiendo lo importante que era que mi plan funcionara, me dije que no permitiría que aquel fallo lo arruinara. Sólo yo podía impedirlo, así que sólo yo debía mantenerme fuerte. Mientras tú estabas en la enfermería, débil tras tu enfrentamiento con Voldemort, llegó mi primera prueba.

—No entiendo lo que quiere decirme.

—¿No recuerdas haberme preguntado, en la cama de la enfermería, por qué Voldemort había intentado matarte cuando eras un bebé? —Harry asintió con la cabeza—. ¿Debí decírtelo entonces? —Harry escudriñó los azules ojos del director y no hizo ningún comentario, pero su corazón volvía a latir muy deprisa—. ¿Todavía no ves el fallo del plan? No, quizá no... Bueno, como ya sabes, decidí no contestarte. Tenías once años, me dije; eras demasiado pequeño para saberlo. Yo nunca me había planteado contártelo cuando tuvieras once años porque semejante revelación a tan temprana edad habría sido demasiado para ti.

»Debí reconocer entonces las señales de peligro. Debí preguntarme por qué no me turbó más que ya me hubieras formulado la pregunta a la que yo sabía que algún día debería dar una terrible respuesta. Debí darme cuenta de que me alegraba demasiado de no tener que dártela aquel día en concreto... Eras demasiado pequeño.

»Y así llegamos a tu segundo año en Hogwarts. Volviste a enfrentarte a retos a los que ni los magos experimentados se han enfrentado nunca; y, una vez más, te desenvolviste superando todas mis expectativas. Sin embargo, no me preguntaste de nuevo por qué Voldemort te había dejado aquella marca. ¡Ah, sí, hablamos de tu cicatriz!... Nos acercamos mucho al tema. Pero ¿por qué no te lo conté todo?

»Verás, no me pareció que doce años fueran muchos más que once, ni que ya estuvieras preparado para recibir la información. Te dejé marchar, manchado de sangre, agotado pero lleno de júbilo, y si sentí una pizca de desasosiego al pensar que quizá debería habértelo explicado entonces, la silencié rápidamente. Eras todavía tan joven, ¿entiendes?, que no tuve valor para estropearte aquella noche de triunfo.

»¿Lo ves, Harry? ¿Ves ahora dónde estaba el fallo de mi brillante plan? Había caído en la trampa que había previsto, que me había dicho a mí mismo que podría evitar, que debía evitar.

—No...

—Me importabas demasiado —prosiguió Dumbledore con sencillez—. Me importaba más tu felicidad que el hecho de que supieras la verdad; me importaba más tu tranquilidad que mi plan; me importaba más tu vida que las que pudieran perderse si fallaba el plan. Dicho de otro modo, actué exactamente como Voldemort espera que actuemos los locos que amamos.

»¿Existe defensa contra eso? Cualquiera que te haya visto crecer como te he visto crecer yo, y te aseguro que te he seguido más de cerca de lo que puedas imaginarte, habría querido ahorrarte más dolor del que ya habías sufrido. ¿Qué me importaba a mí que montones de personas y criaturas sin nombre y sin rostro pudieran perecer en un incierto futuro, si en ese momento tú estabas vivo, sano y feliz? Jamás se me había ocurrido pensar que tendría a alguien como tú a mi cuidado.

»Llegamos al tercer año. Vi desde lejos cómo luchabas para repeler a los dementores, cómo encontrabas a Sirius, averiguabas quién era y lo rescatabas. ¿Tenía que decírtelo entonces, justo cuando acababas de salvar triunfalmente a tu padrino de las fauces del Ministerio? Pero cuando cumpliste los trece años, se me empezaron a acabar las excusas. No podía negarse que todavía eras joven, pero habías demostrado ser excepcional. No tenía la conciencia tranquila, Harry. Sabía que se acercaba el momento...

»Pero el año pasado saliste del laberinto tras ver morir a Cedric Diggory, tras librarte tú también por muy poco de la muerte... Y no te lo dije, aunque sabía, ya que Voldemort había regresado, que debía hacerlo pronto. Y desde esta noche estoy convencido de que hace tiempo que estás preparado para saber lo que te he ocultado todos estos años, porque has demostrado que debí colocar esa carga sobre ti mucho antes. Lo único que puedo decir en mi defensa es que te había visto sobrellevar tales cargas, cosa que ningún otro estudiante de este colegio ha tenido que soportar, que no me atrevía a añadir otra, la mayor de todas.

Harry esperó, pero Dumbledore no dijo nada más.

—Sigo sin entenderlo.

—Voldemort intentó matarte cuando eras un bebé a causa de una profecía que se formuló poco después de tu nacimiento, y que él sabía que se había realizado, aunque no conocía todo su contenido. Decidió matarte cuando todavía eras pequeño porque creyó que así cumplía los términos de dicha profecía. Pero descubrió, muy a su pesar, que se había equivocado cuando la maldición con la que intentó matarte se volvió contra él. Así pues, desde que recuperó su cuerpo, y sobre todo después de que el año pasado huiste de él de aquella forma tan extraordinaria, se propuso conocer enteramente la profecía. Ésa es el arma que con tanta diligencia ha estado buscando desde su regreso: saber cómo destruirte.

El sol ya estaba en lo alto del cielo, y el despacho de Dumbledore, bañado en su luz. La urna de cristal que contenía la espada de Godric Gryffindor brillaba, blanca y opaca; los trozos de los instrumentos que Harry había tirado al suelo relucían como gotas de lluvia, y detrás de él, el pequeño *Fawkes* gorjeaba débilmente en su nido de cenizas.

—La profecía se ha roto —dijo Harry, abatido—. Cuando intentaba subir a Neville por los bancos de la..., de esa sala donde estaba el arco, se le desgarró la túnica y la profecía cayó...

—Lo que se rompió sólo es el registro de la profecía que guardaba el Departamento de Misterios. Pero la profecía se pronunció ante alguien, y la persona que la escuchó puede recordarla a la perfección.

—¿Quién la escuchó? —preguntó Harry, aunque ya creía saber la respuesta.

—Yo —le confirmó Dumbledore—. Una noche fría y lluviosa, hace dieciséis años, en una habitación de Cabeza de Puerco. Había ido allí a entrevistarme con una aspirante al puesto de profesor de Adivinación, pese a que yo no tenía ningún deseo de que se siguiera impartiendo esa asignatura en el colegio. Sin embargo, la aspirante era la tataranieta de una vidente muy famosa y de gran talento, y accedí a verla por cortesía, pero me llevé una decepción. Me pareció que ella, a diferencia de su antepasada, no tenía ni pizca de inteligencia. Le dije, espero que educadamente, que no cumplía los requisitos para el cargo, y entonces me dispuse a salir de la habitación.

Dumbledore se levantó, pasó al lado de Harry y fue hasta el armario negro que había junto a la percha de *Fawkes*. Se agachó, corrió un pestillo y sacó la vasija de piedra con runas grabadas alrededor del borde en la que Harry había visto a su padre atormentando a Snape. Dumbledore volvió a la mesa, colocó el pensadero sobre ella y se llevó la punta de la varita a la sien. Retiró de su cabeza unas hebras de pensamiento plateadas, finas como telarañas, que se adhirieron a su varita, y las depositó en la vasija. Volvió a sentarse en la silla y observó cómo sus pensamientos giraban y se arremolinaban dentro del pensadero. Entonces, con un suspiro, levantó la varita y tocó la sustancia plateada con la punta.

De ella salió una figura envuelta en chales, con los ojos muy aumentados detrás de unas gafas, que giró lentamente sobre sí misma, con los pies dentro de la vasija. Sin embargo, cuando Sybill Trelawney habló, no lo hizo con aquella voz etérea y mística que solía emplear, sino con el tono áspero y duro que Harry sólo le había oído utilizar en una ocasión:

—«El único con poder para derrotar al Señor Tenebroso se acerca... Nacido de los que lo han desafiado tres veces, vendrá al mundo al concluir el séptimo mes... Y el Señor Tenebroso lo señalará como su igual, pero él tendrá un poder que el Señor Tenebroso no conoce... Y uno de los dos deberá morir a manos del otro, pues ninguno de los dos podrá vivir mientras siga el otro con vida... El único con poder para derrotar al Señor Tenebroso nacerá al concluir el séptimo mes...»

La figura de la profesora Trelawney, sin dejar de dar vueltas sobre sí misma, se sumergió en la masa plateada que llenaba la vasija y desapareció.

Se hizo un silencio absoluto en el despacho. Ni Dumbledore ni Harry ni los retratos hicieron ruido alguno. Hasta *Fawkes* se había quedado mudo.

—Profesor... —dijo Harry con un hilo de voz, pues Dumbledore, que no había apartado la vista del pensadero, parecía completamente ensimismado—. ¿Significa eso...? ¿Qué significa?

—Significa que la única persona capaz de vencer a lord Voldemort para siempre nació a finales de julio hace casi dieciséis años. Y que los padres de ese niño habían desafiado tres veces a Voldemort.

Harry sintió como si algo se cerniera sobre él, y de nuevo le costaba respirar.

—¿Soy... yo?

Dumbledore respiró profundamente y dijo con voz queda:

—Lo curioso, Harry, es que tal vez no fueras tú. La profecía de Sybill podría haberse referido a dos niños magos, ambos nacidos a finales de julio de aquel año, cuyos padres pertenecían a la Orden del Fénix y habían escapado por poco de Voldemort en tres ocasiones. Uno eras tú, por supuesto. El otro era Neville Longbottom.

—Pero entonces..., entonces... ¿por qué era mi nombre el que estaba en la profecía, y no el de Neville?

—El registro oficial volvió a etiquetarse después de que Voldemort intentara matarte cuando eras un bebé —le explicó Dumbledore—. Al responsable de la Sala de las Profecías le pareció evidente que si Voldemort había intentado matarte era porque sabía que era a ti a quien se refería Sybill.

—Pero... ¿podría no ser yo?

—Me temo que no hay ninguna duda de que eres tú —respondió Dumbledore lentamente, como si cada palabra le costara un tremendo esfuerzo.

—Pero usted acaba de decir... Neville también nació a finales de julio, y sus padres...

—Olvidas la segunda parte de la profecía: el definitivo rasgo identificador del niño que podría vencer a Voldemort. El propio Voldemort «lo señalará como su igual». Y eso fue lo que hizo, Harry. Te eligió a ti y no a Neville. Te marcó con la cicatriz que ha demostrado ser al mismo tiempo bendición y maldición.

—Pero ¡pudo equivocarse al elegirme! —exclamó Harry—. ¡Pudo señalar a la persona equivocada!

—Eligió al que consideró que suponía un mayor peligro para él. Y fíjate en esto, Harry: no eligió al sangre limpia, que, según su credo, era el único que merecía llamarse mago, sino al sangre mestiza, como él. Él se identificó contigo antes incluso de verte, y al atacarte y señalarte con esa cicatriz no te mató, como pretendía hacer, sino que te dio unos poderes, y un futuro, que te han capacitado para escapar de él no una, sino cuatro veces hasta ahora, algo que no consiguieron tus padres ni los padres de Neville.

—Pero ¿por qué lo hizo? —preguntó Harry, que estaba helado y entumecido—. ¿Por qué intentó matarme cuando era un bebé? Debió esperar y ver quién de los dos, Neville o yo, parecía más peligroso cuando fuéramos mayores, y matar al que lo fuera...

—Sí, desde luego, ése habría sido el método más práctico, pero la información que Voldemort tenía sobre la profecía era incompleta. Cabeza de Puerco, que Sybill eligió por sus económicos precios, siempre ha atraído, digámoslo así, a una clientela más interesante que la de Las Tres Escobas. Como tú y tus amigos tuvieron ocasión de comprobar, igual que yo aquella noche, es un sitio donde uno nunca debe dar por hecho que nadie lo está escuchando. Yo, por supuesto, cuando decidí reunirme allí con Sybill Trelawney, no había imaginado que fuera a oír algo que mereciera la pena escuchar a hurtadillas. La única suerte que tuve, o tuvimos, fue que la persona que estaba escuchando nuestra conversación fue detectada antes de que Sybill terminara de formular su profecía, y la echaron del local.

—¿Entonces sólo oyó...?

—Sólo oyó el principio, la parte que predecía el nacimiento de un niño en el mes de julio, hijo de unos padres que habían desafiado tres veces a Voldemort. Por eso no pudo prevenir a su amo de que atacarte supondría correr el riesgo de transmitirte poderes y señalarte como su igual. Así que Voldemort nunca supo que podía resultar peligroso luchar contra ti, y que habría sido más prudente esperar hasta enterarse de más cosas. Él no sabía que tú tendrías «un poder que el Señor Tenebroso no conoce».

—¡Pero si no lo tengo! —dijo Harry con voz estrangulada—. No tengo ningún poder que él no tenga, yo no podría luchar como lo ha hecho él esta noche, no puedo poseer a la gente ni... matarla...

—En el Departamento de Misterios —lo interrumpió Dumbledore— hay una sala que siempre está cerrada. Contiene una fuerza que es a la vez más maravillosa y más terrible que la muerte, que la inteligencia humana, que el poder de la naturaleza. Además, quizá es también la más misteriosa de todas las cosas que se guardan allí para su estudio. Lo que tú posees en sumo grado es el poder que se esconde en esa sala, del que Voldemort carece por completo. De modo que esa fuerza es la que te ha impulsado a intentar salvar a Sirius esta noche y es la que también ha impedido que Voldemort te haya poseído, porque él es incapaz de ocupar un cuerpo tan lleno del poder que detesta. Al final no ha importado que no pudieras cerrar tu mente, porque ha sido tu corazón el que te ha salvado.

Harry cerró los ojos. Si no hubiera ido a salvar a Sirius, éste no habría muerto. Pero luego, para no volver a pensar en su padrino, y aunque le daba igual la respuesta, Harry preguntó:

—El final de la profecía... decía algo de que «ninguno de los dos podrá vivir»...

—... «mientras siga el otro con vida» —terminó Dumbledore.

—¿Significa eso... que..., que uno de los dos tendrá que matar al otro, tarde o temprano? —inquirió Harry sacando las palabras de lo que parecía un profundo pozo de desesperación.

—Sí —afirmó Dumbledore.

Permanecieron callados mucho rato. Harry oía voces más allá de las paredes del despacho; debían de ser las de los estudiantes que bajaban al Gran Comedor para desayunar. Parecía imposible que pudiera haber gente en el mundo que todavía tuviera hambre, que riera, que ni supiera ni le importara saber que Sirius Black se había ido para siempre. En realidad, era como si su padrino estuviera ya a millones de kilómetros de distancia, aunque una parte de la mente de Harry todavía creía que si hubiera apartado el velo habría encontrado a Sirius mirándolo y, tal vez, recibiéndolo con su atronadora risa.

—Creo que te debo otra explicación, Harry —dijo Dumbledore con voz vacilante—. Supongo que alguna vez te habrás preguntado por qué nunca te he nombrado prefecto. Debo confesar... que me pareció que ya tenías suficientes responsabilidades.

Harry levantó la cabeza y lo observó, y vio que una lágrima resbalaba por la cara de Dumbledore hasta perderse en su larga y plateada barba.

38

Empieza la segunda guerra

REGRESA EL-QUE-NO-DEBE-SER-NOMBRADO

El viernes por la noche, Cornelius Fudge, ministro de Magia, corroboró que El-que-no-debe-ser-nombrado ha vuelto a este país y está otra vez en activo, según dijo en una breve declaración.

«Lamento mucho tener que confirmar que el mago que se hace llamar lord..., bueno, ya saben ustedes a quién me refiero, está vivo y anda de nuevo entre nosotros —anunció Fudge, que parecía muy cansado y nervioso en el momento de dirigirse a los periodistas—. También lamentamos informar de la sublevación en masa de los dementores de Azkaban, que han renunciado a seguir trabajando para el Ministerio. Creemos que ahora obedecen órdenes de lord..., de ése.

»Instamos a la población mágica a permanecer alerta. El Ministerio ya ha empezado a publicar guías elementales de defensa personal y del hogar, que serán distribuidas gratuitamente por todas las viviendas de magos durante el próximo mes.»

La comunidad mágica ha recibido con consternación y alarma la declaración del ministro, pues precisamente el miércoles pasado el Ministerio garantizaba que no había «ni pizca de verdad en los persistentes rumores de que Quien-ustedes-saben esté operando de nuevo entre nosotros».

Los detalles de los sucesos que han provocado el cambio de opinión del Ministerio todavía son confusos, aunque se cree que El-que-no-debe-ser-nombrado y una banda de selectos seguidores (conocidos como «mortífagos») consiguieron entrar en el Ministerio de Magia el jueves por la noche.

De momento, este periódico no ha podido entrevistar a Albus Dumbledore, recientemente rehabilitado en el cargo de Director del Colegio Hogwarts de Magia y Hechicería, miembro restituido de la Confederación Internacional de Magos y, de nuevo, Jefe de Magos del Wizengamot. Durante el año pasado, Dumbledore había insistido en que Quien-ustedes-saben no estaba muerto, como todos creían y esperaban, sino que estaba reclutando seguidores para intentar tomar el poder una vez más. Mientras tanto, «El niño que sobrevivió»...

—Eh, Harry, aquí estás; ya sabía yo que hablarían de ti —comentó Hermione mirando a su amigo por encima del borde de la hoja de periódico.

Estaban en la enfermería. Harry se había sentado a los pies de la cama de Ron y ambos escuchaban a Hermione, que leía la primera plana de *El Profeta Dominical*. Ginny, a quien la señora Pomfrey había curado el tobillo en un abrir y cerrar de ojos, estaba acurrucada en un extremo de la cama de Hermione; Neville, cuya nariz también había recuperado su tamaño y forma normales, se hallaba sentado en una silla entre las dos camas; y Luna, que había ido a visitar a sus amigos, tenía la última edición de *El Quisquilloso* en las manos y leía la revista del revés sin escuchar, aparentemente, ni una sola palabra de lo que decía Hermione.

—Sí, pero ahora vuelven a llamarlo «El niño que sobrevivió» —observó Ron—. Ya no es un iluso fanfarrón, ¿eh?

Tomó un puñado de ranas de chocolate del inmenso montón que había en su mesilla, lanzó unas cuantas a Harry, Ginny y Neville y arrancó con los dientes el envoltorio de la suya. Todavía tenía profundos verdugones en los antebrazos, donde se le habían enroscado los tentáculos del cerebro. Según la señora Pomfrey, los pensamientos podían dejar cicatrices más profundas que ninguna otra cosa, aunque ya había empezado a aplicarle grandes cantidades de Ungüento Amnésico del Doctor Ubbly, y Ron presentaba cierta mejoría.

—Sí, ahora hablan muy bien de ti, Harry —confirmó Hermione mientras leía rápidamente el artículo—. «La solitaria voz de la verdad... considerado desequilibrado, aunque nunca titubeó al relatar su versión... obligado a soportar el ridículo y las calumnias...» Humm —dijo frunciendo el entrecejo—, veo que no mencionan el hecho de que eran ellos mismos, los de *El Profeta*, los que te ridiculizaban y te calumniaban...

Hermione hizo una leve mueca de dolor y se llevó una mano a las costillas. La maldición que le había echado Dolohov, pese a ser menos efectiva de lo que lo habría sido si hubiera podido pronunciar el conjuro en voz alta, había causado «un daño considerable», según las palabras textuales de la señora Pomfrey. Hermione, que tenía que tomar diez tipos de pociones diferentes cada día, había mejorado mucho, pero ya estaba harta de la enfermería.

—«El último intento de Quien-ustedes-saben de hacerse del poder, páginas dos a cuatro; Lo que el Ministerio debió contarnos, página cinco; Por qué nadie hizo caso a Albus Dumbledore, páginas seis a ocho; Entrevista en exclusiva con Harry Potter, página nueve...» ¡Vaya! —exclamó Hermione, y dobló el periódico y lo dejó a un lado—. Sin duda les ha dado para escribir mucho. Pero esa entrevista con Harry no es una exclusiva, es la que salió en *El Quisquilloso* hace meses...

—Mi padre se la vendió —dijo Luna con vaguedad mientras pasaba una página de *El Quisquilloso*—. Y le pagaron muy bien, así que este verano organizaremos una expedición a Suecia para ver si podemos cazar un snorkack de cuernos arrugados.

Hermione se debatió consigo misma unos instantes y luego replicó:

—Qué bien, ¿no? —Ginny miró con disimulo a Harry y apartó rápidamente la vista sonriendo—. Bueno —dijo Hermione incorporándose un poco y haciendo otra mueca de dolor—, ¿cómo va todo por el colegio?

—Flitwick ha limpiado el pantano de Fred y George —contó Ginny—. Tardó unos tres segundos. Pero ha dejado un trocito debajo de la ventana y lo ha acordonado.

—¿Por qué? —preguntó Hermione, sorprendida.

—Dice que fue una gran exhibición de magia —comentó Ginny encogiéndose de hombros.

—Yo creo que lo ha dejado como un monumento a Fred y George —intervino Ron con la boca llena de chocolate—. Mis hermanos me han enviado todo esto —le dijo a Harry, y señaló la montaña de ranas que tenía a su lado—. Les debe de ir muy bien con la tienda de artículos de broma, ¿no?

Hermione lo miró con gesto de desaprobación y preguntó:

—¿Y ya se han acabado los problemas desde que ha vuelto Dumbledore?

—Sí —contestó Neville—, todo ha vuelto a la normalidad.

—Supongo que Filch estará contento, ¿no? —dijo Ron, y apoyó contra su jarra de agua un cromo de rana de chocolate en el que aparecía Dumbledore.

—¡Qué va! —exclamó Ginny—. Se siente muy desdichado. —Bajó la voz y añadió en un susurro—: No para de decir que la profesora Umbridge era lo mejor que jamás le había pasado a Hogwarts...

Los seis giraron la cabeza. La profesora Umbridge estaba acostada en otra cama un poco más allá, contemplando el techo. Dumbledore había entrado solo en el bosque para rescatarla de los centauros, pero nadie sabía cómo había logrado salir de la espesura sin un solo arañazo y con Dolores Umbridge apoyada en él; y, por supuesto, la profesora Umbridge no era quien desvelaría aquel misterio. Desde su regreso al castillo, no había pronunciado ni una sola palabra, que ellos supieran. Nadie sabía a ciencia cierta qué le pasaba. Llevaba el pelo, por lo general muy bien peinado, completamente revuelto, y aún tenía enredados en él trocitos de ramas y hojas, pero por lo demás parecía ilesa.

—La señora Pomfrey dice que sólo sufre una conmoción —susurró Hermione.

—Yo diría que está enfurruñada —opinó Ginny.

—Sí, porque da señales de vida cuando haces esto —dijo Ron, e hizo un débil ruidito de cascos de caballo con la lengua. Inmediatamente, la profesora Umbridge se incorporó de un brinco y miró, asustada, a su alrededor.

—¿Ocurre algo, profesora? —le preguntó la señora Pomfrey asomando la cabeza por detrás de la puerta de su despacho.

—No, no... —contestó Dolores Umbridge, y volvió a apoyarse en las almohadas—. No, debía de estar soñando...

Hermione y Ginny ahogaron la risa con las sábanas.

—Hablando de centauros —comentó Hermione cuando se hubo recuperado un poco—, ¿quién será ahora el profesor de Adivinación? ¿Se quedará Firenze?

—No tendrá más remedio que quedarse —respondió Harry—. No creo que los otros centauros lo acepten de vuelta en la manada.

—Parece que Firenze y la profesora Trelawney van a compartir el puesto —apuntó Ginny.

—Seguro que a Dumbledore le habría encantado librarse para siempre de la profesora Trelawney —terció Ron mientras masticaba la rana número catorce—. Aunque la verdad es que lo que no sirve para nada es la asignatura en sí; las clases con Firenze tampoco son mucho mejores.

—¿Cómo puedes decir eso? —lo regañó Hermione—. ¡Justo cuando acabamos de enterarnos de que existen las profecías de verdad!...

A Harry se le aceleró el corazón. No había revelado ni a Ron ni a Hermione ni a nadie el contenido de la profecía. Neville les había dicho que se había roto mientras Harry lo ayudaba a subir por las gradas de la Cámara de la Muerte, y Harry aún no había corregido aquella información. No estaba preparado para ver la expresión de sus rostros cuando les contara que tendría que ser asesino o víctima, pues no había alternativa...

—Es una lástima que se rompiera —comentó Hermione con voz queda, y movió la cabeza.

—Sí, es verdad —coincidió Ron—. Pero al menos Quien-ustedes-saben tampoco se enteró de lo que decía.

¿Adónde vas? —preguntó, sorprendido y contrariado, al ver que Harry se levantaba.

—A... ver a Hagrid —respondió—. Acaba de llegar, y le prometí que iría a verlo y a decirle cómo están ustedes dos.

—Ah, bueno —repuso Ron de malhumor, y miró por la ventana de la enfermería hacia la extensión de luminoso cielo azul—. Ojalá pudiéramos ir nosotros también.

—¡Dale recuerdos de nuestra parte! —gritó Hermione cuando Harry salía ya de la enfermería—. ¡Y pregúntale qué ha sido de... su amiguito! —añadió, y el chico hizo un ademán para indicar que la había oído y que había captado el mensaje.

El castillo estaba muy tranquilo, incluso tratándose de un domingo. Todo el mundo estaba en los soleados jardines disfrutando de que habían acabado los exámenes y con la perspectiva de unos pocos días más de curso libres de repasos y deberes. Harry recorrió despacio el vacío pasillo echando vistazos por las ventanas por las que pasaba; vio a unos cuantos estudiantes que volaban sobre el estadio de quidditch y a un par de ellos nadando en el lago, acompañados por el calamar gigante.

No estaba seguro de si quería estar con gente o no; cuando tenía compañía le entraban ganas de irse, y cuando estaba solo echaba de menos la compañía. De todos modos decidió ir a visitar a Hagrid, pues no había hablado con calma con él desde que el guardabosques había regresado.

Harry acababa de bajar el último escalón de la escalera de mármol del vestíbulo cuando Malfoy, Crabbe y Goyle salieron por una puerta que había a la derecha y que conducía a la sala común de Slytherin. Harry se paró en seco; lo mismo hicieron Malfoy y sus compinches. Lo único que se oía eran los gritos, las risas y los chapoteos provenientes de los jardines, que llegaban hasta el vestíbulo por las puertas abiertas.

Malfoy echó un vistazo a su alrededor (Harry comprendió que quería comprobar si había por allí algún profesor) y luego miró a Harry y dijo en voz baja:

—Estás muerto, Potter.

—Tiene gracia —respondió él alzando las cejas—. No sabía que los muertos pudieran caminar.

Harry jamás había visto tan furioso a Malfoy, y sintió una especie de indiferente satisfacción al observar cómo la ira crispaba su pálido y puntiagudo rostro.

—Me las pagarás —contestó Malfoy en un susurro—. Vas a pagar muy caro lo que le has hecho a mi padre.

—Mira cómo tiemblo —respondió Harry con sarcasmo—. Supongo que lo de lord Voldemort no fue más que un ensayo comparado con lo que me tienen preparado ustedes tres. ¿Qué pasa? —añadió, pues Malfoy, Crabbe y Goyle se habían encogido al oír a Harry pronunciar aquel nombre—. Es amigo de tu padre, ¿no? No le tendrás miedo, ¿verdad?

—Te crees muy hombre, Potter —replicó Malfoy, y avanzó hacia Harry. Crabbe y Goyle lo flanqueaban—. Espera y verás. Ya te atraparé. No puedes enviar a mi padre a la prisión y...

—Eso es precisamente lo que he hecho —lo atajó Harry.

—Los dementores se han marchado de Azkaban —continuó Malfoy, impasible—. Mi padre y los demás no tardarán en salir de allí.

—Sí, no me extrañaría. Pero al menos ahora todo el mundo sabe que son unos cerdos.

Malfoy se dispuso a tomar su varita, pero Harry se le adelantó: había sacado la suya antes de que Draco hubiera metido siquiera los dedos en el bolsillo de su túnica.

—¡Potter! —se oyó entonces por el vestíbulo.

Snape había aparecido por la escalera que conducía hasta su despacho, y, al verlo, Harry sintió un arrebato de odio muy superior al que sentía hacia Malfoy. Dijera lo que dijese Dumbledore, él nunca perdonaría a Snape, nunca...

—¿Qué haces, Potter? —le preguntó el profesor con su habitual frialdad, y se encaminó hacia ellos.

—Intento decidir qué maldición emplear contra Malfoy, señor —contestó Harry con fiereza.

—Guarda inmediatamente esa varita —le ordenó Snape taladrándolo con la mirada—. Diez puntos menos para Gryff... —empezó a decir dirigiendo la vista hacia los gigantescos relojes de arena que había en las paredes, y esbozó una sonrisa burlona—. ¡Ah, veo que ya no queda ningún punto que quitar en el reloj de Gryffindor! En ese caso, Potter, tendremos que...

—¿Añadir unos cuantos?

La profesora McGonagall acababa de subir la escalera de piedra de la entrada del castillo; llevaba un maletín de cuadros escoceses en una mano y con la otra se apoyaba en un bastón, pero por lo demás tenía buen aspecto.

—¡Profesora McGonagall! —exclamó Snape, y fue hacia ella dando grandes zancadas—. ¡Veo que ya ha salido de San Mungo!

—Sí, profesor Snape —repuso ella, y se quitó la capa de viaje—. Estoy como nueva. Ustedes dos, Crabbe, Goyle... —Les hizo señas imperiosas para que se acercaran, y ellos obedecieron, turbados y arrastrando sus grandes pies—. Tomen. —Le puso el maletín en los brazos a Crabbe y la capa a Goyle—. Lleven esto a mi despacho. —Los dos alumnos se dieron la vuelta y subieron la escalera de mármol haciendo mucho ruido—. Muy bien —dijo la profesora McGonagall mientras miraba los relojes de arena de la pared—. Bueno, creo que Potter y sus amigos se merecen cincuenta puntos cada uno por alertar al mundo del regreso de Quien-ustedes-saben. ¿Qué opina usted, profesor Snape?

—¿Cómo? —replicó éste, aunque Harry sabía que había oído perfectamente—. Ah, bueno, supongo que...

—Serán cincuenta para Potter, los dos Weasley, Longbottom y la señorita Granger —enumeró la profesora McGonagall, y una lluvia de rubíes cayó en la parte inferior del reloj de arena de Gryffindor mientras hablaba—. ¡Ah, y cincuenta para la señorita Lovegood, se me olvidaba! —añadió, y unos cuantos zafiros cayeron en el reloj de Ravenclaw—. Bueno, creo que usted quería quitarle diez al señor Potter, profesor Snape, de modo que... —Unos cuantos rubíes subieron a la parte superior del reloj, pero quedó una cantidad considerable en la inferior—. Bueno, Potter, Malfoy, creo que con un día tan espléndido como el de hoy deberían estar los dos fuera —continuó la profesora McGonagall con decisión.

Harry no se hizo rogar; se guardó la varita mágica en el bolsillo interior de la túnica y echó a andar hacia las puertas de roble sin volver a mirar ni a Snape ni a Malfoy.

Cruzó la extensión de césped hacia la cabaña de Hagrid bajo un sol abrasador. Los estudiantes que estaban tumbados en la hierba tomando el sol, hablando, leyendo *El Profeta Dominical* y comiendo golosinas levantaron la cabeza al verlo pasar; algunos lo llamaron o le hicieron señas con la mano, ansiosos por demostrar que ellos, igual que *El Profeta*, habían decidido que Harry era una especie de héroe. Él no dijo nada a nadie. No tenía ni idea de qué sabían y qué no sabían de lo que había ocurrido tres días antes, pero hasta el momento había evitado que lo interrogaran y prefería seguir así.

Al principio, cuando llamó a la puerta de la cabaña de Hagrid, pensó que no estaba, pero *Fang* llegó corriendo desde una esquina de la casa y casi lo tiró al suelo con el entusiasmo de su bienvenida. Resultó que Hagrid estaba recogiendo judías verdes en el jardín de atrás.

—¡Hola, Harry! —exclamó, radiante de alegría, cuando Harry se acercó a la valla—. Entremos, entremos, nos tomaremos un vaso de jugo de diente de león. ¿Cómo va todo? —le preguntó, y se sentaron a la mesa de madera con un vaso de jugo helado cada uno—. ¿Te encuentras bien?

Por la mirada de preocupación de Hagrid, Harry comprendió que su amigo no le estaba preguntando por el bienestar físico.

—Sí, estoy bien —se apresuró a responder Harry, porque no le apetecía hablar sobre lo que Hagrid, evidentemente, estaba pensando—. ¿Y tú? ¿Dónde has estado?

—Pues escondido en las montañas. En una cueva, como hizo Sirius cuando... —Hagrid dejó la frase a la mitad, carraspeó con brusquedad, miró a Harry y bebió un largo trago de jugo—. Bueno, el caso es que ya estoy aquí —añadió débilmente.

—Tienes mejor aspecto —comentó Harry, decidido a mantener a Sirius fuera de la conversación.

—¿Qué? —dijo Hagrid; levantó una mano y se palpó la cara—. ¡Ah, sí! Bueno, ahora Grawpy se porta mucho mejor. Se puso muy contento cuando regresé, la verdad. En el fondo es buen chico... Mira, hasta he pensado buscarle una amiguita...

En otras circunstancias, Harry habría intentado disuadir a Hagrid de inmediato; la perspectiva de que un segundo gigante, con toda seguridad más salvaje y brutal que Grawp, se instalara en el Bosque Prohibido era muy alarmante, pero Harry no se sentía con fuerzas para discutir sobre el tema. Volvía a tener ganas de estar solo, y con la intención de acelerar su marcha bebió varios tragos seguidos de jugo de diente de león y dejó el vaso medio vacío.

—Ahora todo el mundo sabe que decías la verdad, Harry —comentó Hagrid inesperadamente—. Eso hará que te sientas mejor, ¿verdad? —Harry hizo un gesto de indiferencia—. Mira... —Hagrid se apoyó en la mesa y acercó la cabeza a la de Harry—, yo conocía a Sirius desde mucho antes que tú. Murió en combate, y seguro que es así como él quería morir...

—¡Él no quería morir! —explotó Harry.

Hagrid agachó la enorme y desgreñada cabeza y admitió:

—No, claro que no. Pero aun así, Harry..., él no estaba hecho para quedarse sentado en casa mientras los demás se encargaban del trabajo más peligroso. Si no hubiera ido a ayudar, jamás se lo habría perdonado...

Harry se puso en pie de un brinco.

—Tengo que ir a la enfermería a ver a Ron y Hermione —dijo como un autómata.

—¡Ah! —repuso Hagrid un tanto disgustado—. ¡Ah, bueno! Pues cuídate, Harry, y ven a verme cuando tengas un momen...

—Sí, claro...

Harry fue hacia la puerta todo lo rápido que pudo y la abrió de un tirón; volvía a estar fuera de la cabaña antes de que Hagrid se hubiera despedido de él, y echó a andar por la hierba. Una vez más, sus compañeros lo llamaban al pasar. Harry cerró los ojos un instante y deseó que todos se esfumaran de allí, que pudiera abrir los ojos y encontrarse solo en los jardines...

Unos días atrás, antes de que terminaran los exámenes y de que tuviera la visión que Voldemort había introducido en su mente, habría dado cualquier cosa para que el mundo mágico supiera que siempre había dicho la verdad, para que creyera que Voldemort había regresado, para que supiera que él no era ni un mentiroso ni un loco. Ahora, sin embargo...

Caminó un poco alrededor del lago, se sentó en la orilla, detrás de unos arbustos, protegido de la curiosidad de los que pasaban por allí, y se quedó con la mirada perdida sobre la reluciente superficie del agua, pensando...

Quizá el motivo por el que le apetecía estar solo era porque desde que había tenido la charla con Dumbledore se había sentido aislado de los demás. Una barrera invisible lo separaba del resto del mundo. Estaba marcado, siempre lo había estado. Lo que ocurría era que en realidad él nunca había entendido qué significaba eso.

Y, sin embargo, allí sentado, en la orilla del lago, abrumado por el terrible peso del dolor y el recuerdo por la reciente pérdida de Sirius, no sentía un gran temor. Hacía sol, los jardines del castillo estaban llenos de risueños estudiantes, y pese a que él se sentía tan lejos de ellos como si perteneciera a otra raza, seguía resultándole muy difícil creer que fuera a ser víctima o autor de un asesinato...

Permaneció largo rato allí sentado, contemplando la superficie del agua, e intentó no pensar en su padrino ni recordar que fue precisamente en la orilla opuesta del lago donde en una ocasión Sirius se derrumbó cuando intentaba ahuyentar a un centenar de dementores...

Se puso el sol, y al cabo de un rato Harry se dio cuenta de que tenía frío. Se levantó y regresó al castillo, y mientras iba por el camino se enjugó la cara con la manga.

Ron y Hermione salieron de la enfermería completamente curados tres días antes de que finalizara el curso. Era evidente que Hermione quería hablar de Sirius, pero cada vez que mencionaba su nombre, Ron se ponía a hacer gestos para que se callara. Harry todavía no estaba seguro de si quería o no hablar de su padrino: cambiaba de idea según su estado de ánimo. Pero sí sabía una cosa: por muy desgraciado que se sintiera en esos momentos, echaría mucho de menos Hogwarts al cabo de unos días, cuando volviera al número 4 de Privet Drive. Pese a que ahora entendía perfectamente por qué tenía que regresar a casa de sus tíos cada verano, eso no lograba que se sintiera mejor. Es más, nunca había temido tanto la vuelta al hogar de los Dursley.

La profesora Umbridge se marchó de Hogwarts el día antes de que terminara el curso. Por lo visto, salió con todo sigilo de la enfermería a la hora de comer con la esperanza de que nadie la viera partir, pero, desafortunadamente para ella, se encontró a Peeves por el camino; el fantasma aprovechó su última oportunidad de poner en práctica las instrucciones de Fred, y la persiguió riendo cuando salió del castillo, golpeándola con un bastón y con un calcetín lleno de tizas. Muchos estudiantes salieron al vestíbulo para verla correr por el camino, y los jefes de las casas no pusieron mucho empeño en contenerlos. De hecho, la profesora McGonagall se sentó en su butaca en la sala de profesores tras unas pocas y débiles protestas, y la oyeron lamentarse de no poder correr ella misma detrás de la profesora Umbridge para abuchearla porque Peeves le había sacado el bastón.

Llegó la última noche en el colegio; la mayoría de los estudiantes habían terminado de hacer el equipaje y comenzaban a bajar al Gran Comedor, donde se celebraría el banquete de fin de curso, pero Harry todavía no había empezado a preparar su baúl.

—¡Ya lo harás mañana! —le dijo Ron, que esperaba junto a la puerta del dormitorio—. ¡Vamos, estoy muerto de hambre!

—No tardaré mucho. Mira, ve bajando tú...

Pero cuando la puerta del dormitorio se cerró tras Ron, Harry no hizo ningún esfuerzo para terminar de recoger. Nada le apetecía menos que asistir al banquete de fin de curso porque le preocupaba que Dumbledore hiciera alguna referencia a él en su discurso de despedida. Seguro que mencionaría el regreso de Voldemort; al fin y al cabo, el año anterior les había hablado de ello a los estudiantes.

Harry sacó una túnica arrugada del fondo de su baúl para dejar sitio a otra ya doblada, y al hacerlo vio un paquete mal envuelto en un rincón. No sabía qué hacía allí. Se agachó, lo sacó de debajo de sus zapatillas de deportes y lo examinó.

Entonces recordó qué era. Sirius se lo había dado antes de que Harry saliera de Grimmauld Place. «Quiero que lo utilices si me necesitas, ¿de acuerdo?», había dicho.

Harry se sentó en la cama y desenvolvió el paquete. Dentro había un pequeño espejo cuadrado que parecía viejo y estaba muy sucio. Harry se lo acercó a la cara y vio su reflejo, que le devolvía la mirada.

Luego le dio la vuelta. En el dorso había una nota de Sirius:

Esto es un espejo de doble sentido; yo tengo la pareja. Si necesitas hablar conmigo, sólo tienes que pronunciar mi nombre; tú aparecerás en mi espejo y yo podré hablar en el tuyo. James y yo los usábamos cuando cumplíamos un castigo separados.

A Harry se le aceleró el corazón. Recordó el día que vio a sus padres muertos en el Espejo de Oesed, cuatro años antes. Podría volver a hablar con Sirius en ese mismo momento, lo sabía...

Echó un vistazo a su alrededor para asegurarse de que no había nadie en el dormitorio y comprobó que estaba vacío. Miró el espejo, se lo puso frente a la cara con manos temblorosas y dijo en voz alta y clara: «Sirius.»

Su aliento empañó la superficie del espejo. Se lo acercó un poco más a los ojos, embargado por la emoción, pero los ojos que lo contemplaban pestañeando a través del vaho eran los suyos.

Limpió el espejo y volvió a decir con voz aún más fuerte, de modo que cada una de las sílabas resonaron en la habitación:

—¡Sirius Black!

No pasó nada. La cara de frustración que lo contemplaba desde el espejo seguía siendo, sin lugar a dudas, la suya.

«Sirius no llevaba encima su espejo cuando atravesó el arco —dijo una vocecilla dentro de la cabeza de Harry—. Por eso no funciona.»

Harry se quedó muy quieto y luego tiró al baúl el espejo, que se rompió. Durante un maravilloso minuto que le pareció muy largo había estado convencido de que vería a Sirius, de que volvería a hablar con él...

La desazón le agarrotaba la garganta, así que se levantó y empezó a meter sus cosas desordenadamente en el baúl, encima del espejo...

Pero entonces se le ocurrió una idea, una idea mucho mejor que un espejo, algo mucho más importante... ¿Cómo era posible que no se le hubiera ocurrido antes? ¿Por qué nunca lo había preguntado?

Salió corriendo del dormitorio y bajó la escalera de caracol golpeándose contra las paredes, aunque no lo notaba; cruzó a toda velocidad la desierta sala común, salió por el hueco del retrato y llegó al pasillo sin hacer caso a la Señora Gorda, que le gritó: «¡El banquete está a punto de empezar, vas muy justo de tiempo!»

Pero Harry no tenía intención de ir al banquete.

Cómo podía ser que el castillo estuviera lleno de fantasmas cuando no los necesitabas para nada, y que en cambio ahora...

Bajó las escaleras y recorrió los pasillos a toda velocidad sin cruzarse con nadie, ni muertos ni vivos. Era evidente que todos estaban en el Gran Comedor. Se detuvo jadeando delante del aula de Encantamientos y pensó, desconsolado, que tendría que esperar hasta más tarde, hasta que hubiera terminado el banquete.

Pero cuando ya había perdido las esperanzas, lo vio: una forma traslúcida atravesaba una pared al final del pasillo.

—¡Eh, Nick! ¡Eh! ¡NICK!

El fantasma asomó la cabeza por la pared y el estrambótico sombrero con plumas y la tambaleante cabeza de sir Nicholas de Mimsy-Porpington se hicieron visibles.

—Buenas noches —lo saludó el fantasma, y retirando el resto de su cuerpo de la sólida pared de piedra, sonrió a Harry—. Veo que no soy el único que llega tarde al banquete...

—¿Puedo preguntarle una cosa, Nick?

El rostro de Nick *Casi Decapitado* adoptó una expresión muy peculiar cuando el fantasma introdujo un dedo en la rígida gorguera del cuello y la enderezó un poco, como si quisiera ganar tiempo para pensar. Sólo desistió cuando su cuello, parcialmente seccionado, estuvo a punto de separarse del todo.

—¿Tiene que ser precisamente ahora, Harry? —comentó Nick, contrariado—. ¿No puedes aguardar a que termine el banquete?

—No. Nick, por favor —suplicó Harry—. Necesito hablar con usted, en serio. ¿Podemos entrar ahí?

Harry abrió la puerta del aula más cercana y Nick *Casi Decapitado* suspiró resignado.

—Está bien —concedió—. No puedo negar que estaba esperándolo.

Harry sujetaba la puerta para que entrara Nick, pero el fantasma atravesó la pared.

—¿Qué estaba esperando? —inquirió el chico al cerrar la puerta.

—Que vinieras a buscarme —contestó Nick, y se deslizó hasta la ventana y contempló a través de ella los jardines, cada vez más oscuros—. Ocurre a veces, cuando alguien ha sufrido... una pérdida.

—Bueno —repuso Harry negándose a desviar la conversación—, pues tenía usted razón, he venido a buscarlo. —Nick no dijo nada—. Es que... —empezó Harry, y vio que lo que se proponía le resultaba más violento de lo que había imaginado—. Es que como usted está muerto... Pero sigue aquí, ¿verdad? —Nick suspiró otra vez y siguió contemplando los jardines—. Sí, ¿verdad? Usted murió, pero yo estoy hablando con usted... Y usted puede pasearse por Hogwarts, ¿no?

—Sí —admitió Nick *Casi Decapitado* con voz queda—. Hablo y me paseo, sí.

—Entonces eso significa que usted volvió, ¿verdad? —dijo Harry con ansiedad—. Los muertos pueden volver, ¿no es así? Convertidos en fantasmas. No tienen por qué desaparecer por completo. ¿Y bien? —añadió con impaciencia al ver que Nick seguía sin decir nada.

Nick *Casi Decapitado* vaciló un momento y luego sentenció:

—No todo el mundo puede volver convertido en fantasma.

—¿Qué quiere decir?

—Sólo... sólo los magos.

—¡Ah! —exclamó Harry, y sintió tanto alivio que casi le dio risa—. Bueno, no pasa nada, la persona a la que me refiero es un mago. Así que puede volver, ¿no?

Nick se apartó de la ventana y miró apesadumbrado a Harry.

—Él no volverá.

—¿Quién?

—Sirius Black.

—¡Pero usted volvió! —gritó Harry con enfado—. Usted volvió, y está muerto, pero no desapareció.

—Los magos pueden dejar un recuerdo de sí mismos en el mundo y pasearse como una sombra por donde caminaban cuando estaban vivos —explicó Nick con tristeza—. Pero muy pocos magos eligen ese camino.

—¿Por qué no? ¡Además, no importa, a Sirius no le importará que no sea algo habitual, volverá, estoy seguro de que volverá!

Y tan poderosa era su fe que Harry giró la cabeza hacia la puerta, convencido por una milésima de segundo de que vería a su padrino, con el cuerpo de un blanco aperlado y translúcido pero sonriente, entrando por ella y dirigiéndose hacia él.

—No volverá —repitió Nick—. Él... seguirá adelante.

—¿Qué significa que «seguirá adelante»? —preguntó Harry—. ¿Adónde irá? Dígame, ¿qué pasa cuando uno muere? ¿Adónde va? ¿Por qué no todo el mundo vuelve? ¿Por qué este castillo no está lleno de fantasmas? ¿Por qué...?

—No puedo contestar a esas preguntas —respondió Nick.

—Usted está muerto, ¿no? —insistió Harry, exasperado—. ¿Quién mejor que usted para contestarlas?

—Yo temía a la muerte —repuso Nick débilmente—. Decidí no aceptarla del todo. A veces me pregunto si no debí... Bueno, es como no estar ni aquí ni allí. De hecho, yo no estoy ni aquí ni allí... —Chasqueó la lengua y añadió—: Yo no sé nada de los secretos de la muerte, Harry, porque en lugar de morir elegí una pobre imitación de la vida. Creo que en el Departamento de Misterios hay magos eruditos que estudian ese tema...

—¡No me hable de ese sitio! —le espetó Harry con fiereza.

—Siento mucho no poder resultarte de mayor ayuda —se excusó Nick amablemente—. Y ahora, si me disculpas... El banquete, ya sabes...

Y salió de la habitación dejando a Harry allí solo, contemplando la pared por la que había desaparecido Nick.

Todas las esperanzas de Harry de ver a Sirius o hablar de nuevo con él se desvanecieron, y eso fue como perder otra vez a su padrino. Volvió sobre sus pasos, triste y abatido, por el vacío castillo, y se dirigió hacia la sala común de Gryffindor preguntándose si algún día recuperaría la alegría.

Al entrar en el pasillo de la Señora Gorda, divisó a alguien al fondo clavando una nota en un tablón de anuncios que había en la pared. Se fijó y comprobó que era Luna. No había ningún buen escondite por allí cerca, y seguro que ella ya había oído los pasos de Harry; además, en ese momento él no tenía ánimo para esquivar a nadie.

—¡Hola! —lo saludó Luna con apatía al mismo tiempo que giraba la cabeza y se apartaba del tablón de anuncios.

—¿Por qué no estás en el banquete? —le preguntó Harry.

—Es que he perdido casi todos mis objetos personales —contestó Luna con serenidad—. La gente me los toma y los esconde, ¿sabes? Pero como ésta es la última noche, necesito recuperarlos; por eso he colgado estos letreros.

Señaló el tablón de anuncios, en el que efectivamente había colgado una lista de los libros y las prendas de ropa que le faltaban, y pedía que se los devolvieran.

Harry tuvo una extraña sensación, una emoción que no se parecía en nada ni a la ira ni al dolor que lo embargaban desde la muerte de Sirius. Tardó unos instantes en darse cuenta de que sentía lástima de Luna.

—¿Por qué esconde la gente tus cosas? —inquirió frunciendo el entrecejo.

—Bueno... —repuso Luna con indiferencia—. Supongo que me consideran un poco rara, ¿sabes? Hay algunos que hasta me llaman Lunática Lovegood.

Harry la miró, y aquel nuevo sentimiento de compasión se intensificó dolorosamente.

—Eso no justifica que te quiten las cosas —dijo con sencillez—. ¿Quieres que te ayude a buscarlas?

—No, no —respondió ella, sonriente—. Ya aparecerán, al final siempre aparecen. Lo que pasa es que quería hacer el equipaje esta noche. En fin... ¿Y tú por qué no estás en el banquete?

Harry se encogió de hombros.

—No me apetecía ir.

—Ah —dijo Luna observándolo con aquellos ojos protuberantes y de mirada extrañamente brumosa—. Ya me imagino. Ese hombre al que mataron los mortífagos era tu padrino, ¿verdad? Ginny me lo contó.

Harry se limitó a asentir con la cabeza, pero se dio cuenta de que por algún curioso motivo no le molestaba que Luna hablara de Sirius. Acababa de recordar que ella también podía ver a los thestrals.

—¿Tú has...? —empezó Harry—. Quiero decir... ¿Quién...? ¿Se te ha muerto alguien?

—Sí —contestó Luna con naturalidad—, mi madre. Era una bruja extraordinaria, ¿sabes?, pero le gustaba mucho experimentar, y un día uno de los hechizos le salió mal. Yo tenía nueve años.

—Lo siento —murmuró Harry.

—Sí, fue terrible —continuó Luna con desenvoltura—. A veces todavía me pongo muy triste cuando pienso en ella. Pero me queda mi padre. Además, no es que nunca más vaya a volver a ver a mi madre, ¿no?

—¿Ah, no? —dijo Harry, desconcertado.

Luna movió la cabeza, incrédula.

—Vamos, Harry. Tú también los oíste, detrás del velo, ¿no?

—¿Te refieres...?

Harry y Luna se miraron. Una débil sonrisa asomaba a los labios de Luna. Harry no sabía qué decir ni qué pensar; Luna creía en tantas cosas extraordinarias... Y, sin embargo, él también estaba seguro de haber oído voces al otro lado del velo.

—¿Seguro que no quieres que te ayude a buscar tus cosas? —insistió.

—No, no —dijo Luna—. Creo que bajaré a comer un poco de pudín y esperaré a que aparezcan... Siempre acabo encontrándolo todo... Bueno, felices vacaciones, Harry.

—Gracias, lo mismo digo —repuso él.

Luna echó a andar por el pasillo, y mientras la veía alejarse, Harry se dio cuenta de que el terrible peso que notaba en el estómago se había aligerado un poco.

• • •

Al día siguiente, el viaje de vuelta a casa en el expreso de Hogwarts estuvo lleno de incidentes de todo tipo. En primer lugar, Malfoy, Crabbe y Goyle, que llevaban toda aquella semana esperando la oportunidad de atacar sin que los viera ningún profesor, intentaron tenderle una emboscada a Harry en el pasillo cuando regresaba del baño. El ataque habría podido tener éxito de no ser porque, sin darse cuenta, decidieron realizarlo justo delante de un compartimento repleto de miembros del ED, que vieron lo que estaba pasando a través del cristal y se levantaron a la vez para correr en ayuda de Harry. Cuando Ernie Macmillan, Hannah Abbott, Susan Bones, Justin Finch-Fletchley, Anthony Goldstein y Terry Boot terminaron de hacer una amplia variedad de embrujos y maleficios que Harry les había enseñado, Malfoy, Crabbe y Goyle quedaron convertidos en tres gigantescas babosas apretujadas en el uniforme de Hogwarts, y Harry, Ernie y Justin los subieron a la rejilla portaequipajes y los dejaron allí colgados.

—Les aseguro que estoy impaciente por ver la cara de la madre de Malfoy cuando su hijo se baje del tren —comentó Ernie con cierta satisfacción mientras observaba a Malfoy, que se retorcía en la rejilla. Ernie aún no había superado por completo la humillación de que Malfoy le descontara puntos a Hufflepuff durante su breve periodo como miembro de la Brigada Inquisitorial.

—En cambio, la madre de Goyle se llevará una gran alegría —terció Ron, que había ido a investigar el origen del alboroto—. Ahora está mucho más guapo... Oye, Harry, el carrito de la comida acaba de parar en nuestro compartimento. Si quieres algo...

Harry dio las gracias a todos y acompañó a Ron a su compartimento, donde compró un enorme montón de pasteles en forma de caldero y empanadas de calabaza. Hermione estaba leyendo *El Profeta* otra vez, Ginny hacía un crucigrama de *El Quisquilloso* y Neville acariciaba su *Mimbulus mimbletonia*, que había crecido mucho en un año y emitía un extraño canturreo cuando la tocaban.

Harry y Ron se entretuvieron casi todo el trayecto jugando al ajedrez mágico mientras Hermione leía en voz alta fragmentos de *El Profeta*. El periódico estaba saturado de artículos sobre cómo repeler a los dementores y sobre los intentos del Ministerio de localizar a los mortífagos, y de cartas histéricas en las que los lectores aseguraban que habían visto a lord Voldemort pasar por delante de su casa aquella misma mañana.

—Esto todavía no ha empezado —comentó Hermione suspirando con pesimismo, y volvió a doblar el periódico—. Pero no tardará mucho...

—Eh, Harry —dijo Ron en voz baja, y señaló con la cabeza hacia el pasillo.

Harry miró a través del cristal y vio pasar a Cho acompañada de Marietta Edgecombe, que llevaba puesto un pasamontañas. Su mirada y la de Cho se cruzaron un momento. Cho se ruborizó y siguió andando. Harry dirigió de nuevo la vista hacia el tablero de ajedrez justo a tiempo para ver cómo uno de sus peones huía de su casilla, perseguido por un caballo de Ron.

—¿Qué tal les va a ustedes dos, por cierto? —preguntó Ron.

—No nos va —contestó Harry con franqueza.

—He oído decir... que ahora sale con otro —comentó Hermione, vacilante.

A Harry le sorprendió comprobar que aquella revelación no lo afectaba en absoluto. Ya no le interesaba impresionar a Cho; esas intenciones pertenecían a un pasado del que Harry se sentía muy lejano, como de muchas cosas que había deseado antes de la muerte de Sirius. La semana que había transcurrido desde que vio por última vez a su padrino se le había hecho eterna; era un periodo que separaba dos universos: uno en el que estaba Sirius y otro en el que no estaba.

—Mejor para ti, Harry —afirmó Ron con convicción—. Mira, es muy guapa y todo eso, pero tú te mereces a alguien más alegre.

—Seguramente con otro ella estará también mucho más alegre —repuso Harry encogiéndose de hombros.

—¿Con quién sale ahora, por cierto? —le preguntó Ron a Hermione, pero fue Ginny quien contestó.

—Con Michael Corner.

—¿Con Michael...? Pero... —balbuceó Ron estirando el cuello y girando la cabeza para mirar a su hermana—. ¡Pero si tú sales con él!

—Ya no —aclaró Ginny con resolución—. No le gustó que Gryffindor ganara aquel partido de quidditch contra Ravenclaw y estaba muy malhumorado, así que lo planté y él corrió a consolar a Cho —añadió, y se rascó distraídamente la nariz con la punta de la pluma, colocó *El Quisquilloso* del revés y empezó a anotar las respuestas. Ron se puso contentísimo.

—Bueno, siempre me pareció un poco idiota —aseguró, y empujó su reina hacia la temblorosa torre de Harry—. Bien hecho, Ginny. La próxima vez a ver si eliges a alguien mejor.

Y al decir eso, lanzó una furtiva y extraña mirada a Harry.

—Pues mira, he elegido a Dean Thomas, ¿qué te parece? —contestó Ginny vagamente.

—¿CÓMO? —gritó Ron al tiempo que tiraba el tablero de ajedrez. *Crookshanks* salió disparado detrás de las piezas y *Hedwig* y *Pigwidgeon* se pusieron a gorjear y a ulular, muy enojados.

Cuando el tren empezó a reducir la velocidad al aproximarse a la estación de King's Cross, Harry pensó que nunca había lamentado tanto que llegara ese momento. Hasta se preguntó qué pasaría si se negaba a apearse y seguía tercamente allí sentado hasta el uno de septiembre, fecha en que regresaría a Hogwarts. Sin embargo, cuando por fin el tren se detuvo resoplando, Harry tomó la jaula de *Hedwig* y se preparó para bajar el baúl, como siempre.

Pero cuando el revisor indicó a Harry, Ron y Hermione que ya podían atravesar la barrera mágica que había entre el andén número nueve y el número diez, Harry se llevó una sorpresa: al otro lado había un grupo de gente esperándolo para recibirlo.

Allí estaba *Ojoloco* Moody, que ofrecía un aspecto tan siniestro con el bombín calado para tapar su ojo mágico como lo habría ofrecido sin él; sostenía un largo bastón en las nudosas manos e iba envuelto en una voluminosa capa de viaje.

Tonks se encontraba detrás de Moody; llevaba unos vaqueros muy remendados y una camiseta de un vivo color morado con la leyenda «Las Brujas de Macbeth», y el pelo, de color rosa chicle, le relucía bajo la luz del sol, que se filtraba a través del sucio cristal del techo de la estación. Junto a Tonks estaba Lupin, con su habitual rostro pálido y su cabello entrecano, que llevaba un largo y raído abrigo sobre un suéter y unos pantalones andrajosos. Delante del grupo se hallaban el señor y la señora Weasley, ataviados con sus mejores galas muggles, y Fred y George, que lucían sendas chaquetas nuevas de una tela verde con escamas muy llamativa.

—¡Ron, Ginny! —gritó la señora Weasley mientras corría a abrazar a sus hijos—. ¡Y tú, Harry, querido! ¿Cómo estás?

—Bien —mintió él mientras ella lo abrazaba con todas sus fuerzas. Por encima del hombro de la señora Weasley, Harry vio que Ron miraba con los ojos como platos la ropa nueva de los gemelos.

—¿Qué es eso? —preguntó señalando las llamativas chaquetas.

—Piel de dragón de la mejor calidad, hermanito —respondió Fred, y tiró un poco de su cremallera—. El negocio funciona de maravilla, y nos pareció que nos merecíamos un premio.

—¡Hola, Harry! —dijo Lupin cuando la señora Weasley soltó al muchacho y fue a saludar a Hermione.

—¡Hola! —contestó él—. No esperaba... ¿Qué hacen ustedes aquí?

—Bueno —respondió Lupin sonriendo—, hemos creído oportuno decirles un par de cosas a tus tíos antes de que te lleven a casa.

—No sé si será buena idea —comentó Harry de inmediato.

—Ya lo creo que lo es —gruñó Moody, que se había acercado renqueando—. Son ésos, ¿verdad, Potter?

Señaló con el pulgar por encima de su hombro; estaba mirando con su ojo mágico a través de la parte de atrás de su cabeza y del bombín. Harry se inclinó un poco a la izquierda para ver hacia dónde apuntaba Ojoloco y, en efecto, allí estaban los tres Dursley, asombradísimos ante el comité de bienvenida de Harry.

—¡Ah, Harry! —exclamó el señor Weasley, y se separó de los padres de Hermione, a los que acababa de saludar con entusiasmo y que en ese momento abrazaban a su hija—. Bueno, ¿vamos allá?

—Sí, Arthur, creo que sí —afirmó Moody.

Moody y el señor Weasley se pusieron en cabeza y guiaron a los demás hacia los Dursley, que parecían clavados en el suelo. Hermione se separó con delicadeza de su madre y fue a unirse al grupo.

—Buenas tardes —dijo el señor Weasley educadamente a tío Vernon cuando se paró justo delante de él—. No sé si se acordará de mí, me llamo Arthur Weasley.

Teniendo en cuenta que dos años antes el señor Weasley había demolido sin ayuda de nadie el salón de los Dursley, a Harry le habría sorprendido mucho que su tío se hubiera olvidado de él. En efecto, tío Vernon se puso de un color morado aún más intenso y miró con odio al señor Weasley, pero decidió no decir nada, en parte, quizá, porque los otros los doblaban en número. Tía Petunia parecía asustada y abochornada; no paraba de mirar a su alrededor, como si la aterrara pensar que alguien pudiera verla en semejante compañía. Dudley, por su parte, intentaba hacerse pequeño e insignificante, una hazaña en la que fracasaba estrepitosamente.

—Sólo queríamos decirles un par de cosas con respecto a Harry —prosiguió el señor Weasley sin dejar de sonreír.

—Sí —gruñó Moody—. Y del trato que queremos que reciba mientras esté en su casa.

A tío Vernon se le erizaron los pelos del bigote de indignación. Se dirigió a Moody, seguramente porque el bombín le había causado la errónea impresión de que ese personaje era el que más se parecía a él.

—Que yo sepa, lo que ocurra en mi casa no es de su incumbencia...

—Mire, sobre lo que usted no sabe podrían escribirse varios libros, Dursley —gruñó Moody.

—Bueno, no es de eso de lo que se trata —intervino Tonks, cuyo pelo de color rosa parecía ofender a tía Petunia más que cualquier otra cosa, porque cerró los ojos para no verla—. De lo que se trata es de que si nos enteramos de que han sido desagradables con Harry...

—... y no duden de que nos enteraríamos... —añadió Lupin con amabilidad.

—Sí —terció el señor Weasley—, aunque no permitan a Harry utilizar el felétono...

—Teléfono —le susurró Hermione.

—Si tenemos la más ligera sospecha de que Potter ha sido objeto de cualquier tipo de malos tratos, tendrán que responder ante nosotros —concluyó Moody.

Tío Vernon se infló de forma alarmante. Su orgullo era aún mayor que el miedo que le inspiraba aquella pandilla de bichos raros.

—¿Me está amenazando, señor? —preguntó en voz tan alta que varias personas que pasaban por allí se volvieron y se quedaron mirándolo.

—Sí —contestó Ojoloco, que se mostraba muy contento por el hecho de que tío Vernon hubiera captado el mensaje tan deprisa.

—¿Y diría usted que parezco de esa clase de hombres que se dejan intimidar? —le espetó tío Vernon.

—Bueno... —respondió Moody echándose el bombín hacia atrás para dejar al descubierto su ojo mágico, que giraba de un modo siniestro. Tío Vernon retrocedió, horrorizado, y chocó aparatosamente contra un carrito de equipajes—. Sí, yo diría que sí, Dursley. —Después se volvió hacia Harry y añadió—: Bueno, Potter, si nos necesitas, péganos un grito. Si no tenemos noticias tuyas durante tres días seguidos, enviaremos a alguien a... —Tía Petunia se puso a gimotear lastimeramente. Era evidente que estaba pensando en lo que dirían los vecinos si veían a aquellas personas desfilando por el camino de su jardín—. Adiós, Potter —se despidió Moody, y agarró brevemente a Harry por el hombro con su huesuda mano.

—Cuídate, Harry —dijo Lupin con voz queda—. Estaremos en contacto.

—Harry, te sacaremos de allí en cuanto podamos —le susurró la señora Weasley, y volvió a abrazarlo.

—Nos veremos pronto, compañero —murmuró Ron, nervioso, estrechándole la mano a su amigo.

—Muy pronto, Harry —aseguró Hermione con seriedad—. Te lo prometemos.

Harry asintió con la cabeza. No encontraba palabras para explicarles lo que significaba para él verlos a todos allí en fila, expresándole su apoyo. Así que sonrió, levantó una mano para decir adiós, se dio la vuelta y echó a andar hacia la soleada calle mientras tío Vernon, tía Petunia y Dudley corrían tras él.